Robert Parker

Guide PARKER *des vins de* France

NOUVELLE ÉDITION

SOLAR

Du même auteur :
LES VINS DE BOURGOGNE ET DU BEAUJOLAIS
(Éditions Solar, 1993, 1994 - épuisé)
LES VINS DE BORDEAUX
(Éditions Solar, 1993, 1994)

Titre original de cet ouvrage
PARKER'S WINE BUYER'S GUIDE

Traduction-adaptation : Hanna Agostini
Cartographie : Jeanyee Wong
Dessins : Christopher Wormell

© 1995, Robert M. Parker, Jr., pour l'édition originale
© 1997, Éditions Solar, Paris, pour la version française

ISBN : 2-263-02550-2
Code éditeur : S02550
Dépôt légal : septembre 1997

Photocomposition : Nord Compo, Villeneuve-d'Ascq

Avertissement de l'éditeur

Sans la liberté de blâmer,
il n'est point d'éloge flatteur
(Beaumarchais)

Note générale

Les vins commentés dans cet ouvrage ont tous été, sans exception, goûtés personnellement par Robert Parker. Dans un souci d'objectivité et de professionnalisme, ils font tous, autant que possible, l'objet de plusieurs dégustations consécutives, à l'aveugle, sans que soit connu le nom des producteurs, et sont testés parmi des vins de niveau équivalent. La note attribuée reflète les qualités spécifiques d'un vin à son meilleur niveau. La cotation du producteur ou de la propriété tient compte de la moyenne des notes attribuées à ses vins.

Toutefois, dans certaines circonstances particulières, comme dans le cadre de dégustations effectuées sous l'égide d'organisations professionnelles, ou de dégustations à la propriété de grands crus limitant l'offre d'échantillons (la dégustation n'est alors pas à l'aveugle), ou enfin de dégustations de vieux millésimes ou de bouteilles rares, il peut arriver que les vins ne soient goûtés qu'une seule fois. Dans ce cas, leur cotation et celle du producteur ou de la propriété sont évidemment le résultat de cette unique dégustation.

Les commentaires contenus dans cet ouvrage sont faits dans un esprit de totale indépendance. Ils ne reflètent que l'opinion personnelle de leur auteur et sont émis dans les optiques morale et légale induites par la législation relative à la liberté de pensée et d'expression, principes constitutionnellement consacrés par toute société libérale. Cela comprend également, dans l'acception la plus large du terme, le « droit de critique » reconnu aux auteurs et aux journalistes.

S'il s'efforce de donner le maximum de détails sur les régions viticoles, les vignobles et leurs produits, il arrive que l'auteur ne puisse divulguer des éléments à caractère confidentiel ou qu'il ne puisse obvier à la rétention d'informations par ses interlocuteurs.

Depuis près de vingt ans maintenant, Robert Parker donne sans aucun parti pris des informations fiables et indépendantes sur les vins. Son cheval de bataille demeure la protection des droits du consommateur, et le but qu'il poursuit inlassablement est justement la dénonciation de négligences et de pratiques abusives ayant pour conséquence la présentation aux consommateurs de vins décevants, de mauvaise qualité ou endommagés.

Il va sans dire que Robert Parker n'a aucun intérêt direct ou indirect dans la production, l'importation ou la distribution de vins aux États-Unis ou ailleurs, si ce n'est dans un domaine de l'Oregon qui n'est jamais l'objet de ses cotations, pour des raisons évidentes de déontologie.

A propos du présent ouvrage

Certains lecteurs de ce livre sont aussi des familiers des publications américaines de Robert Parker, qu'il s'agisse du *Parker's Wine Buyer's Guide* ou de la revue *The Wine Advocate*. Ils pourront déceler des différences, parfois notables, entre ces éditions et ce *Guide Parker des vins de France*, tant pour ce qui est du nombre d'étoiles attribué aux producteurs qu'en ce qui concerne les notes ou les commentaires dont les vins font l'objet.

L'éditeur tient à préciser que, quelle que soit leur ampleur – notamment pour le millésime 1993 en Bordelais –, ces variations sont toutes du fait de l'auteur, dûment vérifiées et confirmées, ne relevant que de son seul jugement. C'est là toute la valeur d'un critique de son envergure : l'honnêteté et la responsabilité seules le guident, fût-il nécessaire, parfois, de revenir sur ses propres appréciations et de convenir qu'il a pu méjuger un vin – ou le surestimer.

Par ailleurs, on ne trouvera pas, dans cette édition, de texte concernant le Jura et la Savoie. D'aucuns pourraient s'en étonner. Une fois encore, c'est le seul souci de rigueur de l'auteur qui en est la cause : il n'a pas eu, récemment, l'occasion de goûter ces vins et ne juge donc pas utile de republier des textes non actualisés.

Dernier point : les prix donnés ne le sont qu'à titre indicatif et ne sauraient engager la responsabilité de l'auteur ou de l'éditeur.

REMERCIEMENTS

Je tiens à remercier, à des titres divers, les personnes suivantes : Hanna, Johanna et Éric Agostini, Jean-Michel Arcaute, Jim Arsenault, Ruth et Bruce Bassin, Jean-Claude Berrouet, Michel Bettane, Bill Blatch, Jean-Marc Blum, Monique et Jean-Eugène Borie, Cail Bradney, Christopher Cannan, Dick Carretta, Corinne Cesano, Bob Cline, Annette Corkey, Jean Delmas, Michael Dresser, Stanley Dry, Leslie Ellen, Michael Etzel, Paul Evans, Terry Faughey, Joel Fleischman, Maryse Fragnaud, Laurence et Bernard Godec, Dan Green, Philipp Guyonnet-Duperat, Josué Harari, Alexandra Harding, Brenda Hayes, Tom Hurst, Barbara G. et Steve R. R. Jacoby, Jean-Paul Jauffret, Nathaniel, Archie et Denis Johnston, J. P. Jones, Ed Jonna, Allen Krasner, Françoise Laboute, Dominique Lafon, Daniel Lawton, Susan et Bob Lescher, Eve et Frank Metz, Jay Miller, François et Gilbert Mitterrand, Kishin Moorjani, Christian, Jean-François et Jean-Pierre Moueix, Mitchell Nathanson, Bernard Nicolas, Jill Norman, Les Oenarchs (Bordeaux), Les Oenarchs (Baltimore), Daniel Oliveros, Bob Orenstein, Joan Passman, Allen Peacock, Frank Polk, Bruno Prats, Nicolas de Rabaudy, Martha Reddington, Dominique Renard, le Dr Alain Raynaud, Dany et Michel Rolland, Tom Ryder, Ed Sands, Érik Samazeuilh, Bob Schindler, Jay Schweitzer, Ernie Singer, Jeff Sokolin, Elliott Staren, Peter Vezan, Jean-Claude Vrinat, Karen et Joseph Weinstock, Jeanyee Wong, Robin Zarensky, Murray Zeligman.

Je me dois de remercier tout spécialement Laurence et Bernard Godec, des Éditions Solar : Américain amoureux fou de la France, de son peuple, de sa culture, de son histoire, de son âme, j'éprouve une joie immense à voir mes ouvrages traduits et publiés dans ce beau pays, où les gens m'ont tant appris.

Les mots me manquent pour exprimer ma gratitude à Hanna Agostini. Elle avait la charge de traduire ce livre, mais elle a également vérifié les nombreuses données qu'il contient. Il n'aurait sans doute jamais vu le jour sans sa collaboration, sans son talent, et il serait juste que je partage avec elle tout crédit qui pourrait m'être accordé pour cet ouvrage.

À Pat,
à Maia,
à ma mère et à mon père

SOMMAIRE

COMMENT UTILISER CE LIVRE

Ce livre a pour but de vous informer et de vous guider dans vos achats, mais il ne contient pas une liste exhaustive des viticulteurs et des producteurs. Il vise à vous donner les meilleurs renseignements, à vous révéler les petits et les grands secrets des initiés qui vous permettront d'acheter judicieusement et en toute confiance les vins qui vous plaisent, sans craindre ni déceptions ni bévues. Les meilleurs producteurs, les plus réputés aussi (ce n'est pas nécessairement un gage de qualité) des diverses régions viticoles de France sont passés en revue, ainsi que les vins disponibles sur le marché. Même si vous ne pouvez y trouver un millésime particulier d'un cru spécifique, vous disposerez de données qui vous permettront de choisir les meilleurs producteurs dans les meilleures appellations. Et, à moins qu'il ne s'agisse d'une année particulièrement médiocre, vous pourrez acheter en toute confiance chez les producteurs qui sont ici qualifiés de remarquables et d'exceptionnels, et que je considère comme figurant parmi les meilleurs du monde. Le goût est avant tout subjectif, mais j'ai fait de mon mieux pour que cet ouvrage soit le plus impartial et le plus complet possible...

Organisation

Pour chaque région viticole, vous trouverez les points suivants :
– une vue d'ensemble de la région ;
– une stratégie d'achat pour les millésimes les plus récents ;
– une présentation des différents millésimes et leur analyse ;
– la liste des meilleurs viticulteurs et producteurs de la région ;
– les commentaires de dégustation, une évaluation (par un barème de notation) de chaque vin et l'indication du prix de vente moyen pour une bouteille de 75 cl (voir en page 13, la description du code utilisé).

Appréciation des producteurs et des viticulteurs

Il faut de nombreuses années de dégustation et de visites systématiques des vignobles et des caves pour apprendre à vraiment connaître les producteurs et les viticulteurs, et pour estimer chacun selon ses mérites. Les très grands sont malheureusement encore assez rares, mais les progrès des connaissances et des techniques permettent aujourd'hui la production de vins de meilleure qualité. Dans cet ouvrage, les producteurs se voient attribuer des étoiles, avec un maximum de cinq pour les plus remarquables, les excellents en ayant quatre, les bons trois et les moyens deux. L'objet de cet ouvrage étant de permettre au lecteur de découvrir les meilleurs producteurs, l'accent est évidemment mis sur ces derniers.

Les rares producteurs et vignerons auxquels j'attribue cinq étoiles produisent des vins qui figurent parmi les meilleurs du monde. Leur classement tient compte à la fois de l'excellence de leur production et de leur régularité, surtout dans les années difficiles ou médiocres. Il est certain que tout classement et toute notation entraînent des controverses, que ce soit parmi les professionnels jugés ou parmi les dégustateurs. Cependant, ils deviennent une précieuse référence s'ils sont établis de manière impartiale et s'ils traduisent une vue d'ensemble et une connaissance directe, acquise sur le terrain, des vins et des producteurs, ainsi que des styles et de la qualité de leur vinification. Le lecteur se souviendra qu'il doit rechercher essentiellement les producteurs ou viticulteurs dont le nom est suivi de quatre ou cinq étoiles – ainsi, il ne sera pas déçu. Le niveau « trois étoiles » est évidemment inférieur, mais on peut en attendre de bons vins quand l'année est bonne ou exceptionnelle. Ce classement inférieur est dû soit à la situation légèrement moins favorable des terroirs exploités, soit au fait que, pour certaines raisons, et notamment financières, les producteurs ne peuvent opérer une sélection suffisamment sévère – qui seule assure l'élaboration d'un grand vin.

Un des aspects majeurs de cet ouvrage est l'appréciation des qualités des vignerons et des producteurs. J'arrive maintenant, après des années de dégustation et de fréquentation des diverses régions viticoles, à mieux cerner ceux, peu nombreux, qui semblent se hisser au-dessus de la mêlée, dans les grands comme dans les petits millésimes. Je rappelle toujours au consommateur qu'il ne faut en aucune façon se fier aveuglément à un producteur ou à un millésime particulier. Néanmoins, les cinq ou quatre étoiles offrent la garantie de qualité que vous êtes en droit d'attendre.

Les millésimes

On crie chaque année au millésime du siècle, mais il y a peu de chances que, pour une année donnée, la qualité soit uniformément de haut niveau dans toutes les régions viticoles. Cela s'explique par les différences de microclimats, par la diversité des sols et par bien d'autres facteurs encore qui varient d'une région à l'autre. On croit souvent, parce que Bordeaux a produit de grands millésimes en 1982, 1989 et 1990, qu'il en va de même pour les autres zones de production. Ce n'est pourtant pas la réalité, surtout pour les 1982. Malheureusement, il semble bien que ce soit le Bordelais qui donne le ton, et c'est regrettable puisqu'un mauvais millésime pour cette prestigieuse région peut être d'excellente tenue dans la vallée du Rhône, en Alsace ou en Champagne. C'est pour cette raison que le présent ouvrage passe en revue tous les millésimes pour chaque région décrite, puisqu'ils sont tous différents en termes à la fois de qualité et de quantité. Ne pensez jamais qu'un millésime est uniformément grand ou médiocre. Je ne connais aucune année où cela ait été le cas.

Mon barème de notation

Autant que faire se peut, mes dégustations se font à l'aveugle ; les vins sont évalués par rapport à leurs pairs sans que j'en connaisse le nom des producteurs. Mes appréciations sont personnelles et totalement indépendantes, et le prix ou la réputation du vinificateur ne m'influencent aucunement. Je passe trois mois par an à déguster en propriété et je consacre le reste du temps (parfois sept jours par semaine) à déguster et à écrire. Je m'abstiens de participer aux dégustations commerciales comme de faire partie de jurys pour de multiples raisons, dont voici les quatre principales : (1) je préfère goûter sur-le-champ une bouteille ouverte tout spécialement ; (2) je pense essentiel de disposer de verres adéquats qui ont été lavés dans les conditions requises ; (3) je souhaite une température idéale pour les vins ; (4) je tiens à décider moi-même du temps qui m'est nécessaire pour bien goûter les vins.

La note attribuée correspond à mon appréciation d'un vin par rapport à ses pairs. Les vins notés plus de 85 sont bons ou excellents, et ceux qui obtiennent une note supérieure à 90 sont exceptionnels dans leur catégorie. D'aucuns prétendent qu'il n'est guère convenable d'attribuer une note à une boisson de si haute noblesse, mais le vin n'en demeure pas moins un produit de consommation comme les autres. Il existe des critères de qualité spécifiques établis par les professionnels, et certains vins constituent des étalons (références permettant de juger les autres). Tout un chacun devant qui l'on place trois ou quatre vins différents, quel que soit leur niveau de qualité, dira : « C'est celui-ci que je préfère. » L'attribution d'une note à un vin suit le même processus. Il suffit d'appliquer les critères des professionnels en adoptant un système de notation fondé sur des éléments intangibles. Cette pratique permet de se faire comprendre immédiatement des experts comme des novices.

La note attribuée reflète les qualités spécifiques d'un vin à son meilleur niveau. Je dis souvent qu'évaluer un vin et attribuer une note à une boisson comme celle-ci, qui va évoluer en profondeur pendant dix ans ou plus, ressemble à un photographe qui tente de figer sur la pellicule un coureur de marathon. Si l'instantané permet d'imaginer les choses, il ne rend pas compte du changement et de l'évolution qui se produiront. J'essaie de regoûter les vins défectueux ou bouchonnés, car une mauvaise bouteille ne signifie pas forcément qu'un lot tout entier soit abîmé. Toutefois, s'il m'est impossible de me procurer d'autres bouteilles, je réserve mon appréciation. La plupart des vins que j'évalue ont été dégustés plusieurs fois, et la note finale reflète la moyenne des notes qui leur ont été attribuées lors des dégustations successives.

Ajoutons encore que la seule attribution d'une note ne saurait tout dire d'un vin donné. En effet, les commentaires de dégustation décrivent la personnalité et le style du vin, situent son niveau de qualité et sa valeur par rapport à ses pairs et définissent son potentiel de garde de manière infiniment plus explicite qu'une donnée numérique.

Voici le détail du barème que j'utilise :

90-100 Les vins ainsi notés sont les meilleurs dans leur catégorie. Il y a certes une grande différence entre ceux notés 90 et ceux notés 99, mais tous sont d'excellents vins. Vous constaterez que cette élite est peu nombreuse, tout simplement parce que les vins vraiment grandioses ne sont pas légion.

80-89 Ces vins sont en principe très bons, surtout ceux qui sont notés entre 85 et 89. Ils sont aussi les plus intéressants du point de vue du rapport qualité/prix. J'en ai plusieurs dans ma cave personnelle.

70-79 Ces vins sont de niveau moyen – le 79 étant évidemment nettement supérieur au 70. Les vins notés entre 75 et 79 sont généralement francs et plaisants, mais manquent simplement d'un peu de complexité, de caractère ou de profondeur. Lorsque leur prix n'est pas trop élevé, ils peuvent être intéressants pour l'amateur moyen.

Moins de 70 On est en dessous de la moyenne. Ceux qui sont allés à l'école me comprendront. En général, ces vins manquent d'équilibre, sont défectueux, ternes et aqueux, et ne présentent aucun intérêt pour l'amateur averti.

Avec ce barème de notation, un vin n'est en fait évalué que sur une base de 50 points.

La couleur et l'apparence comptent pour 5 points. Puisque, aujourd'hui, la plupart des vins sont bien vinifiés, grâce aux techniques modernes et à l'intervention accrue des œnologues, la plupart obtiennent 4 ou même 5 points. Le bouquet compte pour 15 points, en fonction de l'intensité et de la précision des arômes, et du caractère plus ou moins franc du nez. Les sensations et la finale en bouche comptent pour 20 points. Là encore, ce sont l'intensité des saveurs, l'équilibre, la pureté ainsi que la profondeur et la persistance en bouche qui déterminent ma décision. Enfin, l'impression d'ensemble, l'aptitude au bon vieillissement comptent pour les 10 points restants.

Les notes sont importantes, car elles permettent au lecteur de juger de la manière dont un critique professionnel classe un vin parmi ses pairs. Toutefois, il est également primordial de tenir compte des commentaires de dégustation, qui décrivent le style, la personnalité et le potentiel de garde d'un vin donné. Aucun système de notation n'est parfait, mais celui qui offre suffisamment de souplesse et est appliqué sans préjugé par un dégustateur expérimenté permet à l'amateur de se faire une idée de la qualité réelle d'un vin par rapport aux autres et lui offre une mine d'informations sûres et indépendantes cautionnées par un professionnel. Cependant, rien ne saurait remplacer l'expérience personnelle, la meilleure formation consistant à déguster soi-même les vins.

Codification du prix de vente moyen	
A : moins de 60 F	D : 130-200 F
B : 60-80 F	E : 200-400 F
C : 80-130 F	EE : 400-600 F
	EEE : au-dessus de 600 F

Le rôle du critique de vins

« Chaque individu doit se soumettre à une période d'apprentissage dans tout métier, sauf dans le domaine de la critique ; les critiques sont toujours déjà formés », écrivait lord Byron.

On dit assez souvent que quiconque disposant d'une plume, d'un carnet et de quelques bonnes bouteilles peut s'improviser critique de vins. Et c'est justement ainsi que j'ai débuté vers la fin de l'été 1978, lorsque j'ai distribué gratuitement des exemplaires de ce qui était alors le *Baltimore/Washington Wine Advocate.*

Deux considérations majeures ont façonné ma conception des responsabilités que doit assumer un critique de vins. J'étais alors – je le suis toujours – fortement influencé par la philosophie d'indépendance prônée par l'illustre défenseur des consommateurs américains, Ralph Nader. J'ai aussi été marqué de manière indélébile par mes professeurs de l'École de droit, qui, dans le sillage de l'affaire Watergate, s'efforçaient d'inculquer à leurs étudiants une définition élargie du concept de conflit d'intérêts. Ces deux facteurs ont déterminé le but et constitué l'âme de mon bulletin bimestriel *The Wine Advocate.*

Bref, le rôle du critique est de prononcer des jugements fiables. Ces derniers doivent reposer sur une vaste expérience et sur une sensibilité bien affinée à l'égard de la matière qui fait l'objet de son appréciation. Concrètement, cela signifie que le critique doit répondre aux critères suivants.

L'indépendance : il est impérieux pour un critique d'assumer personnellement ses frais. Il ne doit jamais accepter, où que ce soit, l'hospitalité gratuite sous forme de billets d'avion, de chambres d'hôtel, de pension, etc. Et *quid* des échantillons ? J'achète plus de 75 % des vins que je goûte et, quoique je n'en aie jamais demandé, je ne pense pas qu'il soit contraire à l'éthique d'accepter des échantillons non sollicités me parvenant à mon bureau. Nombreux sont les critiques qui estiment que de telles faveurs n'influencent pas leur opinion. Cependant, qui – et ce, quelle que soit sa profession – est disposé à mordre la main qui le nourrit ? Bien qu'il soit important de maintenir des relations professionnelles avec le négoce, je pense que l'attitude d'indépendance exigée d'un défenseur des consommateurs débouche souvent – cela ne surprendra personne – sur une relation conflictuelle avec ce milieu. Il ne saurait en être autrement. Si l'on veut suivre rigoureusement cette voie d'indépendance, il est absolument nécessaire de garder ses distances avec le monde du commerce viticole. Cette réserve peut être interprétée comme une mise à l'écart délibérée, mais une telle indépendance garantit des commentaires peut-être sévères, mais toujours francs et impartiaux.

Le courage : le courage se manifeste lors de ce que j'appellerai la « dégustation démocratique ». Le jugement doit se faire uniquement sur la base de ce que contient la bouteille et non en fonction du « pedigree » du vin, de son prix, de sa rareté ou du fait que l'on aime ou non le producteur. Le critique qui fait montre d'une franchise totale peut être considéré comme dangereux par le reste de la profession, mais une opinion émise en toute liberté et en toute indépendance est capitale pour le consommateur. La qualité d'un vin se juge uniquement à partir du contenu de la bouteille. Seul un tel jugement constitue la critique dans son expression la plus pure, la plus significative.

Lors d'une dégustation, une bouteille d'un petit château de Pauillac qui vaut 50 F devrait avoir autant de chances qu'un Lafite-Rothschild ou un Latour à 300 F. Les vins qui dépassent les normes d'excellence doivent être identifiés et vantés. Leurs noms doivent être mis en évidence et communiqués au public. Les vins de qualité inférieure doivent, en revanche, être stigmatisés par une critique sévère et appelés à répondre de leur médiocrité.

On arrive difficilement à se faire des amis dans le commerce du vin avec des commentaires audacieux et irrévérencieux, mais les acheteurs ont droit à de telles informations lorsqu'elles sont justifiées. Quand un critique émet un jugement en se fondant sur les convictions des autres, sur la réputation d'un vin ou sur son prix, ou encore sur ses potentialités théoriques, alors la critique n'est rien d'autre que du bluff.

L'expérience : il est essentiel de déguster une gamme de vins aussi complète que possible afin d'en identifier la spécificité et de se familiariser avec les normes qui régissent leur élaboration à travers le monde. C'est l'aspect du métier de critique qui prend le plus de temps et qui se révèle aussi le plus coûteux, mais c'est également celui qui procure le plus de satisfaction. Malheureusement, cette pratique est rare. Le plus souvent, on assiste à des dégustations officielles de dix ou douze vins provenant d'une région ou d'un terroir spécifique. Le critique fera ensuite part de son appréciation générale sur la région en question uniquement sur la base d'un échantillonnage très restreint. Ce procédé lamentable témoigne d'une absence totale de conscience professionnelle. Il est essentiel pour le critique de procéder à une dégustation sur un éventail aussi large que possible. Cela implique que cette dégustation comprenne tous les vins, même ceux de moindre importance, qui sont produits dans une région ou sur un terroir donné, pour en tirer des conclusions qualitatives. Si les critiques de vins veulent être de vrais professionnels, il faut qu'ils y travaillent réellement à plein temps, et non qu'ils se contentent de « gambader » en dilettantes dans un secteur complexe qui exige un engagement de tous les instants. La connaissance du vin et des millésimes, comme bien d'autres choses dans la vie, ne peut être réduite à une question qui n'appellerait que des réponses catégoriques dans un sens ou dans un autre.

Il est tout aussi essentiel d'établir pour mémoire des points de référence pour les plus grands vins du monde. Il existe une telle diversité de vins et une telle multitude de styles que pareil exercice semble irréalisable. Mais le fait de déguster autant de vins que possible pour un millésime donné, en provenance des grandes régions classiques, aide indiscutablement à établir les caractéristiques de référence qui sont à la base de jugements comparatifs entre les terroirs, les producteurs et les régions viticoles.

Le sens des responsabilités : bien que je n'aie jamais pensé qu'il fût indispensable de prendre connaissance des commentaires de dégustation de tout un chacun, j'estime que ceux émis par le consensus d'une commission sont les plus insipides et les plus trompeurs. Les jugements émis par ces collégialités ont en effet tendance à être le compromis des préférences personnelles de chaque membre du groupe. Mais comment pourraient-ils rendre compte du fait que chaque individu a éventuellement arrêté sa décision sur des critères totalement différents ? Tel juré a-t-il particulièrement aimé un vin en raison de sa typicité, tel autre l'a-t-il décrié pour les mêmes raisons, ou est-ce la personnalité propre du vin qui l'a emporté ? Impossible de le savoir. A l'évidence, ce doute n'existe pas quand le commentaire de dégustation porte la signature d'une seule personne.

Les collégialités apprécient rarement des vins qui ont de la personnalité. Un coup d'œil sur les résultats de certains concours révèle que des médiocrités savamment entretenues raflent tous les prix, la conclusion malheureuse en étant que la compromission devient ainsi une vertu. En effet, des vins très caractéristiques ou très particuliers ne s'affirment jamais lors de dégustations collégiales, car au moins un membre du jury trouve toujours une objection à formuler contre eux.

J'ai toujours décelé chez les dégustateurs individuels le sentiment d'une plus grande responsabilité, ne serait-ce qu'en raison de leur incapacité à se réfugier derrière un jugement collégial. L'opinion d'un dégustateur averti, malgré ses éventuels préjugés ou prédilections, est toujours plus fiable, lorsqu'il s'agit d'évaluer la vraie qualité d'un vin, que le consensus d'une commission. Au moins le lecteur sait-il à quoi s'attendre d'un dégustateur individuel ; mais il ne peut jamais se fier à un avis collectif.

L'équilibre du jugement : une littérature par trop abondante se concentre sur les vins en provenance de terroirs français aussi prestigieux que la Bourgogne et le Bordelais, ou encore sur les Cabernet sauvignon et les Chardonnay de Californie. Ceux-ci sont certes de grande renommée et constituent les joyaux des caves des amateurs les plus enthousiastes. Encore faut-il que l'accent soit mis sur la valeur et la diversité des différents types de vin. L'idée malsaine, maintes fois reprise par certains critiques anglais patentés, qu'un vin jeune doit obligatoirement avoir mauvais goût pour pouvoir s'affirmer avec l'âge doit être rejetée. Des vins savoureux dans leur prime jeunesse comme le Chenin Blanc, le Dolcetto, le Merlot ou le Zinfandel – pour ne citer qu'eux – n'en sont pas moins honorables parce qu'ils doivent être consommés dans les quelques années qui suivent leur production, au lieu d'exiger une décennie ou plus de vieillissement en cave avant d'être bus. Le vin est avant tout affaire de plaisir, et une critique intelligente doit concilier les préceptes des deux écoles de pensée – hédoniste et analytique –, à l'exception d'aucune.

La prime à la qualité : il est indéniable que trop de producteurs ont délibérément poussé les rendements au point que la personnalité, la concentration et le caractère de leurs vins s'en trouvaient irrémédiablement compromis. Certes, il reste encore une poignée de fanatiques qui persistent, au prix de réels risques financiers, à contrôler de façon drastique leurs rendements, afin de s'assurer que seul un vin de qualité navigue sous leur drapeau, mais c'est là une race en voie d'extinction. Durant la majeure partie de la dernière décennie, les rendements ont pulvérisé des records successifs après chaque millésime. Il en résulte des vins qui manquent de plus en plus de caractère, de concentration et de capacité de conservation. Quant à l'argument selon lequel une gestion plus soignée et plus efficace des vignobles conduit à des rendements plus importants, il est tout à fait fallacieux.

En sus de rendements importants, les progrès technologiques ont aussi facilité la production de vins plus corrects, mais l'utilisation abusive de procédés comme l'adjonction d'acides, les excès de collage et de filtration ont compromis la qualité du produit fini. Les journalistes et critiques spécialisés se soucient peu de ces problèmes. Les prix n'ont jamais été aussi élevés, mais le consommateur a-t-il droit, pour autant, à des vins de meilleure qualité ? Le critique se doit d'accorder une grande priorité à ces considérations qualitatives générales.

La franchise : personne ne conteste le fait que la dégustation soit une démarche subjective. L'efficacité du critique se mesure en fait à sa capacité d'établir, pour une durée déterminée, une liste aisément consultable de vins de différents styles dans différentes catégories de prix.

Le critique doit en permanence s'efforcer d'éduquer, de fournir des repères utiles, sans jamais oublier, toutefois, de souligner que rien ne remplace la dégustation pour soi-même ou le développement de son goût personnel. Il a aussi l'avantage d'avoir accès à la production mondiale des vins et doit essayer de faire taire ses préjugés. Cependant, il doit toujours faire part au lecteur des motivations qui sous-tendent une appréciation défavorable. Par exemple, je n'arriverai jamais à surmonter mon aversion pour les Cabernet d'Australie et de Nouvelle-Zélande, qui ont un côté par trop végétal, ou pour les vins rouges de la vallée de la Loire, au caractère herbacé, ou encore pour les vins blancs du Nouveau Monde, excessivement acides. Le tout est de le dire.

Mon but est en fait de rechercher les plus grands vins qui semblent les plus intéressants sous l'angle du rapport qualité/prix. Et j'estime que le critique ne doit pas hésiter à montrer du doigt les producteurs dont les vins ne sont pas ce qu'ils devraient être. Le bénéficiaire de ces informations est avant tout le consommateur, qui mérite d'être protégé, et la politique de l'autruche en cette matière n'a jamais servi les intérêts de personne, si ce n'est ceux du négoce.

Les critiques constructives et efficaces ont démontré qu'elles pouvaient être bénéfiques tant aux producteurs qu'aux consommateurs. En effet, elles obligent les viticulteurs dont les vins ne sont pas à la hauteur à essayer d'en améliorer la qualité, et, lorsqu'elles sont laudatives, encouragent ceux-ci à maintenir des niveaux élevés, dans l'intérêt de tous ceux qui aiment et apprécient le bon vin.

A PROPOS DU VIN

L'achat du vin

Les choses peuvent paraître simples : vous avez fait votre choix, vous allez chez votre marchand habituel et vous achetez des bouteilles. Cependant, il y a quelques précautions à prendre pour vous assurer que le vin est en bon état.

Pour commencer, examinez la bouteille : son aspect extérieur en dit long sur son contenu. Si le bouchon dépasse du goulot et qu'il pousse sur la capsule d'étain ou de matière plastique qui le recouvre, il vaut mieux prendre une autre bouteille. En effet, les vins qui ont été exposés à haute température se dilatent, exercent une pression sur le bouchon et le forcent vers le haut. Et ce sont précisément les vins de grande qualité, qui n'ont été ni trop filtrés ni trop pasteurisés, qui réagissent ainsi lorsque les conditions de transport et de stockage ont été défectueuses. De même, la congélation fera également sortir le bouchon. Ce traitement, bien que moins préjudiciable que l'excès de chaleur, met lui aussi le vin en danger. Donc pas d'hésitation : un bouchon qui dépasse du goulot est un mauvais signe ; reposez la bouteille sur l'étagère.

Un des signes les plus patents d'une mauvaise conservation n'est malheureusement détectable qu'après décantation, bien qu'il soit parfois apparent au niveau de la bouteille : les vins qui ont été exposés à des températures excessivement élevées – et plus particulièrement les rouges profonds, riches et intenses – forment souvent un dépôt important ou un voile coloré sur la paroi intérieure de la bouteille. S'il s'agit d'un bordeaux de moins de 3 ans, il est probable qu'il ait été soumis à une forte chaleur et qu'il soit irrémédiablement endommagé. Cependant, un tel dépôt n'indique pas toujours une bouteille défectueuse. Il est même courant chez certains vins de Porto et chez les vins riches et opulents de la vallée du Rhône.

En revanche, il faut rétablir la vérité sur les phénomènes souvent considérés comme signes d'altération du vin et qui, en fait, ne le sont pas du tout. Certains acheteurs refusent des bouteilles parce qu'elles présentent un dépôt au fond. En fait, il n'y a pas meilleure preuve de bonne santé d'un vin que celle-ci. Cependant, il faut savoir que les vins blancs présentent rarement un dépôt, de même que les rouges jeunes, de moins de 3 ans. La présence éventuelle de petites particules ressemblant à des grains de sable au fond de la bouteille indique simplement que le vin a été fait de manière naturelle et qu'il n'a pas subi de filtration, procédé qui le dépouille de ses arômes et effluves.

La présence de petits cristaux appelés « précipités tartriques » tend également à faire accroire au consommateur qu'il a affaire à une bouteille abîmée. En fait, on retrouve ces cristaux dans plusieurs types de vins, et tout spécialement dans les vins blancs d'Alsace ou d'Allemagne. Ils sont souvent brillants, ressemblent à de petits éclats de verre et indiquent simplement que le vin a été, à un moment donné, exposé à des températures inférieures à 4 ou 5 °C. Totalement inoffensifs, dépourvus de goût et sans incidence, ces cristaux n'affectent aucunement la qualité du vin et attestent de ce qu'il n'a pas été soumis à une stabilisation par le froid, souvent dommageable, ne visant qu'à lui donner une apparence impeccable.

Heureusement, les meilleurs professionnels (marchands, grossistes et importateurs) sont plus conscients aujourd'hui des dangers que représente pour les vins le transport en conteneurs non réfrigérés, en particulier en plein été. Malheureusement, un nombre encore trop important de bouteilles sont abîmées à cause de mauvaises conditions de transport et de stockage, et c'est le consommateur qui en pâtit. En règle générale, une chaleur excessive est beaucoup plus dommageable que le froid. Et, comme certains marchands s'obstinent à traiter le vin comme la bière ou l'alcool, les acheteurs doivent demeurer attentifs.

La conservation du vin

Le vin doit être conservé dans de bonnes conditions si l'on veut pouvoir l'apprécier pleinement. Les amateurs savent qu'une cave souterraine sans vibrations, sombre et humide, et à une température constante de 12-13 °C est idéale pour le vieillissement. Cependant, peu de gens disposent des caves profondes d'un vieux château pour y déposer leurs précieuses bouteilles. Heureusement, les vins supportent des conditions un peu moins favorables. Pour ma part, j'ai dégusté quelques excellentes bouteilles de vieux bordeaux en parfait état de conservation qui avaient séjourné dans des caves ou des placards où la température atteignait 20-21 °C. Cela dit, pour être certain que le vin ne décline pas prématurément, on respectera quelques règles simples.

Pour conserver un vin au-delà de 10 ans, la température ne doit pas dépasser 18 °C. A 20 °C, il faudra consommer les vins rouges plus rapidement (dans les 10 ans). Quant aux blancs, ils ne se conserveront pas plus de 1 ou 2 ans si la température excède 20-21 °C. A 18 °C, ils vieilliront rapidement, mais ne seront pas affectés. En revanche, si la température moyenne est inférieure à 18 °C, vous n'avez aucun souci à vous faire. A 12 ou 13 °C – température idéale selon les bibles des œnologues –, les vins évoluent si lentement que vos petits-enfants en profiteront certainement plus que vous-mêmes. La constance de la température est en fait le facteur clé, et tout changement doit se faire graduellement. En règle générale, les vins blancs sont beaucoup plus fragiles, plus sensibles aux modifications et aux excès de température que les rouges. Si vous ne disposez pas d'un local adéquat, n'achetez de vin blanc que pour une garde ne dépassant pas 1 ou 2 ans.

En outre, le local doit être inodore, obscur et exempt de vibrations. Un taux d'humidité de 50 % est suffisant – 70-75 % est idéal, mais les étiquettes s'abîment alors rapidement. Une hygrométrie de moins de 40 % est parfaite pour la conservation des étiquettes. Toutefois, les bouchons se dessèchent, diminuant ainsi le potentiel de garde des vins. On dit qu'un taux d'humidité faible peut être aussi néfaste qu'une grosse chaleur, mais aucune recherche sérieuse ne le prouve, et les quelques expériences que j'ai moi-même menées ne sont pas concluantes.

Les millésimes corsés, riches, concentrés et puissants voyagent et vieillissent beaucoup mieux que ceux qui sont plus légers et aqueux. Ces derniers supportent assez mal le transfert outre-Atlantique d'Europe ou de Californie, alors que les vins plus puissants sont moins fatigués par la traversée.

Enfin, je conseille toujours d'acheter les vins dès leur apparition sur le marché, à condition bien sûr que vous les ayez déjà goûtés et choisis. En effet, beaucoup de marchands ne sont pas encore suffisamment attentifs à la conservation des bouteilles, bien que la situation se soit très nettement améliorée dans ce domaine au cours de ces dernières années. Les vieux millésimes, quant à eux, demandent une approche plus prudente, sauf si vous faites totalement confiance à votre vendeur. En tout état de cause, assurez-vous que ce dernier se porterait garant de votre achat si jamais le vin était endommagé par de mauvaises conditions de stockage.

Quel vieillissement ?

De nombreux vins sont à leur apogée au moment de leur diffusion, c'est-à-dire à l'âge de 1 ou 2 ans. Beaucoup parmi eux sont buvables à 5, 10 ou même 15 ans, mais très peu sont meilleurs et plus intéressants au terme d'une longue garde. Il est important de se référer à une définition précise du vieillissement. Je considère simplement qu'il s'agit de la capacité d'un vin sur une certaine période à : (1) développer des nuances plus agréables ; (2) s'épanouir et adoucir sa texture (dans le cas d'un rouge, arrondir ses tannins) ; (3) développer des arômes et des effluves plus riches et plus subtils.

En bref, le vin vieux doit se révéler plus complexe, plus agréable et plus intéressant qu'il n'était au moment de la mise sur le marché. Seule une telle évolution justifie que l'on achète des vins jeunes en vue de les conserver longtemps dans sa cave. Malheureusement, bien peu de vins de par le monde ont cette aptitude.

Beaucoup de gens pensent, à tort, qu'il est inintéressant ou dommage de boire un vin jeune. En France, les meilleurs bordeaux, les vins de la vallée du Rhône septentrionale (en particulier les Hermitage et les Côte-Rôtie), quelques bourgognes rouges, le Châteauneuf-du-Pape et même certains vins doux d'Alsace ou de la vallée de la Loire gagnent en complexité et sont meilleurs après une garde de 5, 10 ou 15 ans. Mais la grande majorité des vins français, de la Champagne à la vallée du Rhône, du Beaujolais aux petits châteaux de

Bordeaux, et même la plupart des bourgognes rouges et blancs, sont meilleurs dans leur jeunesse.

Les Français ont depuis longtemps admis le principe selon lequel plus tôt le vin était bu, meilleur il était. Des siècles de tradition viti-vinicole, alliés aux raffinements d'une haute gastronomie, leur ont appris une chose encore incomprise des Anglais et des Américains : la plupart des vins sont beaucoup plus plaisants jeunes que vieux.

Les connaisseurs savent qu'une longue garde en cave, même quand il s'agit de vins de grande qualité, entraîne plus de déboires que de satisfactions. Dans le Bordelais, cette région où les vins peuvent être considérés comme les plus aptes au vieillissement, puisque certains durent 20, 30 voire 40 ans et plus, les cartes des restaurants sont éloquentes : les meilleurs 1982 ont depuis longtemps disparu (dans le gosier des heureux amateurs) ; même les 1986 (que certains Américains ont pieusement gardés pour le siècle prochain), pourtant prometteurs, tanniques et lents à évoluer, sont difficiles à trouver. Pourquoi ? Parce qu'ils ont déjà été bus. Bien sûr, certains établissements de haut niveau, dont la plupart sont à Paris, proposent de vieux millésimes, mais ils sont surtout destinés à des touristes fortunés.

Donc, si un bordeaux de 1989 ou 1990 vous semble délicieux, buvez-le. Il serait fou d'éprouver un sentiment de culpabilité sous prétexte qu'une garde de 5 à 10 ans l'aurait peut-être amélioré.

En Bourgogne, on ne compte en fait qu'une douzaine de producteurs qui font des vins susceptibles de s'améliorer sur plus d'une décennie. Qu'on ne se méprenne pas : beaucoup de ces vins sont capables de durer, mais ils sont alors, dans leur majorité, moins intéressants qu'ils ne l'étaient à 2 ou 3 ans. Ne vous laissez pas mener en bateau par des commerçants et des publicitaires qui insistent lourdement sur le potentiel de garde des vins rouges (sauf, bien entendu, pour ce qui concerne les grands crus) ; n'achetez que ceux que vous boirez à terme.

Le problème essentiel aujourd'hui est celui des vins qui évoluent peu et se bonifient à peine en vieillissant. Certes, ils sont, en grande majorité, destinés à être bus très jeunes, mais je suis convaincu que les nouvelles tendances ont conduit à l'adoption de pratiques regrettables en matière de vinification. Les filtres stérilisateurs, très prisés de certains producteurs, stabilisent certes les vins, mais détruisent malheureusement du même coup leur richesse et leur complexité aromatiques. Lorsqu'ils sont utilisés par des viticulteurs qui fertilisent à l'excès leurs vignobles et enregistrent des rendements élevés, ce qu'il y a dans la bouteille manque alors singulièrement de bouquet et de saveur.

La préoccupation majeure des œnologues et des vinificateurs est de produire des vins suffisamment stabilisés pour être transportés partout et douze mois sur douze, supporter de rester en position verticale dans des vitrines surchauffées et être conservés dans des entrepôts aux conditions extrêmes. Mais, alors, le vin n'est plus quelque chose de vivant. Ces procédés de stabilisation sont justifiés et même indispensables pour des vins du tout-venant qui sont en principe peu chers, mais ils constituent un véritable crime pour les grands vins que le consommateur paie plus de 100 ou 150 F. En effet, ils les rendent parfaitement inaptes à acquérir, avec le temps, la complexité et la profondeur que l'on est en droit d'attendre d'eux.

Le service du vin

Il n'y a pas de grands secrets pour servir le vin. Il faut simplement un bon tire-bouchon, des verres propres et sans odeur, et, éventuellement, une carafe pour l'aération. En outre, il faut savoir dans quel ordre servir les différents vins.

Erreurs des plus communes, y compris dans les restaurants : on sert souvent les vins blancs trop froids et les vins rouges trop chauds, et dans des verres peu adaptés ou lavés de manière non satisfaisante (contenant un résidu de savon ou les odeurs d'un placard ou d'un carton). Ces petits défauts peuvent avoir de grandes conséquences pour les vins fins aux arômes subtils. Beaucoup de gens pensent que les bouteilles doivent être ouvertes un certain temps avant la dégustation, histoire de faire respirer le vin. Certains pensent même qu'il faut décanter celui-ci – ce qui n'est nécessaire que pour ceux qui présentent un dépôt. Pour ce qui concerne l'aération, je crois qu'il n'y a pas de réponse toute faite, si ce n'est qu'aucun vin blanc ne demande à être aéré ou décanté à l'avance. Pour les vins rouges, 15 à 30 minutes d'aération préalable suffisent dans une carafe propre et sans odeur. Certains vins ont effectivement besoin de respirer 7 ou 8 heures, mais ils sont très rares.

Si les débats sur le service du vin sont souvent dominés par les considérations mentionnées ci-dessus, les points les plus importants me semblent être la température – surtout pour les vins rouges – et le choix de verres adéquats pour la dégustation.

Dans les appartements souvent surchauffés à 22 ou 25 °C, le vin semble mou et plat, avec un bouquet diffus, et la teneur en alcool paraît plus élevée qu'elle ne l'est en réalité. La température idéale se situe autour de 16-17 °C. Les vins plus légers, tels les beaujolais, peuvent être rafraîchis jusqu'à 13 °C environ. A une température de 13 à 15 °C, les vins blancs exprimeront toute leur intensité et leur complexité. En revanche, à des températures inférieures (moins de 7 °C), on aura du mal à distinguer un Riesling d'un Chardonnay.

Il faut aussi dire quelques mots des verres. Le verre le plus courant, en forme de tulipe, est parfait pour la dégustation. Mais, étant donné le prix des vins et surtout le soin que l'on apporte à leur conservation, pourquoi ne pas utiliser des verres qui soient à la fois beaux et aptes à faire apprécier toute la subtilité du breuvage ? Les meilleurs verres, à la fois techniquement et esthétiquement, sont incontestablement ceux fabriqués par Riedel en Autriche. J'avoue qu'au début j'étais sceptique quant à leur qualité. Georg Riedel, qui dirige une cristallerie traditionnelle et familiale, les a spécialement conçus avec un rebord particulier qui dirige le vin vers un endroit spécifique du palais. Ce rebord et la forme générale du verre permettent aux arômes et aux saveurs des différents cépages de s'exprimer dans toute leur ampleur.

Au cours de ces derniers mois, j'ai dégusté de très nombreux vins dans les verres de la série Sommelier de Riedel, qui comprend notamment des verres à Riesling, à Chardonnay, à Pinot noir et à Cabernet sauvignon. Aux fins de comparaison, j'ai ensuite goûté les mêmes vins dans des Impitoyables, dans les verres à dégustation INAO, ainsi que dans le verre en forme de tulipe, et je puis dire que les verres Riedel se révèlent dans tous les cas supérieurs. L'énorme verre à bourgogne (modèle n° 400/16 – haut de 24 cm) met parfaitement en valeur les Pinot noir américains et les bourgognes rouges. Quant aux verres à bordeaux (modèle n° 400/00 – haut de 26 cm), ils ont une ligne superbe et sont indiscutablement les meilleurs pour les Cabernet et les Merlot. Le verre à Chardonnay était peut-être un peu moins convaincant, mais j'ai été plus que séduit par le verre à Riesling (modèle n° 400/1 – haut de 19 cm), qui met parfaitement en valeur les caractéristiques de ce cépage.

Georg Riedel part de la constatation que beaucoup d'amateurs font de gros efforts pour acheter de grands vins dans de bonnes conditions, qu'ils les conservent avec soin dans des caves bien équipées et qu'ils se donnent du mal pour les servir à la température convenable. Mais combien d'entre eux boivent leur Pichon-Lalande ou leur Clos de Vougeot de Méo-Camuzet dans les verres que méritent ces grands vins ? Riedel se propose donc de mettre à leur disposition les « meilleurs outils » possibles pour percevoir toutes les potentialités d'un cépage. Mon expérience me prouve qu'il a mis dans le mille. Je ne connais pas de meilleurs verres que ceux de la série Sommelier de Riedel.

J'ai toujours trouvé surprenant que beaucoup d'amateurs de vins de mes amis n'attachent pas une importance aussi grande au choix des verres qu'à celui des vins. En tenant en main un verre Riedel, on utilise un objet dessiné avec un soin extrême et destiné à favoriser une perception la plus fine possible des qualités d'un vin. Riedel estime qu'il ne faut les remplir qu'au quart de leur capacité pour qu'ils soient vraiment performants. Le prix est évidemment assez élevé (de 200 à 450 F le verre), mais je crois qu'un véritable amateur se doit de posséder au moins les verres à bourgogne et à bordeaux. Le premier, magnifique, au rebord légèrement ourlé, envoie le bourgogne sur le bout et au milieu de la langue, ce qui réduit la perception de l'acidité et fait paraître le vin plus rond et plus souple. Ne croyez pas qu'il s'agisse de la part de Riedel d'un bluff publicitaire. J'ai suffisamment dégusté pour assurer que le verre contrôle bel et bien la direction du vin dans la bouche. Le verre à bordeaux, presque aussi grand, est plus conique, et le bord dirige le liquide à l'extrémité de la langue, ce qui donne une meilleure perception de la douceur. On bénéficie davantage du beau fruit des vins de merlot et de cabernet avant qu'ils ne s'étalent sur les côtés et au fond du palais, où l'on perçoit davantage les éléments tanniques et acides.

Ces considérations peuvent paraître ésotériques ou absconces, mais la différence est pourtant manifeste pour ce qui est des sensations. Je crois donc que mon insistance est justifiée.

Si la série Sommelier vous semble trop onéreuse, Riedel propose aussi des verres moins chers, fabriqués à la machine et non soufflés. Il s'agit notamment des Vinum (environ 120 F). Le verre à bordeaux de cette série est un de ceux que je préfère et me paraît très adapté non seulement au bordeaux, mais aussi au vin de la vallée du Rhône et au bourgogne blanc. Il y a aussi des verres pour les vins d'autres pays, et un pour le sauternes.

Il existe d'autres très bons verres de dégustation, et notamment ceux de la cristallerie Saint Georges à Jeannette, en Californie, ou le verre Œnologue de Cristal d'Arques. Ce dernier est parfait pour les vins blancs de sauvignon, chardonnay, riesling et marsanne, et pour les vins rouges de cabernet sauvignon, malbec, syrah, zinfandel, gamay, mourvèdre et sangiovese. Il est aussi acceptable pour les vins rouges très aromatiques de pinot noir, nebbiolo ou grenache, mais je lui préfère alors celui qu'a conçu Dany Rolland, œnologue talentueuse, épouse et associée du célèbre Michel Rolland de Libourne (références du verre : hauteur 20 cm, dont 11 pour le pied, le bord étant d'une circonférence de 20 cm et le volume de 37 cl environ).

Voici enfin quelques conseils pratiques. Même si le verre ou le décanteur semblent très propres, il faut les rincer juste avant de s'en servir avec de l'eau du robinet non chlorée ou de l'eau minérale. En effet, un verre ou une carafe qui sont restés dans un placard sont des réceptacles où s'accumulent les odeurs (qu'on ne peut détecter avant qu'ils ne soient remplis). Avec les résidus de savon, elles ont gâté je crois plus de vins que les bouchons défectueux ou les mauvaises conditions de transport et de stockage. J'ai moi-même failli me brouiller avec un ami parce que j'ai l'insupportable défaut de très mal accepter qu'un merveilleux bordeaux soit servi dans un verre sentant le savon.

Les vins et les mets

L'art d'harmoniser un vin avec un mets ou un type spécifique de nourriture est trop souvent supplanté par le formalisme ou l'académisme, au préjudice à la fois du plat et du breuvage. Les journaux et les magazines, et même les livres, édictent des règles en la matière, vouant tout manquement aux gémonies. Le résultat est qu'au moment de choisir leurs vins pour un dîner bien des gens se cassent inutilement la tête au lieu de se préparer à boire et à manger en paix avec des amis.

Il est en fait assez facile d'harmoniser les plats et les vins. Il existe quelques grands principes, éprouvés depuis des lustres, qui commandent par exemple de servir les vins jeunes avant les vieux, les secs avant les doux, les blancs avant les rouges, les rouges avec la viande et les blancs avec le poisson. Toutefois, ces grands principes subissent des exceptions, et votre éventail de choix est en réalité beaucoup plus large que vous ne le pensez. Un grand restaurateur français me disait que, si les gens voulaient bien tout simplement choisir les vins qu'ils préfèrent pour accompagner les plats qu'ils aiment, ils s'en trouveraient beaucoup mieux. Du même coup, ajoutait-il, ils en deviendraient moins anxieux et plus réceptifs. J'estime pour ma part qu'il y a plus de combinaisons heureuses de vins et de mets qu'il n'y en a de mauvaises, et je voudrais ici livrer quelques-unes de mes observations à ce propos.

Voici, à mon avis, les vraies questions qu'il faut se poser :

Les plats offrent-ils des arômes simples ou complexes ? Le chardonnay ou le cabernet sauvignon produisent en général des vins opulents, souvent très complexes et profonds. Pour cette raison, ils ne s'harmonisent qu'avec des mets au goût relativement simple. Le cabernet sauvignon se marie parfaitement avec des plats de viande et de pommes de terre, le bœuf grillé, le steak ou les côtes d'agneau. En vieillissant, les vins de merlot ou de cabernet sauvignon deviennent encore plus complexes et ne tolèrent que des mets simples qui respectent leurs arômes. Le chardonnay accompagne merveilleusement le poisson, mais, dès qu'il s'agit d'une recette un peu élaborée avec des aromates ou des sauces, il y a davantage concurrence que mariage heureux. La règle à suivre est évidente : à vins simples, mets complexes et à vins complexes, mets simples.

Quels sont les arômes et les saveurs dominants d'un mets et d'un vin ? On alliera heureusement les vins et les mets si l'on sait quels sont les arômes primaires que contiennent ces derniers. Les sauces crémeuses et onctueuses qui accompagnent le poisson, les crustacés ou même le poulet vont bien avec les vins de chardonnay, les bourgognes blancs opulents au caractère plein et riche et aux arômes vanillés. Mais une salade mixte aux herbes aromatiques, un plat de poisson ou des crustacés grillés se satisferont mieux des notes fumées et herbacées du sauvignon blanc – un Sancerre ou un Pouilly-Fumé de la vallée de la Loire. Un steak au poivre avec une sauce brune aux arômes complexes et persistants demande un vin de la vallée du Rhône riche, corpulent et poivré, tel un Châteauneuf-du-Pape ou un Gigondas.

L'intensité et la texture d'un vin sont-elles en rapport avec celles du plat considéré ? Si le Muscadet accompagne si bien les huîtres, ce mets frais, salé, sentant la mer, au goût à la fois léger et vif, c'est parce que l'on y retrouve la même légèreté. Et si le vin de la vallée du Rhône rouge se marie avec le steak ou les côtes de mouton, au goût puissant de fumé et de chêne, c'est précisément parce que l'on y retrouve les mêmes caractères. Surtout s'il s'agit d'une pièce grillée au feu de bois, aux effluves plus corsés, plus souples et plus pulpeux. Frites au beurre ou à l'huile, cuites au four, les mêmes viandes libèrent des arômes et un goût moins complexes, et seront mieux accompagnées d'un vin de merlot ou de cabernet sauvignon – un bordeaux s'impose donc. Pour ce qui concerne le poisson et les fruits de mer, le choix doit aussi tenir grand compte de l'intensité des saveurs et de la texture de la nourriture. Avec le saumon, le homard ou les poissons cuits au bleu, à la fois gras et intenses en bouche, vous choisirez par exemple un vin de chardonnay, onctueux, crémeux et influencé par le chêne. En revanche, pour la truite, la sole, le turbot ou les crevettes, aux goûts et aux arômes plus maigres et plus délicats, vous préférerez des vins plus légers, moins intenses, non marqués par le chêne – un blanc de chardonnay du Mâconnais, par exemple, ou même un champagne léger – qui serait, pour le coup, complètement déplacé avec du saumon ou du homard.

On sait que le Sauternes, lourd, onctueux, riche et doux, accompagne idéalement le foie gras – c'est même l'exemple classique du mariage selon les arômes et la texture. Le très riche et très aromatique foie gras écraserait tout autre vin, mais il devient encore plus sensuel et délicieux avec ce grand blanc liquoreux.

Quel est le style de vin dans le millésime que vous avez choisi ? Plusieurs grands chefs m'ont dit préférer les bordeaux et les bourgognes de petites années pour accompagner leur cuisine. C'est évidemment parce qu'ils estiment que les mets sont plus importants que les vins ; or les bourgognes et les bordeaux des grands millésimes ont tendance à accaparer la vedette, faisant de l'ombre aux plats, même savamment élaborés. Ces chefs demandent à leurs sommeliers de conseiller à leurs clients un bordeaux 1987 plutôt qu'un 1982 ou un 1990, très concentrés, et un bourgogne rouge 1989 plutôt qu'un 1990. Donc, d'une manière générale, on réservera les vins légers, mais tout de même très bons, des années moyennes pour accompagner une cuisine délicate et subtile, alors que les grands vins seront escortés de nourritures plus simples.

Le vin s'accommode-t-il des plats en sauce ? Il y a près d'une vingtaine d'années, je dînais au restaurant de Michel Guérard, à Eugénie-les-Bains, et j'ai commandé un poisson servi avec une sauce au vin rouge. Guérard m'a conseillé un Graves rouge précisément parce que la sauce était une réduction de fumet de poisson et de Graves. Le mariage se révéla pleinement réussi et m'ouvrit les yeux sur les alliances possibles de rouges et de poissons. Depuis, j'accompagne le thon au poivre vert d'un Cabernet sauvignon de Californie, et le saumon frit d'un jeune millésime de bordeaux rouge. Un blanc serait dans ces cas déplacé. Pour les mêmes raisons, je bois un Tokay d'Alsace avec du veau à la sauce aux morilles, car c'est la sauce qui décide du vin. Le corollaire de ce principe conduit à choisir le vin utilisé pour la cuisine lorsqu'il s'agit d'une sauce au vin. J'aime le coq au vin ; c'est un plat rustique des plus délicieux qui peut être préparé aussi bien avec un blanc qu'avec un rouge. J'en ai mangé d'excellents en Alsace, au Riesling, servis évidemment avec un Riesling bien sec. En Bourgogne, la sauce du coq est bien souvent, très simplement, un bourgogne réduit, et le même vin s'impose alors dans les verres.

Faut-il boire des vins locaux pour accompagner la cuisine locale ? Ce n'est pas un hasard si les cuisines régionales du Bordelais, de la Bourgogne, de la Provence, de l'Alsace ou encore du Piémont, en Italie, semblent avoir tout ce qu'il faut pour mettre en valeur les vins locaux ; d'ailleurs, les restaurants n'en proposent guère d'autres. J'ajoute que je constate la même chose chez moi, aux États-Unis, où la cuisine régionale existe bel et bien – quoi qu'en pensent certains...

Quels sont les mariages les plus réussis ou les plus calamiteux entre vins et mets ? Les expériences, bonnes et mauvaises, apprennent beaucoup ; en voici quelques-unes. Les forts contrastes sont parfois sublimes, et certains lapins sont très heureux avec leur carpe. Le meilleur exemple, c'est sans doute la belle histoire du vieux roquefort à la saveur salée et du Sauternes onctueux et liquoreux. Cette opposition de texture et de goût produit un effet inattendu et merveilleux. On connaît également la belle harmonie qui s'instaure entre le Riesling ou le Gewurztraminer et la cuisine chinoise ou indienne. De même, l'aigre-doux et les épices des plats orientaux sont joliment rehaussés par des vins d'Alsace.

Un des grands mythes de l'association vin-nourriture, c'est à mon avis celui du fromage et du vin rouge. En fait, je crois qu'il est rare qu'ils s'accordent. Les fromages très gras comme le brie écrasent les rouges de toute leur onctuosité. Si vous souhaitez montrer à vos hôtes la voie du salut, servez-leur des vins de sauvignon blanc, du Sancerre ou du Pouilly-Fumé, en même temps que le plateau. Avec leur caractère énergique, leur fraîcheur et leur acidité de bon ressort, ils font merveille avec presque tous les fromages, et surtout avec les chèvres.

Autre légende à la peau dure, celle qui veut que les vins de dessert soient servis avec les desserts ! Et c'est ainsi qu'on voit les champagnes, les Riesling, les Sauternes ou les blancs doux de chenin blanc arriver avec les gâteaux et les crèmes. A mon avis, les vins de dessert peuvent être servis en fin de repas, mais *comme* dessert ou *après* le dessert. Qu'il s'agisse de gâteau, de tarte aux fruits, de glace ou de confiserie, je trouve que ces mets s'accordent fort mal avec les vins doux. Et s'il y a du chocolat, vieil ennemi des vins de toutes sortes, il vaut mieux éloigner les verres.

Si le métier d'entremetteur ou d'entremetteuse entre vins et mets vous paraît si difficile que vous ayez peur de commettre des bévues, dites-vous en fin de compte que, servi à des commensaux de belle humeur, avec un bon plat, un bon vin est presque toujours pain bénit. Bon appétit et à votre santé !

Qu'y a-t-il dans le vin ?

Depuis une quinzaine d'années, les gens sont de plus en plus préoccupés par ce qu'ils absorbent. Les dangers du tabac et de la nourriture grasse sont hautement stigmatisés, et on cauchemarde sur la pression artérielle. L'Europe est à son tour gagnée par l'inquiétude. Aux États-Unis, on a même vu une secte extrémiste, celle des « néo-prohibitionnistes », ou *new-drys*, ainsi baptisés par les journalistes, tenter d'exploiter le légitime souci de protection de la santé en défendant l'idée que la consommation des boissons alcooliques, quelles qu'elles soient, mine les bases de la société et de la famille. Consommant l'idéologie sans modération, elle demande la totale interdiction du vin, boisson du diable évidemment. Bien entendu, elle passe sous silence les données prouvant qu'une consommation modérée est plus bénéfique que nuisible à l'organisme. Malheureusement, la loi américaine interdit aux producteurs de vin d'en mentionner les bienfaits...

Le vin est la plus naturelle de toutes les boissons, mais il est vrai qu'il peut contenir quelques additifs, et voici lesquels.

Acides. Les vignobles situés sous des climats froids produisent des raisins suffisamment acides, mais, dans certaines régions plus favorisées par le soleil, il faut rajouter des acides pour équilibrer les vins. Si les vignerons les plus sérieux utilisent de l'acide tartrique – celui que l'on retrouve précisément dans le raisin –, les moins consciencieux se servent de l'acide citrique, également autorisé, mais qui donne au vin un goût de sorbet au citron.

Agents de collage. Différentes substances sont utilisées pour la clarification des vins : elles visent à les rendre plus brillants et plus limpides, et produisent un précipité qui entraîne vers le fond toutes les particules qui y sont en suspension. Il s'agit traditionnellement de blanc d'œuf, mais aussi de kaolin ou de bentonite (argile très pure et très fine), de caséine (poudre extraite du lait), de terre d'infusoir (Kieselguhr) et même, parfois, de sang de bœuf séché... Ces agents sont évidemment sans danger, et les meilleurs producteurs les utilisent d'ailleurs très peu.

Chêne. Beaucoup de grands vins, rouges et blancs, sont élevés en fûts de chêne. Le bois leur communique des arômes de pain grillé, de vanille et de fumé qui, en général, les rendent plus complexes, sauf quand ils sont marqués à l'excès. Les vins de qualité commune sont parfois aromatisés par l'addition de copeaux de chêne qui leur donnent certes un goût boisé, mais assez agressif et grossier.

Levures. Bien que beaucoup de vinificateurs laissent agir les levures indigènes qui existent dans les vignobles pour faire démarrer les fermentations, l'utilisation de levures cultivées, beaucoup plus simple, tend à se généraliser. Il n'y a là aucun danger pour la santé du consommateur. Cependant, l'emploi des mêmes levures dans les différentes régions viticoles tend malheureusement à unifier les bouquets et arômes.

Sucre. La loi permet l'addition de sucre aux moûts en fermentation, afin d'élever le niveau d'alcool (sauf dans les appellations du sud de la France, où cette pratique est superflue). La chaptalisation est surtout pratiquée quand l'année est froide et que le raisin n'a pas atteint une maturité suffisante. Une chaptalisation judicieuse donne au vin un ou deux degrés de plus.

Sulfites. Le sulfitage consiste à additionner le moût ou le vin d'anhydride sulfureux (SO_2) ou de sulfite, destiné à tuer les bactéries et les micro-organismes. On traite d'ailleurs communément les fruits et les légumes avec ces produits, et seul un petit pourcentage de la population (surtout des asthmatiques) s'y montre allergique. La fermentation naturelle du vin produit un peu d'anhydride sulfureux, mais on en apporte aussi en brûlant du papier soufré à l'intérieur des fûts de chêne, afin d'en éliminer les bactéries. En outre, on utilise le SO_2 à la mise en bouteille pour éviter l'oxydation du vin. Cette odeur d'allumette qui brûle est bien sûr un défaut pour les vins de qualité, et les bons producteurs n'en utilisent que des volumes très faibles – certains n'y ont même pas du tout recours. Cependant, un sulfitage bien fait ne laisse ni goût ni odeur, et ne présente aucun danger, sauf bien entendu pour ceux qui sont allergiques au SO_2, qui ne peuvent donc pas boire de vin (comme ceux qui sont allergiques à la laitance ne peuvent pas déguster de caviar !). Un excès de sulfitage se reconnaît immédiatement à l'odeur et au goût piquant.

Tannins. On les trouve dans les peaux et dans la rafle du raisin. En général, le foulage et la macération des peaux sont plus que suffisants pour apporter les tannins nécessaires au vin, lui donner de la charpente et du nerf, et pour que la conservation soit satisfaisante. Cependant, dans certains cas, on ajoute des extraits tanniques.

Les vins biologiques

Ils sont produits sans fongicides, sans pesticides et sans engrais chimiques, ne contiennent aucun additif ni agent de conservation, et rencontrent un succès croissant auprès du public. En principe, ils doivent être aussi bons que les autres. Et puisque les vinificateurs de vins biologiques évitent les manipulations et les traitements, ce sont des produits très naturels et très sains.

Les régions viticoles bénéficiant d'un fort ensoleillement et de vents constants (donc d'un climat de type méditerranéen) sont bien armées pour la production de vins biologiques. C'est le cas de la Provence, du Languedoc-Roussillon et de la vallée du Rhône.

DES OMBRES
AU TABLEAU

L'invasion du style « international »

Les progrès techniques permettent d'améliorer toujours la qualité des vins, mais il semble que cette technicité même entraîne une uniformisation du produit. Avec la filtration et les impératifs de la concurrence, il devient difficile de dire si un vin de chardonnay a été fait en France, en Italie ou en Californie.

Les professionnels veulent des boissons acceptables pour tout le monde, et il n'y a dès lors plus de place pour la personnalité et l'originalité des effluves – exactement comme cela se passe pour le whisky, le gin ou la vodka. Or, ce qui fait l'intérêt d'un vin, c'est son individualité, et ce sont ses arômes et son goût uniques qui le rendent fascinant. La préservation de ce caractère est donc une nécessité absolue, même si l'on doit pour cela rencontrer certaines difficultés auprès d'une partie des consommateurs habitués au style dit « international ».

L'acidification et la filtration excessives contre le plaisir

Depuis le début de ma carrière de critique, je bataille contre les manipulations excessives. Si l'on étudie les méthodes des meilleurs producteurs, on peut dresser la liste suivante :

1. Volonté de préserver la personnalité du vignoble, les spécificités du cépage et le caractère du millésime.

2. Rendements faibles.

3. Vendanges effectuées lorsque la maturité physiologique du raisin est atteinte (sauf quand la météo fait des siennes).

4. Techniques de vinification et d'élevage très simples, et interventions minimales : le vin se fait tout seul.

5. Refus d'appauvrir ou d'émasculer un vin naturellement stable, car élaboré à partir de raisin sain et mûr, par une clarification et une filtration excessives (ces procédés étant par ailleurs évidemment justifiés pour des vins peu stables).

A l'inverse, les vinificateurs qui veulent faire leur vin aussi vite que possible afin d'en retirer le maximum d'argent se reconnaissent par le caractère neutre, terne et médiocre de leur production. Ils maintiennent des rendements élevés par le biais de gros apports d'engrais dans les vignobles (c'est ce qu'on appelle « faire pisser la vigne »). Pour eux, le vignoble n'est qu'un moyen de gagner de l'argent, et il faut donc l'exploiter au maximum. Ils mettent en bouteille le plus tôt possible afin de vendre. Ils utilisent des procédés multiples, en commençant par la centrifugation pour continuer par des filtrations et des clarifications répétées, en particulier la terrible filtration stérile. Leur vin n'a rien de vivant, mais il est stable, capable de supporter de grosses variations de température et de rester longtemps sur les étagères des commerçants. Inutile de dire qu'il ne faut parler ni de caractère ni de personnalité. Les producteurs de ce type sont évidemment ceux qui vendangent les premiers, car ils ne veulent pas prendre de risques. Ils paient des œnologues qui font passer la sécurité et la stabilité bien avant le plaisir du consommateur.

Les effets de ces manipulations, notamment ceux d'une clarification et d'une filtration excessives, sont manifestes : il n'y a pas de bouquet, pas d'expression du terroir, ni du cépage, ni du millésime. Une grosse partie des vins produits en France, comme dans les autres pays viticoles, subissent de nombreuses filtrations préparatoires, qui leur donnent une netteté suffisante pour passer dans les membranes microporeuses qui les dépouillent de tout ce qu'ils pouvaient avoir d'intéressant.

Certains vins, toutefois, qui ont les reins solides, réussissent à passer par ces instruments de torture sans trop de dommages. Les vins de syrah et de cabernet sauvignon épais, tanniques et concentrés, survivent à cette véritable lobotomie, tout en y laissant beaucoup de plumes, c'est-à-dire beaucoup d'arômes et de saveurs. Mais les vins de pinot noir et de chardonnay n'ont pas l'ombre d'une chance de résister à l'épreuve.

Fort heureusement, on assiste à un mouvement de rejet de la clarification et de la filtration excessives de la part d'une nouvelle génération de producteurs. En outre, les amateurs savent de plus en plus que les vins authentiques, riches en arômes et non manipulés, comportent un peu de dépôt. Mais je crois que cette tendance serait encore plus forte si les critiques et la presse spécialisée soulignaient davantage les méfaits des procédés qui appauvrissent le vin. Ce n'est pour l'heure pas le cas, loin de là, et je le regrette.

Je ne nie pas qu'il puisse être nécessaire d'utiliser ces techniques pour les vins de consommation courante que le consommateur achète parce qu'ils ne sont pas chers. Mais il est scandaleux qu'un producteur vende un vin en le présentant comme un produit artisanal à plus de 100 F la bouteille alors qu'il a été acidifié, clarifié et filtré de manière très excessive. Ceux qui tentent de faire croire que ces procédés sont inoffensifs sont tout simplement des menteurs.

Collectionneurs contre consommateurs

J'en suis très malheureusement arrivé à la conclusion que les plus grands trésors du monde du vin, les premiers crus de Bordeaux, y compris le fameux nectar élaboré à D'Yquem, les bourgognes profonds du Domaine de la Romanée-Conti et presque tous les vins de la minuscule appellation Montrachet ne sont jamais bus – ou devrais-je dire avalés. Certes, vous et moi, quand nous achetons du vin, rêvons déjà du moment où nos belles bouteilles seront débouchées, examinées, humées, dégustées et, pour terminer, bel et bien vidées avec quelques amis. C'est là un des grands plaisirs du vin, que les amateurs authentiques savent apprécier à sa juste valeur. Mais il y a d'autres types de collectionneurs : ceux qui spéculent, ceux qui recrachent, et même ceux qui ne boivent jamais de vin.

Il y a quelques années, j'ai subi un vrai déluge de coups de téléphone de la part d'un personnage qui m'invitait à dîner chez lui et à visiter sa cave. Au bout de plusieurs mois de résistance, j'ai fini par succomber. Il s'agissait d'un important homme d'affaires qui avait construit une cave impressionnante sous sa vaste demeure. Gigantesque et parfaitement bien tenue, elle était équipée de ce qu'il y avait de mieux pour le contrôle de l'humidité et de la température. Il y avait là sans doute des dizaines de milliers de bouteilles. J'y ai vu quelques caisses de très grands vins, de Petrus, de Lafite-Rothschild, de Mouton-Rothschild et des millésimes rares de grands bourgognes rouges tels ceux du Domaine de la Romanée-Conti et de La Tâche, mais j'ai aussi eu la surprise d'y trouver des centaines de caisses de beaujolais, de Pouilly-Fuissé, de Dolcetto et de Chardonnay de Californie ayant... 10 ou 15 ans d'âge, alors que ce sont des vins que l'on boit quand ils ont au maximum 4 ou 5 ans. Sur un ton diplomatique, j'ai suggéré qu'un inventaire de la cave pourrait être nécessaire, car un certain nombre de bouteilles me paraissaient devoir être rapidement consommées.

Je commençais à trouver mon hôte bizarre pour un amateur de vin. Mais c'est seulement au dîner que je fus définitivement fixé sur ses brillantes capacités en la matière (j'étais alors beaucoup plus naïf qu'aujourd'hui). En entrant dans la salle à manger, ce monsieur m'annonça fièrement que ni son épouse ni lui ne buvaient de vin ; pour le repas, il me donna royalement à choisir entre de l'eau minérale, du thé glacé ou – si vraiment cela me faisait plaisir – une bouteille de vin. Plus tard, sur la route du retour, je regrettai amèrement de n'avoir pas opté pour l'eau minérale : il avait sorti une bouteille qui, selon un de ses amis, était « assez vieille pour être bue » ; c'était un bordeaux brunâtre, tout ce qu'il y a de répugnant et de sénile, d'un des pires millésimes que je connaisse, 1969. Et, en plus, d'un château de Pauillac connu pour sa médiocrité – un vin que je ne conseillerais même pas dans un très bon millésime. C'est sa femme qui avait ouvert la bouteille : « Vraiment, Bob, ce vin sent très bon ! »

Malheureusement, cet incroyable collectionneur achète toujours d'énormes quantités de vin, mais ce n'est pas pour le boire et pas non plus pour spéculer. Le marchand de vin d'à côté me dit que ce type d'individu n'est pas rare. Il collectionne les vins comme d'autres les tableaux, les sculptures ou les porcelaines anciennes, pour admirer les bouteilles, pour les montrer, mais jamais, au grand jamais, pour les boire !

Beaucoup plus prétentieux sont les collectionneurs de la race des recracheurs ! Ils organisent des dégustations gigantesques où l'on peut « goûter » cinquante ou soixante, parfois même soixante-dix ou quatre-vingts millésimes, souvent des mêmes châteaux. Des critiques spécialisés très renommés sont conviés à la manifestation (évidemment gratuitement), dans l'espoir que l'on rende compte de cet événement dans la presse et que le nom de l'organisateur devienne célèbre dans le monde du vin. Ces gens frétillent de pouvoir côtoyer quelques producteurs de renom ; ils ont ainsi le plaisir de faire bisquer leurs amis : « Mon cher, je serai la semaine prochaine au Château Lafite-Rothschild pour y déguster tous les vins de 1970 à 1987 ; c'est vraiment dommage que tu ne puisses pas y assister ! » J'avoue avoir participé à quelques-unes de ces réceptions. En observant tous ces gens, j'ai compris qu'il s'agissait avant tout, pour le sponsor, de conforter un amour-propre démesuré, et souvent aussi l'amour-propre du château lui-même !

Je ne suis certes pas opposé aux dégustations officielles, où un nombre limité d'amateurs sérieux s'assoient pour goûter vingt ou trente vins différents (de préférence des jeunes) ; c'est à mon avis la bonne quantité pour que connaisseurs aussi bien que néophytes puissent sérieusement les apprécier. Mais, quand il y a soixante vins monumentaux au programme pour une dégustation marathon de huit à douze heures, c'est vraiment beaucoup trop. Et quel dommage que les vins les plus merveilleux, les plus rares et les plus chers soient tout bonnement recrachés ! Quand on lui sert un très grand vin, un dégustateur, quel qu'il soit, l'avale bel et bien. Pour ma part, j'ai éprouvé de cuisants remords pour avoir recraché un Mouton-Rothschild 1929 ou 1945.

Le souvenir de dégustations géantes m'a longtemps troublé. Je me rappelle tout particulièrement une séance qui a eu lieu dans un célèbre restaurant de Los Angeles. On avait ouvert de fantastiques bouteilles des plus grands domaines de France. Il y avait une quarantaine de participants, qui avaient payé très cher pour être là ; mais, en les observant quand ils levaient leurs verres pour un fabuleux 1961 ou un opulent 1947, je me demandais s'ils goûtaient vraiment cinquante millésimes des crus les plus prestigieux ou cinquante bouteilles de soda. Heureusement, l'organisateur se montra à la hauteur et sut apprécier les vins ; mais, parmi les convives, je ne vis pas un sourire, pas une seule manifestation de plaisir ou d'enthousiasme durant ces douze heures extraordinaires.

J'ai participé à une autre dégustation marathon, organisée en France par l'un de ces collectionneurs-recracheurs les plus célèbres. Elle a duré toute la journée et une bonne partie de la nuit, et on a servi plus de quatre-vingt-dix vins ; vers le milieu de l'après-midi, il était manifeste que pas un des participants n'était resté sobre, à l'exception de l'officiant et de son équipe. Quand on a servi le magnum de Mouton-Rotschild 1929 (un des plus grands vins du siècle), je crois que personne, y compris moi-même, n'était plus capable de dire s'il s'agissait d'un beaujolais ou d'un petit bordeaux.

J'ai remarqué que, dans ces manifestations, beaucoup de collectionneurs-recracheurs ne s'apercevaient même pas qu'une bouteille était bouchonnée et défectueuse, ou même oxydée et simplement imbuvable ; cela prouve la justesse du vieil adage : le bon goût ne s'achète pas ! De telles dégustations, où se pressent les journalistes, sont évidemment bien faites pour flatter la vanité de l'hôte. Mais ce que je regrette surtout, c'est qu'elles font perdre de vue que le vin est avant tout une boisson de plaisir et de partage.

Il existe encore un troisième type de collectionneur, le spéculateur, qui espère revendre ses vins pour en tirer du profit. En fait, les bouteilles retournent tôt ou tard sur le marché, et beaucoup finissent sur la table d'amateurs sérieux, qui les partagent avec leurs proches et leurs amis. Bien entendu, ils doivent payer fort cher ce privilège, mais le vin n'est pas le seul produit à être touché par de telles pratiques. Pour ma part, je déteste l'idée qu'il soit perçu essentiellement comme un investissement financier, mais les meilleures bouteilles du monde voient leur valeur augmenter dans des proportions souvent phénoménales, et il serait fou d'espérer que les spéculateurs avisés ne s'intéressent pas de plus en plus à ce phénomène.

La cupidité des producteurs

Peut-on parler, dans le cas du vin, de tromperie sur la marchandise ? Beaucoup de viticulteurs ou de producteurs ont volontairement augmenté les rendements de la vigne à un niveau tel que la concentration et le caractère de leurs vins ne sont plus que des souvenirs. Toutefois, une poignée de fanatiques persistent, au prix de réels sacrifices financiers, à déclasser une proportion souvent considérable de leur récolte afin que le vin vendu sous leur étiquette soit d'une haute qualité. Mais leur petit nombre décroît encore. Bien peu de producteurs sont disposés à aller dans le vignoble supprimer des grappes afin de diminuer le rendement. Et, chaque année ou presque, on apprend que les rendements ont battu des records, dans toutes les régions viticoles du monde. Il ne faut donc pas s'étonner que les vins manquent de plus en plus de caractère, de concentration et de puissance. En Europe, les abus les plus flagrants sont à inscrire au compte de la Bourgogne et de l'Allemagne : les rendements y sont trois à presque cinq fois supérieurs à ce qu'ils étaient en 1950. Il est faux de prétendre que ce phénomène est lié à un meilleur entretien des vignobles. Hors micro, plus d'un producteur sérieux vous confie que les rendements les plus faibles donnent toujours les vins les meilleurs. Mais ce n'est pas un secret. Si les bourgognes du domaine Leroy sont plus riches que ceux des autres propriétés, c'est parce que les rendements de ce producteur n'atteignent que le tiers de ceux des autres. De même, si les meilleurs Châteauneuf-du-Pape sont en général les Rayas, Pégau, Bonneau et Beaucastel, c'est grâce à des rendements inférieurs de moitié à ceux du reste de l'appellation.

Je ne veux pas laisser croire qu'il n'y a plus de grands vins, ni que la majorité de ceux que l'on produit aujourd'hui ne sont pas meilleurs que le gros rouge qui coulait, au siècle dernier, dans le gosier du paysan moyen. Mais je veux insister sur le fait que la fertilisation excessive, les pulvérisations contre la pourriture, l'obtention par la sélection de clones très productifs et le manque de contrôle des volumes de production ont conduit à des rendements qui pourraient finir par ruiner la réputation de bien des grands vins. Il est difficile, à l'heure actuelle, de trouver un bourgogne capable d'évoluer avec grâce sur une dizaine d'années. Et beaucoup de blancs n'ont plus grand-chose à voir avec le caractère du vignoble, paraissant surtout dominés par l'acidité et par l'odeur du chêne.

Bien entendu, si le consommateur, encouragé par des critiques spécialisés amorphes, accepte de payer très cher des boissons médiocres, il y a peu de chances que les choses changent. Mais, s'il insiste pour qu'une bouteille payée 100 F contienne au minimum un vin qui lui procure un plaisir véritable, il n'est pas impossible que les producteurs finissent par recevoir le message.

L'éthique et la compétence du critique de vins

Les critiques spécialisés reconnaissent bien rarement les problèmes que je viens d'évoquer. Le plus souvent, ils paraissent tous d'accord pour faire comme s'ils n'avaient jamais goûté un vin qui leur déplaise.

Historiquement, les ouvrages les plus intéressants ont été écrits par des hommes qui faisaient commerce du vin, tels Alexis Lichine et Frank Schoonmaker, dont les livres sont mondialement connus. Mais l'un et l'autre ont bâti leur situation sur la vente du vin et non sur sa critique, même s'ils se sont affranchis de leurs intérêts de commerçant dans leurs écrits.

Actuellement, on ne trouve pas aux États-Unis plus d'une demi-douzaine de critiques vraiment indépendants qui vivent exclusivement de leur métier. Les Britanniques ont longtemps été très réputés et sont considérés comme de vrais professionnels. Cependant, avec leur expérience et leur connaissance des meilleurs vignobles français, ils ont souvent été impliqués dans le commerce et la diffusion du vin. Et je ne crois pas que l'on puisse citer un seul critique britannique qui ait fait des réserves sur les vins de Lafite-Rothschild entre 1961 et 1974, ou de Château Margaux entre 1964 et 1977. Et c'est le consommateur qui en a fait les frais !

Il est probablement chimérique d'espérer que les critiques évaluent les vins de manière professionnelle sans bénéficier d'un certain soutien de la part des producteurs et des commerçants. Mais cet état de choses compromet souvent la fiabilité de leurs avis. S'ils sont redevables aux producteurs des vins qu'ils goûtent, il y a fort à parier qu'ils ne vont pas les accabler. S'ils voyagent et visitent les vignobles aux frais de la princesse, celle-ci, en l'occurrence le producteur, se sent en droit d'espérer le retour de l'ascenseur. Et s'ils sont hébergés dans les châteaux comme des seigneurs, et que le coffre de leur voiture est miraculeusement rempli, pendant la nuit, de caisses de vin, on peut craindre qu'ils ne se montrent pas critiques et encore moins objectifs.

Mis à part le fait qu'on ne peut attendre de qui que ce soit qu'il morde la main qui lui donne sa pitance, je crois que nombre de critiques spécialisés n'ont pas une expérience suffisante pour évaluer correctement les vins. Beaucoup s'attachent bien plus à la structure ou au niveau d'acidité qu'au plaisir qu'un vin donne, ou qu'il donnera dans le futur. On a l'impression, en lisant leurs articles, qu'ils parlent de la résistance au choc ou à l'écrasement d'un matériau quelconque, et non de ce que je ne suis pas seul à considérer comme l'un des plus grands dons du ciel que l'humanité ait reçus. Pour le vin, l'harmonie est tout. Un goût trop acerbe ou trop tannique évolue rarement vers la plénitude, la distinction et le charme. Bien que la vinification et les techniques de production se soient notablement améliorées, et que notre époque soit embellie par quelques-uns des plus grands vins jamais produits, on trouve, chez les marchands, beaucoup trop de boissons qui déçoivent amèrement les espoirs que l'on met en elles. Cependant, tout n'est pas noir, et certaines tendances actuelles sont encourageantes. La bonne santé de magazines spécialisés dans le vin est indiscutablement réjouissante. C'est le cas, aux États-Unis, du *Wine Spectator*, dont les journalistes, employés à plein temps, sont assujettis à une très stricte déontologie destinée à éviter les conflits d'intérêts qui compromettraient leur indépendance. Certes, on peut regretter que les appréciations sur les vins que livre ce magazine soient souvent le résultat d'un vote du comité de rédaction. J'ai en effet expliqué plus haut pourquoi les vins de grande personnalité sont rarement gagnants lors d'un vote – il se trouve toujours des critiques qui ne les aiment pas. Il y a forcément un écrasement des valeurs, et l'unanimité ne se fait jamais sur un rouge ou un blanc au caractère très affirmé. Les mieux notés sont trop souvent les vins techniquement corrects, « policés » et nets, faits pour plaire au plus grand nombre, aux amateurs de surgelés. Et je maintiens que l'opinion d'un dégustateur indépendant, en dépit de ses préjugés et de ses préférences, si elle est motivée et détaillée, en dit toujours plus sur les qualités réelles d'un vin que l'avis d'un comité.

Mais, étant donné le succès de la presse spécialisée et de quelques guides des vins, il est peu probable que le critique voie son influence diminuer. Puisqu'il existe des milliers de vins et qu'il en apparaît tous les jours de nouveaux, souvent insipides et trop chers, il est naturel que le public éprouve le besoin d'être conseillé et guidé. Souhaitons que les critiques atteignent un plus haut degré de professionnalisme, qu'ils montrent, dans leurs écrits, une expérience plus riche, qu'ils abandonnent leurs phrases creuses sur la structure et l'acidité, et espérons aussi que les critiques anglais comprendront que l'indépendance ne se marie pas avec l'intérêt, et que tous se rappelleront que le vin est avant tout un plaisir, qu'il faut aborder avec sérieux sans le prendre trop au sérieux... Alors, seulement, la qualité de la critique spécialisée et celle des vins, j'en suis sûr, seront sur la voie de l'amélioration.

Quelques observations générales

1. Les années 1980 – décennie bénie de ce siècle – ne sont plus maintenant qu'un lointain souvenir avec leur pléiade d'excellents millésimes. En effet, mis à part l'année 1990, qui a été exceptionnelle partout en Europe, les millésimes 1991, 1992, 1993 et, de manière moins importante, 1994 ont été compromis par les pluies. 1995 a été généralement de très haut, voire d'excellent, niveau, et 1996 se révèle assez inégal dans le Bordelais, avec des Médoc à dominante de cabernet sauvignon extrêmement réussis et des résultats plus mitigés sur la rive droite. La France aurait maintenant vraiment besoin d'une excellente année pour réveiller l'intérêt des consommateurs, si vivace au cours des années 1980 et atteignant son apogée avec les exceptionnels 1989 et 1990. Cependant, il faut garder à l'esprit que, même dans de mauvaises années comme 1991, 1992, 1993 et 1994, certaines régions viticoles ont connu de belles réussites. Ainsi, on trouve dans les appellations les plus touchées des viticulteurs qui ont triomphé des mauvaises conditions climatiques.

2. En France, les vins du Languedoc-Roussillon représentent probablement le meilleur rapport qualité/prix.

3. Il faut s'attendre que les plus prestigieuses propriétés viticoles en France tombent peu à peu dans l'escarcelle d'investisseurs institutionnels (compagnies d'assurances ou ententes étrangères).

Palmarès des quinze plus gros mensonges
(par ordre décroissant d'importance)

15. Ce vin est grandiose et rare, c'est pour cela qu'il est si cher.

14. Vous avez probablement eu une bouteille bouchonnée.

13. Ce vin est un peu fermé pour le moment.

12. Nous expédions et conservons tous nos vins en conteneurs réfrigérés.

11. Vous ne l'avez pas suffisamment aéré.

10. Vous l'avez aéré trop longtemps à l'avance.

9. Le dépôt révèle un vin mal fait.

8. Quelle chance... c'est ma dernière bouteille (caisse).

7. Laissez-lui encore quelques années.

6. Nous avons vendangé avant les pluies.

5. Les pluies étaient très localisées et nous avons eu de la chance qu'elles épargnent nos vignes.

4. Le commerce du vin est tout de même autre chose qu'un simple mouvement de caisses.

3. Parker ou le *Wine Spectator* le notera 94 dans sa prochaine parution.

2. C'est le meilleur vin que nous ayons jamais fait et, quelle coïncidence, c'est le seul que nous ayons actuellement à la vente.

1. Ce vin a tel nez et tels arômes. Vous ne trouvez pas ?

LES VINS
DE FRANCE

Alsace
Bordeaux
Bourgogne et Beaujolais
Champagne
Languedoc et Roussillon
Vallée de la Loire
Provence et Corse
Sud-Ouest
Vallée du Rhône

ALSACE

Les véritables connaisseurs sont certainement consternés de constater que tant de négociants et d'exportateurs se bousculent pour mettre la main sur un de ces vins – un de plus – issus de rendements trop élevés, généralement insipides et trop chers, tels un chardonnay italien ou un bourgogne dépourvu d'intérêt, alors qu'ils ignorent les trésors de cette région viticole de contes de fées qu'est l'Alsace. A chaque fois que je sers à mes hôtes, à l'aveugle, un Riesling sec, un Gewurztraminer, un Pinot blanc ou un Tokay-Pinot gris, ils s'extasient en chœur. Alors, pourquoi ces vins n'ont-ils pas la notoriété qu'ils méritent ?

Les amateurs qui recherchent avant tout des vins pour accompagner les mets trouveront en Alsace nombre de vins secs, remarquablement aromatiques, avec beaucoup de caractère et à des prix généralement raisonnables. En outre, la région, en donnant à ses vins le nom du cépage dont ils sont issus, facilite leur approche pour le public. Et quand le nom des 50 grands crus alsaciens est aussi porté sur l'étiquette, le prix de la bouteille passe du simple au double, voire au triple.

Les vins d'Alsace possèdent une autre caractéristique remarquable : les meilleurs Riesling, Gewurztraminer et Tokay-Pinot gris ont un potentiel de garde assez surprenant. Les cuvées ordinaires ou les grands crus tiennent facilement 10 à 20 ans, alors que les Vendanges tardives, riches et opulentes, ou les Sélections de grains nobles (vins de dessert, très liquoreux et très chers) peuvent vieillir encore plus longtemps en se bonifiant.

Pour faciliter au lecteur la découverte et la compréhension des vins d'Alsace, je décrirai brièvement les cépages de la région et je présenterai ensuite les Vendanges tardives et les Sélections de grains nobles, qui donnent les bouteilles les plus chères et les plus recherchées. Je brosserai également un aperçu général des grands crus.

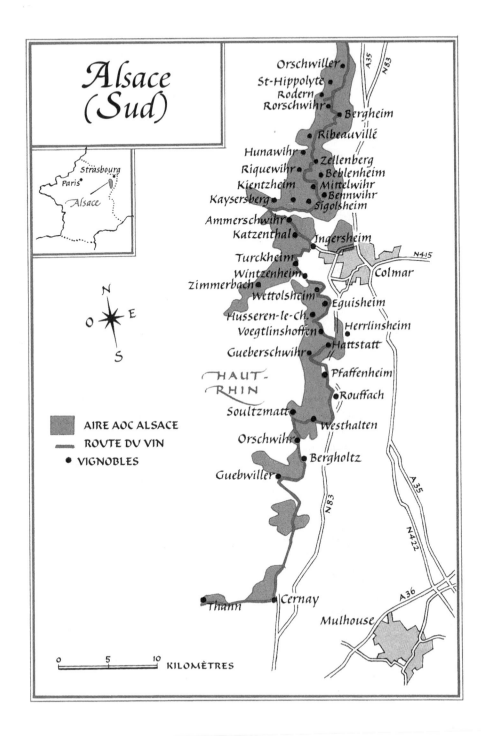

Alsace
(Sud)

Strasbourg
Paris
Alsace

Orschwiller
St-Hippolyte
Rodern
Rorschwihr
Bergheim
Ribeauvillé
Hunawihr
Zellenberg
Riquewihr
Beblenheim
Kientzheim
Mittelwihr
Kaysersberg
Bennwihr
Sigolsheim
Ammerschwihr
Katzenthal
Ingersheim
Turckheim
Wintzenheim
Colmar
Zimmerbach
Wettolsheim
Eguisheim
Husseren-le-Ch.
Voegtlinshoffen
Herrlinsheim
Gueberschwihr
Hattstatt
HAUT-
RHIN
Pfaffenheim
Rouffach
Soultzmatt
Westhalten
Orschwihr
Bergholtz
Guebwiller

N O E S

AIRE AOC ALSACE
ROUTE DU VIN
VIGNOBLES

Thann   Cernay
Mulhouse

0   5   10   KILOMÈTRES

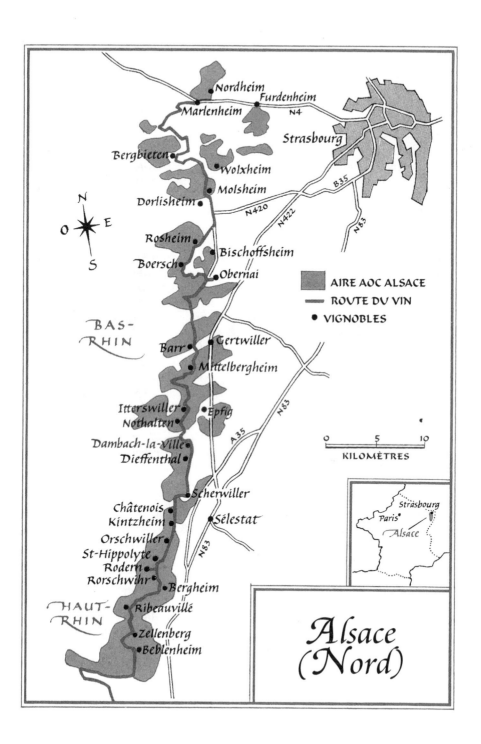

AIRE AOC ALSACE
ROUTE DU VIN
VIGNOBLES

Nordheim
Furdenheim
Marlenheim
N4
Strasbourg

Bergbieten
Wolxheim
Molsheim
Dorlisheim
B35
N420
N422
N83
Rosheim
Bischoffsheim
Boersch
Obernai

BAS-RHIN

Barr
Gertwiller
Mittelbergheim
N83

Itterswiller
Epfig
Nothalten
Dambach-la-Ville
A35
Dieffenthal

Scherwiller

Châtenois
Kintzheim
Sélestat
Orschwiller
St-Hippolyte
N83
Rodern
Rorschwihr
Bergheim

HAUT-RHIN
Ribeauvillé
Zellenberg
Beblenheim

KILOMÈTRES

Strasbourg
Paris
Alsace

Alsace
(Nord)

CÉPAGES ET ARÔMES

Sylvaner C'est le cépage que j'aime le moins. Les vins qui en sont issus manquent souvent de bouquet, ont un nez neutre, voire herbacé. A cause de son acidité élevée, le sylvaner est mieux utilisé dans les assemblages que comme cépage unique.

Pinot blanc Si vous recherchez un vin blanc sec, vif, à la fois complexe et très aromatique, tournez-vous vers le Pinot blanc. En Alsace, les plus réussis exhalent un nez séduisant de miel, de pomme et d'orange. Ils ont en bouche des arômes de pomme, et se montrent racés et élégants. Certains vinificateurs les font maintenant fermenter en fût, mais les meilleurs vins sont ceux qui ne sont pas marqués par le bois. Le Pinot blanc se marie très bien avec de nombreux mets, et il est préférable de le boire dans les 4 ou 5 ans qui suivent sa diffusion. Le Klevener et le Pinot auxerrois sont des vins encore plus racés et plus fins.

Muscat Les plus délicieux et les plus agréablement parfumés des vins d'Alsace sont issus de ce cépage. Terriblement sous-estimé, souvent ignoré, ce blanc accompagne merveilleusement les plats épicés, notamment les cuisines chinoise et indienne. Moyennement corsé, mais avec des notes florales et très parfumées, le Muscat d'Alsace est charmeur et tout en finesse. A boire dans les 3 à 5 ans.

Tokay-pinot gris Capable de produire des vins aussi grandioses que les plus grands Chardonnay, le tokay-pinot gris atteint son apogée en Alsace, avec des vins blancs secs très corsés. C'est un excellent cépage qui, lorsqu'il est vendangé tard et vinifié en sec ou très sec, produit des vins aux arômes crémeux et profonds de fruits fondants, légèrement fumés, qui en bouche sont intenses, onctueux et dégagent une puissance considérable. Ces vins peuvent accompagner les mêmes types de mets qu'un grand cru blanc de Bourgogne, par exemple un plat élaboré de poisson. En Vendanges tardives, le Tokay-Pinot gris peut atteindre 14-15° et vieillit fort bien sur 5 à 20 ans. Le potentiel de garde, pour les vins autres que les Vendanges tardives, est de 4 à 10 ans.

Riesling C'est incontestablement un grand cépage. Le riesling donne en Alsace des vins très différents de ceux d'Allemagne. En effet, à l'ouest du Rhin, on préfère un Riesling sec et beaucoup plus corsé qu'à l'est. Cependant, de nombreux Allemands semblent s'être laissé convaincre puisqu'ils sont les plus grands acheteurs de Riesling alsacien (57 % de la production est exportée). En Alsace, ces vins déploient des notes très florales, mais aussi ce profond « goût de pétrole » qu'il est difficile de définir. Très minéraux, ils ont enfin un goût de terroir et de silex – contrairement aux vins de Moselle qui, eux, ont un caractère plutôt métallique, avec de légères notes d'ardoise. Moins floraux que leurs cousins allemands, mais avec des arômes d'ananas, de miel et d'écorce d'orange, les Riesling alsaciens sont des vins relativement corsés qui vieillissent de très belle manière. Potentiel de garde de 3 à 15 ans pour les vins secs et de 5 à 25 ans pour les Vendanges tardives.

Gewurztraminer Celui qui goûte pour la première fois un grand Gewurztraminer sera soit rebuté, soit conquis. C'est un vin aux parfums intenses de pétale de rose, de letchi et d'ananas mûr qui ne s'embarrasse pas trop de subtilités. Bien que je sois tout acquis à sa cause, je pense qu'il vaut mieux le boire à l'apéritif ou le servir avec un plat relevé de poisson ou de porc.

En France, les sommeliers le conseillent souvent avec du foie gras ou un fromage riche comme le munster. Ce vin corsé, très alcoolique (13,5 ou 14°), est capable d'une longévité exceptionnelle. Potentiel de garde : 5 à 15 ans. Pour les Vendanges tardives : 8 à 25 ans.

Pinot noir L'Alsace produit aussi des vins rouges, mais je n'ai jamais compris pourquoi. Le Pinot noir est généralement cher, sans caractère et insipide, avec des arômes dilués, même dans les meilleurs millésimes. Mais il y a des exceptions.

A PROPOS DES VENDANGES TARDIVES
ET DES SÉLECTIONS DE GRAINS NOBLES

Les vins dits de « Vendanges tardives » (VT) sont issus de fruits parfaitement mûrs (sans surmaturité). Ils sont puissants, riches et amples, et peuvent atteindre 14,3 à 16° d'alcool naturel. Leur concentration et leur richesse en extrait sont exceptionnelles. Selon les producteurs, ils sont vinifiés en vins totalement secs ou avec un peu de sucre résiduel. Les meilleurs d'entre eux sont tout simplement des chefs-d'œuvre, et se révèlent superbes et terriblement séduisants. En outre, ils vieillissent parfaitement, souvent même mieux – bien qu'on le sache peu – que certains grands vins blancs de Bourgogne. Ces vins portent la mention « Vendanges tardives » sur leur étiquette.

Les vins ayant droit à l'appellation « Sélection de grains nobles » (SGN) sont les plus doux et les plus riches des vins d'Alsace, souvent assimilés à des essences. Ils sont également les plus rares et les plus chers. Ils sont souvent fascinants, car leur fruit somptueux n'est pas gommé par des touches de bois neuf. En effet, les vignerons alsaciens, d'une manière générale, évitent les fûts neufs. Une Sélection de grains nobles peut très facilement tenir 15 à 30 ans.

MILLÉSIMES RÉCENTS

1995 Voir page 110.

1994 Ce millésime offre les deux niveaux extrêmes de qualité. En effet, les vignobles des bas coteaux aux rendements trop élevés ont donné des vins légers et aqueux. En revanche, ceux situés à flanc de coteau et ceux où les vignerons ont réduit le volume des récoltes par des vendanges en vert ont produit des vins charnus et extrêmement concentrés. En outre, le mois de septembre a été médiocre, mais ceux qui ont vendangé plus tard ont bénéficié d'un mois d'octobre exceptionnellement chaud et ensoleillé. Contrairement à 1993, 1992 et 1991, il y a eu en 1994 une production relativement importante de Vendanges tardives, notamment chez les meilleurs vignerons et dans les meilleures propriétés. Un grand millésime en ce qui concerne le haut de l'échelle.

1993 Les 1993 sont bons, l'Alsace ayant échappé au mauvais temps qui, cette année-là, sévissait sur le reste de la France. Les vins sont plus légers qu'en 1992, mais ils ont une meilleure acidité, plus de structure et de fruit mûr, et il faut les boire assez rapidement. La production de Vendanges tardives ou de Sélections de grains nobles est assez faible.

1992   L'Alsace a connu en 1992 plus de réussite que d'autres régions viticoles situées plus au sud. Les vendanges ont été les plus précoces depuis celles de 1976, avec des rendements très élevés. La récolte était très mûre et riche, mais les vins ont un taux d'acidité relativement bas. Nombre d'entre eux devront être consommés assez rapidement, mais ils sont francs, juteux et plaisants.

1991   Pour l'Alsace, c'est le millésime le plus difficile depuis 1987. Cependant, malgré la médiocrité générale qui prévaut, certains domaines ont produit des vins remarquables (Weinbach, Zind-Humbrecht). Dans l'ensemble, les 1991 sont assez légers, trop marqués par l'acidité et un peu trop verts. Quel contraste avec les 1992, tendres et fruités !

1990   C'est surprenant, mais ce millésime est encore plus régulier à haut niveau que le 1989. La production de Vendanges tardives et de Sélections de grains nobles est moins importante, ce qui ne peut que satisfaire les amateurs de vins blancs secs. Si tous les cépages étaient de qualité remarquable, j'ai été particulièrement impressionné par les fabuleux Riesling, qui sont bien supérieurs à ceux de l'année précédente. Les Gewurztraminer, si extraordinairement profonds et riches en 1989, sont légèrement moins intenses en 1990, mais également mieux équilibrés et moins écrasants. Tout bien considéré, c'est un millésime de haut niveau qui égale sans coup férir ses meilleurs prédécesseurs, les 1983, 1985 et 1989.

1989   Ce millésime ressemble au 1983, avec des vins puissants, capiteux, très parfumés et parfois même fabuleusement riches. Cette année-là, la production de Vendanges tardives et de Sélections de grains nobles a été très importante, et, pour ce qui est des vins doux, aucun autre millésime ne peut égaler celui-ci, où même les vins blancs secs sont un peu massifs. Beaucoup de grands vins méritent d'être achetés, mais, compte tenu de leur acidité relativement faible, il faudra être vigilant sur leur aptitude à une longue garde.

1988   C'est un excellent millésime, qui souffre seulement d'avoir été suivi des 1989 et des 1990. Ces vins très secs, racés, n'ont peut-être pas la concentration ni le côté spectaculaire des 1989 et des 1990, mais ils sont très élégants, suaves et pleins de grâce. Les grands Riesling et Gewurztraminer, ainsi que les grands crus, dureront sans peine une décennie ou davantage.

1987   Ce millésime est étonnamment bon, surtout si l'on tient compte de sa réputation assez quelconque. Plusieurs producteurs, tel le Domaine Zind-Humbrecht, ont fait d'excellents vins cette année-là. Dans l'ensemble, la qualité est au moins bonne et, dans certains cas, excellente. Il y a eu peu de Vendanges tardives ou de Sélections de grains nobles à cause des pluies du début de l'automne.

1986   Un millésime très inégal, mais les Domaines Zind-Humbrecht et Weinbach ont fait des vins superbes.

VIEUX MILLÉSIMES

Le 1985 est l'un des quatre ou cinq meilleurs millésimes produits en Alsace dans les quinze dernières années. Les vins sont riches, avec suffisamment d'acidité, et ils évoluent joliment en bouteille. Ils sont actuellement délicieux, et les meilleurs Tokay-Pinot gris, Riesling et Gewurztraminer pourront tenir encore au moins une bonne dizaine d'années.

Les 1984 et les 1982 sont les pires millésimes de la décennie et, à ce titre, ne présentent aucun intérêt. Quant aux 1983, ils sont très réussis. J'en ai acheté une vingtaine de caisses environ et en ai bu avec beaucoup de plaisir. Malgré leur faible taux d'acidité et leur caractère intense et concentré, ces vins semblent bien se conserver, et certains Riesling et Gewurztraminer des plus opulents se bonifient encore.

Ceux qui sont suffisamment chanceux pour trouver des bouteilles de 1976, de 1971 et de 1967 en excellent état de conservation constateront l'extraordinaire potentiel de garde des meilleurs vins d'Alsace. Toutefois, je pense que de telles affaires ne peuvent plus se faire qu'aux enchères, et peut-être encore à des prix intéressants.

Que faut-il penser des grands crus ?

Comme la Bourgogne, l'Alsace a maintenant ses grands crus, mais cette classification est encore l'objet de grandes controverses. La liste officielle compte sans nul doute beaucoup des meilleurs vignobles de la région. Cependant, elle exclut sans justification aucune les vignobles monopoles (appartenant à un seul propriétaire), alors qu'il est incontestable que plusieurs d'entre eux – tels le Clos Sainte-Hune, le Clos Windsbuhl et le Clos des Capucins – sont de très grands terroirs. De plus, quelques-uns des producteurs les plus remarquables de la région – tels Hugel, Beyer et Trimbach – ont refusé de faire figurer la mention « grand cru » sur les étiquettes de leurs meilleures cuvées, bien que la majeure partie de leurs vins de réserve soit issue de vignobles classés. Il faut ajouter à cela le fait que certains maires de villages viticoles d'Alsace ont réussi à persuader les autorités de la nécessité de leur donner « leur » grand cru, si bien que l'on arrive maintenant à en dénombrer 50, c'est-à-dire une vingtaine de plus qu'en Côte-d'Or. Enfin, certains de ces vignobles n'ont toujours pas fait l'objet d'une délimitation officielle.

Malgré ses faiblesses, cette classification incite les producteurs à tirer le meilleur parti des vignobles les mieux situés. D'ailleurs, dans la mesure où l'on utilise peu de chêne neuf en Alsace, on retrouve indiscutablement dans les verres le caractère des différents terroirs – beaucoup plus, en tout cas, et j'en ai fait maintes fois l'expérience, qu'en Bourgogne, où c'est en général la griffe du vinificateur qui prévaut.

Pour aider le lecteur à s'y retrouver, j'ai dressé la liste alphabétique des plus importants grands crus. J'ai en outre tenté de cerner les caractéristiques majeures de chaque vignoble à l'aide de données qui m'ont été fournies par le Bureau d'information sur les vins d'Alsace.

LES PRINCIPAUX GRANDS CRUS

Altenberg de Bergbieten　SURFACE : 27 ha. CARACTÉRISTIQUES : vignoble situé sur un coteau exposé sud-est, aux sols de gypse, d'argile et de gravier. PRINCIPAUX CÉPAGES : le riesling et le gewurztraminer sont considérés comme les meilleurs sur ces pentes, mais on y cultive aussi le tokay-pinot gris et le muscat.

Altenberg de Bergheim　SURFACE : 33 ha. CARACTÉRISTIQUES : le calcaire et la marne dominent les sols de ce vignoble de coteau, renommé pour ses superbes Riesling et, dans une moindre mesure, pour ses Gewurztraminer. PRINCIPAUX CÉPAGES : riesling et gewurztraminer.

Brand　SURFACE : 57 ha. CARACTÉRISTIQUES : ce superbe vignoble de coteau, près du village de Turckheim, est exposé au sud-est. Le sol est profondément granitique, avec aussi du mica noir. PRINCIPAUX CÉPAGES : riesling, tokay-pinot gris et gewurztraminer.

Eichberg　SURFACE : 58 ha. CARACTÉRISTIQUES : situé au sud du village d'Eguisheim, au pied du coteau, dans la commune de Husseren-les-Châteaux (trois tours dominent la colline), ce vignoble est exposé au sud-est et bénéficie d'un microclimat particulièrement chaud et sec. Le sol est fait d'argile fertile et de calcaire. PRINCIPAUX CÉPAGES : gewurztraminer, riesling et tokay-pinot gris.

Engelberg　SURFACE : 11 ha. CARACTÉRISTIQUES : sous-sol de calcaire et de marne extrêmement bien drainé. PRINCIPAUX CÉPAGES : gewurztraminer et riesling.

Florimont　SURFACE : 11 ha. CARACTÉRISTIQUES : situé juste en bordure du village d'Ingesheim, ce vignoble pentu, orienté au sud et à l'est, a un sous-sol calcaire. PRINCIPAL CÉPAGE : gewurztraminer.

Frankstein　SURFACE : 53 ha. CARACTÉRISTIQUES : composé de quatre parcelles distinctes, ce vignoble pentu au sous-sol bien drainé bénéficie d'une bonne exposition sud-est. PRINCIPAUX CÉPAGES : riesling et gewurztraminer.

Froehn　SURFACE : 13 ha. CARACTÉRISTIQUES : situé juste en dehors du village de Zelburg, ce minuscule grand cru est réputé pour ses vins de longue garde. PRINCIPAUX CÉPAGES : gewurztraminer, tokay-pinot gris et muscat.

Furstentum　SURFACE : 27,5 ha. CARACTÉRISTIQUES : non loin de Kaysersberg, ce vignoble extrêmement pentu bénéficie d'une situation exceptionnelle et d'un microclimat tempéré qui lui permettent de produire des vins corsés et riches. PRINCIPAUX CÉPAGES : gewurztraminer, riesling et tokay-pinot gris.

Geisberg　SURFACE : 8,5 ha. CARACTÉRISTIQUES : terrain en terrasse pentue, dominant le charmant village de Ribeauvillé, Geisberg est connu pour ses sols très graveleux et calcaires, et ses vins puissants et élégants. PRINCIPAL CÉPAGE : riesling.

Gloeckelberg　SURFACE : 23 ha. CARACTÉRISTIQUES : situé près des villages de Saint-Hippolyte et de Rodern, ce vignoble de taille moyenne est exposé au sud et au sud-est, avec des sols relativement acides composés de sable, de gypse et de gravier. PRINCIPAUX CÉPAGES : tokay-pinot gris, suivi du gewurztraminer.

Goldert　SURFACE : 45 ha. CARACTÉRISTIQUES : c'est l'un des vignobles les plus impressionnants d'Alsace ; situé au nord du village de Gueberschwihr, il se trouve à une altitude relativement élevée, présente un sol profondément calcaire et une exposition est-sud-est. Il est particulièrement renommé pour ce sol bien drainé qui donne des Gewurztraminer et des Muscat remarquables. PRINCIPAUX CÉPAGES : gewurztraminer, suivi du muscat.

Hatschbourg SURFACE : 47 ha. CARACTÉRISTIQUES : situé au sud de Colmar, près du village de Voegtlinshoffen, ce vignoble de coteau a un sol de calcaire et de marne, excellemment drainé, avec une exposition sud-sud-est. PRINCIPAUX CÉPAGES : gewurztraminer, suivi du tokay-pinot gris et du riesling.

Hengst SURFACE : 76 ha. CARACTÉRISTIQUES : ce vignoble assez étendu, au sud du village de Wintzenheim, est orienté sud-sud-est. Les sols, composés de marne et de calcaire, donnent généralement des vins riches et corsés. PRINCI-PAUX CÉPAGES : gewurztraminer, suivi du tokay-pinot gris et du riesling.

Kanzlerberg SURFACE : 3,3 ha. CARACTÉRISTIQUES : ce petit vignoble, situé près du village de Bergheim, immédiatement à l'ouest du grand cru Altenberg, a un sol argilo-calcaire très lourd, mêlé de gypse et de marne. Il est superbe et donne des vins puissants. PRINCIPAUX CÉPAGES : tokay-pinot gris et gewurz-traminer.

Kastelberg SURFACE : 5,8 ha. CARACTÉRISTIQUES : en terrasse et en pente, tout au nord de la région viticole, près d'Andlau, ce vignoble présente un sol aux couches profondes de schiste et de quartz, idéal pour le Riesling. PRINCIPAL CÉPAGE : riesling.

Kessler SURFACE : 28,5 ha. CARACTÉRISTIQUES : ces vignobles en terrasse et en pente, aux sols de grès rouge, d'argile et de sable, sont situés à l'extrême sud de la région viticole et bénéficient d'une remarquable exposition sud-est. PRINCIPAUX CÉPAGES : gewurztraminer et tokay-pinot gris, suivis du riesling.

Kirchberg de Barr SURFACE : 40 ha. CARACTÉRISTIQUES : situé dans la partie nord de la région viticole, derrière le village de Barr, ce vignoble exposé au sud-est présente un sol de marne calcaire, sur des lits sous-jacents de calcaire et de gravier. PRINCIPAUX CÉPAGES : gewurztraminer, riesling et tokay-pinot gris.

Kirchberg de Ribeauvillé SURFACE : 11,5 ha. CARACTÉRISTIQUES : le sol, rocheux et argileux, et l'exposition sud-sud-est donnent des vins relativement corsés, qui réclament un peu de garde en bouteille pour développer leur bouquet. PRINCIPAUX CÉPAGES : riesling et muscat, suivis du gewurztraminer.

Kitterlé SURFACE : 26 ha. CARACTÉRISTIQUES : c'est peut-être le plus remar-quable des vignobles en terrasse. Kitterlé, qui se trouve sur des pentes assez fortes, domine superbement la ville de Guebwiller. Il présente trois types d'ex-position : sud, sud-est et sud-ouest. Les sols sont de grès rouge, avec beaucoup de quartz et des épisodes siliceux et graveleux, et donnent des vins remar-quables par leur richesse et leur potentiel de garde. PRINCIPAUX CÉPAGES : gewurztraminer, riesling et tokay-pinot gris.

Mambourg SURFACE : 65 ha. CARACTÉRISTIQUES : ce vignoble de coteau, domi-nant le village de Sigolsheim, a un sol de calcaire et de marne qui donne des rendements très faibles. Ce terrain lourd est idéal pour le gewurztraminer. PRINCIPAUX CÉPAGES : gewurztraminer, suivi du tokay-pinot gris, du muscat et du riesling.

Mandelberg SURFACE : 12 ha. CARACTÉRISTIQUES : situé près du village de Mittelwihr, sur un coteau, ce vignoble offre un sol de marne et de calcaire. PRINCIPAUX CÉPAGES : gewurztraminer, suivi du riesling.

Marckrain SURFACE : 45 ha. CARACTÉRISTIQUES : ce vignoble, situé au sud du village de Bennwihr, au sol lourd de calcaire et de marne mêlés d'argile, donne des vins relativement riches, parfumés et corsés. PRINCIPAUX CÉPAGES : gewurztraminer, tokay-pinot gris.

Moenchberg SURFACE : 12 ha. CARACTÉRISTIQUES : situé sur un coteau, au nord de l'Alsace, entre les villages d'Andlau et d'Eichhoffen, ce vignoble présente un sol léger de grès mêlé de calcaire. PRINCIPAL CÉPAGE : riesling.

Muenchberg SURFACE : 25 ha. CARACTÉRISTIQUES : le sol léger de gravier et de sable, pauvre en matières organiques, est idéal pour produire des vins assez réservés, mais remarquablement concentrés. PRINCIPAL CÉPAGE : riesling.

Ollwiller SURFACE : 35,3 ha. CARACTÉRISTIQUES : situé dans la zone la plus méridionale de la région viticole, près du village de Wuenheim (situé à mi-chemin entre Guebwiller et Thann), ce vignoble de coteau bénéficie d'une exposition au sud-est, avec des sols de grès rouge et d'argile. PRINCIPAUX CÉPAGES : riesling et gewurztraminer.

Osterberg SURFACE : 24 ha. CARACTÉRISTIQUES : avec des sols pierreux et argileux, ce vignoble se trouve près du village de Ribeauvillé. PRINCIPAUX CÉPAGES : riesling, gewurztraminer et tokay-pinot gris.

Pfersigberg SURFACE : 56 ha. CARACTÉRISTIQUES : avec ses sols graveleux, aux riches dépôts de magnésium, ce vignoble, situé près du village d'Eguisheim, a vue sur les trois tours en ruine qui dominent la colline sise au-dessus de Husseren-les-Châteaux. PRINCIPAUX CÉPAGES : gewurztraminer, tokay-pinot gris, riesling et muscat.

Pfingstberg SURFACE : 28 ha. CARACTÉRISTIQUES : exposé au sud-est et situé dans le sud de la région viticole et au nord de Guebwiller, ce vignoble a des sols de grès rouge et de mica qui donnent des vins classiques, au grand potentiel de garde. PRINCIPAUX CÉPAGES : gewurztraminer, tokay-pinot gris et riesling.

Praelatenberg SURFACE : 12 ha. CARACTÉRISTIQUES : situé sur un coteau, au-dessous du puissant château de Haut-Koenigsbourg, ce vignoble a un sol lourd, mais bien drainé, de gravier et de quartz. PRINCIPAUX CÉPAGES : riesling, suivi du gewurztraminer et du muscat.

Rangen SURFACE : 19 ha. CARACTÉRISTIQUES : c'est l'un des grands crus les plus remarquables. Situé à l'extrême sud de la région viticole, sur des terrasses pentues bénéficiant d'une exposition plein sud, ce vignoble présente un sol de roches volcaniques et de schistes, avec de nombreux affleurements rocheux. PRINCIPAUX CÉPAGES : tokay-pinot gris, gewurztraminer et riesling.

Rosacker SURFACE : 27 ha. CARACTÉRISTIQUES : situé au nord du village de Hunawihr, près de deux superbes grands crus entourés de murs, le Clos Windsbuhl et le Clos Sainte-Hune, ce vignoble de coteau, bénéficiant d'une exposition est-sud-est, est implanté sur des sols lourds de calcaire enrichi de magnésium, avec un peu de grès. PRINCIPAUX CÉPAGES : riesling, suivi du gewurztraminer.

Saering SURFACE : 26,7 ha. CARACTÉRISTIQUES : exposé à l'est-sud-est, ce vignoble est situé sur le même coteau que le célèbre vignoble de Kitterlé. Le sol est à la fois lourd et sableux, avec du gravier et de la craie, ce qui est parfait pour le riesling. PRINCIPAL CÉPAGE : riesling.

Schlossberg SURFACE : 80 ha. CARACTÉRISTIQUES : sur une terrasse en pente et sur des sols de sable et de gravier assez riches, ce vignoble est situé près du charmant village de Kaysersberg, en direction de Kientzheim. C'est l'un des plus vastes des grands crus, et la qualité des vins varie énormément. PRINCIPAL CÉPAGE : riesling.

Schoenenbourg SURFACE : 40 ha. CARACTÉRISTIQUES : c'est un beau site et un vignoble remarquable. Il se trouve sur un coteau, près de la ville fortifiée de Riquewihr, sur des sols de gravier fin, riches en marne, en gypse et en grès. PRINCIPAUX CÉPAGES : riesling, suivi du muscat, avec un peu de tokay-pinot gris.

Sommerberg SURFACE : 27 ha. CARACTÉRISTIQUES : c'est l'un des vignobles les plus pentus d'Alsace. Situé près du village de Niedermorschwihr, il est orienté plein sud, et présente des sols de granit dur et de mica noir. PRINCIPAL CÉPAGE : riesling.

Sonnenglanz SURFACE : 33 ha. CARACTÉRISTIQUES : l'exposition au sud-est sur un coteau, les sols relativement lourds et un microclimat particulièrement sec font du vignoble de Sonnenglanz l'un des plus favorables pour le tokay-pinot gris et le gewurztraminer. PRINCIPAUX CÉPAGES : tokay-pinot gris et gewurztraminer.

Spiegel SURFACE : 18,3 ha. CARACTÉRISTIQUES : situés entre Guebwiller et Bergholtz, dans la partie sud de la région, ces vignobles se trouvent sur des sols sableux, avec une exposition plein est. PRINCIPAUX CÉPAGES : tokay-pinot gris et gewurztraminer.

Sporen SURFACE : 22,4 ha. CARACTÉRISTIQUES : c'est un vignoble remarquable pour le gewurztraminer, implanté sur des sols profonds et fertiles, contenant beaucoup de phosphates, qui domine la très belle Riquewihr, une charmante petite ville de carte postale. Les vins qui en sont issus comptent parmi les plus riches et les plus aptes à la longue garde de la région, mais ils ont besoin de pas mal de temps en bouteille pour s'épanouir. PRINCIPAUX CÉPAGES : gewurztraminer, suivi du tokay-pinot gris.

Steinert SURFACE : 38 ha. CARACTÉRISTIQUES : les sols pierreux, sur un coteau pentu, dans un endroit particulièrement sec de l'Alsace, donnent des vins très aromatiques. PRINCIPAUX CÉPAGES : gewurztraminer, suivi du tokay-pinot gris et du riesling.

Steingrubler SURFACE : 19 ha. CARACTÉRISTIQUES : vignoble de coteau dont le sous-sol est sableux en haut de la pente, plus riche, mais moins bien drainé, en bas. Il est réputé pour ses vins au grand potentiel de garde. PRINCIPAUX CÉPAGES : riesling et gewurztraminer.

Steinklotz SURFACE : 24 ha. CARACTÉRISTIQUES : c'est le plus septentrional des grands crus d'Alsace. Situé près de la petite ville de Marlenheim, le vignoble de Steinklotz est orienté au sud-sud-est et implanté sur des sols de calcaire très graveleux. PRINCIPAUX CÉPAGES : tokay-pinot gris, suivi du riesling et du gewurztraminer.

Vorbourg SURFACE : 72 ha. CARACTÉRISTIQUES : ce vignoble, situé près du bourg de Rouffach, dans la partie sud de la région viticole, est implanté sur des sols de calcaire et de marne, sur un coteau exposé au sud-sud-est. Il bénéficie d'un microclimat chaud et sec, et le raisin y mûrit bien. PRINCIPAUX CÉPAGES : riesling, gewurztraminer, tokay-pinot gris, muscat.

Wiebelsberg SURFACE : 10,3 ha. CARACTÉRISTIQUES : superbement situé sur un coteau qui domine l'important village d'Andlau, ce vignoble est implanté sur des sols de grès sablonneux très bien drainés. PRINCIPAL CÉPAGE : riesling.

Wineck-Schlossberg SURFACE : 24 ha. CARACTÉRISTIQUES : à l'ouest de Colmar, au pied de la montagne vosgienne, près du bourg de Katzenthal, ce vignoble de grand cru, relativement peu connu, est implanté sur des sols granitiques profonds et donne des vins subtils, de très longue garde. PRINCIPAUX CÉPAGES : riesling, suivi du gewurztraminer.

Winzenberg SURFACE : 50 ha. CARACTÉRISTIQUES : situé au nord-est du Bas-Rhin, sur un sol granitique assez riche en mica, et exposé au sud-sud-est, ce vignoble est l'un des moins connus des grands crus d'Alsace. PRINCIPAUX CÉPAGES : riesling, suivi du gewurztraminer.

Zinnkoepflé SURFACE : 62 ha. CARACTÉRISTIQUES : dans un très beau site, ce vignoble de coteau pentu, orienté au sud-sud-est, est implanté sur des lits profonds de grès, au sud de la région viticole, près de Soultzmatt ; il produit des vins riches, épicés et très puissants. PRINCIPAUX CÉPAGES : gewurztraminer, suivi du riesling et du tokay-pinot gris.

Zotzenberg SURFACE : 34 ha. CARACTÉRISTIQUES : situé au nord d'Epfig et au sud de Barr, ce vignoble, exposé au sud et à l'est, est implanté sur des sols de marne et de calcaire en pente assez faible. PRINCIPAUX CÉPAGES : gewurztraminer et riesling.

LES CLOS LES PLUS CÉLÈBRES

Certains des meilleurs vins d'Alsace ne sont pas issus de vignobles classés en grand cru, mais de parcelles pouvant prétendre à l'appellation de « Clos », dont le plus célèbre est le prestigieux Clos des Capucins (5 ha), situé en bordure du village de Kaysersberg et qui appartient à la remarquable Mme Faller, du Domaine Weinbach. Ce petit vignoble produit des Riesling, des Gewurztraminer et des Tokay-Pinot gris extraordinaires, qui sont bien supérieurs parfois à certains grands crus. C'est cependant le Clos Gaensbroennel (6 ha), propriété de Willm, tout près du village de Barr, qui m'a permis de déguster les plus beaux vieux millésimes de Gewurztraminer. Le clos le plus illustre est peut-être celui de Sainte-Hune (1,25 ha), qui appartient à la non moins prestigieuse maison Trimbach, de Ribeauvillé. Les vins de ce clos entièrement complanté en riesling, et que l'on appelle les « Romanée-Conti » d'Alsace, sont capables de vieillir et d'évoluer de belle manière sur une période d'au moins 15 ans.

Jouissant d'une excellente situation tout près de Gueberschwihr, l'exceptionnel Clos Saint-Imer (5 ha) d'Ernest Burn produit, comme en témoignent mes notes de dégustation, des Riesling, des Gewurztraminer et des Tokay-Pinot gris qui comptent parmi les meilleurs d'Alsace.

La maison Muré, elle, possède, à proximité de Rouffach, le clos le plus étendu de la région : le Clos Saint-Landelin (16 ha). On y fait, à partir de vignes plantées en coteau, des Gewurztraminer, des Riesling et des Tokay-Pinot gris riches, corsés et opulents, et même un splendide Muscat sec.

Le Domaine Zind-Humbrecht possède et a en fermage deux vignobles de renom qui bénéficient également de l'appellation « Clos ». Le plus connu des deux, qui lui appartient, est le Clos Saint-Urbain (5 ha). Superbement situé à Thann, sur des terrasses pentues, ce vignoble implanté sur un sol granitique et exposé sud-est produit des Gewurztraminer, des Riesling et des Tokay-Pinot gris extraordinairement riches et de longue garde. Ces derniers peuvent à mon avis être considérés comme les Montrachet d'Alsace. Le même domaine a en fermage le Clos Windsbuhl (4,5 ha). Situé sur un coteau pentu derrière la magnifique église de Hunawihr, juste à côté du célèbre Clos Sainte-Hune de Trimbach, ce vignoble est planté sur un sol calcaire et pierreux, et bénéficie d'une exposition est-sud-est. Il donne un superbe Gewurztraminer, ainsi qu'un peu de Riesling et de Tokay-Pinot gris.

D'autres clos que je connais moins bien méritent d'être cités. J'ai ainsi été impressionné par le Clos Zisser (5 ha), appartenant au domaine Klipfel et entièrement complanté en gewurztraminer. J'ai peu dégusté les vins du Clos Schlossberg (1,2 ha), qui appartient à Jean Sipp et qui se trouve juste à la sortie de Ribeauvillé. Enfin, Marc Kreydenweiss a élaboré un Muscat sec des plus fins sur son Clos Rebgarten (0,2 ha), situé sur des sols graveleux et sablonneux dans la commune d'Anderlau.

Les vins issus de ces clos sont aussi sensationnels et souvent supérieurs à certains grands crus. Ségrégation politique ?

STRATÉGIE D'ACHAT

Les vins d'Alsace ne sont pas tous mis en même temps sur le marché, aussi des stocks de 1990 – excellent millésime – sont-ils peut-être encore disponibles chez certains détaillants. Assurez-vous de ce qu'ils ont été conservés dans de bonnes conditions. Les 1991, 1992 et 1993 doivent être soigneusement sélectionnés (cantonnez-vous aux producteurs notés 4 ou 5 étoiles), car ils n'ont pas la richesse des 1989 et des 1990, mais ils sont moins chers. Les vins des meilleurs viticulteurs se maintiendront jusqu'en l'an 2000 environ.

A LA RECHERCHE DES MEILLEURS
(Une vue personnelle des plus grands crus d'Alsace)

J.-B. Adam
    Gewurztraminer Kaefferkopf
Domaine Lucien Albrecht
    Gewurztraminer Cuvée Martine
Domaine Lucien Albrecht
    Tokay-Pinot Gris Pfingstberg
Barmès-Buecher
    Gewurztraminer Steingrubler
Domaine J.-M. Baumann
    Gewurztraminer Sporen
Domaine J.-M. Baumann
    Riesling Schoenenbourg

Jean-Claude Beck
    Gewurztraminer Fronholtz
    Vieilles Vignes
Jean-Pierre Becker
    Gewurztraminer Froehn
Léon Beyer
    Gewurztraminer
    Cuvée des Comtes d'Eguisheim
Bott-Geyl
    Gewurztraminer Schoesselreben
    Vieilles Vignes

Bott-Geyl
   Gewurztraminer
   Sonnenglanz Vieilles Vignes
Bott-Geyl
   Muscat Schoenenbourg
Bott-Geyl
   Tokay-Pinot Gris
   Sonnenglanz
Albert Boxler et Fils
   Gewurztraminer Brand
Albert Boxler et Fils
   Riesling Brand
Albert Boxler et Fils
   Riesling Sommerberg
Albert Boxler et Fils
   Tokay-Pinot Gris Brand
Albert Boxler et Fils
   Tokay-Pinot Gris Sommerberg
Maison Ernest Burn Gewurztraminer
   Clos Saint-Imer Goldert
Maison Ernest Burn Gewurztraminer
   Clos Saint-Imer Goldert
   Cuvée La Chapelle
Maison Ernest Burn
   Riesling Clos Saint-Imer Goldert
Maison Ernest Burn
   Tokay-Pinot Gris
   Clos Saint-Imer Goldert
Maison Ernest Burn
   Tokay-Pinot Gris
   Clos Saint-Imer Goldert
   Cuvée La Chapelle
Marcel Deiss
   Gewurztraminer Altenberg
Marcel Deiss
   Riesling Altenberg
Marcel Deiss
   Riesling Burg
Marcel Deiss
   Riesling Engelgarten
   Vieilles Vignes
Marcel Deiss
   Riesling Grasberg
Marcel Deiss
   Riesling Schoenenbourg

Jean-Pierre Dirler
   Gewurztraminer Spiegel
Jean-Pierre Dirler
   Muscat Saering
Jean-Pierre Dirler
   Riesling Kessler
Dopff « Au Moulin »
   Gewurztraminer Brand
Dopff « Au Moulin »
   Gewurztraminer Sporen
Dopff « Au Moulin »
   Riesling Schoenenbourg
Sick-Dreyer
   Riesling Kaefferkopf
   Cuvée J. Dreyer
Robert Faller et Fils
   Riesling Geisberg
Pierre Frick
   Gewurztraminer Steinert
Jean Geiler
   Gewurztraminer Florimont
Gérard et Serge Hartmann
   Gewurztraminer Hatschbourg
Gérard et Serge Hartmann
   Tokay-Pinot Gris Hatschbourg
Hugel
   Gewurztraminer
   Cuvée Jubilée
Hugel
   Riesling Cuvée Jubilée
Hugel
   Tokay-Pinot Gris
   Cuvée Jubilée
Josmeyer-Joseph Meyer
   Gewurztraminer Folastries
Josmeyer-Joseph Meyer
   Gewurztraminer Hengst
Josmeyer-Joseph Meyer
   Pinot Auxerrois « H »
   Vieilles Vignes
Josmeyer-Joseph Meyer
   Riesling Hengst
   Cuvée de la Saint-Martin
Josmeyer-Joseph Meyer
   Tokay-Pinot Gris
   Cuvée du Centenaire
Charles Koehly et Fils
   Riesling Altenberg

Charles Koehly et Fils
Tokay-Pinot Gris Altenberg
Marc Kreydenweiss
Gewurztraminer Kritt
Marc Kreydenweiss
Klevner Kritt
Marc Kreydenweiss
Riesling Kastelberg
Marc Kreydenweiss
Riesling Wiebelsberg
Marc Kreydenweiss
Tokay-Pinot Gris Moenchberg
Kuehn Gewurztraminer
Cuvée Saint-Hubert
Kuentz-Bas
Gewurztraminer Eichberg
Kuentz-Bas
Gewurztraminer Pfersigberg
Kuentz-Bas
Riesling Pfersigberg
Kuentz-Bas
Tokay-Pinot Gris
Réserve Personnelle
Cuvée Caroline
Gustave Lorentz
Gewurztraminer Altenberg
Albert Mann
Gewurztraminer Furstentum
Albert Mann
Gewurztraminer Hengst
Albert Mann
Gewurztraminer Steingrubler
Albert Mann
Riesling Pfleck
Albert Mann
Riesling Schlossberg
Albert Mann
Tokay-Pinot Gris Hengst
Julien Meyer
Riesling Muenchberg
Meyer-Fonne
Gewurztraminer Schlossberg
Meyer-Fonne
Riesling Kaefferkopf
Mittnacht-Klack
Gewurztraminer Rosacker
Mittnacht-Klack
Gewurztraminer Sporen

Mittnacht-Klack
Riesling Rosacker
Mittnacht-Klack
Riesling Schoenenbourg
Vieilles Vignes
Muré-Clos Saint-Landelin
Gewurztraminer Vorbourg
Muré-Clos Saint-Landelin
Muscat Vorbourg
Muré-Clos Saint-Landelin
Riesling Vorbourg
Muré-Clos Saint-Landelin
Tokay-Pinot Gris Vorbourg
Domaine Ostertag
Gewurztraminer Fronholtz
Domaine Ostertag
Muscat Fronholtz
Domaine Ostertag
Riesling Fronholtz
Domaine Ostertag
Riesling Heissenberg
Domaine Ostertag
Riesling Muenchberg
Rolly-Gassmann
Gewurztraminer Kappelweg
Rolly-Gassmann
Muscat Moenchreben
Rolly-Gassmann
Pinot Blanc Auxerrois
Moenchreben
Rolly-Gassmann
Riesling Kappelweg
Jean Schaetzel
Gewurztraminer Kaefferkopf
Cuvée Catherine
Jean Schaetzel
Riesling Kaefferkopf
Cuvée Nicolas
André Scherer
Gewurztraminer Eichberg
André Scherer
Gewurztraminer Pfersigberg
Charles Schleret
Gewurztraminer
Cuvée Exceptionnelle

Charles Schleret
  Gewurztraminer Herrenweg
Charles Schleret
  Pinot Blanc Herrenweg
Charles Schleret
  Tokay-Pinot Gris
  Cuvée Exceptionnelle
Charles Schleret
  Tokay-Pinot Gris
  Herrenweg
Schlumberger
  Gewurztraminer
  Cuvée Anne
Schlumberger
  Gewurztraminer
  Cuvée Christine
Schlumberger
  Gewurztraminer Kessler
Schlumberger
  Gewurztraminer Kitterlé
Schlumberger
  Riesling Kitterlé
Schlumberger
  Riesling Saering
Schlumberger
  Tokay-Pinot Gris
  Cuvée Clarisse Schlumberger
Schlumberger
  Tokay-Pinot Gris Kitterlé
Domaine Schoffit
  Chasselas Vieilles Vignes
Domaine Schoffit
  Gewurztraminer Rangen
  Clos Saint-Théobald
Domaine Schoffit
  Riesling Rangen
  Clos Saint-Théobald
Domaine Schoffit
  Tokay-Pinot Gris Rangen
  Clos Saint-Théobald
Pierre Sparr
  Gewurztraminer Brand
Pierre Sparr
  Gewurztraminer Mambourg
Pierre Sparr
  Riesling Schlossberg

Domaine Trimbach
  Gewurztraminer
  Seigneurs de Ribeaupierre
Domaine Trimbach
  Riesling Clos Sainte-Hune
Domaine Trimbach
  Riesling Cuvée Frédéric-Émile
Domaine Weinbach
  Gewurztraminer Cuvée Laurence
Domaine Weinbach
  Gewurztraminer
  Cuvée Laurence Altenbourg
Domaine Weinbach
  Gewurztraminer
  Cuvée Laurence Furstentum
Domaine Weinbach
  Gewurztraminer Cuvée Théo
Domaine Weinbach
  Gewurztraminer
  Réserve Personnelle
Domaine Weinbach
  Riesling Cuvée Théo
Domaine Weinbach
  Riesling Schlossberg
Domaine Weinbach
  Tokay-Pinot Gris
  Cuvée Sainte-Catherine
Willm
  Gewurztraminer
  Clos Gaensbroennel
Domaine Zind-Humbrecht
  Gewurztraminer Rangen
  Clos Saint-Urbain
Domaine Zind-Humbrecht
  Gewurztraminer
  Clos Windsbuhl
Domaine Zind-Humbrecht
  Gewurztraminer Goldert
Domaine Zind-Humbrecht
  Gewurztraminer Heimbourg
Domaine Zind-Humbrecht
  Gewurztraminer Hengst
Domaine Zind-Humbrecht
  Gewurztraminer Rangen
Domaine Zind-Humbrecht
  Gewurztraminer Wintzenheim
Domaine Zind-Humbrecht
  Riesling Brand

Domaine Zind-Humbrecht
 Riesling Clos Hauserer
Domaine Zind-Humbrecht
 Riesling Rangen
 Clos Saint-Urbain
Domaine Zind-Humbrecht
 Riesling Clos Windsbuhl
Domaine Zind-Humbrecht
 Riesling Gueberschwihr
Domaine Zind-Humbrecht
 Riesling Herrenweg Turckheim

Domaine Zind-Humbrecht
 Riesling Turckheim
Domaine Zind-Humbrecht
 Riesling Wintzenheim
Domaine Zind-Humbrecht
 Tokay-Pinot Gris Clos Jebsal
Domaine Zind-Humbrecht
 Tokay-Pinot Gris Heimbourg
Domaine Zind-Humbrecht
 Tokay-Pinot Gris
 Vieilles Vignes

LES MEILLEURS PRODUCTEURS D'ALSACE

***** EXCEPTIONNEL

Albert Boxler et Fils
Maison Ernest Burn
Marcel Deiss
Jean-Pierre Dirler
Hugel (Cuvée Jubilée)
Josmeyer-Joseph Meyer
 (grands crus)
Marc Kreydenweiss

Albert Mann
Mittnacht-Klack
Charles Schleret
Bernard et Robert Schoffit
Domaine Trimbach
 (cuvées prestige)
Domaine Weinbach
Domaine Zind-Humbrecht

**** EXCELLENT

J.-B. Adam
Domaine Lucien Albrecht
Bott-Geyl
Dopff « Au Moulin »
 (grand cru)
Sick-Dreyer
Pierre Frick
Hugel (Cuvée Tradition)
Josmeyer-Joseph Meyer
 (cuvées génériques)

Kuehn
Kuentz-Bas
Julien Meyer
Meyer-Fonne
Muré-Clos Saint-Landelin
Domaine Ostertag
Rolly-Gassmann
Jean Schaetzel
Schlumberger
Pierre Sparr (grands crus)

*** BON

Barmès-Buecher
Domaine J.-M. Baumann
Jean-Claude Beck
Jean-Pierre Becker
Léon Beyer
Émile Boeckel

Bott Frères
Joseph Cattin
Cave de Pfaffenheim
Cave vinicole de Turckheim
Dopff « Au Moulin »
 (cuvées génériques)

Jean Geiler
Gérard et Serge Hartmann
Seppi Landmann
Gustave Lorentz
Muré-Clos Saint-Landelin
 (cuvées génériques)
Preiss-Henny

André Scherer
Maurice Schoech
Pierre Sparr
 (cuvées génériques)
Domaine Trimbach
 (cuvées génériques)
Willm

** MOYEN

Bott-Geyl
Cave vinicole de Bennwihr
Cave vinicole de Hunawihr
Cave vinicole de Kientzheim
Cave vinicole d'Obernai
Dopff et Irion
Robert Faller et Fils
Hubert Hartmann
Bruno Hertz

Jean-Pierre Klein
Charles Koehly et Fils
Preiss-Zimmer
Albert Seltz
Louis Sipp
Bernard Weber
Wolfberger
Wunsch et Mann

J.-B. ADAM (AMMERSCHWIHR)****

Rue de l'Aigle – 68770 Ammerschwihr
Tél. 03 89 78 23 21 – Fax 03 89 47 35 91

1992 Pinot Blanc	A	87

L'excellent Pinot blanc 1992 de J.-B. Adam déploie un insolent bouquet d'orange confite. Moyennement corsé, très gras et très fruité, avec une fin de bouche sèche et riche, il doit être dégusté dans les **2 ou 3 ans.**

Ce domaine a également produit un Edelzwicker non millésimé qui devrait se vendre à des prix très intéressants. Il s'agit d'un très bon vin blanc sec, très fruité. N'hésitez pas à en acheter si vous en avez l'occasion.

BOTT-GEYL (BEBLENHEIM)****

1, rue du Petit-Château – 68980 Beblenheim
Tél. 03 89 47 90 04 – Fax 03 89 47 97 33

1993 Gewurztraminer Schoesselreben Vieilles Vignes	C	91
1993 Gewurztraminer Sonnenglanz Vieilles Vignes	C	93
1993 Muscat Schoenenbourg	C	89
1993 Riesling Grafenreben	C	87
1993 Riesling Mandelberg	C	88
1992 Tokay-Pinot Gris Réserve	C	89
1993 Tokay-Pinot Gris Sonnenglanz	C	90

Depuis que le jeune Jean-Christophe Bott-Geyl a décidé de parier sur l'audace (vendanges « tardives », collage minimal, etc.), la qualité des vins de son domaine, situé près du village de Beblenheim, a fait un énorme bond en avant. La sélection ci-dessus, qui comprend un nombre impressionnant de vins blancs, le prouve bien.

Le Riesling Grafenreben 1993 déploie de jolis arômes de fleurs, de pêche et de miel. C'est un vin sec et vif, moyennement corsé et élégant, qui a une belle persistance. Il devrait se conserver **3 ou 4 années** encore. Le Riesling Mandelberg 1993 est plus corpulent, avec une élégance innée et un caractère minéral très prononcé, mais il n'a pas autant de ces arômes de fruits confits que l'on retrouve dans le Grafenreben. Il s'agit d'un Riesling sec et riche, assez corsé, avec un nez un peu moins diffus que celui de ce dernier. **A maturité : jusqu'en 2001.** Je me laisse facilement tenter par un verre d'excellent Muscat sec d'Alsace, et le Schoenenbourg 1993 du Domaine Bott-Geyl est tout simplement incontournable. Ce vin doit être bu assez rapidement **(d'ici 1 ou 2 ans)**, car beaucoup de son charme réside dans la délicatesse et l'intensité de son nez, très parfumé et très aromatique. Il exhale un merveilleux bouquet de fruits tropicaux et de senteurs printanières réunis. Sec, élégant et mûr, avec un équilibre impeccable et beaucoup de fraîcheur, il se conservera **quelques années encore.**

Le seul 1992 du domaine Bott-Geyl que j'aie goûté est le Tokay-Pinot Gris Réserve. C'est un vin au nez de miel, gras, riche et assez corsé, qui est heureusement dépourvu de la lourdeur de certains Tokay. Très intense, il a un potentiel de garde d'environ **5 à 8 ans.** Le superbe Tokay-Pinot Gris Sonnenglanz 1993 libère, lui, de séduisants arômes de miel, de noix, de fleurs et de fruits tropicaux. Persistant en bouche, riche et assez corsé, il présente en finale une texture merveilleuse, sèche et multidimensionnelle.

Les deux Gewurztraminer 1993 de Bott-Geyl sont à se mettre à genoux. Le Schoesselreben Vieilles Vignes dégage un parfum énorme et soutenu de pétale de rose et de fruits confits. Très corsé et intense, il possède des arômes d'une précision fabuleuse et un caractère minéral absolument superbe, qui lui apporte de la finesse et ne lui donne pas cet aspect lourd qu'ont certains Gewurztraminer très opulents. Le Sonnenglanz Vieilles Vignes est encore plus remarquable. Son nez d'anthologie – letchi, noix, rose, cerise et ananas confit – vous ferait tomber à la renverse. Ce vin énorme montre une excellente extraction de fruit riche et concentré, soutenue par une bonne acidité, une pureté superbe et du corps. La finale en bouche est merveilleusement longue et vive. Ces deux Gewurztraminer se conserveront bien pendant encore **environ 10 ans.**

MARCEL DEISS (BERGHEIM)*****

15, route du Vin – 68750 Bergheim
Tél. 03 89 73 63 37 – Fax 03 89 73 32 67
Contact : Clarisse Deiss

1991 Gewurztraminer Altenberg VT	D	90
1992 Pinot Blanc Bergheim	B	87
1991 Pinot Blanc Bergheim	B	86
1991 Riesling Altenberg	C	89
1991 Riesling Burg	C	87

Marcel Deiss est un fervent défenseur de la notion de terroir. Ses Pinot Blanc, qui comptent parmi les plus élégants et les plus parfumés d'Alsace, sont exclusivement issus de pinot auxerrois. Moyennement corsés, ils exhalent des arômes merveilleusement frais, aux notes minérales et orangées. Le Pinot Blanc 1991 est très vif, très fruité et superbement pur. Le Pinot Blanc 1992 est quant à lui plus doux, plus mûr et plus riche, et son excellente acidité lui confère un bon équilibre. Ces deux vins se dégusteront bien dans les 2 ou 3 ans.

Le Riesling Burg 1991 déploie un séduisant bouquet de mandarine et de pêche, de fruits mûrs et botrytisés. D'une belle acidité et d'une grande persistance, riche et intense, il devrait tenir encore **une bonne dizaine d'années**. Le Riesling Altenberg 1991 exhale un nez de minéral, de pomme et d'orange, et recèle beaucoup de richesse et de précision dans les arômes. D'une belle densité et bien équilibré, il présente en bouche une finale longue, sèche et complexe. **A boire d'ici 10 ans**. Enfin, le Gewurztraminer Altenberg Vendanges Tardives 1991 de Marcel Deiss est un vin riche et corsé, aux arômes de miel, de fleurs et de pamplemousse. Très profond, il a du corps et des arômes nettement définis, et, même s'il n'a pas la flamboyance ou l'opulence des Gewurztraminer des Domaines Zind-Humbrecht et Weinbach, c'est incontestablement un vin très riche qui se maintiendra pendant **au moins une décennie** encore.

JOSMEYER-JOSEPH MEYER (WINTZENHEIM)
GRANDS CRUS***** CUVÉES GÉNÉRIQUES****

76, rue Clemenceau – 68920 Wintzenheim
Tél. 03 89 27 91 90 – Fax 03 89 27 91 99
Contact : Jean Meyer

1992 Gewurztraminer Folastries	B	86
1992 Pinot Gris Le Fromenteau	B	87
1992 Riesling Le Kottabe	B	86

Si vous recherchez avant tout des vins comme ceux que produisent les Domaines Zind-Humbrecht ou Weinbach, extrêmement puissants et concentrés, très riches et très charnus, les vins blancs secs et vifs de Josmeyer, qui sont tout en finesse et en élégance, ne vous conviendront pas. En effet, surtout à ce niveau de qualité des crus, ils traduisent fidèlement le cépage dont ils sont issus, tout en ayant un caractère très délicat.

Le Riesling Le Kottabe 1992 exhale un merveilleux bouquet de pomme, de pierre mouillée et de fleurs. En bouche, il est admirablement vif et sec, assez corsé, avec une finale très pure. Il faut le boire **d'ici 1 ou 2 ans**. Le Pinot Gris Le Fromenteau 1992 se révèle plus « poli », plus subtil qu'on ne pourrait s'y attendre, car ce cépage donne en principe des vins plus riches, plus intenses et plus massifs. Sec et relativement corsé, il libère des notes de fruits crémeux, et sa fin de bouche est vive et épicée. **A boire dans les 2 à 4 ans**. Le Gewurztraminer Folastries 1992 est un bon exemple du style séduisant et subtil propre à Josmeyer. Ce vin a du corps, une excellente maturité et du gras, et libère un nez exotique d'ananas et de letchi. Il laisse en bouche une touche sèche et fraîche. Il tiendra encore **2 ou 3 ans.**

ALBERT MANN (WETTOLSHEIM)*****

13, rue du Château – 68920 Wettolsheim
Tél. 03 89 80 62 00 – Fax 03 89 80 34 23
Contact : Maurice ou Jacky Barthelme

1993 Gewurztraminer Altenbourg	C	92
1993 Gewurztraminer Steingrubler	C	94
1991 Gewurztraminer Steingrubler	C	88
1993 Pinot Auxerrois Vieilles Vignes	B	88
1992 Pinot Auxerrois Vieilles Vignes	A	87
1993 Riesling Rosenberg	C	92
1993 Riesling Schlossberg	C	90
1991 Riesling Rosenberg Cuvée Pauline	D	87
1993 Tokay-Pinot Gris Furstentum	C	92
1991 Tokay-Pinot Gris Furstentum	C	90
1993 Tokay-Pinot Gris Hengst	C	92+
1993 Tokay-Pinot Gris Vieilles Vignes	C	90

Sous la houlette de Maurice et Jacky Barthelme, le domaine Albert Mann a produit tant de grands vins au cours de ces dernières années qu'il peut presque rivaliser avec des propriétés aussi prestigieuses et aussi bien établies que Zind-Humbrecht ou Weinbach. Ces vins sont profondément riches et intenses, généralement issus de vieilles vignes et de rendements très restreints.

Le Pinot Auxerrois Vieilles Vignes 1993 (issu de vignes de 60 ans d'âge jouxtant le grand cru Hengst) est un vin sec, mûr, concentré et très corpulent, à l'intense bouquet d'orange et de fruits confits. Riche, frais et exubérant, il sera parfait au cours des **3 ou 4 années** qui viennent.

Les deux Riesling 1993 sont de merveilleuses réussites. Le Riesling Schlossberg (issu d'un vignoble planté sur un sol granitique) exhale un nez intense de fleurs, de terroir et de pomme, et déploie en bouche des arômes riches et mûrs, soutenus par une acidité de bon ressort. Sa finale est fabuleusement longue, riche et vive. C'est un vin merveilleux, sec et intense. **A boire dans les 10 ans.** Quant au Riesling Rosenberg, il est encore plus profond, avec un bouquet très dense, très prononcé et minéral, qui rappelle presque des essences de fleurs. On y retrouve aussi des notes de pomme et de fruits confits. Sec et corsé, avec des arômes extrêmement précis et bien définis en bouche, il est merveilleusement concentré et énorme. Dégustez ce Riesling superbe, vif et exubérant au cours des **10 à 15 prochaines années.**

Les trois Tokay que j'ai dégustés sont fabuleux et se différencient par leur niveau d'intensité et leur puissance. Le Tokay-Pinot Gris Vieilles Vignes 1993 (issu de vignes de 50 ans d'âge du grand cru Pfersigberg) possède un excellent niveau d'extraction et titre environ 13,5° naturellement. Exceptionnellement corsé, il exhale un nez de noix, de beurre et de fumé, et se montre intense, sec et concentré, avec une excellente acidité. Sa finale est longue et ample, avec de la mâche. Il se conservera sans problème encore **une décennie**. Le Tokay-Pinot Gris Furstentum 1993 déploie un bouquet de fruits puissant, gras et crémeux. En bouche, il est dense, avec de la mâche, et présente des arômes massifs, une bonne acidité, ainsi qu'une finale capiteuse et enivrante. On pourrait presque dire qu'il est trop bon, mais les amateurs de vins alsaciens, et plus particulièrement de Tokay, apprécieront son ampleur, ainsi que son caractère crémeux et puissant. Son potentiel de garde est de 10 à 15 ans. Le Tokay-Pinot Gris Hengst 1993 est si fermé et si peu évolué que l'on dirait presque qu'il s'agit d'un échantillon tiré du fût ; même s'il est déjà profond, mielleux et sec, il n'est pas encore pleinement épanoui. Ce vin vraiment extraordinaire, à la longueur et à la concentration superbes, tiendra **jusqu'en 2005**. Le Gewurztraminer 1993 du vignoble d'Altenbourg exhale les légendaires arômes de ce cépage, avec un nez intense de letchi, de pétale de rose, de miel et de pamplemousse. Sec, très corsé et riche, merveilleusement pur et mûr, il sera bon encore **7 ou 8 ans**.

Bien structuré, d'une richesse et d'une maturité étonnantes, le Gewurztraminer Steingrubler 1993 déploie un nez immense de rose et de letchi sur un corps massif — un dégustateur croirait à s'y méprendre qu'il goûte là un pur jus de pétale de rose. La finale est énorme, sèche et vive. Ce Gewurztraminer est un monstre qu'il faut boire dans les **10 à 15 ans**.

Le Pinot Auxerrois Vieilles Vignes 1992 est issu de vignes de 60 ans d'âge qui jouxtent le vignoble Hengst, l'un des plus célèbres grands crus d'Alsace. Il arbore une robe jaune paille et dégage un bouquet très parfumé d'orange mûre, de miel et de fleurs. Riche et moyennement corsé, il est bien équilibré par une bonne acidité. Ce vin débordant de fruit présente une fin de bouche capiteuse et sensuelle. Il sera parfait jusqu'à la **fin de cette année**, mais il a déjà suffisamment de rondeur et n'est donc pas apte à une plus longue garde.

Le Tokay-Pinot Gris Furstentum 1991 révèle le nez de maïs, de miel et de fruits riches et crémeux typique de ce cépage. Très corsé et charnu, avec de la mâche, il témoigne d'une grande richesse en extrait, libérant en outre les notes de terre et de pierre à feu caractéristiques des meilleurs vignobles aux sols rocailleux. Il montre une belle persistance, profonde et capiteuse, et mérite d'être traité à l'égal d'un grand cru blanc de Bourgogne. Le Riesling Rosenberg Cuvée Pauline 1991 déploie une personnalité impressionnante. Des arômes diffus de pierre à fusil, d'orange et de pomme introduisent en bouche un vin moyennement corsé, parfaitement mûr, avec une excellente acidité, au caractère serré et compact. Encore plus impressionnant, le Gewurztraminer Steingrubler 1991 est immense et vigoureux, et exhale un nez riche de pétale de rose, de letchi et de fruits confits. Très corsé, avec des flaveurs complexes et une texture onctueuse, il est doux et équilibré, opulent et long. Il faudra le boire, ainsi que les autres vins ci-dessus, dans les **8 ans**.

DOMAINE OSTERTAG (EPFIG)****

87, rue Finkwiller – 67680 Epfig
Tél. 03 88 85 51 34 – Fax 03 88 85 58 95
Contact : André Ostertag

1992 Gewurztraminer Epfig	C	89
1992 Gewurztraminer Fronholtz Vieilles Vignes	C	91
1992 Muscat Fronholtz	C	87
1992 Pinot Gris Muenchberg Vieilles Vignes	C	89+
1992 Pinot Gris Zelberg	C	87

Après avoir dégusté toute la gamme des vins blancs d'Ostertag du millésime 1992, j'ai selectionné ci-dessus ceux que je préfère. Tous ont été embouteillés sans filtration préalable. Mes lecteurs de longue date savent que j'adore le Muscat d'Alsace, et le Muscat Fronholtz de ce domaine (ni collé ni filtré) déploie un nez énorme de fleurs et de cocktail de fruits. D'une très grande richesse, merveilleusement pur et bien équilibré, il offre une finale sèche et austère.

Le Pinot Gris Zelberg 1992, pourtant élevé à 50 % en fûts de chêne neuf, est à peine marqué par le bois. Sec, épicé et gras, il présente d'élégantes notes minérales, une belle précision dans les arômes et une persistance longue et vive. Le Pinot Gris Muenchberg Vieilles Vignes 1992 déploie un bouquet mielleux, épicé et gras. Relativement corsé, il est long et sec en bouche, et évoluera bien sur encore **une dizaine d'années**. Je lui attribuerai éventuellement une meilleure note dans l'avenir.

En 1992, Ostertag a élaboré deux Gewurztraminer secs et très riches. Le Gewurztraminer Epfig, extrêmement sec, révèle un bouquet énorme de fruits mûrs et exotiques, de terre et d'épices. Long et riche, avec, en bouche, des arômes qui se développent en strates, il est l'expression même du Gewurztraminer intense, mais élégant, que vous boirez dans les **7 ou 8 ans**. Le Fronholtz Vieilles Vignes 1992 est un exemple époustouflant de Gewurztraminer sec et corsé. Très intense, avec un bouquet énorme, il libère des arômes purs et merveilleusement bien définis, qui sont en outre très persistants. Ce vin se conservera encore **10 à 12 ans**.

CHARLES SCHLERET (TURCKHEIM)*****

1, route d'Ingersheim – 68230 Turckheim
Tél. 03 89 27 06 09

1992 Gewurztraminer	C	92
1990 Gewurztraminer Herrenweg VT	D	96
1992 Muscat Herrenweg	C	88
1993 Pinot Blanc Herrenweg	B	90
1993 Riesling Herrenweg	C	90
1992 Riesling Herrenweg	C	86

1992 Tokay-Pinot Gris Herrenweg	C	89
1992 Tokay-Pinot Gris Herrenweg VT	E	92

Je suis de plus en plus déçu par le manque d'intérêt des consommateurs pour les grands vins blancs d'Alsace. Lorsque j'en sers à l'aveugle à mes hôtes, qui sont souvent connaisseurs, ils s'extasient tellement qu'on pourrait penser qu'ils vont ensuite se précipiter pour en acheter. Mais, dès que le voile est levé, leur enthousiasme s'évanouit, très certainement parce que les vins d'Alsace ne jouissent pas à leurs yeux d'un prestige suffisant.

Charles Schleret n'est peut-être pas aussi connu que les Domaines Zind-Humbrecht ou Weinbach, mais, comme plusieurs autres vignerons alsaciens aussi talentueux que discrets, il élabore régulièrement des vins extraordinaires. Son Pinot Blanc Herrenweg 1993, d'un excellent rapport qualité/prix, est aussi une merveilleuse illustration des sommets que peut atteindre le Pinot d'Alsace. Avec un nez crémeux de miel et d'orange, il est relativement corsé, pur, net et mûr, et regorge de fruit. Admirablement frais et vibrant, il est également séduisant et plein de charme, et doit être bu d'ici 2 ou 3 ans. Le Riesling Herrenweg 1993 est totalement différent. Il s'agit d'un vin sec au caractère minéral, avec des arômes très précis et une structure merveilleusement dessinée, qui déploie un odorant bouquet de pomme et de fleurs. Moyennement corsé, ce délicieux Riesling aux flaveurs puissantes, mais suaves, se conservera bien pendant 10 ans. Peu d'entre vous seraient disposés à dépenser plus de 250 F pour le Tokay-Pinot Gris Herrenweg Vendanges Tardives 1992 de Schleret. Pourtant, si vous êtes à la recherche d'un vin blanc sec qui ressemblerait à un Montrachet, extraordinairement profond, merveilleux d'équilibre et d'une richesse en extrait qui ferait rougir certains bourgognes blancs, n'hésitez pas – ce vin vous convient parfaitement. Encore monolithique, avec des arômes peu évolués, il requiert un vieillissement supplémentaire. Cependant, il se montre déjà très riche et crémeux, libérant des essences de noisette caramélisée, débordant de fruits riches et persistant en bouche pendant presque une minute. Ce vin sec et classique, vendangé tardivement, se déguste mieux seul ou en accompagnement d'un foie gras. **A maturité : jusqu'en 2002.**

Les 1992 de Schleret sont superbes, plus riches et plus intenses qu'on ne s'y attendrait, compte tenu de la qualité générale du millésime. Le Riesling Herrenweg 1992 exhale un nez de poivre blanc et d'épices, avec des arômes vifs et savoureux, un peu durs et acidulés. Moyennement corsé, il déploie une finale sèche et austère. Ce vin très sec et légèrement métallique a beaucoup de caractère et tiendra bien **6 ou 7 ans.** Le Muscat Herrenweg 1992 déploie le nez floral et délicatement parfumé typique de ce cépage. Merveilleusement sec, riche et moyennement corsé en bouche, il y montre une élégance impressionnante. Dégustez-le **maintenant.** Le Tokay-Pinot Gris Herrenweg 1992 de Schleret n'a pas le caractère puissant, épais, extrêmement onctueux, avec de la mâche, que l'on retrouve souvent chez les meilleurs producteurs d'Alsace. Il révèle un bouquet très parfumé, riche et crémeux de noix grillée, et déploie en bouche des arômes concentrés, élégants et moyennement corsés. Persistant, éclatant, exemplaire, ce vin sec, d'une remarquable précision dans le dessin, tiendra encore **une bonne décennie.** Si vous aimez les vins au nez intense de pétale de rose et de fruits confits, vous apprécierez le Herrenweg 1992 de Schleret. Épicé comme seuls savent l'être les Gewurztraminer, il affiche une richesse en extrait et une précision dans les arômes réellement impressionnantes. Moyennement corsé, il est remarquablement frais et vif pour un vin aussi intense, et il se conservera bien pendant encore **10 ans environ**. Le Gewurztraminer Vendanges Tardives 1990, que Schleret n'a que très récemment diffusé, fait figure de gros calibre de sa production. Énorme et mûr, il déborde de senteurs de letchi et de miel, d'arômes de fruits et d'épices. Très corsé et légèrement doux, il recèle une richesse phénoménale et du gras (à la limite de la viscosité), et se développe en bouche par paliers et avec un certain ressort, grâce à son acidité et à sa fraîcheur sous-jacentes. Ce vin immense peut se déguster seul ou en accompagnement d'un très riche foie gras. A **maturité : jusqu'en 2005.**

DOMAINE SCHOFFIT (COLMAR)*****

27, rue des Aubépines – 68000 Colmar
Tél. 03 89 24 41 14 – Fax 03 89 41 40 52
Contact : Bernard Schoffit

1992 Gewurztraminer Harth Cuvée Caroline	C	93
1991 Gewurztraminer Rangen Clos Saint-Théobald	D	92
1990 Gewurztraminer Rangen Clos Saint-Théobald VT	D	93
1992 Gewurztraminer Rangen de Thann Clos Saint-Théobald	D	96
1991 Muscat Rangen Clos Saint-Théobald	D	91
1992 Pinot Blanc Cuvée Caroline	B	90
1991 Pinot Blanc Cuvée Caroline	B	89
1992 Riesling Harth	C	92
1991 Riesling Harth Cuvée Prestige	B	87
1991 Riesling Rangen Clos Saint-Théobald	D	95
1992 Riesling Rangen de Thann	D	93
1991 Tokay-Pinot Gris Rangen Clos Saint-Théobald	D	93
1992 Tokay-Pinot Gris Rangen de Thann Clos Saint-Théobald	D	91+

Bernard Schoffit fait maintenant partie du peloton de tête des vignerons alsaciens qui axent tous leurs efforts en vue de produire des vins de la meilleure qualité possible. Dans ses chais, qui se situent dans la partie sud-est de la belle ville de Colmar, il élabore des vins qui allient puissance et concentration avec une élégance extraordinaire, et je les recommande tous très vivement.

Son Pinot Blanc Cuvée Caroline 1992 (sa meilleure cuvée porte le nom de sa fille), issu de vignes de 30 ans d'âge, représente une excellente affaire sous l'angle du rapport qualité/prix. Son bouquet provocant d'orange et de minéral introduit en bouche un vin sec et moyennement corsé, aux arômes superbes et mûrs de miel, avec une bonne acidité et une longue persistance en bouche. Ce très beau Pinot blanc doit se déguster d'ici 3 ou 4 ans. J'ai aussi goûté deux merveilleuses cuvées de Riesling 1992. Spectaculaire de richesse et de précision, le Riesling Harth exhale un nez immense et dur d'agrumes et de pomme. Il révèle en bouche une richesse en extrait absolument remarquable, ainsi qu'une pureté de dessin merveilleuse. Corsé et concentré, il se montre cependant léger et élégant, malgré sa puissance admirable. Je recommande de le boire d'ici 2 à 4 ans, compte tenu de la légèreté du millésime 1992, mais je pense néanmoins qu'il serait capable de tenir environ 10 ans. Le Riesling Harth 1992 est plus délicat que le Riesling Rangen de Thann de la même année, qui, lui, est issu d'un vignoble à forte pente et très exposé au soleil, situé dans la partie méridionale de l'Alsace. Ce dernier vin dégage un nez époustouflant et exotique de miel, de pêche et de pomme entremêlé de senteurs florales et printanières. Très corsé et fabuleusement concentré, il est l'expression même du Riesling d'Alsace. Il devrait se conserver une décennie. Il est élaboré à partir d'une récolte de moins de 30 hl/ha – et, ne l'oubliez pas, il s'agit d'un vignoble à densité de plantation élevée.

Mes lecteurs savent que j'ai un faible pour les vins de caractère, au fruit luxuriant et au bouquet exotique. Le Gewurztraminer Harth Cuvée Caroline 1992 (autre excellente affaire) titre naturellement 14° et présente une richesse en extrait absolument fabuleuse, ainsi qu'une personnalité flamboyante. Un nez extrêmement mielleux et épicé aux arômes de letchi précède un vin extraordinairement riche, qui a de l'acidité et de la fraîcheur, regorge de senteurs et présente une finale puissante, capiteuse et sèche. A boire dans les 10 ans. Plus doux, le formidable Gewurztraminer Rangen de Thann Clos Saint-Théobald 1992 révèle un nez exquis de miel, de fruits tropicaux et de cerise. Il libère en bouche des arômes onctueux, riches et puissants, qui ne lui confèrent toutefois aucune lourdeur, ce qui est d'ailleurs étonnant compte tenu du titre alcoométrique naturel de ce vin (14°) et du fait qu'il contient un peu de sucre résiduel. Ce nectar a encore devant lui une longue vie d'au moins 15 ans. Enfin, je suis persuadé que le Tokay-Pinot Gris Rangen de Thann Clos Saint-Théobald 1992 sera extraordinaire, sachant que ce cépage demande en général 7 ou 8 années de vieillissement pour révéler toute l'intensité de son bouquet. Si ce vin en particulier est encore fermé, il n'en ressemble pas moins à une charge de cavalerie qui inonde le palais de parfums énormes, massifs et botrytisés, soutenus par une bonne acidité. Il peut se déguster seul ou en accompagnement de mets comme le foie gras poêlé. A maturité : jusqu'en 2010.

Il est tentant de mesurer le génie d'un vinificateur à l'aune de millésimes tels que 1989 ou 1990, mais ce sont en réalité les années comme 1992 qui révèlent vraiment les valeurs sûres. Et c'est précisément dans de telles circonstances que Bernard Schoffit a prouvé qu'il pouvait rivaliser avec les meilleurs producteurs d'Alsace, par exemple les Domaines Zind-Humbrecht ou Weinbach.

De même, en 1991, il égale presque le légendaire Domaine Zind-Humbrecht avec des vins remarquablement riches, bien équilibrés et complexes, qui donnent l'impression d'être d'une grande année, voire d'une année exceptionnelle, alors qu'en fait 1991 est un millésime moyen. Le Riesling Harth Cuvée Prestige 1991 exhale des senteurs vives de pierre, de pomme et de fleurs, et libère en bouche d'excellents arômes, profonds, secs et moyennement corsés.

Le fruit est pur, et la finale sèche et minérale. **A boire dans les 4 ou 5 ans.** Le Riesling Clos Saint-Théobald 1991, issu de l'exceptionnel vignoble Rangen, est spectaculaire. Il peut sembler un peu cher, mais il est indiscutablement de très grande qualité et arbore une robe étincelante, d'une intensité remarquable. Ce vin sec, débordant de fruit, extraordinairement riche et bien proportionné en bouche, déploie un nez énorme d'orange confite, de pomme et de fleur d'acacia. Sa personnalité est bien définie et élégante, et sa finale d'une longueur et d'une profondeur phénoménales. Vous dégusterez cette merveille dans les **10 ans.**

Le Pinot Blanc Cuvée Caroline 1991 est si riche et si parfumé qu'on le croirait d'une grande année. Il exhale un nez immense et superbe d'orange, de miel, de pomme et de fleurs. Outre sa grande précision dans le dessin et sa superbe longueur en bouche, il présente des arômes riches et moyennement corsés, ainsi qu'une bonne acidité et une extraction de fruit exceptionnelle. Cette cuvée, issue de très vieilles vignes de pinot auxerrois (clones) à petits rendements, peut se déguster **dès maintenant** et sur les **2 années** à venir. Il s'agit d'une affaire exceptionnelle.

Le Muscat Rangen Clos Saint-Théobald 1991 de Schoffit est le fruit de très vieilles vignes dont les rendements n'excèdent pas 30 hl/ha. Il déploie un nez spectaculaire, très aromatique et éclatant d'abricot, de pêche et de fleurs. Très sec, avec des arômes profonds, onctueux et extrêmement concentrés, il passerait aisément pour un 1989 ou un 1990 plutôt que pour un 1991. Consommez-le **d'ici 1 an,** car le parfum du Muscat est assez délicat et il convient mieux de l'apprécier dans sa jeunesse. Le Gewurztraminer Rangen Clos Saint-Théobald 1991 est issu de rendements aussi faibles et présentait, de ce fait, un taux de sucre très élevé au moment des vendanges. Il exhale un bouquet énorme et épicé de letchi et de rose, déploie en bouche des arômes onctueux, épais, spectaculaires et riches, ainsi qu'une finale sèche, corsée et puissante. **A boire dans les 10 ans.** Le Tokay-Pinot Gris Clos Saint-Théobald 1991 du vignoble Rangen est également produit à partir de rendements faibles. Il révèle un nez énorme, légèrement sec, mais crémeux, de chèvrefeuille et de caramel. En bouche, il se montre riche et massif, avec des effluves très corsés, soutenus par une bonne acidité sous-jacente. Ce vin énorme, presque monstrueux, accompagnera bien terrines, pâtés et foies gras, et ce sur **une bonne quinzaine d'années.**

Le très onéreux Gewurztraminer Rangen Vendanges Tardives Clos Saint-Théobald 1990 (vignoble monopole de Schoffit) est étonnamment riche, mielleux et moyennement doux, déployant des arômes spectaculaires d'une belle densité. Il s'agit là d'une réussite brillantissime, mais ce vin ne s'accommodera vraiment d'aucun mets, étant donné sa carrure et sa puissance écrasantes. **A maturité : jusqu'en 2007.**

PIERRE SPARR (SIGOLSHEIM)
GRANDS CRUS**** **CUVÉES GÉNÉRIQUES*****

2, rue de la Première-Armée – BP 1 – 68240 Sigolsheim
Tél. 03 89 78 24 22 – Fax 03 89 47 32 62
Contact : René Sparr

1992 Chasselas Vieilles Vignes	A	86
1991 Chasselas Vieilles Vignes	A	84
1991 Crémant Dynastie	B	87
1992 Gewurztraminer Carte d'Or	A	87
1991 Gewurztraminer Mambourg	C	90
1992 Gewurztraminer Réserve	B	88
1992 Pinot Blanc Réserve	A	85
1991 Pinot Blanc Réserve	A	86
1992 Pinot Blanc Vieilles Vignes	B	86
1993 Pinot Gris Carte d'Or	A	85
1992 Pinot Gris Carte d'Or	A	87
1991 Pinot Gris Carte d'Or	A	86
1992 Pinot Gris Réserve	B	87
1992 Riesling Carte d'Or	A	86
1991 Riesling Carte d'Or	A	85
1990 Riesling Mambourg	C	90
1992 Riesling Réserve	B	87

Les vins de Pierre Sparr n'atteignent que très rarement des sommets comme ceux des Domaines Weinbach et Zind-Humbrecht, d'Albert Mann ou de Bernard Schoffit, mais ils sont réguliers et fiables, et sont proposés à des prix raisonnables. Tous les vins blancs secs ci-dessus sélectionnés sont séduisants, francs et délicieux, et, suivant leur aptitude à la garde, devront être consommés d'ici une dizaine d'années.

Le Pinot Gris Carte d'Or 1993, peu corsé, élégant, goûteux et frais, affiche une belle extraction de fruit et se mariera bien avec différents types de mets. **A boire dans l'année.**

Depuis plus d'une dizaine d'années, les amateurs éclairés voient – à juste titre – dans le Pinot d'Alsace un vin blanc sec, séduisant, goûteux et relativement corsé, au bon potentiel de garde, qui, de plus, représente une excellente affaire sous l'angle du rapport qualité/prix. Le Pinot Blanc Réserve 1992 de Sparr regorge d'arômes de fruits mûrs, de pomme et de mandarine, et révèle une fraîcheur agréable. La finale, vive, est faible en acidité. **A boire dans l'année.** Le Chasselas Vieilles Vignes 1992 dégage un nez séduisant, floral, vif et crémeux. Goûteux, frais et moyennement corsé en bouche, il est à parfaite maturité, montrant une bonne longueur et une excellente précision dans les arômes. Il s'agit d'une très bonne affaire. **A boire dans l'année.**

Aux amateurs qui sont à la recherche de vins blancs secs, relativement corsés, mûrs et concentrés, je conseille vivement le Pinot Gris Carte d'Or 1992 de Sparr, son Gewurztraminer Carte d'Or et son Riesling Carte d'Or de la même année. Ce dernier vin est le plus aromatique, le plus parfumé et le plus léger des trois. Franc et élégant, il présente un nez de minéral, de pomme et de fleurs, avec des flaveurs vives, goûteuses et mûres. Moyennement corsé, il est sec en fin de bouche. **A boire maintenant.** Le Pinot Gris Carte d'Or 1992 révèle un bouquet énorme, épicé, crémeux et opulent. Corsé en bouche, il y déploie des arômes capiteux, assez peu d'acidité et un taux d'alcool plutôt élevé. Ce vin extrêmement puissant est une excellente affaire ; il se conservera encore **3 ou 4 ans.** Quant au Gewurztraminer Carte d'Or 1992, il s'agit d'une autre bonne affaire. Avec son nez légèrement coquin d'ananas, de letchi et de pétale de rose, il déborde de fruits mûrs, se montre corsé et riche, et présente une finale très fruitée, avec beaucoup de gras et d'alcool. Le Gewurztraminer n'est jamais subtil ni suave, alors attendez-vous, avec ce Carte d'Or 1992, à un vin carrément ostentatoire, au potentiel de garde d'environ **4 ou 5 ans.** Il est à mon avis difficile de trouver meilleur Gewurztraminer que celui-là à un prix aussi raisonnable.

Sparr produit également d'autres vins tout aussi remarquables dans une gamme de prix très avantageuse ; je recommande particulièrement aux amateurs d'acheter, s'ils en ont la possibilité, son Pinot Blanc Vieilles Vignes 1992 (noté 86), le Riesling Réserve 1992 (noté 87 – un vin sec, corsé et minéral, aux merveilleuses flaveurs d'orange), le Pinot Gris Réserve 1992 (noté 87 – épicé, gras, crémeux, avec de la mâche) et le Gewurztraminer Réserve 1992 (noté 88 – un vin très corsé et sec, avec des arômes de rose et de pamplemousse dignes d'anthologie).

Issu de rendements très faibles, le Gewurztraminer Mambourg 1991 est mûr, gras (presque visqueux), riche et bien structuré. Relativement corsé en bouche, il y libère par paliers des effluves de fruits mûrs et présente une finale capiteuse et longue, étayée par une acidité suffisante, qui lui permettra de bien vieillir. C'est vraiment un Gewurztraminer de très grande classe. **A boire maintenant.**

Le Riesling Mambourg 1990 (millésime fabuleux) exhale un bouquet d'agrumes, de pierre à fusil et de pétrole. Sec, riche et relativement corsé, il manifeste une belle profondeur et une excellente précision dans les arômes. Ce Riesling, qui est le tout premier que Sparr ait élaboré au grand cru Mambourg, peut se déguster **dès maintenant** et se conservera encore **environ 10 ans.**

Le Chasselas Vieilles Vignes 1991 est élégant et frais, avec une acidité légèrement âpre et un caractère vif. Buvez-le dès **cette année.** Le Pinot Blanc Réserve 1991 dégage un nez enjôleur de pelure d'orange et de fleurs. Moyennement corsé, il libère en bouche de merveilleux arômes de fruits, et sa finale est fraîche et vive. C'est un vin blanc délicieux, qui peut se déguster à l'apéritif ou avec des plats relativement simples de poisson et de volaille. **A boire d'ici 1 an.**

Le Pinot Gris Carte d'Or 1991 possède le caractère mielleux et gras caractéristique de ce cépage. Moyennement corsé, il est épanoui et déploie une finale agréable. Le Riesling Carte d'Or 1991 a un nez acidulé d'agrumes et de pomme verte, et déploie en bouche des arômes goûteux, étonnamment longs, ainsi qu'une finale sèche, pure et dure. Ces vins blancs secs devront être consommés dans le **courant de l'année prochaine.**

Enfin, Sparr produit l'un des meilleurs vins mousseux de France. Sa meilleure cuvée, le Crémant Dynastie 1991, est composée pour moitié de pinot blanc, l'autre moitié étant un mélange de pinot gris et d'autres cépages alsaciens. Il s'agit d'un vin pétillant, léger, peu corsé et riche, à la texture crémeuse, avec beaucoup de fruits mûrs. L'ensemble est sec et vif. **A boire maintenant.**

DOMAINE TRIMBACH (RIBEAUVILLÉ)
CUVÉES PRESTIGE***** CUVÉES GÉNÉRIQUES***

15, route de Bergheim – 68150 Ribeauvillé
Tél. 03 89 73 60 30 – Fax 03 89 73 89 04

1990 Gewurztraminer Rangen Réserve	C	87
1989 Gewurztraminer Rangen Réserve	C	86
1990 Gewurztraminer Seigneurs de Ribeaupierre	C	90
1989 Gewurztraminer Seigneurs de Ribeaupierre	C	90
1990 Gewurztraminer SGN	E	88
1989 Gewurztraminer SGN	E	87
1989 Gewurztraminer SGN Hors Choix	D	97
1990 Gewurztraminer VT	D	87
1989 Gewurztraminer VT	B	84
1990 Riesling	D	92
1990 Riesling Clos Sainte-Hune	E	96
1989 Riesling Clos Sainte-Hune VT	EE	99
1989 Riesling Clos Sainte-Hune VT Hors Choix	C	91
1990 Riesling Cuvée Frédéric-Émile	C	90
1989 Riesling Cuvée Frédéric-Émile	C	89
1988 Riesling Cuvée Frédéric-Émile	C	88
1990 Riesling Cuvée Frédéric-Émile SGN	E	93
1989 Riesling Cuvée Frédéric-Émile SGN	E	96
1990 Riesling Cuvée Frédéric-Émile VT	D	92
1989 Riesling Cuvée Frédéric-Émile VT	D	94
1990 Riesling Réserve	B	86
1989 Riesling Réserve	B	87
1990 Tokay-Pinot Gris Réserve	B	86
1989 Tokay-Pinot Gris Réserve	B	87
1989 Tokay-Pinot Gris SGN Hors Choix	E	95

Les vins de la famille Trimbach, comme ceux des Hugel, leurs voisins à Riquewihr, comptent parmi les vins d'Alsace les plus connus au monde. On trouve trace de cette famille de viticulteurs dès 1626. Aujourd'hui, à la fois vignerons et négociants, ils produisent toute une gamme de vins que l'on classe parmi les plus élégants et les plus rares de la région. C'est pour cette dernière raison, et aussi parce que leurs meilleures cuvées exigent 3 à 5 ans d'évolution, qu'ils ne se précipitent pas pour diffuser leurs vins. Ces derniers sont habituellement d'excellente qualité, même s'ils ne sont pas aussi spectaculaires et aussi concentrés que ceux des Domaines Zind-Humbrecht ou Weinbach. Hubert Trimbach souhaite simplement que tous les vins de ses propres vignobles (28 ha), ainsi que ceux élaborés à partir des récoltes qu'il achète, aient « de la vitalité, un bon potentiel de garde et de la finesse ».

Les vins dont les étiquettes portent la mention « Réserve » ou « Sélection » sont en général plus riches et de plus longue garde que les cuvées génériques qui, elles, portent le nom du cépage dont le vin est issu.

A mon avis, les Riesling Réserve 1989 et 1990 de Trimbach sont deux vins de très grande classe. Moyennement corsés, avec un nez de pierre à fusil, de fleurs, d'abricot et de pomme, ils montrent beaucoup d'acidité et de fraîcheur, et une excellente concentration. Le 1990 est légèrement plus austère et plus fermé que le 1989, plus doux et plus ouvert. Tous deux se dégusteront bien dans les 6 ou 7 ans qui viennent.

Le Riesling Cuvée Frédéric-Émile de Trimbach, dont la production est de 3 000 caisses environ, est un grand classique du genre. C'est le Riesling le plus puissant et le plus apte à la garde que je connaisse ; il requiert 3 ou 4 années de vieillissement pour révéler pleinement ses arômes de fleurs un peu herbacés et son caractère riche et mielleux. Lors d'une dégustation verticale remontant jusqu'au millésime 1983, j'ai trouvé que ce dernier vin était encore étonnamment riche, incroyablement jeune et très sec, et qu'il commençait à peine à évoluer. Dans les millésimes les plus récents, vous trouverez peut-être encore, chez certains détaillants, le merveilleux 1985. Le 1986 est bon, et les 1988, 1989 et 1990 sont excellents, voire exceptionnels.

Le Riesling Cuvée Frédéric-Émile 1988 est extrêmement fermé et peu évolué, presque métallique, mais il est aussi très sec, avec une merveilleuse pureté de fruit et des arômes de pomme, d'orange et d'autres agrumes. Il devrait être très agréable au cours de la **prochaine décennie**. Le Riesling Cuvée Frédéric-Émile 1989 est également très sec, avec plus de profondeur que son aîné d'un an. Il offre, à la fois au nez et en bouche, des arômes de fruits – abricot et pêche – légèrement botrytisés. A l'heure actuelle, il est plus austère que le 1988, mais plein de charme et long en bouche, avec un fruité sous-jacent hautement concentré. **A maturité : jusqu'en 2007.** Quant au Riesling Cuvée Frédéric-Émile 1990, c'est probablement le meilleur depuis le glorieux 1983. Plus riche, plus ample et plus complet que ses deux prédécesseurs, il possède une remarquable intensité de fruit, et offre une finale très sèche et vive. Il est surtout impressionnant lorsque, après une demi-heure d'aération, il s'épanouit considérablement dans le verre. Ce Riesling superbe, profond, aux arômes extraordinairement précis, se conservera parfaitement encore 10 à 15 ans.

Je n'ai jamais tenu Trimbach pour l'un des meilleurs producteurs de Tokay-Pinot Gris d'Alsace, mais force m'est de reconnaître que son 1989 et son 1990 sont racés, élégants et gracieux. Moyennement corsés, onctueux et crémeux en bouche, ils ont des arômes de fruits et de fumé soutenus par une acidité relativement élevée. Leur personnalité n'est pas encore complètement affirmée, mais ils pourront être dégustés dans les 4 à 6 ans. J'ai une légère préférence pour le 1990, plus riche et plus opulent.

Quant aux Gewurztraminer, ils sont exactement comme on s'y attendrait : davantage portés sur l'élégance que tout en muscle et en carrure. Les Rangen 1989 et 1990 sont remarquables d'équilibre, avec des notes de fumé et des arômes plus proches du pamplemousse que du letchi. Ce sont des vins secs et moyennement corsés, qui ont de l'acidité et de la fraîcheur, et un beau fruité. Le 1990, plus léger, est plus élégant que le 1989, qui, lui, est plus minéral, légèrement botrytisé, avec une finale plus riche en glycérine et en alcool. Mais le meilleur Gewurztraminer sec de la maison Trimbach est incontestablement la cuvée des Seigneurs de Ribeaupierre, dont les millésimes 1989 et 1990 sont tous deux exceptionnels. Le 1990 est riche, d'une élégance rare, superbement concentré en bouche, avec de l'acidité et de la fraîcheur, des arômes d'une pureté exceptionnelle et une finale imposante et assez corsée. **A maturité : jusqu'en 2005.** Le Gewurztraminer Seigneurs de Ribeaupierre 1989 déploie un nez qui rappelle davantage le letchi que le 1990, et son côté légèrement fumé accompagne bien les arômes intenses de pamplemousse qu'il dégage en bouche. C'est un vin relativement corsé, beaucoup plus ample que ceux que produit normalement Trimbach. Plus ouvert, plus accessible et plus flatteur que le 1990, il doit être bu dans les **5 à 7 ans.**

Le domaine produit également au Clos Sainte-Hune ce que beaucoup considèrent comme le meilleur Riesling de France. Bien que situé au cœur même du grand cru Rosacker, ce petit vignoble de 1,4 ha, au sol argilo-calcaire, n'a malheureusement pas droit lui-même au statut de grand cru, étant entre les mains d'un unique propriétaire. La nature de son sous-sol permet l'élaboration d'un vin extrêmement parfumé et au potentiel de garde remarquable. Les Trimbach m'ont très généreusement organisé une dégustation verticale de ce Riesling, dont ils ne produisent annuellement que 500 à 600 caisses, jusqu'au millésime 1964. Les meilleurs sont à mon avis le 1967 et le 1964, qui commencent tout juste à être bons à boire, après plus de 20 ans de vieillissement. J'ai quelques scrupules à vanter les mérites de tels vins, car il est presque impossible de les trouver sur le marché. Cependant, ceux qui auront l'occasion d'aller en Alsace ou de les repérer sur une carte de restaurant feront mieux de les acheter pour le long terme, car même les millésimes légers semblent exiger une dizaine d'années de vieillissement avant de commencer à évoluer. Dans les années plus récentes, le Clos Sainte-Hune 1990 (Riesling) est très fermé, mais on y décèle une extraction de fruit absolument extraordinaire, ainsi que des arômes persistants, secs et serrés. Ce vin assez corsé et à la finale austère présente aussi un caractère minéral très prononcé. Le Riesling Clos Sainte-Hune Vendanges Tardives 1989 est très sec, mais puissant en bouche. Il déploie une extrême richesse et des essences minérales alliées à des senteurs de pomme et d'abricot. Un nez persistant de paraffine le rend encore plus fascinant.

En 1989, les Trimbach ont également produit un Riesling Clos Sainte-Hune Vendanges Tardives Hors Choix. Les raisins ont été vendangés à un stade de maturité aussi avancé que pour une Sélection de grains nobles, mais ont été vinifiés en sec. Le résultat est un vin fabuleusement riche, mais sec, extraordinairement long et intense en bouche, avec une finale qui dure plusieurs minutes. Ce millésime, non plus que le 1990, ne sera pas diffusé avant plusieurs années. A l'heure actuelle, c'est le 1985 qui est disponible. Plus évolué, il est merveilleusement riche, avec des arômes de pomme, de pierre à feu et de pétrole. Il manifeste également une superbe acidité, une pureté et une maturité somptueuses, ainsi qu'une finale sèche et terriblement longue. Il devrait demeurer délicieux pendant encore **au moins 20 ans**. Si vous avez la chance de dénicher quelques bouteilles de Clos Sainte-Hune lors d'une vente aux enchères ou dans quelque obscur coin de cave d'un détaillant, n'hésitez pas : les autres grands millésimes de ce Riesling phénoménal sont le 1983 (noté 94), le 1976 (noté 93), le fameux 1967 (noté 96) et le 1964 (noté 93).

Trimbach produit également des Riesling Vendanges Tardives qui comptent parmi les meilleurs d'Alsace. Qui pourrait oublier, après l'avoir goûté, l'incroyable Riesling Cuvée Frédéric-Émile Vendanges Tardives 1983 ? Il semblerait bien que ce producteur ait une fois de plus décroché la timbale en 1989 et 1990, avec deux vins absolument incontournables. En effet, les Riesling Cuvée Frédéric-Émile Vendanges Tardives 1989 et 1990 sont tous deux de grands vins, sensationnels, riches, concentrés, pas tout à fait secs et intenses, avec une parfaite maturité. Ils déploient des arômes exotiques, une longueur et une fermeté superbes, ainsi qu'une belle pureté aromatique et une grande complexité. Ces deux splendeurs ont une longue vie devant elles, et leur caractère extrêmement riche permettra de les déguster en accompagnement de différents types de mets. Malheureusement, ces vins sont produits en très petites quantités et ne seront pas disponibles avant plusieurs années. Si vous hésitez entre les deux millésimes, préférez le 1990, avec son caractère séduisant et minéral et son nez de pétrole combiné avec des arômes merveilleusement intenses d'abricot. Quant au 1989, il est plus riche, plus plein et fantastique du début à la fin. Tous deux devraient évoluer de belle manière sur encore **10 à 15 ans**.

Le Gewurztraminer Vendanges Tardives 1990 fait figure de belle réussite, Trimbach estimant même que c'est son plus grand vin de ce genre depuis 1971. Outre sa remarquable pureté, il m'a vraiment impressionné par son équilibre impeccable malgré sa puissance, par sa richesse en extrait et ses arômes intenses et massifs de fumé, d'abricot ou de pêche. Ce superbe Gewurztraminer est idéal pour accompagner des plats riches comme du poisson en sauce. Il devrait évoluer sur **15 ans, ou davantage**.

En revanche, le Gewurztraminer Vendanges Tardives 1989 s'est révélé écœurant, mou et plat, manquant d'équilibre et d'acidité.

Des six Sélections de grains nobles que j'ai goûtées chez Trimbach, j'en ai retenu quatre qui étaient extraordinaires. Le seul vin que je n'aie pas trouvé suffisamment profond est le Gewurztraminer SGN 1989, qui était très doux, énorme et gras en bouche, très opulent, mais sans l'acidité nécessaire pour montrer la pureté et la structure optimales que j'aurais espéré y trouver. C'est néanmoins un vin excellent. **A maturité : 2000-2020.** Les Riesling Cuvée Frédéric-Émile Sélection de Grains Nobles 1989 et 1990 sont tous deux des réussites monumentales. Le 1990, avec un taux de sucre résiduel de 80 g/l, est plus léger, mais il est fabuleusement épanoui, moyennement doux, et regorge d'arômes d'essence d'abricot. Le 1989 contient quant à lui 110 g/l de sucre résiduel. C'est un véritable titan qui vous abreuve de senteurs intenses de pomme, de minéral et de pêche. Extraordinairement riche et plein, il est moyen-

nement doux en bouche, où il déploie une magnifique acidité et une merveilleuse pureté des arômes. **A maturité : 2005-2025.** Le domaine a également
produit 300 bouteilles d'un Gewurztraminer Sélection de Grains Nobles Hors
Choix en 1989. Ce vin, qui flirte avec la perfection, déploie la richesse d'un
nectar, possède un équilibre et une harmonie absolument remarquables et un
bouquet qui jaillit littéralement du verre. Une acidité marquante et des arômes
de fruits denses et massifs se conjuguent pour en faire un des sommets du
Gewurztraminer doux, qui se révèle passionnant et magnifique à la dégustation.
A maturité : 2003-2025. Quant au Tokay-Pinot Gris Sélection de Grains
Nobles Hors Choix 1989, il est presque aussi bon que le vin précédent. Avec
un taux époustouflant de sucre résiduel (200 g/l), il se montre si extraordinairement riche, onctueux et mielleux qu'il pourrait sembler assez lourd et peu
harmonieux, mais une excellente acidité lui donne de l'équilibre. Je ne serais
pas étonné de voir cette bouteille hors du commun évoluer superbement sur
25 à 30 ans.

DOMAINE WEINBACH (KAYSERSBERG)*****

Clos des Capucins – 68240 Kaysersberg
Tél. 03 80 47 13 21 – Fax 03 89 47 38 18
Contact : Colette ou Laurence Faller

1993 Gewurztraminer Cuvée Laurence Altenbourg	D	92
1993 Gewurztraminer Cuvée Laurence Furstentum	D	91
1992 Gewurztraminer Cuvée Laurence Furstentum	D	94
1993 Gewurztraminer Réserve Personnelle	C	90
1992 Gewurztraminer Réserve Personnelle	C	93
1993 Gewurztraminer Cuvée Théo	C	88
1992 Gewurztraminer Cuvée Théo	C	90
1993 Muscat Réserve Personnelle	C	87
1992 Muscat Réserve Personnelle	C	89
1993 Pinot Blanc Réserve	C	90
1992 Pinot Blanc Réserve	B	88
1993 Riesling Cuvée Sainte-Catherine	D	90
1992 Riesling Cuvée Sainte-Catherine	D	90
1993 Riesling Cuvée Théo	C	90
1992 Riesling Cuvée Théo	C	91
1993 Riesling Réserve Personnelle	C	89
1992 Riesling Réserve Personnelle	B	87
1993 Riesling Schlossberg	C	92
1992 Riesling Schlossberg	D	90
1993 Riesling Schlossberg Cuvée Sainte-Catherine	D	94
1992 Riesling Schlossberg Cuvée Sainte-Catherine	D	93

1992 Sylvaner Réserve	B	87
1993 Tokay-Pinot Gris Cuvée Sainte-Catherine	D	90

Le Domaine Weinbach est maintenant entièrement géré par Laurence, l'une des deux filles de Colette Faller, et la qualité des 1993 plaide merveilleusement en faveur de son talent. Elle a amené le domaine à un niveau de qualité encore plus élevé en élaborant des vins plus corsés et plus secs, avec des titres alcoométriques légèrement plus importants. En 1993, au Domaine Weinbach, les rendements furent restreints – les vins le prouvent bien : ils sont impressionnants, riches, aromatiques et, surtout, délicieux.

Le Pinot Blanc de cette propriété est souvent somptueux, et le Pinot Réserve 1993 déploie un nez renversant et crémeux de mandarine confite et de pomme. Riche et relativement corsé, ce vin très pur, très persistant en bouche, n'est heureusement pas marqué par le bois, ce qui lui permet d'être en harmonie avec différents types de mets. Je ne connais pas de Pinot Blanc aussi savoureux. **A boire maintenant.**

Dans ce même millésime, j'ai aussi goûté six cuvées différentes de Riesling. Chacune a sa personnalité propre, l'intensité, le corps et la concentration variant d'un vin à l'autre. Le plus léger de tous est le Riesling Réserve Personnelle 1993, mais il s'agit quand même d'un vin riche, relativement corsé et concentré, au nez de pomme acidulée et d'agrumes, qui révèle une bonne profondeur et une bonne longueur en bouche. Sec et élégant, il manifeste en outre un bel équilibre d'ensemble et pourra se boire au cours des **4 à 6 prochaines années.** Le Riesling Cuvée Théo 1993 est d'une grande précision dans les arômes et déploie un nez plus fascinant et plus aromatique de minéral, combiné avec des senteurs de pomme mûre et de fleurs. Riche, vif et sec, il est merveilleusement équilibré et peut être dégusté **dès maintenant** ou dans les **10 ans** qui viennent. Quant au Schlossberg 1993, il incarne le Riesling puissant, riche et très corsé comme seule l'Alsace sait en produire. Sec, corsé et extrêmement fruité, il regorge de senteurs tropicales intenses, dégage un bouquet flamboyant, presque ostentatoire, et se montre profond et intense en bouche. Il se conservera parfaitement **10 ans.** A l'heure actuelle, le Riesling Cuvée Sainte-Catherine 1993 est très nettement marqué par un caractère minéral et de terroir, ce qui lui donne une carrure imposante et une texture merveilleusement serrée. Bien qu'il soit moins épanoui que les autres cuvées du Domaine Weinbach, il s'agit d'un vin sec, relativement corsé, très serré et extrêmement fruité. **A maturité : jusqu'en 2005.** Le Riesling Schlossberg Cuvée Sainte-Catherine 1993, qui est la meilleure cuvée de la propriété, se présente sous un jour totalement différent. Il est sec, luxuriant, extraordinairement riche et très corsé, et les amateurs de Riesling sec et explosif se doivent de mettre la main sur une bouteille de ce vin fabuleux, néanmoins frais et léger, au nez de fruits tropicaux, de pomme et de minéral, qui déploie ensuite en bouche, par paliers, des arômes de fruits concentrés. Ce nectar – expression même du Riesling pur et épanoui issu d'un sous-sol pierreux et richement minéralisé – présente une finale longue de presque une minute, et, malgré son intensité, sa force et sa richesse en extrait, il ne montre ni lourdeur ni mollesse. **A maturité : jusqu'en 2007.**

Le Muscat Réserve Personnelle 1993 est le moins impressionnant des vins du domaine, mais il n'en est pas moins délicieux. Très sec, il est aussi parfumé et goûteux. **A boire maintenant.**

Quant au fabuleux Tokay-Pinot Gris Cuvée Sainte-Catherine 1993, il montre un nez un peu fermé, mais crémeux, de noisette et de miel, une texture somptueuse avec un peu de mâche en bouche, ainsi que des arômes extrêmement concentrés qui dénotent une belle richesse en extrait et de la maturité. La finale est sèche, longue et épicée. Ce vin évoluera et gagnera en complexité aromatique après **5 à 10 années.**

Les Gewurztraminer du Domaine Weinbach se classent en général parmi les meilleurs du monde. Le Gewurztraminer Réserve Personnelle 1993 déploie un nez d'anthologie, avec des arômes de rose, de miel, de noix et de fumé, ainsi que des senteurs profondes qui rappellent la cerise. Ce vin très corsé, qui n'est pas tout à fait sec, affiche une remarquable extraction de fruit, et sa fin de bouche est très persistante. Malgré son opulence, il n'a heureusement pas ce caractère oléagineux qui trop souvent dénature certains Gewurztraminer de ce calibre. **A maturité : jusqu'en 2001.** Le Gewurztraminer Cuvée Théo 1993 est plus exotique et plus accessible. Il exhale un nez puissant et spectaculaire où l'on retrouve des arômes intenses et exotiques de cerise, de letchi et de miel, avec des notes de fumé. Ce vin très corsé, très épicé et merveilleusement fruité, à la finale sèche, vive et riche, se conservera bien pendant **une dizaine d'années.** Quant à la Cuvée Laurence Altenbourg 1993, elle surpasse de loin l'excellente Cuvée Théo. Il s'agit d'un vin immense, très corsé et fabuleusement riche, à la finale sèche, longue, capiteuse et remarquablement équilibrée. Il est très typé Gewurztraminer, si bien que ses arômes intenses, ainsi que son fruité et sa corpulence, ne séduiront pas forcément tout le monde. Mais quel grand vin ! Au cours des **10 prochaines années,** il sera parfait avec un munster crémeux ou avec des mets orientaux. Le Gewurztraminer Cuvée Laurence Furstentum 1993 n'est pas un vin totalement sec, mais il est corsé et riche, plus gras que l'Altenbourg 1993, sans cette merveilleuse pureté de dessin que l'on retrouve dans ce dernier vin ou dans la Cuvée Théo. Extrêmement puissant et intense, il tiendra bien **10 ans** encore. Une fois de plus, le Domaine Weinbach s'affirme comme l'un des meilleurs producteurs de vins blancs d'Alsace.

Le millésime 1992 n'a pas souffert d'un problème de maturité, mais plutôt de celui d'une récolte par trop abondante. Le Domaine Weinbach compte parmi les quelques propriétés qui ont procédé à d'importantes vendanges en vert et dont les efforts ont été récompensés par des vins d'une concentration extrême.

Je ne suis pas très amateur de Sylvaner, que je trouve en général assez neutre, mais le Sylvaner Réserve 1992 du domaine est élégant, merveilleusement fruité, avec de la maturité et un corps séduisant. Il se conservera **plusieurs années.** Cette propriété produit également de superbes Pinot Blanc. Avec son beau nez de mandarine mûre, le Pinot Blanc Réserve 1992 se montre très profond et riche en bouche, d'une puissance et d'une longueur étonnantes, avec une finale longue, sèche et suave. Il s'agit d'un vin superbe, que vous dégusterez **d'ici 2 ans.**

Weinbach a produit en 1992 cinq cuvées différentes de Riesling qui sont toutes relativement corsées, extrêmement concentrées et dignes d'attention. Le Riesling Réserve Personnelle 1992 est celui qui me semble le moins riche en extrait, mais il est quand même très fruité, et présente beaucoup de fraîcheur et de la délicatesse. Il tiendra encore **3 à 5 ans.** La Cuvée Théo 1992, très corsée, conjugue merveilleusement fruité et richesse avec des notes de pierre à fusil, et déploie une intensité étonnante, ainsi qu'une longueur impressionnante. Il s'agit d'un Riesling fabuleux et intense, qui allie parfaitement puissance et grâce. **A maturité : jusqu'en 2000.** Le Riesling Cuvée Sainte-Catherine 1992 est sec, avec un nez de minéral, de pomme et de fleurs. D'une belle richesse en extrait, il libère en bouche des arômes riches et extrêmement précis, ainsi qu'une acidité plus élevée et une structure plus serrée que la Cuvée Théo. **A maturité : jusqu'en 2002.** Le Riesling Schlossberg 1992 et le Riesling Schlossberg Cuvée Sainte-Catherine 1992 sont tous deux issus du grand cru Schlossberg. Le premier exhale un nez de pierre et de fleurs, déborde de senteurs de fruits et de minéral, et révèle une belle acidité et de la fraîcheur. Très serré et très fermé, il est moins flatteur et moins accessible que ses homologues. **A maturité : jusqu'en 2004.** Le Riesling Schlossberg Cuvée Sainte-Catherine 1992 est issu de raisins qui ont été vendangés le 23 novembre 1992 et vinifiés en sec. Majestueusement riche, impeccablement équilibré et très corpulent, il déploie aussi un énorme nez de fleurs, de pêche, de pomme et de miel, et témoigne d'une superbe extraction – il déborde d'arômes de fruits. Ce vin formidable demeurera parfait pendant **10 à 15 ans.**

Surtout, ne commettez pas l'erreur d'oublier le Muscat Réserve Personnelle 1992. Ce vin sec et luxuriant présente un bouquet de fruits mûrs avec des parfums intenses, merveilleusement frais et vifs. Idéal pour l'apéritif, il doit se consommer **dans l'année.**

Au Domaine Weinbach, on élabore traditionnellement des Gewurztraminer formidables, intensément concentrés, qui regorgent d'arômes et de senteurs de pamplemousse, de rose et de letchi. Le Gewurztraminer Réserve Personnelle 1992 est gras, riche, très corsé, tout en fruit, avec une texture exotique et un peu de mâche en bouche. Il offre une finale riche et capiteuse. **A boire dans les 4 ou 5 ans.** Le Gewurztraminer Cuvée Théo 1992 exhale un bouquet aisément reconnaissable de rose combiné avec des arômes de pamplemousse mûr et de lanoline. Très riche et très corpulent, il développe par paliers de merveilleux arômes de fruits soutenus par une fraîche acidité. Au cours de la dernière décennie, le Domaine Weinbach a produit une succession de Cuvées Théo absolument fabuleuse, et le 1992 compte parmi les meilleurs. **A maturité : jusqu'en 2001.** La Cuvée Laurence Furstentum 1992 conviendra, quant à elle, à ceux qui recherchent des vins extraordinairement riches, corsés, amples et épanouis. Ce vin est bien trop riche pour accompagner un repas, mais, si le foie gras est inclus dans votre régime, il en sera le compagnon idéal, de même qu'il s'harmonisera avec des fromages riches et crémeux. En Alsace, un Gewurztraminer de ce calibre est souvent servi avec du munster. Ce vin devrait se conserver encore **8 à 10 ans.**

Les 1992 du Domaine Weinbach, qui comptent parmi les plus belles réussites en Alsace pour ce millésime, sont presque à la hauteur des meilleurs vins que cette propriété a donnés en 1990 et 1989.

LES VINS DE FRANCE

DOMAINE ZIND-HUMBRECHT (WINTZENHEIM)*****

4, route de Colmar – BP 22 – 68230 Turckheim
Tél. 03 89 27 02 05 – Fax 03 89 27 22 58
Contact : Léonard ou Olivier Humbrecht

1992 Gewurztraminer Clos Windsbuhl	D	94
1991 Gewurztraminer Clos Windsbuhl	D	95
1992 Gewurztraminer Goldert	D	92
1991 Gewurztraminer Goldert	D	93
1990 Gewurztraminer Goldert VT	D	97
1992 Gewurztraminer Gueberschwihr	C	87+
1992 Gewurztraminer Heimbourg	D	95
1991 Gewurztraminer Heimbourg	D	93
1990 Gewurztraminer Heimbourg VT	E	100
1992 Gewurztraminer Hengst	D	92
1991 Gewurztraminer Hengst	D	91
1990 Gewurztraminer Hengst VT	D	96
1991 Gewurztraminer Rangen	?	92+
1992 Gewurztraminer Herrenweg Turckheim	C	93
1991 Gewurztraminer Herrenweg Turckheim	C	90
1992 Gewurztraminer Rangen Clos Saint-Urbain	D	93+
1992 Gewurztraminer Turckheim	C	90
1992 Gewurztraminer Wintzenheim	C	91
1992 Muscat d'Alsace	C	89
1991 Muscat d'Alsace	C	90
1992 Muscat Goldert	C	89+
1991 Muscat Goldert	D	88+
1992 Pinot d'Alsace	C	89
1991 Pinot d'Alsace/Pinot Blanc	C	90
1992 Riesling Brand	D	88
1991 Riesling Brand	D	93
1990 Riesling Brand VT	E	98
1992 Riesling Clos Hauserer	C	88
1991 Riesling Clos Hauserer	D	92
1990 Riesling Clos Hauserer VT	D	92
1992 Riesling Clos Windsbuhl	C	93
1990 Riesling Clos Windsbuhl VT	D	96
1992 Riesling Gueberschwihr	C	89
1992 Riesling Heimbourg	D	93

1991 Riesling Herrenweg Turckheim	C	89
1990 Riesling Herrenweg Turckheim VT	D	96
1992 Riesling Herrenweg Turckheim Vieilles Vignes	C	89
1992 Riesling Rangen Clos Saint-Urbain	D	96
1991 Riesling Rangen Clos Saint-Urbain	D	92
1992 Riesling Thann	C	89
1992 Riesling Turckheim	C	87
1991 Riesling Turckheim	C	89
1992 Riesling Wintzenheim	C	86
1992 Sylvaner	B	85
1991 Sylvaner	C	86
1990 Tokay-Pinot Gris Clos Jebsal VT	E	96
1990 Tokay-Pinot Gris Clos Jebsal SGN	?	100
1992 Tokay-Pinot Gris Clos Windsbuhl	D	95
1990 Tokay-Pinot Gris Clos Windsbuhl VT	E	100
1992 Tokay-Pinot Gris Heimbourg	D	90
1990 Tokay-Pinot Gris Heimbourg VT	E	98
1992 Tokay-Pinot Gris Rangen Clos Saint-Urbain	D	95
1991 Tokay-Pinot Gris Rangen Clos Saint-Urbain	E	96
1992 Tokay-Pinot Gris Vieilles Vignes	D	92
1991 Tokay-Pinot Gris Vieilles Vignes	C	90

Il n'y a que peu de propriétés viticoles au monde qui sachent faire des vins aussi sublimes que ceux du Domaine Zind-Humbrecht dans les grandes années, et il y en a encore moins qui sachent en produire de qualité aussi exceptionnelle dans les années difficiles. Ainsi, malgré l'abondance du millésime, les 1992 sont superbes et montrent bien que, à 30 et quelques années, Olivier Humbrecht est, avec Michel Chapoutier – qui est encore plus jeune –, l'un des deux vinificateurs les plus talentueux de cette génération en France.

Il n'y a pas eu de Vendanges tardives ou de Sélection de grains nobles à la propriété en 1992, si bien que l'essentiel de la production en ce millésime compte des vins secs. Ici, la notion souvent galvaudée de « terroir » (selon laquelle le vin est fortement influencé par le sous-sol du vignoble) reprend ses droits. J'ai quelques scrupules à appliquer le concept de terroir à la Bourgogne, malgré l'affligeante philosophie locale qui voudrait que le Pinot noir issu des coteaux et des sous-sols calcaires de la Côte-d'Or n'ait pas son pareil au monde. Toutefois, en Alsace, et relativement au Domaine Zind-Humbrecht, je suis tout prêt à me rallier à la cause des terroiristes. Les Humbrecht font tout ce qui est possible pour mettre en valeur les différences entre leurs vignobles. Ils n'utilisent pas de bois neuf pour la vinification ou le vieillissement des vins secs ; seules les levures indigènes sont sollicitées au cours des fermentations, et les vins restent sur lies très longtemps, si bien que chacun acquiert sa personnalité propre, qui diffère de manière significative d'un vignoble à un autre. De plus, et c'est peut-être le facteur le plus important, les rendements de leurs vignobles sont les plus faibles d'Alsace, ce qui donne à leurs vins une concentration et une intensité qui accentuent – et je dirais même qui exagèrent – leur caractère de terroir.

En 1992, les vins de Zind-Humbrecht ont connu des rendements inférieurs à 30 hl/ha, c'est-à-dire presque le quart de ce que produisent d'autres viticulteurs alsaciens. De plus, leurs meilleurs vignobles sont situés à flanc de coteau. La récolte s'annonçant abondante, ils ont effectué des vendanges en vert assez importantes, réduisant la récolte de 30-40 %, ce qui leur a permis d'élaborer des vins superbes. Les 1992 n'ont certes pas la puissance ni la concentration des 1989 ou des 1990, pas plus que la structure et le potentiel de garde des 1991, mais ils sont indiscutablement séduisants par leur concentration et leur caractère doux et flatteur.

Je ne suis pas très amateur de Sylvaner, qui est généralement monochromatique, avec un caractère herbacé. Cependant, le Sylvaner 1992 de Zind-Humbrecht est un modèle du genre. Légèrement corsé et frais, très fruité et bien équilibré, il sera agréable **d'ici 1 ou 2 ans.**

Cette propriété enregistre aussi de belles réussites avec le Pinot d'Alsace. Pour tous ces vins, on perpétue la fermentation malolactique. J'estime qu'ils peuvent rivaliser avec certains bourgognes blancs, riches et très parfumés – mais leur rapport qualité/prix est incomparable. Le Pinot 1992 offre un merveilleux bouquet de pelure d'orange, de pomme et de miel. Moyennement corsé et très épanoui, il déploie un fruité agréablement frais et vibrant, ainsi qu'une finale longue et acidulée. **A boire dans les 2 à 4 ans.**

Les deux Muscat sont différents par leur structure. Le Muscat d'Alsace 1992, qui m'a emballé, est composé à 80 % de muscat Ottonel issu de vignes de 30 ans d'âge et se présente comme un vin blanc sec parfumé, moyennement corsé et sensuel. Il demeurera délicieux **2 ou 3 ans** encore. Quant au Muscat Goldert 1992, issu de vignes plantées sur un sous-sol calcaire, il est plus fermé, moins évolué, avec une texture plus serrée que le précédent. Plus riche également et plus rond, il gagnera à être bu **dans l'année**, les arômes du Muscat étant délicats et fragiles.

Zind-Humbrecht a produit dix cuvées de Riesling sec en 1992. Le Riesling Wintzenheim 1992, moyennement corsé et à la texture serrée, présente une finale vive et sèche. **A maturité : jusqu'en 2004.** Le Riesling Gueberschwihr 1992 est issu d'un vignoble au sous-sol calcaire, d'où son caractère relativement corsé, plus riche, plus mielleux et plus parfumé. Remarquablement profond, il déploie des notes de miel, de fleurs et de pomme, ainsi qu'une finale longue, riche, relativement corsée et sèche. **A maturité : jusqu'en 2004.** Le Riesling Herrenweg Turckheim Vieilles Vignes 1992 est l'expression même de son terroir. Issu d'un sol granitique, il exhale des arômes de silex très caractéristiques et témoigne merveilleusement des niveaux d'extraction réalisés en 1992 au Domaine Zind-Humbrecht. Moyennement corsé, ce vin libère par couches des arômes de fruits très riches, et offre une finale sèche, vive et persistante. **A maturité : jusqu'en 2004.** Le Riesling Turckheim 1992 est élégant, avec un bouquet plus prononcé de fruits tropicaux, des arômes moyennement corsés en bouche, et une profondeur et une précision impeccables. Le Riesling Thann 1992 (issu d'un vignoble au sous-sol volcanique) déploie un bouquet extrêmement aromatique et exotique de fleurs printanières, de miel et de fruits tropicaux. Il est relativement corsé, étonnamment long et profond, et devrait se conserver 2 à 6 ans. Le Riesling Clos Hauserer est plus ferme, avec un caractère métallique qui rappelle certains Riesling allemands secs, plus opulents. Il s'agit d'un vin racé et concentré, mais qui est encore fermé et insuffisamment évolué. A maturité : jusqu'en 2007.

J'ai une passion pour le Clos Windsbuhl, vignoble au sous-sol calcaire, et le Riesling qu'il a donné en 1992 est superbement riche et dense, relativement corsé, avec un taux d'acidité étonnamment élevé et une finale énorme. Remarquablement long, il flirte avec la perfection en matière d'harmonie et se conservera pendant plus de 10 ans. Le Riesling Rangen Clos Saint-Urbain 1992 conjugue quant à lui d'inoubliables arômes, superbes et exotiques, de pomme, de minéral et de fumé, avec une richesse fabuleuse, du corps, une grande pureté, ainsi qu'une finale longue, sèche, acidulée et impeccablement pure. Il s'agit d'une réussite spectaculaire qui a un potentiel de garde de 10 ans et plus.

Le Riesling Brand 1992 est le seul vin de cette série qui ne soit pas totalement sec. Son nez énorme, exotique et mielleux donne quelques traces de botrytis. Riche et très corsé, il est encore merveilleusement profond et persistant. A maturité : jusqu'en 2008. Le Riesling Heimbourg 1992 présente un bouquet intense et exotique de fruits tropicaux, de minéral et des notes d'agrumes. C'est le prélude à une extraction de fruit fabuleuse, ainsi qu'au déploiement d'une succession d'arômes très riches étayés par une excellente acidité. Ce vin immense, à la carrure impressionnante et aux notes de chèvrefeuille, tiendra bien encore une bonne vingtaine d'années.

Quand il est issu des meilleures propriétés d'Alsace, le Tokay-Pinot gris est sec, corsé, avec des arômes énormes, gras et crémeux de fruits, et des notes de fumé. Il dégage des flaveurs intenses et onctueuses, ainsi qu'une puissance étonnante, et montre une présence fabuleuse en bouche. Il dévoile aussi plus de richesse et de plénitude que les plus grands vins blancs de Bourgogne, et, personnellement, je le considère comme le Montrachet d'Alsace. Quand un tel vin est élaboré à partir de rendements restreints et sans être dénaturé de quelque manière que ce soit, il peut atteindre des sommets de richesse et de complexité. J'ai dégusté quatre Tokay-Pinot gris (vins secs) du Domaine Zind-Humbrecht en 1992. Le Tokay-Pinot Gris Vieilles Vignes 1992 présente une robe jaune paille très discrète et un nez époustouflant et crémeux de noix, de rose et de miel, avec des senteurs de cire. Ce vin exceptionnellement riche, dont la viscosité onctueuse témoigne de rendements très faibles, est corsé, sec et apte à être conservé pendant au moins une dizaine d'années encore. Le Tokay-Pinot Gris Heimbourg 1992 a un nez plus exotique et plus crémeux d'agrumes légèrement marqué par le botrytis. Sans être aussi long ni aussi complexe que le Vieilles Vignes, ce vin est riche, épicé, profond, très corsé, avec des notes de fumé. A maturité : jusqu'en 2008. Le Tokay-Pinot Gris Clos Windsbuhl (vinifié en sec, avec des fermentations qui ont duré onze mois) possède une puissance et une grâce absolument magnifiques. Riche de glycérine et de senteurs concentrées, il est superbement équilibré, luxuriant et très corsé. Encore dans sa petite enfance, il a besoin d'évoluer et exige au moins 3 ou 4 ans de vieillissement. Il se montre plus riche, plus rond et plus complexe que beaucoup de Montrachet et tiendra bien **plus d'une décennie**. Le Tokay-Pinot Gris Rangen Clos Saint-Urbain 1992 a un nez encore très fermé, mais qui dégage des arômes énormes et crémeux de cerise, de noix, de fumé et de miel. Superbement riche, pulpeux et corsé, ce vin extrêmement concentré et presque visqueux tiendra **10 à 15 ans** encore.

L'amateur qui goûte un grand Gewurztraminer pour la première fois est en général soit conquis, soit irrémédiablement dégoûté. Ce vin au parfum intense et au bouquet flamboyant de pétale de rose, de letchi et d'ananas très mûr n'impressionne pas ceux qui recherchent avant tout la discrétion et la subtilité. Cependant, je suis tout acquis à sa cause, et je trouve que le Gewurztraminer s'harmonise bien avec différents types de mets. De plus, ce vin a un potentiel de garde bien supérieur à celui de la majorité des blancs de Bourgogne. Zind-Humbrecht enregistre des réussites spectaculaires avec ce cépage, et les notes attribuées aux vins ci-après le reflètent bien. Le Gewurztraminer Turckheim 1992 exhale un nez exotique et épicé de pamplemousse auquel se mêlent des arômes féeriques que les Alsaciens décrivent comme étant de « pétrole ». Ce vin superbe, relativement corpulent et moyennement corsé, déborde de fruit et offre une finale sèche. Il sera bien au cours des **4 à 6 années** à venir. Le Gewurztraminer Wintzenheim 1992 est issu de vignes de 46 ans. C'est un vin plus fermé et plus complexe que le précédent, qui offre une multitude d'arômes et de senteurs bien étayés par un caractère assez corsé. **A maturité : jusqu'en 2001.** Le Gewurztraminer Herrenweg Turckheim 1992 est le fruit d'un vignoble de 25 ans d'âge, au sous-sol profond et graveleux. Avec son nez exotique de letchi et de cerise, ses flaveurs riches et crémeuses et sa belle acidité sous-jacente, ce Gewurztraminer ample, corsé et ostentatoire sera la coqueluche des amateurs de ce cépage. Il se conservera encore **une dizaine d'années**.

Le Gewurztraminer Gueberschwihr 1992 (issu de sols calcaires) est plus fermé, avec des arômes discrets, mais prometteurs, de minéral et de pétrole, ainsi que de délicates senteurs d'ananas. Encore peu évolué et moyennement corsé, il requiert une année supplémentaire de vieillissement en bouteille. **A maturité : jusqu'en 2001.** Le Gewurztraminer Goldert 1992 titre 14° d'alcool naturel. Sec, corsé et mielleux, il regorge de fruits riches et mûrs, et déploie des arômes de miel et de jambon gras légèrement fumé qui jaillissent littéralement du verre. Il accompagnera idéalement un foie gras ou un munster. **A maturité : jusqu'en 2002.** Le Gewurztraminer Hengst 1992 allie l'élégance (qualité rare chez le Gewurztraminer) à une puissance et une richesse considérables. Très exotique, il déploie un bouquet minéral et métallique, une belle acidité sous-jacente et des effluves riches et corsés, ainsi qu'une finale superbe. **A maturité : jusqu'en 2002.** Le Gewurztraminer Clos Windsbuhl 1992 est un vin sec, séduisant et corsé, qui révèle, outre une concentration exceptionnelle, une finesse et une harmonie étonnantes. En bouche, il libère ses arômes par paliers et montre une persistance sèche et longue, de presque une minute. Ce vin merveilleusement précis et extraordinairement riche et épicé a du ressort ; il déploie des arômes de fumé, de minéral et d'ananas confit. **A boire dans les 10 ans.** Le Gewurztraminer Heimbourg 1992 est l'expression même de ce cépage à son plus haut niveau. Extrêmement concentré et d'une puissance extraordinaire, il jette littéralement au visage du dégustateur une masse d'arômes intenses et exotiques de letchi, de rose et de fruits mûrs. Il se montre très corsé, avec une concentration spectaculaire, et sera bon dans les 10 à 15 prochaines années. Malheureusement, peu de lecteurs auront l'occasion de se procurer du Gewurztraminer Rangen Clos Saint-Urbain 1992, produit en quantités infinitésimales. Il s'agit du seul vin qui ne soit pas totalement sec dans la gamme de Zind-Humbrecht. Moyennement doux, il ressemble davantage à un Vendanges tardives qu'à un Gewurztraminer sec, avec ses senteurs exotiques, mielleuses, corsées et légèrement sucrées, sa concentration stupéfiante et son acidité sous-jacente très rafraîchissante. Parfaitement harmonieux et d'une longueur remarquable en bouche, il sera de longue garde – 15 ans et plus.

Si vous aimez les Riesling, vous vous devez d'essayer de mettre la main sur quelques bouteilles de ces quatre Vendanges tardives de Zind-Humbrecht, malgré des disponibilités très réduites. Le Riesling Herrenweg Turckheim Vendanges Tardives 1990 est très fruité, avec un nez spectaculaire et métallique de pomme et de fleurs, ainsi que des effluves secs, riches et imposants qui sont d'une remarquable élégance, compte tenu de leur profondeur et de leur ampleur. Ce vin frais et vif, profond et riche, doit être consommé dans les 10 à 15 ans. Le Riesling Clos Hauserer Vendanges Tardives 1990 déploie un nez de cerise et de pierre mouillée, et montre un taux d'acidité exceptionnellement haut qui masque un fruité énorme et riche. D'une extraordinaire précision dans le dessin, d'une profondeur fabuleuse et d'une persistance admirable, ce vin est le moins évolué des quatre ; il devrait tenir au moins 20 ans. Le Riesling Clos Windsbuhl Vendanges Tardives 1990 exhale un séduisant nez d'ardoise et d'orange confite, et déploie en bouche, par couches, des arômes profonds et multidimensionnels évocateurs de fruits tropicaux, de cerise et de pomme. La finale est exquise, épicée, merveilleusement longue et vive. Ce Riesling profond et très concentré évoluera bien sur une quinzaine d'années, voire plus. Enfin, le Riesling Brand Vendanges Tardives 1990 pourrait se révéler absolument parfait d'ici 3 ou 4 ans, avec son nez de fruits tropicaux très botrytisé et des senteurs d'abricot, de pêche et, aussi surprenant que cela puisse paraître, de rose (un arôme que l'on retrouve surtout dans le Barolo et le Gewurztraminer). Il s'agit d'un vin très corsé, énorme, extrêmement concentré et pas totalement sec, qui offre à la dégustation une expérience unique. Il se bonifiera en bouteille au cours des 6 à 9 ans qui viennent et se conservera encore une vingtaine d'années.

Olivier, le fils de Léonard Humbrecht, a réussi en 1991 une performance digne d'être classée parmi les plus remarquables du monde vinicole français, surtout lorsqu'on sait que ce millésime est dans l'ensemble de niveau très moyen. Dans mes ouvrages, j'essaie en principe d'identifier les meilleurs producteurs des principales régions de vins. Et il se révèle souvent que, dans des millésimes médiocres, les plus grands d'entre eux font des vins de meilleure qualité que les viticulteurs moyens dans les grandes années. Les rendements du Domaine Zind-Humbrecht en 1991 étaient limités, de l'ordre de 20-35 hl/ha, et c'est très certainement ce qui explique l'excellence de la production. On notera de plus que les raisins ont été vendangés à parfaite maturité et que seulement deux vins ont dû être chaptalisés. D'après Olivier Humbrecht, cette réussite s'explique par le fait que lui-même passe presque 80 % de son temps dans les vignes et que son père y travaille quant à lui tout le temps. Et d'ajouter : « Il est simple de faire du vin quand la vendange est saine et à parfaite maturité et que les rendements sont limités. » De fait, les 1991 du Domaine Zind-Humbrecht sont encore plus exceptionnels que leurs extraordinaires 1989 et 1990, surtout si l'on tient compte des difficultés que présentait ce millésime.

Pour ce qui est des vins blancs secs, le Domaine Zind-Humbrecht produit, avec le Domaine Weinbach, l'un des meilleurs Sylvaner d'Alsace, issu de très vieilles vignes des vignobles Herrenweg et Rottenberg. Le Sylvaner 1991 a de la personnalité et du caractère (chose rare pour ce cépage), avec un excellent fruité et de la maturité. Buvez-le au cours des **prochaines années**. Le Pinot d'Alsace 1991 est absolument fabuleux. Vendangé à un niveau de maturité plus avancé que le 1989 et le 1990 (deux années pourtant extrêmement sèches et chaudes), il déborde de fruit et d'arômes d'orange et de pomme mûre. Relativement corsé, avec une richesse en extrait superbe, il a de l'acidité et de la fraîcheur, et sa finale est époustouflante. Il est vraiment dommage qu'il n'y ait pas plus d'amateurs de ce vin blanc absolument éblouissant qui, par ailleurs, se marie bien avec différents types de mets. **A boire maintenant**.

Les cinq Riesling secs sont tous des vins remarquables. Le plus léger d'entre eux, le Riesling Turckheim 1991, libère un nez complexe de pomme, de citron et de pierre à fusil, ainsi que des senteurs mûres et légèrement corsées ; la finale est sèche et d'une précision exceptionnelle. Ce vin merveilleux devra être bu dans les **2 à 4 ans**. Le Riesling Herrenweg Turckheim 1991 est riche et austère, avec un nez ferme, aromatique et minéral qui déploie le merveilleux mélange de pomme, d'agrumes et de pierre typique de ce cépage. Moyennement corsé, il se révèle d'une grande richesse, et présente une finale longue et sèche. Il se gardera pendant encore **4 à 6 ans**. Le Riesling Rangen Clos Saint-Urbain 1991 est puissant, avec un nez énorme, très aromatique et métallique, de silex et d'ardoise. En bouche, il est corsé, vif, sec et profond, se révélant d'une remarquable précision dans les arômes et le dessin. Sa finale est longue et riche, et son potentiel de garde est d'**environ 10 ans**. Le Riesling Brand 1991 montre un nez de fleurs, de pêche, de pomme et d'abricot, avec une légère touche de botrytis. Ce vin moyennement corsé et profond, d'une spectaculaire richesse en extrait, déploie une finale absolument superbe ; il sera agréable au cours des **7 à 10 prochaines années**. Le Riesling Clos Hauserer requiert généralement quelques années de vieillissement avant d'être dégusté. En 1991, ce clos, situé juste au bas du célèbre vignoble Hengst, a produit un vin riche, plus opulent et plus alcoolique que d'habitude. D'après Olivier Humbrecht, les rendements étaient très réduits, de l'ordre de 20 hl/ha. Ce Riesling énorme et puissant se maintiendra pendant encore **une décennie**.

J'espère que les consommateurs manifesteront davantage d'intérêt pour les extraordinaires Muscat secs d'Alsace, absolument uniques au monde. Le Muscat d'Alsace 1991 de Zind-Humbrecht, issu de rendements de 35 hl/ha, serait pour le néophyte une excellente introduction en la matière. Il exhale un nez de cocktail de fruits auquel se mêlent des senteurs de fleurs qui jaillissent littéralement du verre. Moyennement corsé et très riche, il déploie une extraction de fruit incroyable, ainsi qu'une finale alcoolique (14°) et capiteuse. **A boire maintenant**. Malheureusement, ce vin n'a été produit qu'en petites quantités. Le Muscat Goldert 1991, issu de vignes de 50 à 60 ans d'âge, est encore peu évolué, mais il atteste une finesse et une élégance considérables. Ce vin sec, à la texture serrée, qui demande au moins 1 ou 2 ans de vieillissement supplémentaire, est nettement moins flatteur que la cuvée générique du domaine. **A maturité : jusqu'en 2000.**

Qui dit Zind-Humbrecht dit Tokay fabuleux, aussi puissant qu'un Montrachet, avec une texture, une intensité des arômes et des senteurs de la stature de celles de ce grand cru de Bourgogne.

Le Tokay-Pinot Gris Vieilles Vignes 1991 présente des arômes puissants et crémeux de fruits mûrs, ainsi que des parfums renversants, riches et concentrés, soutenus par une belle acidité. Ce vin débordant de saveurs est peut-être moins évolué que le 1989 ou le 1990, mais il pourrait se révéler plus concentré et apte à une plus longue garde. Il est vraiment époustouflant ! **A maturité : jusqu'en 2003.** Si vous avez la chance de mettre la main sur des Tokay-Pinot Gris Rangen du Clos Saint-Urbain, cet extraordinaire vignoble à vins blancs parmi les plus célèbres au monde, je vous conseille vivement le 1991. Produit à partir de vieilles vignes plantées sur des sols volcaniques extrêmement pentus, ce Tokay à la texture onctueuse déploie un nez énorme de fruits confits et développe en bouche des arômes riches par paliers. Il possède en outre de l'acidité et de la fraîcheur, de la densité, de la précision dans le dessin et une persistance fabuleuse. Il est issu de rendements de 20 hl/ha, soit le quart ou le cinquième de ce que font certains producteurs de Puligny-Montrachet et de Chassagne-Montrachet. A en juger par les réussites antérieures, il requiert 2 ou 3 années de vieillissement avant de s'ouvrir, et son potentiel de garde est de **20 ans environ.**

Les Gewurztraminer 1991 sont également étonnants. Ainsi, le Gewurztraminer Herrenweg Turckheim 1991 est un vin classique, au nez énorme d'épices, de rose et de cerise et aux effluves profonds, capiteux et enivrants qui emplissent le palais des saveurs visqueuses et exotiques typiques de ce cépage. Produit à partir de rendements de 25 hl/ha, il est en 1991 le vin le plus évolué de cette gamme. Il se conservera bien pendant au moins encore **une décennie.** Issu de vignes de 60 ans d'âge, le Gewurztraminer Goldert 1991 présente un nez exquis et très aromatique de rose, de letchi crémeux et de fruits. En bouche, ses senteurs se révèlent corsées, imposantes et merveilleusement équilibrées, grâce à sa fraîcheur. Ce vin d'une grande ampleur devrait être à son apogée au cours des **10 prochaines années.** Le Gewurztraminer Clos Windsbuhl montre, en 1991 comme d'ailleurs dans les autres millésimes, le niveau d'acidité le plus élevé. C'est aussi le vin le plus onctueux et le plus riche, qui possède également le plus d'extrait. Mais il est le moins flatteur en bouche, précisément à cause de cette acidité. Il offre un merveilleux exemple des sommets que peut atteindre le Gewurztraminer quand il est élaboré par un vigneron talentueux sur la base de rendements extrêmement réduits. Avec son nez de minéral, de rose et d'épices, il se montre massif, riche et merveilleusement proportionné, et tiendra encore **7 ou 8 ans.** Le Gewurztraminer Heimbourg 1991 et le Gewurztraminer Hengst 1991 ont tous deux des touches de botrytis et possèdent la même onctuosité et la même richesse que les autres Gewurztraminer de Zind-Humbrecht. Chacun de ces vins est, à sa manière, spectaculaire, avec des senteurs corsées et des arômes parfumés et intenses. Tous se conserveront sans problème pendant **une décennie**, et seul le Clos Windsbuhl exige un certain vieillissement avant d'être dégusté. En 1991, seulement 70 caisses de Gewurztraminer Rangen ont été produites. Ce vin au léger taux de sucre résiduel est puissant, avec un caractère musclé et dramatique. Il sera bien pendant au moins **10 ans, si ce n'est plus**.

Je n'ai pas souvenir d'un vigneron produisant des vins aussi magnifiques dans un millésime de niveau très moyen. Bravo, donc, à Olivier et Léonard Humbrecht !

Si l'on considère l'extrême puissance et l'extraordinaire concentration des Vendanges tardives d'Alsace en 1990 (ces vins possèdent les caractéristiques d'un nectar), on ne peut qu'être fasciné par l'intensité des arômes et des effluves qu'ils déploient. On m'interroge souvent sur la meilleure façon de servir de tels vins. A mon avis, ils se dégustent mieux seuls, à l'apéritif ou après le repas.

Des trois Tokay du Domaine Zind-Humbrecht, c'est le Clos Jebsal Vendanges Tardives (production de 350 caisses) que l'on se procurera le plus facilement. Il s'agit d'un vin merveilleusement équilibré, spectaculaire, riche et mielleux, moyennement doux, auquel un taux d'acidité extrêmement élevé confère une certaine sécheresse en bouche. Très imposant, il montre une belle persistance et se révèle extraordinaire à la dégustation. Il se conservera bien pendant 15 à 25 ans. Le Tokay-Pinot Gris Clos Windsbuhl Vendanges Tardives 1990 représente pour moi la perfection même. Il exhale un nez époustouflant de minéral, de fruits confits et d'épices exotiques qui introduit en bouche une masse incroyable de fruit à laquelle se mêlent une belle acidité, de la fraîcheur et d'énormes quantités de glycérine. Ce vin corsé montre une persistance spectaculaire et acidulée, longue de presque une minute. Il vieillira bien sur **au moins 20 ans**. Le Tokay-Pinot Gris Heimbourg Vendanges Tardives 1990 est produit en quantités extrêmement limitées (50 caisses) et sera donc quasiment introuvable. Mais il s'agit d'un vin énorme, extraordinaire, à la concentration exemplaire et fascinante, et à la texture onctueuse. **A maturité : jusqu'en 2007.**

La gamme des Gewurztraminer Vendanges Tardives va de l'excellent au divin. Le Gewurztraminer Hengst Vendanges Tardives 1990 est grandiose, avec des senteurs spectaculaires de cerise, de letchi et de rose. Il déploie en bouche des effluves persistants, visqueux, riches, avec de la mâche, et a une finale énorme et explosive. Ce vin gigantesque est bien étayé par une acidité fulgurante. Le Gewurztraminer Goldert Vendanges Tardives 1990 est encore plus aromatique et plus évolué. Il présente un nez de letchi, de cerise et d'abricot, possède une concentration fabuleuse et déploie une finale longue et luxuriante. **A maturité : jusqu'en 2010.** Le Gewurztraminer Heimbourg Vendanges Tardives 1990 est aussi séduisant que le 1989, avec des arômes énormes de cerise et de fruits confits, ainsi qu'une fraîcheur et une longueur remarquables. En fait, ce sont la fraîcheur, l'acidité, la vivacité, la pureté de dessin et la précision de ces vins massifs qui en font des réussites aussi éclatantes. **A maturité : jusqu'en 2010.**

J'ai également dégusté un Tokay-Pinot Gris Clos Jebsal Sélection de Grains Nobles 1990 (qui n'est pas encore diffusé) et auquel j'ai attribué la note parfaite. Il semblerait que les rendements aient été de 3 hl/ha, ce qui représente un demi-verre de vin par pied de vigne. Quand on sait que le célèbre Château d'Yquem se glorifie (avec raison d'ailleurs) de produire un verre de vin par pied... Ce monument ne sera pas diffusé avant plusieurs années, et je crains que le prix n'en soit excessivement élevé, mais il s'agit d'un des nectars les plus inoubliables qu'il m'ait été donné de goûter. Je conseille aux consommateurs en quête des très rares Sélections de grains nobles de Zind-Humbrecht de s'enquérir auprès de leur détaillant des demi-bouteilles de 1986 que le domaine a récemment mises sur le marché. Les Vendanges tardives d'Alsace se révèlent étonnants dans ce millésime, et les Sélections de grains nobles du Domaine Zind-Humbrecht sont spectaculaires.

DERNIÈRE DÉGUSTATION D'ALSACE 1992-1993-1994

BOTT-GEYL (BEBLENHEIM)****

1994 Riesling Grafenreben	C	90
1994 Tokay-Pinot Gris Sonnenglanz	C	92
1994 Gewurztraminer Sonnenglanz Vieilles Vignes	D	93
1994 Gewurztraminer Sonnenglanz VT	D	94+

Le superbe Riesling Grafenreben 1994, issu de vignes de 20 à 30 ans d'âge, exhale un nez mielleux de marmelade et de fruits exotiques marqué de touches de minéral. Moyennement corsé, admirable de pureté et de précision dans le dessin, il est long, mûr et sec en fin de bouche. Ce vin jeune et doté de manière impressionnante sera parfait ces **7 ou 8 prochaines années**.

Issu de vignes de 45 ans d'âge et de rendements de 15 hl/ha, le Tokay-Pinot Gris Sonnenglanz Vieilles Vignes 1994 révèle un nez exotique et extrêmement mûr de miel et de fruits tropicaux. Encore jeune et pas totalement formé, il se montre dense, très corsé et crémeux en bouche, débordant littéralement de richesse en extrait, de glycérine et de caractère. Un Pinot gris sec, délicieux, savoureux, que vous apprécierez dans les **10 à 15 ans** en accompagnement de riches plats de poisson, de foie gras ou de mets orientaux.

Le Gewurztraminer Sonnenglanz Vieilles Vignes 1994, issu de rendements de 15 hl/ha, se révèle pur, bien doté et très corsé, onctueux et richement extrait. On croirait, en dégustant ce vin intense et spectaculaire, manger des pétales de roses mêlés d'ananas confit. Il se conservera facilement **12 à 15 ans**, grâce à sa puissance, à sa richesse et à son équilibre.

Fait du même métal, le Gewurztraminer Sonnenglanz Vendanges Tardives 1994 se montre cependant plus doux, plus onctueux et plus massif en bouche que la cuvée Vieilles Vignes. Son potentiel de garde est de **25 ans, au moins**.

Ces quatre 1994 comptent certainement au nombre des vins les plus intéressants d'Alsace, mais demeurent pour l'instant à prix raisonnables, car Jean-Christophe Bott-Geyl est d'un caractère plutôt réservé et surtout connu des initiés.

ERNEST BURN (GUEBERSCHWIHR)***** [1]

14, rue Basse – 68420 Gueberschwihr
Tél. 03 89 49 20 68 – Fax 03 89 49 28 56

1994 Pinot Blanc	A	90
1994 Riesling	B	88
1994 Tokay-Pinot Gris	B	89
1994 Muscat Clos Saint-Imer Goldert	C	92
1994 Riesling Clos Saint-Imer Goldert	C	90
1994 Tokay-Pinot Gris Clos Saint-Imer Goldert	C	93
1994 Gewurztraminer Clos Saint-Imer Cuvée La Chapelle	D	93

L'exceptionnel Pinot Blanc 1994, proposé aux alentours de 50 F la bouteille, est une somptueuse illustration de ce que peut donner ce cépage sous-estimé. Totalement sec et stupéfiant de concentration, il regorge de fruité et de glycérine, et présente, à la fois au nez et en bouche, de séduisants arômes mielleux de pomme et de pelure d'orange. **A boire dans l'année.**

Le Riesling 1994, autre remarquable affaire, est vif et frais, avec un très caractéristique fruité aux notes de terre, de minéral et de pomme. Moyennement corsé, il est mûr et puissamment aromatique. **A boire dans les 3 ou 4 ans.**

Avec le caractère puissant et très corsé typique de ce cépage, le Tokay-Pinot Gris 1994 se révèle sec, et déploie en bouche des arômes denses et crémeux de cerise. Ample, épais et succulent, il est également massif et titre 14,3° d'alcool naturel. Il accompagnera merveilleusement de riches plats de poisson, ou même du foie gras. **A boire dans les 10 ans.**

Ernest Burn produit, au très célèbre Clos Saint-Imer (la partie la plus prisée du vignoble Goldert), les tout meilleurs crus de la gamme qu'il propose. Ainsi que je l'ai souvent dit, j'adore les Muscat d'Alsace moyennement secs, et le Muscat Clos Saint-Imer Goldert 1994 de ce domaine ressemble fort à un Muscat de Beaumes-de-Venise, mais sans en posséder la douceur. Il dégage en bouche de fabuleux arômes de cocktail de fruits, se montre très glycériné et très corsé, avec un caractère incontestablement très frais et de bon ressort. Je parierais que ses senteurs pourraient envahir un amphithéâtre si le contenu de la bouteille était répandu sur le sol. Ce Muscat plaira sûrement au plus grand nombre. **A maturité : jusqu'en 2000.**

Le Riesling Clos Saint-Imer Goldert 1994 libère, quant à lui, les légendaires arômes de pétrole – il s'agit en fait de senteurs de terre, de minéral et d'huile – que l'on retrouve généralement dans les meilleurs Riesling d'Alsace. Très corsé et peu évolué, il requiert une garde de 1 ou 2 ans avant d'être prêt, mais se conservera parfaitement pendant encore **15 ans environ.**

Massif et aussi riche qu'un Montrachet, le Tokay-Pinot Gris Clos Saint-Imer Goldert 1994 exhale des senteurs fruitées de liqueur de cerise marquées de notes crémeuses et très glycérinées. D'un excellent rapport qualité/prix, il promet de tenir **15 ans, ou plus.**

---

1. Ce producteur n'étant pas cité précédemment, ses coordonnées sont mentionnées ici.

Légèrement doux et semblable à un vin de vendanges tardives, le Gewurztraminer Clos Saint-Imer Cuvée La Chapelle 1994 déploie les légendaires arômes de pétale de rose, d'épices, d'ananas et de pamplemousse confits typiques de ce cépage. Extrêmement corsé, épais et riche, mais sans aucune lourdeur, ce vin prodigieux et ample sera à parfaite maturité dans 4 ou 5 ans et s'y maintiendra ensuite **10 ans.**

MARCEL DEISS (BERGHEIM)*****

1993 Pinot Blanc Bergheim	A	87
1993 Riesling Bennwihr	A	88
1993 Riesling Engelgarten	B	89
1992 Riesling Grasberg	C	89
1992 Riesling Altenberg	C	90
1993 Riesling Altenberg	D	93
1993 Riesling Schoenenbourg	D	87+
1992 Riesling Schoenenbourg	D	87+
1992 Tokay-Pinot Gris Bergheim	D	91
1992 Tokay-Pinot Gris Altenberg	C	92
1992 Gewurztraminer Altenberg	E	90
1993 Gewurztraminer Altenberg	D	93
1994 Pinot Noir Burlenberg Vieilles Vignes	D	81
1994 Pinot Blanc Bergheim	A	89
1994 Muscat Bergheim	A	87
1994 Riesling Bennwihr	A	87
1994 Riesling Saint-Hippolyte	B	85
1994 Riesling Engelgarten Bennwihr	B-C	??
1994 Riesling Grasberg	D	90+
1994 Riesling Burg VT	D	92
1994 Riesling Altenberg de Bergheim VT	D-E	90+
1994 Riesling Schoenenberg SGN	E	94+
1994 Tokay-Pinot Gris Beblenheim	B	91
1994 Tokay-Pinot Gris Bergheim	C	89
1994 Tokay-Pinot Gris Altenberg de Bergheim	E	96
1994 Gewurztraminer Mittelwihr	B	86
1994 Gewurztraminer Bergheim VT	D	90
1994 Gewurztraminer Burg SGN	D-E	95
1994 Gewurztraminer Altenberg de Bergheim SGN	E	97+
1994 Grand Vin Altenberg de Bergheim	E	93

Issu des vignobles à plus hauts rendements (50-60 hl/ha), le Pinot Blanc Bergheim 1993 révèle un fruité de bon ressort, vif et sec, dominé par des notes de minéral. Légèrement corsé, acidulé et plein en bouche, il montre de la vivacité et une belle précision dans le dessin. **A boire dans l'année.**

Le riesling est roi chez Marcel Deiss, même si j'ai mieux noté d'autres crus issus de cépages différents. Tous les Riesling ci-dessus sont austères et secs, avec des notes de minéral très prononcées.

Outre son nez d'orange, de mandarine et de minéral, le Riesling Bennwihr 1993 présente de généreuses notes de pierre qu'il tient de son terroir. Sec et austère, tout en finesse et en élégance, il commence à peine à s'ouvrir et promet de durer encore **5 ou 6 ans.**

Issu d'un vignoble graveleux et bien drainé, le Riesling Engelgarten 1993 exhale un nez de minéral fluide mêlé de bouffées d'orange mûre. D'une grande richesse, il pourrait se bonifier au terme d'une garde supplémentaire en bouteille, ce qui me conduirait à lui attribuer une meilleure note. Ce vin, qui exprime vraiment son terroir, libère des arômes de pierre mouillée et de gravier qui jaillissent littéralement du verre. Extrêmement pur et d'une belle précision, à la fois dans les arômes et dans le dessin, il présente un potentiel de garde de **10 ans environ.**

Sec et moyennement corsé, avec des senteurs d'orange et de pamplemousse, le Riesling Grasberg 1992 affiche une grande richesse dans un ensemble marqué de notes de miel et d'orange. Il est jeune et exubérant, mais se bonifiera au terme d'une garde de 1 ou 2 ans. **A maturité : jusqu'en 2002.**

Bien vif, avec des senteurs d'agrumes, le Riesling Altenberg 1992 présente une acidité extraordinaire et une texture serrée. Ce vin jeune et un peu curieux, au fruité vif de pomme et à la finale moyennement corsée aux notes de citron, promet de se bonifier dans les toutes prochaines années. Son potentiel de garde est de **10 ans environ.**

Légèrement meilleur, de plus forte carrure, mais tout aussi fermé que le cru précédent, le Riesling Altenberg 1993 révèle aussi davantage de fruité, de maturité et d'intensité. Son nez d'agrumes – citron et pelure d'orange – mêlé de senteurs de minéral précède un vin moyennement corsé et fabuleux d'équilibre, aux arômes remarquablement précis, dont la finale est sèche et imposante. Ce Riesling durera bien **15 ans** encore.

Les Riesling Schoenenbourg 1992 et 1993 présentent bien toutes les caractéristiques des jeunes vins issus de ce prestigieux vignoble. Tous deux sont extrêmement fermés, dominés par des arômes de pierre et de minéral, avec un caractère peu évolué qui confine à l'austérité. Ils libèrent des notes de fumé et de minéral, se montrent massifs et mûrs, mais n'en demeurent pas moins fermés et très réservés. Marcel Deiss trouvera peut-être que j'ai été sévère dans ma notation, mais ces deux vins requièrent bien une garde de 4 ou 5 ans avant d'être prêts. Ils vieilliront probablement à l'image de sérieux vins rouges.

Les Tokay-Pinot Gris Bergheim et Altenberg 1992, tous deux extraordinaires, concentrés et puissants, titrent 13 à 14° d'alcool naturel. Ils sont secs, mais trop gras au gré de leur auteur. Issus de rendements de moins de 30 hl/ha, riches et bien dotés, ils exhalent de généreux et puissants arômes de miel, l'Altenberg étant davantage marqué par le botrytis. Déjà prêts, ils promettent de bien évoluer sur les 10 ans qui viennent.

Le Gewurztraminer Altenberg 1992, issu de rendements de 30 hl/ha et vendangé à un niveau de maturité qui conviendrait aux sélections de grains nobles, se révèle, après les fermentations, presque totalement sec. Extrêmement riche et corsé, il libère au nez des senteurs de miel et de letchi, et se montre dense, épais et presque visqueux en bouche. Son acidité adéquate étaye bien ses composantes puissantes. **A boire dans 15 ans.**

Encore plus extraordinairement doté, le Gewurztraminer Altenberg 1993 déploie au nez de fabuleuses senteurs de pamplemousse, de miel, d'orange et de letchi, ainsi que les très caractéristiques arômes de pétale de rose. Son fruité de cerise est semblable à celui d'un vin rouge, et il se révèle massif, profond, très corsé, superbe de concentration et de précision dans le dessin. Il est capable de tenir 15 ans.

J'apprécie rarement le Pinot noir d'Alsace, mais celui que Marcel Deiss a élaboré en 1994, non collé et non filtré, issu de vignes de 40 ans d'âge, est assez bon. Bien fruité, mais manquant de complexité et d'ampleur aromatique, il est réussi, suivant les critères alsaciens, mais n'est en aucun cas à la hauteur d'un excellent bourgogne.

Les vins blancs sont en revanche plus intéressants, et le Pinot Blanc Bergheim 1994 permettra aux néophytes de se familiariser avec le style de la maison. Élevé sur lies et mis en bouteille sans collage ni filtration, il est superbe par sa pureté et son caractère, et exhale un nez modérément intense aux senteurs d'orange et de mandarine. Moyennement corsé, net et d'une belle précision en bouche, il déploie une finale longue et acidulée. Il tiendra bien encore **1 ou 2 ans.**

Le Muscat Bergheim 1994, totalement sec, libère des arômes floraux et élégants, avec une acidité fraîche ; la finale est vive et légèrement corsée. **A boire ces toutes prochaines années.**

Ce producteur propose en 1994 sept cuvées différentes de Riesling. En bas de l'échelle, il y a le Riesling Bennwihr 1994, extrêmement sec et austère, non filtré et issu d'un terroir alluvial. Légèrement corsé, avec des arômes de minéral et d'agrumes, il est racé, très serré, et exige une dégustation attentive. **A maturité : jusqu'en 2003.**

Plus austère et légèrement intense, le Riesling Saint-Hippolyte 1994 déploie des arômes de pomme verte et possède un fruité sous-jacent aux notes de mandarine et de minéral. Moyennement corsé, avec une acidité élevée et un étrange caractère de lies, il est bien fait et impressionnant de pureté, mais requiert une garde de 8 à 10 mois pour s'ouvrir. **A maturité : jusqu'en 2004.**

Avec son nez légèrement boisé de minéral fluide, le Riesling Engelgarten Bennwihr 1994 est moyennement corsé et très concentré, avec une acidité élevée, un caractère vif, frais et précis, et une finale sèche. Puissant, mais très peu évolué, il demande encore 1 an de patience, pour être ensuite apprécié dans les **10 ans** qui suivront.

Issu de très petits rendements (de l'ordre de 15 hl/ha), le puissant Riesling Grasberg 1994 est pur, moyennement corsé et d'une extrême précision dans le dessin. Il montre en bouche, par paliers, un généreux fruité, une acidité élevée et bien fondue, ainsi qu'un caractère serré, peu évolué, presque impénétrable, mais extrêmement ample ; c'est un vin que vous admirerez plus que vous ne l'apprécierez. Accordez-lui une garde de 1 ou 2 ans avant de le déguster sur les **10 à 12 prochaines années**, en accompagnement de mets très parfumés et très aromatiques.

Avec ses généreuses senteurs de cocktail de fruits mêlées d'arômes de miel et de minéral, le Riesling Burg Vendanges Tardives 1994 semble sec en bouche à cause de son acidité très élevée. Celle-ci cache d'ailleurs son faible taux de sucre résiduel. Ce vin impressionnant, moyennement corsé et d'une richesse superbe, déploie une finale exceptionnellement longue. Il promet de vieillir de manière impeccable sur les **15 prochaines années, voire davantage.**

Le sensationnel Riesling Altenberg de Bergheim Vendanges Tardives 1994 exhale un nez magnifique d'agrumes, de fleurs printanières et de pierre. Sa texture fabuleuse envahit le palais, mais ce vin est dans l'ensemble rafraîchissant, grâce à son acidité élevée. Merveilleux d'intensité et de ressort, très profond, avec une finale riche, mais sèche, il présente un potentiel de garde de **20 ans environ.**

Le Riesling Schoenenberg SGN 1994 est l'un des vins les plus secs de sa catégorie, grâce à son niveau d'acidité très élevé. Son taux de sucre résiduel (80 g/l) suggérerait davantage un vin de dessert épais et extrêmement doux, mais il ressemble plutôt à un vin presque sec. Extraordinaire de longueur, d'une pureté et d'une richesse spectaculaires, il requiert une garde de 8 à 10 ans, mais ne soyez pas surpris qu'il tienne bien sur les **40 ans suivants.** Un immortel...

Les trois cuvées de Tokay comprennent le superbe Tokay-Pinot Gris Beblenheim 1994, qui titre 14,5° d'alcool naturel. Dense et très corsé, il ressemble davantage à un vin rouge qu'à un vin blanc, et son auteur déclare qu'il contient même quelques tannins. Puissant et massif, avec un nez crémeux de cire et de miel, il se montre sec en bouche et extrêmement persistant en finale. Comme tous les grands Tokay d'Alsace, ce vin impressionnant requiert une garde de plusieurs années pour développer davantage de complexité ; il se conservera parfaitement **10 à 15 ans.**

Le Tokay-Pinot Gris Bergheim 1994, issu d'un microclimat plus frais, exhale d'abondants et intenses arômes de cerise et de fruits confits. Moyennement corsé, avec une acidité d'un niveau moyen, il est étonnamment gras pour un Tokay de ce domaine, et dévoile une finale longue et capiteuse, généreusement glycérinée. Ce vin – l'un des plus flatteurs et des plus évolués de la gamme – doit être consommé dans les **7 ou 8 ans.**

Le Tokay-Pinot Gris Altenberg de Bergheim 1994 n'a été produit qu'à hauteur de 175 caisses. Issu de rendements de 15 hl/ha et de vieilles vignes plantées sur des terres calcaires, il est massif et étonnamment riche, avec un fruité mielleux de cerise et de mandarine marqué par des touches sous-jacentes de minéral. Très corsé, d'un caractère exceptionnellement bien doté, il suinte littéralement de fruité, de glycérine et d'alcool (il titre 14° d'alcool naturel). Ce vin extraordinaire, trapu et encore extrêmement jeune, présente un potentiel de garde de **15 ans, ou plus.**

Les Gewurztraminer de Marcel Deiss sont excellents et bien faits, mais il est évident que le Gewurztraminer n'est pas son cépage préféré. Il le trouve en effet trop explosif. Cela étant dit, le Gewurztraminer Mittelwihr 1994 est, d'après Marcel Deiss, fait pour ceux qui n'aiment pas le Gewurztraminer d'Alsace. Plus austère que ne le sont habituellement les vins de ce cépage, il offre un nez mielleux de pamplemousse et se montre moyennement corsé avec une finale épicée. Il ne ressemble aucunement aux Gewurztraminer massifs, très alcooliques et ostentatoires qu'élaborent les autres meilleurs producteurs de la région. **A maturité : jusqu'en 2003.**

D'une couleur légèrement dorée, avec une acidité élevée et une texture grasse, le Gewurztraminer Bergheim Vendanges Tardives 1994 dégage un nez intéressant de coing, de minéral et de groseille, mais ne possède aucune des caractéristiques de ce cépage (Marcel Deiss précise que cela est volontaire). Très corsé et sec, il déploie une finale extrêmement tannique, ce qui lui confère d'ailleurs le caractère amer que l'on retrouve dans certains Gewurztraminer richement extraits.

Marcel Deiss a également produit deux Gewurztraminer Sélection de Grains Nobles en 1994. Le Gewurztraminer Burg SGN 1994 atteste, assez curieusement, 100 g de sucre résiduel. Riche et de bonne mâche, avec une acidité élevée, il est presque huileux en bouche et paraît moins sucré qu'il ne l'est en fait, grâce à son heureuse acidité. Ce vin accompagnera parfaitement un foie gras en début de repas. Son potentiel de garde est de **30 ans environ**, et il devrait se révéler plus sec à mesure qu'il vieillira.

Les amateurs ne se douteraient jamais, en dégustant le Gewurztraminer Altenberg de Bergheim 1994, que ce vin est issu d'un cépage qui n'a pas la préférence de son auteur. Aussi grandiose qu'un Yquem, il est remarquable de richesse et de pureté, avec une acidité fabuleuse et une intensité aromatique qui se développe en bouche en même temps qu'un très généreux fruité. Issu de rendements extrêmement restreints (8 hl/ha), c'est un véritable tour de force en matière de vinification. Encore jeune et peu évolué, il requiert une garde de 2 à 4 ans avant d'être prêt, mais il évoluera sans peine sur **30 à 50 ans**.

Marcel Deiss a également élaboré un Grand Vin Altenberg de Bergheim 1994, composé à 70 % de riesling, à 20 % de gewurztraminer et à 10 % de tokay-pinot gris. Tel était autrefois, semble-t-il, l'assemblage adopté par les meilleurs producteurs de la région, avant que des considérations économiques ne les contraignent à privilégier une composition différente. Ce vin extraordinaire, d'une intensité fabuleuse, libère de formidables arômes de minéral, et se montre moyennement corsé et très sec en bouche. On a peine à croire qu'il contient en fait 90 g de sucre résiduel, car sa bonne acidité le fait paraître bien plus sec qu'il ne l'est en fait. Son potentiel de garde est de **10 à 20 ans.** J'approuve totalement Marcel Deiss de renouer avec cette ancienne tradition, car le gewurztraminer apporte du gras et de la richesse au riesling, plutôt racé, peu évolué et métallique, tandis que le tokay-pinot gris rajoute à sa texture, à sa corpulence et à sa complexité aromatique.

JOSMEYER-JOSEPH MEYER (WINTZENHEIM)
GRANDS CRUS *** CUVÉES GÉNÉRIQUES ****

1992 Pinot Auxerrois « H » Vieilles Vignes	C	87
1993 Tokay-Pinot Gris Cuvée du Centenaire	D	86

1992 Tokay-Pinot Gris Cuvée du Centenaire	D	86
1993 Gewurztraminer Hengst	D	89
1992 Gewurztraminer Hengst	D	88

La vinification de Josmeyer tend vers des vins discrets et élégants. Généralement secs et austères, avec des notes métalliques, ils montrent aussi une belle maturité. Ce producteur a enregistré des résultats mitigés en 1992 et 1993, mais les cinq crus ci-dessus sont tous d'excellente tenue.

Josmeyer produit au vignoble Hengst l'un des meilleurs Pinot Auxerrois d'Alsace, issu de vieilles vignes. Le Pinot Auxerrois « H » Vieilles Vignes 1992, sec et métallique, dominé par des arômes de minéral, n'est pas aussi riche ni d'aussi longue garde que ses aînés de 1983, 1989 et 1990, mais il sera parfait ces toutes prochaines années.

Les Tokay-Pinot Gris Cuvée du Centenaire 1992 et 1993 sont tous deux réussis. Plus réservé et plus discret, le 1993 exhale des bouffées de noix, de miel et de fruits crémeux, et offre une finale mûre, élégante et moyennement corsée. Plus complexe et plus mûr, mais également plus doux et moins précis, le 1992 devra être dégusté très prochainement.

Avec davantage de finesse que n'en déploient généralement les vins issus de ce cépage, les deux Gewurztraminer Hengst 1992 et 1993 dégagent au nez de vifs arômes de miel, de pamplemousse et de pétale de rose. Moyennement corsés, extrêmement profonds, avec une belle texture, ils devront tous deux être consommés dans les 2 ou 3 ans.

ALBERT MANN (WETTOLSHEIM) *****

1993 Gewurztraminer Furstentum Cuvée Victoria	D	92
1994 Pinot Auxerrois Vieilles Vignes	A	89
1994 Riesling Furstentum	C	90+
1994 Riesling Schlossberg	C	90+
1994 Riesling Altenbourg	C	88+
1994 Tokay-Pinot Gris Vieilles Vignes	C	92+
1994 Tokay-Pinot Gris Furstentum	C	93+
1994 Tokay-Pinot Gris Hengst	D	94
1994 Gewurztraminer	B	92
1994 Gewurztraminer Furstentum	C	93+
1994 Gewurztraminer Steingrubler	C	90+

L'énorme Gewurztraminer Furstentum Cuvée Victoria 1993, très corsé et totalement sec, offre un nez mielleux de pamplemousse et de pétale de rose, et se montre onctueux, épais, très corsé et de bonne mâche en bouche. Extrêmement pur, d'une richesse en extrait sensationnelle, il déploie une finale capiteuse et presque trop imposante. Ce vin impressionnant et très particulier ne convient vraisemblablement pas à tout le monde. A maturité : jusqu'en 2003.

Jacqueline et Maurice Barthelme estiment que 1994 est leur meilleur millésime depuis 1971 : leurs vins sont riches, avec une belle acidité – ils éclipseraient même, à leur avis, les très profonds 1976, 1989 et 1990. Bien que je ne sois pas tout à fait d'accord avec eux, force m'est de reconnaître que leurs 1994, bien que peu évolués, présentent un potentiel extraordinaire. Il est facile, en les dégustant, de se rendre compte de leur fabuleuse concentration, étayée par une belle acidité de bon ressort, qui leur assurera une grande longévité.

Les acheteurs avisés ne m'auront pas attendu pour s'intéresser au Pinot blanc et au Pinot Auxerrois d'Alsace ; les meilleurs producteurs en proposent qui sont d'un rapport qualité/prix imbattable. Le Pinot Auxerrois Vieilles Vignes 1994 de ce domaine, auquel j'attribuerai peut-être une note extraordinaire au terme d'un certain temps de vieillissement en bouteille, exhale un nez sensationnel de pelure d'orange et de pomme fraîche et crémeuse. Vif, riche, extrêmement intense et bien étayé par la bonne acidité caractéristique de ce millésime, ce vin sec et délicieux se révélera parfait ces **toutes prochaines années**. Il est issu de vignes de 64 ans d'âge qui jouxtent le vignoble Hengst.

Il est difficile d'imaginer des vins plus différents que les Riesling Furstentum, Schlossberg et Altenbourg 1994.

Issu de rendements de moins de 15 hl/ha, le Riesling Furstentum 1994 offre un nez intense aux notes de minéral, d'agrumes et de silex. Moyennement corsé et extrêmement concentré en bouche, il y déploie une belle richesse en extrait, ainsi qu'une finale sèche, vive et d'une formidable précision. Ce vin époustouflant commence tout juste à se révéler, et promet de bien tenir sur **une décennie** encore.

Avec son bouquet aux notes de pierre concassée et de minéral fluide, le Riesling Schlossberg 1994 se montre extrêmement peu évolué, admirable de précision, de finesse et de délicatesse. Il est sec, encore serré et fermé, et requiert une garde de 1 ou 2 ans avant d'être prêt. Aussi peu évolué que le cru précédent, il est presque impossible à jauger, mais on décèle quand même son immense potentiel.

Le Riesling Altenbourg 1994 se révèle moins austère et moins sec que ses deux homologues. Il exhale un nez d'agrumes, aux notes de citron et d'orange, et révèle en bouche des arômes serrés et citronnés marqués par ce caractère de silex et de pétrole qui fait la particularité des Riesling d'Alsace. Ample et très corsé, riche et peu évolué, il n'a pas la complexité ni la finesse du Schlossberg ou du Furstentum, mais je pourrais lui attribuer une note extraordinaire d'ici 1 ou 2 ans. Son potentiel de garde est de **10 ans, voire plus**.

Les Tokay-Pinot Gris 1994 sont tous trois exceptionnels. Issu de vignes de 40 ans d'âge du vignoble Pfersigberg, le Tokay-Pinot Gris Vieilles Vignes 1994, au caractère exotique et gras de miel et de noix de coco, libère des arômes d'une précision fabuleuse compte tenu de sa corpulence massive et de son onctuosité. Encore peu évolué et jeune, il promet cependant d'être énorme et opulent d'ici 5 ou 6 ans, lorsqu'il sera à parfaite maturité. **A boire jusqu'en 2005.**

Le Tokay Furstentum 1994 est un autre vin extraordinaire, tout à la fois gras, opulent, concentré, de bonne mâche et rafraîchissant. Il présente un niveau élevé d'acidité et une fabuleuse précision qui sont la marque du millésime, et révèle un fruité d'une pureté et d'une richesse en extrait vraiment impressionnantes. Ce vin savoureux, qui montre encore un caractère de cerise et de cire marqué par la mâche, se conservera parfaitement 15 à 20 ans.

Le Tokay-Pinot Gris Hengst 1994, issu de vignes de 40 ans d'âge, s'impose comme le plus flamboyant et le plus spectaculaire de ce trio. Extrêmement intense, avec un nez crémeux et juteux de miel, il déborde de fruité et se révèle tel un monstre en bouche, sans cependant jamais se montrer lourd ni imposant. La finale est longue, riche, concentrée et très sèche. A maturité : jusqu'en 2005.

Les Gewurztraminer 1994, tous trois flamboyants, exotiques et intensément aromatiques, allient judicieusement puissance et délicatesse. D'un équilibre superbe et titrant 14° d'alcool naturel, le Gewurztraminer 1994 (issu des vignobles Altenbourg, Furstentum et Hengst) conserve, malgré sa puissance et son caractère imposant, un côté élégant et discret. Son nez énorme de pétale de rose, de poivre et d'épices introduit en bouche un vin très corsé, concentré et sec, à l'acidité de bon ressort. Ce Gewurztraminer tout à la fois long, riche, mielleux et rafraîchissant affiche un taux de sucre résiduel de 6,5 g/l. A boire dans les 10 à 12 ans.

Issu de vignes de 40 à 50 ans d'âge et titrant 13,3° d'alcool naturel, le Gewurztraminer Furstentum 1994 est le vin le plus ostentatoire de ce trio, avec son généreux fruité et son beau déploiement des caractéristiques arômes de ce cépage (notes de pétale de rose et de letchi). Puissant, épicé et légèrement doux, il sera parfait en accompagnement d'une choucroute garnie ou d'un fabuleux munster. C'est lui qui arrivera le premier à maturité, et je conseillerai de le déguster dans les 7 à 10 ans.

Le Gewurztraminer Steingrubler 1994 est le moins évolué de tous. Très corsé, avec une belle acidité, il est admirable de richesse en extrait et d'équilibre. Très intense, il dévoile en bouche, par paliers, et de manière extrêmement pure et mesurée, le caractère imposant du cépage dont il est issu. A boire dans les 12 ans, si ce n'est plus.

DOMAINE OSTERTAG (EPFIG)****

1994 Sylvaner Vieilles Vignes	B	86
1994 Pinot Blanc Barriques	B	87
1994 Muscat Fronholtz	C	90
1994 Riesling Epfig	C	88
1993 Riesling Heissenberg	D	88
1993 Riesling Muenchberg	D	85
1993 Riesling Muenchberg Vieilles Vignes	E	93
1993 Tokay-Pinot Gris Zelberg	E	89
1994 Gewurztraminer Epfig	C	90

Je ne suis pas, normalement, amateur de vins de sylvaner, mais le Sylvaner Vieilles Vignes d'Ostertag 1994 est particulièrement réussi. Avec une acidité de bon ressort et un fruité bien vif, il révèle une belle fraîcheur (il dégage un peu de gaz carbonique), ainsi qu'une finale nette et acidulée.

Je ne suis pas non plus partisan du vieillissement du pinot blanc en fûts neufs, mais le Pinot Blanc Barriques 1994 est assurément la meilleure alliance entre fruité et boisé qu'Ostertag ait jamais obtenue. Ce vin déploie de séduisantes senteurs qui évoquent la pomme et l'orange, et se montre vif, sec, précis et moyennement corsé en bouche, judicieusement infusé de notes de boisé. **A boire dans l'année.**

Le Muscat est peut-être le vin le plus sous-estimé du monde, et le Muscat sec d'Alsace, en particulier, ne reçoit pas l'attention qu'il mérite compte tenu de son caractère irrésistible. Sec et très aromatique, le Muscat Fronholtz 1994 de ce domaine se montre extrêmement pur, expressif et moyennement corsé, avec un fruité fabuleux et une finale sèche et vive. Il s'agit d'un véritable tour de force en matière de vinification. Ceux qui ne seraient pas convaincus que le bouquet du Muscat est l'un des plus fabuleux qui soient devraient seulement essayer de capter quelques bouffées de ce Fronholtz. Le Muscat sec n'est cependant pas un vin de très grande garde, si bien que je conseillerai de déguster celui-ci **d'ici 1 ou 2 ans.**

Les amateurs de Riesling seront à coup sûr conquis par la fabuleuse précision et les arômes de pomme et d'agrumes, aux notes de minéral, du Riesling Epfig 1994. Sec, vif, austère et de bon ressort, il sera parfait dans les **4 ou 5 ans** qui viennent.

Le Riesling Heissenberg 1993, moyennement corsé, exhale un nez plus développé que celui du cru précédent, avec de fortes senteurs de pierre concassée, de pomme et d'agrumes. Il est sec en fin de bouche.

Les deux cuvées de Riesling Muenchberg ont été mises en bouteille sans filtration préalable. L'austère Riesling Muenchberg 1993 déploie un fruité de pomme verte, et se montre moyennement corsé et sec en bouche, avec une acidité fraîche en finale. Il est bon, mais inintéressant. En revanche, le Riesling Muenchberg Vieilles Vignes 1993, élevé sur lies pendant dix-huit mois, est absolument époustouflant : extraordinaire de concentration, extrêmement sec et très corsé, il suinte littéralement d'un fruité de pomme et de citron aux notes de minéral. Ce Riesling d'Alsace classique, sec et corsé, à nul autre pareil, est tout à la fois puissant, pur et d'une belle précision dans le dessin. Il vieillira bien sur les **10 ans à venir, voire au-delà.**

Le Zelberg 1993 est le seul Tokay-Pinot gris que j'aie dégusté de ce domaine. Sec et très corsé, avec un nez floral, il allie merveilleusement puissance et finesse. Sa complexité crémeuse et mielleuse est joliment étayée par la légendaire infusion d'arômes de minéral et l'acidité fraîche qu'Ostertag obtient régulièrement dans ses vins. **A boire dans les 5 ou 6 ans.**

Enfin, le Gewurztraminer Epfig témoigne bien de la qualité exceptionnelle du millésime 1994, du moins chez les producteurs qui ont tenu de petits rendements et qui ont vendangé tardivement (en octobre). Sec et très corsé, avec un nez floral de pétale de rose et de miel, il se montre tout à la fois intense, long, puissant et concentré en bouche, avec une finesse et une intensité d'excellent aloi. **A boire dans les 6 ou 7 ans.**

CHARLES SCHLERET (TURCKHEIM)*****

1994 Pinot Blanc Herrenweg	B	92
1994 Muscat d'Alsace Vieilles Vignes	C	92
1994 Tokay-Pinot Gris Herrenweg	C	90
1994 Riesling Herrenweg	C	85
1994 Gewurztraminer Herrenweg	C	92
1994 Gewurztraminer Herrenweg SGN	E	96

Vous n'entendrez jamais parler de Charles Schleret autant que des Domaines Weinbach ou Zind-Humbrecht, mais ce producteur extrêmement discret n'en produit pas moins incontestablement des vins exceptionnels, comme en témoigne la gamme des 1994 présentée ci-dessus.

D'un style plutôt léger, avec un nez vif et subtil aux notes de citron, le Pinot Blanc Herrenweg 1994 révèle en bouche des arômes moyennement corsés et secs qui évoquent l'orange, ainsi qu'une finale fraîche. **A boire d'ici 1 an.**

Le Muscat d'Alsace, je l'ai souvent souligné, est terriblement sous-estimé par les consommateurs, qui cultivent l'idée préconçue et fausse qu'il s'agit d'un vin trop doux et plutôt ennuyeux. Pourtant, lorsqu'il fait l'objet de tout petits rendements et qu'il est vinifié en sec, il s'impose comme l'un des vins blancs les plus exotiques et les plus irrésistibles qui soient. Fabuleusement riche et incroyablement fruité, très corsé et très sec, le Muscat d'Alsace Vieilles Vignes 1994 de Schleret est un vin somptueux. Vous pouvez être sûr que j'en achèterai pour ma cave personnelle, à consommer seul ou avec des mets orientaux. On m'a également dit qu'il accompagnait parfaitement les asperges, mais je n'ai encore pu vérifier si tel était le cas.

Plus élégant, sans la lourdeur de ses homologues issus des meilleurs domaines de la région, le Tokay-Pinot Gris Herrenweg 1994 de Schleret exhale un séduisant nez de groseille, de miel et de cerise. Juteux, riche et d'une fabuleuse précision en bouche, il déploie une finale sèche, vive et pure. **A boire dans les 5 à 7 ans.**

Légèrement moins ample que je ne l'aurais pensé et excessivement austère (si tant est que cela puisse être), le Riesling Herrenweg 1994 présente un caractère discret et subtil de pierre mouillée.

Le Gewurztraminer Herrenweg 1994 exhale quant à lui un nez classique, flamboyant, ostentatoire, typique de ce cépage, aux notes de pétale de rose, de letchi, d'ananas confit et de poivre. Très corsé et très sec, il révèle aussi une richesse et une pureté spectaculaires. **A boire dans les 10 ans.**

Le Gewurztraminer Herrenweg Sélection de Grains Nobles 1994 déploie un fruité très intense dans un ensemble visqueux, doux, massif et explosif. Bien qu'il ne soit pas encore tout à fait formé, il est déjà fabuleux au nez comme en bouche. Ce vin terriblement cher évoluera magnifiquement sur les **30 prochaines années, si ce n'est plus.**

DOMAINE SCHOFFIT (COLMAR)*****

1993 Chasselas Vieilles Vignes	A	87
1993 Pinot Blanc Cuvée Caroline	A	90
1993 Riesling Harth Cuvée Prestige	C	89+
1993 Riesling Rangen Clos Saint-Théobald	D	92
1993 Gewurztraminer Harth Cuvée Caroline	C	89
1994 Chasselas Vieilles Vignes	A	89
1994 Pinot Blanc Cuvée Caroline	A	88
1994 Riesling Harth	C	88+
1994 Riesling Clos Saint-Théobald	E	93
1994 Muscat	B	87
1994 Tokay-Pinot Gris Harth	B	91
1994 Tokay-Pinot Gris Cuvée Alexandre	C	90+
1994 Gewurztraminer Harth Cuvée Caroline	C	92
1994 Gewurztraminer Cuvée Alexandre	C	93
1994 Gewurztraminer VT	D	92+
1994 Gewurztraminer Clos Saint-Théobald SGN	E	98

Cet excellent producteur a fort bien réussi ses 1993, dans un millésime pourtant extrêmement irrégulier en Alsace.

La plupart des amateurs connaissent certainement assez mal le chasselas, un cépage très peu répandu de nos jours. Issu de vignes de 65 ans d'âge et faisant l'objet de rendements restreints, le Chasselas Vieilles Vignes 1993 de Schoffit est totalement sec, goûteux, rond et bien doté, avec un excellent fruité, un caractère moyennement corsé et une finale vive, aux notes de citron et de miel. **A boire d'ici 1 ou 2 ans.**

Le Pinot Blanc Cuvée Caroline 1993, entièrement composé d'auxerrois, est un vin renversant. Moyennement corsé, avec de fabuleux arômes de miel, d'orange mûre et d'autres agrumes, il est très frais et opulent en bouche, avec un caractère doux et généreux. Un vin savoureux, sec et délicieusement fruité. **A boire cette année.**

Les deux Riesling sont en 1993 de styles diamétralement opposés. Le Riesling Harth Cuvée Prestige, sec et merveilleusement équilibré, se révèle très corsé, très intense et peu évolué. Impressionnant de richesse en extrait, il libère des arômes prononcés de citron, de pomme et de minéral. **A boire dans les 10 ans.** Issu de tout petits rendements de 10hl/ha, le Riesling Rangen Clos Saint-Théobald 1993 est massivement corsé et s'impose comme une véritable essence de ce cépage. Avec son nez de pierre mouillée, d'abricot sec et de fleurs printanières, ce vin ample se développe en bouche, où il déploie par paliers de généreux arômes, une bonne acidité et une finale puissante. **A boire dans les 10 à 15 ans.**

Le Gewurztraminer Harth Cuvée Caroline 1993 est tout à la fois exotique, mûr, massif, flamboyant et puissant : un vin que vous adorerez ou que vous détesterez. Très complet, avec d'intenses arômes de pétale de rose, de letchi, d'ananas et de pamplemousse confit, il révèle une finale extrêmement sèche qui déborde littéralement d'alcool et de glycérine. Ce vin de forte carrure accompagnera parfaitement des mets très riches.

Bernard Schoffit estime que 20 % seulement des 1994 sont de bon niveau, ce qui correspond de fait à la proportion de producteurs alsaciens qui ont attendu la mi-octobre pour vendanger. Les vins sont donc, en grande majorité, de qualité médiocre, car issus de raisins récoltés trop tôt et dans de mauvaises conditions.

L'excellent Chasselas Vieilles Vignes 1994, totalement sec et vif, est mielleux et crémeux, avec une acidité de bon ressort. Éclatant de caractère et de personnalité, il présente un délicieux ensemble frais, moyennement corsé et sec. **A boire d'ici 1 ou 2 ans.**

Intense et très corsé, avec une couleur étonnamment évoluée (phénomène dû au botrytis), d'un or assez foncé, le Pinot Blanc Cuvée Caroline 1994 est riche, presque huileux, avec une finale longue et épicée. **A boire ces toutes prochaines années.**

Moyennement corsé, avec un nez de citron et de pelure d'orange qui offre en arrière-plan des notes de minéral, le Riesling Harth 1994 affiche une vivacité et une fraîcheur d'excellent aloi. Ce vin sec et peu évolué requiert une garde de 1 ou 2 ans, mais tiendra ensuite **10 ans.**

Le Riesling Clos Saint-Théobald 1994, issu de la partie la plus pentue de ce vignoble en terrasses au sous-sol volcanique, arbore une robe étonnamment profonde, de couleur paille-doré moyennement foncé. Tout à la fois épais, visqueux, massif et sec, il se montre encore extrêmement puissant, fabuleusement extrait, dans un style flamboyant. Il ne convient pas à tout le monde – ceux qui préfèrent les Riesling discrets, délicats et mesurés seront quelque peu déstabilisés. **A boire dans les 10 ans, voire au-delà.**

Le Muscat 1994 est un joli vin sec et délicat, légèrement corsé, qui présente, à la fois au nez et en bouche, des arômes floraux. La finale est vive. Je ne dirai jamais assez combien j'apprécie le Muscat sec d'Alsace, et je trouve vraiment frustrant de ne pas être encore parvenu à y convertir davantage d'amateurs. **A boire rapidement.**

Le robe du Tokay-Pinot Gris Harth 1994, bien évoluée, est d'un doré moyennement foncé qui signe la présence du botrytis. Ce vin, aussi épais qu'une huile de moteur, est onctueux, extraordinairement doté, mielleux et de bonne mâche en bouche. Incroyablement concentré et puissant, il affiche le caractère fabuleusement riche et crémeux qui est la marque de ce cépage. D'aucuns le trouveront peut-être excessivement intense, mais il accompagnera merveilleusement nombre de plats alsaciens.

Issue de vignes de 40 à 50 ans d'âge et titrant 14° d'alcool naturel, le Tokay-Pinot Gris Cuvée Alexandre 1994 est un autre vin étonnamment riche, tout à la fois fumé, visqueux, épais, peu évolué et massif, aux composantes extrêmement puissantes. Il pourrait aisément passer pour une Sélection de grains nobles déclassée, compte tenu de sa puissance et de son intensité. Modérément doux, il sera parfait en accompagnement d'un foie gras ou d'un canard rôti aux fruits. **A boire dans les 10 ans, voire au-delà.**

Les cuvées de Gewurztraminer montrent également, en 1994, une remarquable richesse en extrait et un caractère extrêmement corpulent. Les amateurs n'ayant pas l'habitude d'une telle intensité sont donc avertis.

Totalement sec et titrant 14° d'alcool naturel, le Gewurztraminer Harth Cuvée Caroline exhale un nez profond et intense de rose, de letchi, de pamplemousse très mûr et d'épices. Épais, puissant, concentré et dense, il est encore jeune et légèrement doux. **A boire dans les 10 à 12 ans.**

Le Gewurztraminer Cuvée Alexandre 1994, issu des plus vieilles vignes de la propriété et de rendements inférieurs à 30 hl/ha, pourrait, lui aussi, passer pour une Sélection de grains nobles. Ses parfums exotiques et enivrants de fruits confits et d'épices sont presque trop imposants, tandis que ses arômes épais, denses et modérément doux explosent littéralement au palais. Seuls les amateurs de Gewurztraminer les plus fanatiques apprécieront ce monstre. **A boire dans les 10 à 12 ans.**

Avec son nez spectaculaire et exotique marqué par le botrytis, le Gewurztraminer Vendanges Tardives 1994 se montre doux, onctueux et épais en bouche. Il sera parfait seul après un beau dîner, ou en accompagnement de plats très riches à base de foie gras. **A boire dans les 10 ans.**

Bernard Schoffit estime que les trois Sélections de grains nobles qu'il a produites en 1994 sont ses plus belles réussites à ce jour. Le Riesling Clos Saint-Théobald, le Tokay-Pinot Gris Rangen Thann et le Gewurztraminer Clos Saint-Théobald 1994 sont tous les trois extrêmement évolués, d'une intensité sensationnelle, avec un caractère modérément doux et mielleux. Massivement fruités et glycérinés, ils recèlent une acidité d'un niveau remarquable, qui apporte une belle précision tant dans les arômes que dans le dessin. A mon avis, le Gewurztraminer Clos Saint-Théobald SGN 1994 frise la perfection, peut-être parce qu'il est le plus évolué de ces trois crus, peut-être aussi à cause de son côté ostentatoire. Ces vins, issus de rendements de l'ordre de 15 hl/ha, ne sont disponibles qu'à hauteur de 90 à 100 caisses pour chacun d'entre eux. **A boire dans les 20 à 25 ans.**

PIERRE SPARR (SIGOLSHEIM)
GRANDS CRUS**** CUVÉES GÉNÉRIQUES***

1994 Riesling Réserve	B	85
1994 Gewurztraminer Carte d'Or	A	86
1993 Gewurztraminer Réserve	B	87
1993 Gewurztraminer Mambourg	C	89+

Ce très bon producteur a obtenu des résultats mitigés avec des vins de bas de gamme en 1993 et 1994, mais les quatre crus ci-dessus méritent incontestablement l'attention des amateurs.

Déployant un fruité vif qui évoque la pomme, le Riesling Réserve 1994 se montre sec, moyennement corsé, élégant, savoureux et séduisant. **A boire d'ici 1 ou 2 ans.**

Sparr réussit généralement mieux avec des cépages plus massifs, comme le Gewurztraminer. Ainsi, le Gewurztraminer Carte d'Or 1994, exotique et très corsé, exhale un nez épicé et mielleux de letchi. Sans être complexe, il est ample et de bonne mâche. **A boire dans les 2 ans.**

Débordant de généreux arômes exotiques et fruités d'ananas et de pample-mousse confit, le Gewurztraminer Réserve 1993 est tout en finesse et en élégance, avec un caractère très musclé et corpulent, glycériné et alcoolique, dans un ensemble assez corsé. **A boire dans les 2 ou 3 ans.**

Le Gewurztraminer Mambourg 1993, peu évolué mais prometteur, s'impose comme le meilleur de ces quatre crus. Très corsé et d'une merveilleuse concentration, il déploie un généreux fruité de letchi, d'ananas, de pamplemousse et de cerise. Tout à la fois dense, épais, plein, sec et intense, il devrait être à son meilleur niveau d'ici 6 mois et durer **4 ou 5 ans.**

JEAN-MARTIN SPIELMANN (BERGHEIM)****[1]

2, route de Thannenkirch – 68750 Bergheim
Tél. 03 89 73 35 95 – Fax 03 89 73 22 49
Contact : Sylvie Spielmann

1994 Pinot Blanc Réserve	A	90
1993 Gewurztraminer Blosenberg	B	90
1993 Gewurztraminer Altenberg de Bergheim	C	91+

Cette petite propriété ne reçoit pas l'attention qu'elle mérite. Son extraordinaire Pinot Blanc Réserve 1994, composé à 80 % d'auxerrois et à 20 % de pinot blanc, est superbe, avec un nez riche d'arômes de marmelade d'orange, de pomme et de miel. La bouche, très corsée, est légèrement marquée par le botrytis. Ce vin très intense, extraordinaire de pureté, de profondeur et d'équilibre, est également ample et de bon ressort – il ressemble à ceux des Domaines Weinbach et Zind-Humbrecht. **A boire d'ici 3 ou 4 ans.**

Le Blosenberg 1993 est un Gewurztraminer tout à fait classique (les amateurs l'adoreront, les autres le détesteront), au nez pénétrant de letchi, de pétale de rose, de pamplemousse confit. Très corsé et flamboyant, avec une faible acidité, il est encore superbe de netteté. Sa finale est bien structurée et onctueuse. **A boire dans les 5 à 7 ans.**

Le Gewurztraminer Altenberg de Bergheim 1993 exhale un nez énorme et exotique de fumé, de letchi et d'ananas confit. Luxuriant et riche, il montre en bouche un caractère épais, presque totalement sec et extrêmement corpulent. Massif, avec une finale puissante, il est intense à l'extrême. **A boire dans les 10 ans.**

DOMAINE WEINBACH (KAYSERSBERG)*****

1994 Sylvaner Réserve	C	87
1994 Pinot Blanc Réserve	C	89
1994 Riesling Réserve Personnelle	C	90
1994 Riesling Cuvée Théo	D	91
1994 Riesling Grand Cru Schlossberg	D	90+
1994 Riesling Cuvée Sainte-Catherine	D	94+

1. Ce producteur n'étant pas cité précédemment, ses coordonnées sont mentionnées ici.

1994 Riesling Grand Cru Schlossberg Cuvée Sainte-Catherine	E	95+
1994 Muscat Réserve Personnelle	D	89
1994 Tokay-Pinot Gris Cuvée Sainte-Catherine	D	91
1994 Gewurztraminer Réserve Personnelle	C	90
1994 Gewurztraminer Cuvée Théo	D	94
1994 Gewurztraminer Cuvée Laurence	E	90
1994 Gewurztraminer Altenbourg Cuvée Laurence	E	95
1994 Gewurztraminer Quintessence de Grains Nobles	?	96+
1994 Gewurztraminer Furstentum VT	D	94
1994 Gewurztraminer Cuvée d'Or Quintessence SGN	?	98+

Les 1994 du Domaine Weinbach marient merveilleusement puissance et richesse en extrait avec une acidité bien fondue et de bon ressort. Étonnamment intenses et vifs, ils sont issus de rendements de 45 hl/ha, alors que le plafond autorisé pour le millésime était de l'ordre de 80 hl/ha. Les vendanges ont débuté de 20 septembre, pour s'achever le 18 novembre, et les vins traités ici ont tous été dégustés en décembre 1995, à environ 1 an d'âge.

Le sylvaner est un cépage que je trouve généralement inintéressant, mais il révèle davantage de caractère et d'intensité lorsqu'il est vinifié dans les toutes meilleures propriétés de la région. Celui du Domaine Weinbach, sec, musclé, sans complexité, mais gratifiant, doit être apprécié **maintenant** pour son bon fruité sans détour.

Composé à 80 % de pinot auxerrois et à 20 % de pinot blanc, le Pinot Blanc Réserve 1994 exhale un nez subtil et mielleux d'orange et de mandarine. D'une grande richesse, avec une acidité fraîche et une finale longue, pure et bien équilibrée, il sera parfait dans les **2 ou 3 ans** à venir. Peu de Chardonnay offrent, pour le même prix, une telle intensité et une si grande puissance aromatique.

Les cinq cuvées de Riesling sec sont extraordinaires en 1994.

Avec son nez piquant et épicé, le Riesling Réserve Personnelle 1994 se révèle très corsé et très concentré, avec une légère touche de minéral, ainsi qu'une finale longue, épicée, sèche et d'une très belle richesse en extrait. **A boire dans les 10 ans, au moins.**

Issu des toutes meilleures parcelles du domaine, le Riesling Cuvée Théo est merveilleux, avec ses intenses arômes d'ananas, de minéral, de silex et d'orange. Très corsé, avec un fruité d'une intensité exceptionnelle, il est encore riche, puissant et sec. Il durera **une bonne dizaine d'années.**

Les vins issus de vignobles Schlossberg, généralement peu évolués, avec une acidité élevée, sont souvent dominés par un caractère de minéral et de pierre qui les fait paraître sévères et fermés dans leur jeunesse. Le Riesling Grand Cru Schlossberg 1994 du Domaine Weinbach est probablement le cru le moins évolué que j'aie dégusté. Extrêmement corsé et très richement extrait, il déploie une finale très corsée, vive et longue. Il est, pour l'instant, plus réservé que ses homologues, mais montrera certainement davantage de caractère après une garde de 2 ou 3 ans. **A maturité : 2000-2010.**

Deux autres vins issus du vignoble Schlossberg se révèlent cependant plus concentrés et plus évolués. Il s'agit du Riesling Cuvée Sainte-Catherine et du Riesling Grand Cru Schlossberg Cuvée Sainte-Catherine.

Le premier, au nez de pierre et de silex marqué de notes d'orange et de pêche séchée, est très corsé et sec, d'une fabuleuse précision à la fois dans les arômes et dans le dessin. Ce vin intense et spectaculaire, quoique déjà accessible, ne sera à parfaite maturité que d'ici 1 ou 2 ans, et se conservera parfaitement pendant **environ 15 ans.**

Le Riesling Grand Cru Schlossberg Cuvée Sainte Catherine 1994 est l'un des Riesling les plus extraordinaires qu'il m'ait été donné de déguster. Extrêmement corsé et d'une concentration exceptionnelle, il déploie une fabuleuse palette aromatique aux notes de gravier, d'orange, de métal mouillé et d'autres agrumes. Ce vin exquis, d'une pureté admirable et d'une belle précision dans le dessin, évoluera bien sur les **20 prochaines années.** Quel tour de force en matière de vinification !

Le Muscat Réserve Personnelle 1994, presque sec et très aromatique, recèle un beau fruité bien vif, et affiche un caractère engageant et extrêmement charmeur. Il sera, d'après Laurence Faller, parfait en accompagnement d'un plat d'asperges – j'entends bien en faire l'expérience très prochainement. **A maturité : jusqu'en 2000.**

Le Tokay-Pinot Gris Cuvée Sainte-Catherine 1994, puissant, riche, musclé et épais, se distingue tout particulièrement grâce à son acidité sous-jacente très élevée, fraîche et de bon ressort. Semblable à un vin rouge par les notes de cerise qu'il présente dans son bouquet crémeux de miel et de cire, il se montre extrêmement corsé et puissant, titrant 13-14° d'alcool naturel. Traitez ce vin ample à l'égal d'un grand cru de Bourgogne ; son potentiel de garde est de **10 ans au moins.**

Les Gewurztraminer sont tous des vins intenses et épicés. Étant donné le caractère très particulier du cépage dont ils sont issus – on l'adore ou on le déteste –, je les recommanderai uniquement à ceux qui apprécient les vins ostentatoires et spectaculaires.

Très corsé et richement fruité, le Gewurztraminer Réserve Personnelle 1994 exhale un nez d'encens, de girofle, de cannelle et de letchi, et développe, après aération, des notes de pétale de rose. C'est un vin ample, au potentiel de garde de **7 ou 8 ans.**

J'achète régulièrement le Gewurztraminer Cuvée Théo de ce domaine et possède encore en cave deux bouteilles du fabuleux 1989, qui demeure remarquablement jeune et vif. Le 1994, produit à hauteur de 500 caisses seulement, présente une couleur légèrement dorée, plus mûre qu'on ne s'y attendrait compte tenu de son jeune âge. Son nez intense de chocolat blanc, de poivre, de letchi et de pétale de rose précède en bouche un vin dense, fumé et huileux, d'une viscosité et d'une richesse en extrait exceptionnelles. Luxuriant et explosif, avec un caractère massif, il sera parfait en accompagnement d'un bon munster crémeux, d'un foie gras ou d'une bonne choucroute garnie. **A maturité : jusqu'en 2007.**

Le Gewurztraminer Cuvée Laurence 1994 présente un nez légèrement sucré et intensément aromatique aux notes de letchi et de tarte aux fruits confits. Avec une robe très évoluée d'un doré moyennement foncé, il montre une puissance extraordinaire et une belle acidité fraîche, mais il sera probablement sujet à controverses à cause de son caractère « trop » concentré et massif. Ce vin, issu du vignoble Furstentum, titre presque 15° d'alcool naturel ; puissant et intense à l'extrême, il suscitera assurément bien des commentaires. Bien qu'il soit d'une couleur plus évoluée qu'elle ne devrait l'être, il se conservera parfaitement **10 ans encore, voire plus.**

L'extraordinaire Gewurztraminer Altenbourg Cuvée Laurence 1994 (une Sélection de grains nobles déclassée) titre 16,4° d'alcool naturel, si bien que vous ne vous aventurerez pas à le déguster en accompagnement de mets délicatement parfumés. Son nez énorme et mielleux est marqué par le botrytis, et il se révèle massif, riche et très corsé en bouche. Ce vin puissant et presque sec n'a malheureusement été produit qu'à hauteur de 4 000 bouteilles. **A maturité : 1998-2009.**

Le Quintessence de Grains Nobles 1994 représente le *nec plus ultra* en matière de vin de dessert – pour les fanatiques de Gewurztraminer. Ce vin extraordinairement riche, épais et doux, au nez de fumé et de lard, ne donne pas le moindre signe de lourdeur grâce à sa belle acidité fraîche et de bon ressort. Véritable quintessence (d'où son nom) du cépage, ce vin est encore dans sa toute petite enfance, et l'on peut penser qu'il évoluera de belle manière sur **30 ans, si ce n'est plus.** Les quantités disponibles sont infinitésimales, et les prix seront certainement en conséquence.

Le Gewurztraminer Furstentum Vendanges Tardives 1994 offre un nez mielleux de pétale de rose, d'ananas, de cerise et de letchi qui donne un premier aperçu de sa luxuriance. Puissant et très corsé, presque totalement sec, il se montre encore riche et bien équilibré, d'une pureté et d'une précision dans le dessin absolument fabuleuses. Son potentiel de garde est de **10 à 15 ans.**

Si vous recherchez un vin doux plus concentré qu'un Sauternes ou un vin de la vallée de la Loire, tournez-vous vers le Gewurztraminer Cuvée d'Or Quintessence SGN 1994 du Domaine Weinbach. Époustouflant de richesse en extrait, avec un caractère onctueux, extrêmement concentré et doux, il est merveilleusement étayé par une acidité d'excellent ressort. Ce vin est si remarquablement pur et intense qu'il faut le boire pour y croire. Il est capable d'une très grande longévité (**plus de 50 ans**), et, si vous trouvez qu'il est excessivement cher, souvenez-vous aussi qu'une demi-bouteille suffit à régaler une quinzaine de convives.

DOMAINE ZIND-HUMBRECHT (WINTZENHEIM)*****

1994 Sylvaner d'Alsace	A	87
1994 Pinot d'Alsace	A	90
1994 Muscat d'Alsace Herrenweg Turckheim	B	91
1994 Muscat Goldert Grand Cru	C	92+
1994 Riesling Gueberschwihr	B	89+
1994 Riesling Turckheim	B	90
1994 Riesling Herrenweg Turckheim	B	94

1994 Riesling Clos Hauserer	C	93+
1994 Riesling Clos Windsbuhl	C	95+
1994 Riesling Brand	C	93
1994 Riesling Rangen Clos Saint-Urbain	D	98+
1994 Riesling Rangen Clos Saint-Urbain VT	?	99-100
1994 Gewurztraminer Turckheim	B	93
1994 Gewurztraminer Wintzenheim	B	94
1994 Gewurztraminer Herrenweg Turckheim	B	97
1994 Gewurztraminer Clos Windsbuhl	C	99
1994 Gewurztraminer Heimbourg VT	E	96+
1994 Gewurztraminer Goldert VT	E	96
1994 Gewurztraminer Hengst VT	E	99+
1994 Gewurztraminer Rangen Clos Saint-Urbain SGN	EEE	99+
1994 Tokay-Pinot Gris Vieilles Vignes	C	94
1994 Tokay-Pinot Gris Herrenweg Turckheim	C	95
1994 Tokay-Pinot Gris Rangen Clos Saint-Urbain	D	98
1994 Tokay-Pinot Gris Heimbourg VT	E	98
1994 Tokay-Pinot Gris Rotenberg VT	E	98
1994 Tokay-Pinot Gris Clos Windsbuhl VT	E	99
1994 Tokay-Pinot Gris Rangen Clos Saint-Urbain VT	E	99+
1994 Tokay-Pinot Gris Clos Jebsal SGN	E	96
1994 Tokay-Pinot Gris Heimbourg SGN	E	99+
1993 Tokay-Pinot Gris Rotenberg SGN	E	99
1993 Tokay-Pinot Gris Heimbourg SGN	EE	99+
1993 Tokay-Pinot Gris Clos Jebsal SGN	EE	95
1993 Tokay-Pinot Gris Rangen Clos Saint-Urbain SGN	EE	99

Si les 1994 des Domaines Weinbach, Schoffit, Albert Mann et Marcel Deiss sont réussis, ceux du Domaine Zind-Humbrecht illustrent des sommets en matière de vinification. Les rendements vont de 5 à 35-40 hl/ha pour les plus élevés, et le rendement moyen de la propriété, sur ses 40 ha de vignes, était de l'ordre de 32 hl/ha (comparez à la moyenne de 91,5 hl/ha pour la région). Les vendanges se sont déroulées entre le 5 et le 22 octobre, dans des conditions superbes.

Les vins ci-dessus sont présentés en quatre groupes : le premier comprend des crus divers, le deuxième, la série de Riesling, le troisième celle des Gewurztraminer, et l'on terminera avec les Tokay-Pinot Gris. Il s'agissait vraiment de l'une des dégustations les plus extraordinaires qu'il m'ait été donné de faire : ce n'est pas peu dire, car je crois avoir eu l'occasion d'en faire de nombreuses. Les 1994 du Domaine Zind-Humbrecht se distinguent, de manière assez remarquable, par leur concentration et leur intensité extraordinaires, mystérieusement étayées par une acidité d'un ressort époustouflant.

Tous se révèlent fabuleusement riches et amples en bouche, et d'une fabuleuse précision dans le dessin.

Je n'aime pas particulièrement les vins issus de sylvaner, car ils sont souvent neutres, avec un caractère végétal sous-jacent. Il arrive cependant que ceux des Domaines Weinbach et Zind-Humbrecht se révèlent intéressants, vifs et fruités, corpulents et de bon caractère. Le Sylvaner 1994 du Domaine Zind-Humbrecht est le dernier millésime issu d'une parcelle située dans le célèbre vignoble Herrenweg Turckheim. Moyennement corsé, pur, sec et frais, il révèle un caractère de minéral sous-jacent et doit être consommé ces **toutes prochaines années**.

Les amateurs avisés qui achètent régulièrement du Pinot d'Alsace savent que ce vin se marie bien avec différents types de mets et constitue une bonne introduction aux vins d'Alsace en général. Le Pinot d'Alsace 1994 des vignobles Herrenweg, Clos Windsbuhl et Rotenberg présente une couleur légèrement dorée, et exhale un nez extrêmement intense de beurre, de mandarine et de miel. Très corsé et superbement fruité, avec une acidité de bon ressort et une finale sèche, savoureuse, riche et d'une belle précision dans le dessin, c'est un vin charnu et renversant. **A boire dans les 4 ou 5 ans.**

Le Muscat d'Alsace est l'un des vins blancs les plus méconnus du monde. Le Muscat d'Alsace Herrenweg Turckheim 1994 du Domaine Zind-Humbrecht, issu d'un vignoble planté en 1946, se distingue particulièrement par son nez joliment parfumé, aux notes de fleurs printanières et de cocktail de fruits, qui jaillit littéralement du verre. Très corsé, flatteur et sans détour, avec une finale sèche, longue et mûre, il accompagnera merveilleusement différentes sortes de plats, et fera même double emploi au moment de l'apéritif ! **A boire dans les 2 ou 3 ans.**

Le Muscat Goldert 1994, issu des sols calcaires du vignoble Goldert, se présente différemment du précédent. Plus ferme et plus structuré en bouche, immensément riche et corpulent, il recèle une acidité élevée et montre un caractère peu évolué, marqué par des notes de minéral qu'il tient de son terroir. Alors que le Muscat doit normalement être consommé dans sa jeunesse, celui-ci pourrait bien, d'après Olivier Humbrecht lui-même, durer **environ 20 ans**. Quel vin spectaculaire !

Les Riesling 1994 de Zind-Humbrecht pèchent par deux côtés : leur disponibilité extrêmement restreinte et leur prix très élevé. Il est cependant peu probable que les amateurs de ce cépage puissent trouver ailleurs une série de vins aussi irrésistible que celle-ci.

Le Riesling Gueberschwihr, issu d'un microclimat assez frais, est généralement peu évolué, avec une acidité élevée et un caractère de minéral et de terre. Le 1994 possède bien toutes ces qualités, auxquelles s'ajoutent un fruité intense et riche, ainsi qu'une très belle précision dans les arômes et dans le dessin. Moyennement corsé, avec des notes pures de pierre, il méritera certainement une note extraordinaire au terme d'un vieillissement supplémentaire de 2 ou 3 ans. Son potentiel de garde est de **15 ans et plus**.

Issu des jeunes vignes du vignoble Brand (plantées en 1978), le Riesling Turckheim 1994 se révèle plus flatteur et plus accessible que le Gueberschwihr, avec un fruité mielleux et les légendaires arômes de pétrole qui ajoutent à son caractère de minéral, si typique des vins d'Alsace. Il dévoile en bouche, par paliers, une superbe richesse, ainsi qu'une finale longue, riche, concentrée et bien étayée par une bonne acidité. Moyennement corsé, sec et impeccablement vinifié, il devrait se maintenir 10 ans.

Le Riesling Herrenweg Turckheim 1994 paraît très sec, malgré ses 13° d'alcool naturel et son taux de sucre résiduel de l'ordre de 2 g/l. Fabuleusement riche, épicé et intensément aromatique, il est encore très corsé et marqué, à l'évidence, par un nez de pourriture noble. Séduisant et de bonne mâche en bouche, il s'y dévoile par paliers, mais sans aucune lourdeur. Vous dégusterez ce Riesling ample (issu de rendements de 28 hl/ha) dans les 7 ou 8 ans.

Orienté au sud-est et jouxtant le grand cru Hengst, le Clos Hauserer possède un sous-sol argilo-calcaire favorisant une maturité plus précoce qu'ailleurs, ainsi que le développement de la pourriture noble. Le Riesling 1994 qui en est issu, très corsé et très puissant, libère en bouche de généreux arômes de coing, de fruits exotiques et mielleux, ainsi que la pureté et l'équilibre légendaires de ce domaine. Alors que ce cru est généralement l'un des moins évolués de la gamme, il se montrait merveilleusement mûr lorsque je l'ai dégusté. Selon Olivier Humbrecht, son potentiel de garde est de 15 ans, au moins.

J'ai eu la possibilité, il y a plusieurs années, de faire un tour au Clos Windsbuhl. Ce vignoble magique, au microclimat plutôt frais, a une courbe de maturité parmi les plus longues d'Alsace. Il demande de la patience, mais les producteurs qui prennent le risque de vendanger le plus tard possible (lorsque le temps le permet) en obtiennent des raisins aux arômes intenses marqués de notes de minéral qui transcendent même le caractère pourtant fort prononcé de cépages tels que le gewurztraminer et le tokay-pinot gris. On note, en fait, des similitudes entre le caractère sous-jacent de pierre qu'offrent les vins du Clos Windsbuhl et les célèbres Montrachet et Meursault-Perrières de Bourgogne.

D'un doré assez foncé, le Riesling Clos Windsbuhl 1994 libère un bouquet réticent et peu évolué, dominé par des notes de minéral. Moyennement corsé, avec une acidité très élevée, il possède encore un généreux fruité, mûr et explosif, qui dévale littéralement le palais en révélant une intensité, une pureté et une précision dans le dessin absolument formidables. Ce vin éclate en arrière-bouche et en finale. Son caractère étoffé et son équilibre lui permettront très certainement de tenir pendant les 20 premières années du prochain millénaire.

Généralement le plus ostentatoire et le plus flamboyant de toute la série, le Riesling Brand, issu de vieilles vignes de coteau de 35 à 48 ans d'âge, orientées au sud, est aussi le plus puissamment aromatique et le plus mûr. Le 1994, d'un doré assez profond, exhale un nez énorme et mielleux de cocktail de fruits, de minéral et d'épices. Très corsé, avec une acidité formidable, il se montre sec, bien que possédant un peu de sucre résiduel. Ce vin fabuleusement corsé et onctueux demeurera parfait dans 15 ans, voire plus.

Le vignoble Rangen, situé dans la partie sud de l'Alsace, est l'un des plus extraordinaires que je connaisse. Avec des pentes à 80 %, voire plus, ses coteaux volcaniques, aménagés en terrasse, s'offrent au sud. Seuls les viticulteurs les plus doués s'aventurent à travailler ce vignoble, qui est probablement plus pentu même que ceux de la Côte-Rôtie. La famille Zind-Humbrecht possède le Clos Saint-Urbain, la partie la plus prisée du vignoble Rangen.

Ce site prestigieux donne régulièrement quelques-uns des vins blancs les plus massifs, les plus profonds et les plus extraordinaires de concentration et d'équilibre qui soient.

Issu de rendements d'environ 15 hl/ha, le Riesling Rangen Clos Saint-Urbain 1994 est presque sec, avec 14° d'alcool naturel. Il exhale un nez fabuleux, puissamment fruité et mûr, mêlé de notes de minéral. Sa densité, sa corpulence étonnante, ainsi que son intensité et sa richesse massives, ne paraissent jamais imposantes ni trop ostentatoires ; il s'agit tout au contraire d'un vin pur, d'une belle précision dans le dessin, qui durera bien encore 15 à 20 ans. C'est bien l'un des Riesling les plus grandioses qu'il m'ait été donné de déguster.

D'un doré moyennement foncé, et presque sec, le Rangen Clos Saint-Urbain Vendanges Tardives 1994, mielleux et puissant, s'impose comme une véritable essence de Riesling, mais, les disponibilités étant extrêmement réduites, il est peu probable que vous puissiez jamais en trouver une bouteille. Ce vin magnifiquement pur, mûr et riche, dont le nez d'ananas confit, de métal mouillé et de minéral fluide jaillit littéralement du verre, semble presque irréel et hors du temps en bouche. Son potentiel de garde est de 15 à 20 ans, mais c'est l'un des rares vins de la gamme qui se révélera séduisant dès sa jeunesse.

Le gewurztraminer n'atteint nulle part ailleurs que chez Zind-Humbrecht de tels sommets de complexité, d'intensité, de richesse et de longévité. Ce raisin difficile à manier et à vinifier est l'un des rares, parmi les blancs, dont la peau contient des tannins. Lorsqu'ils sont issus de rendements trop élevés, les vins de gewurztraminer sont généralement mous, plats, manquant de structure, avec une faible acidité, mais, au Domaine Zind-Humbrecht, où ce cépage est traité avec les égards qui lui sont dus, les vins sont harmonieux et immensément riches ; de surcroît, ils vieillissent de belle manière. Ainsi, les Gewurztraminer 1983 et 1985 de cette propriété, que je possède toujours dans ma cave personnelle, sont encore étonnants de jeunesse.

Avec sa robe d'un doré moyennement foncé et son nez de letchi et d'épices, le Gewurztraminer Turckheim 1994 titre 14° d'alcool naturel. Il se révèle très corsé et très sec, et laisse en arrière-bouche une impression énorme, intense et de bonne mâche. Ce vin, issu de rendements extrêmement restreints (moins de 15 hl/ha), devrait parfaitement se conserver 10 ans.

Presque entièrement issu de vignes plantées en 1946, le Gewurztraminer Wintzenheim 1994 arbore une robe d'un doré légèrement foncé qui précède de puissants arômes de rose et de pamplemousse mielleux. Étonnamment riche et épais, avec une acidité élevée et une finale presque sèche, ce vin est massif, incroyablement concentré et équilibré, mais pourrait éventuellement déranger par son côté ostentatoire. Il tiendra 10 ans environ, et accompagnera parfaitement des plats fumés, des mets orientaux, ou même un munster riche et intense.

Plus légèrement coloré et titrant 15,1° d'alcool naturel, le Gewurztraminer Herrenweg Turckheim 1994 est moins évolué que les crus précédents. Avec un nez poivré, épicé et floral de letchi, il se montre très corsé, fabuleusement mûr et fruité, étonnamment long et pur en bouche, sans ce caractère curieux que l'on retrouve parfois dans les Gewurztraminer aussi mûrs. Il évoluera magnifiquement sur les 10 à 15 prochaines années.

Le Gewurztraminer Clos Windsbuhl 1994, issu de rendements de 15 hl/ha et titrant 14,7°, frise la perfection. D'une couleur légèrement dorée, avec un nez remarquablement pur, étonnant de richesse et d'intensité, il est massif, mais bien équilibré, et déploie des arômes de minéral fluide, de pierre mouillée, de pétale de rose et de fruits exotiques. D'une concentration incroyable, avec une acidité extraordinaire, ce Gewurztraminer très corsé et prodigieux requiert un vieillissement supplémentaire de 2 ou 3 ans et se conservera ensuite **20 ans**.

Les trois Gewurztraminer Vendanges Tardives frisent également la perfection, car ils sont tout à la fois purs, riches, concentrés, d'un équilibre impeccable et d'une grande longévité. Issus de raisins vendangés avec un taux de sucre extrêmement élevé, ils se présentent comme des vins moyennement doux et pas totalement secs, que vous apprécierez de préférence avec du foie gras, ou seuls, à la fin d'un repas. Ils ne sont disponibles qu'en très petites quantités.

D'un doré assez foncé, avec un nez exotique et mielleux de cerise, de letchi et de rose, le Gewurztraminer Heimbourg VT 1994 se montre épais, riche, modérément doux en bouche, où il déploie, outre une pureté fabuleuse, une finale longue de plus d'une minute. Ce vin n'est pas encore totalement épanoui, mais il peut parfaitement durer **20 ans, si ce n'est plus**, et deviendra plus sec à mesure de son évolution.

Avec presque 15° d'alcool naturel, le Gewurztraminer Goldert 1994 est probablement le plus sec de ce trio. Outre son nez d'épices, d'ananas mielleux, de pétale de rose et de poivre, il présente un caractère extrêmement corpulent, dense, concentré et libère en bouche des arômes d'une pureté remarquable. Peu évolué – on dirait un échantillon tiré du fût –, il requiert une garde de 3 ou 4 ans pour s'épanouir et se conservera parfaitement sur les **20 ans suivants**.

Véritable essence de son cépage, le Gewurztraminer Hengst 1994 est sec en bouche, avec un taux de sucre résiduel de presque 5 %. Issu de vignes de 30 à 65 ans d'âge, il titre, de manière étonnante, presque 17° d'alcool naturel et se montre massif, avec une intensité remarquable. Tannique et structuré, il est encore fumé, d'une richesse tellement époustouflante qu'il faut le boire pour y croire. Ce vin proche de la perfection est encore jeune et peu évolué ; il ne sera à parfaite maturité qu'à la fin de ce siècle et se maintiendra pendant **au moins 25 ans**.

Olivier Humbrecht m'a confié n'avoir jamais vu de Tokay-Pinot gris aussi intensément mûr, avec de tels niveaux d'acidité, qu'en 1993 et 1994.

Onctueux, très corsé et d'une richesse sensationnelle, le Tokay-Pinot Gris Vieilles Vignes 1994 déborde de généreux arômes de fruits confits et de beurre, avec une acidité étonnamment fraîche. Il écrasera la plupart des mets, mais accompagnera bien le foie gras et la langouste. Il est issu de modestes rendements de l'ordre de 25 hl/ha. **A maturité : 2001-2025.**

Issu de rendements de 15 hl/ha et titrant 16,1° d'alcool naturel, le Tokay-Pinot Gris Herrenweg Turckheim 1994 se révèle dense, onctueux, énorme et épais, avec des arômes de cerise, de beurre et de fruits exotiques. D'une corpulence massive, avec un caractère glycériné gigantesque, il déploie la pureté et la richesse fabuleuses qui sont la marque de tous les vins du domaine. Son potentiel de garde devrait être de **20 à 25 ans**, si l'on en juge par l'évolution de ses aînés de 1983 et 1989. Il sera difficile de l'accommoder avec la plupart des mets, mais il sera le parfait compagnon du foie gras, des viandes fumées et du homard. Encore trop jeune pour être dégusté, il sera plus proche de la maturité d'ici 2 ou 3 ans. Si vous recherchez un vin qui se révèle époustouflant d'ici deux ou trois décennies, fixez votre choix sur celui-ci.

Issu de très petits rendements (de l'ordre de 10 hl/ha) et titrant 14° d'alcool naturel, le Tokay-Pinot Gris Rangen Clos Saint-Urbain 1994 n'est pas totalement sec, avec une robe légèrement dorée qui précède un nez énorme, mais pas totalement épanoui, de fruits crémeux et d'épices. Fabuleusement riche, extraordinairement glycériné et de très belle extraction, il déploie une finale dense, très corsée et extrêmement précise. Attendez encore 3 ou 4 ans et dégustez-le sur les **20 ans suivants**.

Les quatre Pinot Gris Vendanges Tardives sont issus de rendements d'environ 15 hl/ha et titrent au moins 15° d'alcool naturel. Avec un caractère extrêmement concentré, alcoolique, intense et richement extrait, ils sont l'essence même d'une vinification de haut niveau. A l'exception de la cuvée Heimbourg, ils sont tous bien marqués par le botrytis et affichent des taux modérés de sucre résiduel. En raison de leur niveau d'acidité (étonnamment élevé dans ce millésime), ils paraîtront presque secs, plutôt que modérément doux.

Extrêmement onctueux et riche, le Tokay-Pinot Gris Heimbourg VT 1994 se révèle très corsé et puissant en bouche. Semblable à un échantillon tiré du fût, il requiert un vieillissement de 3 ou 4 ans et se révélera plus sec à mesure de son évolution. Son potentiel de garde est de **25 à 30 ans**. Je conseillerai à ceux qui trouveraient ces vins doux de déguster des millésimes plus anciens comme les 1985 et 1983 – ils constateront qu'ils sont aujourd'hui bien plus secs qu'ils ne l'étaient autrefois.

Le Tokay-Pinot Gris Rotenberg VT 1994, d'un doré moyennement foncé, est très alcoolique et marqué par le botrytis. Fabuleusement riche et épais, avec un caractère onctueux et de bonne mâche, il se révèle modérément doux en finale. Il requiert une garde de 4 ou 5 ans avant d'être prêt et devrait bien vieillir sur les **25 à 30 ans** qui suivront.

Le délicieux Clos Windsbuhl et l'irréel Rangen Clos Saint-Urbain VT 1994 sont tous deux proches de la perfection.

Le premier, d'une couleur légèrement dorée, offre un nez crémeux et énorme de fumé, et déploie en bouche, outre une acidité très élevée, des notes de cerise qui rappellent un vin rouge. Ce vin, époustouflant de pureté, d'équilibre et de richesse en extrait, est encore peu évolué et ne sera prêt que d'ici 4 ou 5 ans. Il se conservera parfaitement **30 ans**, si ce n'est **davantage**.

Issu de rendements minuscules (7 hl/ha) et titrant 16° d'alcool naturel, le stupéfiant Tokay-Pinot Gris Rangen Clos Saint-Urbain VT 1994 exhale un nez crémeux et épicé de miel, de cire et de fruits exotiques. Épais et onctueux, riche et massif en bouche, il présente une acidité de bon ressort et une finale fabuleusement longue. C'est un vin que vous mangerez presque, plutôt que vous ne le boirez. Comme tous ceux de sa catégorie, il ne sera prêt qu'au terme d'un vieillissement de 4 ou 5 ans, mais se conservera ensuite 25 à 30 ans. Au risque de me répéter, je préciserai que ces crus d'Alsace peuvent parfaitement rivaliser avec les plus grands Montrachet de Bourgogne, et qu'ils sont même bien plus riches et de plus longue garde que certains d'entre eux.

Les quatre Sélections de grains nobles 1993 sont hors concours, avec leur richesse, leur douceur et leur caractère de miel qui atteignent des sommets encore inégalés – tout au moins pour mon palais.

Avec sa couleur légère de marmelade d'orange, le Tokay-Pinot Gris Rotenberg SGN 1993 se révèle incroyablement riche, épais et doux, d'une pureté
absolument stupéfiante. Il tiendra certainement **40 à 50 ans**.

Le Tokay-Pinot Gris Heimbourg SGN 1993 méritera, quant à lui, une note
parfaite au terme d'un vieillissement de 10 à 15 ans. Fermenté en petits fûts
neufs, il déploie un bouquet fabuleusement aromatique, mûr et fumé, marqué
de notes de chêne épicé et vanillé. Ce vin, extraordinairement riche et bien
équilibré, promet de durer encore **50 à 60 ans**, exactement comme le Clos
Jebsal de la même année. Davantage marqué par le botrytis, avec 17 % de sucre
résiduel, ce dernier se montre tout à la fois doux, épais, onctueux, merveilleux
d'équilibre et de pureté.

Le Tokay-Pinot Gris Rangen Saint Urbain SGN 1993 s'impose comme l'un
des vins doux les plus extraordinaires qu'il m'ait été donné de déguster. Issu
de minuscules rendements de 5 hl/ha, avec 13,5° d'alcool naturel et 11 %
de sucre résiduel, il arbore une robe de couleur orange saumoné qui introduit
en bouche un vin étonnamment riche et intense, presque sec grâce à son
heureuse acidité. Quel tour de force en matière de vinification ! Je parierais
volontiers qu'il va durer **environ 60 ans**.

Le domaine a également produit en 1994 trois Sélections de Grains Nobles
qui sont d'une telle richesse que même un Yquem semblerait maigre et peu
étoffé en comparaison. De véritables légendes en perspective, diffusées en
quantités très restrictives. Ces vins au taux de sucre résiduel de 15-18 %
présentent tous un potentiel de garde de **40 à 50 ans**, mais qui les attendra
aussi longtemps ? Tout en eux, depuis leur richesse en extrait, leur équilibre
et leur qualité, jusqu'à leur richesse, leur généreux fruité et leur intensité,
est véritablement hors normes. Ceux d'entre vous qui ont les moyens des stars
de cinéma hollywoodiennes pourront certainement s'offrir le superbe Tokay-
Pinot Gris Clos Jebsal SGN 1994 qui est cependant éclipsé par deux autres
crus frisant la perfection : le Tokay-Pinot Gris Heimbourg SGN 1994 et le
Gewurztraminer Rangen Clos Saint-Urbain SGN 1994. Le premier est l'un des
vins doux les plus remarquables et les plus luxuriants qu'il m'ait été donné
de déguster. Je n'en dirai pas plus, car les disponibilités sont extrêmement
réduites. Le second, véritable quintessence de Gewurztraminer, est encore plus
étonnant. Ces trois Sélections de grains nobles recèlent une acidité remarquable
qui leur confère une excellente précision dans le dessin – un véritable tour
de force quand on connaît leur richesse en extrait, digne d'un autre monde.

COUP D'ŒIL SUR L'ALSACE 1995

1995 est un millésime plutôt irrégulier en Alsace. Les pluies diluviennes
du mois de septembre ont semé la panique chez certains viticulteurs, qui se
sont précipités pour vendanger. Ceux qui avaient des rendements élevés,
constatant que la pourriture gagnait du terrain après cette période mouillée
et froide, ont récolté des raisins qui n'étaient pas encore à maturité physiologique. En revanche, ceux qui tiennent de petits rendements et gèrent correctement leurs vignobles ont pu attendre le mois d'octobre pour récolter et ont,

de ce fait, bénéficié d'une arrière-saison spectaculaire et sèche. On trouve chez les vendangeurs « tardifs » des vins de très haut niveau, en particulier ceux qui sont issus de riesling, de muscat et de tokay-pinot gris ; le gewurztraminer fut, en règle générale, moins favorisé que les autres cépages. Les crus les mieux réussis allient un niveau d'acidité très élevé à une très grande richesse.

J.-B. ADAM (AMMERSCHWIHR)****

1995 Riesling Réserve	C	85
1995 Riesling Cuvée Jean-Baptiste Kaefferkopf	C	87
1995 Muscat Réserve	C	87
1995 Tokay-Pinot Gris Cuvée Jean-Baptiste Kaefferkopf	C	87
1995 Gewurztraminer Réserve	C	87
1995 Gewurztraminer Cuvée Jean-Baptiste Kaefferkopf	C	88

Tous les 1995 de ce producteur sont de haute qualité, bien faits, avec des notes de fruits et de minéral très prononcées.

Parmi les Riesling, vous trouverez la cuvée Réserve 1995, au séduisant nez de minéral, de pomme et de pelure d'orange, moyennement corsé et d'une excellente pureté, avec une finale vive, austère et sèche.

Plus intense et plus long en bouche, mais aussi plus fermé, le Riesling Cuvée Jean-Baptiste Kaefferkopf 1995 dégage un nez floral et minéral de pêche. Moyennement corsé, avec une bonne acidité sous-jacente, il déploie une finale séduisante et persistante, rendue encore plus intéressante par des notes de minéral fluide.

Semblable à un cocktail de fruits, le Muscat Réserve 1995 est absolument délicieux, avec un nez exotique, mais se montre plus réservé que ne le sont généralement les vins issus de ce cépage ; cela lui confère d'ailleurs de la finesse et de l'élégance. Il est moyennement corsé, sec et bien vinifié.

Les Riesling offrent un potentiel de garde de 2 à 4 ans, mais le Muscat devra, de préférence, être consommé dans les 12 à 18 mois, si vous voulez pleinement apprécier ses beaux arômes.

Doté d'un bon fruité crémeux et d'un nez plein de charme, aux notes d'agrumes et de crème au citron, le Tokay-Pinot Gris Cuvée Jean-Baptiste Kaefferkopf se révèle moyennement corsé et remarquablement long en bouche, où il déploie une finale sèche, charnue et vive. Riche et bien équilibré, il se conservera pendant encore 4 ou 5 ans.

Moyennement corsé et d'une élégance étonnante pour un vin de ce cépage, le Gewurztraminer Réserve 1995 révèle un nez de miel et de pamplemousse ; la finale est vive et sèche. **A boire dans les toutes prochaines années.**

Plus ample, plus riche et plus expansif que le cru précédent, le Gewurztraminer Cuvée Jean-Baptiste Kaefferkopf se montre cependant étonnamment réservé pour un vin issu de ce cépage. On décèle au nez des notes crémeuses de letchi, d'ananas et de pamplemousse, qui introduisent en bouche un vin moyennement corsé, sec et long, au potentiel de garde de 3 ou 4 ans.

BOTT-GEYL (BEBLENHEIM)****

1995 Sylvaner Beblenheim	A	85
1995 Pinot Blanc Beblenheim	A	89
1995 Muscat Riquewihr	B	90
1995 Riesling Riquewihr	B	89
1995 Riesling Grafenreben	C	90+
1995 Riesling Mandelberg	C	90
1995 Tokay-Pinot Gris Sonnenglanz	D	91
1995 Gewurztraminer Furstentum	D	92
1995 Gewurztraminer Sonnenglanz Vieilles Vignes	D	91+

Bien que n'étant pas très amateur de Sylvaner, j'apprécie celui de Jean-Christophe Bott-Geyl. Débordant d'un généreux fruité, avec davantage de personnalité et de caractère que n'en ont généralement les vins plutôt neutres issus de ce cépage, le Sylvaner Beblenheim 1995 exhale un nez floral et épicé d'agrumes, et se révèle moyennement corsé, élégant et persistant en bouche, éclatant d'arômes et de concentration. **A boire d'ici 1 ou 2 ans.**

Presque extraordinaire, le Pinot Blanc Beblenheim 1995 libère des senteurs d'une fraîcheur fabuleuse, aux notes de mandarine et de citron. Moyennement corsé en bouche et éclatant d'un fruité vif, il est merveilleusement pur, avec une finale sèche, vive et imposante. **A boire dans les 2 ans.** Détail intéressant : il est proposé à un prix tout à fait dérisoire.

J'ai un faible pour les Muscat d'Alsace, et le Muscat Riquewihr 1995 de ce producteur explose littéralement d'arômes de cocktail de fruits. Moyennement corsé, vif, sec et concentré, il déploie des parfums somptueux, accompagnés d'une finale très rafraîchissante. **A boire d'ici 1 ou 2 ans.**

Les trois Riesling sont merveilleusement réussis. Outre son nez énorme, épicé et floral de pomme, d'agrumes et de minéral, le Riesling Riquewihr 1995 présente un caractère moyennement corsé et extraordinairement mûr, ainsi qu'une finale fraîche et de bon ressort. Bien qu'il soit le plus évolué de ce trio, il se conservera parfaitement **5 à 8 ans** encore.

Le Riesling Grafenreben 1995, moins évolué que le précédent, offre un nez vif de pierre, qui introduit en bouche un vin séduisant et mûr, moyennement corsé et sec, à la finale longue et harmonieuse. Un Riesling superbe, encore jeune et peu évolué, d'une excellente précision dans le dessin, à boire dans les **10 ans** qui viennent.

On décèle dans le Riesling Mandelberg 1995 un nez fruité et floral de pêche blanche marqué de notes de pierre. Ce vin est moyennement corsé, concentré et bien fait, et déploie une texture de légende, séduisante et charnue. Une quintessence de ce cépage, élégante, mais très aromatique, que vous dégusterez dans les **10 ans.**

Les Tokay-Pinot Gris sont généralement extrêmement réussis en 1995, et celui de Jean-Christophe Bott-Geyl, le Sonnenglanz 1995, me semble particulièrement somptueux. Je l'ai par deux fois, lors de deux dégustations différentes, qualifié d'« explosif ». De couleur paille moyennement foncé, il exhale un nez de pop-corn crémeux, de cire et de pamplemousse confit qui jaillit littéralement du verre. Onctueux, épais et riche, mais sans aucune lourdeur, il est aussi très corsé et très puissant, et évolue rapidement dans le verre, en développant une palette aromatique étonnamment variée. Quoique particulièrement ample, ce vin demeure élégant. Son potentiel de garde est de 7 à 10 ans.

Il était difficile d'établir un ordre de préférence entre les deux Gewurztraminer. Le Furstentum 1995 est probablement le plus sensoriel et le plus luxuriant, avec un nez absolument renversant de letchi, de pétale de rose et de pamplemousse confit. Éclatant de fruité et très corsé, avec une bonne acidité, il déploie une finale puissante et massive, épaisse et juteuse. Ceux qui adorent le Gewurztraminer en seront fous, tandis que ceux qui n'apprécient pas particulièrement ce cépage seront ébahis par son caractère ostentatoire. A maturité : jusqu'en 2003.

En revanche, le Sonnenglanz Vieilles Vignes, qui pourrait ultérieurement se révéler de meilleure facture que le cru précédent, est pour l'instant moins évolué, avec un caractère plus réservé, mais puissant. Il est extraordinaire de richesse et de corpulence, et l'on dirait presque que toutes ses composantes sont comme enserrées dans un corset. Outre une acidité fraîche et des notes de minéral très prononcées, ce vin offre un beau déploiement d'arômes exotiques de pétale de rose, de letchi, d'encens et de pamplemousse, très caractéristiques du Gewurztraminer. Il devrait s'ouvrir dans quelque temps, pour révéler davantage d'intensité et s'imposer comme un Gewurztraminer énorme et sec, au potentiel de garde de 10 ans.

ERNEST BURN (GUEBERSCHWIHR)*****

1995 Riesling Clos Saint-Imer Cuvée La Chapelle	D	94
1995 Gewurztraminer Goldert Clos Saint-Imer Cuvée La Chapelle	D	93
1995 Gewurztraminer VT Clos Saint-Imer Cuvée La Chapelle	E	96

Il est difficile de trouver meilleur Riesling que le Clos Saint-Imer Cuvée La Chapelle 1995 d'Ernest Burn. Absolument sensationnel, il offre un somptueux déploiement d'arômes de minéral, de pomme mielleuse et de fruits tropicaux, et se révèle moyennement corsé, fabuleusement pur et d'une extraordinaire précision dans le dessin. Il arrive que le Riesling soit très proche d'un grand Montrachet par sa texture, sa richesse et son intensité qui colle littéralement au palais – en voici une parfaite illustration : ce vin vieillira parfaitement sur 10 à 15 ans, mais je doute que la plupart des amateurs aient la patience de l'attendre jusque-là.

Si le Gewurztraminer a, de manière générale, connu moins de succès que les autres cépages en 1995, ceux d'Ernest Burn sont extrêmement réussis.

Presque sec, flamboyant et puissant, le Gewurztraminer Goldert Clos Saint-Imer Cuvée La Chapelle 1995, d'un jaune paille moyennement foncé, révèle un nez somptueusement riche aux notes de letchi et d'ananas. D'une extraordinaire précision dans le dessin, avec un équilibre d'ensemble absolument superbe, il est encore stupéfiant de longueur et d'intensité. Ce vin onctueux, épais, riche et de bonne mâche devrait évoluer superbement sur 10 à 12 ans. Le

Gewurztraminer accompagne merveilleusement, et de manière très étonnante, un munster fumé et bien mûr.

D'une puissance exceptionnelle et encore plus riche que le cru précédent, le Gewurztraminer Vendanges Tardives Clos Saint-Imer Cuvée La Chapelle s'impose comme une véritable essence de ce cépage, dont les généreux arômes sont présentés dans un ensemble visqueux, opulent et très corsé. Vous ne trouverez pas de Gewurztraminer plus explosif et plus riche que celui-là. Il devrait parfaitement se conserver sur **10 à 12 ans** en acquérant davantage de précision et de discipline au fur et à mesure de son vieillissement.

MARCEL DEISS (BERGHEIM)*****

1995 Pinot Blanc Bergheim	A-B	87
1995 Tokay-Pinot Gris Beblenheim	B-C	89
1995 Gewurztraminer Saint-Hippolyte	B-C	88

Élégant et sec, avec un fruité de mandarine et de poire, le Pinot Blanc Bergheim 1995 est moyennement corsé et d'une remarquable pureté, avec une finale vive, austère et merveilleuse. **A boire dans les 2 ou 3 ans.**

Plus mielleux, le Tokay-Pinot Gris Beblenheim 1995 déploie joliment ses arômes charnus de cire, et se montre moyennement corsé et d'une grande pureté en bouche. Ce vin encore jeune et peu évolué, sec et complexe, déborde littéralement d'un fruité étonnamment riche. **A boire dans les 5 ou 6 ans.**

Ironie du sort : Marcel Deiss, qui n'apprécie pas particulièrement le Gewurztraminer, a produit en 1995 l'un des vins les plus séduisants issus de ce cépage. Dégageant un nez classique de pamplemousse, de letchi, d'épices et de miel, son Saint-Hippolyte 1995 se révèle moyennement corsé, avec ce caractère ostentatoire qui rend les Gewurztraminer si fascinants (ou si pénibles, selon les goûts). La finale est vive, sèche et savoureuse. **A boire dans les 5 ou 6 ans.**

ALBERT MANN (WETTOLSHEIM)*****

1995 Pinot Auxerrois Vieilles Vignes	A	88
1995 Riesling Altenbourg	B	88
1995 Riesling Schlossberg	C	90+
1995 Riesling Furstentum	C	95
1995 Tokay-Pinot Gris Vieilles Vignes	C	89
1995 Tokay-Pinot Gris Furstentum	C	92+
1995 Tokay-Pinot Gris Hengst	C	?
1995 Gewurztraminer	B	85?
1995 Gewurztraminer Furstentum	C	86?
1995 Gewurztraminer Steingrubler	C	89

Les 1995 d'Albert Mann sont exceptionnellement réussis, en particulier ses Riesling, Pinot Blanc et Tokay-Pinot Gris.

Le Pinot Auxerrois Vieilles Vignes 1995, aux séduisants arômes de pêche blanche et de mandarine, se révèle moyennement corsé, racé et pur, avec une bonne acidité sous-jacente, savoureuse et fraîche. Sec et délicieusement fruité, il est bien équilibré. **A boire dans les 2 ou 3 ans.**

Les trois cuvées de Riesling m'ont fortement impressionné. Titrant 13° d'alcool naturel, avec un nez de fruits tropicaux et de fleurs printanières, le Riesling Altenbourg 1995 est élégant, sec et moyennement corsé, marqué par des notes de minéral – mais on remarque davantage le caractère fruité qu'il tient de son cépage. Il est bien vif et de bon ressort, grâce à son heureuse acidité. **A boire dans les 5 ou 6 ans.**

En revanche, le Riesling Schlossberg 1995, qui titre 13,3° d'alcool naturel, se révèle précis, peu évolué et métallique, dominé par des arômes de minéral ; il dévoile à peine son potentiel. Issu de très petits rendements (moins de 30 hl/ha), il se montre vif et moyennement corsé, avec des arômes de pierre, et requiert un vieillissement supplémentaire de 2 ans. Il devrait durer encore **10 ans.**

Le plus spectaculaire de ce trio, le Riesling Furstentum 1995, exhale de généreux arômes de fruits tropicaux, de réglisse et de minéral qui jaillissent littéralement du verre. Issu de très petits rendements et titrant 14,5° d'alcool naturel, il est sec et raffiné, très corsé et fabuleusement doté – il vous fera tourner la tête. Le nez refuse obstinément de s'atténuer, même après aération. Ce vin illustre merveilleusement les sommets que peut atteindre le Riesling d'Alsace dans les toutes meilleures propriétés de la région. **A maturité : jusqu'en 2007.**

Les Alsaciens s'accordent à dire que le millésime 1995 était celui du Tokay-Pinot gris. Les trois cuvées de Tokay du domaine Albert Mann sont réussies, mais relativement peu évoluées, avec une acidité étonnamment élevée et un caractère intense et concentré. Ainsi, le Tokay-Pinot Gris Vieilles Vignes 1995, qui titre 13,7° d'alcool naturel, recèle une acidité de très bon ressort et requiert un vieillissement supplémentaire pour pleinement révéler son charme. Bien qu'atténué du point de vue aromatique, il se montre dense, gras et très corsé en bouche, généreusement glycériné, et admirable de puissance et de richesse. Accordez-lui encore 1 ou 2 ans, il sera à son meilleur niveau dans les **10 ans** qui suivront.

Pas totalement sec (la plupart des amateurs le trouveront cependant très sec), le Tokay-Pinot Gris Furstentum 1995 se montre exubérant et très corsé, avec un nez de miel, de cerise et de cire. Il s'agit d'un vin dense, mais jeune, peu évolué et ample, qui requiert une garde de 2 ou 3 ans et se conservera parfaitement **15 ans ou davantage.**

Le Tokay-Pinot Gris Hengst 1995, issu de très vieilles vignes et très alcoolique, est un véritable sujet de controverses, avec son acidité et son taux de sucre résiduel extrêmement impressionnants, ainsi que ses notes végétales prononcées et sa richesse mielleuse qui m'ont pris littéralement au dépourvu. C'est un vin un peu curieux, pas totalement épanoui et presque impossible à évaluer, dont la richesse énorme, le caractère glycériné et la richesse d'extraction sont étonnamment bien étayés par une acidité fabuleusement fraîche et élevée. Il se conservera sans nul doute pendant **15 à 20 ans**, mais il reste à savoir si toutes ses composantes se fondront joliment dans un ensemble harmonieux. Un Tokay au potentiel extraordinaire, mais un peu excentrique et hors normes.

Le Gewurztraminer 1995 libère, à la fois au nez et en bouche, des arômes épicés de letchi et de pamplemousse dans un ensemble moyennement corsé. L'amertume qu'il déploie en finale (défaut commun à nombre de Gewurztraminer de ce millésime) m'a empêché de lui attribuer une meilleure note. **A boire dans les 3 ou 4 ans.**

Avec ses 13,9° d'alcool naturel, le Gewurztraminer Furstentum 1995 déploie, à la fois au nez et en bouche, des arômes d'épices et de letchi. A maturité parfaite, très puissant et vif, il se développe joliment dans le verre, mais sa finale est piquante et rêche. **A boire dans les 5 ou 6 ans.**

Le Gewurztraminer Steingrubler 1995 est incontestablement le meilleur de ce trio. Exhalant un nez très aromatique et pénétrant de letchi et de cerise, il déploie en bouche des arômes denses, moyennement corsés, puissants et très musclés, ainsi qu'une finale longue, capiteuse et alcoolique. Ce vin, qui possède un léger taux de sucre résiduel, devrait tenir **7 ou 8 ans.**

CHARLES SCHLERET (TURCKHEIM)*****

1995 Riesling Herrenweg	C	87+?
1995 Riesling Herrenweg Cuvée Prestige	D	94
1995 Muscat d'Alsace Vieilles Vignes	C	90
1995 Gewurztraminer Herrenweg	C	90
1995 Gewurztraminer Herrenweg Cuvée Spéciale	D	91
1995 Gewurztraminer Herrenweg Cuvée Exceptionnelle	E	91
1995 Tokay-Pinot Gris Herrenweg Cuvée Exceptionnelle	E	96

Sec et richement extrait, le Riesling Herrenweg 1995 se révèle moyennement corsé, avec une acidité fraîche qui vous tapisse littéralement le palais. Ce vin jeune et frais, aux arômes intenses de minéral et d'agrumes, présente une finale sèche et austère. **A boire dans les 10 ans.**

Élaboré à la manière d'un vin de Vendanges tardives, le puissant et fabuleux Riesling Herrenweg Cuvée Prestige 1995 libère de riches arômes de pêche et d'ananas mêlés de notes de métal mouillé et de minéral. Ce vin presque totalement sec, profond et concentré, déploie une finale qui persiste pendant plus de trente secondes ; il devrait bien vieillir sur **10 à 15 ans.**

Dégustez le Muscat d'Alsace Vieilles Vignes 1995 **dans l'année** qui vient pour pleinement profiter de ses arômes fruités, exotiques et floraux. Ce vin sec et rafraîchissant offre un bouquet absolument renversant auquel il est très difficile de résister. Il représente, à mes yeux, le vin idéal pour l'apéritif.

Le Gewurztraminer se conjugue sous trois formes en 1995 : le Herrenweg, totalement sec, le Herrenweg Cuvée Spéciale, pas tout à fait sec, et le Herrenweg Cuvée Exceptionnelle, plus complet et plus concentré.

Le Gewurztraminer Herrenweg 1995 déploie, à la fois au nez et en bouche, des arômes de pétale de rose, de pamplemousse confit et d'ananas. Puissant, riche et sec, il sera parfait dans les **8 ans** qui viennent, voire au-delà.

Le Gewurztraminer Herrenweg Cuvée Spéciale 1995, au nez de pétale de rose et de letchi mûr, révèle une corpulence massive, une extraordinaire pureté et une finale pas totalement sèche. Les amateurs de Gewurztraminer apprécieront son style ample et ostentatoire. Il a un potentiel de garde de 10 ans environ.

Malgré un taux de sucre résiduel bien plus élevé que celui du vin précédent, le Gewurztraminer Herrenweg Cuvée Exceptionnelle 1995 ne paraît pas plus doux en bouche. Il s'agit d'un vin monstrueux, non encore totalement formé, qui affiche une densité et une maturité énormes, auxquelles s'ajoutent de riches arômes qui vous tapissent littéralement le palais d'une texture visqueuse et superbement extraite. Absolument formidable, ce vin au caractère classique et flamboyant, typique de ce cépage, se révélera plus « policé » au terme d'un vieillissement supplémentaire de 2 ou 3 ans. Il promet de durer encore au moins 10 ans.

Avec ses 60 g/l de sucre résiduel et sa robe de couleur doré moyennement foncé, le Tokay-Pinot Gris Herrenweg 1995 exhale un nez énorme de fumé, de cire, de miel rôti et d'herbes aromatiques qui jaillit littéralement du verre. Ce vin époustouflant de concentration et d'onctuosité est cependant bien équilibré, avec un caractère très concentré, charnu et pas totalement sec qui en fera le parfait compagnon de riches plats de poisson et de volaille. Son potentiel de garde est de 15 ans, ou plus.

Ces vins fabuleux méritent incontestablement l'attention des amateurs.

DOMAINE SCHOFFIT (COLMAR)*****

1995 Chasselas Vieilles Vignes	A	88
1995 Pinot Blanc Cuvée Caroline	A	90
1995 Muscat Rangen de Thann Clos Saint-Théobald	C	90
1995 Muscat Cuvée Alexandre	C	93
1995 Riesling Harth Cuvée Prestige	C	90
1995 Riesling Harth Cuvée Alexandre	C	91
1995 Riesling Rangen de Thann Clos Saint-Théobald	D	95
1995 Riesling Rangen de Thann Clos Saint-Théobald VT	E	?
1995 Gewurztraminer Harth Cuvée Caroline	C	90
1995 Gewurztraminer Rangen de Thann Clos Saint-Théobald VT	E	92
1995 Tokay-Pinot Gris Cuvée Alexandre Vieilles Vignes	D	94+
1995 Tokay-Pinot Gris Rangen de Thann Clos Saint-Théobald	E	95
1995 Tokay-Pinot Gris Rangen de Thann SGN	EE	98+

Le Chasselas Vieilles Vignes, issu de vignes de 65 ans d'âge, s'impose régulièrement comme la meilleure affaire de la gamme. Le 1995, très aromatique, sec et délicieusement fruité, se montre mûr et moyennement corsé, éclatant de fruité et de charme. A boire d'ici 1 ou 2 ans.

Avec ses 14° d'alcool naturel, la Cuvée Caroline est un Pinot Blanc extraordinaire, aux arômes de cerise, de mandarine et d'agrumes mielleux. Moyennement corsé et stupéfiant de pureté, il dévoile en bouche son fabuleux fruité par paliers ; la finale est longue, sèche et intense. **A boire dans les 2 ou 3 ans.**

Les deux Muscat sont extraordinaires. Sec, très corsé et austère, le Muscat Rangen de Thann Clos Saint-Théobald 1995, aux arômes intenses et entêtants, se révèle d'une fabuleuse précision dans le dessin, remarquable de profondeur et de richesse, avec une finale sèche aux notes de pierre. Il vaut mieux le consommer dans les **2 ou 3 ans**, mais je ne serais pas autrement surpris qu'il dure davantage.

Le Muscat Cuvée Alexandre 1995, issu de rendements de 25 hl/ha et titrant 13° d'alcool naturel, illustre bien les sommets que peut atteindre ce cépage. Incroyablement parfumé, avec des arômes explosifs de fleurs et de fruits tropicaux, il est étonnant de maturité, de pureté et de longueur en bouche. Sa richesse en extrait et sa maturité absolument fabuleuses sont bien étayées par une acidité hors du commun ; c'est un véritable tour de force en matière de vinification. **A boire dans les 2 ou 3 ans.**

Les cuvées de Riesling classique sont tout simplement magnifiques.

Le Riesling Harth Cuvée Prestige 1995, titrant 12,5° d'alcool naturel, constitue une introduction classique aux Riesling secs, avec son nez modérément intense de pomme et de minéral, et ses arômes tout à la fois moyennement corsés, élégants, denses, mûrs et concentrés. Ce superbe Riesling déborde d'un caractère et d'une structure qui lui permettront de bien se conserver pendant **5 ou 6 ans.**

Extrêmement mûr, mais d'une belle précision dans le dessin, le Riesling Harth Cuvée Alexandre 1995 présente le caractère de surmaturité que l'on retrouve généralement dans les vins de Vendanges tardives. Son nez énorme de fruits tropicaux, de miel, de fleurs et de minéral précède en bouche un vin extrêmement puissant et riche, qui révèle cependant un caractère réservé et une austérité aux notes de minéral. Moyennement corsé et parfaitement pur, il n'est pas totalement sec et promet de bien se conserver **10 ans, ou davantage.**

A propos de vins extraordinaires, parlons du Riesling Rangen de Thann Clos Saint-Théobald 1995, cher, mais absolument sensationnel. Sa robe de couleur légèrement dorée précède des arômes modérément abondants de miel, de pomme cuite et de pierre mouillée. Suit un vin énorme, très corsé et massif, totalement sec et généreux, qui se montre puissant dès l'attaque en bouche et se dévoile ensuite par paliers. Il requiert une garde de 3 à 5 ans avant d'être prêt, mais devrait se conserver ensuite **20 ans.** Ce Riesling énorme déploie une richesse, une maturité et un équilibre phénoménaux, mais demande que vous fassiez preuve de patience, car il est encore dans sa toute petite enfance.

Issu de rendements de 30 hl/ha et vendangé à la mi-octobre, le Gewurztraminer Harth Cuvée Caroline 1995, onctueux, huileux et pas totalement sec, dégage, à la fois au nez et en bouche, des arômes explosifs de pétrole, de letchi et de pamplemousse confit. Provocateur et sujet à controverses, énorme et très corsé, avec 1,5 g/l de sucre résiduel, ce Gewurztraminer ample et visqueux devrait tenir **10 ans, ou davantage.**

Bernard Schoffit a produit en 1995 toute une série de Vendanges tardives extrêmement puissants et intenses. Ils affichent généralement des taux élevés de sucre résiduel, mais leur douceur est bien masquée par une savoureuse acidité.

Le Riesling Rangen de Thann Clos Saint-Théobald VT 1995, issu de rendements de 30 hl/ha, présente une fiche technique absolument irréprochable. Il est cependant vert, acidulé, peu évolué, excessivement végétal et minéral. Malgré tous mes efforts, je n'ai pu y trouver le fruité, la texture, le volume ou la longueur que j'en attendais, si bien que je réserve mon jugement.

Les autres cuvées, superbes, ne posent pas de problèmes similaires. Le Gewurztraminer Rangen de Thann Clos Saint-Théobald VT 1995, issu de rendements de moins de 30 hl/ha et vendangé à la mi-octobre, est sorti premier, ex aequo avec le Clos Windsbuhl de Zind-Humbrecht, lors d'une dégustation, organisée en Allemagne, réunissant une centaine de vins alsaciens. Ce vin au nez fabuleux et très épicé de letchi, de pétale de rose, de mandarine et d'orange recèle une acidité très élevée qui confère de la précision à son caractère massif. Ample et très expressif, riche et très corsé, il révèle un fruité, des taux de glycérine et d'alcool, et une richesse en extrait presque excessifs. Il promet de durer encore **10 à 15 ans.**

Le Tokay-Pinot Gris Cuvée Alexandre Vieilles Vignes requiert une garde supplémentaire de 3 ou 4 ans avant d'être prêt. Son nez modérément intense révèle à peine la richesse crémeuse, mielleuse et épicée qu'il dégagera au terme de quelques années de vieillissement. Phénoménal et dense, superbement extrait et très corsé, il tapisse littéralement le palais d'une texture riche et veloutée. Ce vin est bien étayé par une heureuse acidité, si bien que les amateurs le trouveront sec malgré ses 4 g/l de sucre résiduel. Son potentiel de garde est de **20 à 25 ans, au moins.**

Avec ses 13° d'alcool naturel, le Tokay-Pinot Gris Rangen de Thann Clos Saint-Théobald 1995 est un autre vin époustouflant, tout à la fois profond, riche, mielleux, énorme, épais et charnu. Il requiert, exactement comme la Cuvée Alexandre, une garde de 3 ou 4 ans avant d'être prêt et ressemble davantage à un échantillon tiré du fût qu'à un vin fini. Onctueux et d'une belle précision dans le dessin, il déploie un généreux fruité qui suinte littéralement du verre au palais, mais n'en conserve pas moins un bel équilibre et un caractère discret. Son potentiel de garde est de **20 ans environ.**

Avec une acidité très élevée et 150 g/l de sucre résiduel, le Tokay-Pinot Gris Rangen de Thann SGN 1995 devrait s'imposer, sans aucun mal, comme l'un des vins de dessert les plus fascinants de son millésime. Épais et riche, il est encore dans sa toute petite enfance du point de vue de son évolution aromatique, mais, croyez-moi, la note que je lui ai attribuée est sévère au regard de son potentiel. Les acheteurs éventuels devront se résoudre à l'attendre 2 ou 3 ans, avant de pleinement l'apprécier. **A maturité : 2000-2015.**

DOMAINE WEINBACH (KAYSERSBERG)*****

1995 Sylvaner Réserve	B	77
1995 Pinot Blanc Réserve	C	88

1995 Riesling Cuvée Théo	C	90
1995 Riesling Schlossberg	D	92+
1995 Riesling Cuvée Sainte-Catherine	D	94+
1995 Riesling Cuvée Sainte-Catherine Schlossberg	D	94+
1995 Muscat Réserve Personnelle	D	91
1995 Tokay-Pinot Gris Cuvée Sainte-Catherine	E	93+
1995 Tokay-Pinot Gris Cuvée Laurence	E	95
1995 Gewurztraminer Réserve Personnelle	C	76
1995 Gewurztraminer Cuvée Théo	D	87?
1995 Gewurztraminer Altenbourg Cuvée Laurence	E	90
1995 Gewurztraminer Furstentum Cuvée Laurence	E	89

Le Sylvaner Réserve 1995, peu impressionnant, révèle une acidité excessivement élevée, ainsi qu'un caractère sévère, acidulé et vert. Le Domaine Weinbach produit généralement l'un des meilleurs Sylvaner d'Alsace, mais celui-ci est vraiment décevant.

Le Pinot Blanc Réserve 1995 affiche une acidité bien plus élevée que la normale, mais celle-ci sert heureusement à étayer sa richesse et son fruité extrêmes, ainsi que ses arômes moyennement corsés et extrêmement profonds, aux notes de pomme fraîche et d'orange. **A boire dans les 3 ou 4 ans.**

Les quatre Riesling sont d'une fabuleuse richesse en extrait, avec une acidité qui tapisse littéralement le palais.

Le Riesling Cuvée Théo 1995 est extraordinaire de précision et de pureté. Il offre, malgré son acidité très élevée, un somptueux déploiement d'arômes de pomme et d'abricot pas totalement mûrs, dominés par des notes métalliques et minérales. Moyennement corsé, sec et d'un équilibre impeccable, il persiste en bouche pendant plus de trente secondes. **A maturité : jusqu'en 2000.**

Le Riesling Schlossberg 1995, moyennement corsé, révèle un fabuleux nez métallique et de minéral, et dévoile en bouche des arômes d'orange et de fruit de la Passion. Moyennement corsé, richement extrait et sec, mais peu évolué, il est encore superbe et extrêmement concentré, et requiert une garde de 1 ou 2 ans avant d'être prêt. Il se conservera **10 à 15 ans, si ce n'est plus.**

Outre une robe jaune paille et or assez foncée, et un curieux nez de quinine, de groseille et de minéral, le Riesling Cuvée Sainte-Catherine 1995 présente un caractère acidulé, moyennement corsé et sec. Il dévoile, à la fois au nez et en bouche, des arômes floraux, riches et persistants, marqués par de généreuses notes de pêche blanche. Ce vin impressionnant, jeune et néanmoins irrésistible, se révèle ample et élégant, alliant merveilleusement puissance et finesse. **A maturité : 1999-2004.**

D'un or légèrement foncé, avec un nez assez fermé, le Riesling Cuvée Sainte-Catherine Schlossberg 1995 montre une pureté et une maturité fabuleuses, ainsi qu'une acidité très élevée. Austère, peu évolué et moyennement corsé, il se développe considérablement dans le verre, mais les acheteurs éventuels devront être prêts à l'attendre encore 2 à 4 ans. Il est capable de durer **15 ans environ.**

Le Muscat Réserve Personnelle 1995, aussi délicieux que peut l'être un Muscat d'Alsace, exhale de fabuleux arômes de fleurs printanières et de fruits tropicaux, et présente en bouche des notes à la fois délicates et impressionnantes d'intensité. Sec et moyennement corsé, avec une finale extrêmement longue et subtile, c'est un vin exquis, que vous savourerez **d'ici 1 ou 2 ans**.

Les deux Tokay-Pinot Gris sont richement extraits, étonnants de structure et de tenue, avec le niveau d'acidité élevé caractéristique du millésime.

Le Tokay-Pinot Gris Cuvée Sainte-Catherine 1995 exhale au départ un nez relativement fermé, mais libère, après une aération d'une dizaine de minutes, des arômes mielleux de cire et d'encens, accompagnés d'un fruité crémeux de petits fruits. Très présent et très intense en bouche, il y dévoile, outre une acidité élevée, un caractère moyennement corsé et une finale généreuse, explosive et riche. Ce vin serré et peu évolué ne sera prêt qu'à la fin de ce siècle, mais son ampleur et son acidité lui permettront de vieillir encore **une vingtaine d'années**. Il montrera, lorsqu'il sera à maturité, une complexité et une puissance aromatiques dignes d'un grand Montrachet.

Encore plus irrésistible que le cru précédent, le Tokay-Pinot Gris Cuvée Laurence 1995, pas totalement sec, ressemble fort à un Vendanges tardives. Malgré un léger taux de sucre résiduel, il semblera sec en bouche, grâce à son acidité très élevée. Ce vin au curieux nez de citronnelle, d'abricot mielleux, de pêche blanche et de marmelade se montre très corsé, d'une remarquable fraîcheur, avec une puissance et une richesse en extrait impressionnantes. Tout cela, allié à une élégance et à une finesse presque irréelles, représente un véritable tour de force en matière de vinification. **A maturité : 2000-2015**.

Le Gewurztraminer fut incontestablement le cépage le moins favorisé en 1995. Je n'ai pas souvenance d'avoir dégusté un Gewurztraminer aussi étrange que le Réserve Personnelle 1995 du Domaine Weinbach. Bien qu'un peu épicé et moyennement corsé, avec des arômes de caramel mou, il manque de structure et de tenue, et ne présente aucun des caractères distinctifs de son cépage.

Le Gewurztraminer Cuvée Théo 1995, moyennement corsé et d'une profonde couleur or, présente des arômes épicés et aigres-doux. Son acidité et son caractère alcoolique sont étonnamment prononcés, et l'absence d'arômes de letchi, de pétale de rose et d'ananas confit (typiques des Gewurztraminer) accentue encore son étrangeté. Il s'agit néanmoins d'un vin ample et bien évolué, que vous dégusterez dans les **4 ou 5 ans**.

Sec, floral et exotique, le Gewurztraminer Altenbourg Cuvée Laurence 1995 se révèle moyennement corsé et luxuriant, débordant littéralement d'un fruité de cerise et de miel marqué de curieuses notes de terre et d'épices. Puissant et riche, avec une finale sèche, il devrait tenir **10 ans**.

D'un or moyennement foncé, avec un nez de vanille et de pétrole, le Gewurztraminer Furstentum Cuvée Laurence 1995 se montre riche et onctueux en bouche, avec une acidité très élevée et un peu de sucre résiduel. La finale, très corsée, est explosive et opulente. De tous les Gewurztraminer du Domaine Weinbach, c'est le plus équilibré. Bien qu'extraordinaire, il ne rivalisera pas avec ses irrésistibles aînés de 1989, 1990 et 1994. **A boire dans les 10 ans**.

DOMAINE ZIND-HUMBRECHT (WINTZENHEIM)*****

1995 Pinot d'Alsace	B	91
1995 Riesling Gueberschwihr	B	91
1995 Riesling Herrenweg Turckheim	C	?
1995 Riesling Clos Hauserer	C	92
1995 Riesling Clos Windsbuhl	D	94+
1995 Riesling Rangen Clos Saint-Urbain	D	93+
1995 Riesling Herrenweg Turckheim VT	D	94
1995 Riesling Brand VT	E	94+
1995 Tokay-Pinot Gris Vieilles Vignes	C	94
1995 Tokay-Pinot Gris Rotenberg	?	94+
1995 Tokay-Pinot Gris Heimbourg	?	90
1995 Tokay-Pinot Gris Clos Windsbuhl	D	95
1995 Tokay-Pinot Gris Clos Jebsal	?	96
1995 Tokay-Pinot Gris Rotenberg VT	E	92+
1995 Muscat Herrenweg Turckheim VT	D	93
1995 Muscat Goldert VT	E	94
1995 Gewurztraminer Wintzenheim	B	88
1995 Gewurztraminer Goldert	D	87
1995 Gewurztraminer Hengst	D	90
1995 Gewurztraminer Clos Windsbuhl	D	91+
1995 Gewurztraminer Heimbourg	D	90?
1995 Gewurztraminer Rangen Clos Saint-Urbain	E	96
1995 Gewurztraminer Herrenweg Turckheim VT	D	91+

Le Pinot d'Alsace 1995, issu des vignobles Herrenweg, Rotenberg et Clos Windsbuhl, et principalement composé de pinot auxerrois, est formidablement réussi. D'un or légèrement foncé, avec une maturité, une intensité et une richesse absolument superbes qu'il doit aux vieilles vignes, ce vin pur et sec déploie une finale fabuleuse, sèche et vive, aux notes de minéral et de mandarine. **A maturité : jusqu'en 2000.**

Des sept Riesling que j'ai dégustés, cinq étaient secs et deux étaient des Vendanges tardives.

Le Gueberschwihr 1995, au nez métallique d'agrumes et d'ananas, est le plus évolué, le plus flatteur et le plus délicieux de tous. Moyennement corsé, avec des arômes puissants et concentrés de minéral, et une finale longue et sèche aux notes d'agrumes, il se révèle exotique et ouvert, davantage marqué de touches d'ananas confit que les autres Riesling de la gamme. Ce vin extraordinaire et sensuel sera parfait dans les **5 à 7 ans.**

Moins ouvert que le Gueberschwihr, le Riesling Herrenweg Turckheim 1995 est plus légèrement corsé et plus serré en bouche, avec une acidité plus élevée. Il explose cependant en arrière-bouche, offrant un beau déploiement de puissance et d'élégance classique, avec les légendaires arômes d'agrumes, d'orange et de pomme typiques de ce cépage. Moyennement corsé et sec, il se bonifiera au terme d'un vieillissement supplémentaire de 1 ou 2 ans et se conservera parfaitement 10 à 12 ans.

Avec une robe dorée moyennement foncée, plus sombre que celle du cru précédent, le Riesling Clos Hauserer 1995, vendangé à la mi-octobre, ne révèle aucune trace de botrytis, mais présente un nez mielleux de marmelade d'orange et déploie en bouche, par paliers, un caractère massif et très corsé. Concentré et puissant, étonnamment long, énorme et richement extrait, il ne sera prêt que d'ici 2 ans et se conservera parfaitement 10 à 12 ans.

Issu de rendements de 10 à 12 hl/ha, le Riesling Clos Windsbuhl 1995 s'impose comme une véritable essence de ce cépage, dégageant des arômes extrêmement puissants, métalliques et de minéral, mêlés de notes d'agrumes et de pomme mûre. C'est un Riesling classique, très corsé, sec et mûr, fabuleusement doté, avec une acidité élevée et un potentiel de garde de 10 à 15 ans, si ce n'est davantage.

Le dernier de la série des Riesling sec, le Rangen Clos Saint-Urbain 1995, ne présente ni l'ampleur ni le caractère massif du cru précédent. Il est néanmoins impressionnant, peu évolué, serré et encore dans sa toute petite enfance. D'après Olivier Humbrecht, les fermentations ont duré presque dix mois. Ce vin, dont le curieux nez de noix grillée, d'épices et de gingembre laisse entrevoir un caractère exotique, se montre moyennement corsé et riche en bouche, avec une acidité élevée dans un ensemble épicé aux notes de terre. Il se bonifiera encore d'ici 1 à 3 ans, et vous pourrez ensuite l'apprécier durant 15 ans.

Les deux cuvées de Vendanges tardives sont toutes deux moyennement douces, et donc plus accessibles et plus ouvertes que les vins précédents.

Avec son nez exotique et mielleux, le Riesling Herrenweg Turckheim VT 1995, moyennement doux, est étonnant de richesse et extrêmement pur, avec un caractère richement extrait et terriblement alcoolique. Ce vin, qui ne pourra vraisemblablement accompagner que les mets les plus intensément parfumés, devrait durer encore 15 à 20 ans.

Avec ses 13 % de sucre résiduel et ses 12,5 % d'acidité totale, le Riesling Brand VT 1995 se révèle moyennement doux et libère, à la fois au nez et en bouche, des arômes épicés de mandarine et d'orange. Très corsé et richement extrait, il présente encore une acidité qui tapisse le palais, ainsi qu'un caractère peu évolué, mais potentiellement profond. Ce vin doit être conservé encore 3 ou 4 ans avant d'être dégusté sur les 20 ans qui suivront.

Vous trouverez, parmi les Tokay-Pinot Gris, cinq vins secs et un Vendanges tardives.

Les amateurs du Tokay-Pinot Gris Vieilles Vignes de ce domaine seront enchantés de savoir que le 1995 est spectaculaire, mais regretteront sans doute qu'il atteigne le prix des meilleurs crus de Bourgogne. Cela n'est pas injustifié au regard de sa qualité, mais ceux d'entre vous qui se souviennent de la glorieuse époque où ce cru était proposé à moins de 100 F la bouteille en seront certainement secoués. Issu d'un vignoble planté en 1946, ce vin exhale un nez explosif de pop-corn crémeux, d'encens et de fruits confiturés. Presque sec, d'une concentration incroyable et légèrement marqué par le botrytis, il déborde de fruité onctueux et dévoile une finale massive et épaisse qui suinte de glycérine, de fruit et d'alcool. Il doit bien titrer 14,5° d'alcool naturel. **A maturité : jusqu'en 2008.**

Issu de tout petits rendements de 14 hl/ha, le Tokay-Pinot Gris Rotenberg 1995, peu évolué et dense, pourrait se révéler irrésistible au terme d'un vieillissement supplémentaire. Ce vin totalement sec, non marqué par le botrytis, présente un potentiel extraordinaire, mais il requiert de la patience, car il est encore fermé et peu évolué. Vous l'apprécierez sur les **20 ans** qui suivront une garde de 2 ou 3 ans.

Le Tokay-Pinot Gris Heimbourg 1995, qui n'est malheureusement disponible qu'en toutes petites quantités, est le plus exotique de tous les Tokay de la gamme, avec des arômes mielleux de pêche et d'abricot qui rappellent le gewurztraminer. Très corsé, il offre un cocktail de notes de fruits tropicaux qui jaillit littéralement du verre et dévale le palais en cascade. Ce vin étonnamment précis est aussi riche, légèrement doux et spectaculaire. **A boire dans les 12 à 15 ans.**

Plus classique et totalement sec, le Tokay-Pinot Gris Clos Windsbuhl 1995, de couleur or moyennement foncé, présente de curieux arômes de minéral et de vanille, ainsi que de subtiles senteurs florales accompagnées d'un fruité crémeux et métallique. Fabuleux en bouche, très corsé et extrêmement concentré, il est encore d'une extraordinaire précision dans le dessin et remarquablement persistant en bouche, déployant une finale longue de plus de quarante secondes. **A maturité : 2001-2016.**

Plus doux, avec un caractère de miel et de botrytis, le Tokay-Pinot Gris Clos Jebsal 1995 se révèle massif et très corsé, d'une richesse en extrait et d'un caractère presque irréels, avec une pureté et un équilibre exceptionnels. Tous les Tokay du Domaine Zind-Humbrecht sont très richement extraits, mais n'en conservent pas moins une harmonie impeccable. Celui-ci fera des merveilles en accompagnement d'un foie gras. Son potentiel de garde est de **20 ans.**

Avec 14,5° d'alcool naturel et 9,5 % d'acidité, le Tokay-Pinot Gris Rotenberg VT 1995 est presque trop intense, mais on ne peut s'empêcher d'admirer son fabuleux déploiement d'arômes puissants et richement extraits, crémeux et légèrement marqués par le botrytis, ainsi que son acidité très élevée et sa pureté merveilleuse. Très long en bouche, il tapisse littéralement le palais d'un fruité visqueux, mais ne se révèle jamais lourd, grâce à son heureuse acidité qui lui apporte de la fraîcheur et du ressort. Ce vin, au remarquable caractère aigre-doux, devrait se conserver **20 ans, si ce n'est davantage.**

Les deux Muscat Vendanges Tardives sont absolument stupéfiants. Le Muscat Herrenweg Turckheim VT 1995, pas tout à fait sec, exhale d'abondantes senteurs de fruits tropicaux et présente en bouche de fabuleux arômes de fleurs et de miel. Moyennement corsé, merveilleusement frais et vif, il déploie une finale longue et savoureuse. Il titre au moins 14° d'alcool naturel. Compte tenu de la fragilité du Muscat, il serait préférable de le déguster **assez rapidement.**

Sec, avec des arômes très prononcés de minéral, le Muscat Goldert VT 1995 exhale un curieux nez de fleurs et de champignons, et révèle en bouche des arômes intenses et concentrés, ainsi qu'une acidité très élevée. Ce vin peu évolué est difficile à jauger en raison de son caractère serré, et, alors que les Muscat durent généralement 2 ou 3 ans, je pense que celui-ci tiendra bien **7 ou 8 ans** encore.

Parmi les Gewurztraminer que propose le Domaine Zind-Humbrecht, vous trouverez le Wintzenheim 1995, bien épicé et mûr, débordant de puissance et d'arômes richement fruités. Bien que dense, alcoolique et presque sec, il manque des légendaires arômes de ce cépage (pétale de rose et letchi), ce qui m'a empêché de lui attribuer une meilleure note. **A boire dans les 3 ou 4 ans.**

D'une couleur légèrement dorée plus évoluée que celle du vin précédent, le Gewurztraminer Goldert 1995 me semble quelque peu diffus, ne présentant pas le véritable caractère de ce cépage. Moyennement corsé et débordant d'un riche fruité, il est ample, savoureux, floral et satisfaisant dans l'ensemble, mais la finesse, la complexité et le côté ostentatoire du Gewurztraminer lui font incontestablement défaut. **A boire dans les 5 ans.**

Les quatre meilleurs Gewurztraminer du millésime 1995 sont le Hengst, le Clos Windsbuhl, le Heimbourg et le Rangen Clos Saint-Urbain du Domaine Zind-Humbrecht.

Le Gewurztraminer Hengst 1995 arbore une robe légèrement dorée qui introduit au nez des arômes mielleux de caramel mou et d'orange, ainsi que des senteurs aigres-douces. Suit un vin richement extrait, sec et très corsé, extrêmement alcoolique et impressionnant de structure, au caractère puissant et massif. **A boire dans les 7 ou 8 ans.**

Plus légèrement coloré que le cru précédent, car non marqué par le botrytis, le Gewurztraminer Clos Windsbuhl exhale un nez pur et richement fruité de minéral. Très corsé, il se dévoile en bouche par paliers, révélant une finale massive et puissante, capiteuse et sèche. Il pourrait bien s'imposer comme le Gewurztraminer le plus classique et de plus longue garde du millésime. **A boire entre 1999 et 2012.**

Le Gewurztraminer Heimbourg 1995 présente un nez épicé et doux, et se révèle très corsé en bouche, où il déploie des arômes fruités, puissants et concentrés. Bien que richement extrait, il manque des caractéristiques légendaires du cépage dont il est issu, de même qu'il pèche par défaut d'équilibre et de précision dans le dessin – deux qualités qui signent généralement l'excellence des vins Zind-Humbrecht. Ce Gewurztraminer impressionnant d'ampleur, mais peu structuré, devrait être consommé dans les **5 à 7 ans.**

Le Gewurztraminer Rangen Clos Saint-Urbain 1995 sera certainement sujet à controverses... limitées, car il n'a été produit qu'à hauteur de 450 bouteilles. Avec une couleur dorée profonde et bien évoluée, il dégage un nez explosif, doux et mielleux, et montre une richesse en extrait absolument monstrueuse ; la finale est remarquablement sèche, très corsée et très intense. Il en est presque fatigant à déguster et à évaluer. Issu de rendements de 9,5 hl/ha et vendangé à un stade de maturité qui siérait à une Sélection de grains nobles, ce vin a fermenté pendant presque une année. Il est sec, époustouflant de concentration, mais ne fera pas l'unanimité. Sa richesse est telle qu'on a plutôt l'impression de le manger que de le boire. Son potentiel de garde est de **20 ans et plus.**

Avec sa robe très évoluée de couleur or foncé, le Gewurztraminer Herrenweg Turckheim VT 1995 déploie des arômes mielleux et épicés de fruits confiturés, ainsi que des senteurs aigres-douces très marquées par le botrytis. On n'y décèle aucunement les légendaires notes de letchi, de pétale de rose et d'ananas typiques de son cépage, mais il se montre long, énorme et modérément doux, avec un potentiel de garde de **10 à 15 ans.**

BORDEAUX

Ce qu'il faut savoir

TYPES DE VIN

Les propriétés du Bordelais, généralement appelées châteaux, sont les plus importants producteurs de vins de grande qualité capables de vieillir. Au cours des années 80 et 90, la production annuelle moyenne se situait entre 25 et 60 millions de caisses, dont 75 % de vin rouge.

Vin rouge La réputation du bordeaux repose, pour une bonne part, sur la production de vin rouge, dont seule une faible proportion est issue des appellations prestigieuses que sont Margaux, Saint-Julien, Pauillac et Saint-Estèphe (pour le Médoc), ainsi que Pomerol, Graves et Saint-Émilion, qui toutes font des vins chers mais, d'une manière générale, de grande qualité.

Vin blanc Les régions de Sauternes et de Barsac produisent des vins liquoreux, riches et onctueux. Le Bordelais produit aussi tout un océan de vin blanc sec, dont la plus grande partie est insipide et terne. Seule l'appellation Graves propose d'excellentes bouteilles.

CÉPAGES

Voici la liste des principaux cépages cultivés dans la région de Bordeaux, pour le rouge et pour le blanc.

CÉPAGES DE VIN ROUGE

Pour l'élaboration des vins rouges, trois principaux cépages sont plantés dans le Bordelais, ainsi que deux cépages minoritaires dont un seul, le petit verdot, sera décrit ci-dessous. Le cépage a bien sûr une profonde influence sur le caractère du vin qui en est issu.

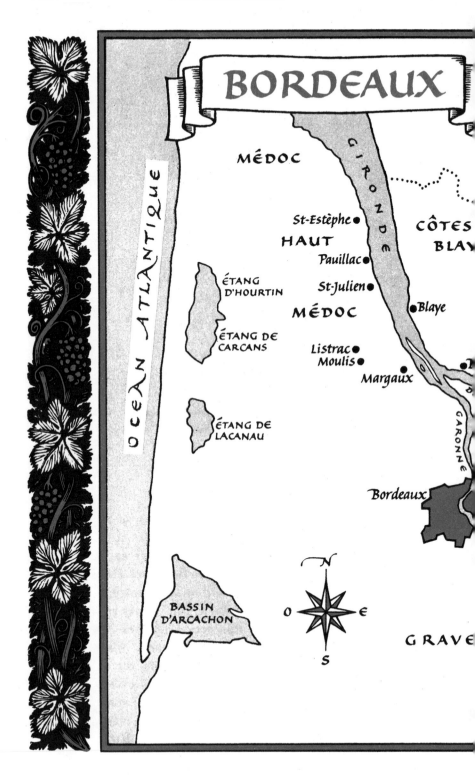

BORDEAUX

MÉDOC

GIRONDE

St-Estèphe

HAUT

Pauillac

St-Julien

MÉDOC

Listrac
Moulis

Margaux

CÔTES
BLAY

Blaye

GARONNE

Bordeaux

ÉTANG
D'HOURTIN

ÉTANG DE
CARCANS

ÉTANG DE
LACANAU

OCÉAN ATLANTIQUE

BASSIN
D'ARCACHON

N

O   E

S

GRAVE

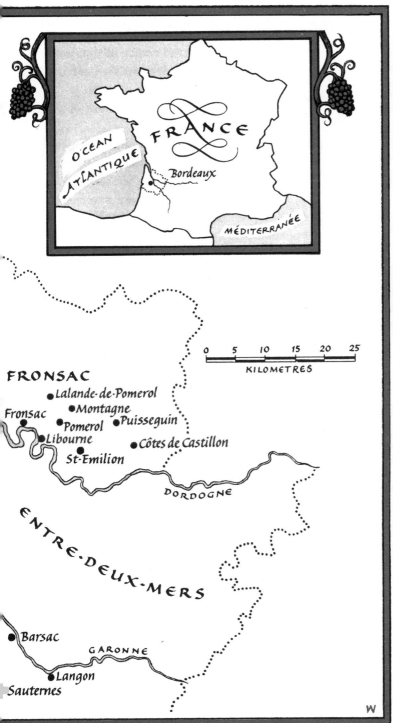

FRONSAC

Lalande-de-Pomerol

Fronsac   Montagne

Pomerol   Puisseguin

Libourne

St-Emilion   Côtes de Castillon

DORDOGNE

ENTRE-DEUX-MERS

Barsac

GARONNE

Langon

Sauternes

0   5   10   15   20   25
KILOMETRES

FRANCE

OCEAN

ATLANTIQUE

Bordeaux

MÉDITERRANÉE

W

Cabernet sauvignon   Fortement pimenté, très astringent et très tannique, ce cépage donne leur structure, leur force, leur couleur foncée, leur caractère et leur longévité aux vins d'une majorité des vignobles du Médoc. Il mûrit tardivement, résiste bien à la pourriture grâce à sa peau épaisse et offre un arôme prononcé de cassis, parfois mêlé à de subtiles senteurs d'herbe fraîche qui le disputent au parfum de cèdre lorsque le vin vieillit. Presque tous les châteaux du Bordelais cultivent du cabernet sauvignon en association avec d'autres cépages. La part de cabernet sauvignon dans l'encépagement varie de 40 à 85 % pour les domaines du Médoc, de 40 à 60 % pour ceux des Graves, de 10 à 50 % pour ceux de Saint-Émilion, de 0 à 20 % pour ceux de Pomerol.

Merlot   Il est cultivé pratiquement par tous les châteaux parce qu'il donne des vins ronds, généreux, bien colorés, souples et alcooliques. Il mûrit une ou deux semaines plus tôt que le cabernet sauvignon. Dans le Médoc, ce cépage atteint son apogée, et plusieurs châteaux le cultivent très largement (notamment Palmer, Cos d'Estournel, Haut-Marbuzet et Pichon-Lalande), mais c'est surtout aux vins de Pomerol, où il est très présent, qu'il doit sa belle réputation. La part de merlot dans l'encépagement va de 5 à 45 % dans le Médoc, de 20 à 40 % dans les Graves, de 25 à 60 % en Saint-Émilion et de 35 à 98 % en Pomerol. Ce cépage donne des vins plus faibles en acidité et en tannins que le cabernet sauvignon. Ils sont généralement buvables plus tôt que ceux issus essentiellement de ce dernier cépage, mais souvent capables de vieillir aussi bien.

Cabernet franc   Proche cousin du cabernet sauvignon et mûrissant un peu plus tôt, le cabernet franc (appelé bouchet à Saint-Émilion et à Pomerol) est utilisé dans des proportions relativement modestes, pour apporter de la complexité et du bouquet aux vins. Il donne des arômes piquants, souvent très épicés, parfois herbacés, avec des nuances d'olive. Il n'a pas le caractère souple et charnu du merlot, ni l'astringence, la puissance et la couleur du cabernet sauvignon. La part de cabernet franc dans l'encépagement va de 0 à 30 % dans le Médoc, de 5 à 25 % dans les Graves, de 25 à 66 % en Saint-Émilion et de 5 à 50 % en Pomerol.

Petit verdot   Ce cépage noir est utile, mais pose des problèmes parce qu'il mûrit très tard. Le petit verdot donne une couleur intense, des tannins agressifs et beaucoup de sucre (donc beaucoup d'alcool) quand il arrive à pleine maturité, comme en 1982 et 1983. En revanche, quand il ne mûrit pas suffisamment, il confère au vin un caractère acide, piquant et déplaisant. Dans le Médoc, peu de châteaux utilisent plus de 5 % de petit verdot, et, tels Palmer et Pichon-Lalande, ils cultivent en même temps beaucoup de merlot.

CÉPAGES DE VIN BLANC

Le sauvignon blanc et le sémillon sont habituellement utilisés pour les vins blancs secs comme pour les vins liquoreux. Quant à la muscadelle, elle n'entre pratiquement que dans le blanc sec.

Sauvignon blanc   Ce cépage blanc donne des vins très parfumés, parfois herbacés, avec un caractère nerveux et austère. Il est utilisé pour les vins blancs secs comme pour les liquoreux. Dans les Graves, quelques châteaux le cultivent exclusivement, mais il voisine, le plus souvent, avec le sémillon. En moyenne, sa proportion dans l'encépagement est moindre dans le Sauternais que dans les Graves.

Sémillon   Très sensible à la célèbre pourriture noble (c'est-à-dire au *Botrytis cinerea*) indispensable à l'élaboration des grands vins liquoreux, le sémillon donne un caractère riche, crémeux et intense aux blancs secs comme aux doux. Les vins qui en sont issus sont en majorité peu fruités dans leur jeunesse, et paraissent prendre du poids et de l'épaisseur en vieillissant. C'est pourquoi les viticulteurs de Sauternes et de Barsac cultivent davantage de sémillon que ceux des Graves.

Muscadelle   C'est le moins présent des trois cépages blancs du Bordelais. Il est fragile, très sensible aux maladies. Cependant, quand il demeure sain et qu'il mûrit, il donne des vins très parfumés, intensément floraux. Il n'est utilisé qu'en petite proportion par des châteaux de Sauternes et de Barsac, et n'est pas cultivé dans les Graves.

PRINCIPALES APPELLATIONS

Voici les principales caractéristiques des vins les plus renommés de la région de Bordeaux.

Saint-Estèphe   Bien que les vins de Saint-Estèphe soient connus pour leur dureté, due aux sols lourds de la région, on y cultive davantage de merlot que partout ailleurs dans le Médoc. En effet, même s'il est dangereux de généraliser, on peut dire que les Saint-Estèphe ont souvent un bouquet moins expressif et moins flatteur que les vins des autres grandes appellations du Médoc, et qu'ils révèlent un caractère plus rude, plus sévère et plus tannique. Ils sont habituellement bien corsés et offrent un potentiel de garde énorme.

Pauillac   Un Pauillac classique paraît avoir tout ce qui, dans l'esprit du public, définit le bordeaux : un bouquet riche de cassis et de cèdre, un caractère moyennement ou franchement corsé en bouche, de la générosité et des tannins. La grande renommée de ces vins explique leurs prix élevés.

Saint-Julien   Il est souvent difficile de distinguer les Saint-Julien des Pauillac. Ils débordent d'arômes fruités et de parfums de cèdre et d'épices. La qualité générale de la vinification est très élevée dans cette appellation. Les amateurs en prendront note !

Margaux   Les plus légers des Médoc, mais peut-être les plus séduisants dans les grands millésimes. Bien que le niveau général soit inférieur à celui des autres appellations de la région, un Margaux, lorsque l'année est favorable, déploie un bouquet superbe de fleurs et de fruits rouges, étayé par les senteurs de chêne neuf. En ce qui concerne le corps et les tannins, les Margaux, malgré un pourcentage élevé de cabernet sauvignon dans l'encépagement, arrivent généralement plus rapidement à maturité que les Saint-Julien, les Pauillac et les Saint-Estèphe. Mais, pour ceux qui aiment les grands bouquets, ces vins peuvent être fabuleux.

Graves rouges   Les vins typiques des Graves sont les bordeaux les plus faciles à identifier dans une dégustation à l'aveugle. Ils ont, en effet, une odeur de minéral caractéristique, ainsi que des senteurs de tabac et de cèdre. Les Graves sont généralement les plus légers du Bordelais.

Saint-Émilion   Les vins de cette appellation étant très divers, il est difficile de généraliser. Cependant, ils sont le plus souvent plus souples et plus charnus que les Médoc, sans pour autant avoir le caractère délicieux et charmeur des Pomerol. Le pourcentage élevé de cabernet franc qui entre dans leur assemblage leur donne fréquemment un bouquet très net de cèdre et d'herbe fraîche.

Pomerol   On les appelle souvent les bourgognes de Bordeaux, à cause de leur richesse, de leur souplesse et de leur caractère assez monolithique. Ils vieillissent cependant extrêmement bien et savent séduire les épicuriens par leurs arômes débordant de cassis, de cerise noire et, parfois, de mûre. Dans les grandes années, ils déploient une opulence exquise.

Graves blancs   Les meilleurs Graves blancs sont issus de sauvignon blanc et de sémillon, et vieillis en fûts de chêne. Ils se montrent d'abord excessivement boisés, mais prennent de l'ampleur avec l'âge et développent un caractère riche et crémeux qui se marie très joliment avec le chêne. Les autres bordeaux blancs sont souvent parfaitement ternes et insipides. Pour ceux qui aiment l'eau acidulée...

Sauternes et Barsac   Selon le millésime et le degré de développement de la pourriture noble sur le raisin, les vins peuvent être gras et généreux, mais manquer de caractère dans les années défavorables, ou être merveilleusement exotiques, avec un bouquet onctueux de fruits tropicaux, de noix tendre et de crème brûlée, lorsque le *Botrytis cinerea* a fait son œuvre.

Les appellations satellites   De grandes quantités de vins sont produites dans nombre d'appellations moins renommées de Bordeaux. Ils sont en grande partie commercialisés en France et n'ont rencontré aucun succès aux États-Unis, compte tenu de l'attachement obsessionnel des Américains aux marques de luxe et aux appellations prestigieuses. Toutefois, pour les vrais connaisseurs, ils peuvent représenter des affaires exceptionnelles, en particulier dans de bons millésimes comme 1982, 1985, 1989 et 1990, où les excellentes conditions climatiques et l'utilisation judicieuse de la technologie moderne ont permis à nombre de propriétés de produire d'excellents vins qu'elles proposent à des prix tout à fait raisonnables. Voici les appellations satellites les plus importantes.

Fronsac et Canon-Fronsac   Aux XVIIIe et XIXe siècles, les vignobles épars des coteaux et des combes de la région de Fronsac et de Canon-Fronsac, situés à quelques kilomètres seulement de la ville de Libourne, étaient plus connus que ceux de Pomerol ; et les vins qui en étaient issus se vendaient à des prix plus élevés que les Saint-Émilion. Cependant, l'accès à Pomerol devenant plus aisé et les négociants ayant presque tous leurs bureaux à Libourne, les vignobles de Pomerol et de Saint-Émilion ont par la suite été plus et mieux exploités que ceux de Fronsac et de Canon-Fronsac. Cette dernière région a ainsi sombré dans un oubli dont elle ne s'est relevée que très récemment.

Lalande-de-Pomerol   Au nord de Pomerol et de Néac se trouve la commune satellite de Lalande-de-Pomerol, dont le vignoble, d'une superficie de 900 ha, au sous-sol relativement léger, graveleux et sablonneux, produit exclusivement des vins rouges. Bordée au nord par la rivière Barbanne, l'appellation Lalande-de-Pomerol produit des vins dont les meilleurs rivalisent sans peine avec des

Pomerol de niveau moyen, et certains crus, tels Belles Graves, La Croix Saint-André et Du Chapelain, sont même considérés comme excellents suivant les critères de qualité auxquels répondent les Pomerol. Le seul inconvénient réel que présentent les vins de cette appellation est leur inaptitude au long veillissement. En effet, ils doivent en principe être consommés dans les 5 ou 6 ans qui suivent leur diffusion. Malheureusement, le seul millésime récent que je puisse recommander est le 1990.

Côtes de Bourg Sur la rive droite de la Garonne, à quelques minutes en bateau de la prestigieuse appellation Margaux, se trouvent les Côtes de Bourg, très étendues avec plus de 4 000 ha de vignobles. Ces derniers sont même plus anciens que ceux du Médoc, car cette région vallonnée était d'une grande importance stratégique sous les Plantagenêts. Le point de vue au-dessus des coteaux qui jouxtent la rivière est superbe, et la Chambre de commerce locale a essayé de promouvoir cette cité en nommant Bourg « la Suisse de la Gironde ». A mon avis, elle devrait plutôt mettre en évidence le côté attrayant des meilleurs crus des Côtes de Bourg, qui sont en général des vins séduisants, très évolués, très fruités, avec beaucoup de rondeur ; de même qu'elle devrait mettre en valeur le ravissant village portuaire de la région et la vieille ville à flanc de coteau de Bourg-sur-Gironde.

Blaye Juste au nord de la ville de Bourg s'étendent les quelque 2 700 ha de vignobles du Blayais, dont les meilleurs bénéficient de l'appellation Premières Côtes de Blaye. Bien que l'on produise beaucoup de vin blanc dans la région, cette appellation est essentiellement connue pour ses rouges. A leur meilleur niveau, ces vins, qui ressemblent beaucoup aux Côtes de Bourg, sont évolués, ronds, richement fruités et se distinguent avantageusement parmi ceux de gamme moyenne.

Loupiac et Sainte-Croix-du-Mont Les producteurs de vins doux de ces régions auront, à mon avis, un rôle de plus en plus important à jouer du fait de l'augmentation excessive du prix des vins de Barsac et de Sauternes. Situés sur la rive droite de la Garonne, à environ 38 km au sud de Bordeaux, Loupiac et Sainte-Croix-du-Mont font face au Sauternais, qui est de l'autre côté du fleuve, et bénéficient d'une exposition sud optimale. Ces deux appellations d'origine contrôlée ont été délimitées en 1936, et plusieurs observateurs estiment que l'excellente exposition de leurs meilleurs vignobles et leur sous-sol argilo-calcaire favorisent la production de liquoreux. De plus, les brumes matinales, essentielles pour la formation de la pourriture noble *(Botrytis cinerea)*, y sont fréquentes. L'appellation Loupiac couvre au total 550 ha, et, si les amateurs s'intéressent en priorité aux vins blancs doux qui en sont issus, on y produit également du vin blanc sec ainsi qu'un peu de vin rouge.

POTENTIEL DE GARDE

Saint-Estèphe : 8 à 35 ans	Barsac/Sauternes :
Pauillac : 8 à 40 ans	10 ans à plus de 50 ans
Saint-Julien : 8 à 35 ans	Fronsac/Canon-Fronsac :
Margaux : 8 à 30 ans	5 à 20 ans
Graves rouges : 8 à 30 ans	Lalande-de-Pomerol : 3 à 6 ans

Saint-Émilion : 8 à 25 ans
Pomerol : 5 à 30 ans
Graves blancs : 5 à 20 ans
Bourg : 3 à 10 ans

Blaye : 2 à 4 ans
Loupiac : 5 à 15 ans
Sainte-Croix-du-Mont :
    4 à 12 ans

QUALITÉ DES VINS

Le Bordelais produit toujours des vins d'un niveau supérieur à celui de n'importe quelle autre région viticole du monde. On y trouve certes des crus sans complexité ni caractère, mais les vins vraiment mauvais y sont rares. Dans le monde entier, pour les meilleurs producteurs de vins issus de cabernet sauvignon, de merlot et de cabernet franc, Bordeaux demeure la référence.

QUELQUES DONNÉES ESSENTIELLES

L'amateur qui cherche à acheter avec discernement des vins de Bordeaux doit avant tout savoir quels sont les châteaux qui produisent actuellement les meilleurs vins. Un survol de la nomenclature des premiers crus permettra d'identifier les producteurs soucieux de maintenir un haut niveau de qualité. Cependant, il faut également se familiariser avec les styles des vins des différentes appellations. Certains dégustateurs préféreront le caractère austère et dur des Saint-Estèphe ou des Pauillac, alors que d'autres se laisseront séduire par la sensualité éclatante et l'opulence des Pomerol. J'ai remarqué que les néophytes se montraient souvent hermétiques au bouquet de minéral et de tabac si typique des vins des Graves, mais, dès qu'ils commencent à avoir de l'expérience, les amateurs avertis admirent précisément ce trait de caractère. Quant aux classifications officielles des vins de Bordeaux, elles sont caduques et ne présentent guère qu'un intérêt historique. Elles ont servi à l'origine à promouvoir bon nombre de crus et à établir des frontières de qualité très strictes. Cependant, par suite de négligence, d'incompétence ou simplement de cupidité, certains crus classés produisent aujourd'hui des vins faibles et de qualité médiocre qui sont loin de mériter leur rang. En revanche, la classification qui figure dans les pages qui suivent néglige le pedigree des crus pour ne s'attacher qu'à leur qualité actuelle. Elle me semble donner une meilleure orientation à l'amateur que les classements officiels.

STRATÉGIE D'ACHAT

Les plus beaux 1989 et 1990 sont maintenant quasiment introuvables sur le marché, et les rares flacons disponibles sont à des prix tellement excessifs qu'ils ne sont abordables que par les amateurs fortunés. Quant aux 1991, 1992 et 1993, ils sont parfois proposés à des prix intéressants, mais je conseille vivement aux amateurs de se montrer très prudents lors d'un achat éventuel. Il serait certainement plus judicieux de repérer, dans les ventes aux enchères, les meilleurs crus dans des millésimes comme 1983, 1985 et 1986. Ceux-ci sont encore à des prix raisonnables, et il faut simplement s'assurer de ce qu'ils ont été conservés dans de bonnes conditions. On peut également trouver sur le marché quelques bouteilles de 1982, qui est une très grande année pour les bordeaux. Malgré des prix excessivement élevés et l'incertitude qui règne quant à leurs conditions de stockage, ces vins suscitent quand même la frénésie des acheteurs.

Plus récemment, les meilleurs 1993, encore à prix raisonnables compte tenu de la qualité générale du millésime, peuvent se révéler de bonnes affaires. 1994, pourtant compromis par les pluies, offre quelques très bons ou excellents vins, bien meilleurs en tout cas que leurs aînés d'un an. La cote des mieux réussis d'entre eux a considérablement augmenté depuis leur mise sur le marché – ils demeurent cependant moins chers que les superbes et très demandés 1995, que les amateurs s'arrachent aujourd'hui au prix fort. A titre indicatif, les 1993 sont environ 30 % moins chers que les 1994, et 30 à 80 % moins chers que les 1995.

Le millésime 1996, de bon niveau, se révèle toutefois irrégulier – particulièrement réussi dans le Médoc, mais plutôt mitigé sur la rive droite. On peut dès lors imaginer que les prix des meilleurs crus seront en hausse par rapport à ceux de l'année précédente, et qu'ils grimperont encore en flèche sitôt que les vins seront diffusés.

LES MILLÉSIMES

1996

Des cabernets puissants et tanniques, et des merlots à géométrie variable.

Cela fait plus de vingt ans, maintenant, que j'étudie, dans le détail, les données climatiques du printemps, de l'été et du début de l'automne dans le Bordelais. Je me suis également penché sur les conditions météorologiques qui ont présidé à tous les grands millésimes de ce siècle et cela m'a inspiré les réflexions suivantes :

– d'abord, les plus grandes années de Bordeaux sont généralement celles d'un été exceptionnellement chaud et sec, avec une pluviométrie inférieure à la normale et des températures bien au-dessus des moyennes saisonnières ;

– ensuite, certains grands millésimes ont connu un mois de septembre légèrement mouillé, la qualité de la vendange n'étant vraiment affectée que par des apports d'eau assez importants à cette période ;

– enfin, si les viticulteurs de toutes les régions de France chantent tous la même chanson – « Juin fait la quantité et septembre fait la qualité » –, certains en rajoutent en déclarant qu'« août fait le moût ».

Malgré des conditions météorologiques tout à fait inhabituelles depuis le mois de mars jusqu'à la mi-octobre, Bordeaux a enregistré de belles réussites en 1996[1].

L'hiver 1996 fut plutôt doux et pluvieux. Lorsque j'ai débarqué à Bordeaux le 19 mars 1996, la région connaissait une telle vague de chaleur que l'on se serait cru au mois de juin. Celle-ci a duré pendant tout mon séjour, soit une douzaine de jours, et nombre de viticulteurs prévoyaient une floraison précoce et, par conséquent, des vendanges qui le seraient aussi. Cette période chaude a été suivie, tout début avril, de quelques jours de froid, eux-mêmes suivis d'une nouvelle vague de chaleur, avec des températures étonnamment élevées. En revanche, le mois de mai a été, de manière tout à fait inhabituelle, relativement frais.

Lorsque je suis revenu en France pour dix-sept jours à la mi-juin, le pays tout entier subissait depuis quelque temps déjà des températures très élevées, de l'ordre de 30 à 35 °C. Celles-ci avaient favorisé une floraison extrêmement rapide et homogène, laquelle s'était déroulée sur trois ou quatre jours seulement au lieu des sept à dix habituels. Un temps plutôt froid à la fin du mois de mai et au début du mois de juin avait été à l'origine d'un important millerandage dans les vignobles de Pomerol. Fin juin, tout le monde s'attendait à une vendange précoce et abondante (sauf dans la région de Pomerol, où celle-ci était réduite du fait du millerandage), et, d'un point de vue viticole, tout allait pour le mieux dans le meilleur des mondes.

Si le temps fut à peu près conforme aux moyennes saisonnières entre le 11 juillet et le 19 août, les onze premiers jours de juillet et la période allant du 25 au 30 août furent anormalement pluvieux, et soudainement frais. Alors que la pluviométrie de Bordeaux pour le mois d'août est en moyenne de 53 mm, on enregistra en 1996 près de 144 mm pour ce même mois. Il ne faut cependant pas se fier aveuglément aux statistiques, qui peuvent parfois induire en erreur : en effet, les pluies les plus importantes furent très localisées : Saint-Émilion et l'Entre-Deux-Mers enregistrèrent les plus fortes précipitations (plus de 120 mm), suivis de Margaux (60 mm), de Saint-Julien (50 mm), de Pauillac (45 mm), et de Saint-Estèphe et du nord du Médoc, avec moins de 30 mm. En téléphonant à certains amis bordelais au cours du week-end du 1er septembre, j'ai recueilli des avis tout à fait contradictoires sur les vendanges à venir. Ceux de la rive droite et de la partie sud des Graves étaient, bien entendu, dans tous leurs états, allant même jusqu'à dire que le millésime serait aussi désastreux que 1974, à moins qu'un mois de septembre miraculeux ne vienne le transformer en un 1988 ou un 1978. Au contraire, ceux du Médoc, notamment ceux de Saint-Julien, étaient plutôt optimistes, et espéraient qu'un beau mois de septembre leur apporterait une année formidable. En effet, les pluies torrentielles, qui avaient gorgé les raisins dans le sud et dans l'est du Bordelais, avaient fort heureusement évité le Médoc. Toutefois, cette région

1. Je remercie vivement Hanna Agostini, Bill Blatch, Michel Delon et Pascal Ribereau-Gayon de m'avoir fourni des rapports climatiques très détaillés pour cette période.

évitait, grâce à sa faible pluviométrie, les conditions de sécheresse qui avaient stressé la vigne en 1995 et en 1989, si bien que ses vignobles étaient tout à fait florissants.

Si tous les millésimes de 1991 à 1994, et, dans une moindre mesure, 1995, ont été perturbés par des pluies au mois de septembre, ce cas de figure ne s'est pas reproduit en 1996. La période entre le 31 août et le 18 septembre, merveilleusement ensoleillée, a été suivie de deux jours de pluies légères. Le 21 septembre a été également un peu mouillé, mais c'est seulement le 24 et le 25 septembre qu'il y a eu d'assez importantes précipitations sur la région.

Des vents constants et secs, du nord-est et de l'est, ont incontestablement aidé à assécher les vignobles après les pluies diluviennes de la fin août. Les producteurs leur reconnaissent encore le mérite d'avoir contribué à l'élévation du taux de sucre dans les baies, et cela dans des proportions qui semblaient alors impossibles à atteindre. Enfin, les vents ont également joué un rôle d'antibiotique naturel, en ne permettant pas à la pourriture de ravager les vignes.

Le merlot a généralement été récolté pendant les deux dernières semaines de septembre, le cabernet franc à la fin de septembre et pendant les quatre ou cinq premiers jours d'octobre ; le cabernet sauvignon, à la peau plus épaisse et mûrissant plus tard que les autres cépages, a été vendangé entre la fin septembre et le 12 octobre. A l'exception d'une journée de pluie assez conséquente, le 4 octobre, ce mois a été plutôt ensoleillé et sec ; il offrait donc les conditions classiques d'un ramassage du cabernet sauvignon. La plupart des producteurs médocains avaient d'ailleurs établi un parallèle entre la récolte de ce cépage en 1996 et celle de 1986. Cette année-là, des pluies torrentielles avaient en effet compromis les vendanges du merlot et du cabernet franc, mais elles avaient été suivies de quatre semaines d'un temps venteux, sec et ensoleillé qui avait permis de récolter le cabernet sauvignon dans des conditions idéales.

Compte tenu de ce qui précède, il n'est pas surprenant que les meilleurs 1996 soient issus du Médoc, où le cabernet a été vendangé dix à dix-huit jours plus tard que dans les propriétés à forte dominante de merlot.

Comme on pouvait s'y attendre après une floraison bien réussie, la vendange 1996 fut relativement abondante (6,5 millions d'hectolitres), mais légèrement moins importante que celle de l'année précédente (6,72 millions d'hectolitres). Il faut cependant noter que les meilleures propriétés de Pomerol – notamment celles qui sont situées sur le plateau – ont vu leur production réduite de 30 à 50 %, tandis qu'à Saint-Émilion cette réduction était de l'ordre de 10 à 15 % seulement. Les propriétés les plus sérieuses du Médoc ont eu des rendements moyens de 45 à 55 hl/ha, soit de 20 à 30 % inférieurs à ceux de 1986.

Voici donc, résumé en deux points, ce que je pense des 1996 après les avoir dégustés pendant près de deux semaines en mars 1997, à Bordeaux.

1. *Le millésime est à son meilleur niveau dans le Médoc, avec des vins qui contiennent généralement une plus forte proportion de cabernet sauvignon que de coutume.* Quiconque a dégusté les vins issus de cabernet sauvignon vendangé tardivement, entre le 30 septembre et le 1er octobre, s'est immédiatement rendu compte de leur puissance, de leur richesse et de leur caractère concentré et tannique qui leur assurera une longévité exceptionnelle. Les mieux réussis

égaleront – dans certains cas, surpasseront même – les meilleurs 1986. Cela étant dit, les Médoc charmeurs et flatteurs, destinés à être bus dans leur jeunesse, ne sont pas légion. Ce sont plutôt des vins de cabernet classiques, dans le style des 1952, 1955, 1966 et 1986.

2. *Malgré des rendements restreints, le millésime est inégal en Pomerol.* Cependant, les producteurs qui ont procédé à des sélections draconiennes pour ne diffuser sous leur étiquette que leurs meilleures cuvées (tels Petrus, Trotanoy, Le Pin, L'Église-Clinet) ou les propriétés qui ont vendangé tardivement (comme Clinet) ont obtenu des vins étonnamment riches, bien que tanniques. Ailleurs, les Graves rouges sont aussi de qualité inégale, et, bien qu'on trouve des vins très bons ou excellents, seuls une poignée d'entre eux se révéleront vraiment extraordinaires. Les Graves blancs, à l'acidité élevée, ont un caractère prononcé de sauvignon, le sémillon étant bien moins réussi. Ils sont en général un peu meilleurs que les 1995, mais incontestablement en dessous des splendides 1994. A Saint-Émilion, l'irrégularité est encore de mise, mais la récolte a été parfois excellente et plus régulière, à haut niveau, qu'en Pomerol ou dans les Graves. Les liquoreux de Sauternes et de Barsac devraient être les meilleurs depuis la fabuleuse série des 1988, 1989 et 1990, mais je conseille aux amateurs de ne pas s'enflammer, n'ayant rien dégusté qui puisse égaler les vins les mieux réussis de ces années-là. Enfin, la qualité des crus bourgeois et des autres petits châteaux est assez irrégulière, comme cela est généralement le cas dans les années où la pluie intervient pendant les vendanges. On ne peut s'attendre à des merveilles de ces propriétés que dans des années très mûres et très riches, comme 1990 ou 1982.

1995

Voici en quelques points ce qu'il faut savoir sur le millésime 1995.

1. *Chaleur et sécheresse.* Les mois de juin, juillet et août 1995 ont été les plus chauds de ces quarante dernières années.

2. *Déjà vu.* Exactement comme en 1993 et 1994, le temps s'est détérioré dès la première semaine de septembre, alors que débutaient les vendanges.

3. *Un mois de septembre pluvieux.* En 1995, les pluies ont duré du 7 au 19 septembre, alors qu'elles avaient persisté pendant tout le mois les deux années précédentes. En effet, la pluviométrie du mois de septembre fut en 1993 de 275 mm, en 1994 de 175 mm et en 1995 de 145 mm. Dans le même temps, Pauillac, Saint-Julien et Pomerol ne recevaient que 91 à 134 mm cette dernière année.

4. *Qualité.* Les 1995 les mieux réussis sont riches, concentrés, avec un faible niveau d'acidité et d'abondants tannins. Ils impressionnent par leur couleur, leur ampleur et la douceur de leur fruité. Les lecteurs devraient, pour mieux se les représenter, imaginer un breuvage composé à 50 % d'excellents 1985, à 25 % d'un des 1986 les mieux réussis et à 25 % d'un mélange de 1994, de 1988, et peut-être de 1990 et de 1992. Bref, 1995 ressemble fort à 1985, mais il offre des vins plus profondément colorés, plus riches, plus tanniques, avec moins d'acidité, un fruité plus doux et davantage de tenue. Comme l'a fort intelligemment résumé Anthony Barton, propriétaire de Léoville-Barton, il s'agit d'un « 1985 et demi ».

5. *Une récolte énorme.* La récolte 1995, de l'ordre de 6,72 millions d'hecto-litres, était proche du record de 1986 (6,75 millions d'hectolitres), mais les producteurs des appellations nobles ont respecté des rendements plutôt raison-nables, les propriétés les plus sérieuses les tenant, grâce à des vendanges en vert extrêmement sévères, aux alentours de 40 à 55 hl/ha. Ces chiffres sont inférieurs à ceux de millésimes comme 1990, 1989, 1986 et 1985.

6. *Enfin, du cabernet sauvignon mûr.* Si le merlot bien mûr explique la réussite des meilleurs 1994 et de nombre de 1995 de la rive droite, c'est le cabernet sauvignon, d'une très belle maturité et vendangé tardivement, qui contribue aux meilleurs 1995. C'est pour cette raison que les vins de Pauillac et de Saint-Julien, où un cabernet sauvignon d'excellente qualité a été rentré entre le 20 et le 30 septembre, sont si bien réussis.

7. *Les point forts du millésime.* Celui-ci est à son meilleur niveau à Saint-Julien, Pauillac, Saint-Estèphe et Pomerol, où les vins se révèlent exception-nels. Les premiers crus, les excellents deuxièmes crus, ainsi que les huit à dix meilleurs Pomerol, s'imposent comme des vins grandioses. Les Saint-Estèphe sont certainement très bons, mais pas forcément meilleurs qu'en 1994.

8. *Les points faibles du millésime.* Les Saint-Émilion, les Graves (rouges et blancs), ainsi que les Margaux sont les vins les plus difficiles à évaluer. Cer-tains sont bien sûr excellents (on trouve ainsi quelques Graves et Saint-Émilion absolument formidables), mais on distingue dans nombre d'entre eux les effets pervers de la sécheresse des mois d'été et des pluies torrentielles qui ont affecté le millésime. Les Graves blancs en particulier, portés au pinacle après la vendange, sont simplement bons et non pas grandioses, et n'ont ni la complexité ni la richesse de leurs aînés d'un an. Les liquoreux de Sauternes et de Barsac sont de qualité irrégulière ; bien que nettement supérieurs aux quatre millésimes précédents, ils ne sont aucunement à la hauteur des somp-tueux 1990, 1989 et 1988.

9. *Une demande sans précédent pour les meilleurs bordeaux.* La demande mondiale sur les 1995 était telle que les prix sont revenus aux cours records des 1989. Cela n'a pas découragé les acheteurs, les stocks de bordeaux (en vins de qualité) étant pratiquement épuisés.

10. *En résumé.* 1995 est une excellente année, supérieure à 1994, mais elle n'est en aucun cas aussi grandiose que 1990 ou 1982, par exemple. Cela dit, on trouve en haut de l'échelle certains vins absolument sensationnels. En outre, le millésime est également régulier à bon niveau pour les petits châteaux et les crus bourgeois.

Ceux qui ont acheté leurs 1995 en primeur ont tout lieu de se réjouir de leurs achats, puisque ceux-ci se révèlent, à l'heure actuelle, encore plus promet-teurs que lors de mes dégustations de mars 1996. On constatera que, de manière remarquable, les vins de merlot présentent aujourd'hui un caractère plus gras qu'il y a un an, et que ceux de cabernet sauvignon se sont étoffés et ont perdu ce côté astringent et tannique qui les desservait. En règle générale, les 1995 ont gagné en ampleur et en texture ; ils ne sont aucunement creux en milieu de bouche et ne montrent pas, comme je le craignais, des tannins durs et astringents.

Les prix qu'atteignent désormais les 1995 demeurent le point noir de ce millésime. En effet, le nombre d'acheteurs de bordeaux a augmenté de manière extraordinaire ces dix dernières années, et la demande mondiale s'accroît non seulement sur les 1995, mais également sur toutes les grandes années et sur les meilleurs crus du Bordelais.

Cela mis à part, espérons simplement que les producteurs se montreront suffisamment responsables au moment de la mise en bouteille pour résister aux pressions de leurs œnologues et qu'ils ne filtreront ni ne colleront leurs vins à l'excès.

1994

Après avoir passé deux semaines à Bordeaux pour déguster les tout jeunes 1994, voici mes observations.

1. *1994 est un excellent millésime* : aux fins de comparaison, j'ai tenté d'évaluer de la manière la plus objective et la plus exhaustive possible les 1994 par rapport aux meilleurs millésimes du Bordelais sur les vingt-cinq dernières années. Ainsi, pour ne parler que des plus récents, ils sont supérieurs aux 1983 et aux 1988 et, s'ils sont peut-être aussi bons, sinon meilleurs, que les 1985, la plupart d'entre eux ne se montreront pas aussi rapidement flatteurs.

2. *Les meilleurs vins de chaque appellation ne présentent aucun signe de dilution* : c'est assez remarquable si l'on tient compte du fait qu'il y a eu, entre le 7 et le 29 septembre, onze jours de pluie consécutifs, et ce avant que ne débutent les vendanges pour les rouges. La seule explication (valable également pour les excellents bourgognes rouges de 1993, pourtant vendangés pendant et après des pluies diluviennes) serait que le mercure n'a jamais dépassé les 15 °C en septembre, ce qui est anormalement frais pour ce mois à Bordeaux. Les températures ont en général varié entre 9 et 12 °C, et plusieurs spécialistes estiment que c'est du fait de cette fraîcheur ambiante que les vignes n'ont pas absorbé d'humidité, ce qui aurait gorgé les raisins et les aurait dilués. Cette explication me semble convaincante, et nul ne pourrait imaginer, après avoir goûté les meilleurs 1994, qu'il avait beaucoup plu pendant les vendanges. La presque totalité du merlot a été rentrée entre le 12 et le 23 septembre, et le cabernet sauvignon entre le 22 septembre et le 8 octobre. Le 27 septembre, date de la dernière pluie importante, a été suivi d'une période de plusieurs jours avec des averses éparses. Quant au mois d'octobre, il a été merveilleusement ensoleillé, mais les températures sont restées relativement basses, oscillant entre 9 et 15 °C.

3. *Ce millésime est à son meilleur niveau à Pomerol*, où la majorité des vins sont excellents. On compte nombre de réussites brillantes, et seuls quelques-uns présentent des signes de dilution. La raison en est simple : en effet, même si le merlot a été vendangé en période de pluie, il était à maturité physiologique, et les rendements étaient plutôt restreints. De plus, compte tenu de la petite taille de la plupart des exploitations, les vendanges se sont faites rapidement, et n'ont duré qu'entre un et quatre jours.

4. *Dans les autres appellations, les propriétés qui ont opéré une sélection sévère* et qui n'ont pas hésité à déclasser entre 30 et 55 % de leur récolte ont produit des vins riches, mûrs et concentrés, avec des niveaux de tannins élevés. A l'inverse, celles qui ne pouvaient se permettre un tel tri, ou celles dont le merlot n'avait pas la maturité suffisante pour apporter du gras et du corps

aux vins, ont obtenu un produit fini tannique et creux qui manquera vraisemblablement d'équilibre.

5. *La plupart des propriétés de Pessac-Léognan* ont vendangé leurs cépages
blancs entre le 31 août et le 18 septembre. La qualité des blancs secs des
Graves est excellente, et on y trouve beaucoup de vins riches et concentrés,
au faible taux d'acidité, qui sont également agréables, bien évolués et impressionnants. Au contraire, la plupart des producteurs de vins doux ont rencontré
de nombreux problèmes, car le mois de septembre a été très pluvieux. Cependant, les grandes propriétés, telle D'Yquem, n'ont vendangé qu'à la fin du
mois d'octobre, qui a été plutôt sec, mais je n'ai pas inclus dans cet ouvrage
les liquoreux de Bordeaux de cette année 1994 parce qu'il est difficile de porter
un jugement sur ces vins dans leur jeunesse. Je les ai néanmoins dégustés et,
à ce stade, je peux dire que, hormis les propriétés prestigieuses qui n'ont
récolté qu'à partir de la mi-octobre et qui font figure de superbes exceptions,
les Sauternes et Barsac sont en règle générale de qualité honnête, mais
moyenne, dans ce millésime.

6. *Il est toujours difficile de comparer un millésime à un autre*, mais, si l'on
considère l'excellente tenue du merlot, la consistance des Pomerol et le haut
niveau de tannins des Médoc, il semblerait bien que les 1994 soient la répétition des 1970. Certes, les conditions climatiques de ces deux années étaient
différentes (de ce point de vue, 1994 ressemblerait un peu à 1959), mais elles
ont néanmoins façonné des vins de style similaire. Exactement comme en 1970,
on trouve en 1994 suffisamment de vins de qualité exceptionnelle pour susciter
l'intérêt des amateurs ; mais il y a aussi des déceptions, car certains crus
renommés se révèlent trop austères et trop tanniques, manquant de gras et
de fruité.

En bref, le millésime 1994 est quand même d'un meilleur niveau que ne
l'auraient laissé présager le mois de septembre lugubre qui a précédé les
vendanges et le pessimisme qu'il a suscité. L'absence de dilution des meilleurs
vins et leur haut niveau de qualité me font même souvent réfléchir à la question
suivante : qu'auraient-été les 1994 s'il n'avait plu ?

Le bref résumé qui suit montrera au lecteur comment le millésime 1994
a été façonné par les conditions climatiques [1]. Le mois de mars a été l'un
des plus chauds que j'aie connus en Europe, alors que je visitais le Piémont
et la vallée du Rhône. Cette vague de chaleur inhabituelle a favorisé une
sortie précoce, laissant craindre aux viticulteurs qu'une période de froid ne
survienne au mois d'avril suivant et ne cause des dégâts irréparables, comme
en 1991. Fort heureusement, il n'y a pas eu de gelées de printemps, et la
floraison a eu lieu le 23 mai, soit avec une dizaine de jours d'avance par
rapport à la normale. En fait, il s'agit pour la période de l'après- guerre de
la septième année où l'on enregistrait une floraison aussi avancée (en ordre
décroissant de précocité, les autres millésimes sont 1990, 1952, 1989, 1982
et 1961). La plupart des grands millésimes de ce siècle sont souvent la conséquence de sorties et de floraisons précoces, pour la simple raison que la
vendange qui suit se fait alors en avance, et que le risque d'essuyer les pluies

---

1. Je remercie vivement Bill Blatch, de Vintex, qui m'a fourni des rapports climatiques très
détaillés pour toute cette période.

importantes que Bordeaux connaît généralement en cette période en est considérablement réduit.

Le reste de l'été a été chaud. Les températures de juin étaient légèrement supérieures aux normales saisonnières, mais juillet a été torride, avec vingt-quatre jours où il a fait plus de 25 °C (pendant douze jours, on a enregistré des températures de plus de 30 °C). Cette vague de chaleur a persisté pendant tout le mois d'août avec, par intermittence, quelques violents orages qui ont suffisamment arrosé les vignobles, leur évitant ainsi les conditions de sécheresse qu'ils avaient connues en 1989 et 1990.

Fin août, plusieurs producteurs se frottaient déjà les mains et espéraient un grand millésime, tant les taux de sucre dans les raisins étaient impressionnants. En effet, ils étaient supérieurs à ceux enregistrés au même moment en 1982 et équivalents à ceux de 1990. De plus, et il s'agit là d'un facteur important, les baies étaient saines et les rendements inférieurs à ceux de 1990.

Les vendanges des blancs ont débuté le 31 août à Haut-Brion et à Carbonnieux, dans l'excitation générale. Celles des rouges auraient dû commencer exceptionnellement tôt, vers le 12 septembre, comme ce fut le cas pour de grandes années comme 1921 (15 septembre), 1945 (13 septembre), 1982 (13 septembre) et 1990 (12 septembre). Mais, au moment même où l'on commençait à croire dur comme fer à une vendange extraordinaire, les prévisions météo à long terme se sont faites menaçantes, annonçant une série de petites dépressions dans l'Atlantique, lesquelles devaient, d'après les ordinateurs, perturber la région de Bordeaux à compter du 9 septembre. Malheureusement, les prédictions informatiques se sont révélées exactes, et des pluies légères mais continues ont débuté le 9 au matin pour devenir plus fortes dans la soirée. Le phénomène s'est interrompu pendant quelques jours, et les premières vendanges, en particulier celles du merlot, ont pu débuter. Les 12 et 13 septembre, il y a eu des pluies légères, le temps était frais et le ciel couvert. Les fortes pluies des trois jours suivants se sont heureusement assez rapidement arrêtées, et on a pu, dès le 17, commencer à vendanger dans presque toutes les appellations. La majorité des rouges a été rentrée par un temps clément, frais et assez sec qui a duré jusqu'au 25 septembre, et certains châteaux du Médoc qui avaient attendu un peu pour récolter ont été récompensés par quatre jours clairs et ensoleillés (du 22 au 25 septembre). D'autres encore, se fondant sur les prévisions météorologiques qui annonçaient une semaine de « très beau temps » à compter du 26, ont décidé de davantage retarder l'échéance, espérant ainsi obtenir une meilleure maturité de leur cabernet sauvignon et de leur petit verdot. Malheureusement, cette fois-ci, les ordinateurs ont fait fausse route : il y a eu des pluies diluviennes pendant deux jours consécutifs, et ce n'est qu'à partir du 28 septembre qu'il a fait chaud et sec pendant un mois. Quelques châteaux en ont profité pour terminer de vendanger, pendant les dix premiers jours du mois d'octobre, le cabernet sauvignon qui n'avait pas pourri.

Deux raisons importantes expliquent que plusieurs propriétés aient pu élaborer en 1994 des vins énormes, colorés, tanniques et très structurés, les meilleurs d'entre eux possédant en outre une extraction de fruit impressionnante : il s'agit d'abord du temps très frais qu'il a fait pendant le mois de septembre, ensuite des rendements très restreints respectés par les producteurs.

Ainsi, ceux de la plupart des meilleurs crus se situaient entre 40 et 55 hl/ha, et étaient donc inférieurs à ceux enregistrés pour des millésimes aussi prestigieux que 1990, 1989, 1986 et 1985. Par ailleurs, il faut reconnaître l'utilité des procédés nouveaux et révolutionnaires qui permettent de concentrer le vin en lui enlevant une certaine proportion d'eau. La technique des « saignées » a certes été utilisée avec succès pendant des décennies, mais celle hautement sophistiquée qui consiste à extraire de l'eau des raisins selon le principe de l'osmose inverse lui est indiscutablement supérieure, en ce qu'elle permet de transformer des vins qui autrement seraient de qualité moyenne en des vins ayant plus d'intensité et de caractère. Cependant, il est à l'heure actuelle impossible de savoir si les vins élaborés à l'aide de telles techniques vieilliront avec autant de grâce et de complexité que ceux produits à partir de rendements restreints ou de raisins non dilués.

Comme le montrent les notes de dégustation qui suivent, il était important d'effectuer des sélections en 1994. La majorité des meilleurs vins sont issus de propriétés qui ont déclassé entre 30 et 55 % de leur récolte afin d'obtenir des cuvées d'une concentration et d'une richesse impressionnantes. A quelques exceptions près, ces vins contiennent une importante proportion de merlot dans leur assemblage final. En effet, ce cépage a en général connu une très belle réussite, sauf dans certains vignobles dont les sous-sols étaient mal drainés (principalement dans les communes d'Arsac et de Cantenac, à Margaux) ou lorsque les rendements étaient trop importants et que les raisins étaient gorgés.

C'est ce qui explique le succès des Pomerol, de certains crus de Saint-Émilion où l'on privilégie avant tout la qualité, ainsi que celui de certains Médoc, en particulier Pontet-Canet et Latour qui, de longue tradition, utilisent une forte proportion de merlot dans leur assemblage afin d'obtenir un maximum de richesse et de complexité.

En 1994, les Pomerol sont incontestablement des vins riches, succulents et voluptueux, dont les tannins abondants sont généralement masqués par une abondante extraction de fruit riche et mûr. Au sud de l'estuaire, les meilleurs Médoc, également très tanniques, sont à maturité, sans la moindre trace de dilution ; ce sont des vins dans lesquels on retrouve la chaleur torride des mois de juillet et d'août. A peu de chose près, ils auraient pu être exceptionnels.

Si 1994 est une excellente année, elle est aussi assez irrégulière. Aujourd'hui, deux facteurs permettent de la comparer à 1970. D'abord, l'excellence du merlot, qui, dans ces deux millésimes, a permis aux Pomerol de se distinguer très nettement ; ensuite, dans les autres appellations, le fait que l'on trouve, en 1994 comme en 1970, aussi bien des vins de qualité exceptionnelle que des vins austères, tanniques et astringents. Mais, depuis cette époque, il y a eu des milliards de francs investis dans les vignobles et les chais. C'est ce qui explique en partie que les 1994 aient une robe plus profonde et déploient une plus grande pureté que tous les vins que l'on a pu produire en 1970. Si l'on ajoute à cela la sélection extrêmement sévère opérée par les propriétés les plus sérieuses, on comprend mieux qu'il y ait eu en 1994 un nombre étonnant d'excellents vins. Et il se pourrait même que, dans quelques années, ce millésime se révèle de meilleur niveau que le 1985, ou encore que les 1988, 1983, 1981, 1979, 1978, 1975, 1971 et, bien sûr, le 1970.

1993 – BRÈVE PRÉSENTATION (25 septembre 1993)[1]

Saint-Estèphe**	Graves rouges***/****
Pauillac***	Graves blancs****
Saint-Julien***	Pomerol***/****
Margaux**	Saint-Émilion***
Médoc/Haut-Médoc crus bourgeois**	Barsac/Sauternes 0

Récolte : elle a été relativement importante, mais moins abondante que l'année précédente.

Spécificités : contrairement à leurs aînés d'un an qui sont plutôt doux et ronds, les 1993, en particulier les Médoc, sont relativement tanniques, austères et peu évolués. Pour faire de bons vins cette année-là, il fallait, exactement comme en 1992, inclure un important pourcentage de merlot dans l'assemblage final. Cependant, certains grands crus du Médoc qui ont procédé à des sélections sévères ont obtenu de beaux résultats avec du cabernet sauvignon.

Maturité : sans pouvoir l'affirmer, on peut raisonnablement penser que les 1993 ne se montreront pas sous un jour agréable dans leur jeunesse. En effet, ce sont la manière dont leur fruité s'estompera et la rapidité avec laquelle leurs tannins se fondront qui détermineront s'ils atteindront un équilibre parfait. Les plus concentrés et les plus équilibrés de ces vins auront un potentiel de garde de 15 à 20 ans.

Prix : en décidant d'augmenter le prix des 1993 de 20 % par rapport à ceux des 1992, les propriétaires ont marqué le point de départ d'une spirale inflationniste des vins de Bordeaux. Pourtant, dans le Bordelais, les 1993 n'avaient pas de raisons particulières d'être de bon niveau. En effet, compte tenu des précipitations importantes de septembre, ce millésime aurait pu être totalement désastreux. La pluviométrie enregistrée était la plus importante des trente dernières années pour ce mois, battant des records en étant supérieure de 303 % à la moyenne générale ! On aurait donc pu penser qu'il serait impossible de faire de bons vins dans un tel contexte. Cependant, comme l'indiquent les notes de dégustation que l'on trouvera plus loin, si les 1993 sont en règle générale de qualité satisfaisante, un nombre étonnant d'entre eux ont un potentiel extraordinaire ; ce qui ne manque pas de laisser perplexe lorsqu'on sait les très mauvaises conditions climatiques qui ont sévi pendant les vendanges. Comment cela a-t-il pu se produire ?

Le début du printemps 1993 a été mauvais, avec des mois d'avril et de juin extrêmement pluvieux. La floraison était échelonnée et la récolte s'annonçait moins abondante qu'en 1992. Les températures de la fin des mois de juin et de juillet ont été supérieures à la moyenne saisonnière, et le mois d'août a été ensoleillé et même excessivement chaud par moments. L'optimisme s'est alors installé chez les producteurs. Je me souviens, pendant que j'étais en France au mois de septembre, d'avoir discuté avec des vignerons persuadés qu'ils tenaient un très bon, voire un excellent millésime. Mais, exactement

---

1. Les dates entre parenthèses sont retenues par le ministère de l'Agriculture comme étant celles du début des vendanges dans le Bordelais.

comme en 1992, le temps s'est détérioré, et une série de petites dépressions et d'orages a gravement affecté la région à compter du 6 septembre.

Le temps a été instable pendant les cinq semaines qui ont suivi, avec des périodes d'averses orageuses précédant quelques jours secs et ensoleillés. Presque chaque année, les producteurs se vantent d'avoir vendangé avant ou après la pluie, mais, en 1993, ils ont vendangé les rouges entre ou pendant les averses, et ce jusque vers la mi-octobre. Je n'avais jamais, auparavant, vu autant de pessimisme chez les Bordelais.

Pourtant, lorsque je suis retourné à Bordeaux en novembre pour déguster les 1992 qui avaient un an de fût et les 1991 qui étaient en bouteille, plusieurs producteurs m'ont fait part de leur surprise et du choc qu'ils avaient éprouvé en constatant que les 1993 arboraient des robes très soutenues et que les vins étaient plus riches et plus sains qu'on n'aurait pu le penser.

Et j'ai effectivement pu vérifier, au cours d'une tournée de deux semaines dans le Bordelais en novembre 1994 (1993 n'était pas une année intéressante pour les primeurs), que les 1993 étaient bons, d'une qualité comparable (s'il fallait vraiment établir une comparaison) à celle des 1988. On trouve certes dans ce millésime beaucoup de vins dilués, mais leur principal défaut est leur niveau de tannins extrêmement élevé. En effet, pour éviter que le cabernet sauvignon ne pourrisse sur pied, il a souvent été vendangé alors qu'il n'était pas encore à maturité, si bien que les vins qui en sont issus se caractérisent par une certaine pauvreté en extrait et par l'agressivité de leurs tannins, ressemblant en cela aux 1975, aux 1966 ou aux 1952.

Pour faire un beau vin, bien équilibré, en 1993, il était essentiel d'inclure un important pourcentage de merlot dans l'assemblage final. C'est pour cette raison que les régions de Pomerol (qui était aussi l'appellation la plus favorisée en 1992) et des Graves (du merlot très sain et des sous-sols bien drainés) sont celles qui ont le mieux réussi cette année-là. En Médoc et à Saint-Émilion, il s'agissait pour les producteurs de procéder à une sélection extrêmement sévère afin de produire les meilleures cuvées possible. Les premiers crus et les meilleurs des deuxièmes crus qui ont déclassé jusqu'à 50 % de leur récolte ont élaboré des vins qui sont généralement excellents et parfois exceptionnels.

1993 est le seul millésime qui soit encore disponible à des prix raisonnables. Comme je l'ai indiqué précédemment, les vins sont, dans l'ensemble, de bon niveau. Ils ne sont pas aqueux ni délavés comme on aurait pu s'y attendre, compte tenu des déplorables conditions climatiques durant les vendanges. Maintenant qu'ils ont deux ans de bouteille, les 1993 continuent de surprendre. Il y en a, certes, qui sont végétaux et dépouillés, mais on en trouve beaucoup de séduisants et doux, les mieux réussis d'entre eux n'étant pas, comme je le craignais de prime abord, exagérément tanniques.

LES MEILLEURS 1993

Saint-Estèphe : Cos d'Estournel, Montrose
Pauillac : Grand-Puy-Lacoste, Lafite-Rothschild, Latour, Mouton-Rothschild
Saint-Julien : Ducru-Beaucaillou, Gruaud-Larose, Lagrange, Léoville-Barton, Léoville-Las Cases

Margaux : Margaux, Prieuré-Lichine, Rauzan-Ségla
Médoc/Haut-Médoc/Moulis/Listrac crus bourgeois : aucun
Graves rouges : Haut-Bailly, Haut-Brion, La Louvière,
La Mission-Haut-Brion, Pape-Clément
Graves blancs : Couhins-Lurton, De Fieuzal, Haut-Brion,
Laville-Haut-Brion, La Louvière, Pape-Clément, Smith-Haut-Lafitte
Pomerol : Clinet, Lafleur, Petrus, Trotanoy
Fronsac/Canon-Fronsac : aucun
Saint-Émilion : Angélus, Beauséjour-Duffau, Canon-La Gaffelière,
Ferrand-Lartigue, Pavie-Macquin, Le Tertre-Rotebœuf, Troplong-Mondot
Barsac/Sauternes : aucun

1992 – BRÈVE PRÉSENTATION (21 septembre 1992)

Saint-Estèphe**	Graves rouges**/***
Pauillac**	Graves blancs***/****
Saint-Julien**	Pomerol***
Margaux*	Saint-Émilion**
Médoc/Haut-Médoc crus bourgeois 0	Barsac/Sauternes*

Récolte : extrêmement abondante.

Spécificités : à cause des pluies qui ont fortement dilué les 1992, les appellations les plus favorisées ont été les Graves (dont les sols sont bien drainés), ainsi que Pomerol et Saint-Émilion (où l'on cultive une importante proportion de merlot, cépage qui résiste le mieux aux pluies).

Maturité : les 1992 sont ronds, légèrement corsés, avec un faible niveau d'acidité. Excellents candidats pour les cartes de restaurant, ils sont aussi parfaits pour les amateurs qui recherchent des vins à prix raisonnables à consommer avant le prochain millénaire.

Prix : ce sont les plus bas de ces dix dernières années. Ils marquent un tournant dans l'effondrement du prix des bordeaux.

Le millésime 1992 n'a pas été affecté par le gel, mais plutôt par des pluies extrêmement abondantes qui sont arrivées au moment le plus critique. Après une saison printanière plutôt précoce, très humide et chaude, la floraison était en avance de huit jours par rapport à la moyenne générale des trente dernières années. Déjà, on espérait vendanger tôt. Ensuite, l'été a été caniculaire. Le mois de juin, humide et chaud, a été suivi d'un mois de juillet aux températures légèrement supérieures à la normale, puis d'un mois d'août où celles-ci ont été bien au-dessus de la moyenne. Cependant, contrairement à ce qui s'était passé pour certains millésimes chauds et secs comme 1982, 1989 et 1990, il a beaucoup plu en août, presque trois fois plus que la moyenne saisonnière. Ainsi, on a enregistré 193 mm de pluie à Bordeaux en août 1992 (provenant essentiellement des violents orages des deux derniers jours de ce mois), alors qu'il n'y en avait eu que 22 mm en 1990 et 63 mm en 1989.

A la mi-août, il était clair que la récolte serait très abondante. Afin de réduire leurs rendements, les propriétés les plus sérieuses ont procédé à des vendanges en vert et ont ainsi produit des vins plus riches que celles qui n'en ont pas fait.

Les deux premières semaines de septembre ont été sèches mais anormalement fraîches, si bien que le sémillon et le sauvignon ont pu être vendangés dans des conditions idéales. C'est pour cette raison que, malgré des rendements élevés, les vins blancs des Graves sont réussis et se révèlent même parfois excellents.

A compter du 20 septembre et pendant le mois d'octobre, le temps a été défavorable, avec des pluies diluviennes interrompues par de courtes périodes de beau temps. Dans la majorité des propriétés viticoles, les vendanges se sont étalées dans le temps, sauf celles du merlot, qui ont eu lieu sur les deux rives pendant trois jours clairs et secs, soit les 29 et 30 septembre et 1er octobre. Entre les 2 et 6 octobre, il y a eu davantage de pluie, avec de violents orages. Réalisant qu'il était inutile d'attendre encore, la plupart des châteaux ont récolté dans des conditions déplorables. Il était primordial, pour faire de bons vins, de vendanger à la main afin de ne ramasser que les baies saines en laissant celles qui étaient abîmées sur pied. Une sélection plus stricte encore était nécessaire dans les chais.

Dans l'ensemble, 1992 est un meilleur millésime que 1991. En effet, aucune appellation n'a connu cette année-là une aussi forte proportion de mauvais vins que Pomerol et Saint-Émilion en 1991, quand les meilleures propriétés de ces régions ont dû déclasser la totalité de leur récolte. Aujourd'hui, les 1992 rappellent les 1973, mais il faut cependant préciser que, grâce à de meilleures techniques de vinification, à une sélection plus sévère, à un matériel plus sophistiqué et à des rendements mieux contrôlés, les vins des châteaux les plus sérieux sont plus concentrés, plus riches et en général de plus haute volée que les meilleurs 1973, ou même que les meilleurs 1987. Les 1992 les plus réussis sont ronds, fruités, peu marqués par l'acidité, avec des tannins modérés et une concentration moyenne ou bonne. Mais on trouve aussi dans ce millésime beaucoup de vins dilués, à la texture compacte et aux tannins agressifs, manquant de fruits mûrs, qui reflètent bien les conditions délicates et difficiles dans lesquelles se sont déroulées les vendanges.

Les appellations qui ont connu le plus de succès sont les Graves et Pomerol. La région des Graves a été favorisée par son sous-sol profond et graveleux, qui a permis un bon écoulement des eaux, et celle de Pomerol par son fort pourcentage de merlot dans son vignoble. En effet, ce cépage, qui est vendangé tôt, est celui qui résiste le mieux aux pluies, surtout dans les vignobles où l'on effectue des vendanges en vert et où l'on tient de petits rendements.

Dans les autres appellations, les propriétés où l'on a procédé à des sélections sévères ont connu un certain succès. Ainsi, en Médoc, Léoville-Las Cases, Margaux, Lafite, Rauzan-Ségla, Latour, Pichon-Baron et Cos d'Estournel, qui se détachent du lot, ont utilisé moins de 50 % de leur récolte pour faire leur premier vin. Cependant, la majorité des appellations compte une proportion plus importante de vins de qualité moyenne ou inférieure que de vraies réussites. Les propriétés qui ont effectué des vendanges en vert et celles qui ont eu la chance de terminer leur récolte avant les pluies du début octobre, ou dont les moyens financiers permettaient de rejeter les cuvées et les raisins qui n'étaient pas satisfaisants, ont élaboré des vins fruités, doux et pleins de charme qui devront être dégustés rapidement.

Plusieurs observateurs du Bordelais réalisent maintenant que le millésime 1992 est fragile et qu'il convenait mieux de procéder à la mise en bouteille avec un collage des plus légers. Or, la plupart des châteaux de Bordeaux pratiquent un collage et une filtration à la fois lourds et systématiques, qui se sont souvent révélés néfastes au doux fruité des 1992. Mais les propriétés qui ont utilisé ces techniques avec discernement ont obtenu des vins fruités des plus charmeurs, alors que les autres ont malheureusement endommagé leur production au moment de la mise en bouteille. Compte tenu de l'avancement de la technologie moderne et du talent des œnologues de Bordeaux aujourd'hui, je suis sidéré par l'inconscience rigide de certains de ces techniciens du vin quant aux dangers des excès de collage et de filtration.

LES MEILLEURS 1992

Saint-Estèphe : Cos d'Estournel
Pauillac : Lafite-Rothschild, Latour
Saint-Julien : Ducru-Beaucaillou, Léoville-Barton, Léoville-Las Cases
Margaux : Margaux, Rauzan-Ségla
Médoc/Haut-Médoc/Moulis/Listrac crus bourgeois : aucun
Graves rouges : Haut-Bailly, Haut-Brion, La Mission-Haut-Brion
Graves blancs : Domaine de Chevalier, Haut-Brion, Laville-Haut-Brion, La Louvière
Pomerol : Clinet, Lafleur, Petrus, Trotanoy
Fronsac/Canon-Fronsac : aucun
Saint-Émilion : Angélus, L'Arrosée, Beauséjour-Duffau, Canon-La Gaffelière, Troplong-Mondot
Barsac/Sauternes : aucun

1991 – BRÈVE PRÉSENTATION (19 septembre 1991)

Saint-Estèphe**   Graves rouges***
Pauillac**   Graves blancs*
Saint-Julien**   Pomerol 0
Margaux*   Saint-Émilion 0
Médoc/Haut-Médoc crus bourgeois 0   Barsac/Sauternes 0

Récolte : réduite, surtout dans les appellations de la rive droite (à Pomerol et à Saint-Émilion), où les quantités produites furent vraiment restreintes.

Spécificités : il s'agit pour Pomerol et Saint-Émilion de leur plus mauvais millésime depuis 1972, 1977 et 1984, si bien que les propriétés les plus sérieuses de ces appellations n'ont pas diffusé de vins sous leur étiquette. Il y a eu de belles réussites en Médoc et dans les Graves, quand les producteurs les plus consciencieux ont déclassé au moins 50 % de leur récolte. Les vins sont meilleurs à mesure que l'on remonte le Médoc en direction du nord, et les Saint- Julien, les Pauillac et les Saint-Estèphe sont de plus haut niveau que les Margaux.

Maturité : ces vins seront agréables à boire au cours des 10 à 15 prochaines années, mais ne se garderont pas au-delà de cette période.

Prix : c'était la deuxième année consécutive où les prix diminuaient de manière substantielle, les producteurs bordelais prenant enfin conscience de ce que le marché était saturé et qu'il n'accepterait pas de prix élevés pour ce qui ne serait, au mieux, qu'un millésime médiocre.

1991 a été l'année des grandes gelées de printemps. Pendant le week-end des 20 et 21 avril, les températures sont tombées à -9 °C, endommageant la plupart des vignobles du Bordelais, en particulier ceux de l'est de la Gironde, à Pomerol et à Saint-Émilion. Les premiers bourgeons, dits de la « première génération », ont tous été sérieusement touchés. Les dégâts furent moins importants dans la partie nord du Médoc, notamment dans le secteur nord-est de la région de Pauillac et dans la moitié sud de Saint-Estèphe. Le printemps suivant la gelée a vu une sortie de nouveaux bourgeons, que les spécialistes appellent le « fruit de deuxième génération ».

La récolte s'annonçant réduite, certains optimistes ont estimé que 1991 pourrait ressembler à 1961, un superbe millésime où une importante gelée de printemps avait limité la récolte. Bien sûr, toutes ces espérances supposaient que le temps restât ensoleillé et sec. Cependant, c'est seulement début septembre que les producteurs ont pris conscience de ce que le merlot ne pourrait être vendangé qu'à la fin du mois, le cabernet sauvignon devant quant à lui attendre la mi-octobre. A cause du manque de maturité des fruits de la deuxième génération, les vendanges ont dû être décalées par rapport au calendrier initialement prévu, mais les journées ensoleillées de la fin septembre laissaient encore présager une année miraculée comme 1978. Malheureusement, le 25 septembre, un orage de l'Atlantique apportait 116 mm de pluie, soit d'un seul coup le double de la moyenne pour ce mois.

Pendant la période du 30 septembre au 12 octobre, où le temps est demeuré sec, la majorité du merlot de la rive droite, à Pomerol et Saint-Émilion, a été vendangée aussi rapidement que possible. Dans ces régions, les raisins présentaient des signes de dilution et n'étaient pas à maturité. Il y avait aussi un peu de pourriture. En Médoc, le cabernet sauvignon, pas totalement mûr, a quand même été ramassé, car il était trop risqué d'attendre davantage. Les propriétés qui ont vendangé entre les 13 et 19 octobre (il y a eu, juste après, six jours consécutifs de pluies diluviennes qui ont apporté 120 mm d'eau) ont ainsi obtenu un cabernet sauvignon qui, tout en n'étant pas à maturité, s'est révélé étonnamment sain, avec un faible niveau d'acidité. Au contraire, celles qui n'ont pas rentré leur récolte avant le deuxième déluge n'avaient aucune chance de faire du vin de bonne qualité.

A Saint-Émilion et à Pomerol, le millésime 1991 est en général de mauvaise facture, voire désastreux. Il est à mon avis inférieur à 1984 et dépasse même le lamentable 1969. Plusieurs domaines de ces deux appellations ont déclassé la totalité de leur récolte cette année-là. A Saint-Émilion, on compte parmi les plus renommés les Châteaux L'Arrosée, Ausone, Canon, Cheval Blanc, La Dominique et Magdelaine. A Pomerol, où c'était une véritable catastrophe hormis quelques bons vins, des propriétés bien connues n'ont pas diffusé de 1991 sous leur étiquette. Parmi elles, les Châteaux de Beauregard, Bon Pasteur,

L'Évangile, Le Gay, La Grave Trigant de Boisset, Lafleur, Latour à Pomerol, Petrus, Trotanoy et Vieux Château Certan.

Cependant, malgré toutes ces mauvaises nouvelles, certains vignobles des Graves et du Médoc qui jouxtent la Gironde ont produit des vins plaisants, ronds et assez moyennement corsés. Les amateurs seraient agréablement surpris par leur qualité, notamment celle de certains Saint-Julien, Pauillac et Saint-Estèphe. Dans les appellations du nord du Médoc, en particulier dans les vignobles qui longent le fleuve, les premiers bourgeons (de la première génération) n'ont pas souffert du gel, et si, au moment des vendanges, les raisins présentaient quelques signes de dilution, ils étaient à un stade de maturité physiologique plus avancé que les fruits de la deuxième génération. Cependant, les 1991 doivent être proposés à des prix raisonnables, faute de quoi ils ne susciteront pas d'intérêt justifié de la part des consommateurs.

C'est dans les appellations où les premiers bourgeons ont le moins souffert du gel (Saint-Julien, Pauillac et Saint-Estèphe) que l'on trouve les 1991 les plus réussis. Presque toutes les propriétés les plus sérieuses de ces régions ont produit des vins de qualité supérieure à la moyenne, et même parfois d'excellents vins.

Les meilleures propriétés du Médoc, qui ont utilisé plus de merlot que de cabernet sauvignon dans leur assemblage final, ont élaboré des vins doux et précoces à consommer dans les 10 ans suivant leur mise sur le marché.

LES MEILLEURS 1991

Saint-Estèphe : Cos d'Estournel, Montrose
Pauillac : Latour, Pichon-Longueville Comtesse de Lalande
Saint-Julien : Léoville-Barton, Léoville-Las Cases
Margaux : Margaux, Palmer, Rauzan-Ségla
Médoc/Haut-Médoc/Moulis/Listrac crus bourgeois : aucun
Graves rouges : Domaine de Chevalier, La Mission-Haut-Brion, Pape-Clément
Graves blancs : aucun
Pomerol : aucun
Fronsac/Canon-Fronsac : aucun
Saint-Émilion : Angélus
Barsac/Sauternes : aucun

1990 – BRÈVE PRÉSENTATION (12 septembre 1990)

Saint-Estèphe*****   Graves rouges****
Pauillac*****   Graves blancs***
Saint-Julien*****   Pomerol*****
Margaux***   Saint-Émilion*****
Médoc/Haut-Médoc crus bourgeois****   Barsac/Sauternes*****

Récolte : énorme.
Spécificités : un grand millésime. L'année la plus chaude depuis 1947 et la plus ensoleillée depuis 1949.

Maturité : des vins accessibles, mûrs, d'une grande richesse en extrait et en tannins. Bien qu'ils soient suffisamment évolués pour être dégustés maintenant, ils ne seront à leur apogée qu'après l'an 2000.

Prix : au moment de leur mise sur le marché, les prix des 1990 étaient inférieurs de 15 à 20 % à ceux des 1989, mais ils évoluent aujourd'hui comme ceux des 1982, à mesure que l'on prend conscience de ce que 1990 est, avec 1989 et 1982, un des meilleurs millésimes depuis le légendaire 1961.

La plupart des grands millésimes de Bordeaux ont coïncidé avec des années relativement chaudes et sèches. Pour cette seule raison, 1990 mérite une attention particulière. En effet, il s'agit de la deuxième année la plus chaude de ce siècle, juste après 1947. C'est également la deuxième plus ensoleillée, après 1949. On attribue souvent l'ensoleillement extraordinaire et les étés magnifiquement chauds que Bordeaux a connus dans les années 80 à l'« effet de serre » et au réchauffement général du globe terrestre, et les scientifiques ont d'ailleurs vigoureusement tiré la sonnette d'alarme à ce propos. Cependant, si l'on revient aux conditions climatiques qui régnaient à Bordeaux entre 1945 et 1949, on constate que cette période a été encore plus torride que les années 1989-1990. Or on ne mettait pas en cause à cette époque la fonte des glaciers des deux pôles...

Les conditions météorologiques de 1990 ont certes contribué à façonner un bon millésime, mais le climat n'est qu'un des facteurs de l'équation. Les mois de juillet et août ont été les plus chauds depuis 1961, et août a connu ses plus hautes moyennes de températures depuis 1928, année où l'on a commencé à enregistrer les données climatiques. En septembre, mois dont les producteurs disent qu'il « fait » la qualité du vin, le temps n'a pas été exceptionnel. Dans les grands millésimes, 1990 est l'année la plus « mouillée » après 1989, et, exactement comme pour cette dernière, les pluies sont arrivées à des moments critiques. Ainsi, le 15 septembre, une série d'orages pluvieux s'est abattue sur une partie des Graves. Les 22 et 23 septembre, il a plu, certes plus modérément, sur toute la région, exactement comme du 7 au 15 octobre. Certains producteurs se sont empressés d'affirmer que ces précipitations avaient été bénéfiques, notamment pour le cabernet sauvignon, dont les baies étaient encore de petite taille, avec des peaux trop épaisses. Plusieurs vignes de cabernet avaient en effet souffert d'un blocage de maturité à cause de la sécheresse et de la chaleur excessives, et certains vignerons ont soutenu que l'eau, en débloquant la situation, avait permis aux raisins d'atteindre un stade de maturité plus avancé. Cet argument est séduisant et non dénué de vérité, mais, malheureusement, trop de châteaux ont cédé à la panique en vendangeant trop tôt après les pluies.

On est agréablement surpris, en goûtant les 1990, par leur côté rôti, conséquence des mois d'été extrêmement, sinon excessivement, chauds. Les pluies de septembre ont probablement allégé le « stress » qui pesait sur certaines vignes, notamment le cabernet de sols légers et bien drainés, mais elles ont aussi gorgé les raisins, contribuant ainsi à augmenter une récolte qui s'annonçait déjà importante. Une question d'équilibre se pose en effet : le climat de Bordeaux est très spécifique, et il semblerait que les vins acquièrent justement leur complexité de leur longue période de maturation dans ces conditions particulières. Pourtant, il ne fait aucun doute que les grands millésimes correspondent à des années plutôt chaudes et sèches. Au départ, malgré un climat exceptionnel, des rendements relativement élevés ont permis de douter de la qualité et de la profondeur des 1990. Mais ces inquiétudes se sont dissipées dès que l'on a pu constater la bonne évolution de ces vins en bouteille.

L'une des clefs qui permettent de bien comprendre le millésime 1990 est le fait que les meilleurs vins sont issus des vignobles implantés sur les sols les plus lourds et les moins bien drainés. Ainsi, comme le montrent mes notes de dégustation, les sols plus lourds des régions de Saint-Estèphe, de Fronsac et des plateaux et coteaux de Saint-Émilion ont donné des vins plus riches, plus concentrés et plus complets que les sols plus légers, graveleux et bien drainés des meilleurs vignobles de Margaux et des Graves.

Il y a eu en 1990 une vendange aussi abondante que l'année précédente. En fait, la quantité produite était même plus élevée, mais les autorités compétentes sont intervenues et ont exigé des déclassements importants, si bien que les rendements maximaux déclarés en 1990 sont équivalents à ceux de 1989. La production globale pour chacune de ces deux années est supérieure de 30 % à celle de 1982. Cependant, les propriétés ayant procédé en 1990 à des sélections plus sévères qu'en 1989, le volume déclaré de premier vin est souvent moindre dans cette dernière année.

Dans toutes les appellations, les vins rouges donnent le plus souvent une impression d'acidité très faible (aussi faible, sinon plus, qu'en 1989) et de tannins abondants (plus qu'en 1989), mais ils sont en général souples et sans détour, bien évolués, extrêmement mûrs, avec des senteurs rôties. Ces vins seront particulièrement agréables à boire dans leur jeunesse grâce à leurs tannins très doux, exactement comme les 1982, 1985 et 1989.

Il est exceptionnel de voir deux millésimes consécutifs dominés par la chaleur et la sécheresse, et il semblerait que la vigne – en particulier celle implantée sur les sols légers et graveleux – ait en 1990 souffert plus qu'en 1989 du soleil persistant. Plusieurs propriétaires des Graves et de Margaux ont ainsi été contraints de vendanger leur cabernet trop tôt car le raisin séchait sur les ceps.

Avec des rendements élevés, c'est une des raisons qui expliquent que ces appellations aient connu moins de réussite que les autres, exactement comme en 1988 et en 1989, deux autres années également torrides.

Parmi les beaux succès de ce millésime, il faut compter les quatre premiers crus du Médoc qui, curieusement, ont fait des vins plus riches, plus pleins et plus complets qu'en 1989. Par ailleurs, certaines parties de cette même région, notamment Saint-Julien et Pauillac, regorgent de vins à la fois souples, ronds, précoces, fruités et très alcooliques, aux tannins puissants et arrondis, et à l'acidité extrêmement faible. Les 1990 les plus puissants de la rive gauche sont ceux de Saint-Estèphe, suivis de près par ceux de Pauillac et de Saint-Julien. Plusieurs de ces crus sont sensationnels et supérieurs à leurs aînés d'un an.

Sur la rive droite, Pomerol a enregistré en 1990 le même succès qu'en 1989. En bref, c'est une autre grande année pour cette appellation. Quant à la région de Saint-Émilion, dont la production est souvent hétérogène, il s'agit pour elle de son millésime le plus homogène et le meilleur de ce siècle.

Les 1990 sont précoces et pleins de charme, et ont pour la plupart (à l'exception des premiers crus, bien entendu) un potentiel de garde de 15 à 25 ans. Cependant, ironie du sort, les Saint-Émilion, qui sont en général les vins les plus irréguliers du Bordelais, se révéleront probablement – avec les Saint-Estèphe, les premiers crus et les meilleurs des deuxièmes crus – les vins les plus aptes à une longue garde.

Les vins blancs des Graves ainsi que les bordeaux blancs génériques sont de très bon niveau – supérieur à celui de l'année précédente, avec plus de richesse et de profondeur. En effet, les producteurs n'ont pas commis la même erreur qu'en 1989 et n'ont pas vendangé trop tôt.

Quant aux Sauternes et aux Barsac, s'il s'agit pour eux d'un millésime historique, c'est parce que les viticulteurs de ces appellations ont achevé leurs vendanges avant les producteurs de vins rouges, ce qui n'était pas arrivé depuis 1949. Puissants, avec un caractère doux et liquoreux, ces vins sont également complexes et possèdent une grande précision dans le dessin. Ils évolueront avantageusement en bouteille.

LES MEILLEURS 1990

Saint-Estèphe : Calon-Ségur, Cos d'Estournel, Montrose
Pauillac : Les Forts de Latour, Grand-Puy-Lacoste, Lafite-Rothschild, Latour, Lynch-Bages, Pichon-Longueville Baron
Saint-Julien : Lagrange, Léoville-Barton, Léoville-Las Cases, Léoville-Poyferré, Saint-Pierre
Margaux : Margaux, Rauzan-Ségla
Médoc/Haut-Médoc/Moulis/Listrac crus bourgeois : Sociando-Mallet
Graves rouges : Domaine de Chevalier, Haut-Bailly, Haut-Brion, La Mission-Haut-Brion, Pape-Clément
Graves blancs : aucun
Pomerol : Bon Pasteur, Certan de May, Clinet, La Conseillante, L'Église-Clinet, L'Évangile, Gazin, Lafleur, Petit-Village, Petrus, Le Pin, Vieux Château Certan
Fronsac/Canon-Fronsac : aucun
Saint-Émilion : Angélus, L'Arrosée, Ausone, Beauséjour-Duffau, Canon-La Gaffelière, Cheval Blanc, Clos Fourtet, La Dominique, Figeac, La Gaffelière, Grand-Mayne, Larcis-Ducasse, Magdelaine, Pavie, Pavie-Decesse, Pavie-Macquin, Le Tertre-Rotebœuf, Troplong-Mondot
Barsac/Sauternes : Climens, Clos Haut-Peyraguey, Coutet Cuvée Madame, Doisy-Daëne, Doisy-Daëne L'Extravagance, Filhot, Guiraud, Lamothe-Guignard, De Malle, Rabaud-Promis, Rieussec, Suduiraut, La Tour Blanche

1989 – BRÈVE PRÉSENTATION (31 août 1989)

Saint-Estèphe****   Saint-Julien****
Pauillac*****   Margaux***

Médoc/Haut-Médoc crus bourgeois****   Pomerol*****
Graves rouges***   Saint-Émilion****
Graves blancs**   Barsac/Sauternes****

Récolte : absolument énorme. Avec 1990 et 1986, il s'agit de la plus importante récolte jamais enregistrée à Bordeaux.

Spécificités : à part les producteurs bordelais eux-mêmes, tout le monde a accueilli le millésime 1989 avec un enthousiasme délirant. Les critiques viticoles américains, français et surtout anglais l'ont, dans un même élan, consacré « millésime du siècle ». Mais certains dégustateurs sérieux ont vite remis en cause la richesse en extrait, le taux d'acidité excessivement faible ainsi que le caractère plutôt surprenant de nombre de ces vins. Cependant, on en trouve également qui sont riches, corpulents, spectaculaires, avec un très bon potentiel de garde.

Maturité : exactement comme les 1990, les 1989 sont hautement tanniques et ont un faible taux d'acidité. Ils devront donc être consommés relativement rapidement, sauf pour les plus concentrés d'entre eux, qui se conserveront pendant 20 à 30 ans, voire plus.

Prix : les prix de lancement les plus élevés de tous les millésimes.

Différentes « sources » ont rapporté que plusieurs châteaux du Bordelais avaient commencé les vendanges dans les derniers jours du mois d'août, ce qui fait de 1989 le millésime le plus précoce depuis 1893. Une récolte avancée est toujours la conséquence d'une saison caniculaire et de précipitations inférieures à la moyenne, et annonce souvent une très grande année. Peter Sichel (dans sa publication annuelle *Vintage and Market Report*) note qu'entre 1893 et 1989 seules les années 1947, 1949, 1970 et 1982 ressemblent à 1989 pour les conditions climatiques, mais qu'aucune d'entre elles n'a été aussi chaude.

Du point de vue de la qualité des vins, le choix le plus critique a probablement été celui de la date des vendanges. En effet, le Bordelais a connu en 1989 la récolte la plus longue de son histoire. Certaines propriétés, notamment Haut-Brion dans les Graves et celles que dirige Christian Moueix à Pomerol et à Saint-Émilion, ont vendangé pendant la première semaine du mois de septembre, alors que d'autres n'ont terminé qu'à la mi-octobre. Au cours de la deuxième semaine de septembre, un problème est apparu : une bonne partie du cabernet sauvignon était, en effet, mûr à l'analyse et avait un taux de sucre suffisant pour produire des vins à 13°, mais il n'était pas à maturité physiologique. La plupart des producteurs, n'ayant jamais été confrontés à une telle situation, étaient indécis. Beaucoup s'en sont alors malheureusement remis à leurs œnologues – qui, on le sait, n'aiment pas prendre de risques. C'est alors que ces derniers ont conseillé de vendanger immédiatement, car ils craignaient que les raisins déjà mûrs ne perdent de leur acidité. Mais bien des négociants et des producteurs l'ont dit : en ramassant leur cabernet trop hâtivement, de nombreux propriétaires ont compromis leurs chances de produire le meilleur vin de leur vie. Cette erreur, conjuguée aux énormes rendements, explique probablement que tant de Graves et de Margaux soient simplement bons, mais pas exceptionnels.

Le même problème ne s'est pas posé pour le merlot, qui a été vendangé relativement tôt avec un taux d'alcool allant de 13,5 à 15°, fait sans précédent dans le Bordelais. Les châteaux qui ont fait des vendanges en vert, tels Petrus, La Fleur-Petrus et Haut-Brion, ont obtenu des vins d'une concentration exceptionnelle à partir de rendements de 45 à 55 hl/ha, tandis que ceux qui n'en ont pas fait ont atteint le chiffre astronomique de 80 hl/ha.

Contrairement à ce qu'ont pu dire certains, les vendanges 1989 ne se sont pas déroulées dans des conditions totalement sèches : en effet, il y a eu quelques averses, généralement peu dommageables, les 10, 13, 18 et 22 septembre, mais plusieurs propriétés, gagnées par la panique, ont vendangé dès le lendemain des pluies. C'est probablement ainsi que certains propriétaires anxieux ont produit des vins très légers.

Redisons-le, la production totale en 1989 a été exceptionnellement élevée. Et, alors que l'enthousiasme pour ce millésime frôlait, chez bien des observateurs extérieurs à la région, l'hystérie véritable, les professionnels bordelais montraient plus de retenue. Le questionnaire que Nicholas Davies, qui dirigeait il y a peu encore (et avec perspicacité) la Hungerford Wine Company en Angleterre, a envoyé à 200 grands propriétaires de Bordeaux l'a clairement démontré. Les réponses ont été édifiantes. Quand on leur a demandé à quel millésime le 1989 pourrait être comparé, la plupart (25 %) ont cité le 1982, 14 % le 1985, 10 % le 1986, 8 % le 1988, 7 % le 1961 et 6 % le 1947. Seul Peter Sichel, président de la prestigieuse Union des grands crus de Bordeaux (qui me semble bien jeune pour avoir de tels souvenirs), l'a rapproché du 1893. A la même enquête, quand on leur a demandé de caractériser le millésime, les propriétaires ont répondu « excellent » à 64 %, « très bon » à 17 %, 14 % ont déclaré qu'il s'agissait du millésime du siècle et 10 % l'ont qualifié de « superbe » (voulant dire par là, je suppose, qu'il était mieux qu'excellent sans être le millésime du siècle). Les 5 % restants étaient, quant à eux, indécis et dubitatifs.

D'une manière générale, les 1989 sont les bordeaux les plus alcooliques que j'aie jamais goûtés (de 12,8 à 14,5° pour certains Pomerol), avec des taux d'acidité très bas et des tannins très abondants. Aux fins de comparaison, ils titrent 1 ou 2° de plus que les 1982 ou les 1961 et ont une acidité inférieure à ces derniers comme aux 1959, mais davantage de tannins. Fort heureusement, ceux-ci sont en général souples et arrondis, comme dans les 1982, et non secs et astringents comme dans les 1988. Cela donne des vins énormes, riches et charnus en bouche, qui rappellent les 1982. Les meilleurs 1989 présentent aussi un taux de glycérine élevé, mais ont-ils pour autant la même concentration que les plus fins des 1982 et des 1986 ? En ce qui concerne Margaux, qui, exactement comme en 1982, était l'appellation la moins favorisée par le millésime, la réponse est non. Dans les Graves, à l'exception de Haut-Brion, La Mission-Haut-Brion, Haut-Bailly et De Fieuzal, les vins sont relativement légers et manquent de caractère. Les Saint-Émilion sont également moins homogènes et moins profondément concentrés qu'en 1982. Cette appellation a certes produit en 1989 un certain nombre de vins riches, fruités et gras, mais elle a été très irrégulière. Cependant, dans le nord du Médoc, notamment à Saint-Julien, Pauillac et Saint-Estèphe, ainsi qu'à Pomerol, beaucoup de vins se sont révélés intéressants, très corsés, alcooliques et tanniques. Les plus réussis d'entre eux paraissent allier la texture merveilleusement riche, opulente et charnue des 1982 à la puissance et aux tannins des 1986.

Cependant, la souplesse des tannins, les pH élevés (de 3,7 à 4 pour ce millésime) et les faibles niveaux d'acidité (toutes caractéristiques qui, précédemment, avaient servi de prétexte à certains critiques américains pour dénigrer à tort le millésime 1982) sont encore plus marqués dans les 1989. En outre, ces derniers vins sont issus de rendements de 20 à 40 % plus élevés que les 1982. Certains négociants en ont conclu, en toute mauvaise foi, que les meilleurs bordeaux rouges en 1989 ressemblaient davantage aux Côte-Rôtie ou aux vins de Californie qu'à des bordeaux classiques. Ce sont des balivernes, car les mieux élaborés d'entre eux sont puissants, caractéristiques de leur terroir et n'ont en aucun cas le même goût que leurs cousins californiens ou de la vallée du Rhône. Toutefois, puisqu'ils ont beaucoup de personnalité et sont en même temps précoces, je pense qu'ils feront l'objet de beaucoup de controverses, exactement comme les 1982.

Et, de même que ces derniers, les 1989 seront agréables à déguster durant de longues années. Malgré leurs tannins abondants, ils ont une faible acidité qui, combinée avec beaucoup de glycérine et un taux d'alcool important, leur donne un caractère fascinant, charnu et corsé. La qualité est certes assez inégale, mais les meilleurs Pomerol, Saint-Julien, Pauillac et Saint-Estèphe seront dans certains cas du niveau des grands 1982 et 1986.

LES MEILLEURS 1989

Saint-Estèphe : Cos d'Estournel, Haut-Marbuzet, Meyney, Montrose
Pauillac : Clerc-Milon, Grand-Puy-Lacoste, Lafite-Rothschild,
Lynch-Bages, Mouton-Rothschild, Pichon-Longueville Baron,
Pichon Longueville Comtesse de Lalande
Saint-Julien : Beychevelle, Branaire-Ducru, Ducru-Beaucaillou,
Léoville-Barton, Léoville-Las Cases, Talbot
Margaux : Cantemerle, Margaux, Monbrison, Palmer, Rauzan-Ségla
Médoc/Haut-Médoc/Moulis/Listrac crus bourgeois : Beaumont, Le Boscq,
Chasse-Spleen, Gressier-Grand-Poujeaux, Lanessan, Maucaillou,
Moulin-Rouge, Potensac, Poujeaux, Sociando-Mallet, La Tour de By,
Tour Haut-Caussan, Tour du Haut-Moulin, La Tour Saint-Bonnet,
Vieux Robin
Graves rouges : Bahans-Haut-Brion, Haut-Bailly, Haut-Brion,
La Mission-Haut-Brion
Graves blancs : Clos Floridène, Haut-Brion, Laville-Haut-Brion
Pomerol : Bon Pasteur, Clinet, La Conseillante, Domaine de L'Église,
L'Évangile, La Fleur-Petrus, Le Gay, Gombaude-Guillot, Lafleur,
La Fleur de Gay, Les Pensées de Lafleur, Petrus, Le Pin, Trotanoy,
Vieux Château Certan
Fronsac/Canon-Fronsac : Canon, Canon de Brem, Canon-Moueix,
Cassagne-Haut-Canon-La Truffière, Dalem, La Dauphine, Fontenil, Mazeris,
Moulin-Haut-Laroque, Moulin-Pey-Labrie

Saint-Émilion : Angélus, Ausone, Cheval Blanc, La Dominique,
La Gaffelière, Grand-Mayne, Magdelaine, Pavie-Macquin, Soutard,
Le Tertre-Rotebœuf, Trottevieille
Barsac/Sauternes : Climens, Coutet, Coutet Cuvée Madame,
Doisy-Védrines, Guiraud, Lafaurie-Peyraguey, Rabaud-Promis,
Raymond-Lafon, Rieussec, Suduiraut, Suduiraut Cuvée Madame,
La Tour Blanche

1988 – BRÈVE PRÉSENTATION (20 septembre 1988)

Saint-Estèphe***	Graves rouges****
Pauillac***	Graves blancs***
Saint-Julien***	Pomerol****
Margaux***	Saint-Émilion***
Médoc/Haut-Médoc crus bourgeois**	Barsac/Sauternes*****

Récolte : aussi abondante qu'en 1982, soit 30 % de moins qu'en 1989 et
en 1990.

Spécificités : craignant des pluies similaires à celles qui avaient compromis
les 1987, plusieurs producteurs ont lâché la bride trop rapidement à leurs
vendangeurs. Et il y a malheureusement eu, en Médoc, beaucoup de cabernet
sauvignon vendangé trop tôt.

Maturité : grâce à leur bon niveau d'acidité et à leurs tannins abondants
et astringents, les 1988 ont indiscutablement un potentiel de garde de 20 à
30 ans. Cependant, on peut se demander combien de ces vins conserveront
suffisamment de fruité pour contrer leur caractère tannique.

Prix : de 20 à 40 % au-dessous de ceux des 1989, si bien que les meilleurs
1988 sont d'un excellent rapport qualité/prix.

Sans être exceptionnelle, l'année 1988 est bonne pour ce qui est des vins
rouges, et il s'agit, pour les liquoreux de Sauternes et de Barsac, d'un des
plus grands millésimes de ce siècle.

Du fait de l'absence de très belle réussite dans les meilleurs châteaux, les
rouges de ce millésime seront toujours considérés comme bons plutôt qu'excellents. La vendange a été assez abondante, mais elle a été dépassée par les
deux qui l'ont suivie, celles de 1989 et de 1990. Quant aux rendements moyens,
ils étaient de l'ordre de 45 à 50 hl/ha, ce qui correspond à peu près à la
production de 1982. Les 1988 sont dans l'ensemble bien colorés, très tanniques
et solidement structurés, mais ils révèlent souvent un manque de profondeur,
une finale courte et des tannins verts et astringents.

Ces caractéristiques sont manifestes dans le Médoc. En effet, craignant une
réédition de la pourriture et des pluies tardives qui avaient marqué 1987,
beaucoup de châteaux ont cédé à la panique et ont vendangé leur cabernet
sauvignon trop tôt, avec des taux de sucre atteignant parfois 8-9 %. En
revanche, les propriétés qui ont attendu (elles ne sont malheureusement pas
nombreuses) ont fait de meilleurs vins.

A Pomerol et à Saint-Émilion, le merlot a été vendangé à maturité, mais,
à cause de la forte sécheresse de l'été, les peaux étaient très épaisses, ce

qui explique le caractère extrêmement tannique et étonnamment dur des vins qui en sont issus.

A Saint-Émilion, plusieurs propriétaires affirment avoir vendangé leur cabernet franc à maturité, avec les taux de sucre les plus élevés jamais enregistrés. Cependant, en dépit des espoirs suscités par cette déclaration, la majorité des cabernets francs présentent un caractère dilué et manquent de structure. On trouve donc dans cette appellation des vins inégaux, malgré la satisfaction exprimée par les viticulteurs après les vendanges.

C'est probablement dans les Graves que l'on trouve les meilleurs 1988.

Il est certain que les 1989 ont volé la vedette à leurs prédécesseurs, car ils sont plus riches, plus spectaculaires et plus corsés, mais un regard objectif sur les 1988 permettra de déceler des réussites étonnantes à Margaux, à Pomerol et dans les Graves, ainsi que dans certaines propriétés du nord du Médoc qui ont soit écarté le cabernet sauvignon récolté trop tôt, soit attendu qu'il arrive à maturité pour le ramasser. En revanche, ce millésime n'a pas été bon pour les crus bourgeois, qui ont vendangé trop précipitamment. Il faut dire que leurs prix relativement bas ne permettent pas aux producteurs d'effectuer la sélection qui serait nécessaire dans des années comme celle-là.

Au contraire, pour les Sauternes et les Barsac, la réussite était au rendez-vous. Avec des vendanges qui se sont poursuivies jusqu'à la fin de novembre et des conditions climatiques idéales pour la formation de la pourriture noble *(Botrytis cinerea)*, le millésime 1988 est considéré par tous les experts comme le meilleur depuis 1937. Presque tous les vins, y compris ceux des domaines les plus modestes, déploient d'intenses senteurs de miel, de coco, d'orange et d'autres fruits tropicaux. Plusieurs sont marqués par le botrytis, avec une forte concentration d'arômes, leur texture riche, onctueuse et opulente étant merveilleusement soutenue par une acidité de bon ressort qui leur donne de l'équilibre. C'est cette dernière caractéristique qui leur confère leur grande classe et les place au-dessus des 1989.

Le lecteur ne perdra pas de vue que les prix des bordeaux 1988 sont en général inférieurs à ceux des 1989 de 20 à 40 %. Les meilleurs vins de ce millésime seront bons à boire d'ici 3 ou 4 ans, mais ont un potentiel de garde d'environ 15 à 20 ans. Quant aux vins liquoreux de Sauternes et de Barsac, ils tiendront vraisemblablement 30 à 40 ans encore.

LES MEILLEURS 1988

Saint-Estèphe : Calon-Ségur, Haut-Marbuzet, Meyney, Phélan-Ségur
Pauillac : Clerc-Milon, Lafite-Rothschild, Latour, Lynch-Bages,
Mouton-Rothschild, Pichon-Longueville Baron, Pichon-Longueville
Comtesse de Lalande
Saint-Julien : Gruaud-Larose, Léoville-Barton, Léoville-Las Cases, Talbot
Margaux : Monbrison, Rauzan-Ségla
Médoc/Haut-Médoc/Moulis/Listrac crus bourgeois : Fourcas-Loubaney,
Gressier-Grand-Poujeaux, Poujeaux, Sociando-Mallet, Tour du Haut-Moulin
Graves rouges : Les Carmes-Haut-Brion, Domaine de Chevalier, Haut-Bailly,
Haut-Brion, La Louvière, La Mission-Haut-Brion, La Tour-Martillac

Graves blancs : Domaine de Chevalier, Clos Floridène,
Couhins-Lurton, De Fieuzal, Laville-Haut-Brion, La Louvière,
La Tour-Martillac
Pomerol : Bon Pasteur, Certan de May, Clinet, L'Église-Clinet,
La Fleur de Gay, Gombaude-Guillot Cuvée Spéciale, Lafleur,
Petit-Village, Petrus, Le Pin, Vieux Château Certan
Saint-Émilion : Angélus, Ausone, Canon-La Gaffelière, Clos des Jacobins,
Larmande, Le Tertre-Rotebœuf, Troplong-Mondot
Barsac/Sauternes : D'Arche, Broustet, Climens, Coutet,
Coutet Cuvée Madame, Doisy-Daëne, Doisy-Dubroca, Guiraud,
Lafaurie-Peyraguey, Lamothe-Guignard, Rabaud-Promis, Rayne-Vigneau,
Rieussec, Sigalas-Rabaud, Suduiraut, La Tour Blanche

1987 – BRÈVE PRÉSENTATION (3 octobre 1987)

Saint-Estèphe**	Graves rouges***
Pauillac**	Graves blancs****
Saint-Julien**	Pomerol***
Margaux**	Saint-Émilion**
Médoc/Haut-Médoc crus bourgeois*	Barsac/Sauternes*

Récolte : d'importance moyenne. Toutefois, elle semble minuscule lorsqu'on
la compare aux autres récoltes extrêmement abondantes des années 1980.

Spécificités : il s'agit du millésime le plus sous-estimé de la décennie, mais
on y trouve nombre de vins ronds, mûrs et goûteux, en particulier de Pomerol,
des Graves et des propriétés les plus sérieuses du nord du Médoc.

Maturité : les meilleurs 1987 sont délicieux à boire maintenant.

Prix : en règle générale, les prix sont peu élevés pour ce millésime attrayant
mais sous-évalué.

Plus d'un Bordelais estime que 1987 (et non pas 1982 ou 1989) aurait pu
être le millésime le plus extraordinaire des années 80 si les pluies qui se
sont abattues sur la région pendant les deux premières semaines d'octobre
n'avaient pas compromis la qualité du cabernet sauvignon et du petit verdot
encore sur pied. N'est-il pas vrai que les mois d'août et de septembre ont
été les plus torrides que Bordeaux ait connus depuis 1976 ? Malheureusement,
les pluies abondantes qui ont suivi ont balayé tout espoir de grand millésime.
La majorité du merlot a été vendangée avant l'arrivée des pluies. Quant au
cabernet sauvignon, si celui qui a été rentré avant le mois d'octobre était de
qualité satisfaisante, il n'en était pas de même pour celui qui a été ramassé
après le déluge. Mais, grâce aux récoltes records de 1985 et de 1986, les
chais de la plupart des châteaux étaient pleins, et les propriétaires étaient
donc moins réticents à éliminer les cuves de cabernet sauvignon dilué par
les quatorze jours de pluie ininterrompue du mois d'octobre. Les meilleurs
châteaux ont produit des vins moyennement corsés, mûrs, fruités, ronds et
parfois gras, avec un faible taux d'acidité et un caractère fascinant, mélange
de charme et de sensualité.

On a souvent tendance à considérer 1987 comme une mauvaise année et à la comparer à d'autres millésimes récents aussi médiocres que 1977, 1980 et 1984. En réalité, elle en est tout à fait différente. Le problème de 1977, 1980 et 1984 est que les raisins n'étaient pas mûrs à cause de la longue période de mauvais temps, froid et pluvieux, qui avait précédé les vendanges. En 1987, en revanche, les merlots et les cabernets étaient à maturité, et les pluies ont simplement dilué des raisins parfaitement mûrs.

Le millésime 1987 est le plus sous-estimé de la décennie, surtout par rapport aux propriétés qui ont opéré un tri sévère ou qui ont vendangé des merlots sains. Celles-là ont produit des vins délicieusement fruités, bien évolués, purs, gras et ronds, sans aucune trace de pourriture. Les prix demeurent intéressants malgré la petite production, et il s'agit d'un millésime que je recherche dans les restaurants. J'ai plusieurs 1987 dans ma cave personnelle, car je trouve que ces vins sont, comme les 1976, ronds, précoces et agréables à boire avant qu'ils n'aient atteint 10 ans d'âge.

LES MEILLEURS 1987

Saint-Estèphe : Cos d'Estournel
Pauillac : Lafite-Rothschild, Latour, Mouton-Rothschild,
Pichon-Longueville Baron, Pichon-Longueville Comtesse de Lalande
Saint-Julien : Gruaud-Larose, Léoville-Barton, Léoville-Las Cases, Talbot
Margaux : D'Angludet, Margaux, Palmer
Médoc/Haut-Médoc/Moulis/Listrac crus bourgeois : aucun
Graves rouges : Bahans-Haut-Brion, Domaine de Chevalier, Haut-Brion,
La Mission-Haut-Brion, Pape-Clément
Graves blancs : Domaine de Chevalier, Couhins-Lurton, De Fieuzal,
Laville-Haut-Brion, La Tour-Martillac
Pomerol : Certan de May, Clinet, La Conseillante, L'Évangile,
La Fleur de Gay, Petit-Village, Petrus, Le Pin
Saint-Émilion : Ausone, Cheval Blanc, Clos des Jacobins,
Clos Saint-Martin, Grand-Mayne, Magdelaine, Le Tertre-Rotebœuf,
Trottevieille
Barsac/Sauternes : Coutet, Lafaurie-Peyraguey

1986 – BRÈVE PRÉSENTATION (23 septembre 1986)

Saint-Estèphe****   Graves rouges***
Pauillac*****   Graves blancs**
Saint-Julien*****   Pomerol***
Margaux****   Saint-Émilion***
Médoc/Haut-Médoc crus bourgeois***   Barsac/Sauternes*****

Récolte : colossale. Il s'agit d'une des plus importantes récoltes enregistrées dans le Bordelais avec celles de 1989 et de 1990.

Spécificités : une très grande année pour le cabernet sauvignon du nord du Médoc, de Saint-Julien, Pauillac et Saint-Estèphe. Les meilleurs 1986 requièrent un vieillissement supplémentaire de 10 à 15 ans, et je me demande combien d'heureux détenteurs de ce millésime auront la patience d'attendre que ces vins atteignent leur apogée.

Maturité : les crus bourgeois, les vins des Graves et de la rive droite peuvent être bus maintenant, mais les Médoc, avec leur structure impeccable, exigent un vieillissement de 10 à 15 ans.

Prix : hormis ceux de quelques superstars, ils sont encore raisonnables, mais je présume qu'ils augmenteront considérablement lorsque ces vins auront atteint 10 à 12 ans d'âge.

1986 est indiscutablement un grand millésime pour la partie nord du Médoc, en particulier pour Saint-Julien, Pauillac et Saint-Estèphe, où nombre de châteaux ont produit leurs vins les plus profonds et les plus concentrés depuis 1982, avec un potentiel de garde de 20 à 30 ans. Cependant, j'attire l'attention des lecteurs sur le fait que, contrairement aux superbes 1982 ou autres bons 1983 et 1985, les 1986 n'étaient pas flatteurs ou agréables à déguster dans leur jeunesse. La plupart des meilleurs vins du Médoc de cette année exigent un vieillissement d'au moins 10 ans pour que leurs tannins (les plus abondants qui soient pour un millésime de Bordeaux) se fondent bien et s'arrondissent. Si vous n'êtes pas disposés à attendre qu'ils soient à maturité pour déguster les 1986, il serait insensé d'investir dans ce millésime. En revanche, si vous êtes prêts à patienter jusqu'au bon moment, ces vins se révéleront les meilleurs bordeaux après les 1982.

On peut se demander pourquoi 1986 a été une année aussi exceptionnelle pour nombre de Médoc et de Graves, et pourquoi le cabernet sauvignon arborait une puissance et une richesse aussi peu communes. L'été 1986 a été chaud et sec. Et, début septembre, Bordeaux connaissait une sécheresse telle que le processus de maturation des raisins s'en est trouvé perturbé. C'est alors qu'il a commencé à pleuvoir. Les premières pluies des 14 et 15 septembre ont été bénéfiques en ce qu'elles ont réduit les effets de la sécheresse et permis le parachèvement de la maturation. Cependant, le 23 septembre, un orage violent s'est abattu sur la ville de Bordeaux, la région des Graves et les principales appellations de la rive droite, Saint-Émilion et Pomerol.

De manière très étrange, cet orage, qui a causé d'importantes inondations à Bordeaux, a juste effleuré les appellations du nord du Médoc, à savoir Saint-Julien, Pauillac et Saint-Estèphe. Et ceux qui ont débuté leurs vendanges fin septembre ont trouvé des merlots dilués par les pluies et des cabernets qui n'étaient pas mûrs. Ainsi, les meilleurs vins en 1986 proviennent de châteaux qui : (1) ont vendangé après le 5 octobre ; (2) ont éliminé de leur assemblage final le merlot ramassé précocement, ainsi que le cabernet franc et le cabernet sauvignon qu'ils avaient rentrés entre le 23 septembre et le 4 octobre.

Après le 23 septembre, il y a eu vingt-trois jours chauds et ensoleillés avec du vent, conditions idéales qui ont contribué à faire de 1986 un millésime exceptionnel pour ceux qui ont récolté relativement tard. Il n'est donc pas surprenant que le cabernet sauvignon du nord du Médoc vendangé après le 6 octobre, et plus particulièrement entre le 9 et le 16 octobre, ait donné des vins d'une intensité et d'une profondeur extraordinaires. Les Châteaux Margaux et Mouton-Rothschild, qui ont produit les deux plus grands vins de ce millésime, ont rentré la majeure partie de leur cabernet sauvignon entre le 11 et le 16 octobre.

A Pomerol et à Saint-Émilion, les propriétés qui ont vendangé juste après le déluge du 23 septembre ont obtenu, comme on pouvait s'y attendre, des vins moins intenses. Mais certains ont attendu (Vieux Château Certan, Lafleur) et ont fait des vins plus complets et plus concentrés. Comme pour beaucoup de millésimes, le choix de la date des vendanges était décisif en 1986, et il ne fait pas de doute que ce sont les « vendangeurs tardifs » qui ont le mieux réussi. Le grand paradoxe de cette année est l'excellente qualité des vins des Graves, région sévèrement touchée par l'orage du 23 septembre. La raison en est peut-être que les meilleurs châteaux de cette appellation ont éliminé plus de merlot que de coutume de leur assemblage final, et qu'ils ont ainsi produit des vins avec une plus forte proportion de cabernet sauvignon.

Enfin, en 1986, la récolte battait tous les records, avec un volume supérieur de 15 % à celle de 1985 (année déjà très abondante) et de 30 % à celle de 1982. Cette donnée globale est en fait inexacte pour les crus classés du Médoc, qui ont produit moins de vin en 1986 qu'en 1985. Cet élément, conjugué avec l'excellente maturité et les bons niveaux de tannins du cabernet sauvignon, explique que les Médoc soient plus concentrés, plus puissants et plus tanniques en 1986 qu'en 1985.

Tout bien considéré, le millésime 1986 offre de nombreux vins fascinants, d'une belle profondeur et au potentiel de garde assez exceptionnel. Mais les amateurs sauront-ils prendre patience et attendre pour les déguster que ces vins arrivent à maturité – aux environs de l'an 2000 ?

LES MEILLEURS 1986

Saint-Estèphe : Cos d'Estournel, Montrose
Pauillac : Clerc-Milon, Grand-Puy-Lacoste, Haut-Bages-Libéral,
Lafite-Rothschild, Latour, Lynch-Bages, Mouton-Rothschild,
Pichon-Longueville Baron, Pichon-Longueville Comtesse de Lalande
Saint-Julien : Beychevelle, Ducru-Beaucaillou, Gruaud-Larose, Lagrange,
Léoville-Barton, Léoville-Las Cases, Talbot
Margaux : Margaux, Palmer, Rauzan-Ségla
Médoc/Haut-Médoc/Moulis/Listrac crus bourgeois : Chasse-Spleen,
Fourcas-Loubaney, Gressier-Grand-Poujeaux, Lanessan, Maucaillou, Poujeaux,
Sociando-Mallet
Graves rouges : Domaine de Chevalier, Haut-Brion, La Mission-Haut-Brion,
Pape-Clément
Graves blancs : aucun
Pomerol : Certan de May, Clinet, L'Église-Clinet, La Fleur de Gay,
Lafleur, Petrus, Le Pin, Vieux Château Certan
Saint-Émilion : L'Arrosée, Canon, Cheval Blanc, Figeac, Pavie,
Le Tertre-Rotebœuf
Barsac/Sauternes : Climens, Coutet Cuvée Madame, De Fargues, Guiraud,
Lafaurie-Peyraguey, Raymond-Lafon, Rieussec, D'Yquem

1985 – BRÈVE PRÉSENTATION (29 septembre 1985)

Saint-Estèphe***   Graves rouges****
Pauillac****   Graves blancs****
Saint-Julien****   Pomerol****
Margaux***   Saint-Émilion***
Médoc/Haut-Médoc crus bourgeois***   Barsac/Sauternes**

Récolte : très abondante – un record à l'époque, mais, par la suite, celles de 1986, 1989 et 1990 se sont révélées plus importantes encore.

Spécificités : les meilleurs Médoc pourraient bien être la réplique des merveilleux 1953, séduisants et pleins de charme. La plupart des crus les plus fins sont évolués et riches, avec un caractère rond et féminin, ainsi qu'une pureté aromatique et une complexité exceptionnelles.

Maturité : ces vins pouvaient être bus dès leur diffusion, et, même s'ils évoluent rapidement, ils ont encore un potentiel de garde de 20 à 25 ans. Les meilleurs crus bourgeois sont d'ores et déjà délicieux.

Prix : les prix de départ des 1985 étaient excessivement élevés, mais, comme ils n'ont pas beaucoup augmenté par rapport à ceux d'autres millésimes, ils semblent aujourd'hui très avantageux. En ce moment, ces vins se révèlent tout simplement merveilleux à la dégustation.

Que ce soit dans le Bordelais ou ailleurs, chaque millésime est fonction des conditions climatiques, et le 1985 a été conçu pendant une période a priori peu favorable. En effet, le mois de janvier a été le plus froid à Bordeaux depuis 1956 (j'y étais le 16 janvier, quand on a enregistré une température de –14,5 °C, ce qui est exceptionnellement froid pour la région), et, à l'époque, les Bordelais en ont profité pour exagérer les risques de dommages éventuels sur les vignobles. On peut aujourd'hui s'interroger sur le bien-fondé de leurs craintes et se demander si elles n'ont pas été délibérément amplifiées afin d'engendrer une hausse des 1983 et de créer une demande pour les 1984, trop chers et surcotés. Le printemps et l'été qui ont suivi n'ont présenté aucune particularité climatique, si ce n'est que les mois d'avril, de mai et de juin ont été légèrement plus frais et pluvieux que la normale. Les précipitations et les températures de juillet ont été supérieures aux moyennes saisonnières, tandis qu'en août le temps a été sec, mais s'est un peu rafraîchi. Le mois de septembre 1985 est resté dans les annales comme le plus ensoleillé, le plus chaud et le plus sec que l'on ait connu à Bordeaux. En effet, même des années aussi grandioses que 1961, 1982 et 1989 n'avaient pas bénéficié d'une météo aussi exceptionnelle.

Les vendanges ont débuté fin septembre, et la période allant du 23 au 30 septembre a été marquée par trois faits : d'abord, le merlot était parfaitement mûr et d'excellente qualité ; ensuite, le cabernet sauvignon n'était pas à parfaite maturité et ne titrait que 11° d'alcool ; enfin, la récolte était tellement énorme que tout le monde a été pris au dépourvu. La sécheresse des mois d'août et de septembre avait provoqué un blocage de maturité dans le cabernet des sols graveleux, et les meilleurs producteurs ont préféré attendre pour les vendanger. Ils prenaient ainsi le risque de les exposer à de mauvaises conditions climatiques, mais espéraient par là obtenir une plus forte teneur en sucre. Les moins audacieux ont récolté plus tôt, se contentant d'un cabernet sauvignon de bonne, mais pas d'excellente, qualité. Cependant, le beau temps a duré jusqu'à la fin du mois d'octobre, et ceux qui ont vendangé à la mi-octobre ont produit les meilleurs vins du millésime. Dans les régions de Barsac et de Sauternes, où la sécheresse n'a pas favorisé le développement du botrytis, les vins se sont révélés monolithiques, sans détour et fruités, mais manquant de profondeur et de complexité.

En règle générale, le millésime 1985 est très séduisant. On y trouve nombre de vins riches, équilibrés, très parfumés et tendres, qui pourront être dégustés au cours des 15 prochaines années, en attendant que les tannins des 1986 s'arrondissent et que des vins plus riches, plus pleins et plus massifs comme les 1982 ou les 1989 atteignent leur apogée. Cette année a aussi été très ensoleillée, très chaude et marquée par la sécheresse, à un point tel que plusieurs vignobles de terroirs légers et graveleux ont souffert du stress de la vigne.

En Médoc, la récolte a été extrêmement abondante. Les châteaux qui ont procédé à des sélections sévères ont produit des vins ronds, pleins de charme, précoces et opulents, avec un faible niveau d'acidité et un caractère élégant et féminin. Leurs tannins sont souples et bien fondus.

Il est intéressant de noter que certains deuxièmes crus comme Cos d'Estournel, Lynch-Bages, Léoville-Las Cases, Ducru-Beaucaillou, Pichon-Longueville Comtesse de Lalande et Léoville-Barton ont obtenu, exactement comme en 1989, des vins qui peuvent rivaliser avec – et qui parfois même surpassent – les plus illustres premiers crus. Dans d'autres millésimes (par exemple en 1986), ces derniers se situent bien au-dessus du lot, mais il n'en va pas de même en 1985.

Dans le meilleur des cas, les plus fins des 1985 évolueront comme les 1953, qui sont de beaux vins pleins de charme. La plupart des propriétaires médocains avaient une haute opinion du 1985, qu'ils considéraient comme une synthèse de 1982 et de 1983. D'autres encore l'ont comparé au 1976. Mais ces deux points de vue me semblent loin de refléter la réalité. Les 1985 sont sans aucun doute plus légers que les meilleurs 1982 ou 1986, dont ils n'ont ni la texture ni la concentration, mais ils sont bien plus riches et plus pleins que les 1976.

Sur la rive droite, le merlot a été ramassé à bonne maturité, même si certains châteaux ont eu tendance à vendanger un peu trop tôt (par exemple Petrus et Trotanoy). Bien qu'il s'agisse d'une excellente année pour Pomerol, les vins ne peuvent en aucun cas être comparés aux 1982 ou aux 1989. Quant à Saint-Émilion, la qualité y est moins homogène, car plusieurs viticulteurs ont vendangé leur cabernet sauvignon alors qu'il n'était pas encore à maturité physiologique. Certains producteurs du Libournais ont fait un rapprochement intéressant entre les 1985 et les 1971, qu'ils estiment de style similaire.

Les 1985, très séduisants, ont été surcotés au moment de leur diffusion, mais leurs prix n'ont pas évolué autant que certains vins l'auraient mérité, si bien qu'ils semblent aujourd'hui beaucoup plus raisonnables qu'ils ne l'étaient au début.

LES MEILLEURS 1985

Saint-Estèphe : Cos d'Estournel, Haut-Marbuzet
Pauillac : Lafite-Rothschild, Lynch-Bages, Mouton-Rothschild,
Pichon-Longueville Comtesse de Lalande
Saint-Julien : Ducru-Beaucaillou, Gruaud-Larose, Léoville-Barton,
Léoville-Las Cases, Talbot
Margaux : D'Angludet, Lascombes, Margaux, Palmer, Rauzan-Ségla
Médoc/Haut-Médoc/Moulis/Listrac crus bourgeois : aucun
Graves rouges : Haut-Brion, La Mission-Haut-Brion
Graves blancs : Domaine de Chevalier, Haut-Brion, Laville-Haut-Brion
Pomerol : Certan de May, La Conseillante, L'Église-Clinet, L'Évangile, Lafleur,
Petrus, Le Pin
Saint-Émilion : Canon, Cheval Blanc, De Ferrand, Soutard,
Le Tertre-Rotebœuf
Barsac/Sauternes : D'Yquem

1984 – BRÈVE PRÉSENTATION (5 octobre 1984)

Saint-Estèphe*	Graves rouges**
Pauillac**	Graves blancs*
Saint-Julien**	Pomerol**
Margaux*	Saint-Émilion*
Médoc/Haut-Médoc crus bourgeois*	Barsac/Sauternes*

Récolte : moyenne, avec une majorité de vins à base de cabernet sauvignon.

Spécificités : il s'agit du millésime récent le moins attrayant et le moins agréable à boire actuellement. Pour la plupart composés d'une forte proportion de cabernet (le merlot était de mauvaise qualité cette année-là), les 1984 arborent encore une belle robe, mais ils sont compacts, austères, excessivement fermés et très tanniques. Les meilleurs d'entre eux pourraient néanmoins se révéler étonnamment bons au terme d'une garde supplémentaire de 5 à 7 ans.

Maturité : ces vins méritent-ils d'être attendus ?

Prix : la plupart des détaillants cherchent encore à se défaire de leurs stocks de 1984, si bien qu'il est possible de s'en procurer à des prix dérisoires.

La presse spécialisée se conduit parfois de manière étrange, et elle est, de ce fait, difficile à maîtriser. Plusieurs critiques viticoles, qui devraient normalement être des personnes prudentes et averties, ont unanimement condamné le millésime dans le courant de l'été 1984, soit deux bons mois avant le début des vendanges. Par la suite, ce sont les mêmes qui, au moment de la diffusion, ont chaudement recommandé aux amateurs d'acquérir ces « merveilleux vins miracles ». Comme d'habitude, la vérité se situe à mi-chemin entre ces deux extrêmes.

Après 1981, 1982 et 1983, trois millésimes abondants, les conditions climatiques de l'été et de l'automne 1984 n'ont guère suscité l'enthousiasme des Bordelais. D'abord, grâce à un mois d'avril chaud et ensoleillé, le cycle végétal était en avance. Malheureusement, le mois de mai suivant, relativement frais et pluvieux, a perturbé la floraison, en particulier celle du merlot, qui bourgeonne précocement et dont la récolte a ainsi été compromise dès avant le début de l'été. Les mauvaises conditions climatiques (printemps tardif et été précoce) ont, par la suite, fait la « une » de la presse mondiale qui, extrapolant, a dépeint le millésime 1984 comme un désastre imminent. Cependant, juillet a été sec et chaud, et, à la fin du mois d'août, certains producteurs trop enthousiastes évoquaient la possibilité de récolter de petites quantités de cabernet sauvignon extrêmement mûr. Certains observateurs ont même comparé le millésime 1984 au 1961, mais ils avaient probablement des intentions malicieuses, car ces deux millésimes sont rigoureusement différents et absolument incomparables.

Après un début de septembre relativement calme, le temps s'est détérioré, en particulier entre le 21 septembre et le 4 octobre. Au cours de cette période, les conditions climatiques désastreuses ont atteint leur paroxysme avec l'arrivée du cyclone Hortense (le premier à s'abattre sur la région), qui a emporté la toiture de nombreux bâtiments et a causé des frayeurs noires aux viticulteurs. Après le 4 octobre, le temps s'est remis au beau, et les producteurs ont pu commencer à vendanger leur cabernet sauvignon. Ceux qui l'ont ramassé plus tard ont obtenu des raisins mûrs, mais aux peaux relativement épaisses et avec des taux d'acidité très élevés, surtout lorsqu'on les compare à ceux d'autres années récentes.

Le problème des 1984 (que ce soit dans leur jeunesse ou actuellement) est qu'ils manquent de merlot, qui aurait apporté un certain équilibre à leur caractère compact et à leur haut niveau d'acidité. C'est pour cette raison que ces vins manquent de gras et de charme ; pour cette raison aussi qu'ils ont de belles robes sombres, puisqu'ils sont essentiellement à base de cabernet sauvignon.

A l'évidence, les producteurs qui ont vendangé tard ont le mieux réussi, les meilleurs vins provenant du Médoc et des Graves. Ils seront probablement de plus longue garde que les 1980, autre millésime difficile de cette décennie, mais se révéleront moins agréables à la dégustation.

A Saint-Émilion et à Pomerol, le millésime 1984 n'est certes pas le désastre total présenté par la presse spécialisée, mais il est assurément très décevant. Cette année-là, la plupart des meilleures propriétés (Ausone, Canon, Magdelaine, Bel-Air, La Dominique, Couvent des Jacobins et Tertre-Daugay) ont déclassé la totalité de leur récolte, chose qui ne leur était pas arrivée depuis 1968 ou 1972. Même Petrus n'a produit que 800 caisses, alors que sa moyenne en 1985 et en 1986 était de l'ordre de 4 600 caisses.

Treize ans plus tard, les meilleurs 1984 sont toujours relativement étroits et serrés, et, s'ils arborent encore une belle robe, ils manquent à la fois de chair, de profondeur, d'ampleur et de charme. Ils se conserveront sans aucun doute quelques années encore, mais il y a peu de chances qu'ils s'ouvrent et s'épanouissent un jour.

LES MEILLEURS 1984

Saint-Estèphe : Cos d'Estournel
Pauillac : Latour, Lynch-Bages, Mouton-Rothschild, Pichon-Longueville
Comtesse de Lalande

Saint-Julien : Gruaud-Larose, Léoville-Las Cases

Margaux : Margaux

Médoc/Haut-Médoc/Moulis/Listrac crus bourgeois : aucun

Graves rouges : Domaine de Chevalier, Haut-Brion, La Mission-Haut-Brion

Graves blancs : aucun

Pomerol : Petrus, Trotanoy

Saint-Émilion : Figeac

Barsac/Sauternes : D'Yquem

1983 – BRÈVE PRÉSENTATION (26 septembre 1983)

Saint-Estèphe**	Graves rouges****
Pauillac***	Graves blancs****
Saint-Julien***	Pomerol***
Margaux*****	Saint-Émilion****
Médoc/Haut-Médoc crus bourgeois**	Barsac/Sauternes****

Récolte : importante. La production globale est légèrement inférieure à celle de 1982, mais les châteaux du Médoc ont produit plus de vin que dans cette année-là.

Spécificités : Bordeaux, comme le reste de la France, a souffert en août 1983 d'une chaleur tropicale et d'une humidité inhabituelles. Cela a entraîné une surmaturation considérable des raisins et a favorisé le développement de la pourriture dans certains terroirs, en particulier à Saint-Estèphe, Pauillac, Pomerol et dans les parties les plus sablonneuses du plateau de Saint-Émilion.

Maturité : on a initialement décrit ce millésime comme étant plus classique (ou plus typique) et de plus longue garde que son prédécesseur. Aujourd'hui, les 1983 se révèlent plus épanouis et plus proches de la maturité que les 1982 ; ils atteindront rapidement leur apogée.

Prix : ceux des meilleurs 1983 sont encore raisonnables, car les amateurs de bordeaux ont en général beaucoup investi dans 1982. Les seules exceptions à cette règle sont les Margaux 1983, qui sont de qualité bien supérieure à celle de leurs aînés d'un an.

Dans les années récentes, la récolte 1983 est probablement celle qui a évolué le plus curieusement. Pour la troisième année consécutive, la floraison s'est déroulée normalement, laissant présager une vendange abondante. Les températures du mois de juillet ont été les plus torrides jamais enregistrées. Le mois d'août a lui aussi été très chaud, mais également pluvieux et humide, ce qui a favorisé le développement des maladies et de la pourriture dans plusieurs vignobles. Il était donc essentiel de traiter les vignes contre ces fléaux, et les producteurs qui n'ont pas été diligents ont connu bien des difficultés dues aux raisins affectés par le mildiou. Les mauvaises conditions climatiques ont persisté pendant tout le mois d'août, et des observateurs pessimistes évoquaient alors l'éventualité d'un millésime aussi désastreux que 1968 ou 1965. Mais septembre a été chaud et sec (sans pluies excessives), et octobre a connu un temps exceptionnel, sec et ensoleillé. Les raisins vendangés tard ont donc pu, sous des cieux cléments, atteindre un stade de parfaite maturité, et toute la période des vendanges s'est déroulée dans des conditions idéales, comme Bordeaux n'en avait pas connu depuis 1961.

Le millésime 1983 est le meilleur de la décennie pour l'appellation Margaux, d'où sont issues les plus belles réussites. En fait, on trouve dans cette région, qui est toujours moins performante qu'on ne pourrait s'y attendre, nombre de vins de grande qualité, et les Châteaux Margaux, Palmer, Rauzan-Ségla (1983 a marqué le retour de cette propriété à un excellent niveau), Issan et Brane-Cantenac se sont nettement distingués. A l'heure actuelle, le mystère de ces vins reste entier.

Les autres appellations ont connu plus de difficultés, et leurs vins n'ont pas évolué de manière aussi homogène ni aussi gracieuse que certains l'avaient d'abord pronostiqué. Ainsi, dans le nord du Médoc, les Saint-Estèphe sont décevants, et la gamme des Pauillac comprend aussi bien des vins relativement légers, au caractère rôti, trop marqués par le bois et creux en milieu de bouche, que des réussites exceptionnelles, notamment les Châteaux Pichon-Longueville Comtesse de Lalande, Mouton-Rothschild et Lafite-Rothschild.

En règle générale, les Saint-Julien ne laisseront pas de souvenir impérissable, à l'exception du superbe Léoville-Poyferré. En effet, ce cru est curieusement aussi bon en 1983 que les deux autres Léoville, à savoir Léoville-Las Cases et Léoville-Barton. Il n'y a aucun autre millésime des années 80 où ce soit le cas. Les propriétés Cordier, Gruaud-Larose et Talbot, ont également produit de bons vins, mais, dans l'ensemble, 1983 n'est pas une année mémorable pour les Saint-Julien.

La région des Graves est toujours aussi peu homogène, les châteaux de Pessac-Léognan (Haut-Brion, La Mission-Haut-Brion, Haut-Bailly, Domaine de Chevalier et De Fieuzal) enregistrant de belles réussites, alors que les autres vins de l'appellation sont plutôt décevants.

Sur la rive droite, à Pomerol et à Saint-Émilion, l'irrégularité est encore de mise. Les vins de la plupart des vignobles des coteaux de Saint-Émilion sont bons, mais ceux du plateau et des sols les plus sablonneux sont de qualité peu homogène, à l'exception du Cheval Blanc 1983, qui est une des plus belles réussites de la décennie. Il est difficile de déterminer qui a produit les meilleurs Pomerol dans ce millésime, mais la maison de Jean-Pierre Moueix n'a pas connu de succès particulier. D'autres propriétés de bon niveau, comme La Conseillante, L'Évangile, Lafleur, Certan de May et Le Pin ont toutes produit des vins qui, du point de vue qualitatif, sont assez proches de leurs excellents 1982.

Les meilleurs 1983 évoluent très rapidement et ont des arômes et des senteurs bien plus développés que leurs homologues de l'année précédente.

LES MEILLEURS 1983

Saint-Estèphe : aucun
Pauillac : Lafite-Rothschild, Mouton-Rothschild, Pichon-Longueville
Comtesse de Lalande
Saint-Julien : Gruaud-Larose, Léoville-Las Cases, Léoville-Poyferré, Talbot
Margaux : D'Angludet, Brane-Cantenac, Cantemerle (sud du Médoc), D'Issan,
Margaux, Palmer, Prieuré-Lichine, Rauzan-Ségla

Médoc/Haut-Médoc/Moulis/Listrac crus bourgeois : aucun
Graves rouges : Domaine de Chevalier, Haut-Bailly, Haut-Brion, La Louvière, La Mission-Haut-Brion
Graves blancs : Domaine de Chevalier, Laville-Haut-Brion
Pomerol : Certan de May, L'Évangile, Lafleur, Petrus, Le Pin
Saint-Émilion : L'Arrosée, Ausone, Belair, Canon, Cheval Blanc, Figeac, Larmande
Barsac/Sauternes : Climens, Doisy-Daëne, De Fargues, Guiraud, Lafaurie-Peyraguey, Raymond-Lafon, Rieussec, D'Yquem

1982 – BRÈVE PRÉSENTATION (13 septembre 1982)

Saint-Estèphe*****
Pauillac*****
Saint-Julien*****
Margaux***
Médoc/Haut-Médoc crus bourgeois****

Graves rouges***
Graves blancs**
Pomerol*****
Saint-Émilion*****
Barsac/Sauternes***

Récolte : à l'époque, cette récolte extrêmement abondante constituait un record, mais elle a depuis été égalée par celle de 1988 et dépassée par celles de 1985, 1986, 1989 et 1990.

Spécificités : à l'exception des régions des Graves et de Margaux, presque toutes les autres appellations du Bordelais ont produit en 1982 les vins les plus complexes et les plus profonds depuis 1961.

Maturité : la majorité des crus bourgeois auraient dû être dégustés dès avant 1990, et les vins de qualité moyenne des régions de Saint-Émilion, de Pomerol, des Graves et de Margaux sont actuellement presque à leur apogée. Les vins plus opulents de Pomerol, de Saint-Émilion et du nord du Médoc (Saint-Julien, Pauillac et Saint-Estèphe) évoluent très lentement. Après s'être défaits du gras de leur petite enfance, ils présentent maintenant une texture plus serrée et plus massive, mais aussi plus structurée et plus tannique.

Prix : aucun millésime récent depuis 1961 n'a connu une telle inflation, et, pourtant, les prix des 1982 continuent encore de grimper. Ils sont actuellement tellement élevés que les consommateurs qui n'ont pas acheté ces vins en primeur ne peuvent qu'envier ceux qui ont eu la présence d'esprit de le faire et les ont ainsi obtenus à des prix qui semblent aujourd'hui dérisoires. Qui se souvient d'un grand millésime aux prix de lancement suivants (la caisse) : Pichon-Lalande, 550 F ; Léoville-Las Cases, 800 F ; Ducru-Beaucaillou, 750 F ; Petrus, 3 000 F ; Cheval Blanc, 2 750 F ; Margaux, 2 750 F ; Certan De May, 900 F ; La Lagune, 375 F ; Grand-Puy-Lacoste, 425 F ; Cos d'Estournel, 725 F ; et Canon, 525 F ? En effet, c'étaient bien les prix moyens de vente des 1982 dans le courant du printemps, de l'été et de l'automne 1983.

La *Revue du vin de France* (publication spécialisée la plus lue en France) et Michel Bettane (dégustateur talentueux qui fait autorité en Europe) étaient les premiers à présenter les 1982 comme des vins d'une richesse, d'une maturité et d'une concentration exceptionnelles, Bettane considérant déjà 1982 comme le plus grand millésime de Bordeaux depuis 1929.

Lorsque, en avril 1983, j'ai à mon tour publié mes appréciations sur ces mêmes vins dans le *Wine Advocate*, j'ai mentionné mon sentiment de n'en avoir jamais auparavant goûté de plus riches, de plus concentrés et de plus prometteurs. Quinze ans plus tard, malgré les 1985, 1986, 1989 et 1990, je tiens toujours les 1982 pour la parfaite illustration de la grandeur des bordeaux.

Les meilleurs d'entre eux sont issus des appellations du nord du Médoc (Saint-Julien, Pauillac et Saint-Estèphe), ainsi que de Pomerol et de Saint-Émilion. Ils ne sont guère différents de ce qu'ils étaient quand je les ai goûtés au fût, et si, à l'approche de leur quinzième anniversaire, ils déploient une richesse, une opulence et une intensité comme j'en ai rarement vu, ils n'en demeurent pas moins relativement fermés et peu évolués.

Les vins des autres appellations ont évolué plus rapidement, en particulier ceux des Graves et de Margaux, ceux – plus légers et de qualité moyenne – de Pomerol et de Saint-Émilion, ainsi que les crus bourgeois.

Aujourd'hui, personne ne saurait valablement contester que les 1982 sont grandioses. Pourtant, en 1983, la presse spécialisée des États-Unis les a accueillis avec scepticisme, décriant vivement leur faible niveau d'acidité et leur style « californien ». Certains critiques ont même avancé qu'ils étaient inférieurs aux 1979 et aux 1981, et qu'ils devaient « être dégustés avant 1990 » car ils étaient déjà à maturité. Mais, curieusement, aucun commentaire de dégustation précis ne venait étayer ces affirmations. Bien sûr, la dégustation est subjective, mais de telles critiques se révèlent aujourd'hui infondées, surtout si l'on en juge par le niveau actuel des meilleurs 1982, ou encore par l'aptitude de certains de ces vins (les premiers crus, les meilleurs deuxièmes crus et les grands vins du nord du Médoc, de Pomerol et de Saint-Émilion) à évoluer lentement en acquérant davantage de richesse. Même à Bordeaux, les 1982 sont très hautement considérés et placés à égalité avec les 1961, les 1949, les 1945 et les 1929. En outre, le marché et les ventes aux enchères, qui rendent compte très justement de la vraie valeur d'un millésime, voient littéralement s'envoler leur cotation. Journaliste et dégustateur des plus pointus, le Bordelais Pierre Coste a toujours considéré 1982 comme la plus grande année à Bordeaux depuis 1929. Il estime pour sa part que la critique systématique de ce millésime par les auteurs américains ne tient aucunement à ses qualités réelles, mais plutôt au fait que ces derniers ne peuvent, sans perdre toute crédibilité, revenir sur les appréciations négatives qu'ils avaient initialement portées sur lui. En effet, ayant omis d'informer en temps utile leurs lecteurs de la grandiose qualité des 1982, ils préfèrent encore les dénigrer, et insinuent au passage le doute dans l'esprit de ceux qui en ont acheté. *In vino veritas* ou *In vino vanitas* ?

Les conditions climatiques exceptionnelles de 1982 ont façonné un millésime à leur image. La floraison, intervenue au cours d'un mois de juin chaud, sec et ensoleillé, laissait présager une récolte abondante. Juillet a été extrêmement chaud, et les températures en août étaient légèrement inférieures à la normale. Déjà, au début du mois de septembre, les viticulteurs bordelais espéraient une grosse vendange et d'excellente qualité. Cependant, une intense vague de chaleur qui a duré presque trois semaines est alors arrivée. En décuplant les taux de sucre, elle a transformé une excellente année en un millésime fabuleux pour toutes les appellations, à l'exception de Margaux et des Graves, dont les sols légers et graveleux ont beaucoup souffert de la chaleur torride de septembre. Pour la première fois, les vinifications se sont déroulées sous des températures inhabituellement élevées, et les viticulteurs en ont tiré des leçons qui leur ont été utiles par la suite, notamment en 1985, 1989 et 1990, trois années également très chaudes. Beaucoup de rumeurs ont circulé, en particulier concernant les fermentations qui se seraient mal déroulées et les averses qui auraient compromis la fin des vendanges du cabernet sauvignon dans certaines propriétés, mais elles se sont par la suite révélées fausses.

A l'analyse, les 1982 sont les vins les plus concentrés et les plus riches en extrait depuis les 1961. Leur taux d'acidité, relativement faible, ne l'est pas plus que celui d'autres millésimes où la maturité était exceptionnelle – par exemple 1949, 1953, 1959, 1961 et, de manière surprenante, 1975. Très curieusement, les mêmes sceptiques qui les ont vivement critiqués pour cet aspect de leur personnalité ont ensuite adoré les 1985, les 1989 et les 1990, qui ont pourtant des pH plus élevés et ont donc moins d'acidité. Quant au niveau de tannins des 1982, il a été dépassé entre autres par celui des 1980, 1989 et 1990.

Les dégustations récentes que j'ai faites donnent à penser que les meilleurs vins du nord du Médoc requièrent une garde supplémentaire de 10 à 15 ans. La plupart d'entre eux semblent avoir peu évolué depuis leur passage en fût et sont maintenant pleinement remis de la mise en bouteille. Ils déploient en bouche des arômes extraordinairement amples, riches et gras, d'une exceptionnelle richesse en extrait, qui devraient perdurer bien au-delà des 15 à 20 ans à venir. Si la majorité des Saint-Émilion, Pomerol, Saint-Julien, Pauillac et Saint-Estèphe sont des vins sensationnels en 1982, la faille de ce millésime se situe en Margaux et dans les Graves. Seul Château Margaux semble avoir évité les conséquences d'une récolte trop abondante, à savoir la production de vins de cabernet sauvignon peu structurés et mous qui semblent être la règle pour le reste de cette appellation. Il en va de même pour les vins des Graves, qui sont légers et de structure faible, surtout lorsqu'on les compare aux superbes 1983 issus de cette même région. Seuls La Mission-Haut-Brion et Haut-Brion ont fait de meilleurs vins en 1982 que l'année suivante.

Le seul aspect négatif des 1982 est le cours actuel des meilleurs vins de ce millésime. Est-ce la raison pour laquelle ils sont toujours la cible privilégiée d'un petit nombre de journalistes viticoles américains ? Ceux qui les ont acquis en primeur ont réalisé l'affaire du siècle. Mais ceux qui n'en ont pas acheté à l'époque et qui cherchent à s'en procurer maintenant devront être prêts à les payer plus cher qu'un bordeaux de 1970. Tout cela peut sembler exagéré, mais les 1982 sont pour les amateurs d'aujourd'hui ce que les 1945, 1947 et 1949 étaient pour ceux d'hier.

Enfin, les liquoreux de Sauternes et de Barsac, initialement desservis par leur manque de richesse et de botrytis, ne sont pas aussi mauvais qu'on aurait pu le penser. En fait, D'Yquem et la Cuvée Madame du Château Suduiraut sont deux vins remarquablement puissants et riches qui peuvent rivaliser avec les meilleurs 1983, 1986 et 1988.

LES MEILLEURS 1982

Saint-Estèphe : Calon-Ségur, Cos d'Estournel, Haut-Marbuzet, Montrose
Pauillac : Les Forts de Latour, Grand-Puy-Lacoste, Haut-Batailley, Lafite-Rothschild, Latour, Lynch-Bages, Mouton-Rothschild, Pichon-Longueville Baron, Pichon-Longueville Comtesse de Lalande
Saint-Julien : Beychevelle, Branaire-Ducru, Ducru-Beaucaillou, Gruaud-Larose, Léoville-Barton, Léoville-Las Cases, Léoville-Poyferré, Talbot
Margaux : Margaux, La Lagune (sud du Médoc)
Médoc/Haut-Médoc/Moulis/Listrac crus bourgeois : Maucaillou, Potensac, Poujeaux, Sociando-Mallet, Tour Haut-Caussan, La Tour Saint-Bonnet
Graves rouges : Haut-Brion, La Mission-Haut-Brion, La Tour-Haut-Brion
Graves blancs : aucun
Pomerol : Bon Pasteur, Certan de May, La Conseillante, L'Enclos, L'Évangile, Le Gay, Lafleur, Latour à Pomerol, Petit-Village, Petrus, Le Pin, Trotanoy, Vieux Château Certan
Saint-Émilion : L'Arrosée, Ausone, Canon, Cheval Blanc, La Dominique, Figeac, Pavie
Barsac/Sauternes : Raymond-Lafon, Suduiraut Cuvée Madame, D'Yquem

1981 – BRÈVE PRÉSENTATION (28 septembre 1981)

Saint-Estèphe**	Graves rouges**
Pauillac***	Graves blancs**
Saint-Julien***	Pomerol***
Margaux**	Saint-Émilion**
Médoc/Haut-Médoc crus bourgeois*	Barsac/Sauternes*

Récolte : moyennement abondante. Rétrospectivement, elle semble aujourd'hui modeste.

Spécificités : le premier d'une série presque ininterrompue de millésimes chauds et secs qui a duré jusqu'en 1990. 1981 aurait pu être une excellente année s'il n'avait plu juste avant les vendanges.

Maturité : la plupart des 1981 seront bientôt à leur apogée, mais les meilleurs d'entre eux pourront se conserver pendant 10 ans encore.

Prix : ignorés ou sous-estimés, les 1981 sont aussi sous-évalués. Ils représentent donc un excellent rapport qualité/prix.

Le millésime 1981 a toujours été qualifié de plus « classique » que ses voisins immédiats. En fait, ce terme veut simplement dire qu'il s'agit d'une année typique de Bordeaux, avec des vins moyennement corsés, bien équilibrés et gracieux. Hormis environ une douzaine d'excellents vins, 1981 n'est dans l'ensemble qu'un « bon » millésime, de qualité inférieure à 1982 et 1983, et même à 1978 et 1979.

Cette année aurait en fait pu être exceptionnelle si elle n'avait été compromise par les pluies abondantes qui sont tombées juste avant le début des vendanges, inondant les vignobles entre le 1er et le 5, puis entre le 9 et le 15 octobre, et diluant considérablement l'intensité des arômes contenus dans les raisins. Mais, jusqu'à ce moment, l'été avait été parfait. La floraison est intervenue dans d'excellentes conditions, et, si le mois de juillet a été frais, août et septembre ont été chauds et secs. Ce n'est que de la spéculation, mais on peut penser qu'en l'absence de pluies 1981 aurait pu être l'un des plus grands millésimes de la période de l'après-guerre. Il offre néanmoins des vins bien colorés, moyennement corsés, aux tannins modérés. Les vins blancs secs se sont révélés de bon niveau, mais ils devraient déjà avoir été consommés. Les régions de Sauternes et de Barsac ont été fortement touchées par les pluies et n'ont de ce fait produit aucun vin digne d'être remarqué.

On compte bon nombre de réussites, en particulier à Pomerol, Saint-Julien et Pauillac. Seize ans après le millésime, les 1981 sont dans l'ensemble à leur apogée, et seuls les meilleurs d'entre eux pourront se conserver encore une quinzaine d'années. Leurs défauts principaux sont le manque de richesse, de chair et d'intensité – qualités que possèdent d'autres millésimes plus récents. Cette année-là, la plupart des producteurs de vins rouges ont dû chaptaliser de manière significative, car les raisins ont été vendangés avec des taux de sucre peu élevés du fait des pluies. Ainsi, les cabernets titraient environ 11° et les merlots 12°.

LES MEILLEURS 1981

Saint-Estèphe : aucun
Pauillac : Lafite-Rothschild, Latour, Pichon-Longueville Comtesse de Lalande
Saint-Julien : Ducru-Beaucaillou, Gruaud-Larose, Léoville-Las Cases,
Saint-Pierre
Margaux : Giscours, Margaux
Médoc/Haut-Médoc/Moulis/Listrac crus bourgeois : aucun
Graves rouges : La Mission-Haut-Brion
Graves blancs : aucun
Pomerol : Certan de May, La Conseillante, Petrus, Le Pin,
Vieux Château Certan
Saint-Émilion : Cheval Blanc
Barsac/Sauternes : Climens, De Fargues, D'Yquem

1980 – BRÈVE PRÉSENTATION (14 octobre 1980)

Saint-Estèphe*   Graves rouges**
Pauillac**   Graves blancs*
Saint-Julien**   Pomerol**
Margaux**   Saint-Émilion*
Médoc/Haut-Médoc crus bourgeois*   Barsac/Sauternes****

Récolte : moyenne.

Spécificités : il n'y a rien d'intéressant à dire sur ce millésime médiocre.

Maturité : à l'exception de Château Margaux et de Petrus, presque tous les 1980 devront être consommés au cours des prochaines années.

Prix : bas.

On dit souvent des années 80 qu'elles sont l'âge d'or de Bordeaux ou la décennie du siècle. Pourtant, elles n'ont pas débuté sous des auspices très favorables. L'été 1980 a été frais et pluvieux, et, à cause d'un mois de juin particulièrement déplorable, la floraison s'est révélée quelconque et inintéressante. Début septembre, on s'attendait à une reproduction du même acabit que 1968 et 1963, qui sont les deux pires millésimes des trente-cinq dernières années. Cependant, les traitements modernes contre la pourriture ont, dans une large mesure, permis de préserver les raisins, si bien que les producteurs ont pu retarder les vendanges jusqu'au retour du beau temps, fin septembre. Le ciel est resté clément jusqu'à la mi-octobre, quand les pluies ont débuté alors que plusieurs producteurs commençaient à peine à récolter. Tout cela a donné des vins qui, dans l'ensemble, sont décevants. Légers et aqueux, ils ont un goût végétal et herbacé et sont desservis par un taux d'acidité trop élevé et des tannins trop abondants. Les viticulteurs qui ont vendangé tardivement et ont opéré des sélections sévères, comme la famille Mentzelopoulos à Château Margaux (la réussite du millésime), ont élaboré des vins plus souples, plus ronds et plus intéressants, qui pouvaient être dégustés dès la fin des années 80 et se conserveront bien jusqu'à la fin de ce siècle. Cependant, peu de propriétés ont fait de bons vins.

Comme il est de coutume dans les années pluvieuses et fraîches, les vignobles implantés dans les sols légers, graveleux et sablonneux (par exemple ceux des appellations Margaux et Graves) atteignent un degré de maturité plus avancé que les autres. Il n'est donc pas surprenant qu'en 1980 les belles réussites émanent de ces régions, mais certains Pauillac sont également d'excellente qualité, grâce à des sélections sévères.

Si 1980 a été décevant pour ce qui est des vins rouges, il s'agit en revanche d'une excellente année pour les liquoreux de Sauternes et de Barsac, où les vendanges se sont déroulées dans des conditions idéales jusqu'à la fin du mois de novembre. Des raisins parfaitement mûrs ont donné quelques vins de très grande classe, très riches et très intenses, dont le succès commercial a malheureusement été compromis par la mauvaise réputation des vins rouges du même millésime. Quiconque ayant l'occasion de déguster un Climens, un D'Yquem ou un Raymond-Lafon 1980 en reconnaîtra immédiatement la qualité.

LES MEILLEURS 1980

Saint-Estèphe : aucun
Pauillac : Latour, Pichon-Longueville Comtesse de Lalande
Saint-Julien : Talbot
Margaux : Margaux
Médoc/Haut-Médoc/Moulis/Listrac crus bourgeois : aucun
Graves rouges : Domaine de Chevalier, La Mission-Haut-Brion

Graves blancs : aucun
Pomerol : Certan de May, Petrus
Saint-Émilion : Cheval Blanc
Barsac/Sauternes : Climens, De Fargues, Raymond-Lafon, D'Yquem

1979 – BRÈVE PRÉSENTATION (3 octobre 1979)

Saint-Estèphe**	Graves rouges****
Pauillac***	Graves blancs**
Saint-Julien***	Pomerol***
Margaux****	Saint-Émilion**
Médoc/Haut-Médoc crus bourgeois**	Barsac/Sauternes*

Récolte : une vendange énorme, considérée à l'époque comme un record.

Spécificités : il s'agit de la seule année fraîche des décennies 70 et 80 qui ait fait un bon millésime.

Maturité : contrairement aux pronostics de départ, les 1979 ont évolué lentement. Cela tient en partie au fait qu'ils possèdent des tannins relativement durs et un bon niveau d'acidité, deux caractéristiques qui ont marqué les meilleurs millésimes des années 80.

Prix : à cause du désintérêt des consommateurs pour ces vins de réputation assez moyenne, les 1979 sont à des prix relativement bas, hormis ceux de certains Pomerol prestigieux, dont la production est limitée.

En 1979, millésime oublié de Bordeaux, le volume de la récolte battait tous les records. Celle-ci a donné, pour clôturer les années 1970, des vins relativement sains, moyennement corsés, aux tannins fermes et avec un bon niveau d'acidité. Cependant, la presse spécialisée n'en ayant que très peu parlé au cours de la décennie suivante, la plupart d'entre eux ont certainement été consommés avant d'avoir atteint leur apogée. Considérés comme inférieurs aux 1978 au moment de leur diffusion, ils se sont par la suite révélés de meilleur niveau, du moins en termes de potentiel de garde. Cependant, cette qualité prise isolément ne permet pas d'évaluer correctement un millésime, et certains 1979 sont des vins pauvres, maigres et compacts, que des commentateurs naïfs ont préféré qualifier de « classiques » plutôt que de dire qu'ils étaient totalement « dépouillés ».

Malgré d'importantes disparités entre les différentes appellations, les régions de Margaux, des Graves et de Pomerol ont produit des vins étonnamment bons, très aromatiques et riches. A quelques exceptions près, ils se conserveront encore quelques années grâce à leurs taux d'acidité et de tannins relativement abondants et à leur structure solide. Les meilleurs d'entre eux ont un potentiel de garde de 10 à 15 ans encore.

Pour les vins blancs secs et les liquoreux, il ne s'agit pas d'une très bonne année. En effet, les vins blancs secs n'étaient pas totalement mûrs, et il n'y a pas eu suffisamment de botrytis pour donner aux vins doux de Sauternes et de Barsac ce caractère complexe et mielleux qui fait leur réputation.

Les prix des 1979 (lorsqu'ils sont encore disponibles) sont les plus bas parmi ceux des bons millésimes récents du Bordelais et reflètent le manque d'intérêt des consommateurs.

176 LES VINS DE FRANCE

LES MEILLEURS 1979

Saint-Estèphe : Cos d'Estournel
Pauillac : Lafite-Rothschild, Latour, Pichon-Longueville
Comtesse de Lalande
Saint-Julien : Gruaud-Larose, Léoville-Las Cases
Margaux : Giscours, Margaux, Palmer, Du Tertre
Médoc/Haut-Médoc/Moulis/Listrac crus bourgeois : aucun
Graves rouges : Les Carmes-Haut-Brion, Domaine de Chevalier,
Haut-Bailly, Haut-Brion, La Mission-Haut-Brion
Graves blancs : aucun
Pomerol : Certan de May, L'Enclos, L'Évangile, Lafleur, Petrus
Saint-Émilion : Ausone
Barsac/Sauternes : aucun

1978 – BRÈVE PRÉSENTATION (7 octobre 1978)

Saint-Estèphe**	Graves rouges*****
Pauillac***	Graves blancs****
Saint-Julien****	Pomerol**
Margaux****	Saint-Émilion***
Médoc/Haut-Médoc crus bourgeois**	Barsac/Sauternes**

Récolte : moyenne.
Spécificités : millésime élevé au rang d'« année miraculée » par Harry Waugh, gentleman-journaliste anglais.
Maturité : presque tous les 1978 sont maintenant à maturité.
Prix : élevés.

L'année 1978 a été exceptionnelle pour les vins rouges des Graves et de bon niveau pour ceux du Médoc, de Pomerol et de Saint-Émilion. Quant aux liquoreux de Barsac et de Sauternes, ils sont monolithiques, sans détour et sans grand caractère, par manque de botrytis. Les vins blancs secs des Graves, comme les rouges de cette appellation, se sont révélés excellents.

Les conditions climatiques en 1978 étaient loin d'être enthousiasmantes. En effet, le printemps a été frais et pluvieux, et le mauvais temps a sévi tout au long des mois de juin et de juillet, et même pendant une partie du mois d'août. Les producteurs ont dès lors commencé à redouter un millésime déplorable, à l'image des 1963, 1965, 1968 ou 1977. Cependant, à la mi-août, un énorme anticyclone s'est installé au-dessus de la région sud-ouest de la France et du nord de l'Espagne, ramenant un beau temps sec et ensoleillé qui a duré près de neuf semaines. Et les quelques averses éparses qui sont tombées pendant cette période ont été sans conséquence.

A ce moment, le processus de maturation était très en retard (contrairement à ce qui s'est passé dans les années 1989 et 1990, où il était plutôt avancé). Les vendanges ont dû être décalées et n'ont débuté que le 7 octobre. Elles se sont déroulées sous un temps idéal, presque « miraculeux », comme l'a souligné Harry Waugh, surtout si l'on en juge par rapport aux conditions météorologiques déplorables du printemps et de l'été.

Dans l'ensemble, le millésime 1978 est très bon ou excellent. Les appellations Margaux et Graves sont celles qui ont enregistré le plus de réussites, car leurs sols légers et bien drainés se comportent mieux que les autres dans les années plus fraîches. En fait, il s'agit pour les vins des Graves de leur plus grand millésime après 1961 (à l'exception, toutefois, du décevant Château Pape-Clément). Ces vins, qui, au départ, semblaient intensément fruités, très colorés, modérément tanniques et moyennement corsés, ont évolué plus rapidement que les 1979, aux tannins plus fermes et à l'acidité plus marquée, façonnés par une année encore plus fraîche et plus sèche que la précédente. Les 1978 ont atteint leur apogée à 12 ans d'âge, et plusieurs dégustateurs se sont déclarés déçus par ces vins dont ils avaient espéré mieux.

Exactement comme 1979, 1981 et 1988, le millésime 1978 ne compte pas de réussites vraiment grandioses. On y trouve certes des vins de très bon niveau, mais qui n'ont pas suscité de réel enthousiasme de la part des consommateurs après leur diffusion. Quant à ceux de qualité moyenne, ils sont inintéressants : ils ont un caractère végétal et herbacé car issus de vignobles qui, n'étant pas implantés sur les meilleurs sols, n'ont pas atteint le seuil de maturité requis malgré une fin de saison chaude et sèche. Une sélection stricte est aussi fondamentale quand il s'agit d'élaborer de bons vins, et, si ce procédé a été respecté dans les années 80, il n'en allait pas de même au cours de la décennie précédente, quand les propriétaires faisaient naviguer leur entière récolte sous l'étiquette de leur grand vin. Aujourd'hui, plusieurs de ces mêmes viticulteurs reconnaissent que les 1978 auraient pu être fidèles à leur réputation initiale si un tri plus sévère avait été opéré au moment de leur élaboration.

Pour Sauternes et Barsac, il s'agit d'une année très difficile. En effet, l'automne a été très chaud et sec, et a compromis la formation de la pourriture noble, ou botrytis. Exactement comme en 1979, ces appellations ont produit des vins lourds, gras et liquoreux, qui manquent à la fois de tenue, de complexité et de précision dans les arômes.

LES MEILLEURS 1978

Saint-Estèphe : aucun
Pauillac : Les Forts de Latour, Grand-Puy-Lacoste, Latour, Pichon-Longueville Comtesse de Lalande
Saint-Julien : Ducru-Beaucaillou, Gruaud-Larose, Léoville-Las Cases, Talbot
Margaux : Giscours, La Lagune (sud du Médoc), Margaux, Palmer, Prieuré-Lichine, Du Tertre
Médoc/Haut-Médoc/Moulis/Listrac crus bourgeois : aucun
Graves rouges : Les Carmes-Haut-Brion, Domaine de Chevalier, Haut-Bailly, Haut-Brion, La Mission-Haut-Brion, La Tour-Haut-Brion
Graves blancs : Domaine de Chevalier, Haut-Brion, Laville-Haut-Brion
Pomerol : Lafleur
Saint-Émilion : L'Arrosée, Cheval Blanc
Barsac/Sauternes : aucun

1977 – BRÈVE PRÉSENTATION (3 octobre 1977)

Saint-Estèphe*   Graves rouges*
Pauillac*   Graves blancs*
Saint-Julien*   Pomerol 0
Margaux*   Saint-Émilion 0
Médoc/Haut-Médoc crus bourgeois*   Barsac/Sauternes*

Récolte : réduite.

Spécificités : ce millésime est très certainement le plus désastreux de cette décennie et demeure, dans la médiocrité, inégalé.

Maturité : tous les vins de 1977, y compris les quelques-uns qui étaient buvables, auraient dû être consommés avant le milieu des années 80.

Prix : Malgré des prix très bas, on ne peut parler de bonnes affaires relativement aux 1977.

L'année 1977 est la plus déplorable de sa décennie pour les bordeaux – elle est même de qualité inférieure aux deux millésimes les plus médiocres des années 80, soit le 1980 et le 1984. La majorité des merlots ont été dévastés par une importante gelée à la fin du printemps, l'été a été frais et pluvieux, et quand, enfin, le beau temps est revenu, juste avant les vendanges, il était bien trop tard pour sauver la récolte. On a donc vendangé des raisins qui n'avaient pas – et de loin – atteint le stade de la maturité analytique et encore moins celui de la maturité physiologique.

Les 1977 sont très acides et tellement herbacés qu'ils en ont même un caractère végétal. Ils auraient dû être consommés depuis plusieurs années déjà. Quelques-uns des meilleurs vins de cette année ont été produits par Figeac, Giscours, Gruaud-Larose, Pichon-Lalande, Latour et trois propriétés de la région des Graves, Haut-Brion, La Mission-Haut-Brion et le Domaine de Chevalier. Cependant, je n'ai jamais pu recommander les 1977, dont j'estime qu'ils n'ont aucune valeur, tant gustative que pécuniaire.

1976 – BRÈVE PRÉSENTATION (13 septembre 1976)

Saint-Estèphe***   Graves rouges*
Pauillac***   Graves blancs***
Saint-Julien***   Pomerol***
Margaux**   Saint-Émilion***
Médoc/Haut-Médoc crus bourgeois*   Barsac/Sauternes****

Récolte : très abondante. Il s'agit même de la deuxième plus importante des années 70.

Spécificités : cette année chaude et excessivement sèche aurait pu faire le meilleur millésime de la décennie s'il n'avait plu juste avant les vendanges.

Maturité : au moment de leur diffusion en 1979, les 1976 étaient délicieux et à maturité. Aujourd'hui les meilleurs d'entre eux sont encore excellents, voire somptueux. Il s'agit d'une des rares années où les vins ne se sont jamais refermés ou montrés sous un mauvais jour.

Prix : les 1976 ont toujours été à des prix raisonnables, car ils n'ont jamais été portés au pinacle par les gourous du vin.

Le millésime 1976 a été très médiatisé, mais il n'a malheureusement pas tenu ses promesses. Pourtant, il y a eu cette année-là toutes les composantes requises pour faire un grand millésime. Les vendanges, les plus précoces depuis celles de 1945, ont débuté le 13 septembre. L'été avait été particulièrement torride, et les moyennes de températures de juin à septembre se plaçaient juste derrière celles de 1949 et de 1947, deux années également très chaudes. Malheureusement, alors que plusieurs viticulteurs évoquaient – une fois de plus – le « millésime du siècle », d'importantes pluies se sont abattues sur le vignoble entre les 11 et 15 septembre, gorgeant d'eau les raisins.

La vendange a été abondante, les raisins étaient mûrs, et, si les vins avaient un bon niveau de tannins, ils avaient au contraire une acidité faible et un pH dangereusement élevé. Les meilleurs 1976 se sont montrés merveilleusement doux, souples et délicieusement fruités depuis leur diffusion. Je pensais vraiment qu'ils devaient être consommés avant la fin des années 80, mais les plus fins d'entre eux semblent encore être à leur apogée sans avoir perdu leur fruité. Je regrette maintenant de n'en avoir pas acheté davantage, surtout qu'ils se sont montrés absolument délicieux sur une longue période de temps. Toutefois, ils ne feront plus de vieux os, et il convient de se montrer prudent avec ceux de qualité moyenne qui, dès le départ, manquaient de profondeur et d'intensité. Ces derniers vins, extrêmement fragiles, ont progressivement acquis une robe brunâtre et ont perdu de leur fruité. Néanmoins, les 1976 les plus réussis sont excellents et prouvent que, même dans un millésime léger, relativement dilué et d'acidité faible, les bordeaux peuvent tenir 15 ans ou plus s'ils sont conservés dans de bonnes conditions.

Les 1976 sont à leur meilleur niveau dans les appellations du nord du Médoc, à Saint-Julien, Pauillac et Saint-Estèphe, et de moindre tenue dans les Graves et à Margaux. Dans le Libournais, à Pomerol et à Saint-Émilion, la qualité est très irrégulière.

Pour les amateurs des vins liquoreux luxuriants et mielleux, l'année 1976 est une des deux meilleures de la décennie. En effet, les régions de Sauternes et de Barsac ont produit des vins excessivement riches et opulents, grâce à une formation très importante de botrytis dans les vignobles.

LES MEILLEURS 1976

Saint-Estèphe : Cos d'Estournel, Montrose
Pauillac : Haut-Bages-Libéral, Lafite-Rothschild, Pichon-Longueville
Comtesse de Lalande
Saint-Julien : Beychevelle, Branaire-Ducru, Ducru-Beaucaillou,
Léoville-Las Cases, Talbot
Margaux : Giscours, La Lagune (sud du Médoc)
Médoc/Haut-Médoc/Moulis/Listrac crus bourgeois : Sociando-Mallet
Graves rouges : Haut-Brion
Graves blancs : Domaine de Chevalier, Laville-Haut-Brion
Pomerol : Petrus
Saint-Émilion : Ausone, Cheval Blanc, Figeac

Barsac/Sauternes : Climens, Coutet, De Fargues, Guiraud, Rieussec, Suduiraut, D'Yquem

1975 – BRÈVE PRÉSENTATION (22 septembre 1975)

Saint-Estèphe**	Graves rouges**
Pauillac****	Graves blancs***
Saint-Julien****	Pomerol*****
Margaux**	Saint-Émilion***
Médoc/Haut-Médoc crus bourgeois***	Barsac/Sauternes****

Récolte : après deux années très abondantes (1973 et 1974), 1975 était une récolte moyenne.

Spécificités : après avoir essuyé consécutivement trois vendanges pauvres et assez médiocres, les Bordelais étaient tout prêts à porter les 1975 aux nues.

Maturité : il s'agit du millésime de ces trente dernières années qui a évolué le plus lentement.

Prix : la réputation déclinante de ce millésime perturbe à la fois les professionnels et les consommateurs, et les meilleurs 1975 sont encore durs, fermés et inaccessibles. Ces deux raisons conjuguées expliquent que le prix de ces vins demeure attrayant pour les amateurs patients.

Est-ce l'année des grandes déceptions, ou est-ce celle où l'on a fait à Bordeaux des vins purement classiques ? Le millésime 1975 est, avec 1964 et 1983, l'un des plus déroutants que j'aie vus. On y trouve effectivement de très grands vins, mais, dans l'ensemble, la qualité est très inégale, et les échecs sont si nombreux qu'il est impossible de les passer sous silence.

Conscients de l'abondance des récoltes des trois années précédentes et de la crise internationale engendrée par la hausse du prix du pétrole, les viticulteurs bordelais, qui savaient pertinemment que leurs 1972, 1973 et 1974 avaient déjà envahi le marché, ont procédé à des tailles sévères dans les vignobles, par crainte d'obtenir une quatrième vendange importante. Les conditions climatiques en 1975 ont été clémentes. Juillet, août et septembre ont été chauds, mais sans excès. Cependant, ces deux derniers mois ont été marqués par de forts orages qui ont amené des pluies abondantes dans la région. Celles-ci furent fort heureusement très localisées et n'ont vraiment perturbé que le système nerveux des producteurs. Mais, par la suite, des orages de grêle ont causé d'importants dégâts dans certaines communes du centre du Médoc – en particulier à Moulis, Lamarque et Arcins –, et d'autres, plus isolés, ont touché la partie sud de Pessac-Léognan.

Les vendanges ont commencé la troisième semaine de septembre et se sont poursuivies avec le beau temps jusqu'à la mi-octobre. Immédiatement après, les producteurs envisageaient un millésime de tout premier ordre, peut-être même le meilleur depuis 1961. Que s'est-il donc passé ?

Après avoir goûté les 1975 plusieurs fois et avoir eu de nombreuses discussions avec des propriétaires de châteaux et des vignerons, il me semble, rétrospectivement, que le cabernet sauvignon aurait dû être vendangé plus tard. Beaucoup de viticulteurs eux-mêmes pensent qu'il a en effet été ramassé trop tôt, et le fait qu'à cette époque la plupart des raisins n'étaient pas systématiquement égrappés a certainement contribué à exacerber le côté dur et astringent des tannins des vins qui en étaient issus.

1975 est l'un des tout premiers millésimes que j'aie dégustés directement au fût, alors que je visitais Bordeaux en touriste et non en professionnel. Beaucoup de vins jeunes arboraient déjà des robes profondes et déployaient des senteurs intenses, mûres et aromatiques, avec un potentiel énorme, alors que d'autres semblaient avoir un niveau de tannins trop élevé. Nombre d'entre eux se sont refermés deux ou trois ans après la mise en bouteille et, dans la plupart des cas, demeurent excessivement durs et peu évolués. On en trouve aussi qui sont mal faits et très tanniques, avec un fruité déjà passé et une robe brunâtre. La majorité de ces vins ont été élevés en vieux fûts (le chêne neuf n'était pas d'utilisation aussi courante qu'aujourd'hui), et l'état sanitaire de certains chais laissait à désirer. Cependant, même en tenant compte de ces éléments, on ne peut qu'être surpris par les disparités importantes qui existent dans ce millésime. En effet, à ce jour, les différences de qualité entre les 1975 sont plus importantes que dans toute autre année récente. Par exemple, comment expliquer que La Mission-Haut-Brion, Petrus, L'Évangile et Lafleur aient produit des vins aussi profonds et aussi riches, alors que leurs voisins n'ont enregistré que des échecs ? Cela restera le plus grand mystère du millésime.

L'année 1975 est celle des véritables amateurs de Bordeaux qui auront la patience d'attendre que ces vins arrivent à maturité. Les meilleurs d'entre eux proviennent en général de Pomerol, Saint-Julien et Pauillac, et ne sont pas encore à leur apogée. Dans les Graves, où la plupart des vins étaient de qualité médiocre, l'extraordinaire succès de La Mission-Haut-Brion et de La Tour-Haut-Brion, et, dans une moindre mesure, celui de Haut-Brion, constituent des exceptions. Se pourrait-il que les plus fins des 1975 soient à l'image des 1928 et qu'ils aient besoin de 30 ans de vieillissement ou plus avant d'être à maturité ? Les plus belles réussites de ce millésime pourront se conserver très longtemps, car elles possèdent suffisamment de richesse, de concentration et de fruité pour contrebalancer leurs tannins. Cependant, nombre de vins sont trop secs, trop astringents ou trop tanniques pour évoluer plus avant avec grâce.

Lorsque, à l'époque, j'ai acheté en primeur les premiers crus de 1975 au prix de 1 750 F la caisse, il m'avait semblé avoir fait une bonne affaire. Aujourd'hui, je me rends compte que j'ai aussi investi dans 20 années de patience et que les meilleurs de ces vins exigent une garde supplémentaire de 10 ans au moins. Attendre 25 à 30 ans qu'un vin arrive à maturité met la patience et la discipline de tout un chacun à rude épreuve, mais 1975 est un millésime qui apportera à ceux qui sauront l'attendre une belle récompense en différé.

LES MEILLEURS 1975

Saint-Estèphe : Haut-Marbuzet, Meyney, Montrose
Pauillac : Lafite-Rothschild, Latour, Mouton-Rothschild, Pichon-Longueville Comtesse de Lalande

Saint-Julien : Branaire-Ducru, Gloria, Gruaud-Larose, Léoville-Barton,
Léoville-Las Cases
Margaux : Giscours, Palmer
Médoc/Haut-Médoc/Moulis/Listrac crus bourgeois : Greysac,
Sociando-Mallet, La Tour Saint-Bonnet
Graves rouges : Haut-Brion, La Mission-Haut-Brion, Pape-Clément,
La Tour-Haut-Brion
Graves blancs : Domaine de Chevalier, Haut-Brion, Laville-Haut-Brion
Pomerol : L'Enclos, L'Évangile, La Fleur-Petrus, Le Gay, Lafleur,
Nenin, Petrus, Trotanoy, Vieux Château Certan
Saint-Émilion : Cheval Blanc, Figeac, Magdelaine, Soutard
Barsac/Sauternes : Climens, Coutet, De Fargues, Raymond-Lafon,
Rieussec, D'Yquem

1974 – BRÈVE PRÉSENTATION (20 septembre 1974)

Saint-Estèphe*	Graves rouges**
Pauillac*	Graves blancs*
Saint-Julien*	Pomerol**
Margaux*	Saint-Émilion*
Médoc/Haut-Médoc crus bourgeois*	Barsac/Sauternes*

Récolte : énorme.

Spécificités : s'il vous reste des stocks de 1974, il serait préférable de les consommer au cours des prochaines années ou d'en faire don à une œuvre caritative.

Maturité : un petit nombre des meilleurs vins de ce millésime sont encore de bonne tenue, mais ils ne gagneront pas à être gardés plus longtemps.

Prix : les 1974 ont toujours été très peu chers, et je ne pense pas que quiconque soit disposé à y mettre un prix plus élevé si ce n'est pour en offrir à une personne dont c'est l'année de naissance !

Grâce à une floraison qui s'est déroulée dans d'excellentes conditions et aux mois de mai et de juin secs et ensoleillés, la récolte 1974 s'annonçait abondante. Le temps a ensuite été froid et pluvieux, avec beaucoup de vent, de la mi-août à la fin octobre. Malgré des pluies persistantes, c'est la région des Graves qui a connu le plus de succès. En effet, si nombre de 1974 sont durs, tanniques et creux, et manquent de maturité, de chair et de caractère, ceux de certaines propriétés des Graves sont intéressants et puissamment épicés. Ils sont encore plaisants à boire 23 ans après, même s'ils se montrent un peu compacts et si leurs saveurs se sont atténuées. Les champions du millésime sont La Mission-Haut-Brion et le Domaine de Chevalier, suivis de près par Latour à Pauillac et Trotanoy à Pomerol. S'il vous reste quelques-uns de ces crus dans votre cave, ne tentez pas le diable, car, même s'ils sont encore de bonne tenue, mon instinct me dit qu'il faudrait les déguster rapidement.

Le millésime 1974 a été uniformément mauvais en Sauternes et en Barsac – je n'ai d'ailleurs jamais pu mettre la main sur une bouteille d'un vin de cette région pour la goûter.

En bref, on peut se demander lequel de ces trois millésimes, 1972, 1974 ou 1977, est le pire de la décennie 70...

1973 – BRÈVE PRÉSENTATION (20 septembre 1973)

Saint-Estèphe**   Graves rouges*
Pauillac*   Graves blancs**
Saint-Julien**   Pomerol**
Margaux*   Saint-Émilion*
Médoc/Haut-Médoc crus bourgeois*   Barsac/Sauternes*

Récolte : énorme, une des plus importantes des années 70.

Spécificités : la récolte était de mauvaise qualité, car les pluies ont gorgé les raisins et les ont dilués.

Maturité : trouver une bouteille de 1973 qui soit encore de bonne tenue semble être une difficulté insurmontable.

Prix : beaucoup trop chers, même pour ceux dont c'est l'année de naissance...

Vers le milieu des années 70, les meilleurs 1973 étaient encore agréables, légers, ronds et souples, légèrement aqueux, mais, quand même, plaisants à la dégustation. Aujourd'hui, à l'exception du Domaine de Chevalier, de Petrus et de D'Yquem – le grand classique des liquoreux –, tous les vins de ce millésime ont sombré dans l'oubli.

Il arrive souvent, dans le Bordelais, que des pluies de dernière minute viennent gâcher un millésime qui autrement eût été de tout premier ordre. C'est exactement ce qui s'est passé en 1973, quand les pluies, tombées pendant les vendanges, ont dilué une récolte qui s'annonçait saine et importante. Les traitements modernes et les techniques telles que les saignées n'étaient pas d'utilisation courante à l'époque, et cela explique peut-être que certains vins manquent de couleur, de richesse en extrait, d'acidité et de structure. Dans leur majorité, les 1973 étaient prêts au moment de leur diffusion en 1976, mais, dès le début des années 80, nombre d'entre eux étaient déjà sur le déclin, à l'exception de Petrus.

LES MEILLEURS 1973 [1]

Saint-Estèphe : De Pez
Pauillac : Latour
Saint-Julien : Ducru-Beaucaillou
Margaux : aucun
Médoc/Haut-Médoc/Moulis/Listrac crus bourgeois : aucun
Graves rouges : Domaine de Chevalier, La Tour-Haut-Brion
Graves blancs : aucun
Pomerol : Petrus
Saint-Émilion : aucun
Barsac/Sauternes : D'Yquem

---

1. Cette liste n'est donnée qu'à titre indicatif, car tous les vins mentionnés, à l'exception peut-être de Petrus, sont passés, sauf les grands formats impeccablement conservés.

1972 – BRÈVE PRÉSENTATION (7 octobre 1972)

Saint-Estèphe 0

Pauillac 0

Saint-Julien 0

Margaux*

Médoc/Haut-Médoc crus bourgeois 0

Graves rouges*

Graves blancs 0

Pomerol 0

Saint-Émilion*

Barsac/Sauternes 0

Récolte : moyenne.

Spécificités : le pire millésime de la décennie.

Maturité : la plupart des 1972 sont depuis longtemps sur le déclin.

Prix : extrêmement bas.

L'été 1972 a été anormalement frais et nuageux, avec un mois d'août extrêmement pluvieux. Le beau temps est revenu en septembre – trop tard pour sauver la récolte. Considérés comme les vins les plus déplorables de leur décennie, les 1972 sont très acides, verts et durs, avec un caractère végétal très marqué. Leur taux d'acidité élevé a certes permis à certains d'entre eux de se conserver 10 à 15 ans, mais leur manque de fruit, de charme et de concentration était tel qu'ils ne pouvaient se bonifier.

Comme dans tous les millésimes médiocres, certains châteaux ont su tirer leur épingle du jeu, et l'on trouve à Margaux et dans les Graves (grâce à leurs sols légers et bien drainés) des vins de meilleure qualité que dans les autres appellations.

A l'heure actuelle, il n'y a probablement aucun 1972 qui puisse présenter quelque intérêt pour le consommateur.

LES MEILLEURS 1972 [1]

Saint-Estèphe : aucun

Pauillac : Latour

Saint-Julien : Branaire-Ducru, Léoville-Las Cases

Margaux : Giscours, Rauzan-Ségla

Médoc/Haut-Médoc/Moulis/Listrac crus bourgeois : aucun

Graves rouges : La Mission-Haut-Brion

Graves blancs : aucun

Pomerol : Trotanoy

Saint-Émilion : Cheval Blanc, Figeac

Barsac/Sauternes : Climens

1971 – BRÈVE PRÉSENTATION (25 septembre 1971)

Saint-Estèphe**

Pauillac***

Saint-Julien***

Margaux***

1. Cette liste n'est donnée qu'à titre indicatif, car tous les vins mentionnés sont passés, sauf les grands formats impeccablement conservés.

Médoc/Haut-Médoc crus bourgeois**   Pomerol****
Graves rouges***   Saint-Émilion***
Graves blancs**   Barsac/Sauternes****

Récolte : relativement moyenne.

Maturité : tous les 1971 sont à maturité depuis environ 10 ans, et les meilleures cuvées pourront se conserver 10 ans de plus.

Spécificités : millésime élégant qui compte de bons ou de très bons vins, les plus belles réussites étant les Pomerol et les vins liquoreux de Sauternes et de Barsac.

Prix : à cause de la faiblesse des rendements, les prix des 1971 sont relativement élevés, mais, si on les compare à ceux des autres bons millésimes de ces trente-cinq dernières années, on s'aperçoit qu'ils sont légèrement sous-évalués.

Contrairement à celle de 1970, la vendange de 1971 a été peu abondante. En effet, la floraison du mois de juin s'est déroulée dans de mauvaises conditions, et la récolte du merlot s'en est trouvée réduite de manière significative. A la fin des vendanges, le volume total de la récolte était inférieur de 40 % à celui de l'année précédente.

Les premières appréciations étaient bien trop enthousiastes. En effet, certains experts (notamment le Bordelais Peter Sichel), considérant que les rendements en 1971 étaient inférieurs à ceux de 1970, ont aussitôt décrété que ce premier millésime était supérieur à son prédécesseur. Cette assertion s'est par la suite révélée totalement fausse. S'il est certain qu'au moment de leur diffusion les 1971 étaient, tout comme les 1970, délicieux et bien évolués, ils n'avaient pas la même robe profonde, la même concentration ni la même structure tannique. De qualité inégale dans le Médoc, le millésime 1971 s'est en revanche révélé d'excellente tenue en Pomerol et à Saint-Émilion, ainsi que dans les Graves. Il serait hasardeux à l'heure actuelle d'acquérir des vins de cette année, sauf si l'on est assuré de leur parfaite conservation. On trouve encore, vingt-six ans après la vendange, quelques 1971 qui, tels Petrus, Latour, Trotanoy, La Mission-Haut-Brion, atteignent tout juste leur pleine maturité. Ces vins tiendront sans peine 10 à 15 ans encore s'ils sont conservés dans de bonnes conditions.

Quant aux vins liquoreux de Sauternes et de Barsac, ils sont généralement réussis et ont maintenant atteint leur pleine maturité. Les meilleurs d'entre eux ont encore un potentiel de garde de 10 à 20 ans et survivront à tous les vins rouges de ce même millésime.

LES MEILLEURS 1971

Saint-Estèphe : Montrose
Pauillac : Latour, Mouton-Rothschild
Saint-Julien : Beychevelle, Gloria, Gruaud-Larose, Talbot
Margaux : Palmer
Médoc/Haut-Médoc/Moulis/Listrac crus bourgeois : aucun
Graves rouges : Haut-Brion, La Mission-Haut-Brion, La Tour-Haut-Brion

Graves blancs : aucun
Pomerol : Petit-Village, Petrus, Trotanoy
Saint-Émilion : Cheval Blanc, La Dominique
Barsac/Sauternes : Climens, Coutet, De Fargues, D'Yquem

1970 – BRÈVE PRÉSENTATION (27 septembre 1970)

Saint-Estèphe****	Graves rouges****
Pauillac****	Graves blancs***
Saint-Julien****	Pomerol****
Margaux***	Saint-Émilion***
Médoc/Haut-Médoc crus bourgeois***	Barsac/Sauternes***

Récolte : vendange énorme, considérée à l'époque comme un record.

Spécificités : le premier millésime récent à allier qualité et quantité.

Maturité : on a initialement décrit les 1970 comme des vins précoces qui seraient très vite à maturité. Mais, à quelques exceptions près, la plupart des meilleurs vins de cette année ont évolué lentement, et c'est seulement maintenant qu'ils atteignent leur apogée. Les vins de qualité moyenne, les crus bourgeois, les Pomerol et les Saint-Émilion plutôt légers auraient dû être consommés dès avant 1980.

Prix : très élevés, certainement parce que 1970 est le millésime le plus réputé qui se soit imposé entre 1961 et 1982.

Le millésime 1970 est certainement le meilleur que l'on puisse trouver entre les grandioses 1961 et 1982, avec des vins attrayants et riches, pleins de charme et de complexité. Ils ont évolué avec plus de grâce que les 1966, très austères, et ils semblent plus pleins, plus riches, plus équilibrés et homogènes que les 1975, qui sont durs, tanniques, avec une structure large, souvent creuse et rugueuse. Ce millésime, qui est le premier des tout récents à allier qualité et quantité, est en outre merveilleusement homogène et régulier, si bien que chaque appellation peut revendiquer sa proportion de vins très réussis.

Les conditions météorologiques de l'été et du début de l'automne 1970 ont frisé la perfection. Il n'y a pas eu de grêle, de pluies diluviennes, de gel, et encore moins d'inondations au moment des vendanges. Il s'agit d'une des rares années où tout s'est merveilleusement bien passé et où les Bordelais ont vendangé une récolte saine et abondante comme ils n'en avaient encore jamais vu.

Les 1970 sont les tout premiers vins que j'aie dégustés directement au fût alors que, en 1971 et 1972, pendant mes vacances d'été, je visitais en touriste quelques châteaux du Bordelais en compagnie de mon épouse. Je me souviens qu'ils arboraient dès leur jeunesse des robes profondes et qu'ils déployaient un fruité riche et intense, ainsi que des parfums mûrs et aromatiques. Ils étaient aussi très corsés et très tanniques. Cependant, selon certains auteurs, il semblerait que, lorsque des vins se dégustent bien dans leur enfance, ils ne soient pas aptes à une longue garde. Terry Robards, à l'époque chroniqueur viticole du *New York Times*, est même allé jusqu'à décrire les 1970 comme le résultat d'une « nouvelle » technique de vinification et a estimé que nombre d'entre eux ne se garderaient pas au-delà de 10 ans. C'est probablement une ironie du sort, mais il semble bien que les vins les plus réussis à Bordeaux (1900, 1929, 1947, 1949, 1953, 1961 et, plus récemment, 1982 et peut-être 1989) sont tous issus de raisins très mûrs, ce qui fait qu'ils sont déjà merveilleux dans leur prime jeunesse et suscitent des controverses quant à leur potentiel de garde et leur longévité. Si l'on garde à l'esprit le fait que des bordeaux aussi légers que les 1976 peuvent se conserver 15 ans et plus, on ne sera pas surpris que les meilleurs 1970 arrivent tout juste à maturité plus de 25 ans après le millésime et que certains vins tels Latour, Petrus, Gruaud-Larose, Mouton-Rothschild et Montrose soient encore loin d'avoir atteint ce stade d'évolution.

Le caractère le plus marquant des 1970 est probablement leur équilibre d'ensemble et leur homogénéité. J'ai déjà consommé tous les crus bourgeois et les vins de bonne tenue que j'avais achetés dans ce millésime – le seul où l'achat de vins des appellations moins nobles se révélait être une opération intéressante.

Bien qu'énormes et impressionnants de richesse, les liquoreux sont, par manque de botrytis, moins réussis que les 1971, dont ils n'ont ni la complexité ni la délicatesse.

Pour conclure, on peut dire que les 1970 se négocieront à des prix très élevés au cours des prochaines décennies, car il s'agit vraiment d'un millésime extraordinaire, le plus régulier d'excellence entre 1961 et 1982.

LES MEILLEURS 1970

Saint-Estèphe : Cos d'Estournel, Haut-Marbuzet, Lafon-Rochet, Montrose, Les Ormes de Pez, De Pez
Pauillac : Grand-Puy-Lacoste, Haut-Batailley, Latour, Lynch-Bages, Mouton-Rothschild, Pichon-Longueville Comtesse de Lalande
Saint-Julien : Ducru-Beaucaillou, Gloria, Gruaud-Larose, Léoville-Barton, Saint-Pierre
Margaux : Giscours, Lascombes, Palmer
Médoc/Haut-Médoc/Moulis/Listrac crus bourgeois : Sociando-Mallet
Graves rouges : Domaine de Chevalier, De Fieuzal, Haut-Bailly, La Mission-Haut-Brion, La Tour-Haut-Brion
Graves blancs : Domaine de Chevalier, Laville-Haut-Brion
Pomerol : La Conseillante, La Fleur-Petrus, Lafleur, Latour à Pomerol, Petrus, Trotanoy
Saint-Émilion : L'Arrosée, Cheval Blanc, La Dominique, Figeac, Magdelaine
Barsac/Sauternes : D'Yquem

1969 – BRÈVE PRÉSENTATION (6 octobre 1969)

Saint-Estèphe 0	Graves rouges*
Pauillac 0	Graves blancs 0
Saint-Julien 0	Pomerol*
Margaux 0	Saint-Émilion 0
Médoc/Haut-Médoc crus bourgeois 0	Barsac/Sauternes*

Récolte : très réduite.

Spécificités : j'ai élu les 1969 les vins les plus déplorables produits dans le Bordelais au cours des trente dernières années.

Maturité : je n'ai jamais dégusté un 1969 (à part Petrus) qui m'ait semblé avoir possédé quelque richesse en extrait. Cela fait maintenant plusieurs années que je n'ai goûté aucun vin de ce millésime (sinon, de nouveau, un Petrus), mais je suis certain qu'ils sont tous imbuvables.

Prix : curieusement, les prix de lancement des 1969 étaient relativement élevés ; or, hormis quelques noms prestigieux, tous les vins de ce millésime sont mauvais.

A chaque fois que Bordeaux connaît une année désastreuse (1968 en était une), on note une certaine tendance à louer de manière excessive, et souvent à tort, le millésime suivant. On comprend bien qu'après l'horrible expérience de 1968 les Bordelais aient désespérément souhaité un grand 1969, mais, malgré les déclarations optimistes de certains des experts les plus écoutés de l'époque, ce millésime s'est révélé le moins attrayant des vingt années précédentes.

Cette année-là, la vendange a été réduite. Et, si l'été a été suffisamment chaud pour permettre aux raisins d'atteindre une bonne maturité, les pluies torrentielles de septembre ont balayé tous les espoirs, sauf ceux de quelques investisseurs irréductibles qui ont quand même parié sur ces vins insipides, mauvais et acides. C'est pour cela que les 1969 ne se sont pas contentés d'être les moins séduisants des vins, mais qu'ils ont aussi été relativement chers au moment de leur mise sur le marché.

Je puis dire en toute sincérité que je n'ai jamais goûté un vin rouge de 1969 qui ne m'ait pas déplu. Hormis une bouteille de Petrus (notée entre 75 et 80) que j'ai dégustée alors qu'elle avait 20 ans d'âge, la plupart des vins de cette année sont creux et durs, ne possédant ni fruité ni charme, et il est difficile d'imaginer qu'ils puissent être meilleurs aujourd'hui que dans les années 70.

En Sauternes et en Barsac, quelques propriétaires ont élaboré des vins acceptables, en particulier D'Arche.

1968 – BRÈVE PRÉSENTATION (20 septembre 1968)

Saint-Estèphe 0	Graves rouges*
Pauillac 0	Graves blancs 0
Saint-Julien 0	Pomerol 0
Margaux 0	Saint-Émilion 0
Médoc/Haut-Médoc crus bourgeois 0	Barsac/Sauternes 0

Récolte : désastreuse, tant en quantité qu'en qualité.

Spécificités : une grande année pour les Cabernets de Californie... mais pas pour Bordeaux.

Maturité : tous les 1968 sont certainement passés depuis longtemps déjà.

Prix : encore un millésime qui ne présente strictement aucun intérêt.

1968 est un de ces millésimes médiocres qui ont frappé le Bordelais dans les années 60. Cette fois encore, le responsable du désastre a été la pluie diluvienne qui, juste avant les vendanges, a gorgé les raisins et les a dilués (1968 a été l'année la plus pluvieuse depuis 1951). Cependant, certains 1968 m'ont semblé supérieurs à tous les 1969 que j'ai pu goûter, alors que la réputation de ce dernier millésime serait « meilleure » (si toutefois on peut oser ce mot dans un tel contexte).

Il fut un temps où Figeac, Gruaud-Larose, Cantemerle, La Mission-Haut-Brion, Haut-Brion et Latour étaient encore buvables. Mais si, par hasard, il vous arrive de tomber sur ces vins maintenant, ne songez surtout pas à en garnir votre cave, car je doute fort qu'il y en ait aucun qui montre encore quelque qualité.

1967 – BRÈVE PRÉSENTATION (25 septembre 1967)

Saint-Estèphe**	Graves rouges***
Pauillac**	Graves blancs**
Saint-Julien**	Pomerol***
Margaux**	Saint-Émilion***
Médoc/Haut-Médoc crus bourgeois*	Barsac/Sauternes****

Récolte : abondante.

Spécificités : les vins des Graves, de Pomerol et de Saint-Émilion sont les mieux réussis de ce millésime. En effet, ces appellations ont été privilégiées par le fait que leur cépage principal, le merlot, a été vendangé très tôt.

Maturité : la plupart des 1967 étaient prêts au moment de leur diffusion en 1970 et auraient dû être consommés dès avant 1980. Les meilleurs d'entre eux pourront se garder encore quelques années s'ils ont été conservés dans de bonnes conditions, mais ils ne gagneront assurément rien à ce vieillissement supplémentaire.

Prix : modérés.

La récolte en 1967 était abondante et bienvenue, dans la mesure où elle a donné un grand nombre de vins ronds qui ont évolué assez rapidement. La majorité d'entre eux auraient dû être consommés dès avant 1980, mais quelques-uns de ces vins montrent encore une puissance remarquable et sont toujours à la pointe de leur maturité. Les exemples les plus réussis sont les Pomerol et, dans une moindre mesure, les Graves. En principe, il ne serait pas conseillé d'attendre ces vins plus avant, mais je suis certain que les plus grands noms, tels Latour, Petrus, Trotanoy et peut-être même Palmer, se garderont jusqu'à la fin de ce siècle. Si vous trouvez les crus ci-dessus en grand format (magnum, double magnum, etc.) à prix raisonnables, je serais d'avis que vous tentiez le pari.

Contrairement aux rouges qui, pour la plupart, étaient quelconques en 1967, les liquoreux de Sauternes et Barsac se sont révélés riches, mielleux et très botrytisés. Cependant, les lecteurs garderont à l'esprit que seules quelques rares propriétés ont relevé le défi et ont fait de belles choses durant cette période sinistrée pour les vins doux de ces deux appellations.

LES MEILLEURS 1967

Saint-Estèphe : Calon-Ségur, Montrose
Pauillac : Latour
Saint-Julien : aucun
Margaux : Giscours, La Lagune (sud du Médoc), Palmer
Médoc/Haut-Médoc/Moulis/Listrac crus bourgeois : aucun
Graves rouges : Haut-Brion, La Mission-Haut-Brion
Graves blancs : aucun
Pomerol : Petrus, Trotanoy, La Violette
Saint-Émilion : Cheval Blanc, Magdelaine, Pavie
Barsac/Sauternes : Suduiraut, D'Yquem

1966 – BRÈVE PRÉSENTATION (26 septembre 1966)

Saint-Estèphe***
Pauillac***
Saint-Julien***
Margaux***
Médoc/Haut-Médoc crus bourgeois**

Graves rouges****
Graves blancs***
Pomerol***
Saint-Émilion**
Barsac/Sauternes**

Récolte : abondante.

Spécificités : le plus surévalué des bons millésimes de ces trente dernières années.

Maturité : les meilleurs vins sont encore très jeunes, mais nombre d'entre eux ont perdu de leur fruité avant que leurs tannins ne se fondent.

Prix : ces vins sont surcotés et proposés à prix élevés.

Une majorité de gens estiment que 1966 est le deuxième meilleur millésime des années 60 après 1961, mais je suis d'avis que, pour les Graves, les Pomerol et les Saint-Émilion, ce serait plutôt l'année 1964 qui tiendrait cette place. Et je pense même que le millésime 1962, à tort sous-estimé, lui est dans l'ensemble supérieur. Élaborés dans le même état d'esprit que les 1975 (encensés après plusieurs millésimes quelconques, en particulier dans le Médoc), les 1966 ne se sont jamais autant épanouis que leurs prescripteurs l'auraient souhaité. Et aujourd'hui, à 31 ans d'âge, ces vins sont pour la plupart encore austères, maigres, peu évolués et très tanniques, et ils perdent de leur fruité bien avant que leurs tannins ne se fondent. Il existe, certes, quelques exceptions remarquables – personne ne pourrait raisonnablement contester le fait que le Latour 1966 est un vin exceptionnel (le meilleur du millésime), tout comme l'est le Palmer de la même année.

Au départ, les 1966 ont été décrits comme des vins relativement précoces, pleins de charme, qui évolueraient rapidement, si bien qu'on ne s'attendait vraiment pas que nombre d'entre eux se montrent aussi décevants. Mais, même si ce millésime n'est pas aussi homogène qu'on l'avait d'abord supposé, on y trouve néanmoins une proportion raisonnable de vins de style classique et moyennement corsés. Cependant, ils sont tous surcotés, car l'année 1966 a toujours été très en vogue et constamment louée par ses zélateurs, notamment par les critiques viticoles britanniques.

Les vins doux de Sauternes et de Barsac sont de qualité médiocre, les conditions météorologiques de cette année-là n'ayant pas été favorables à la formation de la pourriture noble, ou *Botrytis cinerea*.

Deux mots du climat qui a façonné ce millésime : dans l'ordre, une floraison lente et étalée pendant le mois de juin, puis des périodes alternées de temps chaud et froid en juillet et en août, enfin un mois de septembre ensoleillé et sec. La récolte a été abondante, et les vendanges se sont déroulées sous des cieux cléments, dans d'excellentes conditions.

Je suis pour ma part sceptique quant à l'intérêt d'acquérir la plupart des 1966, à moins qu'il ne s'agisse des réussites incontestables du millésime.

LES MEILLEURS 1966

Saint-Estèphe : aucun
Pauillac : Grand-Puy-Lacoste, Latour, Mouton-Rothschild,
Pichon-Longueville Comtesse de Lalande
Saint-Julien : Branaire-Ducru, Ducru-Beaucaillou, Gruaud-Larose,
Léoville-Las Cases
Margaux : Lascombes, Palmer
Médoc/Haut-Médoc/Moulis/Listrac crus bourgeois : aucun
Graves rouges : Haut-Brion, La Mission-Haut-Brion, Pape-Clément
Graves blancs : Domaine de Chevalier, Haut-Brion, Laville-Haut-Brion
Pomerol : Lafleur, Trotanoy
Saint-Émilion : Canon
Barsac/Sauternes : aucun

1965 – BRÈVE PRÉSENTATION (2 octobre 1965)

Saint-Estèphe 0	Graves rouges 0
Pauillac 0	Graves blancs 0
Saint-Julien 0	Pomerol 0
Margaux 0	Saint-Émilion 0
Médoc/Haut-Médoc crus bourgeois 0	Barsac/Sauternes 0

Récolte : minuscule.

Spécificités : la quintessence de la pourriture et de la pluie.

Maturité : ces vins, qui étaient déjà mauvais dans leur jeunesse, sont certainement exécrables aujourd'hui.

Prix : sans aucun intérêt.

Le millésime 1965 est donc celui du règne de la pourriture et de la pluie. Je n'ai dégusté que très peu de vins de cette année, que l'on considère généralement comme la pire de l'après-guerre. L'été 1965 a été généralement mauvais, mais ce sont les pluies torrentielles de septembre qui ont sonné le glas de ce millésime en favorisant une terrible éclosion de pourriture qui a littéralement dévasté les vignobles. Malheureusement, les traitements contre de tels fléaux n'étaient pas systématiquement utilisés à l'époque. Il vaut mieux s'abstenir d'acheter ou de déguster les 1965.

1964 – BRÈVE PRÉSENTATION (22 septembre 1964)

Saint-Estèphe***   Graves rouges*****
Pauillac*   Graves blancs***
Saint-Julien*   Pomerol*****
Margaux**   Saint-Émilion****
Médoc/Haut-Médoc crus bourgeois*   Barsac/Sauternes*

Récolte : importante.

Spécificités : exemple classique d'un millésime où le merlot et le cabernet franc, vendangés relativement tôt, ont produit d'excellents vins, tandis que le cabernet sauvignon, ramassé plus tard, a été noyé par les pluies, en particulier dans le Médoc. D'ailleurs, certains châteaux prestigieux de cette appellation ont fait des vins de très mauvaise qualité.

Maturité : les Médoc sont en principe déjà passés, mais les plus opulents des vins des Graves, les Pomerol et les Saint-Émilion se conserveront encore une bonne dizaine d'années.

Prix : les amateurs les plus avertis ont toujours apprécié l'excellence des 1964, en particulier dans les Graves, à Pomerol et à Saint-Émilion, si bien que ces vins ont toujours été à des prix relativement élevés. Cependant, une comparaison avec les prestigieux 1959 et 1961 fera apparaître que les vins de la rive droite et de la région des Graves sont à la fois sous-estimés et sous-évalués.

1964 est un des millésimes les plus curieux du Bordelais. On y trouve nombre de vins splendides, souvent sous-estimés et sous-cotés, en particulier les Pomerol, les Graves et les Saint-Émilion, trois appellations où les producteurs ont en général réussi à terminer leurs vendanges avant le déluge du 8 octobre. En revanche, ces fortes pluies ont touché plusieurs propriétés du Médoc qui avaient encore leur récolte sur pied, et c'est pour cela que 1964 est considéré, à tort, comme une mauvaise année pour l'ensemble de Bordeaux. Plusieurs châteaux médocains ainsi que ceux de Barsac et de Sauternes ont certes produit des vins de piètre qualité, mais le millésime 1964 est indiscutablement excellent, voire extraordinaire, pour ce qui est de la rive droite et des Graves.

L'été 1964 a été si chaud et si sec que, dès le début septembre, le ministre de l'Agriculture de l'époque annonçait le « millésime du siècle ». Les vendanges ont d'abord commencé dans les appellations où il y avait davantage de merlot, qui est le cépage le plus précoce. Ainsi, nous l'avons vu, elles ont débuté fin septembre et se sont achevées avant les pluies diluviennes du 8 octobre dans les régions de Pomerol et Saint-Émilion. La plupart des propriétés situées dans les Graves avaient aussi fini de récolter à ce moment-là. En revanche, dans le Médoc, où l'on commençait tout juste à ramasser le cabernet sauvignon, il a été impossible de terminer les vendanges dans de bonnes conditions à cause des pluies torrentielles. Cette région a donc enregistré un nombre d'échecs considérable qui ont tristement marqué l'année 1964. Et je plains sincèrement ceux qui ont acheté du Lafite-Rothschild, du Mouton-Rothschild, du Lynch-Bages, du Calon-Ségur ou du Margaux de ce millésime. Pourtant, les Médoc ne sont pas tous décevants : Montrose à Saint-Estèphe et Latour à Pauillac ont ainsi produit les meilleurs vins de leurs appellations respectives.

Les appréciations très pessimistes sur les méfaits de la pluie ont suscité la plus extrême réserve de la part des amateurs.

Les meilleurs vins des Graves, de Saint-Émilion et de Pomerol sont exceptionnellement riches, très corsés, opulents, concentrés et très alcooliques. Ils ont aussi des robes opaques et déploient une longue persistance et une puissance extraordinaire. Curieusement, ils sont également bien plus riches, plus intéressants et plus complets que les 1966 et, dans bien des cas, peuvent rivaliser avec les meilleurs 1961. A cause de leur taux d'acidité relativement bas, ces vins étaient à maturité dès le milieu des années 80, mais les plus réussis d'entre eux ne montrent aucun signe de déclin et pourront se conserver pendant encore au moins 10 à 15 ans.

LES MEILLEURS 1964

Saint-Estèphe : Montrose
Pauillac : Latour
Saint-Julien : Gruaud-Larose
Margaux : aucun
Médoc/Haut-Médoc/Moulis/Listrac crus bourgeois : aucun
Graves rouges : Domaine de Chevalier, Haut-Bailly, Haut-Brion, La Mission-Haut-Brion
Graves blancs : aucun
Pomerol : La Conseillante, La Fleur-Petrus, Lafleur, Petrus, Trotanoy, Vieux Château Certan
Saint-Émilion : L'Arrosée, Cheval Blanc, Figeac, Soutard
Barsac/Sauternes : aucun

1963 – BRÈVE PRÉSENTATION (7 octobre 1963)

Saint-Estèphe 0	Graves rouges 0
Pauillac 0	Graves blancs 0
Saint-Julien 0	Pomerol 0
Margaux 0	Saint-Émilion 0
Médoc/Haut-Médoc crus bourgeois 0	Barsac/Sauternes 0

Récolte : assez moyenne.

Spécificités : une année absolument déplorable, qui peut rivaliser avec 1965 pour la médiocrité de ses vins.

Maturité : les vins de ce millésime sont certainement épouvantables actuellement.

Prix : sans aucun intérêt.

Les Bordelais n'ont jamais pu déterminer lequel, des millésimes 1963 ou 1965, était le plus calamiteux des années 1960. Dans les deux cas, ce sont les pluies qui ont totalement compromis la récolte. Je n'ai pas goûté une seule bouteille de 1963 depuis plus de vingt ans.

1962 – BRÈVE PRÉSENTATION (1ᵉʳ octobre 1962)

Saint-Estèphe****
Pauillac****
Saint-Julien****
Margaux***
Médoc/Haut-Médoc crus bourgeois***

Graves rouges***
Graves blancs****
Pomerol***
Saint-Émilion***
Barsac/Sauternes****

Récolte : une des plus importantes des années 1960.

Spécificités : ce millésime, terriblement sous-estimé, a pour seul tort d'avoir immédiatement suivi une des années les plus prestigieuses de ce siècle.

Maturité : les anciens assurent que les 1962 étaient déjà merveilleux à la fin des années 60 et qu'ils montraient un caractère impressionnant, du fruité et beaucoup de charme dans le courant des années 70. Au milieu de cette décennie-ci, les meilleurs d'entre eux sont encore de beaux vins, riches et ronds, tout en finesse et en élégance.

Prix : les 1962 sont sous-évalués, surtout si on les compare aux 1961 ou encore aux 1966 qui, eux, sont terriblement surcotés.

Le millésime 1962, dont on pouvait raisonnablement penser qu'il resterait dans l'ombre de son illustrissime aîné (1961), est en fait pour les bordeaux le plus sous-évalué de la période de l'après-guerre. Presque toutes les appellations ont produit cette année-là des vins élégants, souples, très fruités, ronds et pleins de charme, qui n'étaient ni trop tanniques ni trop massifs. Parce qu'ils étaient aussi très précoces, d'aucuns ont estimé qu'ils ne se conserveraient pas, mais ils ont en réalité un potentiel de garde insoupçonné. La plupart des 1962 doivent être consommés actuellement, mais certains sont encore surprenants et, s'ils ont été bien stockés, ils pourront sans crainte être attendus jusqu'à la fin de ce siècle.

Les conditions climatiques de 1962 ont été correctes, mais pas extraordinaires. Le mois de mai, ensoleillé et sec, a favorisé une bonne floraison. L'été a été chaud, avec quelques orages impressionnants, et le mois de septembre, également très chaud et ensoleillé, a été le prélude à une très belle arrière-saison. S'il a légèrement plu pendant les vendanges, il n'y a en revanche pas eu d'inondations qui auraient pu compromettre le millésime.

L'année 1962 a été excellente pour toutes les appellations, mais elle a été particulièrement bonne pour les vins blancs secs des Graves et pour les nectars liquoreux de Sauternes et de Barsac.

LES MEILLEURS 1962

Saint-Estèphe : Cos d'Estournel, Montrose
Pauillac : Batailley, Lafite-Rothschild, Latour, Lynch-Bages, Mouton-Rothschild, Pichon-Longueville Comtesse de Lalande
Saint-Julien : Ducru-Beaucaillou, Gruaud-Larose
Margaux : Margaux, Palmer
Médoc/Haut-Médoc/Moulis/Listrac crus bourgeois : aucun
Graves rouges : Haut-Brion, Pape-Clément
Graves blancs : Domaine de Chevalier, Laville-Haut-Brion

Pomerol : Petrus, Trotanoy, La Violette
Saint-Émilion : Magdelaine
Barsac/Sauternes : D'Yquem

1961 – BRÈVE PRÉSENTATION (22 septembre 1961)

Saint-Estèphe*****   Graves rouges*****
Pauillac*****   Graves blancs***
Saint-Julien*****   Pomerol*****
Margaux*****   Saint-Émilion***
Médoc/Haut-Médoc crus bourgeois***   Barsac/Sauternes**

Récolte : très réduite. Il s'agit en fait du dernier millésime où une récolte minuscule se soit révélée d'excellente qualité.

Spécificités : un des millésimes légendaires de ce siècle.

Maturité : à quelques exceptions près, les 1961, qui étaient déjà très bons dans leur jeunesse, sont actuellement à leur apogée. Les meilleurs d'entre eux se conserveront encore 10 à 15 ans.

Prix : la qualité exceptionnelle des 1961 et la faiblesse des rendements ont fait de ce millésime un des plus chers du marché. En outre, les prix de ces vins – dont rêvent tous les familiers des ventes aux enchères – augmenteront certainement encore, étant donné les petites quantités qui restent disponibles. Cependant, ils seront bientôt égalés par ceux des 1990 et des 1982.

1961 compte parmi les neuf plus grands millésimes de l'après-guerre. Les autres (1945, 1947, 1949, 1953, 1959, 1982, 1989 et 1990) ont chacun leurs zélateurs, mais seul 1961 fait vraiment l'unanimité. Les vins de cette année ont toujours été prisés pour leur concentration exceptionnelle, leur nez magnifique et persistant de fruits mûrs et leurs effluves profonds et somptueux. Déjà délicieux dans leur jeunesse, ils sont tous, à l'exception de quelques spécimens très concentrés et très intenses, à maturité aujourd'hui et se révèlent merveilleux à la dégustation. Je pense par ailleurs que les bouteilles qui ont été bien conservées pourront se garder encore une dizaine d'années.

Les conditions climatiques en 1961 frisaient la perfection. Les gelées de printemps ont d'abord réduit la récolte. L'été qui a suivi a été chaud et ensoleillé, et le beau temps a persisté pendant les vendanges. Les raisins ont ainsi pu atteindre un stade de parfaite maturité. La faiblesse des rendements explique les prix élevés des 1961, que la cotation actuelle permet de comparer à de l'or liquide.

Ce millésime a été exceptionnel pour presque toutes les appellations du Bordelais, à l'exception de Sauternes et de Barsac, qui ont néanmoins bénéficié de son excellente réputation. Mais il suffit de déguster les liquoreux de ces régions pour se rendre compte que même D'Yquem est de qualité médiocre. En effet, le temps excessivement sec n'ayant pas permis le bon développement du botrytis, les vins doux se sont révélés amples mais monolithiques, et n'ont jamais mérité l'intérêt qu'ils ont suscité. La seule autre appellation où la qualité est légèrement inférieure et moins homogène qu'ailleurs est Saint-Émilion, où plusieurs vignobles ne s'étaient pas complètement remis du gel dévastateur de 1956.

Les deux millésimes dont le style et la richesse pourraient être comparés à ceux de 1961 sont 1959 et 1982. Les 1959 ont des taux d'acidité légèrement inférieurs, mais ils ont évolué plus lentement, alors que les 1982 auraient une structure plus proche de celle des 1961 tout en étant moins tanniques.

LES MEILLEURS 1961

Saint-Estèphe : Cos d'Estournel, Haut-Marbuzet, Montrose
Pauillac : Latour, Lynch-Bages, Mouton-Rothschild,
Pichon-Longueville Comtesse de Lalande, Pontet-Canet
Saint-Julien : Beychevelle, Ducru-Beaucaillou, Gruaud-Larose,
Léoville-Barton
Margaux : Malescot-Saint-Exupéry, Margaux, Palmer
Médoc/Haut-Médoc/Moulis/Listrac crus bourgeois : aucun
Graves rouges : Haut-Bailly, Haut-Brion, La Mission-Haut-Brion,
Pape-Clément, La Tour-Haut-Brion
Graves blancs : Domaine de Chevalier, Laville-Haut-Brion
Pomerol : L'Évangile, Latour à Pomerol, Petrus, Trotanoy
Saint-Émilion : L'Arrosée, Canon, Cheval Blanc, Figeac, Magdelaine
Barsac/Sauternes : aucun

1960 – BRÈVE PRÉSENTATION (9 septembre 1960)

Saint-Estèphe**   Graves rouges**
Pauillac**   Graves blancs*
Saint-Julien**   Pomerol*
Margaux*   Saint-Émilion*
Médoc/Haut-Médoc crus bourgeois 0   Barsac/Sauternes*

Récolte : très abondante.
Spécificités : ce millésime a été compromis par les pluies importantes du mois d'août et de septembre.
Maturité : la plupart des 1960 auraient dû être consommés à 10 ou 15 ans d'âge.
Prix : bas.

Je me rappelle avoir dégusté plusieurs magnums absolument délicieux de Latour 1960, et je garde un excellent souvenir de très bons Montrose, La Mission-Haut-Brion et Gruaud-Larose du même millésime que j'ai trouvés à Bordeaux. Le dernier vin de 1960 que j'aie dégusté était un magnum de Château Latour, et cela remonte à plus d'une vingtaine d'années maintenant. Je pense que même ce cru, qui était pourtant le vin le plus concentré du millésime, est actuellement sur le déclin.

1959 – BRÈVE PRÉSENTATION (20 septembre 1959)

Saint-Estèphe*****   Margaux****
Pauillac*****   Médoc/Haut-Médoc crus bourgeois***
Saint-Julien****   Graves rouges*****

Graves blancs****   Saint-Émilion**
Pomerol***   barsac/sauternes*****

Récolte : moyenne.

Spécificités : le premier millésime récent à avoir été qualifié de « millésime du siècle ».

Maturité : exactement comme en 1982, les 1959 ont été fortement décriés dans leur jeunesse à cause de leur faible acidité et de leur manque de structure, mais ils ont évolué plus lentement que les 1961, dont on a davantage vanté les mérites. En fait, les comparaisons entre les meilleurs vins des deux millésimes révèlent souvent que les 1959 sont moins évolués, plus riches, avec des robes plus sombres et un potentiel de garde plus important que les 1961.

Prix : les 1959 n'ont jamais été à des prix très bas, mais ils deviennent de plus en plus chers. En effet, les connaisseurs ont désormais conscience de ce que non seulement nombre de ces vins peuvent rivaliser avec les 1961, mais aussi que certains d'entre eux leur sont supérieurs.

1959 est incontestablement un très grand millésime qui, pour des raisons inexpliquées, a été sévèrement critiqué lors de sa diffusion. Sans doute est-ce parce qu'il avait été excessivement loué au moment de sa conception... Il n'en demeure pas moins qu'il a donné des vins étonnamment puissants, en particulier dans le nord du Médoc, dans la région des Graves et, dans une moindre mesure, sur la rive droite (certains vignobles de Pomerol et de Saint-Émilion n'étaient toujours pas remis du gel de 1956). Ce sont aussi les plus riches et les plus massifs qui aient jamais été produits à Bordeaux. En fait, les deux millésimes récents que l'on compare le plus souvent à 1959 sont 1982 et 1990, et ce rapprochement n'est pas dénué de fondement.

Les 1959 ont évolué très lentement et, actuellement, ils se révèlent souvent de meilleure tenue (en particulier Mouton-Rothschild et Lafite-Rothschild) que leurs homologues du millésime 1961, pourtant plus prisés. Rien dans ces vins n'indique qu'ils sont le produit d'une année chaude et sèche où la pluie était juste suffisante pour empêcher que les vignes ne souffrent de « stress ». Ils sont très corsés, extrêmement alcooliques et opulents, et possèdent un niveau élevé de tannins ainsi que de la richesse en extrait. Leurs robes opaques et sombres sont impressionnantes et n'ont pas les teintes orangées ou brunâtres que l'on retrouve dans les 1961. S'il demeure un doute au sujet des 1959, ce serait celui de savoir s'ils développeront jamais les arômes et les parfums sensationnels si caractéristiques des grands millésimes de Bordeaux. Les fortes chaleurs de l'été ont fortement compromis cet aspect du millésime, mais il est encore trop tôt pour le dire avec certitude.

LES MEILLEURS 1959

Saint-Estèphe : Cos d'Estournel, Montrose, Les Ormes de Pez
Pauillac : Lafite-Rothschild, Latour, Lynch-Bages,
Mouton-Rothschild, Pichon-Longueville Comtesse de Lalande,
Pichon-Longueville Baron
Saint-Julien : Ducru-Beaucaillou, Langoa-Barton, Léoville-Barton,
Léoville-Las Cases

Margaux : Lascombes, Malescot-Saint-Exupéry, Margaux, Palmer
Médoc/Haut-Médoc/Moulis/Listrac crus bourgeois : aucun
Graves rouges : Haut-Brion, La Mission-Haut-Brion, Pape-Clément,
La Tour-Haut-Brion
Graves blancs : Laville-Haut-Brion
Pomerol : La Conseillante, L'Évangile, Lafleur, Latour à Pomerol,
Petrus, Trotanoy, Vieux Château Certan
Saint-Émilion : Cheval Blanc, Figeac
Barsac/Sauternes : Climens, Suduiraut, D'Yquem

1958 - BRÈVE PRÉSENTATION (7 octobre 1958)

Saint-Estèphe*   Graves rouges***
Pauillac*   Graves blancs**
Saint-Julien*   Pomerol*
Margaux*   Saint-Émilion**
Médoc/Haut-Médoc crus bourgeois*   Barsac/Sauternes*

Récolte : assez réduite.

Spécificités : un millésime très injustement décrié.

Maturité : les 1958 sont maintenant sur le déclin, mais les meilleurs d'entre eux sont presque toujours des vins des Graves.

Prix : très peu élevés.

J'ai dégusté moins de deux douzaines de vins de 1958, mais ceux qui me semblent se distinguer le plus sont issus des Graves. Cette année-là, Haut-Brion, La Mission-Haut-Brion et Pape-Clément ont tous fait de très beaux vins, qui étaient excellents à la dégustation dans le courant des années 60 et au début des années 70. En avril 1991, j'ai dégusté un Haut-Brion 1958 qui était relativement goûteux, rond, souple et bien en chair, avec des effluves de minéral et de tabac, mais il avait dû être bien meilleur 10 ou 15 ans auparavant. La Mission-Haut-Brion 1958, qui était encore plus riche que le vin précédent, devrait toujours se montrer excellent – à condition toutefois d'avoir été bien stocké.

1957 - BRÈVE PRÉSENTATION (4 octobre 1957)

Saint-Estèphe**   Graves rouges***
Pauillac***   Graves blancs**
Saint-Julien**   Pomerol*
Margaux*   Saint-Émilion*
Médoc/Haut-Médoc crus bourgeois*   Barsac/Sauternes***

Récolte : très réduite.

Spécificités : cette année a été marquée par un été extrêmement froid et pluvieux.

Maturité : à cause d'un été très frais, les vins rouges de 1957 ont un taux d'acidité excessivement élevé qui leur a permis de résister à l'épreuve du temps. Si vous avez l'occasion de trouver des vins de ce millésime en parfait état de conservation, il serait intéressant de les acheter, à condition toutefois qu'ils soient proposés à des prix raisonnables.

Prix : les 1957 sont en général abordables, car ils ne jouissent pas d'une très bonne réputation.

Étant donné l'accueil peu favorable qui a toujours été réservé aux 1957, j'ai été extrêmement surpris par le nombre de vins plaisants et de bonne tenue que j'ai pu déguster dans ce millésime, en particulier certains Graves et certains Pauillac. En fait, il me serait très agréable de présenter un Haut-Brion 1957 ou un La Mission-Haut-Brion 1957 à mes amis les plus pointilleux, et je serais personnellement ravi de déguster un Lafite-Rothschild de cette même année. J'ai goûté deux bouteilles de cet excellent vin au début des années 80, mais une telle occasion ne s'est pas représentée depuis.

Les conditions climatiques de 1957 ont été très difficiles. En effet, des périodes extrêmement pluvieuses entre avril et août ont obligé les viticulteurs à retarder les vendanges jusqu'au début octobre. Les vins avaient un bon niveau d'acidité, et, dans les vignobles dont les sols sont les mieux drainés, les raisins avaient atteint un stade de maturité surprenant malgré le manque d'ensoleillement et l'humidité ambiante. Les 1957 de Bordeaux, de même que leurs homologues bourguignons, se sont conservés relativement bien, compte tenu de leur taux élevé d'acidité et de leurs tannins très verts.

1956 – BRÈVE PRÉSENTATION (14 octobre 1956)

Saint-Estèphe 0	Graves rouges 0
Pauillac 0	Graves blancs 0
Saint-Julien 0	Pomerol 0
Margaux 0	Saint-Émilion 0
Médoc/Haut-Médoc crus bourgeois 0	Barsac/Sauternes 0

Récolte : des quantités minuscules de vins de petite tenue ont été produites en 1956.

Spécificités : l'hiver 1956, le plus froid que Bordeaux ait connu depuis... 1709, a causé d'importants dégâts dans les vignobles, en particulier à Pomerol et à Saint-Émilion.

Maturité : je n'ai pas vu un seul 1956 depuis plus de vingt ans, et n'ai goûté en tout et pour tout que cinq vins de ce millésime.

Prix : une année déplorable qui a donné des vins déplorables – et qui ne valent donc rien.

Le millésime 1956 est le plus désastreux que Bordeaux ait connu dans les années relativement récentes. Il dépasse même les déplorables 1963, 1965, 1968, 1969 et 1972. L'hiver 1956 a été tellement froid qu'il a détruit la plupart des vignobles de Pomerol et de Saint-Émilion, et considérablement retardé la floraison en Médoc. La vendange s'est faite tardivement, la récolte fut extrêmement réduite et les vins se révélèrent presque imbuvables.

1955 – BRÈVE PRÉSENTATION (21 septembre 1955)

Saint-Estèphe****　　　　　　　Graves rouges****
Pauillac***　　　　　　　　　　Graves blancs***
Saint-Julien***　　　　　　　　Pomerol***
Margaux***　　　　　　　　　　Saint-Émilion****
Médoc/Haut-Médoc crus bourgeois**　Barsac/Sauternes****

Récolte : abondante et saine.

Spécificités : à plus de 40 ans, ce millésime, qui n'est certes pas comparable au 1953 ou au 1959, n'en demeure pas moins sous-estimé et sous-coté, car il offre des vins qui se sont bien conservés et qui, dans l'ensemble, se portent mieux et sont mieux structurés que les 1953, dont l'heure de gloire est maintenant passée.

Maturité : après une longue période pendant laquelle ils s'étaient refermés, les meilleurs 1955 sont enfin à maturité et ne montrent pas le moindre signe de faiblesse.

Prix : en général, les 1955 sont sous-évalués – à l'exception de La Mission-Haut-Brion, qui est la réussite du millésime, voire de la décennie.

En 1955, la plupart des vins sont relativement austères et ont une texture légèrement rugueuse. Ils sont aussi profonds, pleins, très colorés, avec un potentiel de garde assez extraordinaire, mais ils manquent en règle générale de gras, de charme et d'opulence.

Les conditions climatiques qui ont fait ce millésime étaient presque idéales. Les mois de juin, juillet et août ont été chauds et ensoleillés, et les pluies de septembre ont été plutôt bénéfiques.

Pour une raison inexpliquée, la vendange relativement abondante cette année-là n'a pas suscité le même enthousiasme que d'autres millésimes des années 50, tels 1953 ou 1959. Peut-être est-ce dû à l'absence de vins vraiment sensationnels. Plus récemment, les 1988 pourraient être comparés aux 1955.

LES MEILLEURS 1955

Saint-Estèphe : Calon-Ségur, Cos d'Estournel, Montrose, Les Ormes de Pez
Pauillac : Latour, Lynch-Bages, Mouton-Rothschild
Saint-Julien : Léoville-Las Cases, Talbot
Margaux : Palmer
Médoc/Haut-Médoc/Moulis/Listrac crus bourgeois : aucun
Graves rouges : Haut-Brion, La Mission-Haut-Brion, Pape-Clément
Graves blancs : aucun
Pomerol : L'Évangile, Lafleur, Latour à Pomerol, Petrus,
Vieux Château Certan
Saint-Émilion : Cheval Blanc, La Dominique, Soutard
Barsac/Sauternes : D'Yquem

1954 – BRÈVE PRÉSENTATION (10 octobre 1954)

Saint-Estèphe 0　　　　　　　Saint-Julien*
Pauillac*　　　　　　　　　　Margaux 0

Médoc/Haut-Médoc crus bourgeois 0   Pomerol 0
Graves rouges*   Saint-Émilion 0
Graves blancs 0   Barsac/Sauternes 0

Récolte : très réduite.

Spécificités : des vendanges très tardives qui se sont déroulées par un temps déplorable.

Maturité : il est difficile d'imaginer qu'un vin de ce millésime soit encore buvable.

Prix : les 1954 n'ont strictement aucune valeur.

L'année 1954 a été médiocre pour toutes les régions viticoles de France, et en particulier pour Bordeaux. En effet, les viticulteurs bordelais ont désespérément attendu que leur récolte mûrisse après un mois d'août exceptionnellement pluvieux et frais. Les premiers jours de septembre ont été plus cléments, mais, à la fin de ce mois, la situation s'est considérablement détériorée. En effet, des dépressions atmosphériques successives qui passaient au-dessus de la région y ont apporté des pluies torrentielles. Celles-ci ont duré près de quatre semaines et ont irrémédiablement compromis un millésime qui, sans cela, aurait pu être de qualité moyenne.

Il est très improbable qu'un vin de cette année soit buvable actuellement.

1953 – BRÈVE PRÉSENTATION (21 septembre 1953)

Saint-Estèphe****   Graves rouges****
Pauillac***   Graves blancs***
Saint-Julien***   Pomerol***
Margaux***   Saint-Émilion****
Médoc/Haut-Médoc crus bourgeois**   Barsac/Sauternes****

Récolte : moyenne.

Spécificités : un des millésimes les plus séduisants et les plus sensuels jamais produits à Bordeaux.

Maturité : d'après les anciens, les 1953 étaient absolument délicieux dans le courant des années 50, se montraient encore mieux pendant les années 60 et étaient tout simplement sublimes dans les années 70. Leurs traits communs étaient le charme, la rondeur, la richesse aromatique, ainsi qu'une texture de velours. Mais, aujourd'hui, il convient de se montrer prudent avec ces vins, sauf si l'on est certain qu'ils ont été impeccablement stockés ou s'ils sont logés en grand format.

Prix : des vins aussi attrayants ne se vendront jamais à prix raisonnables. En d'autres termes, les 1953 seront toujours très chers.

Les 1953 sont probablement les seuls bordeaux qui fassent l'unanimité quant à leur qualité. Les anciens et certains des commentateurs qui nous ont précédé (Edmund Penning-Rowsell et Michael Broadbent) en parlent avec adoration. Il semblerait que ces vins ne se soient jamais montrés sous un mauvais jour ; déjà délicieux au fût, ils se sont encore améliorés en bouteille. C'est pour cette raison qu'ils ont en général été dégustés avant d'avoir atteint 10 ans d'âge, mais les amateurs qui ont été plus patients ont pu constater qu'ils s'étaient considérablement épanouis au cours des années 60 et 70. Si, outre-Atlantique, les 1953 sont déjà marqués par le temps, en Europe, en revanche, ils sont encore en parfaite forme, aussi merveilleusement riches, somptueux et pleins de charme qu'on peut l'espérer. Aujourd'hui, on pourrait rapprocher les meilleurs d'entre eux des 1985 les plus réussis ou des 1982 les plus légers, mais je pense instinctivement que ces derniers sont des vins plus alcooliques, plus riches et plus lourds.

Si vos moyens financiers vous permettent de vous offrir ce millésime très prisé, n'achetez-en qu'en grand format ou assurez-vous de ce que les bouteilles que l'on vous propose ont auparavant été stockées dans des caves plutôt fraîches.

LES MEILLEURS 1953

Saint-Estèphe : Calon-Ségur, Cos d'Estournel, Montrose
Pauillac : Grand-Puy-Lacoste, Lafite-Rothschild, Lynch-Bages, Mouton-Rothschild
Saint-Julien : Beychevelle, Ducru-Beaucaillou, Gruaud-Larose, Langoa-Barton, Léoville-Barton, Léoville-Las Cases, Talbot
Margaux : Cantemerle (sud du Médoc), Margaux, Palmer
Médoc/Haut-Médoc/Moulis/Listrac crus bourgeois : aucun
Graves rouges : Haut-Brion, La Mission-Haut-Brion
Graves blancs : aucun
Pomerol : La Conseillante
Saint-Émilion : Cheval Blanc, Figeac, Magdelaine, Pavie
Barsac/Sauternes : Climens, D'Yquem

1952 – BRÈVE PRÉSENTATION (17 septembre 1952)

Saint-Estèphe**   Graves rouges***
Pauillac***   Graves blancs***
Saint-Julien***   Pomerol****
Margaux**   Saint-Émilion***
Médoc/Haut-Médoc crus bourgeois**   Barsac/Sauternes**

Récolte : assez réduite.

Spécificités : le millésime 1952 est à son meilleur niveau à Pomerol, où les vendanges ont été terminées bien avant l'arrivée des pluies.

Maturité : presque tous les vins de ce millésime se sont toujours montrés durs et astringents, manquant de gras, de charme et de maturité.

Prix : les 1952 sont en général très chers, mais certains Pomerol soigneusement choisis peuvent se révéler des valeurs sûres.

Les conditions climatiques du printemps 1952 ont été excellentes, et l'été s'est montré relativement chaud et sec, avec une pluviométrie optimale. Malheureusement, la situation s'est ensuite dégradée, et le temps a été froid, instable et orageux avant et pendant les vendanges. C'est à Pomerol et à Saint-Émilion, où la majorité du merlot et une partie du cabernet franc ont été vendangés avant que le temps ne se détériore, que l'on trouve les crus les plus réussis. Certains vins des Graves sont également très bons, grâce aux sols légers et bien drainés de cette appellation, en particulier dans la région de Pessac-Léognan. Mais les Médoc, y compris les premiers crus, sont dans l'ensemble durs et décevants.

LES MEILLEURS 1952

Saint-Estèphe : Calon-Ségur, Montrose
Pauillac : Latour, Lynch-Bages
Saint-Julien : aucun
Margaux : Margaux, Palmer
Médoc/Haut-Médoc/Moulis/Listrac crus bourgeois : aucun
Graves rouges : Haut-Brion, La Mission-Haut-Brion, Pape-Clément
Graves blancs : aucun
Pomerol : La Fleur-Petrus, Lafleur, Trotanoy, Vieux Château Certan
Saint-Émilion : Cheval Blanc, Magdelaine
Barsac/Sauternes : aucun

1951 – BRÈVE PRÉSENTATION (9 octobre 1951)

Saint-Estèphe 0	Graves rouges 0
Pauillac 0	Graves blancs 0
Saint-Julien 0	Pomerol 0
Margaux 0	Saint-Émilion 0
Médoc/Haut-Médoc crus bourgeois 0	Barsac/Sauternes 0

Récolte : extrêmement réduite.

Spécificités : ce millésime est aujourd'hui encore considéré comme le pire pour les bordeaux.

Maturité : imbuvables tant dans leur jeunesse que plus tard...

Prix : encore un millésime médiocre qui ne vaut rien.

Un temps épouvantable au printemps et en été, ainsi qu'avant et pendant les vendanges, a totalement compromis le millésime 1951, qui peut se vanter d'avoir pire réputation que toute autre année de l'après-guerre.

1950 – BRÈVE PRÉSENTATION (17 septembre 1950)

Saint-Estèphe**	Graves rouges***
Pauillac***	Graves blancs***
Saint-Julien***	Pomerol*****
Margaux***	Saint-Émilion****
Médoc/Haut-Médoc crus bourgeois*	Barsac/Sauternes****

Récolte : abondante.

Spécificités : la plupart des Pomerol de ce millésime sont grandioses ; pourtant, ils ont été systématiquement ignorés par les chroniqueurs de l'époque.

Maturité : nombre de Médoc et de Graves sont sur le déclin, mais les Pomerol les plus opulents sont splendides et peuvent encore se conserver pendant plusieurs années.

Prix : la qualité des Pomerol n'a jamais été reconnue, si bien que ces vins sont sous-estimés et sous-cotés.

L'année 1950 est encore un de ces millésimes dont la réputation a été faite par le Médoc. Cette année-là, la floraison s'est bien déroulée, l'été a été chaud et sec, mais, au mois de septembre, le temps s'est détérioré et il a beaucoup plu.

Les Médoc, qui sont aujourd'hui sur le déclin, étaient des vins souples, bien évolués et moyennement corsés, que l'on pourrait comparer aux 1971 ou aux 1981. Les Graves étaient de meilleure qualité, mais ils sont probablement passés à l'heure actuelle. Les deux appellations qui ont le mieux réussi sont Saint-Émilion et Pomerol. La première a produit nombre de vins riches, pleins et intenses qui ont évolué rapidement. Quant à la deuxième, il s'agissait de son quatrième grand millésime successif, fait sans précédent dans son histoire. On y trouve des vins incroyablement riches, onctueux et concentrés qui peuvent même, pour certains, rivaliser avec les Pomerol les mieux réussis de 1947 et de 1949.

La région de Sauternes/Barsac a également connu son heure de gloire en 1950. En effet, les amateurs considèrent toujours ce millésime comme l'un des plus grands de l'après-guerre pour ces liquoreux.

LES MEILLEURS 1950

Saint-Estèphe : aucun
Pauillac : Latour
Saint-Julien : aucun
Margaux : Margaux
Médoc/Haut-Médoc/Moulis/Listrac crus bourgeois : aucun
Graves rouges : Haut-Brion, La Mission-Haut-Brion
Graves blancs : aucun
Pomerol : L'Évangile, La Fleur-Petrus, Le Gay, Lafleur, Petrus, Vieux Château Certan
Saint-Émilion : Cheval Blanc, Figeac, Soutard
Barsac/Sauternes : Climens, Coutet, Suduiraut, D'Yquem

1949 – BRÈVE PRÉSENTATION (27 septembre 1949)

Saint-Estèphe*****   Graves rouges*****
Pauillac*****   Graves blancs***
Saint-Julien*****   Pomerol****
Margaux****   Saint-Émilion****
Médoc/Haut-Médoc crus bourgeois***   Barsac/Sauternes*****

Récolte : très peu abondante.
Spécificités : l'année la plus chaude et la plus ensoleillée depuis 1893. Plus

récemment, elle peut être comparée – du point de vue climatique seulement, et non qualitatif – à 1990.

Maturité : les meilleurs 1949 sont à la pointe de leur maturité et déploient une richesse et une concentration remarquables.

Prix : extrêmement élevés.

Avec 1945, 1947 et 1948, 1949 est un des quatre millésimes les plus extraordinaires de la fin des années 40. C'est aussi celui que je préfère. Légèrement moins massifs et alcooliques que les 1947, les 1949 ont plus d'équilibre, d'harmonie et de fruité que les 1945 et sont plus complexes que les 1948. En bref, les meilleurs d'entre eux sont absolument magnifiques et comptent au nombre des vins les plus exceptionnels de ce siècle. Seuls ceux de la rive droite (à l'exception de Cheval Blanc) semblent de qualité légèrement inférieure aux 1947. Pour le Médoc et les Graves, 1949 est une année extraordinaire où pratiquement toutes les propriétés ont produit des vins très opulents, puissants, d'une richesse et d'une maturité époustouflantes, avec une longue persistance.

Ce millésime a été marqué par un été caniculaire et ensoleillé. Les amateurs qui craignaient qu'il n'ait fait trop chaud en 1989 et 1990 pour que l'on puisse y produire de bons vins devraient consulter les archives. Ils s'apercevraient alors que 1949 était, avec 1947, une des deux années les plus torrides depuis 1893, et également la plus ensoleillée après cette dernière. Les vendanges ne se sont pas déroulées sous un temps totalement sec, mais les pluies étaient légères, comparables à celles qui sont tombées pendant la récolte en 1982. Il avait aussi légèrement plu juste avant les vendanges, mais, les sols étant secs et craquelés, cet apport d'eau s'est révélé plutôt bénéfique.

Même les vins de Sauternes et de Barsac ont été particulièrement réussis cette année-là. Acheter des 1949 aujourd'hui doit certainement coûter les yeux de la tête : ce sont les vins les plus chers et les plus prisés du siècle.

LES MEILLEURS 1949

Saint-Estèphe : Calon-Ségur, Cos d'Estournel
Pauillac : Grand-Puy-Lacoste, Latour, Mouton-Rothschild
Saint-Julien : Gruaud-Larose, Léoville-Barton, Talbot
Margaux : Palmer
Médoc/Haut-Médoc/Moulis/Listrac crus bourgeois : aucun
Graves rouges : Haut-Brion, La Tour-Haut-Brion, La Mission-Haut-Brion, Pape-Clément
Graves blancs : Laville-Haut-Brion
Pomerol : La Conseillante, L'Évangile, Lafleur, Petrus, Trotanoy, Vieux Château Certan
Saint-Émilion : Cheval Blanc
Barsac/Sauternes : Climens, Coutet, D'Yquem

1948 – BRÈVE PRÉSENTATION (22 septembre 1948)

Saint-Estèphe***   Saint-Julien****
Pauillac****   Margaux****

Médoc/Haut-Médoc crus bourgeois*** Pomerol***
Graves rouges****   Saint-Émilion***
Graves blancs***   Barsac/Sauternes**

Récolte : moyenne ou inférieure à la moyenne, selon les appellations.

Spécificités : on trouve en 1948 des vins qui sont bons ou excellents, mais ce millésime est souvent oublié car surpassé à la fois par son prédécesseur et par son successeur.

Maturité : le caractère dur et fermé des 1948 a favorisé leur évolution, et les sujets les plus amples et les plus concentrés sont encore très attrayants.

Prix : ces vins sont sous-cotés, si l'on tient compte de leur âge et de leur qualité.

Lorsque Bordeaux produit trois grands millésimes à la suite, il arrive souvent que l'un d'eux demeure dans l'ombre ; c'est exactement le cas de 1948. Il s'agit d'une excellente année, dont le seul tort est d'avoir été prise en sandwich entre deux millésimes légendaires.

A cause d'une floraison difficile (juin fut pluvieux, frais, et venteux), la récolte fut en 1948 moins abondante qu'en 1947 ou qu'en 1949. Cependant, le temps s'est remis au beau en juillet et en août, et septembre a été exceptionnellement sec et chaud.

Malgré leur qualité incontestable, les 1948 n'ont jamais suscité l'enthousiasme des amateurs de bordeaux rouge, et personne ne pourrait légitimement blâmer ces derniers. En effet, ces vins se montraient durs, tanniques et peu évolués, alors que, dans le même temps, les 1947 étaient spectaculaires, opulents, alcooliques et corsés, et les 1949 très riches.

Cependant, on constate actuellement que, dans bien des cas, les 1948 ont évolué avec davantage de grâce que les 1947, plus massifs, et que les meilleurs d'entre eux sont encore d'excellente tenue. Leurs prix semblent raisonnables, comparés à ceux de leurs aînés et de leurs cadets d'un an.

LES MEILLEURS 1948

Saint-Estèphe : Cos d'Estournel, Montrose
Pauillac : Grand-Puy-Lacoste, Latour, Lynch-Bages, Mouton-Rothschild
Saint-Julien : Langoa-Barton, Léoville-Barton (la réussite du Médoc)
Margaux : Cantemerle (sud du Médoc), Margaux, Palmer
Médoc/Haut-Médoc/Moulis/Listrac crus bourgeois : aucun
Graves rouges : La Mission-Haut-Brion, Pape-Clément
Graves blancs : aucun
Pomerol : Latour à Pomerol, Petit-Village, Petrus, Vieux Château Certan
Saint-Émilion : Cheval Blanc
Barsac/Sauternes : aucun

1947 – BRÈVE PRÉSENTATION (15 septembre 1947)

Saint-Estèphe****   Saint-Julien****
Pauillac****   Margaux***

Médoc/Haut-Médoc crus bourgeois*   Pomerol*****
Graves rouges****   Saint-Émilion*****
Graves blancs***   Barsac/Sauternes***

Récolte : très abondante.

Spécificités : 1947 est l'année des contrastes. On y trouve aussi bien les vins les plus concentrés qui aient jamais été produits à Bordeaux que des médiocrités inattendues (par exemple Lafite-Rothschild).

Maturité : à l'exception des Pomerol et des Saint-Émilion les plus opulents et les plus concentrés, les 1947 doivent être consommés rapidement. En effet, ils sont pour la plupart sur le déclin, et déploient un excès d'acidité volatile et un fruité maigre et passé.

Prix : ils sont ridiculement élevés, car il s'agit d'un autre « millésime du siècle »...

Bordeaux a produit dans cette année extrêmement chaude des vins semblables à des Porto, les plus extraordinairement concentrés et les plus intenses que j'aie jamais goûtés. Les plus opulents d'entre eux sont issus de Pomerol et de Saint-Émilion. Dans le Médoc, la qualité était très irrégulière, et, si Calon-Ségur, Mouton-Rothschild et Margaux ont magnifiquement réussi, d'autres grands crus, tels Lafite-Rothschild et Latour, ou encore Léoville-Barton, ont produit des 1947 excessivement acides.

Les meilleures pièces de ce millésime sont à conserver précieusement, ne serait-ce qu'à cause de leur caractère extrêmement riche et doux, que l'on peut aujourd'hui rapprocher de celui des 1982. Cependant, aucun vin de cette dernière année ne possède l'intensité et la richesse en extrait des plus grands 1947, conséquence des températures très élevées des mois de juillet et d'août, et de la vague de chaleur torride et tropicale que Bordeaux a connue en septembre, juste avant le début des vendanges. Dans les propriétés où l'on n'a pas su contrôler la température des raisins (qui étaient très chauds), les fermentations se sont bloquées. Cela a donné des vins qui avaient du sucre résiduel et, dans plusieurs cas, des taux d'acidité volatile qui horrifieraient les œnologues d'aujourd'hui. Mais celles où l'on a su maîtriser ces vinifications très déroutantes ont produit les bordeaux rouges les plus opulents du siècle.

LES MEILLEURS 1947

Saint-Estèphe : Calon-Ségur
Pauillac : Grand-Puy-Lacoste, Mouton-Rothschild
Saint-Julien : Ducru-Beaucaillou, Léoville-Las Cases
Margaux : Margaux, Palmer
Médoc/Haut-Médoc/Moulis/Listrac crus bourgeois : aucun
Graves rouges : Haut-Brion, La Mission-Haut-Brion, La Tour-Haut-Brion
Graves blancs : Laville-Haut-Brion
Pomerol : Clinet, Clos René, La Conseillante, L'Enclos, L'Évangile,
La Fleur-Petrus, Lafleur, Latour à Pomerol, Nenin, Petrus, Rouget,
Vieux Château Certan

Saint-Émilion : Canon, Cheval Blanc, Figeac, La Gaffelière-Naudes
Barsac/Sauternes : Climens, Suduiraut

1946 – BRÈVE PRÉSENTATION (30 septembre 1946)

Saint-Estèphe**	Graves rouges*
Pauillac**	Graves blancs 0
Saint-Julien**	Pomerol 0
Margaux*	Saint-Émilion 0
Médoc/Haut-Médoc crus bourgeois 0	Barsac/Sauternes 0

Récolte : très réduite.

Spécificités : la seule année de la période de l'après-guerre où les vignobles bordelais ont été dévastés par les sauterelles.

Maturité : ces vins sont certainement passés à l'heure actuelle.

Prix : hormis le très rare Mouton-Rothschild 1946 (utile aux millionnaires qui souhaitent compléter leur collection), la plupart de ces vins ne valent pas grand-chose.

Les effets bénéfiques de la chaleur des mois de juillet et d'août sur la vigne ont été anéantis par un mois de septembre exceptionnellement pluvieux, frais et venteux. En effet, les vendanges ont alors dû être retardées, et il y a eu une éclosion de pourriture dans les vignobles. On ne trouve pratiquement pas de 1946 sur le marché, et je n'ai moi-même, en tout et pour tout, que onze notes de dégustation sur ce millésime.

Je n'ai jamais goûté les meilleurs crus de cette année, mais Edmund Penning-Rowsell assure que Latour était excellent. Je n'en ai personnellement jamais vu une bouteille.

1945 – BRÈVE PRÉSENTATION (13 septembre 1945)

Saint-Estèphe****	Graves rouges*****
Pauillac*****	Graves blancs*****
Saint-Julien*****	Pomerol*****
Margaux****	Saint-Émilion*****
Médoc/Haut-Médoc crus bourgeois****	Barsac/Sauternes*****

Récolte : minuscule.

Spécificités : le millésime le plus acclamé du siècle.

Maturité : certains 1945 (qui ont été impeccablement conservés) ne sont toujours pas à maturité.

Prix : les bordeaux rouges les plus chers du siècle.

Il n'y a aucun millésime de l'après-guerre (pas même 1982, 1989, 1961, 1959 ou 1953) qui jouisse de la réputation de 1945. La célébration de la fin d'une guerre meurtrière alliée à un temps remarquable a donné une des récoltes les plus restreintes et les plus concentrées qui soient. J'ai eu la chance de pouvoir déguster tous les premiers crus en trois occasions différentes, et il m'apparaît que 1945 est incontestablement un millésime remarquable qui a mis au moins 45 ans pour atteindre son apogée. Les meilleurs vins (ils sont nombreux) peuvent parfaitement se conserver encore 20 à 30 ans, faisant ainsi un pied de nez aux plus grandes années récentes, dont le potentiel de garde n'excède pas 25 à 30 ans.

Les 1945 ont aussi leurs détracteurs, qui ont estimé qu'ils étaient excessivement tanniques et que plusieurs d'entre eux se fanaient. Il y a certes des vins qui sont dans ce cas, mais, si l'on mesure la grandeur d'un millésime à la performance des propriétés les plus prestigieuses (par exemple les premiers et les meilleurs deuxièmes crus, et les domaines les plus sérieux de Pomerol et de Saint-Émilion), 1945 constitue une référence à lui seul.

La récolte fut cette année-là extrêmement réduite par une gelée dévastatrice du mois de mai (appelée gelée noire), suivie d'un été exceptionnellement chaud et sec, ainsi que d'une période intense de sécheresse. Les vendanges ont commencé tôt, le 13 septembre – le même jour qu'en 1976 et en 1982.

LES MEILLEURS 1945

Saint-Estèphe : Calon-Ségur, Montrose, Les Ormes de Pez
Pauillac : Latour, Mouton-Rothschild, Pichon-Longueville
Comtesse de Lalande, Pontet-Canet
Saint-Julien : Gruaud-Larose, Léoville-Barton, Talbot
Margaux : Margaux, Palmer
Médoc/Haut-Médoc/Moulis/Listrac crus bourgeois : Chasse-Spleen,
Lanessan, Poujeaux
Graves rouges : Haut-Brion, La Mission-Haut-Brion, La Tour-Haut-Brion
Graves blancs : Laville-Haut-Brion
Pomerol : La Fleur-Petrus, Gazin, Latour à Pomerol, Petrus, Rouget,
Trotanoy, Vieux Château Certan
Saint-Émilion : Canon, Cheval Blanc, Figeac, La Gaffelière-Naudes,
Larcis-Ducasse, Magdelaine
Barsac/Sauternes : Suduiraut, D'Yquem

BORDEAUX : LES LÉGENDES DU SIÈCLE

Au cours de ces dernières années, j'ai pu, grâce à la générosité de certaines personnes, participer à quelques dégustations de grande envergure. Cela m'a permis d'atteindre un de mes objectifs premiers, qui était de goûter tous les grands bordeaux de ce siècle, de préférence de bouteilles ayant été conservées dans des conditions impeccables. Lors de ces manifestations, je me suis en effet familiarisé avec les meilleurs crus dans les plus grands millésimes. Cependant, je demeure convaincu qu'il existe de toutes petites propriétés, peu connues, qui ont fait dans certaines années très spécifiques des vins pouvant figurer parmi les grandes réussites du siècle – par exemple certains Pomerol de 1948, 1949 et 1950. C'est d'ailleurs précisément dans des régions comme celle-ci, où les châteaux ne font l'objet d'aucun classement et où les productions sont très restreintes, que l'on trouve de telles raretés. De plus, l'appellation Pomerol a pendant de nombreuses années été largement ignorée par la presse britannique, qui lui préférait celles du Médoc et des Graves, plus accueillantes et plus faciles à cerner, certainement parce que les propriétés y sont classées selon une stricte hiérarchie.

Les notes de dégustation qui suivent se rapportent à ce que je considère comme les plus grands bordeaux du XXᵉ siècle. Aujourd'hui encore, à quelques années du nouveau millénaire, ces vins se montrent dans toute leur splendeur. Ils ont pour la plupart été goûtés depuis 1992, et en général plus d'une fois. Cependant, cette nomenclature n'inclut pas certaines bouteilles de légende dont les prix atteignent des sommets aux enchères de Christie's et de Sotheby's, alors que, dans le même temps, leur contenu présente des signes indiscutables de déclin.

Pour mieux situer le débat, il faut que le lecteur prenne conscience de certains éléments d'importance. En premier lieu, que l'adage selon lequel « il n'y a pas de grands vins mais seulement de grandes bouteilles » n'est pas totalement dénué de vérité lorsqu'il s'agit de flacons de plus de 25 ans d'âge. Ensuite, de ce que mes commentaires de dégustation ont été faits d'après des bouteilles en provenance du nord de l'Europe, où elles avaient longuement séjourné dans des caves fraîches et humides appartenant à des particuliers. Les bordeaux d'années plus récentes (1970 et 1980) viennent de ma cave personnelle – qui est souterraine, dont la température oscille entre 14,5 et 16,5 °C et dont le taux d'humidité est de 78 %.

Il convient de noter que certains millésimes de propriétés considérées comme prestigieuses ont été délibérément omis de cette sélection (par exemple les 1945, 1949 et 1961 de Lafite-Rothschild) et qu'en revanche y figurent des vins surprises qui, s'ils sont encore disponibles sur le marché, sont certainement accessibles à des prix dérisoires. Une étude cursive des notes de dégustation ci-après permettra de constater que, dans l'ensemble, les premiers crus méritent bien leur statut, et qu'il existe aussi de petits châteaux peu connus ou non classés qui font des vins extraordinaires. On remarquera également que les grandioses 1900, 1920, 1921, 1928 et 1929 n'ont pas toujours bien résisté à l'épreuve du temps. En effet, à part les 1928, qui sont encore relativement vivaces, les autres vins cités ci-dessus ne présentent plus qu'un intérêt historique. S'ils sont encore pour la plupart à des prix extrêmement élevés, seuls quelques-uns d'entre eux (par exemple La Mission-Haut-Brion 1929 et Margaux 1900) valent la peine d'être achetés.

Dans les années d'avant-guerre, 1928 peut à juste titre être considéré comme le millésime béni. Quant aux 1945, 1947 et 1949 les plus réussis, ils sont, avec certains Pomerol de 1950, encore spectaculaires. Les commentaires qui suivent confirment aussi qu'il y a eu autant de grands vins en 1961 qu'en 1959, ce que d'ailleurs bien des initiés du Bordelais ont toujours soutenu.

A l'aube de ce nouveau millénaire, il semble également que les deux années qui m'ont servi de référence pendant mon apprentissage – 1966 et 1970 – souffrent de plus en plus de la comparaison avec d'autres plus récentes et d'excellente qualité comme 1982, 1985, 1986, 1989 et 1990. Les années 80 figurent ainsi en bonne place dans la liste – et ce avec raison, car aucune autre décennie du XXᵉ siècle n'aura donné autant de vins et de millésimes extraordinaires.

Le millésime 1995, qui est au moins excellent, voire exceptionnel à Pomerol, Saint-Julien, Pauillac et Saint-Estèphe, pourrait un jour entrer dans la légende de Bordeaux.

Si mes lecteurs de longue date ont compris en temps utile que les années 80 étaient la décennie du siècle et s'ils ont fait leurs achats en conséquence, ils ne peuvent que s'en réjouir, car, au début des années 90, Bordeaux n'a pas produit de vins vraiment grandioses.

Pour avoir une bonne vue d'ensemble des meilleures années du siècle, il convient de se référer au tableau que j'en fais ci-après, ainsi qu'aux passages décrivant les caractéristiques de chaque millésime par rapport à la décennie à laquelle il appartient.

Note sur les prix

Dans la présentation qui suit, le code indiquant le prix de vente moyen des vins n'est pas utilisé, car il n'est pas significatif. En effet, ces derniers sont déjà excessivement chers, et, du fait de disponibilités très réduites, il est vraisemblable que leur cote augmentera encore de manière démesurée. Toutefois, la cote actuelle de ces vins est indiquée en annexe, en fin d'ouvrage.

ANGÉLUS

1990   Dégusté 8 fois, avec des notes régulières **96**

Angélus est une propriété de taille moyenne (environ 25 ha) complantée à 50 % en cabernet franc, à 45 % en merlot et à 5 % en cabernet sauvignon. Grâce au dévouement et au dynamisme de son jeune propriétaire, Hubert de Boüard de Laforest, elle s'est affirmée depuis la fin des années 80 comme l'étoile montante de son appellation.

Angélus est l'exemple classique d'un domaine qui se surpasse régulièrement. Ainsi, alors que, pensait-on, le 1989 illustrait les sommets que pouvait atteindre cette propriété, le 1990 s'est révélé plus extraordinaire encore.

Outre sa robe pourpre très soutenu, il possède en apparence une texture proche de celle d'un vin de Porto. Encore plus exotique et plus voluptueux que son aîné d'un an, il est d'une concentration exceptionnelle et déploie un nez époustouflant de café, de moka, d'herbes, de fruits des bois, de chêne et de fumé. En bouche, sa richesse en extrait se développe par paliers, et on y perçoit des tannins qui sont peut-être plus abondants que dans le 1989. Ce vin massif a été embouteillé sans filtration préalable, ce qui est rare pour un bordeaux. Il s'agit d'une réussite monumentale. **A maturité : jusqu'en 2008.**

Autre candidat potentiel : le 1989, régulièrement noté entre 91 et 94.

AUSONE

1990   Dégusté 3 fois, avec des notes régulières **94+**
1983   Dégusté 7 fois, avec des notes régulières **94**
1982   Dégusté 6 fois, avec des notes très irrégulières **95**
1976   Dégusté 11 fois, noté entre 90 et 95 **94**
1929   Dégusté 1 seule fois **96**
1900   Dégusté 1 seule fois **94**

Étape obligatoire pour ceux qui feront le trajet de Bordeaux jusqu'à la charmante ville fortifiée de Saint-Émilion, cette propriété historique, qui jouit d'une réputation extraordinaire, ne mérite pas à mon avis toutes les louanges qui lui sont adressées. Son minuscule vignoble d'environ 8 ha, complanté pour moitié en cabernet franc et pour l'autre en merlot, est situé à flanc de coteau et produit rarement plus de 2 000 caisses par an. Ausone est un vin peut-être un peu trop intellectuel pour mon goût, et, si je suis souvent intrigué par les arômes qu'il offre, je suis dérouté par son caractère excessivement compact et austère, ainsi que par son manque de présence en milieu de bouche. Cependant, cette propriété a donné de très grands vins – notamment le 1976, qui a marqué sa renaissance. Ce dernier, qui surpassera même bientôt le grandiose Lafite-Rothschild pour s'affirmer comme la réussite du millésime, recèle encore la puissance nécessaire pour survivre à tous les autres 1976 de Bordeaux.

Je pense que l'évolution du 1990 d'Ausone au cours des 25 prochaines années en fera son plus beau succès depuis le 1982 et le 1983. En effet, outre sa robe rubis profond, ce vin très riche a un côté coquin dû à ses épices orientales ; il présente par ailleurs un caractère serré, peu évolué et minéral. Sa finale et sa concentration sont admirables, et je le préfère au 1989, qui est néanmoins très impressionnant. Vous l'achèterez afin que vos enfants puissent en profiter. **A maturité : 2005 à 2040.**

Très corsé, puissant et riche, le 1983 est également plus alcoolique que la normale. Avec sa couleur rubis et son aspect confituré, il déploie un faible taux d'acidité mais une grande concentration, et offre des arômes fantastiques d'épices orientales et de minéral. Il se conservera encore 15 à 20 ans, mais sera assez rapidement agréable à boire – ce qui est rare pour un Ausone. **A maturité : jusqu'en 2010.**

Quant au 1982, il répond enfin aux espérances qu'il avait suscitées alors qu'il déployait au fût un potentiel extraordinaire. Nombreux à l'époque étaient ceux (y compris votre serviteur) qui estimaient qu'il pourrait sans peine s'imposer comme la réussite de ce millésime. Ce vin, qui est encore dans son enfance, présente une robe rubis foncé et une texture serrée, mais, s'il révèle après un moment d'aération moins d'ampleur que le 1983, plus souple et plus spectaculaire, on y décèle quand même des senteurs riches et une concentration intense. Très tannique, plus ample et plus massif que la majorité des autres vins de la propriété, ce 1982 s'est enfin débarrassé du caractère fermé et monolithique qu'il arborait depuis sa mise en bouteille. Dans ce cas précis, la patience sera de rigueur, mais elle sera récompensée car il s'agit d'un des plus grands Ausone de tous les temps ; cependant, il ne sera pas prêt avant **10 ou 15 ans.**

L'Ausone 1976, qui est le vin le plus réussi de la propriété pour la décennie 1970, s'impose également, avec le Lafite-Rothschild de la même année, comme un des deux plus grands succès du millésime. Très profond et étonnamment coloré, avec un nez voluptueux, intense et complexe de minéral, de réglisse, de truffe et de cassis mûr et épicé, il est très corsé, puissant et ample, et d'une dimension extraordinaire pour un 1976. Il se révèle même plus énorme que d'autres Ausone plus récents, tels les 1978, 1979, 1985 et 1986. Il s'agit

vraiment d'une vinification magnifiquement réussie dans une année difficile.
A maturité : jusqu'en 2010.

Lorque j'ai goûté pour la première fois l'Ausone 1929, je l'ai qualifié de
« royaume du cèdre ». Ce vin, dont la robe légèrement teintée de rouille accompagne un nez fabuleux d'épices, de cèdre et de fruits doux et confiturés, déploie
une merveilleuse maturité, ainsi que l'austérité et la finale sèche légendaires
qui caractérisent souvent ce cru. Bien qu'il demeure riche, moyennement corsé
et intact, je ne me hasarderais pas à le conserver plus avant. Il possède
cependant plus de fruité, de richesse et de complexité que ne le laisserait
supposer sa robe légère.

Mes notes de dégustation indiquent que j'ai attribué 90 au nez de l'Ausone
1900 et 99 aux parfums qu'il dégage. Si, en général, les vins de cette propriété
offrent au nez un bouquet intense, ils déploient en bouche des arômes plutôt
courts, et il est assez incroyable que celui-ci, à plus de 96 ans, possède encore
tant de richesse et de senteurs. Il révèle un nez énorme de girofle rôtie, de
café et de fruits rouges mielleux qui introduit en bouche un vin ample, extrêmement doux et rond, aux arômes alcooliques et confiturés et à la finale remarquablement longue. Sa robe légèrement teintée de rouille rappelle celle d'un vin
blanc de Zinfandel, et son extrême douceur me conduit à penser que les
fermentations se sont arrêtées trop tôt et qu'il possède un peu de sucre résiduel.
Il demeure néanmoins étonnamment frais et vivace.

Autre candidat potentiel : le 1989, extraordinaire mais très lunatique.

BEAUSÉJOUR-DUFFAU

1990 Dégusté 7 fois, toujours avec des notes remarquables variant entre
        97 et 100 **100**

Beauséjour-Duffau est une toute petite propriété de moins de 7 ha,
complantée à 55 % en merlot, à 25 % en cabernet franc et à 20 % en cabernet
sauvignon, où l'on élabore des vins absolument magnifiques depuis 1988.

Son 1990, en particulier, se pose comme une prouesse extraordinaire, surtout
de la part d'un domaine dont on n'attend pas des vins de légende. Puissant,
considéré comme une des réussites du millésime, il est incontestablement le
meilleur vin que je connaisse de cette propriété. Sa robe rubis tirant sur le
noir est opaque, et il déploie un bouquet intense et persistant de cassis herbacé,
de réglisse, de minéral, de prune mûre et de chêne neuf. En bouche, on
décèle, outre une extraction de fruit extraordinaire, une profondeur et une
puissance extrêmes, de la densité, une onctuosité formidable, ainsi qu'une
impression d'élégance et de finesse – autant de qualités infiniment difficiles
à réunir dans un même vin. Il est absolument indispensable d'acheter ce Saint-
Émilion profond, mais il convient aussi de le faire rapidement, car la production
de Beauséjour-Duffau est de 3 000 caisses seulement, soit une des plus petites
des premiers crus et des grands crus de l'appellation.

BON PASTEUR

1982 Dégusté 15 fois en demi-bouteille, en bouteille et en magnum, et toujours avec d'excellentes notes **97**

Sous la talentueuse houlette de Dany et Michel Rolland, Bon Pasteur a conquis les amateurs avec un nouveau style de vins riches, complexes et souples. Parallèlement, Michel Rolland s'est imposé comme œnologue-consultant de renommée mondiale auprès des domaines viticoles les plus prestigieux de France, d'Italie, d'Argentine et de Californie.

Cette petite propriété de 9 ha a donné en 1982 un vin d'une dimension extraordinaire, dont la viscosité et le style, opulent et flamboyant à l'extrême, me rappellent un Pomerol de 1947. Il s'agit incontestablement de son plus beau succès à ce jour.

Le Bon Pasteur 1982 arbore une robe pourpre tirant sur le noir, avec seulement une légère touche ambrée sur le bord. Avec un nez énorme de fruits noirs confiturés, de noix grillée et de chêne doux, il déploie une richesse et une concentration extraordinaires, ainsi que des essences de nectar. Alors qu'il est pourtant déjà à maturité, il ne montre aucun signe d'altération de son fruité généreux. Dégustez-le au cours des **10 à 15 prochaines années.**

CALON-SÉGUR

1982 Dégusté 12 fois en bouteille, avec des notes irrégulières **94+**
1953 Dégusté 3 fois, avec des notes régulières **96**
1949 Dégusté 5 fois, avec des notes irrégulières **93**
1947 Dégusté 7 fois, toujours avec d'excellentes notes **97**
1926 Dégusté 1 fois **94**

Ces 50 ha, complantés à 65 % en cabernet sauvignon, à 25 % en merlot et à 10 % en cabernet franc, donnent annuellement 20 000 caisses. Sur cette propriété dont la production est assez déroutante, rien n'est fait pour plaire aux dégustateurs modernes qui préfèrent des vins souples, directs et flatteurs, dominés par des senteurs rôties et de vanilline. En effet, à Calon, il arrive souvent que les vins, qui sont impressionnants au fût, se ferment ensuite et demeurent ainsi repliés pendant des années après la mise en bouteille. Pourtant, il est incontestable qu'ils peuvent atteindre des sommets – comme dans les années 20 ou encore entre le milieu des années 40 et celui des années 50, quand Calon-Ségur comptait parmi les bordeaux les mieux réussis.

Feu Philippe Gasqueton a toujours très fermement soutenu que le 1982 était le meilleur vin fait à la propriété depuis le légendaire 1947. Et, alors qu'il était extraordinaire au fût, il a en revanche, pendant quelques années après la mise en bouteille, été dominé par ses tannins, se montrant dur, astringent et peu accessible. En bouche, il était fermé, peu évolué et presque impénétrable. Mais des dégustations récentes de demi-bouteilles m'ont, pour la première fois depuis que je l'avais goûté en cours d'élevage, prouvé de manière irréfutable qu'il s'agit d'un Calon grandiose. Ce vin est élaboré dans le pur respect des traditions : aussi ne vous attendez pas à être submergé par de généreux arômes de vanille, de bois neuf et de grillé, ni par un fruité doux et confituré. Le Calon 1982, bien que massif, très fruité et incroyablement riche, est dominé par des arômes de cassis, de minéral et de cèdre. Et si les tannins y sont encore très présents, ils se sont bien fondus avec les autres composantes de ce vin classique fait pour résister à l'épreuve du temps. En demi-bouteille, il devrait être à maturité à la fin de ce siècle et se conservera encore **au moins 20 à 30 ans.** Les vrais connaisseurs admireront cette réussite remarquable – qui demeure sous-évaluée par rapport aux autres 1982, plus onéreux, sans doute parce qu'elle a souffert de la promiscuité de vins plus voyants lors des premières dégustations.

J'ai souvent entendu dire que le 1953 de Calon était somptueux avant même d'avoir atteint 10 ans d'âge. Lorsque je l'ai goûté récemment en magnum, il m'a semblé témoigner parfaitement des senteurs sensationnelles et de la richesse veloutée qui sont la marque de ce millésime. Alors que la plupart des vins de cette propriété ont des niveaux de tannins excessivement élevés, celui-ci ressemble à une décoction de cèdre et de fruits doux confiturés. Très corsé, il possède une intensité remarquable sans toutefois manifester la rudesse prononcée déployée par certains Calon-Ségur. Même si sa robe est fortement ambrée sur le bord, il demeure magnifique.

Élaboré à une époque où Calon-Ségur était une des propriétés les plus performantes de Bordeaux, le superbe 1949 déploie une opulence et un équilibre extraordinaires, ainsi qu'un fruité merveilleusement doux et riche, avec des arômes de cèdre et de cerise noire conjugués à des notes charnues et prononcées de cuir. La finale est longue, très corsée et extrêmement riche, et la robe révèle des teintes modérément ambrées. Ce vin rond, à l'acidité faible, qui recèle des réserves de fruité absolument énormes, est à **pleine maturité** et se conservera bien pendant encore **une dizaine d'années.**

Depuis que je l'ai goûté à la propriété il y a maintenant dix ans environ, le 1947 de Calon-Ségur est l'un de mes vins préférés. Il s'agit d'une des plus belles réussites du Médoc, qui peut rivaliser avec l'extraordinaire Mouton-Rothschild pour le titre d'étoile de la rive gauche dans ce millésime – lequel est d'ailleurs plus connu pour ses Saint-Émilion et ses Pomerol riches et luxuriants. Ce vin massif, très alcoolique, époustouflant, arbore une robe légèrement ambrée mais demeure intact. Je l'ai dégusté en trois occasions pendant l'été 1994 (une fois en bouteille et deux fois en magnum) pour célébrer mes 47 ans, et il m'apparaît incontestablement comme le plus opulent et le plus voluptueux des Calon-Ségur de ce siècle.

Le 1926 de Calon ne conviendrait pas aux œnologues d'aujourd'hui. Sa robe de couleur rouille-orangé est légèrement teintée de rubis, et, après quelques minutes d'aération, il dégage une acidité volatile importante. Un nez de prune, de cèdre, de noix grillée et de girofle introduit en bouche un vin doux à la maturité merveilleuse, qui a de la mâche et du gras et déploie une finale équilibrée, longue, imposante et généreuse. Contrairement aux apparences, sa robe légère n'est pas un signe d'altération.

Autre candidat potentiel : le 1928.

CANON

1982 Dégusté 9 fois en bouteille, avec des notes régulières **96**
1959 Dégusté 2 fois, avec des notes régulières **95**

Le Château Canon était, dans les années 80, l'une des propriétés phares de Bordeaux, mais il a aussi produit pendant les années 40 des vins qui, bien que ne pouvant être considérés comme les plus fins de ce siècle, ont très bien résisté à l'épreuve du temps.

Ce vignoble de 18 ha, complanté à 55 % en merlot et à 45 % en cabernet franc, donne souvent des vins dont le style rappelle celui des Médoc, mais, dans les années où la maturité est avancée, ils sont plus charnus que ces derniers, avec de la mâche.

Je ne pense pas avoir dégusté plus prestigieux Canon que le 1982, même si les anciens assurent que les 1928 et 1929 étaient du même calibre. Comme d'autres vins de ce millésime, celui-ci était, quelques années après la mise en bouteille, spectaculaire, voire flamboyant, mais il se montre maintenant peu évolué, comme s'il était oppressé. Massif et ample, d'une richesse en extrait absolument extraordinaire, il est également gras, corsé et tannique. De couleur pourpre très soutenu, il offre, comme à regret, des senteurs de cassis, de chêne grillé, de pierre mouillée et de minéral. Ce Canon 1982, très corsé et puissant, requiert **5 ou 6 ans de vieillissement** supplémentaire et devrait se conserver **20 à 25 ans** encore. Il s'agit d'un vin sensationnel, très classique, de style comparable à celui d'un Médoc.

Le 1959 de Canon est spectaculaire, peut-être parce qu'il était issu de vieilles vignes (en effet, les très sévères gelées de 1956 avaient épargné ce vignoble). Son doux nez de chocolat et de cerise noire ainsi que sa robe grenat et opaque ne montrent aucun signe de déclin, et, s'il déploie un caractère herbacé sous-jacent, sa richesse est superbe, et ses arômes épais et visqueux, marqués par la mâche, sont sensationnels. Il possède suffisamment de richesse et de tannins pour évoluer sur **15 à 20 années** encore et s'impose comme une magnifique réussite de cette propriété.

Autres candidats potentiels : le 1948 et le 1947 sont toujours notés entre 90 et 93, le second étant plus riche et plus alcoolique que le premier, plus structuré, plus dense et plus tannique.

CERTAN DE MAY

1982 Dégusté 9 fois en bouteille, avec des notes régulières **98+**
1945 Dégusté 1 fois **96**

Petite propriété d'un peu moins de 5 ha située sur les hauteurs de Pomerol entre Vieux Château Certan et Petrus, Certan de May produit des vins qu'il est quasiment impossible de trouver sur le marché.

Dans le prolongement de sa renaissance à la fin des années 70 (avec les exceptionnels 1979 et 1981), ce domaine a continué sa progression dans le courant des années 80, mais il a légèrement dévié de sa route en 1983 et en 1989, avec deux millésimes un peu inquiétants à cause de leur caractère agressif et herbacé. Les vins plus anciens sont quasiment introuvables, mais j'ai pu déguster un 1945 qui était extraordinaire. De 1947 à 1950, on a probablement fait de belles choses à Certan de May, mais je n'ai jamais pu avoir une bouteille de ces années-là.

Le 1982 de la propriété, qui est sans aucun doute un des vins les plus remarquables de cette grande année, s'est maintenant refermé. Je le tiens pour le moins évolué des Pomerol de ce millésime, car il est encore plus tannique que Petrus. Sa robe pourpre foncé tirant sur le grenat, très soutenue, dénote une extraction extraordinaire et accompagne un nez d'épices orientales, de cèdre, de fruits noirs, de truffe et de chêne neuf. Très corsé et massif, il regorge de tannins bien étayés par une concentration exceptionnelle, et son énorme viscosité ainsi que sa texture onctueuse tapissent le palais. Il est resté excessivement fermé et peu évolué depuis que je l'ai dégusté au fût, et même les demi-bouteilles sont encore dans leur prime jeunesse. Ce 1982 s'imposera facilement comme l'un des plus grands vins du millésime, car il frise la perfection. Ne le goûtez pas avant la fin de ce siècle, il se conservera parfaitement au cours des **deux premières décennies du prochain millénaire**.

Lors d'une dégustation à l'aveugle, j'ai pris le Certan de May 1945 pour un Petrus ou un grand millésime de Trotanoy. Ce vin présente une robe opaque de couleur grenat et déploie un nez énorme de viande grillée. En bouche, il se montre spectaculaire, avec un fruité sous-jacent, doux et merveilleux, et déploie une finale alcoolique et capiteuse, à la texture onctueuse et glycérinée. Massif, il possède la concentration voulue pour masquer ses tannins et devrait demeurer agréable pendant **20 ans** ou même davantage.

Autres candidats potentiels : le 1988 et le 1985, qui pourraient être notés autour de 95.

CHEVAL BLANC

1990 Dégusté 7 fois en bouteille, avec des notes régulières **95**
1983 Dégusté 14 fois en bouteille, avec des notes régulières **95**
1982 Dégusté 9 fois en bouteille, avec des notes régulières **100**
1964 Dégusté 6 fois, avec des notes régulières **95**
1949 Dégusté 5 fois, avec des notes régulières **100**
1948 Dégusté 3 fois, avec des notes régulières **96**
1947 Dégusté 11 fois, avec des notes régulières et remarquables, sauf pour un double magnum défectueux **100**

On fait à Cheval Blanc les bordeaux les plus extraordinaires et les plus typiques, certains figurant d'ailleurs en bonne place dans cette nomenclature des meilleurs vins du xxᵉ siècle. Sur un peu plus de 37 ha, cette propriété produit annuellement 10 000 caisses d'un vin dont l'assemblage (60 % de cabernet franc et 40 % de merlot) n'est pas des plus courants. Vers la fin des années 40, elle a donné toute une lignée de merveilles et s'est bien relevée après une période difficile au cours des années 70. C'est le 1981 qui a marqué sa renaissance, et, depuis, elle s'est maintenue à un très haut niveau.

Il se pourrait bien que le Cheval Blanc 1990 soit la répétition du fabuleux 1983. En effet, il semblerait que ce vin s'impose comme le plus magnifique qui ait été fait à la propriété depuis le couplé historique de 1982 et 1983. Plus riche et plus long en bouche que le 1988, qui est assez léger, il présente, outre une robe plus soutenue que celle de millésimes plus récents, de profonds arômes de menthol mêlés à des senteurs de truffe, de moka, de pain grillé et de fruits noirs et doux. Expansif et exotique, il est typiquement Cheval Blanc, et son opulence, sa richesse et sa finale de velours le rendent totalement fascinant. Il attire incontestablement l'attention. **A maturité : jusqu'en 2010.**

Le 1983, qui se bonifie et évolue très avantageusement en bouteille, illustre bien le style des vins que fait traditionnellement Cheval Blanc. Sa robe rubis foncé est très soutenue et, bien qu'elle se soit légèrement éclaircie sur le bord, elle s'est tout de même mieux conservée que celle des autres 1983 de la rive droite. Son nez énorme de menthe, de fruits noirs confiturés et de café est sensationnel et, curieusement, très développé. Ce vin sensuel, au fruité riche et onctueux, est concentré, très corsé et peu marqué par l'acidité. Il est aussi parfaitement rond, et l'on distingue d'importants tannins dans sa finale généreuse. S'il se montre déjà merveilleux actuellement, il se conservera de belle manière et se bonifiera peut-être encore au cours des **20 prochaines années.** A l'exception du 1990, Cheval Blanc n'a pas fait de meilleur vin depuis le 1983, et celui-ci demeure à mon avis sous-évalué.

Le 1982 se place juste derrière les grandioses 1947 et 1949, mais il est moins spectaculaire aujourd'hui qu'il ne l'a été pendant les quatre années qui ont suivi sa mise en bouteille. En effet, entre 1985 et 1989, ce vin était, avec le Pichon-Comtesse de la même année, le grand favori de toutes les dégustations à l'aveugle. Il s'est actuellement refermé, mais présente une structure et un potentiel extraordinaires qui lui permettront de se conserver longtemps. Sa robe dense, soutenue et opaque, de couleur grenat, ne montre aucune altération, et sa texture visqueuse rappelle celle d'un vin de Porto. Le nez s'est un peu atténué, mais il offre encore des arômes très odorants de vanilline et de fruits rouges doux et abondants, conjugués avec des senteurs de viande grillée, de soja et d'herbes. C'est lors de cette dégustation que j'ai, pour la première fois, pu constater le haut niveau de tannins de ce vin. Si le Cheval Blanc 1982 se montre très corsé, extrêmement riche et brillantissime, sa griffe se caractérise plutôt par ce fruité crémeux et somptueux qu'il déploie par couches successives. Cela le rend irrésistible. Il ne s'ouvrira à nouveau que d'ici **2 à 4 ans,** mais je ne saurais déconseiller à quiconque de le boire maintenant. Si vous n'avez pu l'apprécier dans sa splendeur entre 1984 et 1989, je suis toutefois d'avis que vous attendiez la fin des années 90 pour le déguster – et il se conservera certainement **20 ans de plus.**

Le 1964 est extraordinairement riche, épais, puissant et concentré. C'est le vin le plus imposant qui ait été fait au château depuis les 1947, 1948 et 1949. Sa robe rubis foncé n'a qu'une légère touche ambrée, et son nez puissant, mais pas totalement épanoui, offre des senteurs de fruits mûrs et rôtis, de cèdre, d'herbes, de minéral et de graves. Il demeure étonnamment jeune et tannique, et déploie un fruité mûr par paliers. Ce Cheval Blanc massif et de pure tradition, qui évolue très lentement, se révélera comme un pur nectar pendant encore 10 ou 15 ans. **A maturité : jusqu'en 2010.**

Même si l'extraordinaire 1949 n'a pas l'onctuosité et la texture du 1947, il est quand même fabuleusement riche et concentré. Plus équilibré que ce dernier – qui, lui, est plus massif –, il est en tout point aussi complexe et aussi grandiose, à la fois au nez et en bouche. Outre son bouquet odorant absolument phénoménal de fruits rouges et noirs très mûrs, de cèdre, d'épices orientales et de minéral, il possède une robe étonnante de couleur prune-grenat, tout juste ambrée sur le bord, et se montre riche, luxuriant et confituré. Il sera probablement de plus longue garde encore que le fabuleux 1947.

Le 1948 est peut-être le vin le moins évolué que la propriété ait fait dans les années 40. Sa robe opaque est de couleur prune ou réglisse, et son nez énorme de terre, de soja, de cèdre et d'herbes rôties introduit en bouche un vin corpulent, intense et structuré, à la puissance extraordinaire, qui se conservera encore parfaitement pendant **une vingtaine d'années.**

C'est après avoir dégusté du Cheval Blanc 1947 en magnum par deux fois au cours de l'été 1994 et une fois encore d'un jéroboam somptueux que j'ai pris conscience de la chance que j'avais de pratiquer un tel métier. Le seul millésime récent dont on puisse dire qu'il arrive à la cheville des 1947 de la rive droite pour ce qui est de la richesse, de la texture et de la viscosité serait le 1982. Que dire de ce vin gigantesque, plus proche du Porto que du bordeaux rouge et sec ? Sa texture est tellement épaisse qu'elle rappelle celle d'une huile de moteur, son nez énorme de cake, de chocolat, de cuir fin, de café et d'épices orientales est enivrant, et son onctuosité ainsi que son fruité riche et doux sont absolument époustouflants. Si l'on tient compte du fait qu'il présente à l'analyse un taux d'acidité anormalement bas, un taux d'alcool excessivement élevé et une acidité volatile qui horrifierait les œnologues modernes, on s'explique difficilement qu'il soit encore, à plus de 48 ans, remarquablement frais, profondément complexe et qu'il affiche une concentration aussi phénoménale. En fait, il conduit à sérieusement repenser les méthodes modernes de vinification. A l'exception d'un seul double magnum qui était défectueux, ce vin s'est montré parfait ou proche de la perfection à chaque fois que je l'ai dégusté.

Autres candidats potentiels : le 1961, le 1953 (qui peut être sublime, mais des dégustations récentes me font penser qu'il est sur le déclin) et le 1945 (grandiose, mais rustique et dur). Le 1929 (noté 90) se portait bien lorsque je l'ai goûté dans le courant de l'été 1994.

CLINET

1989 Dégusté 5 fois en bouteille, et régulièrement noté de manière exceptionnelle **99**

Il serait intéressant de voir si Clinet produira dans les années à venir des vins aussi remarquables qu'en 1989. Le 1988 et le 1990 sont sans aucun doute de belles réussites de cette propriété qui a émergé des ténèbres à la fin des années 80 pour s'affirmer comme une des étoiles montantes de Pomerol, mais le Clinet 1989 est un des vins les plus puissants du millésime. Il arbore une robe pourpre tirant sur le noir, et son nez déborde d'arômes de mûre, de réglisse, de chocolat et de minéral. Massif, puissant et concentré en bouche, il y fait montre d'une grande richesse en extrait ainsi que d'une finale époustouflante. A maturité : 1997-2015.

CLOS RENÉ

1947 Dégusté 1 seule fois **95**

Le Clos René produit dans les grandes années des vins que je note aux alentours de 85, mais son 1947, absolument sublime, est un hommage à l'excellence de ce millésime. Ceux qui en trouveront lors d'une vente aux enchères seront chanceux, car il sera probablement adjugé pour un prix inférieur à sa vraie valeur. Cette propriété, qui est en général sous-estimée, a fait un 1947 qui présente une viscosité comparable à celle des grands Pomerol de la même année. Avec sa robe épaisse, de couleur grenat, il exhale un nez d'abricot, de café et de cerise noire confiturée. Très corsé, il développe en bouche du fruité et de la mâche. Actuellement à maturité, mais toujours remarquablement sain, ce vin macho se montrera encore luxuriant pendant **10 à 15 ans.**

LA CONSEILLANTE

1990 Dégusté 8 fois en bouteille, avec des notes régulières **98**
1989 Dégusté 14 fois en bouteille, avec des notes régulières **97**
1959 Dégusté 1 seule fois **95**
1949 Dégusté 6 fois, avec des notes régulières **97**

Considéré comme le plus bourguignon des Pomerol, La Conseillante est un vin extrêmement aromatique et moyennement corsé, qui possède rarement la corpulence ou la concentration de ses homologues. Mais, lorsqu'il s'agit de complexité, de finesse et de sensualité, ou si vous recherchez un vin au fruité soyeux qui déploie une richesse exceptionnelle ainsi que des arômes de mûre, de cerise et de fruits des bois, il demeure inégalé. Ce vignoble de 13 ha, complanté à 45 % chacun en merlot et en cabernet franc et à 10 % en malbec, n'était pas à son meilleur niveau dans le courant des années 60 et 70 (hormis le 1970), mais il produit régulièrement des vins extraordinaires depuis 1981.

Les millionnaires trouveront peut-être amusant de comparer les qualités respectives du 1989 et du 1990 de La Conseillante. Ce dernier vin arbore une robe rubis-pourpre profond, avec un nez sensuel d'épices exotiques, de fruits noirs et doux, et de chêne neuf. Exceptionnellement concentré, il développe la texture crémeuse et veloutée propre à ce cru, et déploie des arômes envahissants de framboise et une finale suave et extrêmement longue. Déjà merveilleux dans sa jeunesse, il se bonifiera encore après une garde de 15 ans ou plus. **A maturité : au moins jusqu'en 2012.**

Le 1989 exhale un extraordinaire bouquet de prune, d'épices exotiques et de vanilline. Alliant merveilleusement puissance et élégance, il est aussi d'une remarquable précision dans le dessin et déploie une finale longue, douce et tannique. **A maturité : jusqu'en 2010.**

J'avoue n'avoir jamais imaginé qu'autant de Pomerol de 1959 puissent se montrer aussi riches et aussi concentrés. Moyennement corsé, La Conseillante de cette année offre un nez très aromatique de fleurs, de mûre et de fumé, ainsi que des tannins ronds et un fruité merveilleux, à la fois pur, doux et explosif. Il témoigne bien de la capacité de cette propriété à faire des vins riches et imposants, extraordinairement élégants et complexes.

Cela fait plusieurs années que je n'ai pas goûté le 1949 de cette propriété, mais chacune des six bouteilles que j'ai déjà dégustées (sur les douze que j'avais achetées en excellent état) était absolument exceptionnelle, avec un nez merveilleusement mûr et confituré de fruits noirs, des arômes doux, expansifs et moyennement corsés, ainsi qu'une texture soyeuse. Point intéressant, La Conseillante, qui n'est jamais le vin le plus tannique, le plus puissant ou le plus musclé, se déguste très bien jeune, et, cependant, son fruité demeure intact pendant des décennies. Le propriétaire actuel, ami de la famille Nicolas, m'a confié avoir consommé au début des années 50 plusieurs caisses de ce 1949 qui se montrait extrêmement goûteux, preuve s'il en est que c'est l'équilibre d'un vin, et non ses tannins, qui lui permet d'évoluer avec grâce.

Je fonde de grands espoirs sur les 1989 et les 1990, qui seront à mon avis aussi époustouflants et d'aussi longue garde que les 1949.

Autres candidats potentiels : le 1985, le 1982 et le 1970.

COS D'ESTOURNEL

1986 Dégusté 7 fois en bouteille, avec des notes régulières 95
1985 Dégusté 8 fois en bouteille, avec des notes régulières 95
1982 Dégusté 10 fois en bouteille, avec des notes régulières 97
1953 Dégusté 4 fois, avec des notes presque identiques 93

Cette propriété, qui était dans le creux de la vague au cours des années 60 et 70, a amorcé une remontée en 1976, mais c'est le millésime 1982 qui a vraiment marqué sa renaissance. Depuis ce moment, Cos d'Estournel produit des vins qui sont la parfaite illustration des Saint-Estèphe : riches et complexes, ils ont un potentiel de garde de 20 ou 30 ans.

Outre sa grande richesse en extrait, le 1986 arbore une robe rubis tirant sur le noir, et l'on décèle des notes de fumé et de grillé dans son bouquet de prune mûre et de réglisse. Ce vin évolue lentement, mais exhale des arômes massifs, énormes, mûrs et extrêmement concentrés, ainsi qu'une profondeur et une richesse impressionnantes. Il se montre plus puissant, plus massif et plus tannique que le 1985, plus opulent et plus charmeur. **A maturité : jusqu'en 2010.**

Fait du même métal que le 1982 et le 1953, le 1985 est très évolué, avec un bouquet fabuleusement aromatique de chêne neuf et de fruits noirs et rouges concentrés (en particulier de cerise noire) qui introduit en bouche un vin riche, sensuel, long et très corsé. Déjà délicieux, il vieillira merveilleusement au cours des 12 à 15 prochaines années. **A maturité : jusqu'en 2010.**

Le 1982 de Cos est un monument. Lorsque je l'ai dégusté au fût en mars 1983, il dégageait déjà des arômes explosifs de cassis. Aujourd'hui, il se montre onctueux, massif, riche et très corsé, et possède, outre une grande richesse en extrait, un haut niveau de tannins. Il s'agit de l'un des plus grands vins de cette propriété qu'il m'ait été donné de goûter. Encore jeune et fermé, il a en réserve un fruité extraordinaire. **A maturité : jusqu'en 2015.**

J'ai dégusté en trois occasions (en 1989, 1993 et 1994) le 1953 de Cos d'Estournel en magnum. Comme beaucoup de vins de cette année, il exhale un nez énorme et aromatique de fleurs et de fruits rouges et noirs. Je pense qu'il présente maintenant quelques signes d'altération en bouteille, mais, en grand format, il doit toujours se montrer dans toute sa splendeur, s'imposant comme une merveilleuse illustration de la grandeur de son millésime et comme un des plus grands vins de ce siècle.

Autre candidat potentiel : le 1928. Mais ce vin, qui était sublime, accuse maintenant quelques signes de faiblesse en bouteille de 75 cl.

DUCRU-BEAUCAILLOU

1982   Dégusté 11 fois en bouteille, avec des notes régulières 96
1961   Dégusté 6 fois, avec des notes régulières 96

On doit à Ducru-Beaucaillou quelques-uns des vins les plus élégants du Bordelais. Depuis que ce château s'est particulièrement distingué dans les années 60, il n'a eu de cesse de se maintenir à un très haut niveau. Et celui que l'on nomme à juste titre le Lafite-Rothschild de Saint-Julien produit avec constance des vins qui possèdent à la fois une grande symétrie, de l'équilibre, de la classe, de l'élégance et de la distinction.

Situés sur les rives bien drainées de la Gironde, les vignobles de Ducru-Beaucaillou sont composés à 65 % de cabernet sauvignon, à 25 % de merlot, à 5 % de cabernet franc et à 5 % de petit verdot.

Le 1982, qui est la plus belle réussite de la propriété depuis le 1961, commence tout juste à s'ouvrir. Sa robe concentrée, visqueuse et sombre, de couleur rubis-pourpre, introduit au nez des arômes explosifs de fleurs printanières, de cassis, de minéral et de pain grillé. Plus corsé que la normale, d'une remarquable précision dans le dessin, il est aussi très long et extrêmement riche, et possède cette merveilleuse douceur qui est la marque du millésime. Ce vin, qui devrait atteindre son apogée d'ici **2 à 4 ans**, se conservera jusqu'en 2020 ou 2030.

Avec sa robe rubis foncé, légèrement ambrée sur le bord, le 1961 de Ducru-Beaucaillou, bien que déjà à maturité, présente encore un fruité riche, sensuel et expansif, et dégage un bouquet exotique de fruits mûrs, de vanille, de caramel, de menthe et de cèdre. Gras et riche, ce vin velouté et magnifiquement réussi déploie une finale qui dure de soixante à soixante-quinze secondes. Il est superbe, et son potentiel de garde est d'environ **10 ans**.

Autres candidats potentiels : le 1985 et le 1983.

L'ÉVANGILE

1990   Dégusté 10 fois en bouteille, avec des notes régulières 96
1985   Dégusté 8 fois en bouteille, avec des notes irrégulières 95
1982   Dégusté 15 fois en bouteille, avec des notes régulières 97
1975   Dégusté 8 fois en bouteille, avec des notes irrégulières 95
1961   Dégusté 5 fois, avec des notes régulières 99-100
1947   Dégusté 5 fois, avec des notes régulières 100

Mme Ducasse est une grande dame qui régit encore chaque détail sur ce petit vignoble de 14 ha enclavé entre Petrus, La Conseillante, Vieux Château Certan et Cheval Blanc. Cette propriété, complantée à 75 % en merlot et à 25 % en cabernet franc, produit régulièrement des vins de la qualité des premiers crus, et nombre d'entre eux figurent en bonne place dans ma sélection des meilleurs bordeaux de ce siècle. Compte tenu de leur extraordinaire renommée, en particulier auprès des amateurs belges et suisses, les vins de L'Évangile ne sont que très rarement disponibles sur le marché. Les meilleurs exemples dans les bons millésimes sont riches et généreux, avec un caractère onctueux et dense.

Le 1990, qui est l'un des meilleurs vins élaborés par ce prestigieux château dans les années de l'après-guerre, peut parfaitement rivaliser avec les superbes 1947, 1950, 1975, 1982 et 1985. Puissant, avec une robe rubis-pourpre tirant sur le noir, il dégage un nez prometteur mais peu évolué de fruits noirs, de caramel, de chêne neuf et de minéral, ainsi qu'une richesse exceptionnelle. Ce vin corpulent, dont la texture onctueuse rappelle celle d'un Porto, est d'une bonne longueur et d'une belle profondeur, et son fruité est si riche et si massif qu'il arrive presque à masquer ses puissants tannins. Figurant parmi les Pomerol les plus amples et les plus tanniques de ce millésime, L'Évangile 1990 est vraiment époustouflant – aussi massif que les Petrus d'avant 1976. **A maturité : jusqu'en 2015.**

L'Évangile 1985 demeure jeune et peu évolué. Sa robe rubis foncé ne montre aucun signe d'altération, et son bouquet énorme, complexe et multidimensionnel de cassis, de framboise, d'épices exotiques et de chêne ne se révèle qu'au mouvement du verre. Ce vin riche, assez moyennement corsé et tannique, très concentré et très équilibré, évolue plus lentement que beaucoup d'autres du même millésime. **A maturité : jusqu'en 2015.**

Le 1982 s'est révélé véritablement époustouflant dès le départ et ne s'est jamais refermé au cours des dix dernières années. Sa robe dense, presque opaque, est de couleur rubis-pourpre, et il déborde d'arômes de cassis et de framboise confiturés auxquels se mêlent des senteurs de thé, de canard fumé, de sauce périgourdine et de réglisse. Ce bouquet généreux et multidimensionnel introduit en bouche un vin épais, onctueux, magnifiquement concentré, au faible niveau d'acidité et au fruité énorme et massif. La finale est longue et spectaculaire. Ce 1982, qui est vraiment l'un des meilleurs L'Évangile du siècle, rivalise sans peine avec les splendides 1947, 1950 et 1990, et demeurera superbe au cours des **15 à 20 prochaines années.**

Si le 1975 de L'Évangile s'est montré irrégulier, en particulier dans sa prime jeunesse, il s'est ensuite révélé, déployant à chaque dégustation, depuis environ six ans, son caractère extraordinairement riche et profond. Contrairement à la plupart des vins de cette même année, il est à la pointe de sa maturité et dégage un nez énorme, presque trop mûr, de pruneau, de cèdre, de prune, d'épices et de caramel. Riche et très corsé, avec une texture voluptueuse et des tannins étonnamment ronds pour le millésime, il devrait bien se boire pendant encore plus de **15 ans.**

Le 1961 exhale un nez énorme de café, de fruits noirs doux et confiturés, de noix crémeuse et de truffe. Sa texture sirupeuse et sa concentration, ainsi que sa richesse et sa viscosité, sont incroyables. Avec sa richesse semblable à celle d'un Porto, ce vin très corsé et massif est à pleine maturité et rappelle le grandiose 1947. Mme Ducasse m'a confié, et cela est intéressant, que les deux tiers du vignoble ont été replantés en 1957 – on en déduit donc que l'assemblage du 1961 est composé à 66 % de jeunes vignes de 4 ans ! Ceux qui ont la chance de posséder quelques bouteilles de ce nectar devraient les déguster au cours des **10 à 15 prochaines années.**

Le 1947, que j'ai goûté trois fois en 1994, est tout simplement monumental. Il est un exemple admirable des vins épais, visqueux, extrêmement concentrés, ayant de la mâche, qui ont été élaborés à Pomerol cette année-là. Outre sa robe grenat, son nez explosif et doux de moka, de chocolat, de cerise noire et d'anis, et ses senteurs de fumé, il offre une concentration fabuleuse et l'onctuosité d'un nectar. Incroyablement jeune, étonnamment riche et très bien équilibré pour un vin aussi massif, il vous apportera certainement beaucoup d'émotions.

Autres candidats potentiels : le 1964, le 1950 et le 1949 (que je n'ai jamais goûté personnellement, mais dont certains dégustateurs patentés m'ont dit qu'il était superbe).

FIGEAC

1990 Dégusté 6 fois en bouteille, avec des notes régulières 94
1982 Dégusté 9 fois en bouteille, avec des notes régulières 94
1964 Dégusté 8 fois en bouteille, avec des notes régulières 94
1955 Dégusté 1 fois 95
1953 Dégusté 2 fois, avec des notes régulières 93

Cette propriété produit des vins d'un style particulier, au bouquet pénétrant, plus portés sur l'élégance que sur la profondeur, la puissance ou le muscle. Composés à parts égales de cabernet sauvignon, de merlot et de cabernet franc, ils sont très bons dès leur jeunesse, mais possèdent aussi cette mystérieuse capacité à devenir plus massifs et à acquérir davantage de caractère en vieillissant. C'est peut-être pour cette raison que j'ai souvent sous-estimé Figeac. Cela étant, cette propriété est quand même d'une regrettable irrégularité pour ce qui est de la qualité, avec des vins souvent trop légers dans de bons millésimes comme en 1985, 1986 et 1989.

Le 1990 de Figeac est assez exceptionnel. Il s'agit du vin le plus imposant qui ait été fait à la propriété depuis le splendide 1982. Un nez énorme de cuir fin, d'herbes, de fruits noirs et de fumé introduit en bouche un vin à la concentration extraordinaire, parfaitement équilibré et profond. Des tannins mûrs et un fruité doux se conjuguent merveilleusement dans une finale soyeuse – le résultat est splendide, opulent et riche. Ce Figeac devrait être parfait sur les **15 prochaines années.** La note que je lui ai attribuée est la plus élevée que j'aie jamais donnée à un jeune millésime de ce château, et la ressemblance avec son célèbre voisin Cheval Blanc n'est, dans ce cas précis, pas fortuite. **A maturité : jusqu'en 2010.**

A chaque fois que je le déguste, le 1982 me semble acquérir davantage de plénitude avec l'âge. J'ai déjà souligné que j'avais tendance à sous-estimer les vins de Figeac lorsqu'ils sont jeunes, et, en effet, celui-ci me semblait manquer de concentration et de structure. Par la suite, j'ai souvent regretté les notes insuffisantes que je lui avais d'abord attribuées, car il présente en fait plus de richesse et d'ossature qu'il ne le suggère de prime abord. Le 1982 est probablement le vin le plus réussi de la propriété depuis le fabuleux 1964.

Il possède un fruité explosif de cabernet qui se distingue particulièrement au sein des arômes d'herbes, de cèdre et d'olive qu'il dégage, mais il a aussi en réserve beaucoup de senteurs de fruits rouges qui compensent son côté herbacé. En bouche, il se montre dense et riche, avec une extraction de fruit et une profondeur fabuleuse. Il est également souple et bien évolué, et a acquis une structure plus solide à mesure qu'il a vieilli. **A maturité : jusqu'en 2010.**

Après avoir goûté plusieurs bouteilles et une caisse de magnums de 1964, je puis affirmer qu'il s'agit de l'un des deux ou trois plus grands vins que je connaisse de cette propriété. Il était fabuleux dans les années 70 et montre bien quels énormes écarts de qualité – assurément les plus importants du Bordelais – Figeac peut produire. Ce 1964 témoigne encore parfaitement de la qualité du millésime – il est opulent et possède un fruité intense, profond et riche, ainsi qu'une texture de velours. Il offre également au nez de sensationnels arômes de cèdre, de noisette, de prune, d'herbes et de fumé. Extrêmement doux et mûr, il résiste merveilleusement à l'épreuve du temps. **A maturité : jusqu'en 2000.**

Le 1955 de Figeac est un vin brillant qui compte parmi les grands méconnus de ce siècle – ceux que l'on trouve parfois dans les ventes aux enchères et qui sont adjugés à des prix dérisoires car la presse n'en a que très peu parlé. Contrairement à la tradition de ce château, dont les vins évoluent en général rapidement, le 1955 est moins épanoui que le 1964, qui, lui, est à la pointe de sa maturité, et il est encore plus riche que le 1982 et le 1990, du moins tels qu'ils se montrent maintenant. Il offre un nez extraordinairement odorant de prune, de cassis, de menthe, d'herbes, de fumé et d'épices. Beaucoup plus dense et concentré que ne le sont normalement les Figeac, ce vin, dont les tannins doivent encore s'arrondir, peut parfaitement vieillir encore un demi-siècle.

Il serait aléatoire d'acheter aujourd'hui une bouteille de 1953 qui n'aurait pas été conservée dans des conditions idéales. A son meilleur niveau, ce vin exhale un nez énorme de fumé, d'herbes, de minéral, de fruits et de menthol. Il présente aussi des arômes veloutés et moyennement corsés, des tannins très fondus et une finale capiteuse et alcoolique. Il a été au mieux de sa forme pendant les vingt dernières années et il est peu probable qu'il se bonifie encore.

Autres candidats potentiels : le 1970 et le 1947.

LA FLEUR DE GAY

1989 Dégusté 5 fois en bouteille, avec des notes régulières **95**

Petite parcelle d'environ 2 ha entièrement complantée en merlot et enclavée dans le vignoble de La Croix de Gay, La Fleur de Gay produit chaque année, depuis 1982, 1 000 à 1 500 caisses d'une Cuvée Prestige.

Le 1989 offre une grande variété d'arômes, et arbore une robe opaque et sombre de couleur rubis-pourpre qui suggère des rendements restreints et une très grande concentration. Et, de fait, ce vin est étonnamment concentré, mais aussi très structuré et tannique. Il est en outre charnu en bouche et déploie son fruité par paliers. Malgré son acidité relativement faible, ses tannins abondants perturbent légèrement la dégustation, mais il regorge tellement de fruits mûrs et de glycérine que certains amateurs n'y résisteront pas. Un vin de légende. A maturité : jusqu'en 2008.

GRAND-PUY-LACOSTE

1982 Dégusté 14 fois en bouteille, avec des notes régulières **95**
1949 Dégusté 1 fois **96**

Grand-Puy-Lacoste a toujours été un vin pour les initiés, et on ne lui accorde que très rarement l'attention qu'il mérite. De plus, il est en général proposé à des prix sensiblement plus bas que les autres grands crus de son appellation. Ce vignoble de 45 ha, complanté à 70 % en cabernet sauvignon, à 25 % en merlot et à 5 % en cabernet franc, est dirigé par Xavier Borie, fils de Jean-Eugène Borie, propriétaire de Ducru-Beaucaillou. Il donne des vins extrêmement riches, fruités, corpulents et tanniques – bref, des Pauillac classiques.

Le 1982, qui est le meilleur Grand-Puy-Lacoste depuis le remarquable 1949, a la stature d'un premier cru. Sa robe opaque, de couleur pourpre, ne montre aucun signe d'altération, et son nez énorme et très pur de cassis, de minéral et de chêne épicé semble être celui d'un très jeune vin. Il déploie aussi en bouche, par couches successives, son fruité de cassis allié à des masses de glycérine et possède des tannins abondants mais fondus. Très corsé, ce vin ample et parfaitement équilibré devrait être à pleine maturité vers la fin du siècle et bien se conserver durant les **15 premières années du prochain millénaire**. Il s'agit d'une réussite colossale de la part de ce cinquième cru de Pauillac souvent sous-estimé.

Le 1949 déploie un nez très aromatique de cèdre et de cassis, ainsi que des senteurs boisées et de truffe. Somptueusement opulent et très corsé, ce vin extrêmement concentré, à la texture veloutée, est à la **pointe de sa maturité**.

Autres candidats potentiels : le 1961 et le 1947.

GRUAUD-LAROSE

1982 Dégusté 11 fois en bouteille, avec des notes régulières **96+**
1961 Dégusté 7 fois, avec des notes régulières **96**
1945 Dégusté 5 fois, avec des notes irrégulières **96+**
1928 Dégusté 2 fois, avec des notes régulières **97**

Cette propriété, située relativement loin des rives de la Garonne, a donné des Saint-Julien qui sont au nombre des plus massifs et des plus tanniques. Malgré l'abondance de sa production, ce château s'est toujours maintenu à un très haut niveau de qualité, en particulier depuis la fin des années 70 jusqu'à la fin des années 80. Dans certains millésimes, ses vins sont de la stature des premiers crus, et les meilleurs d'entre eux requièrent une garde de 10 à 15 ans. En effet, dans leur jeunesse, ils ont tendance à se montrer trop trapus, rustiques et atrocement tanniques.

Le 1982 s'impose comme le Gruaud-Larose le plus massif et le plus concentré de la période de l'après-guerre. Sa robe est intense et colorée, et il présente un bouquet serré mais très prometteur de prune noire confiturée, d'épices orientales, de truffe et de réglisse. Énorme, massif et riche, il est merveilleusement doté d'un fruité juteux, épais et onctueux qu'il déploie par couches successives. Tout cela est étayé par des tannins étonnamment abondants et beaucoup d'alcool, de glycérine et de corps. Ce vin remarquablement concentré atteindra sa pleine maturité d'ici 4 à 6 ans et devrait demeurer agréable pendant les **deux premières décennies du siècle prochain.**

Le 1961 est l'un des plus somptueux Gruaud-Larose que j'aie goûtés à maturité. Riche, puissant, dense et concentré, il demeure jeune, frais et vigoureux, et se conservera pendant une décennie au moins. Sa robe grenat foncé est légèrement ambrée, et il présente, outre des arômes merveilleusement odorants (minéral, nicotine, cèdre, sauce soja et réglisse), une texture visqueuse, un fruit d'une profondeur sensationnelle et une finale fabuleuse et très alcoolique. Un grand vin luxuriant. **A maturité : jusqu'en 2015.**

Le 1945 est remarquablement jeune, peu évolué et massif, et ressemble en cela aux 1961, 1975, 1982 et 1986. Il arbore toujours une robe très opaque de couleur grenat tirant sur le noir, avec un nez serré mais prometteur de réglisse, de fruits noirs et d'herbes. Ce vin très corsé, charnu, avec de la mâche, montre d'énormes réserves de fruité ainsi qu'une finale épicée, puissante et tannique. S'il peut être dégusté actuellement (une heure après avoir été décanté), il se conservera encore **20 à 30 ans.**

A 70 ans d'âge, le 1928 de Gruaud-Larose est encore intact. Il exhale des arômes énormes et doux de terroir, de truffe, de cèdre et d'épices, a du corps, beaucoup de tannins et une concentration étonnante. On décèle dans sa finale une petite pointe d'austérité. Ce vin conserve malgré son grand âge une robe grenat foncé très légèrement ambrée.

Autres candidats potentiels : le 1986 (encore trop jeune pour qu'on puisse l'affirmer) et le 1953 (probablement sur le déclin).

HAUT-BRION

1989 Dégusté 10 fois en bouteille, avec des notes régulières **100**
1961 Dégusté 13 fois, avec des notes régulières **97**
1959 Dégusté 9 fois, avec des notes régulières **98**
1955 Dégusté 4 fois, avec des notes régulières **97**
1953 Dégusté 4 fois, avec des notes régulières **95**
1949 Dégusté 3 fois, avec des notes régulières **98**
1945 Dégusté 5 fois, avec des notes régulières **100**
1928 Dégusté 4 fois, avec des notes irrégulières **97**
1926 Dégusté 3 fois, avec des notes irrégulières **97**

Avec l'expérience, j'ai développé un goût insatiable pour le Haut-Brion et j'essaie d'en boire aussi souvent que possible. Il est, à mon avis, de tous les premiers crus de Bordeaux, le plus typique, le plus complexe et le plus irrésistible. Il n'a certes pas la flamboyance ni la puissance ostentatoire des Mouton-Rothschild et n'est pas aussi massif ou extraordinairement concentré que Latour ; il ne déploie pas non plus les arômes délicats d'un Lafite (les grands millésimes de cette propriété sont rares et espacés), mais il possède avec

Cheval Blanc le profil aromatique le plus pénétrant, le plus intense et le plus complexe de tous les grands premiers. Avec le temps, ses arômes et ses effluves acquièrent de l'intensité et se développent avec générosité. J'ai souvent remarqué que le Haut-Brion pouvait paraître décevant dans sa jeunesse, se montrant léger et peu inspirant, mais, par la suite, il s'étoffe et évolue en bouteille, si bien que les jugements que l'on a portés sur lui de prime abord en deviennent ridicules. Ce vignoble de 45 ha, qui se situe dans les faubourgs commerçants et animés de Pessac, produit annuellement entre 12 000 et 18 000 caisses d'un vin composé à 55 % de cabernet sauvignon, à 25 % de merlot et à 20 % de cabernet franc. Avec Château Margaux, Haut-Brion est le premier cru qui a connu le plus de réussite dans les années 80.

Le 1989 est le vin jeune le plus profond que j'aie goûté de cette propriété. Alors que, dans la plupart des châteaux, la production était cette année-là supérieure à celle de 1988, il en allait différemment à Haut-Brion, où Jean Delmas (administrateur) enregistrait un volume de 30 % inférieur à celui de l'année précédente. Extrêmement concentré, avec un parfum énorme, ce vin monumental semble être la répétition de l'héroïque 1959. Outre sa robe d'un rubis-pourpre profond et ses arômes de tabac grillé, de cassis et de fumé, il présente une profondeur énorme et une texture opulente qui rappellent celles des plus beaux 1982. D'une bonne longueur, il est généreux, se développant par paliers et débordant de fruité et de tannins. Il se montrera sublime pendant les 20 à 30 prochaines années. Impressionnant ! **A maturité : au moins jusqu'en 2015.**

Bien que le 1961 de Haut-Brion soit grandiose, il est à mon avis surpassé par son aîné, le 1959, et tout récemment par le monumental 1989. Sa robe est moins soutenue que celle d'autres vins de la même année et, curieusement, elle est sensiblement plus ambrée sur le bord. Ce vin riche et luxuriant possède un bouquet intense et mûr de terroir, de cèdre et d'épices, qui regorge de fruits doux. En bouche, il développe un fruité fabuleux et intense ; sa finale est longue, riche et alcoolique, et sa texture charnue. A pleine maturité depuis une décennie, il ne montre aucun signe de déclin et représente un Haut-Brion à son niveau le plus somptueux et le plus sensuel. **A maturité : jusqu'en 2000.**

Le 1959, moins évolué que le 1961, me semble néanmoins supérieur à celui-ci, qui est à maturité et épanoui. D'une couleur pruneau tirant sur le grenat, riche et spectaculaire, il dégage un magnifique bouquet de marron grillé, de cerise et de framboise douce et confiturée, ainsi que des arômes intenses de minéral, de chocolat et de café. Extrêmement concentré et très gras, il déploie, outre un fruité souple et confituré, une texture voluptueuse et une finale douce, longue et capiteuse. Ce magnifique Haut-Brion est à la pointe de sa maturité et devrait y rester pendant encore 10 à 15 ans.

D'un rubis profond très marqué par des touches ambrées et rouille, le 1955 offre un bouquet énorme et odorant de noix, de tabac, de pierre mouillée et des senteurs fumées qui rappellent le cassis. Moyennement corsé et extraordinairement riche d'élégance et de douceur, il est extrêmement concentré et parfaitement rond. Ce vin remarquablement jeune et impeccablement équilibré pourra tenir encore 10 à 20 ans.

Bien qu'il ait été à maturité dès sa diffusion, le Haut-Brion 1953 a conservé toutes les caractéristiques typiques de ce cru et possède encore des arômes très mûrs de cuir fin et de feuille de tabac. Extrêmement doux, avec une robe ambrée sur le bord, il présente toujours un fruité riche et crémeux et se montre moyennement corsé. Il faut le boire maintenant, mais il convient de se montrer prudent avec les bouteilles de 75 cl et de préférer les magnums ou autres grands formats.

Le 1949 est extrêmement puissant, avec une robe opaque de couleur grenat et un nez énorme de canard fumé, de sauce soja, de minéral, de truffe et de fruits très mûrs et confiturés. Riche, épais, charnu et intense, il est également très corpulent et ressemble à un vin de Porto. Il devrait se maintenir pendant encore 10 ans.

Merveilleusement caractéristique des vins de cette propriété, le 1945 de Haut-Brion se montre profond, avec une robe grenat, opaque et saine, qui n'est que très légèrement ambrée sur le bord, et un bouquet entêtant et énorme de fruits noirs et doux, de noix fumée, de tabac et de nicotine qui jaillit littéralement du verre. Extraordinairement dense et massivement fruité, il libère en bouche des arômes onctueux et corsés ne révélant que peu de tannins, mais d'importants niveaux de glycérine et d'alcool. Il est aussi fabuleusement riche et se pose comme un exemple monumental du Haut-Brion à pleine maturité ne présentant aucun signe d'altération.

Mes notes sur le 1928 sont mitigées. A son meilleur niveau, ce vin est le plus concentré que je connaisse de ce château. Il montre un caractère énorme et charnu de nicotine, de caramel et de fruits noirs confiturés, ainsi qu'une texture onctueuse, et suinte littéralement du verre jusqu'au palais. Dans certaines dégustations, il m'a parfois paru trop mûr, mais toujours sain et intact. Cependant, il est aussi très étrange à cause de ce côté excessif et semble vraiment hors du temps.

Le millésime 1926, qui est l'un des meilleurs de sa décennie, a souvent été éclipsé par les 1921, 1928 et 1929. Ce Haut-Brion particulièrement réussi est d'un style inhabituel, dense et doux, avec un côté rôti et chocolaté. Sa robe est impressionnante, légèrement ambrée sur le bord, et il exhale un nez énorme de tabac, de menthe, de chocolat, de noix grillée et de canard fumé. Très corsé et puissant, il est d'une épaisseur et d'une onctuosité étonnantes, mais aussi extrêmement tannique et rustique. Ce vin atypique se conservera encore 20 à 30 ans.

Autres candidats potentiels : le 1988, le 1986, le 1985 et le 1982.

LAFITE-ROTHSCHILD

1990 Dégusté 3 fois en bouteille, avec des notes régulières 94+
1988 Dégusté 7 fois en bouteille, avec des notes régulières 94
1986 Dégusté 4 fois en bouteille, avec des notes régulières 99
1982 Dégusté 8 fois en bouteille, avec des notes irrégulières 98+
1959 Dégusté 9 fois, avec des notes régulières, à l'exception d'un magnum bouchonné 99
1953 Dégusté 5 fois, avec des notes régulières 99

Lafite-Rothschild, le plus renommé des bordeaux, est surtout connu pour son style. Cependant, dans mes notes de dégustation, ce vin apparaît plus souvent décevant que réussi. En revanche, quand il est à son meilleur niveau, c'est la quintessence même de l'élégance et de la délicatesse.

Le Lafite 1990 allie le style du 1988, peu évolué et tannique, à celui du 1989, plus précoce et plus doux. S'il semble au nez moins séduisant que son aîné d'un an, il arbore en revanche une robe plus profonde et plus épaisse, d'une couleur rubis-pourpre. En bouche, il se révèle plus plein et plus complet. Il peut rivaliser de charme avec le 1989, montrant plus de richesse ainsi qu'un niveau de tannins plus élevé que ce dernier. Ce 1990 est impressionnant ; il s'agit du meilleur vin de la propriété depuis le 1982 et le 1986. **A maturité :** 2000-2025.

Le 1988, excessivement fermé, requiert une longue garde. C'est un Lafite classique, à la robe très colorée, qui exhale le nez de conte de fées caractéristique de ce cru, avec des senteurs de cèdre, d'herbes subtiles, de fruits à noyau séchés (pruneau, cerise), de minéral et de cassis. Extrêmement concentré, il est aussi d'une grande précision dans les arômes et possède des tannins très abondants. Ce Lafite-Rothschild peu évolué mais somptueusement doté pourrait bien s'imposer comme la star du millésime. **A maturité :** 2000-2035.

Le 1986, à la robe très soutenue, est d'une richesse hors du commun. Moyennement corsé, il a une texture tout en grâce et en harmonie, ainsi qu'une finale superbement longue. Il déploie aussi des arômes tenaces et pénétrants de cèdre, de noix et de minéral, et un fruité riche – la marque de l'année. Puissant, dense, opulent et tannique, ce Lafite-Rothschild moyennement corsé révèle un extrait époustouflant et un potentiel immense. Patience ! **A maturité :** 2000-2030.

J'ai attribué au 1982 la note de 100 à son meilleur niveau et de 95 quand je l'ai trouvé au plus bas : autant dire qu'il flirte avec la perfection. Ce vin, qui s'est complètement refermé après la mise en bouteille, s'est ensuite épanoui dans la deuxième moitié de la décennie 80, révélant une richesse phénoménale – la quintessence même du style de Lafite. Il s'est encore refermé récemment et requiert une garde supplémentaire de 10 à 15 ans. Je ne connais pas d'autre vin de cette propriété qui possède une robe aussi profonde et aussi soutenue. Son nez, autrefois explosif, semble s'être lui aussi refermé et ne dégage maintenant que quelques touches de ces arômes de crayon et de minéral qui caractérisent si bien ce cru. Quant à son superbe fruité, marqué par des arômes de cèdre et de fruits rouges, il est tout simplement remarquable. Très corsé et très tannique, plus onctueux que d'habitude, ce vin extraordinaire se développera à l'image du 1959, auquel il ressemble plus qu'à tout autre par son ampleur. Surtout, ne touchez pas à vos Lafite 1982 avant la fin de ce siècle, ils se conserveront aisément pendant les **40 ou 50 premières années du prochain millénaire.**

Le 1959 est certainement le plus grand Lafite-Rothschild qui soit actuellement à son apogée, et l'on peut se demander si les 1982, 1986 et 1990 atteindront jamais un tel niveau. Il offre un bouquet extrêmement aromatique de fleurs, de truffe noire, de cèdre, de crayon et de fruits rouges, qui introduit en bouche un des vins les plus puissants et les plus concentrés jamais produits au château. Moyennement corsé, il est riche et pur, avec une texture veloutée, et témoigne merveilleusement des sommets que peut atteindre cette prestigieuse propriété lorsqu'elle décroche la timbale. Ce vin d'une étonnante jeunesse se maintiendra encore 30 ans.

Le Lafite 1953 est lui aussi d'une grande jeunesse et, comme le 1959, il tiendra facilement 30 ans de plus. Je lui ai par deux fois attribué la note de 100, et je l'ai trouvé une troisième fois proche de la perfection. D'après les anciens, il se maintient à la pointe de sa maturité depuis déjà une trentaine d'années. Outre ses extraordinaires et caractéristiques arômes de minéral, de crayon, de cèdre et d'épices, il possède une texture de velours et se montre merveilleusement rond et doux. D'une remarquable précision dans le dessin, il affiche un équilibre impeccable. Il est préférable d'acheter ce vin en magnum ou autre grand format, sauf si l'on est sûr qu'il a été stocké dans une cave bien fraîche et qu'il n'a voyagé ni trop souvent ni trop longtemps.

Autre candidat potentiel : seule une bouteille sur dix de Lafite 1961 mérite une note exceptionnelle.

LAFLEUR

1990   Dégusté 4 fois en bouteille, avec des notes régulières **98**

1989   Dégusté 3 fois en bouteille, avec des notes régulières **96**

1982   Dégusté 12 fois en bouteille, avec des notes régulières **96**

1979   Dégusté 10 fois, avec des notes régulières **98+**

1975   Dégusté 13 fois, avec des notes remarquables et qui grimpent encore régulièrement **100**

1966   Dégusté 7 fois, avec des notes régulières **96**

1961   Dégusté 5 fois, avec des notes très irrégulières **100**

1950   Dégusté 3 fois, avec des notes régulières **100**

1949   Dégusté 1 fois **96+**

1947   (mise en bouteille au château) Dégusté 4 fois, avec des notes très régulières **100**

1945   Dégusté 1 fois **100**

Lafleur est un petit bijou de presque 5 ha dont l'écrin est Petrus, Certan de May et Vieux Château Certan. Il donne, avec Petrus, les Pomerol les moins évolués et les plus aptes à une longue garde. En effet, ces vins requièrent presque 10 ou 15 ans pour s'épanouir, et il semble même que certains millésimes tels 1975 et 1979 n'atteindront leur maturité que dans 30 ou 40 ans.

Le 1990 de Lafleur arbore une robe épaisse de couleur pourpre et dégage un bouquet de minéral, de réglisse, de fleurs, de fruits noirs et rouges très mûrs (en particulier de cerise) et de prune. Plus visqueux et plus massif que le 1989 – qui est déjà phénoménal –, il semble avoir une longue vie d'au moins 25 ans devant lui. Ce vin, qui est un des meilleurs qui aient été élaborés à la propriété, peut parfaitement rivaliser avec les 1979, 1975, 1950 et 1947. **A maturité : 2000-2020.**

Le 1989 est superbe, mais son nez exotique et dense, légèrement coquin, semble un peu plus fin qu'il ne l'est habituellement. Outre sa couleur rubispourpre foncé, ce vin très concentré et encore fermé a un niveau élevé de tannins ainsi qu'une finale alcoolique. **A maturité : 2000-2030.**

Le 1982, peu évolué, présente une robe soutenue et foncée, et déploie par couches successives son fruité très mûr de prune et de pruneau. Onctueux, épais et riche, il s'est toujours montré sous un bon jour depuis sa mise en bouteille, mais ne présente aucun signe de maturité, ce qui me conduit à penser qu'il tiendra encore facilement **20 ans ou davantage**. Il est également très corsé, alcoolique et intense, avec un nez spectaculaire, pur et pénétrant de fruits noirs (de cerise noire très mûre), de truffe et d'épices, ainsi qu'une texture de velours qui permet de le boire dès maintenant. Il sera intéressant de voir si ce très riche Lafleur 1982 est du même niveau que le 1989 et le 1990, qui sont de dimensions phénoménales.

Au début des années 1990, je pensais que le 1979 de Lafleur pourrait s'imposer comme la réussite du millésime, en particulier auprès de collectionneurs sérieux qui ne jugent pas un vin uniquement sur son potentiel de garde, mais aussi d'après sa richesse en extrait, ses arômes et sa complexité. Ce vin, très atypique pour l'année, affiche une concentration et une épaisseur phénoménales, un corps massif et des tannins abondants, et ne ressemble en rien à ceux produits à la propriété au début et au milieu des années 1980. Il est peu évolué, présente un nez serré mais prometteur et riche de minéral, de terre mouillée (truffe), de mûre et de prune très douces. Quiconque ne l'a pas goûté aurait peine à croire que l'on ait pu produire en 1979 un vin aussi impressionnant, corsé et aromatique, avec d'aussi copieuses quantités de glycérine. Ce Lafleur demeure le seul grand vin de son millésime. Ne touchez pas à vos bouteilles avant la fin de cette décennie – elles peuvent d'ailleurs être conservées sans aucun problème pendant les **30 premières années du siècle prochain**.

Le 1975 de Lafleur est un véritable monstre. S'il est en général de bon ton de critiquer cette année, elle est néanmoins spectaculaire pour les Pomerol et a enregistré quelques superbes réussites qui pourraient être de niveau équivalent à certains 1928 (par exemple, La Mission-Haut-Brion, Léoville-Las Cases, Léoville-Barton, Petrus, L'Évangile, Le Gay, Trotanoy et Latour). Le 1975 de Lafleur exige, et je pèse mes mots, une garde supplémentaire de 20 ans. Sa robe sombre, de couleur pourpre-grenat, n'est aucunement ambrée, et son nez ne dévoile qu'avec réticence des arômes de minéral, de fleurs, de réglisse, de café et de cassis. Remarquablement concentré, il possède un doux fruité ainsi qu'un niveau étonnamment élevé de tannins. Je l'ai apprécié après deux ou trois heures d'aération. Ce vin, qui pourrait se montrer parfait aux alentours de l'an 2010, devrait s'imposer comme le plus énorme, le plus concentré et le moins évolué de son millésime, avec une longue vie de **70 à 100 ans devant lui**. Quelle réussite monumentale !

En 1966, Lafleur est, avec Palmer et Latour, une des plus belles réussites de l'année. En magnum, il arbore toujours une robe profonde, de couleur rubis-pourpre, légèrement ambrée sur le bord, et son nez offre des essences de cerise noire auxquelles se mêlent des arômes de pierre mouillée et d'acier. Très corsé et extrêmement concentré, d'une profondeur et d'une précision dans le dessin absolument magnifiques, ce vin admirablement structuré présente d'énormes réserves de fruité et une finale étonnamment longue. Proche de la maturité, il devrait se conserver de belle manière pendant encore **20 ou 25 ans**.

Après avoir goûté plusieurs bouteilles très décevantes de Lafleur 1961 (la mise en bouteille s'était faite fût par fût), je suis heureux de pouvoir enfin affirmer que ce vin peut être prodigieux. Il a toujours une robe opaque de couleur prune-grenat tirant sur le noir et se montre dense, profond et riche, avec un fruité délicieusement doux. Les saveurs qu'il dégage sont si expansives que quiconque n'y aurait pas goûté n'y croirait pas. Il déploie aussi un nez épicé de réglisse, de noix fumée, de cannelle, ainsi que des arômes de prune confiturée qui durent très longtemps. Fabuleusement riche et concentré, il est remarquablement jeune, corsé et visqueux et se conservera parfaitement pendant encore 20 ans.

Le millésime 1950, qui était absolument spectaculaire à Pomerol, compte au nombre des secrets les mieux gardés du Bordelais. On pourrait parfaitement confondre le Lafleur 1950 avec un 1945 ou un 1947, compte tenu de sa concentration extrême. Il arbore toujours une couleur pourpre tirant sur le noir et offre un bouquet de cèdre, d'épices et de fruits noirs. Incroyablement concentré et massif, plein et riche, ce vin à la texture visqueuse et qui a de la mâche déploie en finale des tannins très doux ; il tiendra facilement pendant encore 15 à 20 ans.

La robe du 1949 de Lafleur est de couleur pourpre-grenat très soutenu. Elle sert de prélude à un nez un peu serré qui s'épanouit au mouvement du verre et exhale alors des arômes intenses et purs de cerise confiturée auxquels se mêlent des senteurs de minéral et de réglisse. Ce vin à la concentration sensationnelle déploie par couches un fruité riche et épais, ainsi que des tannins abondants. Doux, remarquablement jeune, il n'est toujours pas à pleine maturité, et son potentiel de garde est de 20 à 30 ans encore.

Plusieurs 1947 de Lafleur ont été embouteillés en Belgique, et ceux que j'ai goûtés étaient en général très bons – parfois excellents. C'est néanmoins une mise en bouteille au château dans toute sa splendeur qui fait l'objet de la présente note de dégustation. Ce vin vous laisse sans voix. Extraordinairement profond, il surpasse même Petrus et Cheval Blanc dans ce millésime, bien que l'on puisse les considérer tous trois comme étant parfaits. Plus épanoui et plus évolué que le 1945 et le 1949 de la propriété, le 1947 présente une robe épaisse légèrement ambrée sur le bord, qui rappelle celle d'un vin de Porto. Le nez offre toute une palette d'arômes, allant du caramel à la fraise des bois et à la cerise confiturée en passant par des senteurs de noix et de miel, de chocolat et de truffe. Ce Lafleur est infiniment plus onctueux et plus visqueux que tout autre vin sec qu'il m'ait été donné de goûter, et il ne contient ni acidité volatile ni sucre résiduel, contrairement à la plupart des autres 1947. Sa richesse et sa fraîcheur sont absolument incroyables, et sa finale, longue de plus d'une minute, tapisse le palais de plusieurs couches d'un fruité concentré. Lafleur a produit nombre de grands vins, mais celui-ci semble être la quintessence même de ce vignoble minuscule mais merveilleux, longtemps ignoré des critiques viticoles. Il tiendra encore 6 ou 7 ans.

Quant au 1945, il ressemble au 1947 par sa texture épaisse, sa richesse et sa complexité aromatique, mais il est moins évolué, d'une couleur plus foncée, avec une structure plus classique que ce dernier – qui, lui, rappellerait davantage un Porto. Encore jeune, mais étonnamment onctueux, riche et puissant, il pourra tenir encore 40 ou 50 ans. Le 1975 sera-t-il aussi mémorable ?

LATOUR

1990	Dégusté 6 fois en bouteille, avec des notes régulières **98+**
1982	Dégusté 9 fois en bouteille, avec des notes régulières **99**
1970	Dégusté 13 fois, avec des notes régulières **98**
1966	Dégusté 11 fois, avec des notes régulières **96**
1961	Dégusté 8 fois, avec des notes régulières **100**
1949	Dégusté 4 fois, avec des notes régulières **100**
1948	Dégusté 3 fois, avec des notes irrégulières **94**
1945	Dégusté 8 fois, avec des notes irrégulières **99**
1928	Dégusté 5 fois, avec 4 notes identiques et une bouteille défectueuse **100**
1926	Dégusté 2 fois, avec des notes régulières **93**
1924	Dégusté 2 fois, avec des notes irrégulières **94**

Sur son vignoble de 60 ha complanté à 80 % en cabernet sauvignon et à 10 % chacun en merlot et en cabernet franc, Latour produit des vins qui sont, avec ceux de La Mission-Haut-Brion, les plus réguliers d'excellence au cours de ce siècle. Avec leur caractère extrêmement concentré, ferme, classique et sans âge, ils sont les moins évolués des Médoc et possèdent une telle intensité et un fruité si opulent que, dans certains millésimes, comme 1961, je les confonds avec Petrus, aussi étrange que cela puisse paraître.

Le 1990 – l'archétype même de Latour – est le cru le plus extraordinaire qui ait été fait au château depuis le 1982 et le 1970. Absolument monumental, il signe le retour de la propriété à ces vins puissants, à la robe opaque et à la force un peu massive, qui ont contribué à sa renommée, et rien, dans ce 1990 de calibre exceptionnel, ne laisse entrevoir quelque légèreté, voulue ou fortuite. Il exhale un nez serré mais extrêmement prometteur de minéral, de noix grillée et de cassis riche et très mûr. Extraordinairement puissant et extrêmement gras, il est d'une intensité massive et déploie une formidable richesse en extrait, ainsi que des tannins explosifs qui transpercent littéralement le palais. Il rivalise parfaitement avec Petrus et Château Margaux pour le titre de réussite du millésime. Quel succès ! **A maturité : 2000-2035.**

Ironie du sort... il semblerait bien que le Latour 1982 ait été, de tous les premiers crus du Médoc, le plus flatteur à la dégustation dans le courant de l'année 1995. Sa robe extrêmement soutenue et opaque, de couleur pourpre-grenat, prélude à un bouquet énorme qui jaillit littéralement du verre, offrant des arômes de noix, de minéral et de cassis confituré. Ce vin superbement concentré et très corsé dégage en bouche des effluves au caractère étoffé et rôti – il ressemble au 1970, mais en plus doux et en plus charnu. Il est si riche et si concentré qu'il semble ne pas avoir évolué depuis son passage en fût, sauf qu'il se montre maintenant plus plein et plus massif. Bien qu'il soit déjà prêt, il sera encore meilleur d'ici **3 ou 4 ans** et se conservera pendant encore **une trentaine d'années.**

Le 1970 de Latour est à la fois plus robuste et moins soyeux que les vins plus récents de cette propriété, mais il présente indiscutablement une concentration extraordinaire. Plus je le déguste, plus je suis conforté dans mon idée qu'il est avec Petrus la réussite du millésime. Sa robe, bien que légèrement ambrée, est encore profonde, d'une couleur rubis tirant sur le grenat extrêmement soutenue et épaisse, et son nez très aromatique offre des arômes de décoction de cèdre, de fruits rouges et noirs confiturés, d'herbes, de bois et de noix grillée. En bouche, il présente une puissance et une concentration formidables, ainsi que des tannins bien fondus, mais il est encore extrêmement dense, massif et riche. Ce Latour grandiose arrive tout juste à maturité et devrait durer encore **20 ou 30 ans.**

Le 1966 s'impose comme le vin le plus réussi du millésime. Sa robe très profonde, de couleur rubis, est légèrement ambrée sur le bord, et il dégage un bouquet exquis de cuir, d'épices, de tabac et de fruits mûrs. Moyennement concentré, riche et puissant, avec des tannins autrefois agressifs qui sont maintenant bien fondus, il semble être le meilleur vin qui ait été fait à la propriété dans le courant des années 1960, hormis le grandissime 1961, bien évidemment. **A maturité : jusqu'en 2008.**

C'était la première fois que je goûtais le 1961 en magnum, et, comme on pourrait s'y attendre, il était peu évolué et relativement fermé, mais personne lors de cette dégustation ne se méprit sur son fruité confituré, doux et abondant. Ce vin dense et extrêmement concentré présente un bouquet assez réticent, mais qui révèle quand même des arômes riches de fruits noirs, de terre mouillée, de cuir et de bois épicé. Très corsé et monumental, il ressemble en bouche à un pur sirop de cabernet, et, exactement comme celle d'un Porto, sa finale est onctueuse à en mourir. Ceux qui ont la chance d'avoir pu soigneusement ranger quelques magnums de ce vin n'ont aucun souci à se faire : il leur survivra. **A maturité : jusqu'en 2040.**

Le 1949 de Latour est un vin à vous couper le souffle. Extraordinairement riche mais parfaitement équilibré, il est également d'une remarquable extraction, présentant des arômes généreux et une finale à la fois souple et imposante. A boire au cours des **25 prochaines années.**

Le 1948 exhale un nez puissant et exotique de menthe, de cassis, de noix et de cuir qui déborde littéralement du verre. Très corsé, d'une richesse et d'une densité impressionnantes, il déploie une finale longue et douce. Il est à pleine maturité et tiendra bien encore **15 à 25 ans.**

Le 1945 est extrêmement irrégulier, même en tenant compte du fait qu'il faut s'attendre à trouver des différences d'une bouteille à l'autre quand il s'agit de millésimes anciens. Les meilleurs flacons affichent la puissance masculine caractéristique de ce cru et déploient une richesse très corsée, avec une finale très tannique. La robe, d'une couleur profonde, commence à prendre des touches ambrées sur le bord. Ce vin est incontestablement à pleine maturité, mais ne donne aucun signe de déclin, et les arômes de cèdre, de cake et de cassis qu'il libère à la fois au nez et en bouche sont encore puissants et persistants. Il conserve, à plus de 50 ans d'âge, un caractère très tannique. Il se conservera encore **une bonne douzaine d'années.**

La bouteille de Latour 1928 que j'ai achetée chez Nicolas était d'une perfection absolue. Ce vin offrait un bouquet stupéfiant de bois de noyer, de fumé et de noix, ainsi que des arômes pénétrants et doux de truffe et de framboise. Très corsé, il était parfaitement rond et déployait un fruité doux et expansif par couches successives. Très ample et très peu tannique, d'une dimension merveilleuse, il avait encore une concentration d'arômes phénoménale et était d'une dimension merveilleuse. Ce vin, qui semblait être à maturité, est assurément l'un des plus grands de ce siècle et représente un véritable tour de force en matière de vinification. Je l'ai trouvé superbe à près de 70 ans d'âge, et peu de gens pourraient contester qu'il puisse se conserver encore **20 ou 25 ans**.

La bouteille de Latour 1926 objet du présent commentaire illustre parfaitement l'adage selon lequel il n'y a pas de grands vins mais seulement des grandes bouteilles. Elle était en meilleure forme que le 1929, et bien supérieure au 1926 que j'ai dégusté à Bordeaux en mars 1991. De prime abord, le bouquet de ce vin semblait confus, mais, après un moment d'aération, on y percevait bien les senteurs caractéristiques de ce cru, à savoir des arômes de noix, de fruits noirs, d'herbes et de chêne. Curieusement, il se montrait musclé et rustique en bouche, avec des tannins abondants, beaucoup de richesse et une fraîcheur étonnante. Ce vin est à pleine maturité et arbore une robe aux teintes légèrement ambrées et brunes. Il déploie une finale un peu acide et **devrait être bu assez rapidement**.

Le premier Latour 1924 que j'aie goûté, lors d'une dégustation à l'aveugle à Bordeaux il y a plusieurs années de cela, avait été acheté par le père de mon hôte, et, bien qu'il eût été conservé dans des conditions idéales, il s'est montré décevant et astringent. Celui-ci, en revanche, était profond, avec des arômes sensationnels de tabac, de terre mouillée, de cèdre et de fruits. Très épicé pour un Latour, il déployait une acidité de bon ressort, mais était très peu tannique et corsé. Toute sa complexité et son caractère se retrouvaient dans son bouquet odorant, qui ne s'était pas atténué après avoir été aéré. Époustouflant !

Autres candidats potentiels : le 1959, le 1929 (en grand format seulement) et le 1900 (légèrement sur le déclin, mais encore impressionnant en 1994).

LATOUR A POMEROL

1961 Dégusté 8 fois, et régulièrement noté de manière parfaite 100
1959 Dégusté 4 fois, avec des notes régulières 98
1950 Dégusté 2 fois, avec des notes régulières 96
1948 Dégusté 1 fois 100
1947 Dégusté 3 fois, avec des notes irrégulières 100

Cette propriété d'un peu plus de 8 ha, complantée à 90 % en merlot et à 10 % en cabernet franc, a produit en 1947, en 1959 et en 1961 des vins qui comptent parmi les meilleurs de ce siècle. Depuis cette époque, elle s'est contentée d'en faire qui étaient très bons mais peu profonds – il convient cependant de noter que les 1970 et 1982 sont assez spéciaux.

Si le 1947 de Cheval Blanc est unanimement considéré comme la réussite du siècle, il serait juste qu'il partage ce titre avec le 1961 de Latour à Pomerol. Donner une note à un tel vin rappelle Shakespeare, qui écrivait qu'il était odieux de faire des comparaisons. Il est en effet hors concours, et, si je ne devais plus boire qu'un seul bordeaux, ce serait bien celui-ci. Outre sa robe encore très soutenue de couleur pourpre foncé qui n'est aucunement teintée de rouille, d'ambre ou d'orange, il présente une richesse considérable ainsi qu'une précision dans le dessin et un équilibre étonnants qui le rendent émouvant. Son nez est extraordinairement riche, avec des arômes intenses de prune confiturée, de cassis, de réglisse et de truffe. Aussi visqueux qu'un Porto, il déploie une finale longue de presque une minute et constitue une référence à lui seul. Ce vin phénoménal est plus grandiose encore que les 1961 de Petrus et de Latour (deux vins parfaits), et, compte tenu de sa jeunesse (c'est le moins évolué de tous les 1961), il pourra se conserver encore **20 à 30 ans.**

Quant au 1959, il peut parfaitement rivaliser avec le 1961, et, s'il n'en possède ni la viscosité ni l'incroyable concentration, il exhale un nez énorme de truffe noire et de fruits noirs et rouges, doux et confiturés. Avec sa robe au bord ambré, il est doux, expansif et très corsé, et se montre extrêmement concentré. Ce vin à parfaite maturité sera encore bon durant **une dizaine d'années.**

Le 1950 de Latour à Pomerol est extraordinairement riche, puissant et concentré, et, comme beaucoup d'autres grands Pomerol de cette même année, il a longtemps été ignoré par la presse spécialisée. Sa robe encore jeune et opaque, de couleur pourpre tirant sur le grenat, laisse deviner un vin d'une maturité et d'une richesse en extrait absolument fabuleuses. Son nez énorme, intense et très aromatique, offre des senteurs de réglisse, d'épices, de truffe et de fruits noirs et rouges trop mûrs. Très corsé, avec une texture riche, onctueuse et épaisse qui ne l'alourdit aucunement, il rappelle furieusement certains 1947 de la rive droite et devrait se conserver au moins **25 ans encore.**

Entre les grandioses 1945, 1947 et 1949, 1948 fait figure de millésime oublié. Il a cependant donné de grands vins, et le Latour à Pomerol pourrait bien être la réussite de cette année, sachant néanmoins que Petrus, Cheval Blanc, La Mission-Haut-Brion, Latour et Mouton-Rothschild se posent en sérieux rivaux. Lorsque j'ai goûté ce vin en novembre 1994, il avait encore une couleur pourpre foncé qui rappelait celle d'un échantillon tiré du fût. Avec son nez énorme de cassis et de framboise confiturés auquel se mêlent des senteurs d'herbes et d'épices, il se montrait extrêmement corsé et superbement concentré, avec une texture qui non seulement rappelle celle d'un vin de Porto, mais aussi celle de nombre de 1961. Ce gros calibre, réellement époustouflant, semblait n'avoir que 4 ou 5 ans d'âge.

Lors d'une dégustation où j'ai eu le privilège de pouvoir déguster le 1947, un des participants me demanda : « Si vous avez attribué une note de 100 au 1961, comment noterez-vous ce 1947 ? » En effet, celui-ci est en tout point aussi riche que le 1961. Toujours merveilleusement intact, il ne montre aucun signe qui puisse faire penser qu'il va perdre de son fruité. Il faut vous imaginer un vin phénoménal et opulent, avec de la mâche, qui déploie par couches successives des arômes exotiques et confiturés de fruits rouges et noirs auxquels se mêlent des effluves de café, de chocolat, de cèdre et d'épices, et dont la finale en bouche dure près de deux minutes ! Ce 1947 puissant, d'une richesse en extrait absolument incroyable, est presque à la hauteur du 1961 de Latour à Pomerol.

LÉOVILLE-BARTON

1990 Dégusté 5 fois en bouteille, avec des notes régulières **95**
1982 Dégusté 8 fois en bouteille, avec des notes régulières **94**
1959 Dégusté 3 fois, avec des notes régulières **94**
1953 Dégusté 4 fois, avec des notes régulières **95**
1949 Dégusté 1 fois **95**
1948 Dégusté 3 fois, avec des notes régulières **96**
1945 Dégusté 1 fois **98**

Pour des raisons encore inexpliquées, Léoville-Barton est une propriété à laquelle on n'accorde pas toujours l'attention qu'elle mérite et qui demeure sous-estimée malgré le nombre important de vins grandioses qu'elle a donnés dans la période de l'après-guerre. Depuis le milieu des années 80, sous la direction d'Anthony Barton, ses vins sont proposés à des prix qui sont parmi les plus raisonnables du Bordelais ; ils allient magnifiquement la richesse corsée et les arômes de cassis et de cèdre des Pauillac à la finesse et à l'élégance des Saint-Julien.

Le 1990 de Léoville-Barton est dense, très corsé, tannique et concentré. Ce Saint-Julien au potentiel extraordinaire est un des vins les plus riches et les plus corsés qui aient été faits à la propriété. Si on le compare au 1985 et au 1986 – deux autres millésimes remarquables –, il est plus concentré que le premier et plus doux et plus onctueux que le second. Très classique, il représente une excellente affaire sous l'angle du rapport qualité/prix et se conservera sans problème. **A maturité : jusqu'en 2020.**

Le 1982 pourrait bien être le meilleur Léoville-Barton de ces trente dernières années. Très concentré et très peu évolué, il est extrêmement tannique et ne sera prêt à boire qu'à la fin de cette décennie, étant donné sa concentration massive, sa puissance et sa corpulence. Il recèle, dans un bel équilibre d'ensemble, une bonne acidité, des tannins, un fruité mûr de groseille ainsi que des touches de boisé, et son nez commence tout juste à s'épanouir. Il demeure l'un des vins les plus puissants et les plus fermés de ce millésime – feu Ronald Barton le considérait même comme le plus grand vin qu'il ait jamais fait. Quel hommage ! **A maturité : 1998-2015.**

La propriété a aussi connu son heure de gloire entre la fin des années 40 et celle des années 50. Le 1959, excessivement puissant, est à la pointe de sa maturité et ne montre absolument aucun signe de déclin. Ample et musclé, avec un nez énorme de cèdre, de terre et de fruits noirs, il présente des taux importants de glycérine et d'alcool, ainsi qu'une finale épicée, capiteuse et relativement tannique. On peut se demander si le 1982 ne serait pas la réplique de ce vin séduisant, merveilleusement aromatique et fruité, à la texture voluptueuse, qui a fort bien résisté à l'épreuve du temps. Le 1953 est un vin séduisant, voluptueux, somptueusement aromatique, dont le fruité a magnifiquement franchi le cap des ans. Comme beaucoup d'autres 1953, il est peut-être plus sûr, toutefois, de l'acheter en grand format ; je pense qu'alors il se révélera superbe.

Les 1949, 1948 et 1945 de Léoville-Barton sont tous des vins très réussis. Le 1949 semble être du même métal que le 1953, mais il est plus puissant, plus structuré, avec plus de muscle, de tannins et de corps. Le 1948 (millésime sous-évalué) est un vin extraordinaire, puissant et jeune, à la richesse corsée et aux arômes de cèdre, de tabac et de groseille, qui laisse deviner des rendements très restreints et un fruité mûr. Quant au 1945, il s'agit d'un gros calibre qui s'impose comme l'un des vins les plus grandioses de son millésime, avec un fruité extraordinairement épais et massif et une corpulence qui étayent bien son niveau de tannins très élevé. Ces trois vins se conserveront parfaitement pendant encore une **bonne vingtaine d'années.**

LÉOVILLE-LAS CASES

1986 Dégusté 8 fois en bouteille, avec des notes régulières **97**
1982 Dégusté 14 fois en bouteille, avec des notes régulières **100**

Il est surprenant qu'une aussi grande propriété que Léoville-Las Cases, qui a donné tant de vins d'excellent niveau depuis le milieu des années 70, n'en compte que deux dans cette nomenclature des meilleurs bordeaux du XXᵉ siècle. Il faut dire que si elle a, certes, connu nombre de belles réussites, sa production antérieure à 1975 était étonnamment irrégulière.

Michel Delon, qui gère le château de main de maître, rapproche le 1986 du 1961 et du 1966. Pour ma part, après avoir dégusté ces deux derniers vins, je considère que le 1986 leur est nettement supérieur. Avec sa robe dense, presque opaque, de couleur rubis-pourpre tirant sur le noir, il dégage des arômes intenses de cassis et de cerise noire, ainsi qu'une bonne dose de chêne neuf et grillé. Très corsé et merveilleusement dessiné, il témoigne d'une extraordinaire richesse en extrait et d'un équilibre presque parfait. Remarquablement long et persistant en bouche, il est aussi tannique que d'autres millésimes récents de Léoville-Las Cases et requiert certainement une garde d'au moins 10 à 15 ans avant d'être dégusté. A maturité : **1998-2030.**

Le 1982 est certainement le meilleur Léoville-Las Cases que j'aie jamais goûté, et, même si les 1986, 1988, 1989 et autres 1990 sont excellents, c'est indiscutablement celui-ci qu'on se doit de posséder en cave. Sa robe autrefois sombre et opaque, de couleur rubis-pourpre, tire maintenant sur le grenat, et son nez énorme de cassis et de minéral, qui présente cette touche de crayon à papier qui rappelle plus les Pauillac que les Saint-Julien, n'est pas encore à maturité. Il s'agit d'un vin riche, terriblement visqueux et onctueux, avec un côté rôti, des arômes extrêmement concentrés et de la mâche. Très corsé, il est d'une austérité qui n'est peut-être pas aussi classique que les puristes l'auraient souhaité, mais il est surtout profond et multidimensionnel, et déploie une finale phénoménale. Il représente l'essence même de ce cru, et, comme beaucoup d'autres 1982, c'est de raisins extrêmement mûrs qu'il tire sa douceur — que l'on retrouve d'ailleurs à la fois au nez et en bouche. Ce vin encore jeune peut se boire maintenant, mais il ne sera à pleine maturité que **d'ici 3 ou 4 ans et se gardera environ 35 ans encore.**

Autres candidats potentiels : le 1953 et le 1900.

LYNCH-BAGES

1989 Dégusté 7 fois en bouteille, avec des notes régulières **96**
1970 Dégusté 14 fois, avec des notes régulières **95**

On fait à Lynch-Bages des vins qui comptent parmi les plus populaires des bordeaux. Gras, mûrs et riches, relativement faciles à comprendre et à déguster, ils débordent d'un fruité marqué par le cassis et le cèdre, et se montrent spectaculaires et très corsés. Si ce grand vignoble d'un peu plus de 75 ha, complanté à 70 % en cabernet sauvignon, à 15 % en merlot, à 10 % en cabernet franc et à 5 % en petit verdot, a été plus qu'irrégulier dans le courant des années 70, il s'est révélé très performant depuis 1982.

Le 1989 est probablement le meilleur Lynch-Bages que je connaisse. Avec sa robe opaque, de couleur pourpre tirant sur le noir, qui laisse deviner une concentration comme on en rencontre rarement dans le Bordelais, il est très corpulent, très gras et d'une richesse aromatique absolument fabuleuse. Ses tannins sont extrêmement abondants, et sa finale est visqueuse et puissante. Ce vin, qui était presque un peu trop ostentatoire après la mise en bouteille, s'est maintenant refermé et gagnera à demeurer en cave encore 2 ou 3 ans. A maturité : jusqu'en 2015.

Très massif, le 1970 arbore toujours une couleur d'encre et regorge de senteurs animales marquées par des arômes de cassis, de cèdre et de cuir fin. Énorme et puissant, ce vin jeune et imposant, dont les tannins agressifs commencent à se fondre, manque quelque peu d'élégance, mais il est extrêmement plaisant, robuste et généreux en bouche, et se conservera pendant encore au moins une décennie. A maturité : jusqu'en 2008.

Autres candidats potentiels : le 1990, le 1961, le 1955 et le 1953.

CHÂTEAU MARGAUX

1990 Dégusté 7 fois en bouteille, avec des notes régulières **100**
1986 Dégusté 12 fois en bouteille, avec des notes régulières **96**
1985 Dégusté 8 fois en bouteille, avec des notes irrégulières **95**
1983 Dégusté 14 fois en bouteille, avec des notes régulières **96**
1982 Dégusté 20 fois en bouteille, avec des notes régulières **99**
1953 Dégusté 6 fois, avec des notes régulières **98**
1928 Dégusté 3 fois, avec des notes régulières **98**
1900 Dégusté 2 fois, avec des notes régulières **100**

Si le Château Margaux n'était pas au meilleur de sa forme dans le courant des années 60 et 70, il s'est en revanche imposé comme une des étoiles montantes du Bordelais dans la décennie 80. De plus, certains vieux millésimes légendaires de cette propriété témoignent merveilleusement de l'immense potentiel de garde de ces vins, d'une richesse aromatique et d'une ampleur absolument extraordinaires. Le vignoble, relativement important (environ 97 ha), est complanté à 75 % en cabernet sauvignon, à 20 % en merlot et à 5 % en cabernet franc.

Plus que tout autre millésime récent, le 1990 fait penser à ce qu'a dû être le très classique Château Margaux 1953 lorsqu'il avait 3 ans d'âge. Sans avoir la puissance du 1982, il déploie un bouquet presque irréel de fleurs, de cassis, de fumé, de chêne neuf et d'épices orientales. Ample, avec des tannins abondants mais tendres, ce vin d'une finesse absolument remarquable présente une finale douce comme la soie, et sa richesse et son équilibre exceptionnels en font une référence. Ainsi, il symbolise pour moi le Château Margaux le plus classique qui ait été fait sous la direction de la famille Mentzonopoulos. Majestueux, il est vraiment une des stars du millésime. **A maturité : jusqu'en 2020.**

Le 1986 est le Château Margaux le plus puissant, le plus tannique et le plus musclé depuis des décennies, et l'on peut même se demander si le 1928 et le 1945 étaient d'une profondeur et d'une puissance comparables. Sa robe de couleur rubis-pourpre tirant sur le noir n'a aucunement subi les outrages du temps, et son nez offre avec réticence des arômes de cassis et de chêne neuf grillé et fumé légèrement floraux. Ce vin gigantesque, merveilleusement équilibré et extraordinairement riche en extrait, déploie une finale terriblement tannique. Très corsé, il présente aussi une structure immense et très masculine qui le différencie complètement du 1990. Son potentiel de garde est absolument faramineux, mais je me demande tout de même s'il sera aussi époustouflant que je l'avais d'abord pronostiqué. **A maturité : 2000-2050.**

Mon enthousiasme grandit à chaque dégustation du 1985 de Château Margaux, et la note que je lui attribue suit cet élan, car c'est un vin que je pense bien avoir sous-estimé dans sa jeunesse. Aujourd'hui, il continue de s'étoffer, déployant toujours davantage de richesse et de plénitude, ainsi que ces merveilleux arômes propres aux Margaux de grande classe. D'un resplendissant rubis-pourpre foncé, il offre des senteurs de fleurs printanières, de cassis et de chêne neuf, et se montre opulent et riche, mais sans lourdeur aucune. Il peut être bu dès maintenant, compte tenu de sa structure soyeuse, mais il ne sera à la pointe de sa maturité que d'ici 4 ou 5 ans. Comme le 1990, il pourrait se révéler une réplique du 1953. **A maturité : 2002-2030.**

Le 1983 est à vous couper le souffle. Grâce au cabernet sauvignon qui, cette année-là, avait atteint une maturité absolument parfaite, ce vin est étonnamment riche et concentré, inhabituellement puissant et tannique pour un Margaux. De couleur rubis foncé, il suinte littéralement d'arômes de cassis mûr, de violette et de chêne vanilliné, et se montre extrêmement long et profond en bouche, avec une finale nette et incroyablement persistante. Il s'agit très certainement d'un monument, mais il demeure bien peu évolué et ne sera prêt que d'ici quelques années. **A maturité : 2000-2030.**

Le 1982 est le symbole même d'un Margaux à son niveau le plus opulent et le plus luxuriant. Sa robe opaque, de couleur pourpre-grenat, prélude à un bouquet qui jaillit littéralement du verre, offrant des arômes de cassis grillé, d'herbes aromatiques (thym), de réglisse et de fleurs printanières. Merveilleusement concentré et ample en bouche, ce vin énorme, voluptueux, fabuleusement riche et imposant, est presque trop bon. Sa faible acidité et les tannins énormes que l'on décèle dans sa finale le rendent accessible, si bien que je ne querellerais quiconque le dégusterait maintenant. Cependant, il convient de garder à l'esprit qu'il évoluera sur **20 ou 25 ans** encore et que, s'il se révèle vraiment une réplique du légendaire 1900 du château, son potentiel de garde sera trois ou quatre fois supérieur à celui que j'ai tout d'abord estimé.

Le 1953 s'est presque toujours montré délicieux. Les bouteilles provenant des caves humides et fraîches des Établissements Nicolas à Paris contenaient un vin impressionnant par sa robe rubis-pourpre foncé, très légèrement éclaircie sur le bord. Avec un nez énorme et riche débordant d'arômes de violette, de cassis doux et d'épices, il était rond et opulent et déployait un généreux fruité doux et confituré. Un Château Margaux à son niveau le plus séduisant !

Avec sa couleur grenat foncé, le 1928, inhabituellement puissant et masculin pour un vin de cette propriété, offre un bouquet floral et très aromatique, et déploie en bouche des arômes extrêmement riches, musclés et tanniques. Très présent et de belle persistance, il étonne par la puissance tannique dont il fait preuve à plus de 60 ans d'âge. Il durera bien **100 ans.**

Quant au 1900, il s'agit de l'un des nectars les plus renommés du siècle – on a à l'origine douté de son potentiel de garde, car il était déjà prêt à boire à 10 ou 12 ans d'âge. La production de cette année-là était, presque exactement comme en 1982, supérieure à 30 000 caisses, et les vins présentaient dans ces deux millésimes des taux d'acidité et d'alcool, et une richesse en extrait étonnamment similaires. Mais le 1982 passera-t-il un siècle ? Le Château Margaux 1900 semble quant à lui immortel, non seulement parce qu'il est encore jeune et vif, mais aussi parce qu'il présente toutes les nuances et la complexité que les amateurs souhaiteraient y trouver. D'une richesse fabuleuse et d'une onctuosité incroyable, ce vin, dont les parfums pourraient emplir une pièce, est d'une grande opulence et d'une merveilleuse précision dans le dessin. Quel extraordinaire tour de force ! Et le fait qu'il puisse ainsi allier, dans un bel équilibre d'ensemble, la puissance, la richesse, la finesse et l'élégance en fait, à mon sens, un des vins les plus extraordinaires qui soient. Je pense qu'il se conservera parfaitement sur les **20 à 30 premières années du prochain millénaire.** A vous couper le souffle !

LA MISSION-HAUT-BRION

1989	Dégusté 9 fois en bouteille, avec des notes régulières **99**
1982	Dégusté 14 fois en bouteille, avec des notes régulières **95**
1975	Dégusté 11 fois, avec des notes régulières **100**
1961	Dégusté 7 fois, avec des notes régulières **100**
1959	Dégusté 11 fois, avec des notes régulières **100**
1955	Dégusté 13 fois, avec des notes régulières **100**
1953	Dégusté 6 fois, avec des notes régulières **93**
1950	Dégusté 1 fois **95**
1949	Dégusté 7 fois, avec des notes régulières **100**
1948	Dégusté 3 fois, avec des notes régulières **93**
1947	Dégusté 5 fois, avec des notes régulières **95**
1945	Dégusté 7 fois, avec des notes régulières **94**
1929	Dégusté 2 fois, avec des notes régulières **97**

Au cours de ce siècle, La Mission-Haut-Brion a régulièrement produit de très grands bordeaux, faisant même des vins étonnamment bons dans des années moyennes. Ce minuscule vignoble de moins de 20 ha, complanté à 50 % en cabernet sauvignon, à 40 % en merlot et à 10 % en cabernet franc, est d'un côté bordé par des immeubles d'habitation et de l'autre fait face à son éternel rival Haut-Brion. Il produit des vins extraordinairement denses, riches et puissants, très fruités et musclés, critiqués seulement par les commentateurs qui préfèrent des vins plus élégants et plus policés, et qui trouvent que ceux de La Mission sont trop souvent excessivement riches et corsés.

Le 1989 de La Mission est incontestablement le meilleur vin qui ait été fait à la propriété depuis le 1975. Plus accessible que ce dernier, il est épais, musclé, d'une concentration exceptionnelle et se montre plus énorme encore que son voisin Haut-Brion. Une fois passé le bouquet de cassis grillé et de fumé, on décèle en bouche une fabuleuse richesse en extrait marquée par des arômes de prune et de goudron enrobés par de généreuses notes de chêne neuf (ce vin est entièrement vieilli en chêne neuf). Si l'on a souvent tendance à comparer le 1989 au 1982, très onctueux, le premier se révèle encore plus concentré, plus structuré et de meilleure tenue ; néanmoins, il se dégustera bien grâce à son caractère alcoolique et capiteux et à ses tannins doux. Ce vin formidable, presque légendaire, se conservera sur plusieurs décennies. Si vous en avez l'occasion – et si vos moyens vous le permettent –, vous vous devez de l'acheter. **A maturité : 1998-2020.**

Le 1982 s'impose comme le plus charnu et le plus opulent des La Mission de ces vingt-cinq dernières années. Avec sa robe très profonde de couleur rubis-pourpre foncé et son nez très mûr de cassis, il s'est enfin décidé à libérer des touches de cèdre, de tabac, de cuir fin et de cassis. Très corsé et très concentré en bouche, il y déborde d'un fruité riche et onctueux marqué par les fruits rouges, et révèle maintenant plus de tannins qu'il y a quelques années. **A maturité : au moins jusqu'en 2010.**

Le 1975 se maintient comme un des crus les plus extraordinaires du château de la période de l'après-guerre. Il dégage un nez absolument fabuleux de cassis, de minéral, de réglisse, de truffe et de chêne épicé. Incroyablement concentré, très corsé et puissant, ce vin massif, dont la robe rubis très soutenu n'est aucunement altérée par le temps, demeure extrêmement tannique et peu évolué. Quiconque n'y aurait pas goûté aurait du mal à croire que sa finale dure bien quatre-vingt-dix secondes environ. Il s'agit vraiment d'un des La Mission-Haut-Brion les plus concentrés et les plus riches en extrait de ces vingt-cinq dernières années, et je ne pense vraiment pas qu'il soit prêt avant les premières années du prochain millénaire. Cette réussite monumentale est aussi celle du millésime – en termes de potentiel de garde, il se pourrait même que ce soit celle de la décennie. **A maturité : 2005-2050.**

Le 1961 de La Mission, qui est un des plus grands vins de ce millésime, s'est montré fabuleux au cours des dix dernières années, et les bouteilles qui auront été conservées dans de bonnes conditions tiendront parfaitement encore **10 ou 20 ans.** Plus évolué et plus accessible que le 1959, le 1961 est encore riche, épais et très aromatique, avec un nez d'anthologie, typique des vins des Graves. Il dégage en effet des arômes de tabac, de viande grillée, de minéral, d'épices et de fruits noirs et rouges très doux. Dense, très corsé et très alcoolique, il est également extrêmement riche et opulent, et se révèle absolument somptueux.

Il est intéressant de remarquer que nombre de 1959, tout comme les 1982, ont été vivement décriés pour leur faible acidité et leur faible potentiel de garde. Comment expliquer, alors, que tant de vins de cette année déploient plus de richesse, de fraîcheur et de plénitude que certains 1961 ? Ainsi, si grandiose que soit le 1961 de La Mission, le 1959 se montre plus riche, plus coloré, plus concentré et plus puissant, et requiert une garde supplémentaire de 3 ou 4 ans avant d'être à parfaite maturité. Très épicé et extrêmement concentré, avec une robe dense de couleur pourpre-prune, ce vin encore jeune et terriblement peu évolué est formidablement doté ; il devrait être au meilleur de sa forme avant la fin de ce siècle et demeurer très agréable au cours des **20 à 25 premières années du prochain millénaire.**

Même en tenant compte de la magnificence du Haut-Brion et du Mouton-Rothschild de la même année, le 1955 de La Mission s'impose comme le meilleur vin du millésime, avec ses doux arômes de cèdre, de girofle, de fumé et de framboise sauvage, ainsi que ses flaveurs riches, très corsées et remarquablement harmonieuses qui regorgent de fruité mûr, de glycérine et d'alcool capiteux. Ses tannins sont complètement fondus, et sa robe est très marquée sur le bord par des reflets de rouille, si bien qu'il est peu probable qu'une telle bouteille se bonifie au terme d'une garde supplémentaire. Cependant, on n'y décèle aucun signe de fragilité ou de déclin, ce qui laisse penser que l'on pourrait conserver ce vin complexe, étonnant et merveilleusement équilibré sans aucun problème sur les **10 ou 15 prochaines années.**

Plusieurs personnes ayant suivi l'évolution du 1953 depuis sa jeunesse m'ont affirmé qu'il était déjà merveilleux à la fin des années 50. S'il n'a apparemment rien perdu de son fruité explosif, souple et sensuel, il ne se bonifiera pas davantage, et il convient donc de le consommer maintenant. Il prodigue de délicieux arômes de fumé et de fruits rouges, et présente une texture soyeuse et crémeuse ainsi qu'une finale longue et capiteuse. Son faible niveau d'acidité lui confère une certaine fraîcheur, et ses tannins sont maintenant fondus. Si vous avez la chance d'avoir encore de ces superbes bouteilles en cave, consommez-les dans **les prochaines années.**

La Mission 1950 déploie un nez énorme de café fraîchement moulu, de bois de noyer, de cèdre et de chocolat. Superbement riche et dense, ce vin corsé et concentré, qui n'a subi aucun outrage du temps (sa robe est encore opaque, de couleur grenat foncé), est à son apogée et se maintiendra **15 à 20 ans.**

Avec son nez immense et légèrement roussi d'herbes rôties, de cassis fumé et de viande grillée, le 1949 est extraordinairement riche, mais également doux, gras et corpulent. Ce vin, qui est à pleine maturité, se révèle d'une intensité et d'une longueur fabuleuses. Il s'agit d'une magnifique réussite d'un des millésimes les plus harmonieux en Bordelais.

Le 1948 exhale des arômes puissants, grillés et riches de tabac, de groseille mûre et de marron fumé. Sa robe n'est aucunement altérée, et son fruité extrêmement concentré et riche en extrait. Très corsé, avec une finale hautement alcoolique et tannique, il est incontestablement à pleine maturité et ne montre aucun signe de déclin. Il devrait donc tenir encore **10 à 20 ans.**

Quant au 1947, son bouquet énorme, semblable à celui d'un Porto, illustre parfaitement la maturité extraordinaire qui est la marque du millésime. Il dégage des arômes de chocolat, de cèdre, de terre et de prune, et se montre très alcoolique, puissant et riche, mais en même temps velouté et doux. Ce vin exceptionnel, de grande ampleur aromatique, semble issu des vendanges les plus tardives possible pour ce cru.

Le 1945 est incontestablement grandiose et fabuleusement concentré, mais il est également dur, rugueux et marqué par des arômes de cuir fin. Très opaque, il est extrêmement riche, puissant et aussi très tannique, si bien que l'on peut se demander qui, des tannins ou du fruité, se fanera en premier. Cependant, ce vin a le potentiel de garde pour se conserver encore 20 ou 25 ans – et c'est justement là que réside le mystère de ce millésime.

L'extraordinaire millésime 1929, qui aurait fort bien pu être celui du siècle, rappelle 1982 et, plus récemment, 1990, avec des vins magnifiquement opulents et onctueux. Quand Henry Wooltner émettait des doutes sur le potentiel de garde du 1929 de La Mission sous prétexte qu'il était déjà fabuleux en 1933, il faisait vraiment fausse route. Ce vin arbore toujours une couleur grenat très soutenu, seulement très légèrement ambré sur le bord, et déploie un nez faramineusement exotique et sensuel de tabac, de cassis, de cèdre et de cuir. En bouche, il est très alcoolique, remarquablement doux, riche et ample, avec un fruité concentré et absolument stupéfiant qui étaye bien sa teneur en alcool. C'est vraiment un privilège que de déguster ce nectar très corsé au velouté généreux.

Autres candidats potentiels : le 1986, le 1985, le 1978 et le 1964.

MONTROSE

1990 Dégusté 8 fois en bouteille, avec des notes régulières **100**
1989 Dégusté 7 fois en bouteille, avec des notes régulières **95**
1961 Dégusté 4 fois, avec des notes régulières **95**
1959 Dégusté 3 fois, avec des notes régulières **95**

Il est incontestable que Montrose peut produire des vins de très longue garde. En effet, cette propriété est bien connue pour toute une série de vins de premier ordre qu'elle a donnés dans des millésimes où la maturité était bien avancée, comme en 1959 et en 1961. Et le fait que ceux-ci soient très peu évolués et qu'ils requièrent une garde en cave d'au moins 20 ans en fait les grands favoris des initiés.

Le 1990 de Montrose compte au nombre des réussites monumentales de ce siècle. Outre sa robe dense, de couleur pourpre tirant sur le noir, et son nez serré mais potentiellement sensationnel de cuir fin, de fruits noirs, d'épices orientales, de chêne neuf et de minéral, il offre un fruité fabuleusement concentré et se montre spectaculaire, d'une puissance massive en bouche. Ne se contentant pas d'être l'une des superstars de ce superbe millésime, le Montrose 1990 s'impose aussi comme l'un des vins les plus concentrés, les plus puissants et les plus monumentaux qui aient été faits dans le Bordelais au cours des dernières décennies. A maturité : 2000-2045.

Hormis le 1990, le 1989 se présente comme le meilleur Montrose depuis le colossal 1970. Ce vin, de couleur rubis-pourpre foncé, dégage des arômes intenses de framboise écrasée et de minéral. Très corsé, il déploie en bouche une très belle richesse en extrait et d'abondants tannins doux, ainsi qu'une finale très persistante, très alcoolique et de faible acidité. Exactement comme le 1990, ce vin multidimensionnel et corpulent présente son généreux fruité par paliers. **A maturité : 1998-2025.**

Stupéfiant dans un millésime superbe, le 1961 de Montrose, qui requiert une garde supplémentaire d'environ 5 ans, arbore une robe profonde et opaque de couleur rubis foncé, et déploie un nez énorme de cassis mûr et de minéral. Très corsé et dense, il est d'une richesse et d'une longueur imposantes, avec des tannins fort abondants. Tous ces éléments se conjuguent pour faire un vin monumental, que vous apprécierez au cours des 20 à 30 premières années du prochain millénaire. **A maturité : 2000-2030.**

Quant au 1959, il rappelle étonnamment le 1961, avec un fruité plus doux et un caractère plus rustique et plus tannique. Cependant, ils sont tous deux également énormes et massifs, et déploient la même richesse et le même style vieillot si distinctif. Ce 1959, qui arrive tout juste à maturité, se gardera encore **20 ou 30 ans.**

Autres candidats potentiels : le 1964, le 1955 et le 1953 sont tous extraordinaires – notés entre 90 et 95.

MOUTON-ROTHSCHILD

1986 Dégusté 9 fois en bouteille, avec des notes régulières 100
1982 Dégusté 14 fois en bouteille, avec des notes régulières 100
1961 Dégusté 8 fois, avec des notes régulières 98
1959 Dégusté 11 fois, avec des notes régulières 100
1955 Dégusté 3 fois, avec des notes régulières 97
1953 Dégusté 7 fois, avec des notes irrégulières 95
1949 Dégusté 3 fois, avec des notes irrégulières 94
1947 Dégusté 9 fois, avec des notes régulières 97
1945 Dégusté 5 fois, avec une seule mauvaise note 100

Mouton-Rothschild peut s'imposer comme le plus flamboyant et le plus spectaculaire des Médoc. Ce vin, fortement dominé par le cabernet sauvignon (le vignoble, de 75 ha, est complanté à 85 % en ce cépage, à 8 % en merlot et à 7 % en cabernet franc), est en général puissant, avec une robe presque opaque de couleur pourpre ; s'il se déguste bien dans sa jeunesse, il a ensuite tendance à se refermer, ses tannins prenant le dessus sur son fruité pendant 10 ou 15 ans. C'est exactement l'évolution qu'ont suivie le 1982 et le 1970. Quant au 1986, il commence tout juste à se refermer maintenant.

En 1986, Mouton-Rothschild est sans aucun doute le vin le plus profond de tout le nord du Médoc. Sa robe opaque, de couleur rubis tirant sur le noir, est sensationnelle – peut-être même plus dense que celle du 1982. Quant à son nez très atténué de minéral, de cassis divin, de chêne neuf et fumé et d'épices, il n'est perceptible qu'après une longue aération et une bonne agitation du verre. Très corsé, fabuleusement long et incroyablement concentré, ce vin, disons-le, parfait est une réussite spectaculaire qui, aujourd'hui, se montre énorme et monolithique, mais n'est vraiment pas encore épanoui. **A maturité : 2005-2050.**

Le 1982, qui, dès les premières dégustations, s'est distingué parmi les premiers crus, est actuellement totalement fermé et impénétrable. Sa robe opaque, de couleur pourpre foncé, n'est aucunement altérée sur le bord, et il exhale un nez serré, mais prometteur, de cassis mûr, de minéral, de noix grillée, de réglisse et d'épices. Il demande cependant beaucoup d'aération avant de révéler tous ses parfums. Énorme en bouche, avec des tannins terriblement secs et un fruité extrêmement concentré qu'il déploie en couches successives, c'est l'essence même de Mouton-Rothschild. Sa finale révèle des tannins et une puissance dans la pleine force de l'âge. Ce Mouton 1982 demeure l'un des vins jeunes les plus extraordinaires qu'il m'ait été donné de goûter ; il ne sera pas prêt avant 10 à 15 ans, et je pense que je serai bien vieux avant qu'il ne soit au faîte de sa maturité. Se pourrait-il qu'il s'agisse d'un autre 1945 ?

Le 1961 présente d'une bouteille à l'autre des différences lamentables et ressemble en cela au 1970, qui, lui, se montre régulièrement... irrégulier. Cependant, à son meilleur niveau, il s'agit d'un vin grandiose, dont la robe pourpre tirant sur le noir n'est aucunement altérée et dont le nez énorme jette littéralement au visage du dégustateur des arômes de cèdre, de cassis, de crayon et de menthol. Très corsé, riche et extrêmement intense, ce vin profond aurait parfaitement pu rivaliser avec le fabuleux 1959. En effet, ce dernier Mouton (qui est un des trois plus grands de ces quarante dernières années, les deux autres étant le 1982 et le 1986) est époustouflant : plus je le déguste, plus je suis conforté dans mon idée qu'il est plus riche et plus imposant que le 1961. Étonnamment jeune et peu évolué, avec une robe de couleur pourpre tirant sur le noir et un nez de cassis, de minéral et de chêne neuf, il est gigantesque, exceptionnellement puissant et très corsé, possède des tannins très abondants et un taux d'alcool très important, tous deux étayés par une fabuleuse richesse en extrait. Il devrait encore évoluer sur les 20 à 30 prochaines années et pourrait bien tenir un siècle.

1955 est le millésime à acheter aux enchères, car il y est plus raisonnablement coté que les 1959 ou 1961, plus prisés. Le Mouton-Rothschild 1955 arbore une robe dont le bord est légèrement éclairci, mais qui ne présente pas d'autre touche d'ambre ou de rouille. Au nez, il offre les arômes explosifs de menthe, de cuir, de cassis, d'olive noire et de crayon typiques de ce cru, et se montre étonnamment concentré en bouche, d'une richesse en extrait absolument magnifique, avec une finale très tannique. Ce vin époustouflant et encore remarquablement jeune devrait se conserver sur les 20 à 30 prochaines années.

Je me souviens de l'un de mes amis qui, décantant un magnum de Mouton 1953, me l'a collé sous le nez afin de m'en faire partager le bouquet incroyable. Outre des arômes exotiques de sauce soja, de cuir fin et neuf, de cassis, d'herbes et d'épices, ce vin présente une robe rubis foncé très légèrement ambrée sur le bord. Doux et gras, avec un fruité voluptueux et une faible acidité, il a des tannins bien fondus. Bien qu'il soit actuellement sur la corde raide, il pourrait se montrer encore luxuriant dégusté immédiatement après avoir été décanté.

Le 1949 de Mouton était réputé être le millésime préféré de feu le baron Philippe. Pour ma part, bien que je le trouve formidable, je lui préfère néanmoins le 1945, le 1947, le 1959, le 1986 et le 1982. Ce vin, à la robe opaque de couleur grenat foncé, dégage un bouquet généreux de cassis mûr et doux, d'herbes et de chêne épicé, mêlé de notes de café et de cannelle. Moyennement corsé, avec des tannins modérés mais encore présents, il est compact et déploie en bouche une concentration superbe, ainsi qu'une finale remarquablement longue. Bien qu'il semble à pleine maturité, son équilibre, sa longueur et ses tannins donnent à penser qu'il pourrait être conservé encore **une vingtaine d'années**.

La plupart des Médoc de 1947 sont maintenant très affaiblis et présentent un excès d'acidité volatile. Le fruité de nombre d'entre eux est également passé depuis longtemps déjà. Cependant, la plupart des observateurs avisés tiennent le 1947 de Mouton pour le vin le plus réussi de cette région. Sa robe de couleur grenat est spectaculaire, et ses arômes, épais et fruités, sont marqués par des notes de café, de chocolat, de menthe et de cassis. Étonnamment corsé, avec une finale très charnue et très alcoolique, ce vin luxuriant et succulent est l'un des plus puissants qu'il m'ait été donné de goûter. Il devrait se conserver environ **10 ou 15 ans encore**.

Quant au 1945, il tient sûrement une place dans le cœur de ceux qui en ont goûté une bouteille parfaitement conservée. Je l'ai dégusté pour la première fois en 1985, lors de l'anniversaire d'un de mes amis, et, à cette occasion, je lui avais décerné une note parfaite. Je l'ai regoûté plusieurs fois depuis, mais il m'a semblé moins spectaculaire. Les deux dégustations les plus récentes ont révélé un vin au nez énorme et flamboyant, qui jetait littéralement au visage du dégustateur des arômes de menthe, d'épices orientales, de gingembre et d'abondantes senteurs de fruits noirs et doux. On avait l'impression de croquer des framboises et des raisins enrobés de chocolat. Incroyablement riche et très doux, ce vin fabuleusement opulent était moins structuré et moins tannique que dans mes souvenirs, et on aurait parfaitement pu le prendre pour un Pomerol, si ce n'était son bouquet absolument entêtant.

Autre candidat potentiel : le 1929 – autrefois sublime, mais maintenant passé en bouteille de 75 cl.

PALMER

1989 Dégusté 6 fois en bouteille, avec des notes régulières 96
1983 Dégusté 14 fois en bouteille, avec des notes régulières 97
1966 Dégusté 12 fois, avec des notes régulières 96
1961 Dégusté 9 fois, avec des notes régulières 99
1945 Dégusté 2 fois, avec des notes régulières 97
1928 Dégusté 2 fois, avec des notes irrégulières 96

Complanté à 55 % en cabernet sauvignon, à 5 % en cabernet franc et, chose peu commune, à 40 % en merlot (l'excellence des vins de la propriété s'explique par le pourcentage, curieusement élevé pour un Médoc, de ce dernier cépage), ce vignoble de 45 ha donne annuellement 12 à 13 000 caisses d'un bordeaux des plus prisés, en particulier des initiés. Pourquoi ? Parce que Palmer produit souvent des vins de la qualité des meilleurs deuxièmes crus ou même des premiers crus, riches, opulents et extraordinairement aromatiques, qui rappellent aussi les Saint-Émilion et les Pomerol. Il est incontestable qu'ils doivent leur précocité et leur grande ampleur aromatique à l'importante proportion de merlot contenue dans l'assemblage final.

Le 1989 de Palmer est magnifiquement réussi. Toujours très séduisant, il est ample, riche et gras, et doit son opulence – de nouveau – à son fort pourcentage de merlot. D'un rubis-pourpre profond et opaque, il est très corsé et satiné, avec une faible acidité, et très alcoolique, mais il est aussi superbement concentré et déborde de tannins veloutés. Il sera intéressant de voir si ce vin fascinant, enthousiasmant, pourra rivaliser avec les fabuleux Palmer de 1983, 1970, 1966 et 1961. **A maturité : jusqu'en 2012.**

Le 1983, qui est l'un des vins les plus extraordinaires de ce millésime, arbore toujours une robe très soutenue de couleur pourpre-grenat et déploie des parfums intenses de fruits noirs confiturés, de viande fumée, de fleurs, de cèdre et d'épices orientales. Très corsé, puissant et extrêmement concentré, ce vin énorme et onctueux est aujourd'hui presque à maturité. Il peut être dégusté dès maintenant grâce à sa forte proportion de merlot, mais il semble prometteur pour les **20 ou 25 prochaines années.** Je demeure convaincu qu'il s'agit bien du meilleur vin de la propriété depuis le grandiose 1961.

Le 1966 s'impose toujours comme l'un des plus grands Palmer qu'il m'ait été donné de goûter. Atypique de ce millésime qui a donné tant de vins austères et anguleux, ce nectar ne se contente pas d'être riche et plein, il est également très délicat, avec beaucoup de complexité et de finesse. Je le tiens pour une des réussites de l'année, égalé seulement par Latour et Lafleur. Son bouquet entêtant, similaire à celui du 1961, révèle des arômes fruités de prune et de mûre, d'épices exotiques, de réglisse et des touches de truffe. Moyennement corsé, d'une richesse veloutée, il présente une finale longue, mûre et généreuse, ainsi qu'une tenue et une précision dans le dessin qu'il devrait conserver encore quelques années. **A maturité : au moins jusqu'en 2000.**

Le 1961 mérite bien sa réputation de vin légendaire. Actuellement à son apogée, il déploie un nez extraordinaire, doux et complexe d'arômes de fleurs, de cassis, de grillé et de minéral. D'une concentration intense, il présente en bouche un fruité généreux, opulent et très corsé, des tannins doux et une finale voluptueuse. Il s'agit vraiment d'un vin luxuriant, inégalé en qualité, à l'exception peut-être du 1983 et du 1989.

Le Palmer 1945 est l'un des rares vins de ce millésime que je qualifierais d'exceptionnellement opulent, riche et gras, avec un fruité presque trop mûr, marqué par la mâche. Riche et succulent, il déploie un fruité luxuriant et un taux d'alcool très élevé, et demeure parfait.

Le 1928 est un autre Palmer absolument extraordinaire, qui a mis plus d'un demi-siècle à atteindre la pointe de sa maturité. Je plains ceux qui l'auraient acheté dans les années 30, pensant le déguster au meilleur de sa forme de leur vivant. Ce vin, dont le bord est très marqué par des touches ambrées et de rouille, déploie un nez intense et aromatique de cake, de cèdre et de gingembre. En bouche, il est remarquablement mûr, avec de la mâche, et présente l'austérité et le côté tannique propres à ce millésime. Une bouteille conservée dans de bonnes conditions pourrait se révéler encore fabuleuse.

Autres candidats potentiels : le 1970, le 1959, le 1949 et le 1948.

PETRUS

1990　Dégusté 2 fois en bouteille, avec des notes régulières 100

1989　Dégusté 2 fois en bouteille, avec des notes régulières 98

1982　Dégusté 10 fois en bouteille, avec des notes irrégulières 97

1975　Dégusté 9 fois, avec des notes régulières 98

1970　Dégusté 13 fois, avec des notes irrégulières 99+

1964　Dégusté 8 fois, avec des notes régulières 97

1961　Dégusté 12 fois, avec des notes régulières 100

1950　Dégusté 3 fois, avec des notes régulières 100

1949　Dégusté 3 fois, avec des notes irrégulières 95

1948　Dégusté 1 fois 95

1947　Dégusté 11 fois, avec des notes régulières 100

1945　Dégusté 2 fois, avec des notes régulières 98+

Sur 8 ha, Petrus produit chaque année environ 4 000 caisses d'un vin composé à plus de 95 % de merlot et entièrement vieilli en fûts neufs, qui s'impose souvent comme un bordeaux des plus riches, des plus onctueux... et des plus chers aussi. Et si cette propriété, qui a donné de nombreux millésimes de légende (tous dans la période de l'après-guerre, avec un seul – le 1950 – dans les années 50), semblait avoir adopté un style plus léger à la fin des années 70 et dans le courant de la décennie 80, ses 1989 et 1990 sont rassurants par leur caractère puissant et costaud.

Le 1990 de Petrus signe le majestueux retour de la propriété au style massif, onctueux et profondément coloré des 1947, 1948, 1950, 1961, 1970, 1971 et 1975. Remarquablement dense et riche, il est également extrêmement tannique et gras, déployant, à la fois au nez et en bouche, des arômes exotiques de café, de tabac, d'herbes et de fruits rouges très mûrs. Il s'agit probablement du Petrus le plus puissant, le plus intense et le plus concentré depuis le 1961 – lors de la dégustation, je n'ai pu me résoudre à le recracher... Quelle légende en perspective ! A maturité : 2000-2025.

Après avoir réduit sa récolte de presque la moitié par un éclaircissage sévère en juillet-août 1989, Christian Moueix opta pour des vendanges précoces (les 5 et 6 septembre, et le reste le 14 septembre) et écarta ensuite de l'assemblage final toutes les pièces qui n'étaient pas au moins parfaites. Il signifiait ainsi très clairement que tout serait mis en œuvre pour faire un Petrus 1989 des plus profonds. Et, de fait, celui-ci se révèle irrésistible, semblable en plusieurs points au 1982, mais en plus concentré. Ce vin, dont Christian Moueix pense qu'il s'agit du meilleur qu'ait produit le domaine depuis le 1947 (je pense pour ma part que ce serait plutôt le 1990), arbore une robe pourpre tirant sur le noir et exhale un bouquet intense, spectaculaire et extrêmement concentré de cassis et de prune. Il laisse en bouche des sensations inoubliables, grâce à sa richesse en extrait absolument fabuleuse et à sa texture dense, énorme et massive. On décèle encore au nez un somptueux fruité de cerise noire marqué par des touches de chêne neuf, de moka et d'épices. Épais et extrêmement tannique, ce 1989 requiert, malgré son titre alcoométrique élevé et sa faible acidité, une garde supplémentaire d'au moins 10 ans avant de révéler son potentiel considérable. Vous aurez certainement compris qu'il s'agissait d'un Petrus qui survivra à tous les premiers grands crus classés du Médoc. A **maturité : 2000-2035.**

Le 1982, si extraordinairement parfait et d'une concentration phénoménale au fût, s'est ensuite montré étrange et en retrait pendant les 5 ou 6 années qui ont suivi sa mise en bouteille, mais il semblerait qu'il comble maintenant les espérances suscitées par la publicité démesurée que je lui ai faite à l'époque. Alors qu'il est encore à 7 ou 8 années de son apogée, sa robe dense et soutenue de couleur rubis-pourpre demeure intacte, et son nez commence tout juste à offrir d'intenses arômes de fruits noirs et mûrs, de noix grillée, de café et de vanille. En bouche, son généreux fruité visqueux et épais, qu'il déploie en couches successives, est bien étayé par une corpulence formidable et par des tannins gras et énormes. Malgré son ampleur, ce vin fait montre d'une certaine élégance racée que les amateurs de Médoc trouveront admirable. Cependant, aussi merveilleux et d'aussi longue garde que puisse être ce Petrus riche et amplement structuré, je ne suis pas sûr qu'il se montre à la hauteur de la note parfaite que je lui avais attribuée lors des dégustations initiales, même si ma confiance en lui retrouve ces temps-ci de la vigueur.

Le 1975 s'impose à la fois comme un des Petrus les plus concentrés et les plus tanniques de cette décennie et comme une des plus belles réussites du millésime. Puissant, opulent et riche, il arbore toujours une robe extrêmement soutenue et se montre massif, déployant en bouche, par paliers, un doux et généreux fruité de cassis. Fabuleusement riche en extrait, il présente des tannins énormes et une finale explosive qui laissent deviner un potentiel de garde de plusieurs dizaines d'années. En effet, ce vin monumental se conservera parfaitement 50 ans, si ce n'est plus. **A maturité : 2000-2050.**

Pendant la majeure partie de ces deux dernières décennies, le 1971 de Petrus a éclipsé son aîné d'un an, se montrant plus flatteur alors que l'autre semblait monstrueux. Ce dernier, énorme et d'une richesse en extrait phénoménale, était serré et impénétrable. Cependant, depuis cinq ans environ, le 1970 s'est révélé dans toute sa splendeur et atteindra immanquablement le seuil de la perfection au terme d'une garde supplémentaire. Outre sa robe opaque de couleur rubis-grenat foncé, il possède un nez énorme d'où surgissent de doux arômes de truffe, de réglisse, de fruits noirs et de chêne fumé, et se révèle d'une concentration phénoménale. Remarquablement frais et jeune, il est massivement doté et déborde d'extrait et de potentialités. Il s'agit d'un vin légendaire, qui promet de se conserver sur encore **une bonne trentaine d'années.**

Le 1964, dont la robe profonde de couleur rubis-grenat est tout juste marquée en bordure par quelques touches orangées et rouille, offre un bouquet énorme de fumé, de grillé, de fruits confiturés, de café et de moka. Massif, extrêmement alcoolique et gras, avec des tannins très abondants, il révèle une richesse en extrait et une persistance en bouche absolument époustouflantes. La seule critique que l'on pourrait lui adresser est qu'il est peut-être trop énorme et trop robuste. Ceux qui ont la chance de posséder quelques bouteilles de ce vin devraient les conserver encore **quelques années avant de les déguster.** Certes, ce sera dur, mais quelle récompense !

Toujours parfait, le 1961, qui est à pleine maturité et plus évolué que nombre de ses voisins (le 1961 de Latour à Pomerol, par exemple), offre au nez des arômes énormes et doux de gingembre, de menthe et d'épices exotiques, ainsi que des senteurs généreuses de fruits noirs confiturés. Sa viscosité extraordinaire et son doux fruité se conjuguent avec une remarquable richesse en extrait et un taux d'alcool relativement élevé pour donner un des vins les plus somptueux et les plus sensuels qui soient. Ce Petrus luxuriant, aux tannins bien fondus et à la robe fortement teintée de rouille et d'ambre, est à la pointe de sa maturité et sera encore merveilleux pendant 10 à 15 ans.

C'est l'extraordinaire Petrus 1950 – avec son jumeau de Lafleur – que m'a servi, il y a plusieurs années déjà, Jean-Pierre Moueix qui m'a fait prendre conscience de la splendeur de ce millésime en Pomerol. Ce vin gigantesque est encore jeune. Moins évolué que d'autres, plus récents et réellement renversants comme le 1961, il est massif et riche, déployant la robe spectaculaire et soutenue ainsi que la texture douce et onctueuse typiques de ce cru dans les années de bonne maturité. Son potentiel de garde est de 20 à 30 ans encore.

Quoique irrégulier, le 1949 s'est toujours montré énorme, épais et immense, marqué par la mâche, mais il ne possède aucunement ce caractère onctueux et semblable à celui d'un Porto que l'on retrouve dans le 1947 ou le 1950. La première fois que je l'ai dégusté, il y a plus de dix ans, il m'a semblé massif et unidimensionnel, mais extraordinairement riche. Depuis, il a commencé à révéler l'aspect énorme, exotique et charnu caractéristique de Petrus, ainsi que des arômes merveilleusement purs de prune et de cerise noire aux notes de moka et de café. Ce vin, qui évolue de belle manière, demeure remarquablement jeune à plus de 45 ans d'âge.

Les consommateurs avisés seraient bien inspirés de se mettre en quête de bouteilles de 1948 en parfait état de conservation. Dans le passé, j'ai souvent parlé de certains vins de ce millésime largement oublié et ignoré de la presse, en particulier de Vieux Château Certan, de La Mission-Haut-Brion et de Cheval Blanc, mais le Petrus 1948 m'a complètement dérouté lors de dégustations à l'aveugle, avec son nez de cèdre, de cuir, d'herbes et de cassis qui me donnait l'impression qu'il s'agissait d'un premier cru classé de Pauillac. Avec sa robe encore très dense, très légèrement orangée sur le bord, ce vin riche, plus austère et plus longiligne que d'habitude, se montre très corsé et d'une grande richesse aromatique en bouche, déployant une finale épicée et moyennement tannique. Bien qu'il ait déjà dépassé le cap de sa maturité, il est capable de tenir encore 10 à 15 ans.

Le Petrus 1947 s'impose comme le vin le plus luxuriant du siècle. Même s'il ne ressemble pas autant à un Porto que le Cheval Blanc de la même année, il n'en est pas moins massif, onctueux et visqueux, avec une puissance, une richesse et un doux fruité absolument étonnants. Son nez explose littéralement d'arômes de fruits confiturés, de fumé et de caramel crémeux, et sa viscosité rappelle celle d'une huile de moteur. Il est en fait tellement doux, épais et riche, qu'une cuiller semblerait presque pouvoir y tenir debout seule... Ce vin, qui révèle un fruité généreux et féerique, ainsi qu'un taux d'alcool très élevé et des tannins bien fondus, pourrait être bu dès maintenant, compte tenu précisément de toutes ces qualités et de son caractère gras, mais il pourra aisément tenir encore 20 ans.

Autant le 1947 se montre énorme, juteux, succulent et fruité, autant le 1945 est peu évolué, tannique et colossal, et requiert une garde supplémentaire de 5 à 10 ans. Sa robe est plus marquée par des notes de pourpre que celle du 1947, et son nez offre des arômes de fruits noirs, de réglisse, de truffe et de viande fumée. Ce vin massif, d'une grande richesse en extrait et aux tannins formidablement présents, est tout simplement un géant qui sommeille et qui pourrait se révéler parfait.

Autre candidat potentiel : le 1971.

PICHON-LONGUEVILLE COMTESSE DE LALANDE

1986 Dégusté 7 fois en bouteille, avec des notes régulières **96**

1982 Dégusté 25 fois en bouteille, avec des notes régulières **99-100**

Depuis la fin des années 1970, le Château Pichon-Longueville Comtesse de Lalande (appelé Pichon-Comtesse ou Pichon-Lalande par les amateurs) s'impose comme l'un des plus réguliers d'excellence du Bordelais. Ses vins, qui comptent parmi les plus renommés de France, sont en général souples et riches, d'une finesse et d'une complexité somptueuses. Ils peuvent pour la plupart être dégustés dès leur jeunesse et sont relativement disponibles sur le marché. Bien que cette propriété ne figure qu'à deux titres dans cette nomenclature des bordeaux du siècle, elle a donné toute une série de vins délicieux et bien faits. Son vignoble de 75 ha, complanté à 45 % en cabernet sauvignon, à 35 % en merlot, à 8 % en petit verdot et à 12 % en cabernet franc, produit annuellement plus de 25 000 caisses.

Le Pichon-Lalande 1986 est probablement le vin le plus amplement structuré qui ait été fait au château ces trente dernières années. Je doute qu'il puisse un jour faire de l'ombre au 1982, mais il sera certainement de plus longue garde. De couleur rubis-pourpre foncé, avec un nez serré mais profond de cèdre, de cassis, de chêne épicé et de minéral, il est très corsé, extrêmement concentré et déploie un équilibre exceptionnel. Cependant, il est totalement atypique – trop énorme et trop costaud pour être dégusté dans sa jeunesse. **A maturité : jusqu'en 2015.**

J'ai eu l'occasion de goûter le Pichon-Lalande 1982 aussi souvent que n'importe quel autre bordeaux de cette même année, et, aussi étonnant que cela puisse paraître, tous mes commentaires de dégustation (plus de deux douzaines) font ressortir des notes supérieures à 95. En bref, Pichon-Lalande, ou n'importe quel autre Pauillac, n'aurait jamais pu être meilleur que ce vin très corsé, onctueux, extrêmement complexe et concentré. Tout en lui, depuis son bouquet explosif de cèdre, de cassis, d'herbes et d'épices jusqu'à son fruité riche et généreux qui tapisse le palais, est époustouflant. Se refermera-t-il un jour ou commencera-t-il à perdre de son fruité ? On remarque cependant que sa robe est maintenant légèrement ambrée sur le bord (celles des autres Pauillac de la même année sont intactes), mais il faut garder à l'esprit qu'aucun autre 1982 de l'appellation ne contient un aussi fort pourcentage de merlot (40 %) – ceci expliquant certainement cela. Impossible à trouver si ce n'est à des prix astronomiques, ce grandiose Pichon-Lalande, qui sera très beau sur les **10 à 15 ans** à venir, rassemble à lui seul toutes les qualités d'un grandissime bordeaux. Quant à son prix de lancement en primeur (550 F la caisse), il semble irréel aujourd'hui.

Autres candidats potentiels : le 1989 et le 1983 sont bien placés, mais les 1961, 1959, 1953 et 1945 sont actuellement sur le déclin.

LE PIN

1990 Dégusté 4 fois en bouteille, avec des notes régulières **95**
1983 Dégusté 7 fois en bouteille, avec des notes régulières **98**
1982 Dégusté 7 fois en bouteille, avec des notes régulières **99**

La famille Thienpont, qui est également propriétaire du célèbre Vieux Château Certan à Pomerol, a fait de ce minuscule vignoble d'un peu plus de 1 ha un véritable petit bijou. Complanté à 88 % en merlot et à 12 % en cabernet franc, il ne produit chaque année que 500 à 700 caisses d'un vin qui s'affiche comme l'égal de Petrus en intensité et en richesse. Le premier millésime (le 1979) ainsi que les suivants ont été particulièrement appréciés des amateurs de vins extrêmement riches, très onctueux et intensément marqués par des arômes de chêne. Le Pin s'impose souvent comme le plus exotique et le plus luxuriant de tous les bordeaux.

D'une grande richesse en extrait et d'une belle précision dans le dessin, le 1990 impressionne par sa persistance en bouche et par sa profondeur. Il exhale aussi un nez flamboyant de fruits noirs, d'épices exotiques et de chêne neuf et fumé, et l'on retrouve bien en bouche cette texture voluptueuse qui a contribué à faire de ce vin un objet de culte. La finale est d'une intensité renversante, avec des tannins suffisants pour permettre un vieillissement harmonieux sur les 10 prochaines années. Mais qui saurait y résister maintenant ? Il s'agit quand même du vin le plus grandiose qui ait été fait au château depuis 1982 et 1983 – et n'oubliez pas que j'ai tendance à les sous-estimer dans leur jeunesse. **A maturité : jusqu'en 2005.**

Outre son bouquet énorme d'où jaillissent des arômes de chêne fumé, d'épices et de fruits doux, le 1983 révèle une texture splendide, opulente et voluptueuse, et déploie cette douceur fabuleuse et ce fruité mûr qui sont la griffe de la propriété. Avec un taux d'acidité assez bas, il est également très gras et superbement riche en extrait, avec une finale sensationnelle. S'il a pu paraître plus léger dans son enfance, présentant moins de richesse aromatique à la fois au nez et en bouche, il s'impose, maintenant qu'il est à la pointe de sa maturité, comme un des deux ou trois exemples que je préfère de ce vin exotique et coquin. **A boire dans les 6 ou 7 ans.**

Quant au 1982, il est le parfait exemple de l'étoffe et de la richesse que Le Pin acquiert au vieillissement. Bien qu'il ne se soit jamais montré léger dans sa jeunesse, il est maintenant semblable à un vin de Porto, offrant la même texture visqueuse et épaisse et le même fruité doux et généreux que certains bordeaux de 1961, 1959 et 1947. Son nez, autrefois dominé par de pures notes de cassis mûr et de chêne neuf et grillé, présente aujourd'hui des arômes complexes allant du café, du moka et du chocolat aux herbes aromatiques et à la mûre. On distingue en bouche un fruité extraordinairement profond, une viscosité et une richesse incroyables, ainsi qu'une finale étonnamment douce et opulente. Il s'agit d'un 1982 magnifique, que vous pourrez apprécier dès maintenant. **A boire dans les 7 ou 8 ans.**

TROPLONG-MONDOT

1990 Dégusté 4 fois en bouteille, avec des notes régulières **94**

J'espère que ceux qui m'auront suivi sur le 1990 de Troplong-Mondot réalisent maintenant qu'il s'agit vraiment d'un des meilleurs vins de ce siècle. En effet, cette propriété phare du Saint-Émilionnais produit des vins absolument formidables depuis 1988. Sur ce vignoble de 30 ha, complanté à 65 % en merlot, à 15 % en cabernet sauvignon et à 10 % chacun en malbec et en cabernet franc, Christine Fabre-Valette fait des vins atypiques, riches et concentrés, mais toujours étonnamment élégants et complexes.

Dans la course au titre de meilleur vin du siècle, le 1990 de Troplong-Mondot demeure une valeur sûre – si tant est que vous puissiez encore en trouver sur le marché. Outre sa robe impressionnante et opaque de couleur rubis-pourpre foncé, ce vin exhale un bouquet riche et pénétrant de minéral, d'herbes aromatiques, d'anis, de chêne neuf et épicé, et de fruits noirs. D'une concentration fabuleuse en bouche, il allie merveilleusement la puissance, la finesse et des arômes très précis, moyennement corsés et richement dotés, pleins de grâce et marqués par la mâche. Montrant une bonne acidité et des tannins doux et modérés, il est bien plus riche et plus tannique que l'extraordinaire 1989. **A boire dans les 10 à 20 ans.**

TROTANOY

1982 Dégusté 10 fois en bouteille, avec des notes régulières **96**
1975 Dégusté 13 fois, avec des notes régulières **94**
1970 Dégusté 9 fois, avec des notes régulières **96**
1961 Dégusté 7 fois, avec des notes régulières **98**
1945 Dégusté 4 fois, avec des notes régulières **95**

Ce minuscule vignoble de 8,5 ha, complanté à 90 % en merlot et à 10 % en cabernet franc, produit tout juste un peu plus de 3 500 caisses annuellement. Il reste maintenant à savoir s'il atteindra les mêmes sommets de régularité et d'excellence que dans les années 40 à 70, car son dernier grand millésime semble être le 1982. Trotanoy peut souvent être confondu avec Petrus, mais la richesse et la puissance de ce dernier vin l'ont complètement éclipsé dans les quinze dernières années.

Tout juste à pleine maturité, le 1982 présente une robe dense et soutenue de couleur rubis-pourpre et exhale un bouquet énorme, débordant d'arômes de groseille confiturée, de chêne épicé, de chocolat, de café et d'herbes aromatiques. Extrêmement concentré et précoce, ce vin massif mais onctueux et velouté se révèle époustouflant ; il devrait se conserver sur les **15 à 20 prochaines années.** Mais quel dommage qu'il s'agisse du dernier grand Trotanoy ! On peut cependant espérer que les vins de cette propriété montreront davantage de richesse à mesure que l'âge moyen des vignes augmentera, une grande partie du vignoble ayant été replantée au début et au milieu des années 70.

Le 1975 de Trotanoy est une réussite magnifique. Très concentré, il déploie en bouche des arômes fruités et amples, riches, longs et profonds, et révèle au nez des senteurs de tabac, de caramel mou, de cuir et de mûre qui se conjuguent en un bouquet sensationnel et complexe. Vous dégusterez cet excel-

lent vin charnu, très corsé et velouté sur les 7 ou 8 ans à venir. **A maturité :
jusqu'en 2005.**

Quand j'ai découvert le 1970 lors de dégustations de bordeaux vers le milieu
de cette même décennie, ce vin se classait toujours premier, en grande partie
grâce à sa puissance massive, à sa richesse et à ses tannins extrêmement
abondants. Aujourd'hui, rien de tout cela n'a changé, et il se montre aussi
impressionnant qu'alors, avec des tannins toujours aussi présents et un fruité
aussi richement extrait. Sa robe opaque de couleur prune-grenat n'est aucunement marquée par le temps, et il déploie un nez moyennement intense de
truffe, de minéral, de terre, de cassis doux et de caramel. Très corsé, dense
et riche, il fait également preuve d'une extraction de fruit assez massive. Je
conseille vivement à ceux d'entre vous qui posséderaient des bouteilles en
parfait état de conservation de patienter encore 1 ou 2 ans avant de les ouvrir :
elles seront ensuite impeccables pendant **25 à 30 ans.**

Le 1961, que j'ai toujours noté entre 95 et 100, est incontestablement le
plus grandiose Trotanoy de la période de l'après-guerre. Il présente une robe
épaisse et soutenue de couleur prune et encre, tout juste ambrée sur le bord,
et offre au nez un bouquet de framboise sauvage confiturée, de fumé, de girofle,
de goudron et de caramel absolument magnifique et renversant. Très gras et
d'une très belle extraction, il déploie en bouche des arômes denses, onctueux,
épais et doux, et se montre massif, très corsé et étonnamment riche. Ce vin,
qui est maintenant à pleine maturité, devrait se conserver encore **10 à 20 ans.**

Avec sa robe presque noire, le 1945 offre un nez réticent, mais naissant, de
minéral, de réglisse et de prune confiturée. Encore impénétrable et terriblement
tannique, il est d'une concentration et d'une richesse en extrait tellement stupéfiantes qu'on ne peut qu'espérer que toutes ces composantes se fondront un
jour. Si tel était le cas, ce vin aurait un potentiel de garde de 100 ans. A
l'heure actuelle, il n'est pas encore prêt à boire, et ceux qui ont la chance
d'en posséder quelques bouteilles devraient soit le décanter sept ou huit heures
avant de le goûter, soit **attendre 15 à 20 ans** pour ce faire... ou encore d'ores
et déjà inscrire leurs enfants à une session d'initiation à la dégustation. Quel
vin étonnant !

Autre candidat potentiel : le 1971.

VIEUX CHÂTEAU CERTAN

1990   Dégusté 4 fois en bouteille, avec des notes régulières 94
1952   Dégusté 3 fois, avec des notes régulières 94
1950   Dégusté 5 fois, avec des notes régulières 97
1948   Dégusté 8 fois, avec des notes régulières 98
1947   Dégusté 7 fois, avec des notes régulières 97
1945   Dégusté 2 fois, avec des notes régulières 98-100
1928   Dégusté 1 fois 96

Depuis la fin de la Seconde Guerre mondiale jusqu'au début des années
50, Vieux Château Certan a donné des vins d'une qualité extraordinaire, dont
la richesse, la complexité et la régularité n'étaient surpassées que par celles
d'une poignée d'autres propriétés du Bordelais. Après un creux au cours des

années 60 et 70, ce vignoble, qui jouxte Petrus sur le plateau de Pomerol, s'est relevé au début de la décennie 80 ; il ne donne cependant plus des vins aussi énormes et aussi massifs que par le passé. Sa superficie de près de 14 ha comprend une proportion inhabituellement importante de cabernet sauvignon (20 %), 5 % de malbec, 25 % de cabernet franc et 50 % de merlot, ce dernier pourcentage étant relativement faible pour l'appellation. Il s'agit de l'un des plus grands crus de la région, que vous rechercherez dans les ventes aux enchères, en particulier dans les millésimes ci-après.

Profondément coloré, avec un nez merveilleusement odorant d'herbes, de fruits rouges, de chêne et d'épices exotiques, l'incontournable 1990 déploie une opulence et une maturité étonnantes. Plus onctueux que ce que fait ce château d'habitude, il présente également une structure et une précision dans le dessin absolument admirables. D'une acidité plus faible que le 1989, il possède davantage de richesse en extrait et se révèle moyennement corsé, multidimensionnel et extrême. **A maturité : jusqu'en 2010.**

Le 1952 de Vieux Château Certan est en parfaite forme. Doux, avec des arômes de cèdre, ce géant qui sommeille déploie un nez énorme de bois de noyer, de fumé et de grillé qui rappelle un Graves de premier ordre. Très corsé, fabuleusement concentré et riche, il est encore très tannique et très jeune, et se conservera aisément **10 à 20 ans.**

Le 1950 (millésime extraordinaire en Pomerol) est remarquablement riche et encore jeune, avec une robe d'un grenat-poupre étonnant et des arômes sensationnels et mûrs de chocolat et de cassis mêlés à des senteurs d'herbes, de réglisse, d'épices orientales et de café. Très corsé, aussi visqueux qu'un Porto (rappelant en cela le 1947), ce gros calibre compte certainement au nombre des vins les plus puissants et les plus méconnus de ce siècle.

Le Vieux Château Certan 1948 est un autre vin grandiose et profond de ce millésime oublié des années 40. Je l'ai dégusté quatre fois en 1994, et il s'est toujours montré exceptionnel. Sa robe opaque, de couleur grenat-pourpre foncé, prélude à un nez énorme et exotique de caramel, de cassis doux, de sauce soja, de noix et de café. En bouche, il déploie des arômes épais et fabuleusement concentrés marqués par la mâche, ainsi que des tannins très abondants qui tapissent le palais. Étonnamment gras et très alcoolique, il est également extrêmement concentré, et, bien que déjà à pleine maturité, il ne montre aucun signe de déclin, ce qui permet de lui prêter **15 à 20 ans** de vie supplémentaire. Remarquable !

Le 1947 est un vin époustouflant que je déguste régulièrement depuis long-temps. Typique des Pomerol de cette année, il a cette texture visqueuse, sem-blable à celle d'un Porto, qui est la marque du millésime. Plus évolué que le 1948, il révèle au nez des senteurs de fumé, de viande, de truffe et de cassis, et déploie en bouche des arômes très gras, très alcooliques et richement extraits, marqués par la mâche. Sa robe est aussi plus ambrée que celle de son cadet d'un an, mais quel grand vin ! Comme tant d'autres Pomerol, il est d'une onctuosité et d'une épaisseur telles qu'on se demande si une cuiller n'y tiendrait pas debout toute seule. **A boire dans les 10 à 12 ans.**

Le 1945, que j'ai dégusté deux fois en lui décernant une excellente note, est une réussite merveilleuse dans un millésime qui peut être terriblement tannique. Sa robe très sombre, de couleur prune, a juste pris une touche grenat sur le bord, et son nez énorme exhale des arômes de viande fumée, de framboise sauvage, de prune, de réglisse et de goudron. Dense, puissant et extrêmement tannique, avec de la mâche, d'une richesse en extrait absolument époustouflante, ce vin explosif semble être déjà à pleine maturité ; pourtant, je ne vois vraiment pas ce qui pourrait l'empêcher de tenir encore **deux décennies**.

Avec sa robe grenat foncé très ambrée sur le bord, le 1928 déploie un nez épicé, poivré, herbacé et doux de caramel et de fruits noirs. En bouche, il se montre très corsé et libère des arômes énormes marqués par la mâche, ainsi que des tannins très abondants et une finale rustique et astringente. Ce vin est en parfaite forme et se maintiendra pendant encore **10 à 20 ans**.

Autre candidat potentiel : le 1959.

AUTRES CANDIDATS

Il y a au moins une douzaine d'autres vins qui pourraient figurer en bonne place dans cette nomenclature des plus grands bordeaux rouges du XXe siècle. Une bonne moitié d'entre eux proviendraient du minuscule Château La Tour-Haut-Brion, qui a longtemps été le second vin de La Mission-Haut-Brion. Ceux qui en auront goûté le 1982 (noté 94), le 1975 (97), le 1961 (95), le 1959 (97), le 1955 (94) et le 1949 (98), ainsi que le très irrégulier mais potentiellement superbe 1947 (94), reconnaîtront que cette propriété, qui est maintenant largement oubliée des connaisseurs bordelais, a donné nombre de vins extraordinairement riches, charnus, très corsés et très puissants, qui ont parfaitement résisté à l'épreuve du temps. De plus, La Tour-Haut-Brion étant toujours dans une ombre relative compte tenu du plus grand prestige (d'ailleurs mérité) dont jouissent ses voisins La Mission et Haut-Brion, il y a de fortes chances que les vins de ce château puissent être achetés à des prix raisonnables aux enchères.

Pontet-Canet est une autre de ces propriétés qui ont souvent été reléguées à l'arrière-plan compte tenu du nombre d'excellents Pauillac qui sont produits chaque année. Sous la houlette de la famille Tesseron, ce vaste vignoble qui jouxte Mouton-Rothschild a connu un essor de qualité particulier depuis la fin des années 80. Il a incontestablement à son actif trois des plus grands vins de ce siècle, notamment un 1961 qui demeure extraordinaire, un 1945 qui illustre parfaitement à la fois le millésime et l'appellation, et un 1929, certes maintenant sur le déclin, mais qui s'est longtemps imposé comme un Pauillac luxuriant, doux et opulent. Si vous avez la chance de trouver de ces vieux millésimes (à condition toutefois qu'il s'agisse de flacons ayant été impeccablement conservés), je suis sûr que vous pourrez les acheter à prix raisonnables, étant donné la cote actuelle de cette propriété.

Le Château Cantemerle connaît lui aussi une certaine renaissance. Les récents 1983 et 1989, d'excellente qualité, ont suscité un intérêt considérable, et les 1953 et 1959 comptent au nombre des belles réussites oubliées du Bordelais. Cela fait plusieurs années maintenant que je n'ai dégusté aucun de ces deux vins, et je pense que le 1953 en bouteille standard est actuellement sur le déclin. Cependant, en grand format et bien conservé, il demeure probablement fascinant. Le 1949 est également extraordinaire, et je présume que les bouteilles qui auront été impeccablement stockées dégageront les mêmes parfums entêtants et se montreront aussi riches et veloutées qu'elles l'étaient il y a vingt ans.

Le Tertre-Rotebœuf, dernier venu sur la scène du théâtre bordelais, a aussi donné deux des plus grands vins de ce siècle. Le propriétaire de ce minuscule château de moins de 5 ha est un grand passionné qui cherche à faire des vins d'une richesse en extrait et d'une intensité semblables à celles des « grands » de la rive droite, comme Petrus, Lafleur, L'Évangile et Certan de May. Le 1989 (noté 94) et le 1990 (96) sont tous deux extraordinaires, mais les puristes ne sont pas encore décidés à reconnaître les mérites de ce vignoble.

LES PLUS GRANDS MILLÉSIMES DU SIÈCLE

1900   Une récolte énorme a donné des vins très corsés et très mûrs, opulents et de faible acidité. A l'époque, on les considérait également comme extrêmement fruités, riches, précoces et alcooliques.

1920   Très petite récolte. Les vins étaient très concentrés et moyennement tanniques. Je ne les ai que très rarement dégustés ces dernières années, car ils sont pratiquement introuvables.

1921   Année classique, sèche et chaude, avec des vins opulents, au caractère rôti, que l'on rapprocherait aujourd'hui des 1959, des 1982, des 1989 et des 1990. De tous les grands vins de ce millésime, je n'en ai trouvé aucun qui ait bien résisté à l'épreuve du temps et qui vaille la peine d'être acheté. Cependant, Cheval Blanc, en grand format, pourrait présenter quelque intérêt.

1926   Ce millésime s'est révélé de plus haute volée que le 1921 et le 1929, plus prisés, et, lors des dernières dégustations, j'ai trouvé que les meilleurs crus étaient encore intenses, tanniques, puissants et concentrés.

1928   Les meilleurs crus de ce millésime, qui évolue encore plus lentement que 1945 et 1975, se révèlent souvent somptueux actuellement. De manière tout à fait remarquable, il est difficile de trouver un 1928 qui soit sorti de son enfance : tous sont encore extrêmement tanniques.

1929   Alors qu'on les trouvait trop goûteux dans leur jeunesse pour durer, les 1929 sont toujours splendides et opulents, riches et veloutés. Les anciens sont étonnés de constater qu'ils ont encore, plus de cinquante ans après, leur fruité et leur intensité spectaculaires. Il se pourrait bien qu'il s'agisse du millésime le plus séduisant de ce siècle, mais il est malheureusement impossible de mettre la main sur une bouteille qui soit en parfait état de conservation. Cependant, si j'en avais les moyens, je pense que je n'achèterais que du Latour, de La Mission-Haut-Brion et du Mouton-Rothschild de cette année, qui peuvent tous trois prétendre au titre de réussite du siècle.

1945   Année historique à plusieurs titres, 1945 l'est aussi pour le Bordelais. Si elle a en effet donné nombre de vins excessivement tanniques, rugueux et terriblement durs (qui le sont encore de nos jours), on y trouve également des réussites spectaculaires qui font de ce millésime une référence du siècle.

1947   Un climat caniculaire, avant et pendant les vendanges, a posé de sérieux problèmes à nombre de châteaux, en particulier dans le Médoc. Cette région a néanmoins enregistré des réussites magnifiques, notamment chez

Mouton-Rothschild et Calon-Ségur. Pour Pomerol et Saint-Émilion, il s'agit carrément d'un millésime exceptionnel, et Cheval Blanc, Petrus, Lafleur et L'Évangile sont au nombre des vins les plus concentrés que je connaisse, semblables à des Porto. Aujourd'hui encore, ils demeurent extraordinaires, avec une douceur et un fruité opulent toujours inégalés. Dans les Graves, La Mission-Haut-Brion est tout simplement fabuleux.

1948 Millésime oublié de la fin des années 40 car pris en sandwich entre d'autres plus spectaculaires, 1948 a évolué lentement mais sûrement. Il offre suffisamment de vins profonds (Latour, Mouton-Rothschild, Cheval Blanc, Petrus, Vieux Château Certan, La Mission-Haut-Brion, Léoville-Barton) pour qu'on puisse le considérer comme le plus sous-estimé et le plus sous-coté de ce siècle.

1949 Les 1949 sont à mon avis les bordeaux les plus classiques et les plus harmonieux du siècle. Le millésime offre certes quelques vins fort décevants (Ausone et Lafite-Rothschild sont en tête des propriétés sous-performantes cette année-là), mais Latour, Mouton-Rothschild, La Mission-Haut-Brion, Haut-Brion, Cheval Blanc et La Conseillante peuvent se montrer fabuleux.

1950 (Pomerol uniquement) Un millésime absolument remarquable sur lequel j'ai attiré l'attention des consommateurs dans mon journal *The Wine Advocate* et dans mes ouvrages sur les vins de Bordeaux. L'excellence de certains vins, tels Lafleur, Petrus, Vieux Château Certan et Latour à Pomerol, donnent à penser qu'il s'agissait d'une année très ensoleillée, aux rendements extrêmement bas. Les Pomerol, en particulier, demeurent splendides et sont si extraordinairement mûrs, grandioses et intenses qu'il est impossible de les ignorer. Ce sont vraiment des vins à acheter si vous en avez l'occasion.

1953 Ce millésime, incontestablement grandiose, s'est plutôt révélé « sprinteur » que « coureur de fond ». Si l'on en croit les anciens, les 1953 étaient délicieux, complexes et pleins de charme dans leur jeunesse. Cependant, les acheter aujourd'hui serait pour le moins risqué, sauf s'il s'agit de grands formats ou si les bouteilles proviennent directement de l'acheteur initial qui les aura conservées dans une cave fraîche et humide. En effet, actuellement, les 1953 se révèlent fragiles en bouteille. En revanche, en magnum, ils demeurent les vins les plus élégants, les plus complexes et les plus aromatiques du siècle. Ils ne sont certes pas aussi musclés, aussi amples ou aussi puissamment massifs que les 1945 ou les 1959, mais ils représentent la quintessence même de l'élégance.

1955 (Graves et Pauillac uniquement) Les vins de Pauillac et des Graves furent superbes cette année-là ; tout comme 1948 et 1950 (pour les Pomerol), 1955 est un millésime sous-estimé et sous-coté.

1959 A l'instar des 1929, 1961, 1982 et 1990, les 1959 ont été vivement décriés par les technocrates pour leur caractère trop ostentatoire, leur trop grande richesse aromatique et leur faible niveau d'acidité. Bien que ces reproches soient en partie fondés, le millésime s'impose néanmoins comme l'un des plus grandioses de ce siècle, en particulier dans les Graves et en Médoc. Pomerol et Saint-Émilion ont fait des vins moins réussis – ils n'étaient pas encore remis des gelées dévastatrices de 1956.

1961 Un millésime grandiose qui a donné des vins spectaculaires, les meilleurs de ceux-ci étant d'une intensité extraordinaire et d'une concentration fabuleuse, avec un doux fruité opulent et riche. Cependant, hormis le monumental Château Latour, ils ont évolué relativement rapidement, dépassant même en cela les 1959, alors que, ironie du sort, les prescripteurs avaient précisément stigmatisé ce dernier millésime comme étant d'évolution plus rapide.

1964 (Pomerol, Saint-Émilion et Graves uniquement) Lorsque les pluies diluviennes se sont abattues sur le Bordelais en 1964, les vendanges de Pomerol, de Saint-Émilion et des Graves, qui s'étaient déroulées de manière tout à fait classique, étaient déjà achevées. Le Médoc, où l'on commençait tout juste à récolter, est passé à côté d'un millésime potentiellement grandiose. C'est ainsi que les vins de la rive droite et des Graves sont spectaculaires, alors que, dans le même temps, les Médoc médiocres sont légion. Mais puisque c'est cette appellation qui crée la réputation des bordeaux, le millésime 1964 a été relégué à l'arrière-plan, et l'on peut trouver quelques beaux vins de cette année à prix intéressants.

1970-1979 1970 demeure bien entendu une année de référence, et, si 1975 compte nombre de vins grandioses, beaucoup se montrent encore compliqués et extrêmement tanniques. Et aussi bons que puissent être les 1971, 1976, 1978 et 1979, aucun millésime de cette décennie n'a donné suffisamment de grands vins pour être retenu ici. Cependant, 1975 pourrait éventuellement se révéler fabuleux pour les Pomerol.

1982 Si l'on fait abstraction des Margaux, plutôt doux et parfois même mous (à l'exception du monumental Château Margaux, réplique de l'immortel 1900), seuls les imbéciles songeraient à contester le fait que le millésime 1982 est absolument grandiose. Cette année abondante a en effet donné, de manière générale, des vins extrêmement riches et corsés, qui se montrent encore très tanniques (et ce même à *ma* plus grande surprise). Leurs prix ont augmenté de 300 à 500 % depuis leur mise sur le marché, les consacrant ainsi comme les bordeaux les plus chers après les légendaires 1961. Pour ce qui est du style, ils seraient un mélange hypothétique des 1959 et des 1949. Les Graves, les Pomerol et les Saint-Émilion, riches, épais et puissants, procurent un plaisir exceptionnel à la dégustation, tandis que les vins du nord du Médoc demeurent immenses et massifs, peu évolués et denses. Ce millésime se fera de plus en plus rare sur le marché – de plus en plus cher aussi.

1985 Régulier à très haut niveau, le millésime 1985 offre des vins somptueusement séduisants et charmeurs, qui évoluent rapidement. Tous présentent les qualités nécessaires pour se montrer élégants et équilibrés au cours des décennies à venir. Seraient-ils la réplique des 1953 ?

1986 Au contraire des 1985, plutôt doux, généreux et accessibles, les 1986 sont forgés par la puissance et la maturité du cabernet sauvignon. Les Médoc (Saint-Estèphe, Pauillac, Saint-Julien, Margaux) sont grandioses et pourraient être de très longue garde. Riches et concentrés, ils sont encore peu évolués, et seuls quelques-uns d'entre eux seront prêts à être dégustés avant la fin de ce siècle.

1989 De prime abord, les 1989 semblaient la répétition des 1982, mais seul un petit nombre d'entre eux offrent la même concentration et la même richesse en extrait que ces derniers. Ostentatoires, gras et mûrs, ils se referment déjà et révèlent plus de structure et un potentiel de garde plus important. Dans ce millésime sculpté par une
sécheresse et une chaleur intenses, aucun des premiers crus du Médoc ne s'est montré à la hauteur de sa noble réputation, mais La Mission et Haut-Brion ont donné des vins qui sont au nombre des plus profonds de ce siècle. Il s'agit également d'une superbe année pour les Pomerol.

1990 Massif et puissant, 1990 s'impose de plus en plus comme un sérieux rival de 1982 pour le titre du millésime le plus grandiose après 1959 et 1961. Plus riches, plus complets et plus denses que les 1989, les 1990 sont également plus structurés et plus tanniques. Cependant, ces deux années ont en commun une douceur et une maturité de fruité absolument extraordinaires. Les initiés et les spéculateurs ont entassé des stocks de 1990, de préférence aux 1989, et, aujourd'hui, ce millésime s'impose comme celui que l'on se doit de posséder. Cependant, les disponibilités sont maintenant très réduites.

LES MEILLEURS PRODUCTEURS DE BORDEAUX ROUGE

***** EXCEPTIONNEL

Angélus (Saint-Émilion)
Beauséjour-Duffau
 (Saint-Émilion)
Canon-La Gaffelière
 (Saint-Émilion)
Cheval Blanc (Saint-Émilion)
Clinet (Pomerol)
La Conseillante (Pomerol)
Cos d'Estournel (Saint-Estèphe)
Ducru-Beaucaillou (Saint-Julien)
L'Évangile (Pomerol)
La Fleur de Gay (Pomerol)
Haut-Brion (Graves)
Lafite-Rothschild (Pauillac)
Lafleur (Pomerol)
Latour (Pauillac)

Léoville-Las Cases (Saint-Julien)
Lynch-Bages (Pauillac)
Château Margaux (Margaux)
La Mission-Haut-Brion (Graves)
Mouton-Rothschild (Pauillac)
Palmer (Margaux)
Petrus (Pomerol)
Pichon-Longueville Baron (Pauillac)
Pichon-Longueville Comtesse
 de Lalande (Pauillac)
Le Pin (Pomerol)
Le Tertre-Rotebœuf
 (Saint-Émilion)
Troplong-Mondot
 (Saint-Émilion)

**** EXCELLENT

L'Arrosée (Saint-Émilion)
Ausone (Saint-Émilion)

Bon Pasteur (Pomerol)
Canon (Saint-Émilion)

Certan de May (Pomerol)
Domaine de Chevalier (Graves)
Clerc-Milon (Pauillac)
La Dominique (Saint-Émilion)
Duhart-Milon-Rothschild
   (Pauillac)
L'Église-Clinet (Pomerol)
Ferrand-Lartigue
   (Saint-Émilion)
De Fieuzal (Graves)
Figeac (Saint-Émilion)
La Fleur-Petrus (Pomerol)
Gazin (Pomerol)
La Gomerie (Saint-Émilion)
Grand-Mayne (Saint-Émilion)
Grand-Puy-Lacoste (Pauillac)
Gruaud-Larose
   (Saint-Julien)****/*****
Haut-Bailly (Graves)
Haut-Marbuzet
   (Saint-Estèphe)****/*****

Lagrange
   (Saint-Julien)****/*****
La Lagune (Ludon)
Latour à Pomerol (Pomerol)
Léoville-Barton
   (Saint-Julien)****/*****
La Louvière (Graves)
Monbousquet (Saint-Émilion)
Montrose
   (Saint-Estèphe)****/*****
Pape-Clément (Graves)
Pavie-Macquin (Saint-Émilion)
Petit-Village (Pomerol)
Phélan-Ségur (Saint-Estèphe)
Prieuré-Lichine (Margaux)
Rauzan-Ségla (Margaux)****/*****
Sociando-Mallet (Haut-Médoc)
Talbot (Saint-Julien)
Trotanoy (Pomerol)
Valandraud (Saint-Émilion)
Vieux Château Certan (Pomerol)

*** BON

D'Angludet (Margaux)
D'Armailhac (Pauillac)
Bahans-Haut-Brion (Graves)
Balestard-La Tonnelle
   (Saint-Émilion)
Batailley (Pauillac)
Beau-Séjour-Bécot
   (Saint-Émilion)
Beauregard (Pomerol)
Bel-Air (Lalande-de-Pomerol)
Bellefont-Belcier (Saint-Émilion)
Belles-Graves
   (Lalande-de-Pomerol)
Bertineau Saint-Vincent
   (Lalande-de-Pomerol)
Beychevelle (Saint-Julien)
Bonalgue (Pomerol)
Le Boscq (Médoc)
Branaire-Ducru (Saint-Julien)
Cadet-Piola (Saint-Émilion)

Calon-Ségur (Saint-Estèphe)
Canon (Canon-Fronsac)
Canon de Brem
   (Canon-Fronsac)
Canon-Moueix (Canon-Fronsac)
Cantemerle (Macau)
Cantenac-Brown (Margaux)
Cap de Mourlin (Saint-Émilion)
Carbonnieux (Graves)
De Carles (Fronsac)
Les Carmes-Haut-Brion (Graves)
Cassagne-Haut-Canon-La Truffière
   (Canon-Fronsac)
Certan-Giraud (Pomerol)
Chantegrive (Graves)
La Chapelle de La Mission (Graves)
Chasse-Spleen (Moulis)***/****
Chauvin (Saint-Émilion)
Citran (Haut-Médoc)
Clos du Clocher (Pomerol)

Clos Fourtet (Saint-Émilion)
Clos des Jacobins
   (Saint-Émilion)
Clos du Marquis (Saint-Julien)
Clos de l'Oratoire
   (Saint-Émilion)
Clos René (Pomerol)
Clos Saint-Martin
   (Saint-Émilion)
La Clotte (Saint-Émilion)
Corbin (Saint-Émilion)
Corbin-Michotte (Saint-Émilion)
Cormeil-Figeac (Saint-Émilion)
Cos Labory (Saint-Estèphe)
Coufran (Haut-Médoc)
Courrière-Rongieras
   (Lussac-Saint-Émilion)
La Couspaude (Saint-Émilion)
Coutelin-Merville (Saint-Estèphe)
Couvent des Jacobins
   (Saint-Émilion)
La Croix du Casse (Pomerol)
La Croix de Gay (Pomerol)
Croque-Michotte (Saint-Émilion)
Dalem (Fronsac)
La Dame de Montrose
   (Saint-Estèphe)
Dassault (Saint-Émilion)
Daugay (Saint-Émilion)
La Dauphine (Fronsac)
Domaine de L'Église (Pomerol)
L'Enclos (Pomerol)
De Ferrand (Saint-Émilion)
La Fleur de Jaugue
   (Saint-Émilion)
Fongaban
   (Puisseguin-Saint-Émilion)
Fonplégade (Saint-Émilion)
Fontenil (Fronsac)
Les Forts de Latour (Pauillac)
Fourcas-Loubaney (Listrac)
La Gaffelière (Saint-Émilion)
La Garde Réserve du Château
   (Graves)
Le Gay (Pomerol)
Giscours (Margaux)***/****
Gloria (Saint-Julien)
Gombaude-Guillot (Pomerol)

Grand Corbin (Saint-Émilion)
Grand-Pontet (Saint-Émilion)
Grand-Puy-Ducasse (Pauillac)
Les Grands Chênes (Médoc)
La Grave à Pomerol
   [Trigant de Boisset] (Pomerol)
Guillot-Clauzel (Pomerol)
La Gurgue (Margaux)
Haut-Bages-Libéral (Pauillac)
Haut-Batailley (Pauillac)
Haut-Corbin (Saint-Émilion)
Haut-Faugères (Saint-Émilion)
Haut-Sociondo (Blaye)
Hortevie (Saint-Julien)
Hostens-Picant (Sainte-Foy)
Jonquères (Bordeaux Supérieur)
Kirwan (Margaux)
Labégorce-Zédé (Margaux)
Lafon-Rochet (Saint-Estèphe)
Lalande-Borie (Saint-Julien)
Lanessan (Haut-Médoc)
Langoa-Barton (Saint-Julien)
Larmande (Saint-Émilion)
Larrivet-Haut-Brion (Graves)
Lascombes (Margaux)
Léoville-Poyferré (Saint-Julien)
Lucie (Saint-Émilion)
Lynch-Moussas (Pauillac)
   [depuis 1995]
Magdelaine (Saint-Émilion)
Magneau (Graves)
Marquis de Terme (Margaux)
Maucaillou (Moulis)
Mazeris (Canon-Fronsac)
Meyney (Saint-Estèphe)
Monbrison (Margaux)
Moulin-Haut-Laroque (Fronsac)
Moulin-Pey-Labrie
   (Canon-Fronsac)***/****
Moulin-Rouge (Haut-Médoc)
Les Ormes de Pez
   (Saint-Estèphe)
Les Ormes-Sorbet (Médoc)
Parenchère
   (Bordeaux Supérieur)
Pauillac (Pauillac)
Pavie (Saint-Émilion)
Pavie-Decesse (Saint-Émilion)

Du Pavillon (Canon-Fronsac)
Pavillon Rouge de Margaux
 (Margaux)
Les Pensées de Lafleur (Pomerol)
Pey-Labrie (Canon-Fronsac)
Peyredon-Lagravette (Listrac)
De Pez (Saint-Estèphe)
Picque-Caillou (Graves)
De Pitray (Côtes de Castillon)
Plaisance
 (Premières Côtes de Bordeaux)
Pontet-Canet (Pauillac)
Potensac (Médoc)
Poujeaux (Moulis)
Roc de Cambes
 (Côtes de Bourg)
Rouet (Fronsac)
Saint-Pierre (Saint-Julien)
La Serre (Saint-Émilion)
Siran (Margaux)
Smith-Haut-Lafitte (Graves)***/****

Soudars (Haut-Médoc)
Soutard (Saint-Émilion)
Tayac (Côtes de Bourg)
Tertre-Daugay (Saint-Émilion)
La Tonnelle (Blaye)
La Tour de By (Médoc)
La Tour-Haut-Brion (Graves)
Tour Haut-Caussan (Médoc)
Tour du Haut-Moulin
 (Haut-Médoc)
La Tour du Pin-Figeac-Moueix
 (Saint-Émilion)
La Tour Saint-Bonnet (Médoc)
La Tour Séguy
 (Côtes de Bourg)
Les Tourelles de Longueville
 (Pauillac)
Trottevieille (Saint-Émilion)
La Vieille Cure (Fronsac)
La Violette (Pomerol)

** MOYEN

Beaumont (Haut-Médoc)
Belair (Saint-Émilion)
Belgrave (Haut-Médoc)
Bellegrave (Pomerol)
Bourgneuf-Vayron (Pomerol)
Boyd-Cantenac (Margaux)
Brane-Cantenac (Margaux)
La Cabanne (Pomerol)
Cadet-Bon (Saint-Émilion)
Carruades de Lafite (Pauillac)
Chambert-Marbuzet
 (Saint-Estèphe)
Clarke (Listrac)
Clos L'Église (Pomerol)
Clos La Madeleine
 (Saint-Émilion)
La Clusière (Saint-Émilion)
Cordeillan-Bages (Pauillac)
La Croix (Pomerol)
Croizet-Bages (Pauillac)
Curé-Bon (Saint-Émilion)
Dauzac (Margaux)
Destieux (Saint-Émilion)

Durfort-Vivens (Margaux)
Faurie de Souchard
 (Saint-Émilion)
Ferrière (Margaux)
Feytit-Clinet (Pomerol)
La Fleur (Saint-Émilion)
Lafleur-Gazin (Pomerol)
La Fleur-Pourret
 (Saint-Émilion)
La Fleur-Saint-Georges
 (Lalande-de-Pomerol)
Fonbadet (Pauillac)
Fonréaud (Listrac)
Fonroque (Saint-Émilion)
Fourcas-Dupré (Listrac)
Fourcas-Hosten (Listrac)
Franc-Mayne (Saint-Émilion)
De France (Graves)
Gassies
 (Premières Côtes de Bordeaux)
Gressier-Grand-Poujeaux (Moulis)
Haut-Bages-Avérous (Pauillac)
Haut-Bergey (Graves)

Haut-Sarpe (Saint-Émilion)
D'Issan (Margaux)
Le Jurat (Saint-Émilion)
Lagrange (Pomerol)
Lamarque (Haut-Médoc)
Larcis-Ducasse (Saint-Émilion)
Larose-Trintaudon
    (Haut-Médoc)
Laroze (Saint-Émilion)
    Larrivet-Haut-Brion
    (Graves)**/***
Larruau (Margaux)
Liversan (Haut-Médoc)
Malartic-Lagravière (Graves)
Malescasse (Haut-Médoc)
Malescot-Saint-Exupéry (Margaux)
Marbuzet (Saint-Estèphe)**/***
Marjosse (Bordeaux)**/***
Martinens (Margaux)
Mazeyres (Pomerol)
Montviel (Pomerol)
Moulin du Cadet
    (Saint-Émilion)
Nenin (Pomerol)

Olivier (Graves)
Patache d'Aux (Médoc)**/***
Pédesclaux (Pauillac)
Petit-Faurie-de-Soutard
    (Saint-Émilion)
Petit-Figeac (Saint-Émilion)
Pibran (Pauillac)
Plince (Pomerol)
Pouget (Margaux)
Puy-Blanquet (Saint-Émilion)
Rahoul (Graves)
Rauzan-Gassies (Margaux)
Réserve de la Comtesse
    (Pauillac)
Rocher-Bellevue-Figeac
    (Saint-Émilion)
Rolland-Maillet (Saint-Émilion)
De Sales (Pomerol)
Taillefer (Pomerol)
La Tour-Martillac (Graves)
La Tour de Mons (Margaux)
Vieux Clos Saint-Émilion
    (Saint-Émilion)**/***
Villemaurine (Saint-Émilion)

LES MEILLEURS PRODUCTEURS DE BORDEAUX BLANC

***** EXCEPTIONNEL

Domaine de Chevalier (Graves)
De Fieuzal (Graves)
Haut-Brion (Graves)

Laville-Haut-Brion (Graves)
La Louvière (Graves)

**** EXCELLENT

Carbonnieux (Graves)
Clos Floridène (Graves)
Couhins-Lurton (Graves)
Pape-Clément (Graves)

Pavillon Blanc de Margaux
    (Bordeaux)
Smith-Haut-Lafitte (Graves)
La Tour-Martillac (Graves)

*** BON

Archambeau (Graves)
Bauduc Les Trois Hectares
    (Bordeaux)
Blanc de Lynch-Bages (Pauillac)
Bouscaut (Graves)

Caillou Blanc de Talbot (Bordeaux)
Carsin (Bordeaux)
Domaine Challon (Bordeaux)
Chantegrive (Graves)
La Closière (Bordeaux)

Coucheroy (Pessac-Léognan)
Doisy-Daëne (Bordeaux)
Ferbos (Graves)
Ferrande (Graves)
G de Château Guiraud (Bordeaux)
La Garde-Réserve du Château
  (Graves)
Graville-Lacoste (Graves)
Haut-Gardère (Graves)
Larrivet-Haut-Brion (Graves)
Loudenne (Bordeaux)
Malartic-Lagravière (Graves)
De Malle (Graves)

Millet (Graves)
Numéro 1 de Dourthe
  (Bordeaux)
Piron (Graves)
Plaisance (Bordeaux)
Pontac Monplaisir (Graves)
R de Rieussec (Graves)
Rahoul (Graves)
Respide (Graves)
Reynon (Bordeaux)***/****
Rochemorin (Pessac-Léognan)
Roquefort (Bordeaux)
Thieuley (Bordeaux)

** MOYEN

Aile d'Argent (Bordeaux)
De France (Graves)

Olivier (Graves)

LES MEILLEURS PRODUCTEURS DE SAUTERNES ET DE BARSAC

***** EXCEPTIONNEL

Climens (Barsac)
Coutet Cuvée Madame (Barsac)
De Fargues (Sauternes)
Raymond-Lafon (Sauternes)

Rieussec (Sauternes)
Suduiraut Cuvée Madame
  (Sauternes)
D'Yquem (Sauternes)

**** EXCELLENT

Coutet Cuvée générique (Barsac)
Doisy-Daëne L'Extravagance
  (Barsac)
Doisy-Dubroca (Barsac)
Gilette (Sauternes)
Guiraud (Sauternes)

Lafaurie-Peyraguey
  (Sauternes)****/*****
Rabaud-Promis (Sauternes)
Suduiraut Crème de Tête
  (Sauternes)
La Tour Blanche (Sauternes)

*** BON

D'Arche (Sauternes)
Bastor-Lamontagne (Sauternes)
Caillou (Barsac)
Clos Haut-Peyraguey
  (Sauternes)
Doisy-Daëne (Barsac)
Doisy-Védrines (Barsac)

Filhot (Sauternes)
Lamothe-Despujols (Sauternes)
Lamothe-Guignard
  (Sauternes)***/****
De Malle (Sauternes)
Rayne-Vigneau (Sauternes)
Sigalas-Rabaud (Sauternes)

** *MOYEN*

Romer du Hayot (Sauternes)   Suau (Barsac)

A propos des seconds vins

La dénomination « second vin » n'est pas une trouvaille récente, Léoville-Las Cases a produit son Clos du Marquis dès 1904, et le Château Margaux élaborait son premier Pavillon Rouge quatre ans plus tard.

Mais c'est en fait le regretté Philippe de Rothschild qui devait donner toute leur impulsion aux seconds vins, puis, dans la foulée, aux secondes marques. La superbe décennie 1920, qui avait marqué son entrée à la tête de Mouton, fut suivie des calamiteuses années 1930, qui le convainquirent, dès les tout premiers millésimes, de ne pas vendre un vin de second ordre sous la marque Mouton-Rothschild, mais sous l'étiquette Mouton-Cadet. Cette dernière couvrait ainsi le *second vin* de ce futur premier cru classé de Pauillac. Puis, aux mêmes dates, Philippe de Rothschild acheta Mouton d'Armailhac, dont les piteuses récoltes du début de la même décennie furent également distribuées sous la marque Mouton-Cadet. Celle-ci cessait alors de désigner un second vin pour devenir une *seconde marque*, ce qu'elle est demeurée, Mouton-Cadet n'ayant plus aucun rapport avec Mouton-Rothschild, plus aucune relation avec Pauillac, mais conservant l'intégralité de ses liens avec le baron Philippe de Rothschild.

Depuis cette époque, seconds vins et secondes marques se sont multipliés, incitant les producteurs à parer leurs sous-produits des plumes du paon en vue de les doter d'une aura (origine) à laquelle ils ne peuvent prétendre.

Aujourd'hui, presque tous les crus classés, beaucoup de crus bourgeois et de nombreux domaines de Pomerol et de Saint-Émilion ont une seconde étiquette pour les cuvées qui ne sont pas assez riches, assez complètes ni assez concentrées pour composer le grand vin. Cette tendance a, dans bien des cas, permis à ce dernier d'atteindre un meilleur niveau de qualité : un deuxième ou un troisième vin (comme en font Léoville-Las Cases et Latour), qui ont malgré tout quelque chose du grand vin, donnent la possibilité au château de déclasser ce qui est issu de vignes trop jeunes, ou dont le rendement a été trop important, et des parcelles vendangées trop tôt ou trop tard.

Mais il y a une différence capitale entre second vin et seconde marque. Le premier correspond à une production du terroir jugée insuffisante pour être distribuée sous la marque vedette, qui risquerait ainsi une dévalorisation. La seconde est un miroir aux alouettes destiné à suggérer au consommateur une filiation à l'égard d'un grand cru avec lequel la relation est nominale (et surtout commerciale), mais aucunement territoriale.

Du point de vue de la protection du consommateur, les secondes marques, qui empruntent au nom d'un grand cru, sont donc suspectes. Avec les seconds vins, il n'en va pas de même. Néanmoins, l'habitude est prise, chez certains à Bordeaux, d'utiliser pour eux des vocables auxquels ils ne sauraient prétendre. Le lecteur doit savoir que la réglementation française et les textes communautaires réservent l'utilisation des vocables comme *Château* ou *Domaine* à des vins d'AOC provenant d'une exploitation justifiant d'une autonomie culturale.

Il ne peut donc théoriquement y avoir qu'un seul « Château » par exploitation, à moins que le viticulteur concerné ne procède à des cuvaisons séparées. Malgré la précision des textes et le fait que toute transgression constitue une fraude pénalement répréhensible, l'habitude s'est incrustée au point qu'un décret de janvier 1993 a consacré l'abdication du droit sous condition que le second vin ait été dénommé « Château » depuis au moins dix ans et ait acquis une notoriété sous ce vocable. Aujourd'hui, donc, ce terme figurant sur l'étiquette ne doit pas systématiquement faire accroire au consommateur qu'il a affaire à la toute meilleure cuvée d'une propriété donnée. Il peut parfaitement désigner un second vin.

La réglementation extrêmement méticuleuse qui préside à la dénomination et à l'étiquetage des vins ne donne donc pas au consommateur les totales garanties qu'elle vise à lui apporter. C'est sans doute la démonstration du proverbe français « Qui trop embrasse mal étreint »...

Tout cela complique évidemment les choses pour les acheteurs, car on dénombre dans le Bordelais plus de 8 000 propriétés différentes, et plus de 17 000 marques viticoles. Les commerçants n'ont rien arrangé, puisqu'ils n'ont pas manqué l'occasion de promouvoir des vins ayant « le goût du grand vin », mais coûtant trois fois moins cher. Cependant, en général, de telles publicités n'ont que peu de rapport avec la réalité : la majorité des seconds vins n'ont qu'une lointaine ressemblance avec leur frère plus prestigieux.

On trouve certes quelques seconds vins, tels ceux des premiers crus, et notamment Les Forts de Latour et Bahans-Haut-Brion, qui se révèlent excellents, parfois même exceptionnels. Mais cela est somme toute assez rare. Prudence et méfiance, telle est en vérité la devise que devraient adopter les amateurs quand ils achètent, sans se poser de questions, les seconds vins des châteaux du Bordelais en croyant qu'ils ressemblent aux meilleurs vins des domaines.

Pour tenter d'éclairer les choses, la liste suivante donne une appréciation des seconds vins, notés de une à cinq étoiles. Si la pratique de la sélection la plus stricte est indispensable à la production de grands vins de haut niveau, il n'en reste pas moins que les seconds vins valent rarement leur prix.

LES ÉTOILES

***** – Excellent second vin
**** – Très bon second vin
*** – Second vin agréable
** – Second vin de qualité moyenne
* – Second vin sans intérêt

GRAND VIN	SECOND VIN
Andron-Blanquet	Saint-Roch**
Angélus	Carillon de l'Angélus**
D'Angludet	Domaine Baury**

D'Arche	D'Arche-Lafaurie**
L'Arrosée	Les Coteaux du Château L'Arrosée**
Balestard-La Tonnelle	Les Tourelles de Balestard**
Bastor-Lamontagne	Les Remparts du Bastor**
Beau-Séjour-Bécot	Tournelle des Moines**
Beaumont	Moulin-d'Arvigny*
Beauséjour-Duffau	La Croix de Mazerat**
Belair	Roc-Blanquant*
Beychevelle	Amiral de Beychevelle***
	Réserve de L'Amiral***
Bonalgue	Burgrave*
Bouscaut	Valoux**
Branaire-Ducru	Duluc**
Brane-Cantenac	Château Notton**
	Domaine de Fontarnay**
Broustet	Château de Ségur**
La Cabanne	Compostelle**
Cadet-Piola	Chevaliers de Malte**
Caillou	Petit-Mayne*
Calon-Ségur	Marquis de Ségur**
Canon	Clos J. Kanon**
Canon-La Gaffelière	Côte Migon-La Gaffelière**
Cantemerle	Villeneuve de Cantemerle**
Cantenac-Brown	Canuet**
	Lamartine**
Carbonnieux	La Tour-Léognan**
Certan-Giraud	Clos du Roy**
Chambert-Marbuzet	MacCarthy**
Chasse-Spleen	L'Ermitage de Chasse-Spleen**
Chauvin	Chauvin Variation*
Cheval Blanc	Le Petit Cheval**
Climens	Les Cyprès de Climens**
Clos Fourtet	Domaine de Martialis**
Clos Haut-Peyraguey	Haut-Bommes**
Clos René	Moulinet-Lasserre**
Colombier-Monpelou	Grand Canyon**
Corbin-Michotte	Les Abeilles**
Cos d'Estournel	Pagodes de Cos***
Couvent des Jacobins	Beau-Mayne***
La Croix	Le Gabachot**
Croizet-Bages	Enclos de Moncabon*
Dauzac	Laborde**
Doisy-Védrines	La Tour-Védrines**
La Dominique	Saint-Paul de La Dominique**
Ducru-Beaucaillou	La Croix**
Duhart-Milon-Rothschild	Moulin de Duhart**
Durfort-Vivens	Domaine de Cure-Bourse*
L'Église-Clinet	La Petite Église**

De Fieuzal	L'Abeille de Fieuzal**
Figeac	Grangeneuve**
Fonplégade	Château Côtes Trois Moulins**
La Gaffelière	Clos La Gaffelière*
	Château de Roquefort**
Giscours	Cantelaude**
Gloria	Haut-Beychevelle Gloria**
	Peymartin**
Grand-Mayne	Les Plantes du Mayne*
Grand-Puy-Ducasse	Artigues-Arnaud**
Grand-Puy-Lacoste	Lacoste-Borie**
Gruaud-Larose	Sarget de Gruaud-Larose***
Guiraud	Le Dauphin**
Haut-Bailly	La Parde de Haut-Bailly***
Haut-Batailley	La Tour d'Aspic**
Haut-Brion	Bahans Haut-Brion*****
	(1989, 1988, 1987)
Haut-Marbuzet	Tour de Marbuzet**
D'Issan	Candel**
Labégorce-Zédé	Château de l'Amiral**
Lafite-Rothschild	Carruades de Lafite**** (1989)
Lafleur	Les Pensées de Lafleur*****
	(1990, 1989, 1988)
Lafon-Rochet	Le Numéro 2 de Lafon-Rochet***
Lagrange	Les Fiefs de Lagrange***
La Lagune	Ludon-Pomiès-Agassac**
Lanessan	Domaine de Sainte-Gemme**
Langoa-Barton	Lady Langoa**** (1989)
Larmande	Château des Templiers**
Lascombes	Segonnes**
	La Gombaude**
Latour	Les Forts de Latour*****
	(1989, 1982, 1978)
Léoville-Barton	Lady Langoa**** (1989)
Léoville-Las Cases	Clos du Marquis*****
	(1990, 1989, 1988, 1986, 1982)
	Grand Parc***
Léoville-Poyferré	Moulin-Riche**
La Louvière	L de La Louvière**** (1989)
	Coucheray**
	Clos du Roi**
Lynch-Bages	Haut-Bages-Avérous**** (1989)
Malescot-Saint-Exupéry	De Loyac*
	Domaine du Balardin*
De Malle	Château de Sainte-Hélène**
Margaux	Pavillon Rouge de Margaux***
Marquis de Terme	Domaine des Gondats**

Maucaillou	Cap de Haut**
	Franc-Caillou**
Meyney	Prieuré de Meyney***
La Mission-Haut-Brion	La Chapelle de La Mission***
Monbrison	Cordat***
Montrose	La Dame de Montrose***
Palmer	Réserve du Général***
Pape-Clément	Le Clémentin du Pape-Clément***
Phélan-Ségur	Franck Phélan***
Pichon-Longueville Baron	Les Tourelles de Pichon***
Pichon-Longueville Comtesse de Lalande	Réserve de la Comtesse***
Pontet-Canet	Les Hauts de Pontet**
Potensac	Gallais-Bellevue**
	Lassalle**
	Goudy-la-Cardonne**
Poujeaux	La Salle de Poujeaux**
Le Prieuré	Château Olivier**
Prieuré-Lichine	Clairefont**
Rabaud-Promis	Domaine de L'Estremade**
Rahoul	Petit Rahoul**
Rauzan-Ségla	Lamouroux**
Rieussec	Clos Labère***
Saint-Pierre	Clos d'Uza**
	Saint-Louis-le-Bosq**
De Sales	Chantalouette**
Siran	Bellegarde**
	Saint-Jacques**
Smith-Haut-Lafitte	Les Hauts de Smith-Haut-Lafitte*
Sociando-Mallet	Lartigue de Brochon**
Soutard	Clos de la Tonnelle**
Talbot	Connétable de Talbot***
Tertre-Daugay	Château de Roquefort***
La Tour Blanche	Mademoiselle de Saint-Marc***
La Tour de By	Moulin de la Roque*
	La Roque de By*
Tour Haut-Caussan	La Landotte**
La Tour-Martillac	La Grave-Martillac**
Troplong-Mondot	Mondot***
Valandraud	Virginie de Valandraud***
Vieux Château Certan	Clos de la Gravette***

Les meilleurs vins sous le rapport qualité/prix

Saint-Estèphe Marbuzet, Meyney, Les Ormes de Pez, Phélan-Ségur, Tronquoy-Lalande
Pauillac Fonbadet, Grand-Puy-Ducasse, Pibran

Saint-Julien Clos du Marquis, Gloria, Hortevie
Margaux et le sud du Médoc D'Angludet, La Gurgue,
Labégorce-Zédé
Graves Bahans-Haut-Brion, La Louvière, Picque-Caillou
Moulis et Listrac Fourcas-Loubaney, Gressier-Grand-Poujeaux,
Maucaillou, Poujeaux
Médoc et Haut-Médoc Beaumont, Le Boscq, Lanessan,
La Tour Saint-Bonnet, Moulin-Rouge, Potensac, Sociando-Mallet,
La Tour de By, Tour Haut-Caussan, Tour du Haut-Moulin, Vieux Robin
Pomerol Bonalgue, L'Enclos
Saint-Émilion Grand-Mayne, Grand-Pontet, Haut-Corbin, Pavie-Macquin
Fronsac et Canon-Fronsac Canon de Brem, Canon-Moueix,
Cassagne-Haut-Canon-La Truffière, Dalem, La Dauphine, Fontenil,
La Grave, Mazeris, Moulin-Haut-Laroque, Moulin-Pey-Labrie, Du Pavillon,
Pey-Labrie, Rouet, La Vieille Cure
Lalande-de-Pomerol Bel-Air, Bertineau-Saint-Vincent, Du Chapelain,
Grand-Ormeau, Les Hauts-Conseillants, Siaurac
Côtes de Bourg Brulesécaille, Guerry, Haut-Macô, Mercier,
Roc de Cambes, Tayac Cuvée Prestige
Côtes de Blaye Bertinerie, Pérenne, La Rose-Bellevue, La Tonnelle
Bordeaux Premières Côtes et Bordeaux Supérieur La Croix
de Roche, Dudon Cuvée Jean-Baptiste, De Haux Jonqueyres, Plaisance,
De Plassan, Prieuré-Sainte-Anne, Recougne, Reynon
Côtes de Castillon Pitray
Barsac/Sauternes Bastor-Lamontagne, Doisy-Dubroca, Haut-Claverie,
De Malle
Loupiac Bourdon-Loupiac, Clos Jean, Loupiac-Gaudiet, Ricaud
Entre-Deux-Mers (vins blancs secs) Bonnet, Bonnet Cuvée
Réservée, Tertre-Launay, Turcaud
Bordeaux Premières Côtes et Bordeaux générique (vins blancs secs)
Alpha, Bauduc Les Trois Hectares, Blanc de Lynch-Bages,
Caillou Blanc de Talbot, Cayla Le Grand Vent, Clos Jean,
De la Closière du Carpia, Numéro 1 de Dourthe, Reynon-Vieilles Vignes,
Roquefort Cuvée Spéciale, Sec de Doisy-Daëne, Thieuley

L'achat des vins de Bordeaux en primeur :
pièges et avantages

Le parcours d'un acheteur moyen, pourtant copieusement truffé de chausse-trappes, devient beaucoup plus complexe et risqué dès que l'on se frotte à la loterie des vins en primeur.

En apparence, cette pratique consiste tout simplement à investir de l'argent dans une ou plusieurs caisses d'un vin, à un « prix futur » prédéterminé, avant sa mise en bouteille. Vous placez donc de l'argent dans un vin encore non diffusé, dans l'espérance que sa valeur aura sensiblement augmenté quand il sera mis sur le marché. Si vous achetez le bon vin, du bon millésime et au bon moment, vous ferez une économie substantielle. En revanche, vous serez très déçu en constatant, douze ou dix-huit mois après un achat en primeur, que le vin coûte le même prix, voire moins cher, une fois qu'il est apparu sur le marché, et parfois aussi qu'il est moins bon que vous ne l'aviez espéré.

Depuis des années, la vente en primeur est pratiquement limitée aux vins de Bordeaux, bien qu'elle apparaisse épisodiquement dans d'autres régions. C'est au printemps qui suit les vendanges que les châteaux ou les domaines offrent une partie de leur production en primeur. La première tranche donne généralement une bonne indication des dispositions des professionnels à l'égard du vin nouveau, de l'orientation du marché et du prix public.

Les marchands et les négociants qui se sont portés acquéreurs du millésime offrent généralement des parts aux exportateurs, aux grossistes et aux détaillants pour qu'elles soient proposées en primeur aux amateurs, généralement au printemps qui suit les vendanges. Le millésime 1990, par exemple, a été proposé en primeur en avril 1991. L'achat d'un vin à ce moment ne va pas sans de nombreux risques. La qualité et le style du millésime sont connus à 90 %, grâce aux dégustations des vins – alors dans leur petite enfance – organisées pour les professionnels. Cependant, rançon du succès, de plus en plus de journalistes – certains étant qualifiés et d'autres pas – se mêlent de juger les bordeaux. On imagine le résultat quand on sait que beaucoup d'entre eux ont pour seul objectif de chanter les louanges du millésime, en se montrant même plus dithyrambiques que les agences chargées par la profession de la promotion des vins de Bordeaux. Les amateurs devraient donc lire le point de vue des critiques faisant autorité et se poser les questions suivantes, indispensables pour critiquer les critiques :

– Le dégustateur est-il qualifié pour goûter aussi bien les vins jeunes que les vieux millésimes ?

– Combien de temps passe-t-il réellement, dans l'année, à goûter les bordeaux en visitant les propriétés et en étudiant le millésime ?

– Exprime-t-il son point de vue de manière totalement indépendante, sans aucun lien avec les commerçants ou les publicitaires ?

– A-t-il vraiment approfondi les données météorologiques, les conditions qui ont présidé aux vendanges, le degré de maturité des différents cépages, les réactions des divers types de sol aux réalités climatiques ?

Au moment où les vins sont proposés en primeur, les producteurs et les commerçants rivalisent généralement d'enthousiasme. On dit souvent, sur le mode narquois, que les meilleurs vins jamais faits sont ceux qui viennent d'être mis sur le marché. Les commerçants cherchent évidemment à vendre leur vin – et le consommateur doit s'attendre à se voir proposer de « grands vins d'un grand millésime à de petits prix ». Les déclarations de ce style ne peuvent qu'attirer la suspicion sur les détaillants, même s'ils sont sérieux, et sur un certain nombre de journalistes. En revanche, il faut aussi stigmatiser l'attitude irresponsable des critiques qui refusent de reconnaître la bonne qualité d'un millésime quand elle est pourtant manifeste. En résumé, il n'y a que quatre bonnes questions à se poser pour acheter du bordeaux en primeur.

1. *S'agit-il d'un vin de grande qualité, voire exceptionnel, d'un millésime excellent, voire très grand ?*

Aucun millésime ne peut être apprécié de manière manichéenne. Même dans une très grande année, il est des appellations décevantes et des vins médiocres. A l'inverse, certains bordeaux peuvent être superbes alors que le millésime n'a rien d'exceptionnel. La connaissance des performances habituelles des divers châteaux est donc essentielle pour acheter intelligemment. Si l'on considère les vingt dernières années, les seuls millésimes indiscutablement grands ont été : 1982 pour les Pomerol, les Saint-Émilion, les Saint-Julien, les Pauillac et les Saint-Estèphe ; 1983 pour certains Pomerol et Saint-Émilion, et pour les Margaux ; 1985 pour les Graves ; 1986 pour les vins du nord du Médoc, c'est-à-dire les Saint-Julien, les Pauillac, les Saint-Estèphe, et pour les blancs liquoreux de Sauternes et de Barsac ; 1989 pour certains Pomerol, Saint-Émilion, Saint-Julien, Pauillac et Saint-Estèphe ; 1990 pour les premiers crus et un certain nombre de Pomerol et de Saint-Émilion.

Il n'y a aucune raison d'acheter en primeur autre chose que les meilleurs vins d'un millésime donné, dans la mesure où les prix n'augmenteront pas dans la période qui sépare la vente en primeur de la mise en bouteille. L'exception concerne uniquement, répétons-le, les vins et les millésimes de haute qualité. Si les bordeaux ne coûtent pas au moins 25 à 30 % de plus quand ils arrivent sur le marché, il est préférable d'investir son argent ailleurs que dans les achats en primeur.

Ce qui s'est passé pour les millésimes 1975 et 1978 doit être médité. Ceux qui, en 1976, ont acheté le 1975 en primeur ont réalisé une bonne affaire. En effet, lors de leur mise sur le marché en 1978, les vins les plus renommés, tels Lafite-Rothschild et Latour, ont vu leur prix multiplié par plus de deux, et celui des deuxièmes crus, notamment de quelques splendeurs comme le Léoville-Las Cases, le La Lagune et le Ducru-Beaucaillou, par un peu moins de deux. Entre-temps, le caractère remarquable et le grand potentiel du millésime étaient devenus manifestes pour tout le monde. Par la suite, les acheteurs de ces vins en primeur ont pu se féliciter derechef puisque les prix ont continué à monter, pour atteindre jusqu'à sept ou huit fois leur niveau de 1977 ; à l'heure actuelle, ils se sont toutefois stabilisés, parce que l'évolution de certains crus a commencé à susciter quelques doutes ; je ne serais pas surpris qu'ils finissent par chuter — c'est là encore un risque auquel il faut penser au départ.

Les bordeaux 1978, proposés en primeur en 1989, se présentaient différemment. L'année avait été très bonne, avec des vins proches des excellents 1970, en moins intenses. Les prix en primeur furent donc très élevés, d'autant plus que la demande était très forte. Ceux qui ont acheté à cette époque ont certes pu se féliciter d'être propriétaires de très bons vins ; cependant, lors de la diffusion sur le marché, au printemps 1981, les prix au détail étaient pratiquement identiques à ceux de la vente en primeur. Compte tenu de l'inflation et des intérêts, les acheteurs de 1980 ont donc été perdants.

Pour ce qui concerne les millésimes 1979, 1980, 1981, 1982, 1983 et 1985, seul le 1982 a représenté une bonne affaire pour les acheteurs en primeur. Le 1980 n'a pas été proposé en primeur, parce qu'il était assez médiocre. Pour les 1979 et 1981, les prix ont été sensiblement les mêmes en primeur et lors de la mise sur le marché (sauf pour les meilleurs des 1981). Les 1982 ont fait un bond énorme entre le printemps 1983, date de la vente en primeur, et le printemps 1985, date de la mise sur le marché, et, depuis lors, ils n'ont pas cessé de grimper, la demande, au niveau mondial, restant très forte. Les vins rares, dont la production est limitée – les Pomerol, par exemple –, atteignent des cotes vertigineuses ; c'est particulièrement vrai pour Petrus, dont la bouteille de 1982 atteint maintenant plus de 6 000 F. C'est d'ailleurs absurde, dans la mesure où beaucoup n'arriveront pas à maturité avant une décennie. La lutte acharnée des amateurs avertis pour se procurer des 1982 en primeur et l'extraordinaire battage qui a été fait autour de ce millésime ont laissé espérer à beaucoup de gens que les années suivantes pourraient permettre de réaliser d'aussi belles affaires. Tel n'a pas été le cas, surtout parce que le Bordelais a connu trop de millésimes abondants et de bonne qualité au début des années 80. Les meilleurs 1986 constituent une petite exception : en effet, leurs prix continuent à grimper, parce qu'il s'agit d'un grand millésime au remarquable potentiel de garde.

2. *Les prix des vins en primeur sont-ils suffisamment bas pour qu'il y ait un quelconque intérêt à ne pas attendre la mise sur le marché, deux ou trois ans plus tard ?*

Beaucoup de facteurs entrent en jeu, et il est très difficile de répondre. Il arrive que les vins soient moins chers en primeur une année donnée que l'année précédente. C'est ce qui s'est passé en 1986 et en 1990. Compte tenu de la crise économique mondiale, il n'est pas certain que la demande reste forte au niveau international. Les pays acheteurs connaissent tous des problèmes à des niveaux divers – c'est le cas des États-Unis, de la Grande-Bretagne, et même de nouveaux marchés comme le Japon et l'Allemagne, ce dernier pays subissant les répercussions de l'économie moribonde héritée de l'ex-Allemagne de l'Est. Seuls le Danemark, la Belgique et la Suisse paraissent en situation suffisamment forte pour acheter des bordeaux de haut niveau. Le marché semble donc saturé. Ces facteurs, qui ont une incidence directe sur la courbe des prix, évoluent évidemment sans cesse, mais il faut les prendre en considération avant d'acheter en primeur, au même titre que la qualité estimée du millésime ou la rareté de la production de tel ou tel domaine.

3. *L'achat en primeur est-il le seul moyen de se procurer de grands vins de châteaux renommés dont la production est faible ?*

Il est incontestable, même si la qualité du millésime n'est pas certaine et que les prix risquent de baisser, que l'achat en primeur est la seule manière d'être sûr de voir entrer dans sa cave certains vins que l'on souhaite posséder. En effet, plusieurs petits domaines, particulièrement de Pomerol et de Saint-Émilion, ne disposent que de quantités très faibles de bouteilles, alors que leurs fans sont fort nombreux, sous toutes les latitudes. C'est ainsi qu'en Pomerol Le Pin, Clinet, La Conseillante, L'Évangile, La Fleur de Gay, Lafleur, Gombaude-Guillot et Bon Pasteur ont tous produit, au cours des années 80, des vins très recherchés, difficiles à trouver sur le marché. A Saint-Émilion, certains vins de domaines assez peu connus, mais pas précisément petits, tels Angélus, L'Arrosée, Canon, Troplong-Mondot, Grand-Mayne, Pavie-Macquin, La Dominique et Le Tertre-Rotebœuf, sont relativement rares après la mise en bouteille. C'est pourquoi ceux qui les aiment, dans tous les pays, les réservent en les achetant en primeur. Ce type d'achat est donc pleinement justifié, à condition qu'il s'agisse effectivement de vins dont la production est faible, mais la qualité très bonne.

4. *Faut-il acheter des demi-bouteilles, des magnums, des doubles magnums, des jéroboams ou des impériales ?*

On passe souvent sous silence l'un des avantages de l'achat en primeur, à savoir qu'il permet de faire mettre le vin dans des bouteilles de la capacité que l'on souhaite. Il faut certes payer un supplément, mais c'est malgré tout intéressant si l'on a des enfants nés en telle ou telle année et que l'on pense déjà aux futurs anniversaires, ou que l'on veuille se payer le luxe d'acheter des demi-bouteilles (ce qui n'est pas forcément absurde quand on souhaite déguster souvent). Enfin, si vous avez décidé d'acheter les vins en primeur, mesurez bien tous les risques. Le marchand avec lequel vous traitez peut faire faillite, et vos bons de souscription ne vous donneront alors que le droit de figurer sur la liste des centaines de créanciers. Si la faillite touche le fournisseur du marchand, vous rentrerez dans vos frais, mais vous ne verrez jamais votre vin. Il faut donc choisir un intermédiaire solide financièrement et suffisamment connu. Enfin, n'achetez en primeur que chez un marchand qui a reçu confirmation pour des quantités bien spécifiées de vins ; n'hésitez pas à demander à voir les documents.

Pour certains amateurs enthousiastes, acheter en primeur le bon vin, du bon millésime, au bon moment, garantit la disposition de précieux flacons valant quatre à cinq fois le prix initialement investi. Rappelons cependant — et l'histoire le montre bien — que, sur les vingt dernières années, seuls une poignée de millésimes ont vu leur prix augmenter de manière sensible dans leurs deux ou trois premières années (1982, 1989 et 1990). Et le fait que le Bordelais ait connu, pour la première fois depuis les années 1970, quatre millésimes désastreux à la suite, de 1991 à 1994, a considérablement fait chuter l'intérêt des achats en primeur. Cependant, les meilleurs 1994 sont dignes d'intérêt, et les 1990 méritent la considération des collectionneurs, car nombre d'entre eux sont extraordinaires. Le prix des meilleurs crus a d'ailleurs doublé depuis leur mise sur le marché, et la demande sur ces vins est toujours très importante. Dans les années à venir, les consommateurs pourraient réaliser de bonnes affaires sur des bouteilles de bordeaux déjà disponibles plutôt que d'investir dans des primeurs. La nécessité de tels achats n'est en effet pas très évidente dans le contexte actuel, à moins, par exemple, qu'on ne souhaite acheter les vins de l'année de naissance d'un enfant en grand format, magnum ou jéroboam.

LES VINS ROUGES DE BORDEAUX

ANGÉLUS (SAINT-ÉMILION)*****

Château Angélus – 33330 Saint-Émilion
Tél. 05 57 24 71 39 – Fax 05 57 24 68 56
Contact : Hubert de Boüard de Laforest ou Jean-Pierre Grenié

1995	C	94-96
1994	C	93+
1993	C	92
1992	C	89
1991	C	87

C'est vraiment justice qu'Angélus ait été promu au rang de grand cru lors du dernier classement de Saint-Émilion. Aucune autre propriété du Bordelais n'a produit, de manière régulière, des vins aussi concentrés ou d'une aussi grande qualité depuis 1988. Même l'Angélus 1992 se révèle d'une puissance, d'une maturité et d'une intensité inhabituelles, alors que le millésime fut largement compromis par des pluies torrentielles. Ce domaine illustre bien, d'une certaine manière, les sommets que peuvent atteindre les châteaux du Bordelais lorsqu'ils sont menés par quelqu'un d'aussi passionné et dynamique qu'Hubert de Boüard de Laforest. Comme je l'écris depuis plus d'une décennie maintenant, ces vins méritent d'être achetés en primeur ; leur prix ne peut qu'augmenter, compte tenu de leur qualité.

Angélus est l'une des rares propriétés de Saint-Émilion à avoir réussi son 1991. Celui-ci dégage un nez complexe de chocolat, de café, de chêne neuf et grillé, d'herbes et de fruits rouges confiturés. Moyennement corsé, doux et rond, il offre également un fruité mûr et succulent qui procure un plaisir immédiat. Ce vin, qui représente une performance remarquable dans un millésime particulièrement difficile, devrait se maintenir encore 4 ou 5 ans.

Si la plupart des 1992 sont peu corsés, parfois même dilués, l'Angélus se révèle en revanche comme une des réussites du millésime. Avec sa couleur rubis-pourpre foncé, il déploie un nez énorme de fumé, de réglisse et d'herbes, ainsi que des senteurs explosives de chocolat et de cassis mûr. La finale offre des tannins doux, et on ne décèle aucun signe de dilution dans ce vin impressionnant, plein de charme, gras et profond, qui est également pur et souple. A maturité : jusqu'en 2004. Bravo encore !

Le 1993 est l'un des quatre ou cinq vins les plus concentrés du millésime, avec sa robe opaque de couleur poupre tirant sur le noir et son nez intensément aromatique de fumé, d'olive, de chocolat, de fruits noirs, de bois de noyer, de chêne épicé et doux. Il semble presque incroyable qu'un vin aussi étonnamment riche, corsé et massivement extrait soit issu d'un millésime pareil. Accordez-lui une garde de 3 ou 4 ans avant de le déguster dans les 15 à 18 prochaines années.

Le 1994, d'une couleur poupre-noir semblable à l'encre, exhale de paradisiaques senteurs de viande fumée, d'épices à barbecue et de bois de noyer accompagnées de généreuses notes de cassis et de kirsch. Il possède, outre un caractère pur et dense absolument phénoménal, un équilibre d'ensemble admirable, compte tenu de son style massif et musclé. Ce vin énorme, qui déborde littéralement de richesse en extrait, constitue un véritable tour de force en matière de vinification. **A maturité : 2000-2020.**

Le 1995 est, de manière remarquable, presque aussi profond que les incroyables 1989 et 1990. D'un pourpre opaque, il exhale un nez pur et doux de cassis, de crayon et de vanille. Très généreusement doté, il déploie en bouche, par paliers, un fruité concentré et pur joliment infusé de notes de chêne neuf et fumé. Ce vin irrésistible, gras et très corsé, cache bien ses tannins sous une explosion de fruits mûrs, de glycérine et de richesse en extrait. A ne pas manquer. **A maturité : 2001-2027.**

LES GLOIRES DU PASSÉ : 1990 (96), 1989 (95), 1986 (89).

LES MÉDIOCRITÉS (OU PIRE) DU PASSÉ : presque toute la production des années 1960 et 1970.

D'ANGLUDET (MARGAUX)***

33460 Cantenac
Tél. 05 57 88 71 41 – Fax 05 57 88 72 52
Contact : Peter Sichel

1995	B	87-89
1994	B	84 ?
1993	B	76
1992	B	73
1991	B	74

Le 1991, excessivement herbacé, très peu corsé et creux, manque singulièrement d'étoffe et de caractère. **A boire d'ici 3 ou 4 ans.**

Le fruité herbacé du 1992 n'a quant à lui pas résisté aux diverses manipulations – collage, filtration et mise en bouteille. D'une couleur rubis très léger, il se montre creux et délavé, représentant une performance assez médiocre de la part de cette propriété. **A boire dans les 2 ou 3 ans.**

Le 1993, de couleur rubis moyennement foncé, est légèrement corsé et incontestablement dilué, avec des tannins durs. Une performance décevante pour cette propriété, qui fait généralement bien mieux.

Le 1994 ne s'est pas montré sous un bon jour lorsque je l'ai dégusté. Il libère de séduisants arômes de cassis, mais il semble s'être refermé dans sa coquille depuis la mise en bouteille. Son fruité, quoique doux et mûr, est fragile et complètement dominé par des tannins durs et astringents. Moyennement corsé et épicé, il est également très austère, et je me demande s'il retrouvera sa forme d'avant la mise.

Le 1995 s'impose incontestablement comme le meilleur vin de la propriété depuis le 1989. Sa robe pourpre-noir prélude à un nez délicieusement marqué par des notes de cassis. Suit un vin merveilleusement doux et d'une excellente structure, au fruité mûr et sous-jacent. Moyennement corsé et pur, il déploie des tannins modérés. Une merveille, d'un excellent rapport qualité/prix. **A maturité : 2002-2016.**

LES GLOIRES DU PASSÉ : 1983 (89).

D'ARMAILHAC (PAUILLAC)***
(anciennement Mouton Baronne Philippe)

Château Mouton-Rothschild – 33250 Pauillac
Tél. 05 56 73 21 29 – Fax 05 56 73 21 28
Contact : Marie-Françoise Parinet

1995	C	87-89
1994	C	86
1993	C	85
1992	C	86
1991	C	74

Le 1991 n'offre qu'un attrait superficiel : une fois que son nez doux et boisé est passé, il se montre maigre et anguleux, peu profond, avec une finale courte, tannique et dure qui s'atténuera probablement avec le temps. **A boire avant la fin de ce siècle.**

Quant au 1992, il est plein de charme, bien évolué, avec un fruité riche. De couleur rubis assez soutenu, il offre un nez épicé de noix grillée et de cassis confituré. L'attaque en bouche est luxuriante, avec un fruité velouté qui s'estompe rapidement. Ce vin est néanmoins pur, attrayant et élégant. **A boire dans les 4 à 6 ans.**

Le 1993 est un vin doux, poivré et herbacé, de couleur rubis foncé. Il révèle un excellent fruité et une texture souple, et se montre rond, agréable et accessible à la fois au nez et en bouche. **A boire dans les 5 à 8 ans.** Ce bon Pauillac, proposé à un prix raisonnable, sera parfait pour les restaurants, ainsi que pour les amateurs en quête d'un plaisir immédiat.

Le 1994, élaboré dans un style plus séduisant et plus musclé que le vin précédent, présente, outre une robe de couleur rubis-pourpre foncé, un nez épicé de viande et de groseille marqué de notes de terre et de cèdre. Modérément tannique, bien gras et bien structuré, il pourra prétendre à une note plus élevée si ses tannins se fondent sans que son fruité se dessèche. **A maturité : 2006-2010.**

Le 1995 est l'une des plus belles réussites récentes de la propriété, avec sa robe pourpre foncé et son nez aux purs arômes de cassis. Moyennement corsé et d'une belle maturité, étonnamment puissant et intense, il déploie des tannins doux et joliment équilibrés par un caractère glycériné et richement extrait. Ce vin requiert une garde de 4 ou 5 ans pour développer davantage de complexité aromatique, mais son potentiel est de **15 ans, voire plus.**

L'ARROSÉE (SAINT-ÉMILION)****

33330 Saint-Sulpice-de-Faleyrens
Tél. 05 57 24 70 47
Contact : François Rodhain

1995	C	90-93
1994	C	87+

1993	C	88
1992	C	87

Alors que les rendements furent en 1992 généralement assez élevés, ceux de L'Arrosée restèrent limités à 36 hl/ha, donnant un vin qui compte parmi les plus sensuels de ce millésime. Fidèle au style de la propriété, il offre, à la fois au nez et en bouche, des arômes généreux de chêne neuf et grillé, de cerise noire et de framboise. Il est également succulent, expansif et mûr, doux comme la soie. **A boire dans les 4 à 6 ans.** Serait-ce le Richebourg de Saint-Émilion ?

Le 1993 de L'Arrosée est une réussite impressionnante pour le millésime. Ce vin de couleur rubis moyennement foncé exhale un nez merveilleux, semblable à celui d'un bourgogne, aux notes de cerise confiturée, de chêne doux, fumé et grillé marquées d'une petite touche de cèdre. Moyennement corsé, il dévoile en bouche une douce ampleur qui rappelle celle des grands crus de Bourgogne, et se révèle tout à la fois soyeux, velouté, admirablement complexe et élégant. Vous dégusterez ce 1993 bien évolué et bien fait dans les 5 à **7 ans.**

Le 1994, de couleur rubis foncé, avec un nez réticent, paraît être en sommeil. Il manque de charme en bouche, se montre dense, moyennement corsé et concentré, mais fermé et tannique. Je pense qu'il évoluera bien, mais les tannins rugueux que l'on perçoit dans sa finale pourraient le desservir dans 7 ou 8 ans. Ce vin sera agréable à déguster dans les **15 prochaines années** après une garde de 2 à 4 ans en cave.

Le 1995, extrêmement réussi, surpassera finalement le renversant 1990. De couleur rubis-pourpre foncé, il exhale un nez pénétrant et intensément aromatique de cerise noire et douce, de framboise et de groseille, joliment infusé de belles notes de chêne fumé. Sa pureté et son équilibre, sa belle richesse en extrait et une vinification extraordinaire contribuent à en faire un vin impressionnant et opulent, qui sera prêt dès sa diffusion. Son potentiel de garde est de **15 à 18 ans.**

Note : L'Arrosée n'a pas diffusé de 1991 sous son étiquette.
LES GLOIRES DU PASSÉ : 1990 (92), 1986 (93), 1985 (92), 1983 (88), 1982 (93), 1961 (94).

AUSONE (SAINT-ÉMILION)****

33330 Saint-Émilion
Tél. 05 57 24 70 26 – Fax 05 57 74 47 39
Contact : Alain Vauthier

1995	E	92-93
1994	E	86 ?
1993	E	85
1992	E	80 ?

Le 1992, très tannique, avec une structure bien affirmée, présente un nez très réticent de poussière, de fruits rouges, de fleurs, de bois et de minéral.

Très peu corsé et creux, il offre en bouche des effluves de cerise auxquels se mêlent des senteurs herbacées. Bien trop tannique et sinueux pour se montrer agréable rapidement, il pèche aussi par manque de profondeur et de présence en bouche. Il est d'ailleurs fort possible qu'il se dessèche avant que ses tannins ne se fondent.

Le 1993, plutôt discret, libère un bouquet réservé et peu évolué, aux senteurs de minéral et de crayon marquées de notes de groseille. Austère et moyennement corsé, mais aussi tannique, maigre et comprimé, il se desséchera vraisemblablement avant que ses tannins ne se fondent. Dégustez ce vin assez léger dans les 12 ans, malgré son caractère astringent.

Le 1994, d'une couleur rubis modérément foncé, est austère, moyennement corsé, et bien marqué par des notes vanillées, de pierre et de minéral. Bien que plus mûr et doté d'un fruité plus profond que le 1993, il a une ampleur moindre et n'impressionne nullement. Accordez-lui 5 à 7 ans, afin de voir s'il possède quelque matière derrière ses tannins coupants.

Le 1995 est vraiment une réussite exceptionnelle. Les fermentations malolactiques se sont déroulées en fût, et le vin s'est fait sur les conseils éclairés du talentueux Michel Rolland. Les amateurs inquiets du fait que la griffe de ce dernier puisse éventuellement éclipser la typicité du cru peuvent être rassurés : ce 1995, de couleur rubis-pourpre foncé, exhale bien le caractère vif de minéral si particulier d'Ausone, de même qu'il déploie des arômes de violette, de cassis et de cerise noire semblables à ceux d'un Musigny. On y distingue encore des notes de boisé, moins abondantes cependant que dans le 1994. Ce vin assez corsé, tannique et peu évolué est également merveilleusement pur, mûr et multidimensionnel. Un Ausone classique, qui pourrait se révéler de premier ordre. A maturité : 2007-2035.

Note : Ausone n'a pas diffusé de 1991 sous son étiquette.

LES GLOIRES DU PASSÉ : 1990 (94+), 1989 (92), 1983 (94), 1982 (95), 1976 (94), 1929 (96), 1900 (94).

LES MÉDIOCRITÉS (OU PIRE) DU PASSÉ : 1971 (78), 1970 (69), 1961 (74).

BAHANS-HAUT-BRION (GRAVES)***

SA Domaine de Clarence Dillon
BP 24 – 133, avenue Jean-Jaurès – 33600 Pessac
Tél. 05 56 00 29 30 – Fax 05 56 98 75 14
Contact : Jean-Bernard Delmas ou Carla Kuhn

1995	C	88-90
1994	C	88
1993	C	87
1992	C	85
1991	B	76

Bahans-Haut-Brion s'impose, depuis la fin des années 80, comme l'un des seconds vins les plus remarquables du Bordelais. Alors que l'on attend généralement des seconds vins qu'ils reflètent le style du grand vin de la propriété, ils couvrent le plus souvent de leur étiquette toutes les cuvées qui ne sont pas jugées suffisamment bonnes pour constituer le vin principal du château. Les amateurs peuvent cependant réaliser de somptueuses affaires en achetant, dans certains millésimes bien particuliers, des seconds vins bien choisis. J'ai longtemps tenu Les Forts de Latour 1982 et le Bahans-Haut-Brion 1989 pour ce qui se faisait de mieux en matière de seconds vins, mais je leur ajoute maintenant les meilleurs Clos du Marquis de Léoville-Las Cases ainsi que le très beau Pavillon Rouge du Château Margaux, si bien que les amateurs peuvent actuellement choisir parmi toute une série de vins d'un excellent rapport qualité/prix.

Bahans-Haut-Brion était dernièrement sur la brèche. Il est issu de sélections plus que sévères, et toutes les cuvées qui n'étaient pas dignes d'entrer dans sa composition ont été vendues en vrac.

Cela étant, le 1991 se révèle dilué et court en bouche, manquant à la fois de couleur et de fruité. Quant au 1992, avec sa robe rubis très peu foncé et son nez herbacé de fruits noirs, il est souple, moyennement corsé, plein de charme et harmonieux. **A boire dans les 3 à 5 ans.**

Le 1993, vin complexe de couleur rubis foncé, déploie les senteurs de tabac, de terre et de groseille douce caractéristiques de Haut-Brion, mais il n'en aura jamais le caractère massif ni la longévité. Charmeur et souple en bouche, il libère la palette aromatique classique des vins du nord des Graves, et se révèle bien mûr, épicé, avec une faible acidité et une finale douce. **A boire dans les 7 ou 8 ans.**

L'excellent 1994 n'a heureusement pas hérité le caractère creux qui dessert souvent les vins de ce millésime. De couleur rubis foncé, avec un excellent nez doux et épicé de cassis et de fumé, il se révèle étonnamment mûr, velouté et concentré en bouche, déployant une finale délicieuse et plaisante. Ce Bahans est bien meilleur que nombre de ses jumeaux, et devrait se conserver 5 à **8 ans, voire plus.**

Le 1995 pourrait s'imposer comme le meilleur des millésimes récents. De couleur rubis-pourpre foncé, il exhale de généreux arômes de cassis infusés de douces notes de chêne, et se montre moyennement corsé, soyeux et assez gras en bouche, avec une finale riche, capiteuse, glycérinée et alcoolique. Il est déjà agréable et devrait bien évoluer sur les **7 ou 8 prochaines années.**

BALESTARD-LA TONNELLE (SAINT-ÉMILION)***

33330 Saint-Émilion
Tél. 05 57 74 02 06 – Fax 05 57 74 59 34

1992   B   75

Le 1992 de Balestard-La Tonnelle est d'une couleur rubis léger avec un nez épicé mais terne, et se montre tannique et moyennement corsé en bouche. La finale, maigre et dure, se dégradera davantage avec les années.

Note : Balestard-La Tonnelle n'a pas diffusé de 1991 sous son étiquette.

BATAILLEY (PAUILLAC)***

33250 Pauillac
Contact : Philippe Castéja – Maison Borie-Manoux
86, cours Balguerie-Stuttenberg – 33082 Bordeaux Cedex
Tél. 05 56 00 00 70 – Fax 05 57 87 60 30

1995	C	86-88+
1994	C	85
1993	C	76
1992	C	77

Cette propriété a tendance à produire des vins durs, à la texture rugueuse, destinés à une longue garde. Si cette démarche se révèle judicieuse dans la plupart des millésimes, elle ne permettait pas de faire des vins attrayants en 1992. Le Batailley de cette année se présente comme un vin moyennement corsé, alourdi par des tannins excessifs compte tenu de son fruité fragile. Rugueux et dur, il se desséchera bien avant que ses tannins ne fondent.

Le 1993, de couleur pourpre foncé, est desservi par un nez pénétrant, aux arômes de légumes. Il est également maigre, dur et tannique, manquant de charme et de fruité. Il se conservera certes **20 ans** encore, mais qui cela intéresse-t-il ?

Le 1994, qui arbore une séduisante robe rubis-pourpre tirant sur le noir, exhale un nez aux arômes de chêne neuf et de groseille douce. Moyennement corsé et d'une belle maturité, il est bon, bien fait et sans détour, mais manque de complexité et de profondeur. Il sera néanmoins agréable et facile à déguster sur les **12 à 14 prochaines années**.

Le 1995 est l'une des plus belles réussites récentes de la propriété. Sa robe opaque de couleur pourpre introduit un nez doux de cassis, de cerise et d'épices. Moyennement corsé, musclé et très richement extrait, avec des tannins doux, ce vin requiert une garde supplémentaire de 7 ou 8 ans, et devrait bien se conserver **20 à 25 ans**.

BEAUREGARD (POMEROL)***

33500 Pomerol
Tél. 05 57 51 13 36 – Fax 05 57 25 09 55
Contact : Vincent Priou

1995	C	87-89
1994	C	87
1993	C	87
1992	C	88

Les amateurs qui recherchent un excellent Pomerol à prix raisonnable devraient se tourner vers les millésimes récents du Château Beauregard.

Ainsi, son 1992 semble être le meilleur vin fait à la propriété depuis des années. Sa robe rubis foncé et son nez odorant, richement fruité et intensément épicé, annoncent un vin moyennement corsé en bouche, avec des arômes doux et charnus, qui déploie une finale douce et arrondie. Des lauriers pour Beauregard ! **A boire dans les 3 ou 4 ans.**

Le 1993 est l'une des révélations de l'année. Avec une robe prune foncé et un caractère voluptueux et doux, il dégage de riches arômes de cerise noire aux notes de fumé et se montre étonnamment crémeux. Il libère encore un merveilleux fruité mûr, qui jaillit littéralement du verre et persiste en bouche sans aucune aspérité. C'est un Pomerol bien fait, assez massif et savoureux. **A boire dans les 7 ou 8 ans.**

Le 1994, de couleur rubis-pourpre, exhale un nez fermé de terre, de fumé et de fruits noirs. Il est moyennement corsé, serré et d'une très bonne, voire d'une excellente concentration, mais il affiche aussi un niveau très élevé de tannins. Ce vin s'est refermé depuis la mise en bouteille, et requiert une garde de 3 ou 4 ans avant d'être bu. **A maturité : 2001-2012.**

Le 1995 me paraît excellent, presque extraordinaire, avec sa robe pourpre foncé qui prélude à un nez flamboyant, doux et confituré, aux notes de chêne fumé et grillé. Moyennement corsé, savoureux, avec une acidité faible, il est richement fruité et montre une belle pureté. Délicieux dès sa diffusion, il pourra également se conserver **12 ans, ou davantage.**

Note : Beauregard n'a pas diffusé de 1991 sous son étiquette.

BEAU-SÉJOUR-BÉCOT (SAINT-ÉMILION)***

33330 Saint-Émilion
Tél. 05 57 74 46 87 – Fax 05 57 24 66 88
Contact : Gérard ou Dominique Bécot

1995	C	88-90
1994	C	87
1993	C	87
1992	C	86

Cette étoile montante de Saint-Émilion pourrait fort bien gagner les rangs des meilleures propriétés de l'appellation. Son vignoble jouit d'une situation superbe, et la famille Bécot semble décidée à faire tout ce qui s'impose pour que ce château soit l'un des plus renommés de son appellation.

Avec sa structure solide, le 1992, mûr et concentré, arbore une robe très soutenue et révèle des arômes doux et mûrs de fruits noirs et rouges, ainsi que des senteurs généreuses et spectaculaires d'épices et de chêne. Il est suffisamment rond pour être dégusté maintenant et devrait se conserver encore 4 ou 5 ans. Beau-Séjour-Bécot a fait un pas de plus vers le haut de l'échelle.

Les amateurs qui souhaitent réaliser une bonne affaire dans un millésime peu prisé devraient se tourner vers le Beau-Séjour-Bécot 1993, délicieux et moyennement corsé. Rubis foncé, avec un nez, bien évolué et précoce, de fumé et de cerise douce et confiturée, il se révèle épicé, rond, très long, et offre une belle pureté en bouche, où il laisse encore une impression d'élégance et de bel équilibre d'ensemble. La finale est toute soyeuse. **A boire dans les 5 ans.**

Le 1994, de couleur rubis foncé, exhale le nez généreusement boisé et grillé typique des vins de la propriété. Il est moyennement corsé, plus structuré et de plus longue garde que le 1993, mais moins charmeur et moins précoce. Bien qu'il soit d'une qualité égale à celle de son aîné, je ne pense pas qu'il se révèle aussi agréable à déguster. **A maturité : 1999-2012.**

Le 1995 est l'un des Beau-Séjour-Bécot les plus gras et les plus riches que je connaisse. De couleur rubis-pourpre foncé, il libère de généreux arômes de vanille aux notes de pain grillé, et se montre moyennement corsé, avec, en bouche, une faible acidité et un niveau modéré de tannins. Il laisse une impression charnue et puissante, sans toutefois atteindre des sommets. **A maturité : 2000-2010.**

Note : Beau-Séjour-Bécot n'a pas diffusé de 1991 sous son étiquette.

BEAUSÉJOUR-DUFFAU (SAINT-ÉMILION)*****

33330 Saint-Émilion
Tél. 05 57 24 71 61 – Fax 05 57 74 48 40
Contact : M. Dubos

1995	D	90-91+
1994	D	87 ?
1993	D	87
1992	D	87+

Pour mémoire, j'ai récemment dégusté le 1990 de Beauséjour-Duffau à trois reprises, et une fois encore dans une dégustation à l'aveugle (des 1990) à New York. Lors de cette dernière manifestation, il a été classé premier, écrasant des rivaux aussi sublimes que les Châteaux Margaux, Lafite-Rothschild, Latour, Petrus et même Montrose. Je l'ai aussi offert à des invités, très amateurs de bordeaux, qui n'en avaient pas acheté (peut-être ne leur semblait-il pas assez prestigieux), et je ne suis pas loin de penser que ce vin de légende, fabuleusement riche et concentré, flirtera avec la perfection d'ici 10 à 15 ans. Il sera certainement difficile de mettre la main sur quelques bouteilles de cette réussite presque hallucinante, à cause d'une production très restreinte – d'après les dernières publicités que j'ai vues, le prix de la caisse a plus que doublé et atteint maintenant les 4 500 F. Mais elle les vaut bien.

Cette minuscule propriété a produit en 1992 moins de 2 000 caisses d'un vin réussi qui se distingue de ceux, assez médiocres, de certains autres premiers grands crus classés. Avec sa robe profonde, opaque et sombre de couleur rubis-pourpre, il déploie un bouquet entêtant de cerise noire très mûre auquel se mêlent des senteurs de minéral, de fleurs, de terre et de bois neuf. Étonnamment dense, moyennement corsé, très concentré et remarquablement tannique, il est puissant et riche, et aura besoin de 3 ou 4 ans encore pour que ses tannins se fondent. Son potentiel de garde est de **10 à 15 ans.** C'est le moins évolué de tous les 1992, et il témoigne bien de ce que Beauséjour-Duffau produit actuellement des vins qui sont au nombre des meilleurs bordeaux.

Avec sa robe dense de couleur rubis-grenat, le 1993 de Beauséjour-Duffau révèle un nez de fumé, de terre et de fruits noirs. Moyennement corsé, bien riche et bien équilibré, il est modérément tannique, et se présentera au terme d'une garde de 2 ou 3 ans comme un Saint-Émilion séduisant et assez massif. **A maturité : 2002-2010.**

Le Beauséjour-Duffau 1994 est assez difficile à évaluer. Présentant une couleur prune-grenat foncé un peu trouble, il exhale un doux nez d'essence de vieilles vignes, de cerise et de minéral, marqué en arrière-plan de notes de terre et d'épices. Dense, traditionnel, avec des tannins féroces, il pourrait se dessécher si son fruité se fane avant que ses tannins ne se fondent. Ce vin ne conviendra pas à ceux qui recherchent un plaisir immédiat. **A maturité : 2004-2016.**

Le 1995, qui s'impose comme le meilleur vin de la propriété depuis le 1990, arbore une robe soutenue de couleur prune-pourpre, et déploie un nez de vieilles vignes, de kirsch, de cerise noire, de réglisse et de truffe. Moyennement corsé et très tannique, il libère en bouche un fruité de cerise et de framboise semblable à celui d'un Lafleur. Il s'agit d'un vin structuré, riche, puissant et musclé, qui requiert une garde d'une dizaine d'années. **A maturité : 2006-2025.**

Note : Beauséjour-Duffau n'a pas diffusé de 1991 sous son étiquette.
LES GLOIRES DU PASSÉ : 1990 (100), 1989 (90).

BELAIR (SAINT-ÉMILION)**

33330 Saint-Émilion
Tél. 05 57 24 70 94 – Fax 05 57 24 67 11
Contact : Pascal Delbeck

1995	C	85-87
1994	C	85
1993	C	76
1992	C	74 ?

Cette propriété produit régulièrement des vins austères, au caractère prononcé de minéral, qui ont souvent tendance à être trop comprimés et marqués par des arômes de terre.

Le 1992, avec sa robe légère, faible et délavée, présente un nez muet qui introduit en bouche un vin péchant par absence de fruité, de profondeur et de poigne. Dilué et creux, il manque singulièrement de présence en fin de bouche. Trois dégustations successives alors qu'il était encore en fût ont donné des résultats similaires. Il ne m'a pas été présenté après la mise en bouteille, ce qui est plutôt mauvais signe !

Le 1993, de couleur grenat moyennement foncé, présente des arômes de moisi et de vieux fût. Il est dominé par un caractère végétal de pierre concassée, et se révèle maigre et légèrement corsé en bouche.

Le 1994, à la robe rubis moyennement sombre, exhale de douces senteurs de cerise et de groseille, et se montre légèrement corsé, avec une faible acidité en bouche, où il libère les légendaires arômes de terre typiques de ce cru. Il est également épicé et tannique, avec une finale compacte. **A maturité : 2000-2007.**

Vêtu de rubis-pourpre sombre, le Belair 1995 exhale de douces senteurs de kirsch et de cerise. Moyennement corsé et tannique, il est marqué par un caractère de minéral et de pierre concassée, et se révèle bien équilibré, avec une acidité bien fondue et une finale tannique et modérément longue. Vous dégusterez ce Saint-Émilion élégant, mesuré et discret dans les 12 ans.

Note : Belair n'a pas diffusé de 1991 sous son étiquette.

BELGRAVE (HAUT-MÉDOC)**

33112 Saint-Laurent-de-Médoc
Contact : Groupe CVBG – 35, rue de Bordeaux – 33290 Parempuyre
Tél. 05 56 35 53 00 – Fax 05 56 35 53 29

1993	C	79

Le 1993 de Belgrave est un vin maigre et creux, à la texture rugueuse, qui, bien qu'étant d'une belle couleur, ne possède pas un fruité suffisant pour contrebalancer ses défauts structurels.

BELLEGRAVE (POMEROL)**

33500 Pomerol
Tél. 05 57 51 20 47 – Fax 05 57 51 23 14
Contact : Jean-Marie Bouldy

1993	C	81
1992	C	85

Bellegrave est une propriété qui monte et qui fait, depuis quelque temps, des vins de meilleure qualité.

Son 1992 déploie un séduisant fruité de framboise sauvage et de prune, marqué par des notes de chêne neuf et de grillé auxquelles se mêlent les arômes de thé herbacé de son bouquet. Moyennement corsé et d'une bonne profondeur, il déploie une finale douce et plaisante. **A boire dans les 4 à 5 ans.**

Le 1993 est un vin agréable, monolithique et fruité, aux tannins légers. Il possède une belle corpulence et présente une finale solide, mais terne. **A boire dans les 4 à 6 ans.**

Note : Bellegrave n'a pas diffusé de 1991 sous son étiquette.

BELLES-GRAVES (LALANDE-DE-POMEROL)***

33500 Néac
Tél. 05 57 51 09 61 – Fax 05 57 51 01 41
Contact : Xavier Piton

1993	B	85

Cette propriété de fort bonne tenue a très bien réussi son 1993, qui se révèle plus doux et plus opulent que la majorité de ses homologues plus renommés et plus chers. Montrant une excellente concentration et une faible acidité, avec des arômes charnus de cerise noire, il déploie une finale nette légèrement marquée par la mâche. **A boire dans les 3 ou 4 ans.**

BEYCHEVELLE (SAINT-JULIEN)***

33250 Saint-Julien-Beychevelle
Tél. 05 56 73 20 70 ou 05 56 73 20 75 – Fax 05 56 73 20 71
Contact : Philippe Blanc

1995	C	87-89
1994	C	85
1993	C	82
1992	C	81
1991	C	85

Bien que jouissant de l'un des terroirs les plus grandioses du nord du Médoc, Beychevelle produit des vins d'une irrégularité consternante.

Meilleur que le 1992, le 1991 offre un nez séduisant et doux de fruits noirs et de chêne, et déploie des arômes ronds et élégants. D'une maturité admirable, il présente un niveau d'acidité peu élevé et une finale somptueuse. Bien qu'il ne soit pas énorme ni ample, il est plein de grâce, très fruité et goûteux. **A boire dans les 5 ou 6 ans.**

Le 1992 est plus évolué, mais compact et marqué par des touches herbacées, avec des tannins qui dominent son fruité. Très peu corsé et un peu maigre, il ne manque cependant ni de charme ni de souplesse, et son niveau d'acidité est peu élevé. **A boire d'ici 2 ou 3 ans.**

Le 1993, de couleur rubis moyennement foncé, déploie des arômes très boisés et légèrement poivrés, mais fort peu de ce caractère végétal qui dessert tant les Médoc de ce millésime. Il a un bon fruité épicé, mais se montre austère et tannique, bien qu'élégant et subtil. **A maturité : jusqu'en 2006.**

Le 1994, légèrement massif, présente une couleur rubis foncé, ainsi qu'un nez sans détour de groseille, marqué en arrière-plan de notes de terre et de grillé. D'un faible niveau d'acidité, il révèle, outre d'abondants tannins, un doux fruité qui, tout en étant de bonne qualité, ne laisse pas en bouche une impression particulière. **A boire dans les 10 ans.**

Le 1995 de Beychevelle s'impose comme le meilleur vin de la propriété depuis le 1989. Il arbore une robe rubis-pourpre foncé, et déploie de séduisants arômes floraux et de cassis doux joliment infusés de notes de chêne neuf. Ce vin se révèle aujourd'hui plus gras que lors de ma dégustation de 1996, et présente désormais ce caractère souple, velouté, modérément tannique, pur et élégant, qui est la signature de la propriété dans les grandes années. **A maturité : 2002-2016.**

LES GLOIRES DU PASSÉ : 1989 (91), 1986 (92), 1982 (92).

BON PASTEUR (POMEROL)****

33500 Pomerol
Tél. 05 57 51 10 94 – Fax 05 57 25 05 54
Contact : Michel ou Dany Rolland – 15, cours des Girondins – 33500 Libourne

1995	C 88-90
1994	C 89
1993	C 88
1992	C 86

Mes lecteurs de longue date connaissent mon admiration pour Michel Rolland et son épouse Dany, tous deux œnologues. Michel est plus présent sur la scène internationale, ayant touché de sa baguette magique de nombreuses propriétés d'Italie, d'Espagne, d'Argentine, de Californie et, bien sûr, de France. Sa réussite lui vaut d'être aujourd'hui la cible des critiques d'un groupe de producteurs notoirement médiocres, qui ne lui reprochent d'ailleurs qu'une chose : faire mieux qu'eux. Michel et Dany gèrent ensemble leur propriété de Bon Pasteur.

Le merveilleux 1992, avec sa robe rubis foncé et son nez de fumé, de moka, de chocolat et de cerise noire, déploie un fruité mûr. Moyennement corsé, très tannique et d'une belle profondeur, il présente plus de structure et une finale plus longue que beaucoup d'autres vins de ce même millésime. Il se conservera encore **4 à 6 ans, peut-être davantage.**

Le 1993, à la robe soutenue de couleur rubis-prune foncé, est bien réussi pour le millésime (celui-ci offre d'ailleurs de quoi satisfaire les amateurs d'excellentes affaires). Il exhale un doux nez de fumé, de café et de cerise noire, et se révèle étonnamment gras et doux en bouche, avec une acidité faible et une finale épicée, moyennement corsée et de bonne mâche. C'est l'un des vins les plus concentrés, les plus délicieux et les plus complexes de 1993. **A maturité : jusqu'en 2007.**

Le 1994 exhale le nez légendaire des vins de merlot en général, et des Pomerol en particulier, et libère des arômes de moka, de chocolat, de cerise noire et de prune mûres. Moyennement corsé et modérément tannique, il montre encore une excellente pureté et une richesse extraordinaire, et déploie une finale douce. A conserver en cave pendant 2 ou 3 ans avant de déguster. A **maturité : 2000-2012.**

Le 1995 s'impose comme le meilleur Bon Pasteur depuis le 1990. Sa robe soutenue de couleur rubis-pourpre prélude à un nez séduisant de fumé, de fruits rouges et mûrs, marqué de notes vanillées et épicées. Suit un vin moyennement corsé, doux et dense, qui développe en bouche un fruité pur de cerise noire, une acidité faible et des tannins modérés. Charnu et de bonne mâche, il sera parfait sur les **15 ans** qui suivront une garde de 4 ou 5 ans.

Note : Bon Pasteur n'a pas diffusé de 1991 sous son étiquette.
LES GLOIRES DU PASSÉ : 1990 (92), 1982 (97).

BONALGUE (POMEROL)***

16, rue Faidherbe – 33500 Libourne
Tél. 05 57 51 62 17 – Fax 05 57 51 28 28
Contact : Pierre Bourotte

| 1993 | C 85 |

Cette petite propriété produit régulièrement des vins moyennement corsés, très aromatiques, solides et bien dotés. Bien qu'ils manquent parfois de complexité, ils offrent un fruité généreux, mûr et goûteux de cerise noire.

Le 1993, merveilleusement concentré et modérément tannique, sera parfait au cours des **4 à 6 prochaines années**. Simple, mais gratifiant !

LE BOSCQ (MÉDOC)***

33180 Saint-Estèphe
Contact : Groupe CVBG – 35, rue de Bordeaux – 33290 Parempuyre
Tél. 05 56 35 53 00 – Fax 05 56 35 53 29

1993 Vieilles Vignes	B	85

Cette propriété fait souvent de bons vins dans les bonnes années, mais je ne m'attendais pas que son 1993 – un millésime relativement difficile – se montre épicé, doux et mûr. Quoique unidimensionnel, il est charnu. **A boire dans les 4 ou 5 ans.**

BOURGNEUF-VAYRON (POMEROL)**

1, Le Bourgneuf – 33500 Pomerol
Tél. 05 57 51 42 03 – Fax 05 57 25 01 40
Contact : Xavier Vayron

1995	C	88-90
1994	C	84
1993	C	85
1992	C	74

Ce vin se présente toujours comme un bordeaux trapu, robuste et unidimensionnel, mais les lecteurs devraient garder à l'œil le 1995...

Le 1992 affiche une robe d'un rubis moyen et présente un bouquet léger, avec en particulier des arômes de fruits pas mûrs. Il est sans détour, unidimensionnel, et pâtit de tannins excessifs ainsi que d'un caractère par trop végétal. **A boire dans les 3 ou 4 ans.**

Le 1993 manifeste un caractère rugueux et rustique, accompagné d'un doux fruité. Il est bien coloré, moyennement corsé, trapu et charnu en bouche, avec une finale épicée. **A boire dans les 5 à 7 ans.**

Le 1994 est à la fois tannique et longiligne, énorme et structuré, mais il se pourrait bien qu'il lui manque la richesse en extrait nécessaire pour étayer ses tannins. **A maturité : 2000-2008.**

Je recommande particulièrement aux lecteurs, ainsi que je le notais plus haut, de suivre l'évolution du Bourgneuf 1995 après la mise en bouteille, car il pourrait s'imposer comme une réussite extraordinaire. Avec sa robe opaque de couleur pourpre, il libère des arômes riches et intenses de vieilles vignes, ainsi qu'un caractère glycériné et un fruité sous-jacent admirables. Très corsé et merveilleusement concentré, il offre encore des notes extrêmement mûres, presque de vendanges tardives. Il s'agit vraiment d'un vin énorme et massif, tout à fait inhabituel pour ce château. Serait-il vraiment hors normes ? Surtout, restez branchés ! **A maturité : 2002-2017.**

Note : Bourgneuf-Vayron n'a pas diffusé de 1991 sous son étiquette.

BRANAIRE-DUCRU (SAINT-JULIEN)***

33250 Saint-Julien-Beychevelle
Tél. 05 56 59 25 86 – Fax 05 56 59 16 26
Contact : Philippe Dhalluin

1995	C	90-91
1994	C	89
1993	C	84 ?
1992	C	82
1991	C	85

J'admire le charme, l'élégance et le fruité doux et mûr du Branaire 1991. Ce vin racé, moyennement corsé, présente une texture douce et veloutée ainsi qu'un excellent équilibre. Déjà à maturité optimale, il demeurera délicieux pendant encore **3 ou 4 ans.**

Le 1992 exhale un nez épicé, léger et vaguement fruité qui laisse deviner assez peu de fruit mûr. Moyennement corsé et plaisant, avec des tannins peu abondants, il développe en bouche des arômes de fruits rouges et noirs légèrement marqués par le chêne. Vous le boirez dans les **6 ans suivant sa diffusion,** en pique-nique ou avec un repas léger.

Le 1993, moyennement corsé, déploie des arômes épicés de thé, et se montre austère et aqueux en bouche, avec une finale suffisamment tannique pour que l'on puisse douter de son équilibre d'ensemble. **A boire jusqu'en 2006.**

En revanche, le 1994 s'impose comme l'un des vins les plus racés, les plus complexes et les plus remarquablement délicieux du millésime. Ce charmeur arbore une robe rubis-pourpre foncé, et déploie un excellent nez de cassis et d'épices accompagné de curieuses notes florales. Doux et savoureux en bouche, il est également riche, avec une acidité faible, et exprime de purs arômes de fruits noirs et de grillé. Il n'a heureusement pas le caractère tannique qui dessert tant de ses jumeaux. Je ne suis pas sûr que ce vin se révèle extraordinaire, mais il n'en est pas loin. C'est assurément l'une des affaires les plus séduisantes parmi les crus classés. **A boire dans les 12 à 16 ans.**

Le 1995, à la robe opaque de couleur pourpre, exhale le nez classique des bordeaux, aux arômes de cassis confituré et d'épices douces conjugués à de jolies notes de boisé. Suit un vin riche et moyennement corsé, qui affiche l'élégance et la pureté légendaires de ce cru. Il n'est pas massif, mais plutôt intense, souple et aromatique, avec une finale très tannique. Il se bonifiera au terme d'une garde de 4 ou 5 ans, et durera encore **20 ans environ.**

LES GLOIRES DU PASSÉ : 1989 (91), 1982 (91), 1975 (92).

BRANE-CANTENAC (MARGAUX)**

33460 Margaux
Tél. 05 57 88 70 20 – Fax 05 57 88 72 51
Contact : Henri Lurton

1993	C	72

J'ai rarement eu l'occasion de déguster le Brane-Cantenac avant la mise en bouteille. Ce 1993, que j'ai goûté au fût, m'a semblé très acide, creux et dilué, avec un fruité desséché et herbacé. Il est moyennement corsé et excessivement tannique.

LA CABANNE (POMEROL)**

35, rue de Montaudon – 33500 Libourne
Tél. 05 57 51 04 09 – Fax 05 57 25 13 38
Contact : Jean-Pierre Estager

1993	C	76
1992	B	80

Typique des vins de ce millésime, le 1992 de La Cabanne est assez moyennement corsé, avec un nez simple mais séduisant, mûr et fruité, des tannins doux et une faible acidité. **A boire dans les 2 à 4 ans.**

Le 1993 montre un bon fruité légèrement corsé, net et épicé. En bouche, ce vin se révèle maigre, tannique et rugueux, manquant de profondeur et de maturité. **A boire dans les 6 ou 7 ans.**

Note : La Cabanne n'a pas diffusé de 1991 sous son étiquette.

CADET-BON (SAINT-ÉMILION)**

1, Le Cadet – 33330 Saint-Émilion
Tél. 05 57 74 43 20 – Fax 05 57 24 66 41
Contact : Bernard Gans

1993	C	77
1992	C	74

Le 1992 de Cadet-Bon est un vin qui manque de maturité. Très végétal, il arbore une couleur soutenue, montre une certaine rondeur et un peu de fruité, mais il est trop herbacé – autrement dit, pas du tout à mon goût. **A boire dans les 2 à 4 ans.**

Le 1993 affiche une robe d'un rubis moyen et offre un nez mal défini d'herbes, de terre mouillée et de vieux bois. Moyennement corsé et compact en bouche, avec une texture rugueuse, il est maigre, manque de richesse, d'extraction et de corps. **A boire dans les 5 à 7 ans.**

CADET-PIOLA (SAINT-ÉMILION)***

BP 24 – 33330 Saint-Émilion
Tél. 05 57 74 47 69 – Fax 05 57 74 47 69
Contact : Alain Jabiol

1993	C	85
1992	C	72

Le 1992 est compact, avec une robe d'un rubis moyen et un bouquet aqueux, court et pas impressionnant du tout. Ses arômes, bien que doux et mûrs, n'ont aucune consistance et sont dominés par un goût astringent, sec et tannique. Ce vin se desséchera d'ici 2 à 4 ans, il est donc préférable de le **boire très vite.**

Sachant que Cadet-Piola a tendance à produire des vins denses et rustiques, on aurait pu penser que le 1993 de cette propriété serait, comme les autres vins de ce millésime, rugueux, dur et tannique – en bref, apte à dissoudre l'émail de vos dents. Pourtant, il se révèle doux, charnu, moyennement corsé, souple et plaisant. **A boire dans les 4 à 6 ans.**

Note : Cadet-Piola n'a pas diffusé de 1991 sous son étiquette.

CALON-SÉGUR (SAINT-ESTÈPHE)***

33180 Saint-Estèphe
Tél. 05 56 59 30 08 – Fax 05 56 59 71 51
Contact : Denise Capbern-Gasqueton

1995	C	90-93+
1994	C	86+
1993	C	86
1992	C	74 ?
1991	C	84

Le 1991 de Calon présente une robe profonde de couleur rubis et déploie un bouquet serré, un peu vieillot et rustique, de cuir fin, de cèdre, de thé et de fruits rouges et mûrs. Il révèle une structure ferme et une excellente profondeur, et je ne serais pas surpris qu'il se bonifie au terme d'une garde de 2 ou 3 ans. Il se conservera bien encore **10 à 15 ans.**

Les échantillons de 1992 que j'ai dégustés au fût étaient décevants, car légers et mous ; et, bien que fruité, ce vin m'a semblé maigre, manquant de tenue et de concentration. **A boire assez rapidement.**

Le 1993, doux et moyennement corsé, de couleur rubis foncé, libère de plaisants arômes de fruits rouges, d'herbes et de terre, et révèle en bouche une faible acidité. La finale est ronde et d'une belle consistance. **A boire jusqu'en 2004.**

Le 1994, de couleur rubis foncé, exhale un nez fermé aux notes de truffe. Concentré, austère et tannique, plus corpulent que le 1993, il présente davantage de tannins astringents. Conservez-le en cave 2 ou 3 ans avant de le déguster. **A maturité : 2000-2012.**

Le 1995 s'impose comme l'un des meilleurs vins de la propriété depuis des années – il pourrait même surpasser les 1988 et 1982. Il arbore une robe dense de couleur pourpre-noir, et se montre riche, moyennement corsé et extrêmement mûr, très gras et très puissant. Il est énorme, presque massif

pour un Calon, et compte parmi les trois révélations du millésime. **A maturité :
2005-2030.**

LES GLOIRES DU PASSÉ : 1988 (91), 1986 (89), 1982 (94+), 1949 (93), 1947 (97), 1945 (92), 1928 (94), 1926 (92), 1900 (90).

LES MÉDIOCRITÉS (OU PIRE) DU PASSÉ : 1970 (80), 1964 (75), 1961 (83).

CANON (CANON-FRONSAC)***

BP 125 – 33501 Libourne
Tél. 05 57 51 06 07 – Fax 05 57 51 59 61
Contact : Henriette Moreau ou Jean de Coninck

1993	C	85
1992	C	78

Le 1992 de Canon se révèle agréable, bien évolué, fruité et monochromatique. A parfaite maturité et goûteux, il révèle cependant une texture pauvre et une faible acidité, et sa finale est austère.

Quant au 1993, c'est l'un des vins les plus impressionnants de son appellation. Il déploie un fruité doux et expansif qui compense parfaitement ses tannins modérés. Moyennement corsé et longiligne, il est bien fait. **A boire dans les 10 à 15 ans.**

CANON (SAINT-ÉMILION)****

33330 Saint-Émilion
Tél. 05 57 24 70 79 – Fax 05 57 24 68 00
Contact : John Kolassa

1995	C	78-82 ?
1994	?	?
1993	C	76
1992	C	83 ?

Le Château Canon, propriété de la famille Fournier pendant des décennies, a été racheté en 1996 par le groupe Chanel, qui possède également, depuis plusieurs années déjà, le Château Rauzan-Ségla, à Margaux. Les chais de Canon sont actuellement en cours de rénovation, et cette propriété devrait rebondir maintenant qu'elle est prise en main par les talentueux David Orr et John Kolassa.

Lorsque je l'ai dégusté au fût, j'ai pensé que le 1992 de Canon serait au nombre des Saint-Émilion les mieux réussis. Cependant, comme chez beaucoup d'autres vins de ce millésime, son fruité fragile semble avoir souffert du collage et de la filtration qui sont systématiquement pratiqués avant la mise en bouteille dans le Bordelais. Il se montre maintenant étonnamment mûr, mais également dur et rugueux, et paraît avoir été quelque peu vidé de sa substance. Sa robe est intacte, et, si l'attaque en bouche ainsi que le fruité se présentent bien, il manque de profondeur et de longueur. On n'en perçoit que les tannins, l'alcool, l'acidité et le boisé. Est-il simplement fermé, ou vide et creux ? **A boire dans les 5 ou 6 ans.**

Le 1993, étouffé et peu séduisant, présente, outre des tannins très sévères, un bouquet de moisi, de chien mouillé et de carton. **A éviter.**

Quant au 1994, non content d'être austère, maigre et déplaisant en bouche, il est encore desservi par des arômes de bois humide, de carton mouillé, de moisi et de bouchon semblables à ceux qui affectent le 1993.

Le 1995 ne présente encore aucun arôme étrange, mais rien ne dit qu'il n'en développera pas. Il arbore, à l'heure actuelle, une couleur prune foncé avec un centre pourpre, et se montre moyennement corsé, tannique et rugueux. Il est fort possible qu'il se dessèche avant que ses tannins ne se fondent.

Note : Canon n'a pas diffusé de 1991 sous son étiquette.

LES GLOIRES DU PASSÉ : 1989 (92), 1986 (91), 1985 (90), 1983 (89), 1982 (96), 1961 (88), 1959 (95), 1955 (88), 1948 (89), 1947 (93).

LES MÉDIOCRITÉS (OU PIRE) DU PASSÉ : 1975 (65), 1970 (84).

CANON DE BREM (CANON-FRONSAC)***

Établissements Jean-Pierre Moueix
54, quai du Priourat – 33500 Libourne
Tél. 05 57 51 78 96 – Fax 05 57 51 79 79
Contact : Frédéric Lospied
Visites réservées aux professionnels

1993	C	82 ?
1992	C	80

Le 1992, qui est déjà prêt à boire, se montre peu corsé et austère, avec des tannins durs et un caractère rustique. Simple et maigre, il se desséchera vraisemblablement assez rapidement. **A boire dans les 3 ou 4 ans.**

Le 1993 est un vin rustique, extrêmement tannique, dont le séduisant fruité de cerise est masqué par le caractère astringent, accentué par les tannins verts de la finale.

CANON-LA GAFFELIÈRE (SAINT-ÉMILION)*****

33330 Saint-Émilion
Tél. 05 57 24 71 33 – Fax 05 57 24 67 95
Contact : Stephan von Neippberg

1995	C	90-92
1994	C	90
1993	C	88
1992	C	87

Canon-La Gaffelière est une propriété de la rive droite impeccablement gérée qui s'affirme comme une des étoiles montantes de Saint-Émilion.

Atypique du millésime, son 1992 est riche, concentré et délicieux, avec une robe rubis très foncé. Moyennement corsé, il déploie un bouquet épicé et grillé de cassis, et une excellente richesse en extrait. De bonne tenue, il devrait susciter l'intérêt des consommateurs. **A boire dans les 6 ou 7 ans.**

Le 1993, à la robe soutenue de couleur pourpre foncé, est l'un des vins les plus impressionnants du millésime. Il offre au nez de généreux arômes de fruits noirs, de terre, de prune et de réglisse marqués de notes de fumé. Moyennement corsé et richement fruité, il est doux, étonnamment mûr et bien glycériné dès l'attaque en bouche, avec une faible acidité, et un fruité et une texture qui masquent bien son caractère légèrement tannique. Ce vin séduisant tiendra 10 à 12 ans. Il constitue également une excellente affaire dans un millésime oublié.

Le 1994 arbore une robe dense de couleur pourpre, et libère des notes étonnamment pures d'olive provençale et de cassis confituré, ainsi que des arômes de pain grillé et fumé. Mûr et gras, moyennement corsé et plutôt tannique, il est musclé et élégant. Ce vin impressionnant et bien équilibré requiert une garde de 2 à 4 ans et se conservera parfaitement ensuite 16 ou 17 ans.

Avec sa robe soutenue et opaque de couleur pourpre, le 1995 exhale un nez qui évolue, aux arômes de fumé, de cassis, de poivre noir et de grillé. Richement extrait, formidablement tannique et musclé, il devrait s'imposer comme le meilleur vin du domaine depuis le fabuleux tiercé 1988, 1989, 1990. Ses abondants tannins laissent cependant deviner qu'il faudra lui accorder un temps de garde de 5 ou 6 ans avant de le déguster. **A maturité : 2003-2016.**
LES GLOIRES DU PASSÉ : 1990 (93), 1989 (89), 1988 (90).

CANON-MOUEIX (CANON-FRONSAC)***

Établissements Jean-Pierre Moueix
54, quai du Priourat – 33500 Libourne
Tél. 05 57 51 78 96 – Fax 05 57 51 79 79
Contact : Frédéric Lospied
Visites réservées aux professionnels

1993	C	83 ?
1992	C	83

Rubis profond, le 1992 de Canon-Moueix exhale un nez suave de terre, de fruits rouges et noirs, et d'épices. Rond et généreux en bouche, il est assez corsé, bien évolué et souple, avec des tannins étonnamment agressifs dans la finale, rugueuse. **A boire dans les 2 ou 3 ans.**

Malgré son excellente concentration, le 1993 de Canon-Moueix est un vin peu évolué, dont les tannins extrêmement abondants éclipsent toutes les autres composantes. Avec sa robe d'un rubis assez profond, il révèle un nez de terre et de fruits noirs et rouges, et présente une texture souple malheureusement déformée par des tannins trop agressifs, que l'on perçoit encore dans sa finale rugueuse. **A boire dans les 3 ou 4 ans.**

Note : Canon-Moueix n'a pas diffusé de 1991 sous son étiquette.

CANTEMERLE (HAUT-MÉDOC)***

33460 Macau-en-Médoc
Tél. 05 57 97 02 82 – Fax 05 57 97 02 84
Contact : Philippe Dambrine

1993	C	86
1992	C	86
1991	B	76

Terne et décevant, le 1991 de Cantemerle est terriblement herbacé et peu corsé, avec une finale très courte. Il présente quelques arômes de fruits doux, mais manque singulièrement de substance.

Le 1992, profondément coloré, offre un bouquet d'épices, de fruits mûrs et d'olive, et se révèle souple, riche et soyeux en bouche. Il déploie en finale un fruité sans détour, abondant et juteux. Ce vin élégant doit être consommé d'ici 3 à 5 ans.

Quant au 1993, dont la robe profonde de couleur rubis tire sur le pourpre, il semble plus marqué par le bois que ne le sont en général les vins de Cantemerle. Son admirable fruité de cassis généreux étaye parfaitement ses tannins abondants et sa structure ; il présente également une douceur et une maturité sous-jacentes. Élégant et légèrement austère, il sera parfait au début du prochain millénaire. **A maturité : 2000-2010.**

LES GLOIRES DU PASSÉ : 1989 (91), 1983 (91), 1961 (90), 1959 (89), 1953 (94), 1949 (90).

LES MÉDIOCRITÉS (OU PIRE) DU PASSÉ : 1986 (82), 1975 (84).

CANTENAC-BROWN (MARGAUX)***

Châteaux et Associés – BP 46 – 33250 Pauillac
Tél. 05 57 88 81 81 – Fax 05 57 88 81 90
Contact : José Sanfins

1995	C	78-82
1994	C	79
1993	C	74
1992	C	78
1991	C	74

Le 1991 de Cantenac-Brown reste bien dans la ligne de ce que fait généralement cette propriété. Dur et austère, avec une texture rugueuse, il est maigre et aura tendance à se dessécher avant que ses tannins ne se fondent. Malgré sa couleur impressionnante, il est creux et manque autant de charme que de finesse.

Le 1992, avec sa robe d'un rubis profond, est plutôt longiligne et concentré. Cependant, il est également austère, excessivement tannique et astringent, et agresse littéralement le palais. Je doute que son fruité puisse jamais contrebalancer sa structure. **A boire dans les 3 ou 4 ans.**

De couleur rubis foncé, avec un nez herbacé de champignon, le 1993 se révèle maigre et austère, et manque de fruité. Il n'en sera que plus diminué avec le temps. **A éviter.**

Moyennement corsé, le 1994 présente un caractère tannique tout à fait disproportionné par rapport à son fruité. Il resplendit cependant d'une belle couleur rubis foncé aux nuances de pourpre, mais je ne vois pas comment ses tannins pourraient suffisamment se fondre pour qu'il se révèle charmeur ou séduisant. Les masochistes l'apprécieront certainement plus que moi.

Le 1995, qui était impressionnant lorsque je l'ai dégusté au fût, ressemble désormais à son aîné d'un an. De couleur rubis foncé, il est trop tannique, manque de fruité et présente un caractère rétréci, rugueux et astringent. Si vous êtes de ceux qui croient qu'un vin doit être mauvais dans sa jeunesse pour se montrer délicieux après vieillissement, alors celui-ci vous convient.

CAP DE MOURLIN (SAINT-ÉMILION)***

33330 Saint-Émilion
Tél. 05 57 74 62 06 – Fax 05 57 74 59 34
Contact : Jacques Capdemourlin

1992	B	76

Un certain charme se dégage des arômes de menthol et de confiture que l'on perçoit au nez de ce vin. Arborant une robe rubis moyen, il déploie des tannins légers et laisse en bouche des sensations compactes et musclées, mais douces. Il manque cependant de profondeur et de longueur. **A boire dans les 4 ou 5 ans.**

Note : Cap de Mourlin n'a pas diffusé de 1991 sous son étiquette.

CARBONNIEUX (GRAVES)***

33850 Léognan
Tél. 05 57 96 56 20 – Fax 05 57 96 59 19
Contact : Anthony Perrin

1995	C	85-87
1994	C	79
1993	C	85
1992	C	86
1991	C	86

Si le Château Carbonnieux est mieux connu pour ses vins blancs secs et racés, la qualité de ses vins rouges s'est nettement améliorée depuis ces dernières années. Ils sont en effet plus riches, plus concentrés et aussi plus élégants, mais toujours caractéristiques de leur appellation.

Le 1991 est l'un des vins les plus séduisants du millésime. Avec sa robe d'un rubis moyen et son bouquet qui déborde littéralement du verre, il libère des senteurs généreuses de tabac, d'herbes, de fruits noirs et de chêne doux. Moyennement corsé, il révèle aussi un fruité crémeux, riche et abondant, et se montre élégant et bien équilibré, avec des tannins fondus et une finale superbe. Il sera bon pendant **6 ou 7 ans** encore et serait particulièrement indiqué sur les cartes de restaurant.

Le 1992, très coloré, déploie un séduisant bouquet de tabac, de pain grillé et de fruits noirs, et des tannins légers. Solidement corsé, il est expansif, superbe et soyeux. Ce vin délicieux, pur et élégant est à maturité parfaite et se révélera extrêmement agréable au cours de **la prochaine décennie.**

La robe grenat foncé du Carbonnieux 1993 prélude à un nez herbacé de tomate, de cèdre et de cuir neuf mêlé de fortes senteurs de poivre vert. Suit un vin doux, longiligne, pur, discret et légèrement tannique, mais bien fruité. **A boire dans les 3 ou 4 ans.**

Le 1994, d'un rubis moyennement foncé, libère des arômes doux et mûrs de groseille, de cerise, de chêne neuf et épicé, et se montre austère et maigre en bouche, avec d'abondants tannins. Il est sec, boisé et dur, et manque à la fois de complexité, de fruité et de chair.

La robe sombre, de couleur rubis-pourpre foncé, du Carbonnieux 1995 laisse deviner un vin intense. Celui-ci exhale un doux nez de cassis aux notes de pain grillé, de cinq-épices et de chêne neuf. Moyennement corsé, élégant, avec des tannins modérés, il pourra être dégusté au terme d'une garde de 2 ou 3 ans. **A maturité : 2001-2011.**

DE CARLES (FRONSAC)***

33141 Saillans
Tél. 05 57 84 32 03 – Fax 05 57 84 31 91
Contact : Stéphane Droulers – 5, rue Dufrenoy – 75116 Paris
Tél. 01 44 13 01 11 – Fax 01 45 03 31 17

1993	B	83
1992	B	81

Cette propriété a élaboré un 1992 mûr, de couleur rubis moyen, qui est d'une pureté et d'une profondeur admirables, avec une finale faible en acidité et maigre, mais plaisante. **A boire dans les 6 ou 7 ans.**

Le 1993 révèle un fruité mûr, du gras et un caractère souple, ce qui est particulièrement remarquable et réussi quand on sait combien ce millésime s'est révélé difficile pour l'appellation Fronsac. **A boire dans les 2 ou 3 ans.**

LES CARMES-HAUT-BRION (GRAVES)***

197, avenue Jean-Cordier – 33600 Pessac
Tél. 05 56 51 49 43 – Fax 05 56 51 63 16
Contact : Didier Furt

1993	C	85

Nettement meilleur que le 1992, aqueux et léger, le 1993 des Carmes-Haut-Brion présente une couleur rubis assez profond, des arômes d'épices, de terre et de fruits rouges, ainsi que des flaveurs douces et mûres qui témoignent d'une excellente concentration. Moyennement corsé, avec une finale arrondie, il a, exactement comme d'autres Graves de la même année, des tannins moins importants que certains Médoc. J'ai particulièrement aimé son fruité doux et évolué, ainsi que son caractère précoce. **A boire dans les 5 ou 6 ans.**

CARRUADES DE LAFITE (PAUILLAC)**

Château Lafite-Rothschild – 33250 Pauillac
Contact : Domaines Baron de Rothschild – 33, rue de la Baume –
75008 Paris
Tél. 01 53 89 78 00 – Fax 01 42 56 28 79

1993	C	85
1992	C	82
1991	C	84

En 1991, le second vin de Lafite-Rothschild est moyennement corsé, avec des arômes de thé, d'épices et de tabac. Bien mûr, il révèle une finale douce et concentrée. **A boire dans les 6 ou 7 ans.**

Le Carruades 1992, légèrement corsé et parfaitement mûr, présente une texture douce et lisse, et une finale nette et épicée. **A boire dans les 3 ou 4 ans.**

En 1993, 34 % seulement de la récolte totale était sélectionné pour l'élaboration du grand vin de Lafite, et seulement 40 % du volume déclassé entrait dans la composition du Carruades. Ce dernier possède, outre une élégance et une finesse qui rappellent celles de son aîné, un goûteux fruité de groseille et un caractère moyennement corsé et souple. Un remarquable prélude à l'élégance de Lafite-Rothschild. **A boire dans les 4 ou 5 ans.**

CASSAGNE-HAUT-CANON-LA TRUFFIÈRE (CANON-FRONSAC)***

224, avenue Foch – 33500 Libourne
Tél. 05 57 51 63 98 – Fax 05 57 51 62 20
Contact : Paule Dubois

1992	B	81

Le lecteur se souviendra peut-être que cette propriété avait élaboré un 1989 absolument splendide ; même si le 1992 ne lui ressemble pas, il présente néanmoins une robe profonde de couleur rubis-pourpre ainsi qu'un nez mûr et séduisant. En bouche, il déploie des arômes moyennement corsés et bien concentrés, avec une finale épicée et modérément tannique. Austère, il se conservera bien pendant **encore une décennie.**

Note : Cassagne-Haut-Canon-La Truffière n'a pas diffusé de 1991 sous son étiquette.

CERTAN-GIRAUD (POMEROL)***

Château Corbin – 33330 Saint-Émilion
Tél. 05 57 74 48 94 – Fax 05 57 74 47 18

1993	C	85

Les vins de Certan-Giraud ont tendance à être charnus, légèrement diffus, mais délicieusement fruités – parfois même gras et juteux ; ils sont surtout agréables à déguster dans les 6 à 10 ans qui suivent leur diffusion.

Bien que monolithique, le 1993 est pur et emplit le palais. Il recèle un excellent fruité et n'est pas alourdi par des tannins excessifs. **A boire dans les 5 à 7 ans.**

CERTAN DE MAY (POMEROL)****

33500 Pomerol
Tél. 05 57 51 41 53 – Fax 05 57 51 88 51
Contact : Odette Barreau-Badar

1995	D	88-91
1994	D	87
1993	D	?
1992	D	87 ?

D'abord, les bonnes nouvelles. Le 1992 de Certan de May est sans aucun doute un vin puissant et concentré, dont le caractère herbacé, propre à ce cru, est heureusement très atténué. Il exhale un nez extraordinairement riche de cassis auquel se mêlent des senteurs de chêne neuf et de fumé, de tabac et d'herbes. Moyennement corsé, avec une texture douce et soyeuse, il révèle une concentration parfaite, déployant une faible acidité et des tannins doux. Son potentiel de garde est de **10 à 12 ans**, mais il est d'ores et déjà prêt à boire. La mauvaise nouvelle est qu'il existe des bouteilles de ce vin qui révèlent au nez, mais pas en bouche, des arômes de carton humide et de moisi. S'il ne s'agit pas d'un problème de bouchon, il se pourrait que le responsable en soit la vapeur que l'on utilise pour fabriquer ou nettoyer les fûts. En effet, il est possible que l'humidité dégagée par cette vapeur soit absorbée par le bois, qui communique ainsi au vin ces arômes impurs de boisé. Je serais heureux d'avoir le sentiment des lecteurs sur le 1992 de Certan de May.

Les échantillons de 1993 qui m'ont été présentés étaient marqués par un caractère de moisi, de cave humide et de vieux bois qui dominait complètement le côté aromatique du vin. C'est dommage, car celui-ci arborait une très belle couleur, et révélait une structure mûre, très corsée et puissante, ainsi que des tannins modérés dans une finale longue et imposante. Je réserve mon jugement en attendant de le regoûter.

Le Certan de May 1994, de couleur rubis-pourpre foncé, exhale les légendaires arômes de cacahuète grillée, d'herbes, de cerise noire et de groseille caractéristiques de ce cru. Semblable au 1993, charnu et ouvert, avec un niveau modéré de tannins, il est étonnamment évolué, doux et séduisant en bouche. Les amateurs devront cependant être prêts à accepter son fort caractère herbacé s'ils veulent l'apprécier pleinement. **A boire dans les 10 à 12 ans.**

Le 1995 pourrait bien être extraordinaire. Rustique, avec une robe opaque de couleur grenat, il libère un généreux fruité doux de framboise sauvage et de terre, et se révèle très corsé et bien glycériné en bouche. Bien qu'il n'ait pas la classe de crus tels que L'Évangile, Trotanoy et Lafleur-Petrus, il se présente néanmoins comme un Pomerol robuste. **A maturité : 2002-2018.**

Note : Certan de May n'a pas diffusé de 1991 sous son étiquette.
LES GLOIRES DU PASSÉ : 1990 (92), 1988 (93), 1986 (92), 1985 (84), 1982 (98+), 1981 (90), 1979 (92), 1945 (96).

CHAMBERT-MARBUZET (SAINT-ESTÈPHE)**

33180 Saint-Estèphe
Tél. 05 56 59 30 54 – Fax 05 56 59 70 87
Contact : Henri Duboscq

1993	B	74
1992	B	76

Le Chambert-Marbuzet 1992 n'a probablement pas très bien supporté la mise en bouteille, y laissant beaucoup de son fruité. Bien que plus léger que de coutume, ce vin aqueux, épicé et mentholé est moyennement corsé, avec un niveau de concentration convenable, ainsi qu'une finale courte et ténue. **A boire d'ici 2 ans.**

Le 1993 présente un nez doux et fruité d'épices et de menthe qui s'évanouit rapidement, et des arômes qui font de même en bouche. Dilué, avec un caractère de terre et un boisé trop prononcés, il présente aussi une finale bien trop courte.

Note : Chambert-Marbuzet n'a pas diffusé de 1991 sous son étiquette.

CHANTEGRIVE (GRAVES)***

33720 Podensac
Tél. 05 56 27 09 41 – Fax 05 56 27 29 42
Contact : Françoise ou Henri Levêque

1993	B	81

La robe du Chantegrive 1993 est d'un rubis moyennement profond, et son nez, étonnamment évolué, presque mûr et doux, de cerise et de cassis, est également marqué par des touches de chêne. Son acidité est relativement faible, et sa finale épicée et arrondie. **A boire dans les 3 ou 4 ans.**

LA CHAPELLE DE LA MISSION (GRAVES)***

SA Domaine de Clarence Dillon
BP 24 – 133, avenue Jean-Jaurès – 33600 Pessac
Tél. 05 56 00 29 30 – Fax 05 56 98 75 14
Contact : Jean-Bernard Delmas ou Carla Kuhn

1995	C	90
1993	C	85
1992	C	86

En 1992, le second vin de La Mission-Haut-Brion se révèle moyennement corsé, doux, fruité et séduisant, avec un caractère pur et mûr de cerise noire et de tabac fumé. **A boire d'ici 2 ou 3 ans.**

La production du 1993 étant très restreinte (1 000 caisses seulement, la propriété ayant éliminé près de 20 % de la récolte totale), il n'est pas étonnant que ce vin se montre goûteux, riche, moyennement corsé et doux. **A boire dans les 6 ou 7 ans.** La rigueur de cette maison dans ce millésime explique à l'évidence l'excellence tant du premier que du second vins.

Le 1995, produit à raison de 15 000 bouteilles seulement, était sur le point d'être mis en bouteille en mars 1997. Doux, gras, avec une faible acidité, ce vin somptueux déborde littéralement d'arômes de fruits noirs aux notes de tabac auxquels il est difficile de ne pas succomber. **A boire dans les 5 à 7 ans...** en attendant que le grand vin s'épanouisse.

CHASSE-SPLEEN (MOULIS)***/****

33480 Moulis-en-Médoc
Tél. 05 56 58 02 37 – Fax 05 56 58 05 70
Contact : Claire Villars

1993	C	86
1992	C	85

Le 1992 de Chasse-Spleen, léger, avec un caractère herbacé assez atypique, révèle une bonne maturité, et se montre moyennement corsé et trapu. D'une couleur très soutenue, avec des tannins très modérés et une finale attrayante et bien structurée, il devrait être agréable pendant encore **7 ou 8 ans.**

Cette propriété a également fait un bon 1993, moyennement corsé, à la robe impressionnante, qui révèle la structure ferme et tannique typique du millésime. Ce vin possède, outre le fruité et le gras nécessaires à son équilibre, le caractère de fruits noirs que l'on retrouve souvent dans ce cru. **A maturité : 1998-2010.**
LES GLOIRES DU PASSÉ : 1990 (88), 1989 (91), 1986 (90), 1985 (90), 1975 (90), 1970 (90), 1949 (92).

CHAUVIN (SAINT-ÉMILION)***

33330 Saint-Émilion
Tél. 05 57 24 76 25 – Fax 05 57 74 41 34
Contact : Béatrice Ondet

1993	C	82
1992	C	79

Le 1992 de Chauvin est d'un rubis moyen, avec un nez peu intense, un fruité charmeur et des tannins modérés. Il manque cependant de profondeur. Compte tenu de sa bonne maturité et de son fruité, il sera plaisant et léger pendant encore **3 ou 4 ans.**

Arborant une robe rubis, le 1993 est légèrement corsé et doux. D'une belle pureté, avec un séduisant fruité de groseille et de cerise légèrement marqué par des senteurs d'herbes, il révèle des tannins légers et une finale courte.

CHEVAL BLANC (SAINT-ÉMILION)*****

33330 Saint-Émilion
Tél. 05 57 55 55 55 – Fax 05 57 55 55 50
Contact : Pierre Lurton

1995	D	91-93
1994	D	88+

1993	D	87
1992	D	77

Le Cheval Blanc 1992 se révèle très peu corsé et creux, surtout pour un vin de cette propriété. Son nez, dominé par des senteurs de vanilline, est marqué par des touches de baies confiturées, d'herbes et de café. Il n'a pas de profondeur, de corps ni de longueur. Buvez-le d'ici **3 ou 4 ans**, car ses tannins marqués donnent à penser qu'il se desséchera rapidement.

Le séduisant Cheval Blanc 1993, de couleur rubis foncé avec des touches de pourpre, présente le nez légendaire de ce cru, aux arômes de fruits noirs et doux, de noix de coco et de vanille, légèrement mentholés. Moyennement corsé, élégant et bien fait, il est encore doux, délicieux, caractéristique des vins de cette propriété, mais manque d'ampleur et de richesse en bouche. Un 1993 savoureux et charmeur, à déguster **dans les 7 ou 8 ans**.

Le 1994, de couleur rubis-pourpre foncé, exhale un nez complexe et épicé de tabac, de vanille, de cassis et de minéral, avec des notes florales. Il est plus énorme et plus structuré que son aîné d'un an, mais en est-il meilleur pour autant ? Les tannins qu'il développe en finale tapissent le palais, mais déforment à la fois sa jolie palette aromatique et son attaque en bouche, douce, moyennement corsée et riche. Comme je l'ai souvent écrit par le passé, Cheval Blanc est un cru qui a tendance à s'étoffer et à prendre une certaine ampleur aromatique avec le temps, et l'on peut penser qu'il en sera ainsi pour le 1994. Si tel est le cas, la note que je lui attribue semblera vraiment sévère, mais, si ses tannins se montrent toujours aussi astringents en même temps que son fruité se fane, je l'aurai alors surestimé. **A maturité : 2002-2017.**

Le 1995 se révélait exceptionnellement bon quelques mois avant sa mise en bouteille. D'une couleur rubis-poupre foncé, avec un centre opaque, il exhale de sensuels arômes de chocolat, de vanille, de fruits noirs, de pruneau, de minéral et de fruits exotiques (noix de coco). Plus gras et plus riche que lorsque je l'avais dégusté au printemps dernier, il est encore opulent et moyennement corsé, et se dévoile en bouche par couches. Il recèle également d'énormes réserves de fruité, de glycérine et de richesse en extrait, et sa faible acidité, ses tannins modérés comme sa merveilleuse pureté laissent deviner un potentiel extraordinaire. Sans pour autant rivaliser avec le 1990 ou le 1982, il sera bien meilleur que les 1989 et 1988. **A maturité : 1999-2018.**

Note : Cheval Blanc n'a pas diffusé de 1991 sous son étiquette.

LES GLOIRES DU PASSÉ : 1990 (95), 1986 (93), 1985 (94), 1982 (100), 1981 (89), 1975 (90), 1964 (95), 1961 (93), 1955 (90), 1953 (94), 1949 (100), 1948 (96), 1947 (100), 1945 (91).

LES MÉDIOCRITÉS (OU PIRE) DU PASSÉ : 1971 (84), 1970 (85), 1966 (85).

DOMAINE DE CHEVALIER (GRAVES)****

33850 Léognan
Tél. 05 56 64 16 16 – Fax 05 56 64 18 18
Contact : Olivier Bernard ou Rémi Édange

1995	C	78-81 ?
1994	C	77 ?
1993	C	76
1992	C	85
1991	C	87

Dans les millésimes difficiles, le Domaine de Chevalier produit souvent des vins séduisants, et son 1991 ne fait pas exception à la règle. Outre sa couleur d'un rubis profond et son nez épicé de chêne, il possède une structure admirable et un fruité doux, mûr et dense. Moyennement corsé, avec une finale longue et tannique, il se bonifiera au terme d'une garde de 2 ou 3 ans.

Le 1992 exhale un nez fruité, avec des notes de vanilline, et arbore une belle robe d'un rubis profond. Bien que plus léger et plus unidimensionnel que d'autres millésimes de cette propriété, il est tout de même concentré, doux et boisé. A boire dans les 7 ou 8 ans.

Les millésimes plus récents de ce château me semblent assez consternants. Les vins rouges présentent, après la mise en bouteille, des tannins féroces, et manquent à la fois d'équilibre et de fruité. Quant aux vins blancs, ils ne révèlent plus les arômes intenses et la maturité que l'on serait en droit d'attendre de cette propriété renommée de Pessac-Léognan.

Le 1993, terriblement maigre, austère et tannique, est totalement dépourvu de fruité et de charme. On décèle bien au nez quelques arômes épicés et de chêne neuf, mais ce vin se révèle très peu fruité et très peu charnu en bouche. Il est en fait plutôt tout en structure, acidité, alcool et tannins (issus du bois).

Le 1994, de couleur rubis moyennement foncé, est décevant : il est creux, terriblement tannique, et il manque singulièrement de charme depuis la mise en bouteille. Le vin au fruité doux et mûr que j'ai connu au fût se révèle désormais peu séduisant et d'un équilibre assez douteux. Je ne pense pas qu'il puisse s'améliorer. Il me rappelle un peu le 1975.

Le caractère terriblement et excessivement boisé du Domaine de Chevalier 1995 dissuade toute tentative pour apprécier le fruité qu'il recouvre. Bien sûr, ce vin est peu évolué et légèrement corsé, avec des notes de minéral, mais qu'en est-il du fruité, de la maturité et du caractère massif que l'on serait en droit d'attendre d'un tel cru ?

Compte tenu des merveilles que j'ai dégustées de ce domaine, j'espère vivement que les notes attribuées se révéleront erronées.

LES GLOIRES DU PASSÉ : 1990 (90), 1989 (91), 1988 (90), 1986 (90), 1983 (90), 1978 (92), 1970 (89), 1964 (90), 1959 (89), 1953 (92).
LES MÉDIOCRITÉS (OU PIRE) DU PASSÉ : 1982 (67 ?), 1975 (68), 1971 (67).

CITRAN (HAUT-MÉDOC)***

33480 Avensan
Tél. 05 56 58 21 01 – Fax 05 56 58 12 19
Contact : Jean-Michel Ferrandez

1993	B	84 ?
1992	C	82
1991	B	86

Depuis 1988, ce château a fait d'excellents vins qui se caractérisent par leur robe sombre et opaque, leur bouquet richement marqué par le chêne neuf et fumé, et leurs effluves mûrs et concentrés.

Le Citran 1991, mûr et épicé, offre des arômes de noix grillée, de chêne neuf et de cassis. Moyennement corsé, doux et concentré, il est très réussi pour le millésime et sera délicieux dans le courant des 3 ou 4 prochaines années.

Le 1992 arbore une couleur pourpre tirant sur le noir assez impressionnante et présente un nez atypique, tannique et boisé. S'il se montre plus fruité dans l'avenir, je lui attribuerai une meilleure note. **A boire dans les 10 ans.**

J'ai dégusté le 1993 de Citran en trois occasions, et, bien que mes notes ne soient pas tout à fait homogènes, il est indiscutable que ce vin arbore une belle robe dense de couleur pourpre tirant sur le noir et qu'il présente des arômes généreux de bois neuf et grillé. J'émets une seule réserve à l'effet de savoir s'il s'étoffera par la suite ou si ce sont ses tannins qui prendront le dessus sur son fruité. On y décèle de bons arômes de fruits rouges, mais seront-ils suffisants pour servir de contrepoids à sa structure tannique ?

CLARKE (LISTRAC)**

33480 Listrac
Tél. 05 56 58 38 00 – Fax 05 56 58 26 46
Contact : Jean-Claude Boniface

1993	B	80

Malgré sa rudesse, le 1993 de Clarke affiche une certaine profondeur et déploie, à la fois au nez et en bouche, des arômes épicés de groseille. Ce vin modérément corsé, à la finale moyennement longue, devrait être prêt d'ici 1 ou 2 ans et se conserver encore **10 ans, voire plus.**

CLERC-MILON (PAUILLAC)****

Château Mouton-Rothschild – 33250 Pauillac
Tél. 05 56 73 21 29 – Fax 05 56 73 21 28
Contact : Marie-Françoise Parinet

1995	C	87-89+
1994	C	87+
1993	C	87
1992	C	87
1991	C	79

Clerc-Milon produit en général des Pauillac doux, ronds, très accessibles et d'un style loyal et marchand. Son 1991, à la robe rubis, est atypique et dur ; il a une texture rugueuse et déploie de curieux arômes, épicés, de cannelle et de cassis, ainsi qu'une finale courte et anguleuse. Il aurait été plus attrayant s'il avait été plus charnu. **A boire dans les 5 ou 6 ans.**

Le 1992, superbe et sensuel, représente une performance méritoire dans un millésime aussi difficile. Ce vin à la robe rubis assez profond exhale des arômes primaires de pain et de noix grillés, et de cassis. Souple, soyeux et moyennement corsé, avec un fruité confituré de cassis, il sera parfait au cours des **6 ou 7 ans** à venir.

Moyennement corsé, le Clerc-Milon 1993 est bien fait, arbore une robe soutenue de couleur rubis-pourpre foncé et déploie de classiques arômes de cassis et de tabac herbacé. Légèrement tannique, il ne présente cependant pas le caractère végétal et astringent qui dessert tant les vins de ce millésime. Il devrait se révéler séduisant, velouté et étonnamment bon dans les **10 à 12 ans.**

Le 1994, de couleur rubis-pourpre foncé, est d'une qualité équivalente à celle de son aîné d'un an, mais il est moins évolué, plus tannique et plus massif. Moyennement corsé, épicé et vif, il est bien vinifié, plutôt doux pour un 1994, mais sera apte à une garde de **15 à 18 ans.** Les tannins que l'on décèle dans la finale laisseraient penser que ce vin doit être conservé 2 ou 3 ans avant d'être dégusté.

Le 1995 pourrait se révéler extraordinaire, s'il n'est pas trop dépouillé à la mise en bouteille. Arborant une robe opaque de couleur pourpre, il exhale un nez fabuleusement doux de cassis, d'épices, de cèdre et de viande rôtie. Ce vin opulent déploie en bouche son fruité par paliers et dévoile un caractère étonnamment glycériné, ainsi qu'une finale moyennement corsée et puissante. Ses tannins, ses notes de boisé et son acidité sont bien fondus dans l'ensemble. Un Clerc-Milon séduisant, que vous consommerez à son meilleur niveau **entre 2002 et 2015.**

LES GLOIRES DU PASSÉ : 1989 (90).

CLINET (POMEROL)*****

GAM Audy – Château Jonqueyres – 33750 Saint-Germain-du-Puch
Tél. 05 56 68 55 88 – Fax 05 56 30 11 45
Contact : Jean-Michel Arcaute

1995	D	95-96+
1994	D	92
1993	D	90
1992	D	88+
1991	D	87

Cette propriété produit régulièrement, depuis 1987, quelques-uns des vins les plus concentrés et les plus complexes du Bordelais. Jean-Michel Arcaute, maître des lieux, conseillé par Michel Rolland, a pris la décision de réduire ses rendements, de ne vendanger que lorsque les raisins sont à maturité physiologique et présentent des notes de surmaturité, et enfin de procéder à la mise en bouteille sans collage ni filtration préalables. Cela a donné toute une série de vins absolument splendides qui illustrent fidèlement le terroir et les cépages dont ils sont issus.

En 1991, année globalement désastreuse pour les Pomerol, Clinet a donné le meilleur vin de l'appellation. Celui-ci arbore une robe surprenante, d'un rubis-pourpre profond, qui ne reflète aucunement la météo désastreuse qui a sévi pendant les vendanges. Moyennement corsé, il exhale un nez pur et riche de framboise sauvage, ainsi que de subtiles senteurs boisées, et se montre étonnamment mûr et riche, avec une persistance en bouche particulièrement longue. **A boire dans les 6 à 8 ans.** Il est difficile d'imaginer les efforts qui ont été nécessaires pour produire un vin aussi riche et aussi séduisant dans une année comme 1991.

Le 1992, peu évolué pour le millésime, se montre très impressionnant avec sa robe opaque et dense de couleur pourpre. Richement doté, il est moyennement corsé, avec un bel équilibre d'ensemble, et présente un niveau d'acidité extrêmement bas et une superbe persistance en bouche. Ce vin a un potentiel de garde de **10 à 15 ans**, si ce n'est plus, et je pense lui attribuer une note extraordinaire d'ici 2 ou 3 ans. Impressionnant !

La robe très soutenue, de couleur prune, du 1993 précède un vin extrêmement gras, puissant et riche, qui s'impose comme l'un des plus concentrés du millésime et rappelle le fabuleux 1987 de cette propriété. Il offre, à la fois au nez et en bouche, de généreux arômes de cerise et de cassis confiturés auxquel se mêlent des notes de terre, de truffe et de tabac. On décèle également des touches de fumé et de réglisse. Il s'agit d'un vin délicieux, complexe et moyennement corsé, étonnamment réussi dans un millésime moyen. **A maturité : jusqu'en 2012.**

Le 1994, dont la robe pourpre-grenat est semblable à de l'encre, exhale un nez somptueux et intense de truffe noire, de réglisse, de cèdre et de fruits noirs. Il présente une phénoménale richesse et semble presque trop concentré. Ce vin énorme, au potentiel de garde de 25 à 30 ans, est d'une intensité, d'une pureté absolument remarquables ; son onctuosité et sa richesse proches de celles d'une liqueur valent l'expérience. C'est un Pomerol exceptionnellement dense et massif, d'un style sujet à controverses, mais qui récompensera largement ceux qui sauront l'attendre. Il a un niveau élevé de tannins, mais une richesse en extrait du même métal. **A maturité : 2004-2025.**

Le 1995 se pose en sérieux rival du 1989, proche de la perfection. Avec sa robe opaque de couleur pourpre-bleu tirant sur le noir, il déploie des arômes fabuleusement doux et purs de réglisse, de cassis, de framboise, de vanille et d'épices orientales. Onctueux, d'une extraction massive (il est encore plus riche et plus épais que le 1994), il présente le même caractère de surmaturité que son aîné d'un an, ainsi qu'une concentration et une richesse phénoménales. La finale est longue, de presque quarante-cinq secondes. Il s'agit d'un vin profond, grandiose et fabuleusement doté, à boire **entre 2003 et 2028.**

LES GLOIRES DU PASSÉ : 1990 (92), 1989 (99), 1988 (90).

LES MÉDIOCRITÉS (OU PIRE) DU PASSÉ : presque tous les vins d'avant 1985 sont douteux.

CLOS DU CLOCHER (POMEROL)***

33500 Pomerol
Contact : Établissements J.-B. Audy
35, quai du Priourat – 33500 Libourne
Tél. 05 57 51 62 17 – Fax 05 57 51 28 28

1993	C	80 ?
1992	C	85 ?

Le 1992 du Clos du Clocher, qui est assez réussi pour le millésime, se montre moyennement corsé et charnu, avec de la mâche, et déploie un fruité doux, abondant et mûr de cassis et de moka. A parfaite maturité, il laisse en bouche une impression d'élégance, mais les tannins astringents que l'on perçoit en finale suscitent quelque inquiétude quant à son potentiel de garde. A mon avis, il serait plus raisonnable de le consommer rapidement. **A boire d'ici 3 ou 4 ans.**

La robe du 1993, d'un rubis moyennement profond, prélude à des senteurs épicées, fruitées, mais diluées. Ce vin semble en fait dominé par ses tannins et sa corpulence, plutôt que par son niveau de maturité et sa richesse en extrait. Et il est plus que probable que son fruité se desséchera avant qu'il ne dégage le moindre charme.

Note : Clos du Clocher n'a pas diffusé de 1991 sous son étiquette.

CLOS L'ÉGLISE (POMEROL)**

Clinet – 33500 Pomerol
Contact : Sylviane Garcin-Cathiard
Château Haut-Bergey – 33850 Léognan
Tél. 05 56 64 05 22 – Fax 05 56 64 06 98

1992	C	78

Ce vin légèrement corsé, aux tannins modérés, déploie des arômes moyennement intenses de chêne, ainsi qu'un fruité herbacé de groseille. Il faudra le déguster dans les **3 ou 4 ans** à venir, car il ne possède pas suffisamment de profondeur ni de fruité pour contrebalancer son côté tannique.

CLOS FOURTET (SAINT-ÉMILION)***

33330 Saint-Émilion
Tél. 05 57 24 70 90 – Fax 05 57 74 46 52
Contact : Tony Ballu

1995	D	89-91
1994	D	88
1993	D	86
1992	C	86

Depuis que cette propriété est gérée par André Lurton, elle affiche des standards de qualité plus élevés et mérite à ce titre qu'on lui accorde une attention particulière.

Le Clos Fourtet 1992 présente davantage de fruité, de maturité, de profondeur et de longueur en bouche que je ne l'avais d'abord imaginé. Moyennement corsé, il exhale un nez plaisant de fruits noirs confiturés et de grillé, et montre un fruité riche et expansif, ainsi qu'une texture veloutée. Cette belle réussite devrait être dégustée dans les **5 ou 6 ans.**

Bien réussi pour le millésime, le 1993 arbore une robe dense de couleur rubis-pourpre, et exprime de séduisants arômes de cerise noire, mêlés de senteurs de minéral et de bois. Il a un peu de ce caractère herbacé propre au millésime, mais cela n'est pas du tout gênant, compte tenu de son fruité doux et charnu, et de sa texture veloutée. Sa faible acidité et son côté bien évolué laissent penser qu'il devra être dégusté **dès maintenant** et dans les **7 ou 8 ans.**

L'impressionnante couleur pourpre soutenu du 1994 laisse deviner un vin très puissant et très massif. Celui-ci présente en bouche le niveau très élevé de tannins inhérent au millésime, caractère cependant étayé par un généreux fruité de cassis, de séduisants arômes de fumé, ainsi qu'un bon taux de glycérine et une belle longueur en bouche. Ce Clos Fourtet, doté de manière impressionnante, pourrait se révéler extraordinaire ; il requiert une garde de 3 ou 4 ans avant d'être prêt. **A maturité : 2002-2018.**

La robe opaque de couleur pourpre du Clos Fourtet 1995 prélude à l'explosion d'un fruité doux et pur de cassis mêlé d'arômes de fumé, de terre et de cerise confiturée. Ses abondants tannins sont admirablement étayés par une merveilleuse extraction de fruit, une pureté et une densité formidables, ainsi que par un caractère bien corpulent. Ce vin est plus énorme et plus structuré que son aîné d'un an. **A maturité : 2002-2015.**

Note : Clos Fourtet n'a pas diffusé de 1991 sous son étiquette.

CLOS DES JACOBINS (SAINT-ÉMILION)***

33330 Saint-Émilion
Contact : Domaines Cordier
53, rue du Dehez – 33290 Blanquefort
Tél. 05 56 95 53 00 – Fax 05 56 95 53 01

1993		C	83

Le 1993 du Clos des Jacobins est unidimensionnel, bien coloré et moyennement tannique, sans toutefois posséder le gras ni le charme que déploie habituellement ce cru. Son potentiel de garde est d'**environ 10 ans.**

CLOS DU MARQUIS (SAINT-JULIEN)***

33250 Saint-Julien-Beychevelle
Tél. 05 56 59 25 26 – Fax 05 56 59 18 53
Contact : Michel ou Jean-Hubert Delon

1995		C	88-91
1994		C	88
1993		C	87

1992	C 86+
1991	B 85

Je ne crois pas vraiment à la qualité de la plupart des seconds vins, ces derniers recouvrant généralement de leur étiquette tout ce qui ne convient pas à la composition du grand vin. Mais certains, tels Les Forts de Latour, Bahans-Haut-Brion, le Pavillon Rouge de Margaux et le Clos du Marquis, sont des vins d'excellente tenue, qui affichent des caractéristiques de leurs aînés, plus complexes et plus concentrés, tandis qu'eux-mêmes se révèlent plus souples et plus accessibles. Les Clos du Marquis 1993, 1994 et 1995 méritent votre attention.

Les restaurateurs qui sont à la recherche d'un 1991 élégant à prix raisonnable devraient envisager d'acheter du Clos du Marquis, le second vin de Léoville-Las Cases. Moyennement corsé, il atteste une belle maturité et déploie des arômes fruités, doux, ronds et complexes, ainsi qu'une finale étonnamment longue et douce. **A boire dans les 5 ou 6 ans.**

Impressionnant et moyennement corsé, le Clos du Marquis 1992 est à maturité parfaite, présentant beaucoup de richesse tout en étant doux et bien évolué. Sa finale est d'une profondeur impressionnante, et la persistance en bouche n'est marquée par aucune rudesse. Il s'agit d'un beau succès, peut-être même du meilleur second vin de ce millésime. **A boire dans les 6-8 ans.**

Le 1993, à la robe rubis foncé, déploie au nez de séduisants arômes de cèdre, d'épices, de tabac et de cassis. Moyennement corsé et d'une excellente richesse, doux et rond en bouche, il s'impose comme un délicieux Saint-Julien. **A boire dans les 7 ou 8 ans.**

Le 1994 révèle, outre une robe rubis-pourpre foncé, le nez doux et pur de cassis si caractéristique de Léoville-Las Cases. Bien gras et moyennement corsé en bouche, il est encore faible en acidité, et sa finale est riche, sans aucun caractère astringent. **A boire dans les 10 à 12 ans.**

Avec sa robe dense, très intense, de couleur pourpre, le Clos du Marquis 1995 s'impose comme un vin d'excellente tenue, que sa fabuleuse richesse en extrait pourrait aisément faire confondre avec un cru classé. Moyennement corsé, réussi et bien doté, il ressemble incontestablement au grand vin de la propriété. **A maturité : 2000-2012.**

CLOS DE L'ORATOIRE (SAINT-ÉMILION)***

Château Canon-La Gaffelière – 33330 Saint-Émilion
Tél. 05 57 24 71 33 – Fax 05 57 24 67 95
Contact : Stephan von Neippberg

1993	C 86

Jouissant d'une bonne situation à côté de Figeac, le Clos de l'Oratoire a produit un 1993 intéressant, dont la robe soutenue, de couleur rubis foncé, introduit un nez mûr et moyennement intense de fruits noirs, d'herbes, de chêne épicé et de terre – un nez digne d'éloges. Modérément corsé, il se montre expansif, doux et concentré en bouche, et déploie des tannins légers. Un vin bien fait. **A boire dans les 4 à 7 ans.**

CLOS RENÉ (POMEROL)***

33500 Libourne
Tél. 05 57 51 10 41 – Fax 05 57 51 16 28
Contact : Jean-Marie Gardes

1992	C	75
1991	C	78

Le Clos René 1991 est étonnamment évolué et semble à maturité. Avec son nez aux senteurs d'herbes, de fumé et de thé, il ne sera agréable que dans les 2 ou 3 ans à venir. En effet, bien qu'il soit riche et étoffé, sa finale est relativement courte ; mais, dans l'ensemble, on peut considérer qu'il est réussi pour un 1991 de la rive droite.

Le 1992, doux et aqueux, est marqué par des arômes de fruits rouges et mûrs, et par des notes prononcées de cacahuète grillée. Il est souple et même diffus, et devra être bu d'ici 2 ou 3 ans.

LES GLOIRES DU PASSÉ : 1947 (95).

CLOS SAINT-MARTIN (SAINT-ÉMILION)***

Château Côtes de Baleau – 33330 Saint-Émilion
Tél. 05 57 24 71 09 – Fax 05 57 24 69 72
Contact : Geneviève Reiffers

1993	C	85
1992	C	83

Le Clos Saint-Martin 1992 est doux, rond, richement fruité et se montre plaisant. A boire dans les 2 ou 3 ans.

De par sa douceur et son ampleur, le Clos Saint-Martin 1993 rappelle un peu les bourgognes rouges. Il atteste également une bonne maturité, présente un caractère rond, gras et charnu ainsi qu'une acidité faible. A boire dans les 4 ou 5 ans.

LA CLOTTE (SAINT-ÉMILION)***

33330 Saint-Émilion
Tél. 05 57 24 66 85
Contact : Nelly Moulierac

1993	C	85
1992	C	85

Les vins de cette propriété sont dans l'ensemble souples, avec un fruité séduisant et mûr de fruits confiturés. Le 1992, moyennement corsé, en est un témoignage parfait. A boire d'ici 3 ou 4 ans.

Le 1993 est lui aussi moyennement corsé, bien mûr, fruité et légèrement tannique, avec une faible acidité et une texture douce et soyeuse. A boire dans les 6 ou 7 ans.

LA CLUSIÈRE (SAINT-ÉMILION)**

33330 Saint-Émilion
Tél. 05 57 24 72 02 – Fax 05 57 24 63 99
Contact : Jean-Paul Valette

1992		C	76

Le 1992 de La Clusière présente un nez herbacé de terre, ainsi que des effluves serrés et moyennement riches en bouche, mais il ne possède que peu de charme et de fruité. Ce vin austère, aux tannins agressifs, se desséchera vraisemblablement avant qu'on ne puisse y déceler le moindre aspect charmant ou gracieux.

Note : La Clusière n'a pas diffusé de 1991 sous son étiquette.

LA CONSEILLANTE (POMEROL)*****

33500 Pomerol
Tél. 05 57 51 15 33 – Fax 05 57 51 42 39

1995	D	89-91
1994	D	88
1993	D	87
1992	D	79
1991	D	83

La Conseillante est l'un des bordeaux les plus irrésistibles et les plus séduisants. Il déploie, dès son jeune âge, un caractère charmeur qui pourrait faire croire au dégustateur qu'il ne vieillira pas bien, mais, dans les grandes années, il est en fait capable d'une longévité d'au moins 20 ans. Cependant, il est souvent consommé juste après sa mise en bouteille pour son fruité délicieux, ses arômes expressifs, ainsi que sa texture veloutée.

On retrouve bien le caractère soyeux, doux et gracieux, typique de La Conseillante, dans le 1991, dont la robe d'un rubis moyen prélude à un nez parfumé de framboise et de chêne neuf grillé et fumé. Malgré sa finale courte, ce vin révèle en milieu de bouche un fruité admirable. **A boire dans les 3 ou 4 ans.**

Le 1992, moyennement corsé, possède un nez séduisant mais dilué de framboise et de vanille, ainsi qu'une texture souple et une finale courte, creuse et boisée. Compte tenu de son manque de concentration, il faudra le boire d'ici **2 ou 3 ans.**

Le 1993, d'un beau rubis foncé, est bien réussi pour le millésime. Il déploie au nez de charmantes senteurs de framboise sauvage et de vanille douce, et développe en bouche de jolis arômes, charnus et ronds, avec une faible acidité, qui caressent le palais. La finale regorge de glycérine et d'arômes de fruits noirs. Ce vin, moyennement massif, est déjà délicieux et flatteur. **A boire dans les 7 ou 8 ans.**

De couleur rubis-prune moyennement foncé, le 1994 exhale un nez peu évolué, épicé et poivré, de fruits noirs (de truffe aussi ?), ainsi que le légendaire fruité – doux, charmeur et séduisant – si caractéristique de ce cru. Celui-ci est d'ailleurs relégué à l'arrière-plan par le caractère austère et tannique propre au millésime. Ce vin, plus massif et plus structuré que son aîné d'un an, a des tannins bien étayés par un bon fruité, mais il requiert, de manière assez inhabituelle, une garde de 2 ou 3 ans avant d'être prêt. Son potentiel est de **10 à 12 ans.**

Le 1995 présente une robe rubis foncé aux touches de pourpre, et offre au nez d'irrésistibles et doux arômes de fumé, de grillé, de framboise et de liqueur de cerise. Moyennement corsé, pur et mûr, il est généreusement doté et merveilleusement sculpté, avec un certain caractère tannique. Son fruité ainsi que ses flamboyants arômes laissent penser qu'il sera prêt assez rapidement, mais aussi qu'il évoluera bien sur les **10 à 15 prochaines années.** Il s'en sera fallu de peu pour que ce vin soit vraiment une réussite extraordinaire. LES GLOIRES DU PASSÉ : 1990 (98), 1989 (97), 1986 (89), 1985 (94), 1983 (88), 1982 (91), 1981 (91), 1970 (92), 1959 (95), 1953 (90), 1949 (97), 1947 (91).

LES MÉDIOCRITÉS (OU PIRE) DU PASSÉ : 1978 (75), 1976 (72), 1975 (83).

CORBIN (SAINT-ÉMILION)***

33330 Saint-Émilion
Tél. 05 57 74 48 94 – Fax 05 57 74 47 18
Contact : Philippe Giraud

| 1993 | | C | 80 |

Le 1993 de Corbin est un vin correct et moyennement corsé qui révèle un fruité évolué et goûteux de groseille marqué par des touches épicées, mais il manque à la fois de complexité et de concentration. **A boire dans les 4 ou 5 ans.**

CORDEILLAN-BAGES (PAUILLAC)**

33250 Pauillac
Tél. 05 56 73 24 24 – Fax 05 56 59 01 89
Contact : Jean-Michel Cazes

1992		C	78
1991		C	77

Situé sur le plateau de Bages, à proximité du luxueux hôtel auquel il a donné son nom, Cordeillan-Bages produit toujours des vins qui ressemblent à ceux du Nouveau Monde, avec un caractère âpre et acide qui leur enlève beaucoup de leur charme.

Le 1991 arbore une robe impressionnante mais a peu de bouquet, et son niveau d'acidité élevé ainsi que sa personnalité étouffée donnent une sensation de maigreur. Malgré son fruité épicé de cassis, il manque de profondeur et se montre dans l'ensemble creux et effacé. **A boire dans les 4 à 6 ans.**

Quant au 1992, s'il arbore lui aussi une belle couleur, son fruité est maigre, et une acidité excessive, conjuguée à une personnalité compacte, le dessert grandement. **A boire d'ici 2 ou 3 ans.**

COS D'ESTOURNEL (SAINT-ESTÈPHE)*****

33180 Saint-Estèphe
Tél. 05 56 73 15 50 – Fax 05 56 59 72 59
Contact : Catherine Di Constanzo

1995	C	92-94
1994	C	91
1993	C	89
1992	C	88
1991	C	87

Un mot admiratif et élogieux s'impose à l'endroit de Bruno Prats, l'un des producteurs les plus avant-gardistes de Saint-Estèphe. En effet, non content de produire des vins extraordinaires, il a, ces dernières années, rehaussé l'image de marque de Cos d'Estournel, qui était déjà l'un des plus grands crus du Bordelais, et a aussi abandonné la pratique du collage et de la filtration avant la mise en bouteille. Il utilise, pour l'habillage de ses bouteilles, des étiquettes plastifiées, lesquelles, contrairement à celles qui sont en papier, ne risquent pas de se détériorer dans des caves humides et moites. La qualité de sa production dans des millésimes aussi difficiles que 1991, 1992 et 1993 est absolument remarquable. Depuis 1994, Bruno Prats élabore également un second vin, diffusé sous l'étiquette Les Pagodes de Cos, qui me semble d'excellente tenue.

Le 1991 de Cos d'Estournel (cette année-là, 50 % de la récolte fut déclassé) est un vin que vous vous devez de posséder en cave, compte tenu de son prix très raisonnable et de son excellente qualité. Avec sa robe de couleur rubis foncé et son nez énorme et riche de cassis judicieusement combiné avec des touches de chêne neuf et d'épices, il se montre étonnamment gras et charnu, d'une bonne longueur, et possède une texture crémeuse et douce. **A boire dans les 10 ans.**

Le 1992 de cette propriété s'est affirmé comme l'une des plus belles réussites du millésime. Il arbore une robe rubis foncé tirant sur le pourpre, et déploie des senteurs de chêne fumé ainsi qu'un fruité abondant de cassis. Moyennement corsé, avec une texture veloutée, il est d'une richesse atypique, concentré et généreusement doté. A boire dans les 5 à 9 ans. Ce 1992 est vraiment digne d'intérêt.

Le Cos d'Estournel 1993, à la robe opaque de couleur pourpre foncé, est l'un des vins les mieux réussis du millésime, avec son nez capiteux, pur et doux, de cassis qui jaillit littéralement du verre. Étonnamment gras, riche et glycériné, il est encore moyennement corsé et élégant, avec des arômes imposants, si bien qu'on a peine à croire qu'il provient d'un millésime aussi difficile. Sa faible acidité et son caractère rond laissent présager **12 à 14 ans** de longévité. Une belle réussite dans un millésime irrégulier.

Lors d'une dégustation à Cos d'Estournel, j'ai eu l'occasion de goûter le 1994 non filtré, à côté d'une cuvée filtrée de ce même vin. Cette dernière, bien qu'excellente (je l'ai notée 88), était, comme ont pu le constater tous les participants, moins opaque, moins aromatique, moins ample et moins riche en bouche que la première. La plupart des propriétés du Bordelais continuent de coller et de filtrer leurs vins à l'excès, mais les plus sérieuses d'entre elles prennent petit à petit conscience des méfaits de ces techniques, et réduisent considérablement leur utilisation. Malheureusement, bon nombre de mes confrères tombent dans le panneau, et croient les œnologues et les producteurs qui affirment que le collage et la filtration n'ont aucun effet sur le vin.

Le 1994 (non filtré) s'impose comme l'une des plus belles réussites du millésime. Outre sa robe opaque de couleur pourpre-bleu tirant sur le noir, il exhale un nez fabuleusement doux de fruits noirs, de réglisse, de pain grillé et d'épices orientales. Très corsé, avec un fruité opulent et doux, mais sans tannins agressifs, il est classique, bien équilibré et manifeste une richesse remarquable. Un vin manifestement de très longue garde. **A maturité : 2003-2025.**

Le 1995 s'est bien étoffé depuis la première fois que je l'ai dégusté, en mars 1996, et a acquis une opulence dont je ne l'aurais pas cru capable. Il offre, outre sa robe opaque de couleur pourpre, des arômes sans défauts, doux, riches, très corsés, étonnamment séduisants et profonds, qui persistent en bouche pendant plus de 30 secondes. Ce vin extraordinairement pur, à la richesse sous-jacente, impressionne par la manière fabuleuse dont il se dévoile en bouche. Son acidité, ses tannins et son caractère alcoolique sont merveilleusement fondus dans l'ensemble. Tout cela contribue à en faire l'une des réussites du millésime. **A maturité : 2000-2017.**

Cos d'Estournel produit incontestablement des vins de la classe d'un premier cru.

LES GLOIRES DU PASSÉ : 1990 (92), 1989 (89), 1986 (95), 1985 (95), 1982 (97), 1961 (92), 1959 (92), 1953 (93), 1928 (97).

LES MÉDIOCRITÉS (OU PIRE) DU PASSÉ : 1975 (77), 1966 (85), 1964 (72).

COS LABORY (SAINT-ESTÈPHE)***

33180 Saint-Estèphe
Tél. 05 56 59 30 22 – Fax 05 56 59 73 52
Contact : Bernard Audoy

1995	C	88-90
1994	C	86 ?
1993	C	85
1992	C	82 ?
1991	C	86

Voilà une autre propriété qui a obtenu de beaux résultats dans les trois années difficiles qu'étaient 1991, 1992 et 1993.

Le 1991 de Cos Labory présente une robe soutenue absolument étonnante, ainsi qu'un nez serré mais prometteur de poivre, de cassis et de chêne neuf et fumé. Moyennement corsé, tannique et d'une belle profondeur, il se bonifiera au terme d'une garde de 3 ou 4 ans et se conservera pendant **15 ans et plus.**

Le 1992 est un vin bien fait, doux, moyennement corsé et profond, qui présente une excellente maturité ainsi qu'une finale d'une bonne longueur. Ses tannins abondants donnent à penser qu'il serait préférable de le mettre en cave pendant

3 ou 4 ans avant de le déguster, mais je me demande si son fruité assez moyen ne se desséchera pas avant que ses tannins ne se fondent.

Le Cos Labory 1993, de couleur rubis foncé, exhale un nez épicé et plaisant, mais manquant de distinction, aux notes de fruits rouges, de terre et de bois. Bien que dur, il est profond, et j'espère que son fruité sera suffisant pour contrebalancer sa structure. Il requiert une garde de 1 ou 2 ans, et devrait bien vieillir sur les **12 ou 15 prochaines années.**

Le 1994 révélait au nez des touches de moisi, lesquelles auraient très bien pu être imputables à un bouchon défectueux. Cela n'était pas gênant au point d'empêcher toute évaluation de ce vin, mais je fais état de mes notes de dégustation dans l'hypothèse où le bouchon serait le seul coupable. Ce 1994, tannique et moyennement corsé, à la robe sombre de couleur rubis-pourpre, déploie un généreux fruité mûr de cassis et de réglisse. Il pourrait, si ses arômes se purifiaient, s'imposer comme une belle réussite, méritant une note aux alentours de 88. **A maturité : 2004-2012.**

Avec sa robe opaque de couleur pourpre et son nez admirablement doux et mûr de cassis marqué en arrière-plan de curieux arômes de chêne neuf et de charbon, le 1995 se révèle extrêmement corsé, tannique et bâti sur le format d'un haltérophile de niveau olympique... Il est cependant pur et bien équilibré, et s'impose comme un véritable Saint-Estèphe, c'est-à-dire comme un vin de garde peu évolué. Les acheteurs éventuels de ce cru doivent savoir qu'il requiert une garde de 5 à 7 ans, et qu'il se conservera parfaitement **20 à 25 ans.** Impressionnant !

LES GLOIRES DU PASSÉ : 1990 (89), 1989 (89).

COURRIÈRE-RONGIERAS (LUSSAC-SAINT-ÉMILION)***

Château Rozier – 33330 Saint-Laurent-des-Combes
Tél. 05 57 24 73 03 – Fax 05 57 24 67 77
Contact : Jean-Bernard Saby

1990	A	90

L'année 1990 a été fabuleuse pour les Saint-Émilion, et le Courrière-Rongieras 1990, issu d'une des appellations satellites de cette région, témoigne bien de la grandeur de ce millésime. Ce vin profondément coloré et bien évolué déploie un nez complexe et mûr de cerise et d'épices. Moyennement corsé en bouche, avec des arômes coquins, charnus et corpulents, ainsi que des tannins doux, il y déploie une acidité plutôt faible et une finale luxuriante, capiteuse et fruitée. **A boire d'ici 2 ou 3 ans.**

LA COUSPAUDE (SAINT-ÉMILION)***

BP 40 – 33330 Saint-Émilion
Tél. 05 57 40 15 76 – Fax 05 57 40 10 14
Contact : Jean-Claude Aubert

1993	C	86
1992	C	85

Cette propriété d'environ 7 ha mérite qu'on la suive attentivement, car les frères Aubert, qui la dirigent, ont décidé de l'amener à un niveau de qualité toujours plus élevé. Sur les conseils de Michel Rolland, brillant œnologue de Libourne qui en est désormais le consultant attitré, les fermentations malolactiques s'y font en partie en fûts neufs, les rendements sont restreints et les vendanges plus tardives.

Le 1992 est de bon niveau pour une année aussi difficile. Sa robe rubis profond introduit en bouche un vin moyennement corsé, doux et velouté, au nez magnifiquement pur, séduisant et mûr de cerise noire et de chêne fumé. **A boire dans les 2 ou 3 ans.**

Le point faible du 1993 est cette petite touche de poivre vert que l'on retrouve dans son fruité. Cependant, ce vin est par ailleurs profondément coloré et dense, concentré et richement doté, avec de la mâche. D'une pureté et d'une maturité superbes, il déploie une finale persistante. **A boire dans les 10 ans.**

COUTELIN-MERVILLE (SAINT-ESTÈPHE)***

Blanquet – 33180 Saint-Estèphe
Tél. 05 56 59 32 10 – Fax 05 56 59 30 33

1993   C   86

Le Coutelin-Merville 1993 est vraiment impressionnant : d'une couleur superbe, il se montre moyennement corsé et d'une très grande richesse, déployant des tannins fermes mais mûrs, ainsi qu'une finale longue, pure et nette. Ce vin séduisant pourrait bien s'imposer comme l'une des révélations du millésime. **A boire dans les 10 à 15 ans.**

COUVENT DES JACOBINS (SAINT-ÉMILION)***

Rue Guadet – 33330 Saint-Émilion
Tél. 05 57 24 70 66 – Fax 05 57 24 62 51
Contact : Alain Borde

1992   C   85

Le Couvent des Jacobins a toujours été l'un de mes Saint-Émilion préférés. Le 1992, séduisant et élégant, est à parfaite maturité, déployant des arômes doux et herbacés de cerise noire et de groseille dans lesquels se fondent judicieusement des notes séduisantes de chêne neuf. Il présente une texture souple et une finale moyennement longue. **A boire d'ici 4 ou 5 ans.**

Note : Couvent des Jacobins n'a pas diffusé de 1991 sous son étiquette.

LA CROIX (POMEROL)**

Maison Joseph Janoueix
37, rue Pline-Parmentier – BP 192 – 33506 Libourne Cedex
Tél. 05 57 51 41 86 – Fax 05 57 51 76 83

1993   C   78

Le 1993 de La Croix se présente comme un vin unidimensionnel, sans détour et moyennement corsé, qui déploie des notes de fruits rouges marquées par un caractère herbacé et terreux, et par des senteurs épicées. Sa finale est modérément tannique. **A boire dans les 10 ans.**

LA CROIX DU CASSE (POMEROL)***

GAM Audy – Château Jonqueyres – 33750 Saint-Germain-du-Puch
Tél. 05 56 68 55 88 – Fax 05 56 30 11 45
Contact : Jean-Michel Arcaute

1995	C	89-91
1994	C	89
1993	C	86
1992	C	86

Ceux d'entre vous qui ne peuvent trouver ou se permettre d'acheter du Clinet se tourneront vers La Croix du Casse, autre cru élaboré par le tandem Jean-Michel Arcaute et Michel Rolland. Ce vin pourrait être un substitut plus simple du Clinet.

Le 1992 arbore une robe de couleur rubis tirant sur le pourpre, et révèle un nez modérément intense de cerise noire et douce, et de chêne neuf et grillé. Moyennement corsé, il présente une excellente extraction d'arômes et une faible acidité, ainsi que des tannins modérés dans sa finale. **A boire dans les 4 à 7 ans.**

La séduisante robe rubis foncé du 1993 est joliment complétée par des notes de chêne grillé et fumé, et par un généreux fruité de cassis et de cerise. Elle introduit un vin riche, rond, bien gras et mûr, avec une acidité faible, qui montre un caractère charmeur et sans détour. **A boire dans les 6 ou 7 ans.**

Le 1994 se révèle mieux après la mise en bouteille que lorsqu'il était encore en fût (les vins ne sont ici jamais collés ou filtrés). De couleur prune foncé, il exhale un nez exotique de tabac, de café, de cerise noire et de cassis doux et confiturés. Étonnamment opulent pour un 1994, il est encore mûr, richement extrait et d'une belle pureté, avec un niveau modéré de tannins et une faible acidité. Ce vin intéressant et moyennement corsé peut être dégusté **dès maintenant ou dans les 10 à 12 ans qui viennent.**

Le 1995 est une réussite formidable de cette propriété. De couleur pourpre-bleu tirant sur le noir, il exhale un doux nez de cassis et de violette, et déploie en bouche, outre une fabuleuse extraction de fruit et un caractère très corsé, un niveau impressionnant de glycérine. Vous apprécierez ce Pomerol riche et savoureux **entre 2001 et 2016.**

Note : La Croix du Casse n'a pas diffusé de 1991 sous son étiquette.

LA CROIX DE GAY (POMEROL)***

33500 Pomerol
Tél. 05 57 51 19 05 – Fax 05 57 74 15 62
Contact : Alain Raynaud

1995	C	87-89
1994	C	87+
1993	C	86
1992	C	86
1991	C	82

Le 1991 de La Croix de Gay, plutôt léger, dégage un nez doux et fruité, avec des notes de chêne neuf et grillé, ainsi qu'une finale légèrement corsée et plaisante. **A boire dans les 4 ou 5 ans.**

Le 1992, rond, charmeur et séduisant, offre quant à lui des arômes fruités de cassis doux auxquels se mêlent délicieusement des touches de chêne neuf et grillé. Il s'agit d'un vin élégant et moyennement corsé, profond, à la finale modérément tannique. **A boire dans les 4 ou 5 ans.**

Bien fait pour le millésime, le 1993, de couleur rubis foncé, exhale un doux nez de cerise noire marqué de séduisantes notes de chêne neuf. Élégant, rond, souple et opulent, avec un faible niveau d'acidité, il est vraiment délicieux. **A boire dans les 6 à 8 ans.**

La robe dense et soutenue, de couleur rubis-pourpre, du 1994 laisse deviner un vin intense et mûr. Suivent des arômes de fruits rouges auxquels se mêlent des notes herbacées, vanillées et épicées. On décèle en bouche, après une attaque douce et charnue, un caractère moyennement corsé, bien riche et pur. Ce vin racé et concentré se révélera excellent. **A maturité : 2000-2012.**

Le 1995, dont la robe soutenue est de couleur pourpre foncé, exhale de généreuses senteurs de fruits noirs doux et confiturés. Avec une faible acidité et un niveau modéré de tannins, il est dense et long en bouche, où il se dévoile par paliers. Ce vin musclé, concentré et intensément aromatique est à l'évidence une réussite pour une propriété qui produit généralement des vins élégants, suaves et gracieux. **A maturité : 2002-2015.**

CROIZET-BAGES (PAUILLAC)**

33250 Pauillac
Tél. 05 56 59 56 69 – Fax 05 56 59 23 39
Contact : Jean-Louis Camp

1995	C	85-87
1994	C	78
1993	C	84

Il semblerait que Croizet-Bages se soit enfin décidé à renverser la tendance, comme en témoignent les vins réussis produits en 1993 et 1995.

Le 1993, charmeur, élégant et fruité, manque d'étoffe et d'intensité, mais il exprime un doux fruité aux notes de tabac et de groseille, et révèle une faible acidité et un bon équilibre en bouche. **A boire dans les 7 ou 8 ans.**

Bien que n'étant pas aussi profond que son aîné d'un an, le 1994 est épicé, légèrement corsé et très structuré, avec des tannins agressifs. Ces derniers ne sont cependant pas étayés par un caractère suffisamment fruité et profond. **A maturité : 1999-2005.**

Le 1995 s'impose comme le meilleur Croizet-Bages que je connaisse, avec sa robe opaque de couleur pourpre-bleu et son nez pur de cassis mêlé de notes de chêne épicé et vanillé. Moyennement corsé et doux, d'une belle concentration et d'une grande pureté, il déploie les caractéristiques arômes de cèdre des Pauillac. Ce vin, qui devrait bien se déguster dès sa diffusion, se conservera **une bonne dizaine d'années**.

CURÉ-BON (SAINT-ÉMILION)**

33330 Saint-Émilion
Tél. 05 57 74 43 20 – Fax 05 57 24 66 41
Contact : Bernard Gans

1993	C	75
1992	B	76

Bien qu'elle soit très irrégulière, cette propriété peut à l'occasion produire de très bons vins. Malheureusement, ses 1992 et ses 1993 ne compteront pas au nombre de ses plus beaux succès.

Ainsi, le 1992, moyennement corsé, ne possède pas plus de fruité que de charme, et se montre dur et herbacé. Il se desséchera d'ici **3 ou 4 ans**.

Quant au 1993, il présente, outre des tannins excessivement durs et rugueux, un fruité vert qui manque de maturité et un caractère musclé sans charme ni finesse.

DALEM (FRONSAC)***

33141 Saillans
Tél. 05 57 84 34 18 – Fax 05 57 74 39 85
Contact : Michel Rullier

1993	C	85

Michel Roullier, le propriétaire de Dalem, a une fois de plus produit un Fronsac bien vinifié et concentré, épicé et moyennement corsé, aux arômes de groseille et de cerise, avec des tannins légers et une finale généreuse. **A boire dans les 5 ou 6 ans.**

LA DAME DE MONTROSE (SAINT-ESTÈPHE)***

Château Montrose – 33180 Saint-Estèphe
Tél. 05 56 59 30 12 – Fax 05 56 59 38 48
Contact : Jean-Louis Charmolüe ou Bruno Lemoine

1992	B	86
1991	B	85

La qualité de Montrose ayant fait un énorme bond en avant, on pouvait légitimement attendre que son second vin suive ce même élan. Et, en effet, le 1991 de La Dame de Montrose arbore une robe profondément colorée et très soutenue, et exhale un nez énorme, épicé et mûr de fruits noirs, de poussière et de minéral. Moyennement corsé, profond et modérément tannique, il présente une maturité et une concentration remarquables. **A boire dans les 4 ou 5 ans.**

Plus doux et moins concentré, le 1992 possède néanmoins une excellente couleur rubis-pourpre et dégage un séduisant bouquet floral, avec des senteurs de cassis. Moyennement corsé, avec une acidité faible et un taux d'alcool relativement élevé, il offre une finale fraîche et charnue. **A boire dans les 6 ou 7 ans.**

LES GLOIRES DU PASSÉ : 1990 (90).

DASSAULT (SAINT-ÉMILION)***

33330 Saint-Émilion
Tél. 05 57 24 71 30 – Fax 05 57 74 40 33
Contact : Laurence Brun-Vergriette

1995	C	84-86
1994	C	79
1993	C	82 ?

Les deux échantillons de Dassault 1993 qui m'ont été proposés présentaient des arômes de carton moisi que j'ai d'ailleurs retrouvés dans d'autres vins de ce millésime. Diverses hypothèses ont été avancées pour expliquer ce phénomène, depuis les fûts mal lavés jusqu'à l'emploi de substances chlorées dans les chais, en passant par l'utilisation de bouchons défectueux et de filtres contaminés. Il reste que le Dassault 1993, légèrement corsé, plaisant et de style commercial, libère un fruité d'airelle en arrière-plan de son nez de carton moisi. **A boire dans les 4 ou 5 ans.**

Le 1994 est desservi par un caractère austère et des tannins rugueux, deux défauts propres au millésime. Il est maigre, astringent et bien boisé, mais manque de fruité.

Le 1995 pourrait se révéler de très bonne tenue, s'il n'est pas trop dépouillé au moment de la mise en bouteille. De couleur pourpre très soutenu, il exprime un caractère doux et charnu, se montre bien doté et séduisant. Reste à voir ce qui subsistera de ses arômes et de sa présence en bouche après collage et filtration. **A maturité : 1999-2006.**

DAUGAY (SAINT-ÉMILION)***

33330 Saint-Émilion
Tél. 05 57 24 78 12 – Fax 05 57 24 68 56
Contact : Christian de Boüard de Laforest

1995	C	87-88
1994	C	86
1993	C	87

Impressionnant pour le millésime, avec sa superbe couleur rubis-pourpre foncé et son nez doux et complexe d'herbes aromatiques, de fruits noirs et de fumé, le 1993 de Daugay se révèle souple en bouche (il est composé pour moitié de merlot et pour l'autre de cabernet franc) et d'une belle, voire d'une excellente, concentration. Parfaitement mûr, avec une acidité faible, il s'impose comme l'une des révélations les plus voluptueuses du millésime. **A boire dans les 5 à 7 ans.**

Le 1994, d'une couleur moins soutenue que le 1993, partage le même style ouvert, fumé, richement fruité, bien glycériné et moyennement corsé. Il montre également une faible acidité, et sa finale est charnue. **A boire dans les 5 ou 6 ans.**

De couleur rubis-pourpre foncé, le 1995 libère des arômes de fruits confiturés qui rappellent les vins de vendanges tardives. Plus proche d'un Pomerol que d'un Saint-Émilion, il manifeste une pureté et une maturité d'excellent aloi, et se révèle moyennement corsé, avec une faible acidité. Il sera savoureux dès la diffusion, **cette année.**

Ce cru bien fait et proposé à prix raisonnable, élaboré par le frère aîné du propriétaire du Château Angélus, mérite incontestablement l'attention des amateurs.

LA DAUPHINE (FRONSAC)***

Établissements Jean-Pierre Moueix
54, quai du Priourat – BP 129 – 33500 Libourne
Tél. 05 57 51 78 96 – Fax 05 57 51 79 79
Contact : Frédéric Lospied
Visites réservées aux professionnels

1993	B	81
1992	B	77

Le 1992 de La Dauphine est doux et souple, avec des arômes de fruits et de terre. S'il atteste une bonne maturité, il est aussi d'un caractère compact, austère et maigre. **A boire d'ici 2 ou 3 ans.**

Le 1993 se présente comme un vin unidimensionnel, légèrement corsé, plaisant et modérément tannique. **A boire dans les 3 ou 4 ans.**

Note : La Dauphine n'a pas diffusé de 1991 sous son étiquette.

DAUZAC (MARGAUX)**

33460 Labarde
Tél. 05 57 88 32 10 – Fax 05 57 88 96 00
Contact : André Lurton

1993	C	88
1992	C	74
1991	C	72

C'est désormais André Lurton (qui dirige aussi La Louvière, dans les Graves) qui prend à Dauzac toutes les décisions importantes relatives aux vendanges, aux vinifications et à la mise en bouteille. On peut donc s'attendre que cette propriété, qui a jusqu'ici été moins performante qu'on n'aurait pu l'espérer, donne maintenant des vins de meilleure qualité.

Le 1991, aux arômes unidimensionnels, est creux, avec une finale inexistante. **A boire dans les 2 ans.**

Quant au 1992, maigre et sans structure, on dira, pour rester diplomate, qu'il est inintéressant.

Le 1993, qui est le meilleur Dauzac que j'aie jamais goûté, présente en revanche une couleur presque noire et un nez riche et doux de cassis, de réglisse et de chêne grillé. Pur, moyennement corsé et tannique, il déploie un excellent équilibre ainsi qu'une impressionnante richesse en extrait. Sa profondeur et son fruité mûr sont suffisants pour contrebalancer sa structure, et je pense qu'il sera au meilleur de sa forme d'ici 5 ans. **A maturité : 2002-2020.** Vous apprécierez également la nouvelle étiquette.

DESTIEUX (SAINT-ÉMILION)**

33330 Saint-Hippolyte
Tél. 05 57 24 77 44 – Fax 05 57 40 37 42
Contact : Christian Dauriac

1993	C 80

Si les vins de Destieux sont toujours très colorés, musclés, corsés et tanniques, ils manquent en revanche singulièrement de charme et de finesse. Le 1993 est typique de cette propriété : dur et austère, excessivement tannique, avec de la mâche et sans le moindre charme. Bien qu'il ait un potentiel de garde de **10 à 15 ans,** je doute fort qu'il se montre un jour agréable à la dégustation.

LA DOMINIQUE (SAINT-ÉMILION)****

33330 Saint-Émilion
Tél. 05 57 51 31 36 – Fax 05 57 51 63 04
Contact : Clément Fayat

1995	C	90-92
1994	C	88
1993	C	87
1992	C	79

Cette propriété, l'une des plus régulièrement performantes de la rive droite, donne chaque année d'excellents vins qui sont encore proposés à des prix raisonnables (même si ceux-ci ont récemment augmenté).

Moyennement corsé, le 1992 exhale un nez fugace mais séduisant et mûr d'herbes, de cassis et de vanille. Il révèle aussi un fruité bien évolué, mais sa finale est courte et compacte, et l'on y décèle des tannins modérés. Il rappelle vaguement les 1979 et 1981 de la propriété, mais en plus léger et plus austère.

Le 1993 pourrait bien se révéler de meilleure qualité que ne le suggère la note de dégustation ci-dessus. Sa robe extrêmement soutenue de couleur pourpre-bleu introduit des arômes de prune douce et très mûre, de cassis, de réglisse, de grillé et de bois fumé. Il est moyennement corsé, énorme et riche, et ne présente ni tannins durs ni astringence. Cet excellent 1993, dense et bien doté, se bonifiera au terme d'une garde de 1 ou 2 ans. **A maturité : 1999-2012.**

Le 1994 révèle les légendaires tannins astringents et rugueux propres au millésime, mais il regorge aussi d'un généreux fruité, crémeux et mûr, de cassis et de groseille. Je pense donc que le bon équilibre entre fruité et tannins est ici respecté. Ce vin dense, de couleur rubis-pourpre foncé, exhale un nez doux et parfumé de boisé, de terre, de fumé et de cassis. Moyennement corsé et mûr, il est également d'une concentration et d'une pureté admirables, avec un niveau assez modéré de tannins. **A maturité : 2002-2016.**

Le 1995 impressionne par sa robe visqueuse et épaisse, soutenue et opaque, de couleur pourpre. Il déploie au nez des arômes de liqueur de cerise noire et de cassis enveloppés de généreuses notes de chêne fumé et grillé. Gras et très corsé, avec un corps et une structure absolument superbes, il est modérément tannique, ample et riche, et révèle une faible acidité en bouche, où il se dévoile par paliers. Il s'agit de la plus belle réussite de la propriété depuis le somptueux duo de 1989 et 1990. **A maturité : 2001-2012.**

Note : La Dominique n'a pas diffusé de 1991 sous son étiquette.

LES GLOIRES DU PASSÉ : 1990 (93), 1989 (94), 1986 (90), 1982 (91), 1971 (90), 1970 (88), 1955 (89).

LES MÉDIOCRITÉS (OU PIRE) DU PASSÉ : 1985 (74), 1975 (79).

DUCRU-BEAUCAILLOU (SAINT-JULIEN)*****

33250 Saint-Julien-Beychevelle
Tél. 05 56 59 05 20 – Fax 05 56 59 27 37
Contact : Jean-Eugène ou François-Xavier Borie

1995	D	92-95
1994	D	90
1993	D	87
1992	C	87+
1991	C	86+

Entre 1986 et 1990, cette propriété a traversé une période agitée. Si la vinification n'en a aucunement souffert, on a néanmoins remarqué, d'une bouteille à l'autre, des irrégularités sous forme d'arômes de moisi et de carton humide. Tout cela n'est fort heureusement que de l'histoire ancienne, la construction d'un nouveau chai et le complet remplacement du parc à barriques ayant de nouveau permis la production de vins exempts de défauts. Ducru-Beaucaillou est désormais sur les rails, et a enregistré ces dernières années de fort belles réussites, avec un 1994 exceptionnel, un 1995 spectaculaire, et un 1996 tout aussi profond et extrêmement concentré.

Le 1991, prometteur et concentré, se présente actuellement comme un Ducru d'anthologie : peu évolué, tannique et jeune, il se bonifiera au terme d'une garde de 3 ou 4 ans et devrait se conserver pendant **15 ans de plus.** Ce vin très profond présentera à coup sûr, à maturité, l'élégance et la complexité typiques de ce cru.

Impressionnant par sa concentration et parfaitement structuré, l'excellent 1992 déploie un nez floral et séduisant, ainsi que des senteurs de fruits des bois. Riche et imposant, il se révèle moyennement corsé en bouche, avec des tannins fermes et une finale longue et épicée. Vous l'apprécierez davantage au terme d'un vieillissement supplémentaire de 2 ou 3 ans, et il évoluera de belle manière au cours des 10 à 15 prochaines années. Il s'agit vraiment de l'un des vins les plus complets de ce millésime.

Le Ducru 1993 déploie des arômes épicés de groseille et de cassis qui rivalisent à qui mieux mieux avec des notes poivrées et de cèdre. L'attaque en bouche est douce, riche et mûre, et l'ensemble se révèle moyennement corsé, doux et plaisant. Ce vin souple et délicieux, dont la finale tannique ne dessert aucunement le caractère élégant et précoce, est une belle réussite pour le millésime. A boire **dans les 7 à 10 ans.**

Le 1994 est de tout premier ordre, avec sa couleur pourpre foncé et son nez classique et floral de cassis, de minéral et de réglisse. Moyennement corsé, extraordinairement pur et bien extrait, il développe un niveau modéré de tannins et une finale imposante, riche, douce et épicée. L'ensemble est bien fondu – les tannins aussi. Un Saint-Julien tout à fait classique. **A maturité :** **2004-2022.**

Quelle richesse explosive et quelle maturité dans le 1995 ! Il est mieux maintenant que lorsque je l'avais dégusté au mois de mars 1996. Sa robe opaque de couleur pourpre introduit un nez fabuleusement doux et confituré de fruits noirs, de minéral et de fleurs. Le vin se révèle heureusement gras en bouche, ample, structuré et moyennement corsé, débordant d'un généreux fruité, avec un caractère sous-jacent doux, glycériné et riche. Un Ducru-Beaucaillou irrésistible, tel que les amateurs de cette propriété n'en ont pas connu depuis le céleste 1982. **A maturité : 2003-2020.**

LES GLOIRES DU PASSÉ : 1986 (94), 1985 (91), 1982 (96), 1981 (90), 1978 (90), 1970 (91), 1961 (96).

DUHART-MILON-ROTHSCHILD (PAUILLAC)****

33250 Pauillac
Contact : Domaines Baron de Rothschild – 33, rue de la Baume – 75008 Paris
Tél. 01 53 89 78 00 – Fax 01 42 56 28 79

1995	C	84-86
1994	C	86 ?
1993	C	85
1992	C	85
1991	C	84

Duhart-Milon est une propriété que les lecteurs devraient tenir à l'œil, car les Rothschild ont clairement affiché leur double intention de la hisser à un niveau de qualité plus élevé et de redorer son image de marque.

Plus profond et plus riche que le 1992 – qui est plutôt doux, léger et unidimensionnel –, le Duhart 1991 présente aussi un potentiel de complexité plus important. Moyennement corsé et puissamment coloré, ce vin d'une belle profondeur est séduisant et épicé, avec des arômes de noix grillée, de cassis et d'herbes, mais ses tannins sont astringents. **A maturité : 1998-2010.**

Le 1992 libère des arômes de chêne et de groseille, et se montre maintenant plus profond et plus riche que lorsqu'il était encore en fût. Moyennement corsé, épicé, mûr, il est modérément riche et souple. **A boire dans les 4 ou 5 ans.**

Le Duhart 1993, de couleur rubis-pourpre foncé, est un joli vin moyennement corsé et élégant avec un niveau modéré de tannins et un fruité doux et plaisant. Sans être puissant ni consistant, il est bien fait et bien équilibré. **A boire dans les 8 ou 9 ans.**

Arborant une robe impressionnante, dense et soutenue, le 1994 est austère, astringent et sévère. Contrairement à son grand frère de Lafite, il manque de maturité, de corpulence, de douceur en finale, si bien qu'il se désséchera peut-être, et se révélera dépouillé et comprimé au terme d'une garde de 5 à 8 ans.

Le 1995, de couleur rubis foncé, est moyennement corsé, extrêmement réservé, et ne me satisfait aucunement. Il paraît très policé et tout en finesse, mais qu'en est-il du fruité et du plaisir que l'on attend généralement d'un vin ? Il tiendra bien **10 à 12 ans.**
LES GLOIRES DU PASSÉ : 1982 (92).
LES MÉDIOCRITÉS (OU PIRE) DU PASSÉ : 1975 (75), 1970 (70).

DOMAINE DE L'ÉGLISE (POMEROL)***

Contact : Philippe Castéja – Maison Borie-Manoux
86, cours Balguerie-Stuttenberg – 33082 Bordeaux Cedex
Tél. 05 56 00 00 70 – Fax 05 56 87 60 30

1995	C	86-88
1994	C	86
1993	B	78

Le 1993, avec sa robe légère de couleur rubis moyennement foncé, est doux et aqueux. Il présente en bouche des arômes accessibles et ternes qui manquent de concentration et de précision. **A boire dans les 4 ou 5 ans.**

Le 1994, de couleur rubis foncé, libère de séduisantes senteurs de cerise confiturée, de terre et d'épices. Moyennement massif, plaisant et mûr, sans aucune aspérité ni caractère végétal, il sera agréable dans les **7 ou 8 ans.**

Arborant une robe impressionnante de couleur pourpre-noir, le 1995 développe d'excellents arômes de cerise noire et de cassis. Il est moyennement corsé en bouche, étonnamment opulent et onctueux, et d'une belle pureté. Il méritera une note aux alentours de 89 s'il n'est pas collé ni filtré à l'excès au moment de la mise en bouteille. **A maturité : 2001-2016.**

L'ÉGLISE-CLINET (POMEROL)****

33250 Pomerol
Tél. 05 57 25 99 00 – Fax 05 57 25 21 96
Contact : Denis Durantou

1995	D	94-96
1994	D	90
1993	D	87
1992	C	85
1991	C	84

Le vignoble de L'Église-Clinet est l'un des mieux placés de Pomerol, et son propriétaire, Denis Durantou, l'un des producteurs les plus méticuleux du Bordelais. Ce domaine possède quelques parcelles de très vieilles vignes (certaines ont été plantées en 1930) ; son vin, issu de rendements restreints (inférieurs à 30 hl/ha), est généralement composé d'un assemblage de 80 % de merlot et de 20 % de cabernet franc. Il est vieilli en fûts de chêne, dont 60 % sont neufs.

Le 1991, qui fait partie du petit nombre des Pomerol qui cette année-là sont souples, mûrs et buvables, déploie un bouquet séduisant de fruits noirs et rouges, de tabac, de thé et de chocolat. Moyennement corsé et excellemment doté pour le millésime, il se montre épicé, doux et rond. **A boire dans les 3 ou 4 ans.**

Avec sa robe d'un rubis profond et son nez épicé et mûr de cerise noire et de chêne fumé, le 1992 dégage en bouche des arômes mûrs et moyennement corsés. Il est également d'une intensité admirable, et déploie une finale épicée, riche et charnue. Un vin délicieux et sans détour. **A boire dans les 4 ou 5 ans.**

Le 1993 pourrait éventuellement mériter une meilleure note. Je ne suis pas très amateur de vins aux notes herbacées, et c'est peut-être le bouquet de celui-ci, aux senteurs épicées et de poivre vert, qui m'a empêché de lui attribuer une note plus élevée. De couleur rubis-pourpre foncé, avec un nez intense et bien évolué, doux et fruité, de poivre, de viande grillée et de fumé, il déploie joliment, dès l'attaque en bouche, un fruité mûr et doux, et une faible acidité. Moyennement corsé, il offre au palais les légendaires arômes de kirsch et de framboise sauvage si caractéristiques de cette propriété. Ce vin devrait être au meilleur de sa forme au terme d'une garde de 2 ou 3 ans et se conservera **12 à 14 ans.** Je conseille cependant de le déguster dans sa jeunesse, son fruité pouvant se faner avant que ses tannins ne se fondent.

Avec sa robe soutenue de couleur rubis-pourpre foncé, le 1994 exhale un nez serré, mais prometteur, aux senteurs de cerise mûre, de groseille et de mûre marquées de vagues notes de truffe noire. Moyennement corsé, il libère un fruité pur, qu'il dévoile en bouche par paliers, et on distingue dans sa finale des tannins marquants. Plus ample et plus riche que son aîné d'un an, il n'en a cependant pas le charme, mais il se révélera impressionnant au terme d'une garde de 4 ou 5 ans. **A maturité : 2002-2022.**

Le 1995 s'impose toujours comme l'une des grandes réussites du millésime. Sa robe opaque de couleur pourpre prélude à un nez fabuleusement pur de framboise sauvage et de cerise joliment infusé de subtiles notes de chêne neuf. Un caractère de terre, de fumé et de réglisse lui confère davantage de complexité. Puissant, très corsé et richement extrait, c'est un vin énorme, classique et massif, qui requiert 8 à 10 ans de garde en cave. Il semble évoluer assez lentement. Il n'aura peut-être pas le charme évolué de certains Pomerol, mais attendez un peu qu'il s'épanouisse... **A maturité : 2000-2025.** LES GLOIRES DU PASSÉ : 1986 (92), 1985 (95).

L'ENCLOS (POMEROL)**

1, L'Enclos – 33500 Pomerol
Tél. 05 57 51 04 62 – Fax 05 57 51 43 15
Contact : Marie-Louise Marc

1992	C	74
1991	C	72

Il est dommage que cette propriété, qui est l'une de celles que je préfère en Pomerol, ait produit des 1991 et des 1992 si décevants. Le 1991, simple et aqueux, manque de fruité et de caractère, et ce piètre résultat s'explique très certainement par des dilutions et une mauvaise sélection. Quant au 1992, il est léger, maigre et compact.

L'ÉVANGILE (POMEROL)*****

33500 Pomerol
Tél. 05 57 51 15 30 – Fax 05 57 51 45 78

1995	D	94-96
1994	D	92
1993	D	89
1992	D	78

Cette superbe propriété, qui jouxte La Conseillante, Petrus et Vieux Château Certan, a extrêmement bien réussi dans les millésimes 1993, 1994, 1995.

L'Évangile 1992, qui était bien plus impressionnant avant la mise en bouteille, se montre maintenant fruité, moyennement corsé, doux et creux. D'une structure légère, avec des tannins durs, il présente un manque évident de fruit et de profondeur. Cependant, compte tenu du potentiel qu'il déployait au fût, je me demande s'il n'est pas au nombre des 1992 qui ont été endommagés au moment de la mise en bouteille. Il s'agit vraiment d'une performance déplorable, surtout de la part de cet excellent vignoble dont les standards de qualité sont extrêmement élevés.

Le 1993, de couleur rubis-pourpre foncé, exhale un doux nez de framboise, de truffe noire et de terre. D'un faible niveau d'acidité, ce vin charnu ne trahit aucunement le caractère végétal et de poivre vert qui dessert tant les vins de ce millésime, mais se révèle doux et étonnamment puissant, et offre une grande précision dans le dessin. Très élégant, il déploie ses doux arômes de fruits noirs dans un ensemble moyennement corsé et souple aux notes de cèdre. Vous pourrez déguster ce vin impressionnant à présent ou dans les 10 à 15 ans.

Le 1994 est l'un des vins les mieux réussis du millésime, avec sa robe dense et soutenue de couleur pourpre qui prélude à un nez fabuleusement doux de framboise et de cassis, marqué en arrière-plan par des notes de minéral et de réglisse. Moyennement corsé, d'une texture irréprochable et opulente, il est également d'une pureté somptueuse, superbement extrait et équilibré. Il s'agit d'un vin formidable, l'un des rares 1994 à avoir des tannins bien étayés par un fruité extrêmement riche. Fabuleux ! **A maturité : 2001-2020.**

Le 1995 est une magnifique réussite de cette propriété. Sa robe opaque de couleur pourpre introduit un nez complexe, provocateur et profond, de framboise et de myrtille confiturées, joliment infusé de notes de chêne fumé. Suit un vin multidimensionnel et très corsé, proche du fabuleux 1990, qui regorge d'extrait et de glycérine. J'espère que Mme Ducasse parviendra à convaincre l'équipe de Lafite-Rothschild, qui conduit les vinifications à L'Évangile, de ne pas faire de zèle en matière de collage et de filtration. **A maturité : 2002-2022.**

Note : L'Évangile n'a pas diffusé de 1991 sous son étiquette.

LES GLOIRES DU PASSÉ : 1990 (96), 1985 (95), 1983 (92), 1982 (97), 1975 (97), 1961 (99-100), 1950 (92), 1947 (100).

LES MÉDIOCRITÉS (OU PIRE) DU PASSÉ : 1981 (73), 1970 (84).

FAURIE DE SOUCHARD (SAINT-ÉMILION)**

33330 Saint-Émilion
Tél. 05 57 74 43 80 – Fax 05 57 74 43 96
Contact : Françoise Sciard

1993	C 81

Malgré ses tannins et son caractère dur et assez rébarbatif, ce 1993 se montre admirablement fruité et concentré sous une structure sévère. Cependant, son côté tannique, poussiéreux et rude ne permet pas de penser qu'il se bonifiera avec l'âge, et, bien qu'il soit plus fruité que la majorité de ses homologues, il se desséchera relativement rapidement.

DE FERRAND (SAINT-ÉMILION)***

33330 Saint-Hippolyte
Tél. 05 57 74 47 11 – Fax 05 57 24 69 08
Contact : Jean-Pierre Palatin

1993	C 87

Dans le passé, cette propriété impeccablement gérée (appartenant à feu le baron Bich, inventeur des fameux stylos du même nom) a produit quelques vins délicieux ; le 1993 paraît en être une parfaite illustration, avec sa robe sombre et profonde de couleur rubis, et ses arômes mûrs et juteux de fruits noirs et rouges, de terre et de chêne grillé. Il est opulent et pur, et présente, outre une excellente concentration, une faible acidité et des tannins modérés. Un Saint-Émilion charnu et succulent. **A boire dans les 7 à 10 ans.**

FERRAND-LARTIGUE (SAINT-ÉMILION)****

33330 Saint-Émilion
Tél. 05 57 74 46 19

1995	D	89-91
1994	D	89+
1993	D	88

J'ai déjà beaucoup écrit au sujet de ce joyau de Saint-Émilion, minuscule propriété de moins de 3 ha aussi bien gérée qu'un premier cru du Médoc. Huit cuves en inox sont suffisantes pour en contenir l'entière production. On y pratique d'importantes vendanges en vert, ainsi qu'un effeuillage intensif, et, exactement comme à Petrus, les vendanges ne débutent jamais avant 11 heures, de crainte que la rosée n'entraîne une certaine dilution.

Le 1993, élégant et complexe, de couleur rubis-pourpre foncé, exhale un doux nez de grillé et de fumé conjugué à des senteurs de cassis et de cerise mûre. Moyennement corsé, d'une excellente pureté et d'une belle maturité, il est aussi racé et soyeux, et peut être dégusté maintenant et dans les 5 à 7 ans.

Puissant et moyennement corsé, le 1994 déploie, outre une couleur rubis-pourpre foncé, un nez très aromatique de fruits noirs et rouges, de fumé et de grillé. Plus ample et plus massif que le 1993, c'est un Saint-Émilion souple, soyeux et très sensuel, que vous dégusterez **avant qu'il n'ait 10 ans d'âge.**

Le 1995 arbore une superbe robe de couleur rubis-pourpre très soutenu, et exhale un nez flatteur, doux, confit et confituré, de fumé et de chêne neuf et grillé. Impressionnant à la fois au nez et en bouche, il déploie un doux fruité, une belle pureté et un grand équilibre. Il absorbe les notes de boisé comme une éponge, et, bien qu'il soit déjà accessible, évoluera parfaitement dans les **10 prochaines années.**

FERRIÈRE (MARGAUX)**

33460 Margaux
Tél. 05 56 58 02 37 – Fax 05 57 88 76 65
Contact : Claire Villars

1992	B	74

Ce vin maigre et dur, à la robe rubis très léger, révèle des tannins excessifs qui lui confèrent un caractère compact, sec et sévère.

FEYTIT-CLINET (POMEROL)**

33500 Pomerol
Tél. 05 57 25 51 27 – Fax 05 49 05 22 48
Contact : Jeremy Chasseuil

1993	C	75
1992	C	76

Alors que le 1992 déployait au fût un fruité mûr et opulent, il se montre maintenant dur, vert et tannique – sans charme aucun. Que s'est-il donc passé ?

Le 1993 est quant à lui une piètre performance, car, malgré sa très belle couleur, il présente, tant au nez qu'en bouche, un fruité pas mûr et un caractère végétal. De plus, les tannins durs et astringents que l'on distingue dans sa finale ne laissent pas augurer une bonne évolution.

Note : Feytit-Clinet n'a pas diffusé de 1991 sous son étiquette.

DE FIEUZAL (GRAVES)****

124, avenue de Mont-de-Marsan – 33850 Léognan
Tél. 05 56 64 77 86 – Fax 05 56 64 18 88
Contact : Gérard Gribelin

1995	C	90-92
1994	C	?
1993	C	87+
1992	C	86
1991	C	82

Comme beaucoup d'autres 1991, celui du Château de Fieuzal se montre comprimé et compact ; il arbore cependant une superbe couleur rubis foncé et déploie un nez monolithique de terre, d'épices et de grillé. Profond et mûr, ce vin au caractère unidimensionnel devra être consommé dans les **10 ans**.

Le 1992, à la robe rubis-pourpre foncé, présente un fruité riche et doux, ainsi qu'une excellente profondeur. Moyennement corsé, il dégage des arômes juteux de fruits noirs enrobés de chêne fumé et se montre goûteux, racé et élégant. Ce Graves très aromatique se bonifiera encore au terme d'une garde de 1 ou 2 ans et tiendra parfaitement **10 ans de plus**.

Très réussi, le 1993 est semblable à de l'encre : il arbore une robe qui rappelle plus une grande année qu'un millésime moyen. D'une couleur très impressionnante, ce vin exhale un nez pénétrant de tabac, de cassis, de réglisse et de fumé. Moyennement corsé, avec un niveau modéré de tannins, il est jeune et bien doté, et se bonifiera au terme d'une garde de 1 à 3 ans. Il sera d'une longévité exceptionnelle pour un 1993. **A maturité : 1999-2015.**

Le 1994 me semblait aussi bon, si ce n'est meilleur, que le 1993 avant la mise. Mais les deux bouteilles qui m'ont, par la suite, été présentées à la dégustation libéraient des arômes de moisi et de carton humide rendant impossible toute évaluation. Il est rare de tomber sur deux bouteilles bouchonnées à la suite, si bien que j'attends de pouvoir regoûter ce vin pour en parler plus tard.

La robe opaque et soutenue du 1995, de couleur pourpre, révèle une richesse en extrait assez extraordinaire. Cette impression se confirme en bouche, où l'on distingue un caractère puissant et riche. Ce vin pourrait s'imposer comme la plus belle réussite de la propriété, rivalisant même avec ceux, de tout premier ordre, nés dans les années 80. Son potentiel de garde est d'une vingtaine d'années, mais vous pourrez déjà l'apprécier dans les **5 à 7 ans**.

LES GLOIRES DU PASSÉ : 1990 (88), 1988 (89), 1970 (70).

FIGEAC (SAINT-ÉMILION)****

33330 Saint-Émilion
Tél. 05 57 24 72 26 – Fax 05 57 74 45 74
Contact : Éric d'Aramon

1995	D	90-92
1994	D	84 ?
1993	D	79

Figeac possède un terroir extraordinaire, mais le fort pourcentage de cabernet sauvignon et de cabernet franc de son vignoble semble être à l'origine de sa qualité très irrégulière. Cependant, lorsque cette propriété décroche la timbale, comme en 1982 ou en 1990, elle donne des vins qui comptent au nombre des bordeaux les plus irrésistibles, aussi somptueux que des Pomerol, avec la complexité aromatique des Médoc à dominante de cabernet sauvignon.

Le 1993, de couleur rubis foncé, dégage un nez végétal et de poivron vert. Maigre, avec une texture rugueuse, il présente un doux fruité à l'attaque en bouche, mais se dessèche ensuite pour révéler une finale légèrement corsée et comprimée, aux tannins sévères. Est-ce un vin de choix pour accompagner des terrines de légumes ? **A boire dans les 5 ou 6 ans.**

Le rubis moyennement foncé du 1994 précède un nez de poivre vert, d'olive et de cassis. Ce vin manifeste un caractère herbacé qui pourrait, d'ici 3 ou 4 ans, développer des notes de cèdre. Bien que trop tannique, il se révèle moyennement corsé et pur, avec un fruité mûr et doux, et laisse une impression assez massive en milieu de bouche. Les amateurs de vins austères seront plus séduits que je ne l'ai été. **A maturité : 2000-2010.**

Le 1995 s'impose comme l'un des meilleurs Figeac de ces quinze dernières années. Arborant une robe opaque de couleur rubis-pourpre, il déploie un nez pénétrant, intense et complexe, de bois de balsa, de cassis, d'épices orientales, et de chêne fumé et grillé. Riche et moyennement corsé, il présente des tannins et une acidité joliment fondus dans l'ensemble, illustrant bien les sommets que peut atteindre ce cru. Espérons qu'il ne sera ni trop collé ni trop filtré au moment de la mise en bouteille. **A maturité : 2003-2018.**

LES GLOIRES DU PASSÉ : 1990 (94), 1986 (90), 1983 (87), 1982 (94), 1970 (90), 1964 (94), 1961 (89), 1959 (91), 1955 (95), 1953 (93).

LES MÉDIOCRITÉS (OU PIRE) DU PASSÉ : 1988 (83), 1979 (83), 1966 (85).

LA FLEUR (SAINT-ÉMILION)**

Établissements Jean-Pierre Moueix
54, quai du Priourat – BP 129 – 33500 Libourne
Tél. 05 57 51 78 96 – Fax 05 57 51 79 79
Contact : Frédéric Lospied
Visites réservées aux professionnels

1993	C	85 ?
1992	C	86

Ce château a produit ces derniers temps des vins de meilleure qualité ; il n'est donc pas surprenant que le 1992, délicieux et opulent, ait été suivi d'un 1993 certes plus tannique et plus structuré, mais également concentré et prometteur.

Charnu, succulent, juteux et gras, le 1992 de La Fleur est également opulent et déborde d'arômes de fruits confiturés et de chêne grillé qu'il jette littéralement au visage du dégustateur. Vous pouvez apprécier tout de suite ce vin, qui se conservera parfaitement pendant encore **3 à 5 ans.**

Le 1993, qui déploie effectivement des tannins un peu trop abondants, est néanmoins bien étayé par une bonne profondeur et une bonne maturité – il se montrera peut-être plus accessible et plus souple après collage. Affaire à suivre.

Note : La Fleur n'a pas diffusé de 1991 sous son étiquette.

LA FLEUR DE GAY (POMEROL)*****

33500 Pomerol
Tél. 05 57 51 19 05 – Fax 05 57 74 15 62
Contact : Alain Raynaud

1995	D	91-93
1994	D	89+
1993	D	87
1992	D	87
1991	D	85

Le 1991 de La Fleur de Gay est d'une excellente tenue pour le millésime. Sa belle robe rubis moyen introduit un nez épicé et mûr de cassis dans lequel se fondent harmonieusement des senteurs de chêne neuf et fumé. Moyennement corsé et de faible acidité, il est d'ores et déjà agréable et bien évolué. **A boire dans les 3 à 6 ans.**

Le 1992 arbore une robe pourpre des plus soutenues pour le millésime. Avec son nez mûr de prune, de mûre et de grillé, ses tannins assez abondants et sa faible acidité, il est moyennement corsé, merveilleusement concentré et profond. Il s'agit d'un 1992 excessivement fermé et bien structuré, au potentiel de garde de **10 à 15 ans.** Bravo !

Ce 1993 de couleur rubis foncé, enveloppé de notes de chêne neuf, épicé, et de pain grillé, est très serré, mais tout en lui indique qu'il vieillira bien, et qu'il méritera peut-être même une note supérieure à celle que je lui ai attribuée. Il est doté d'un fruité généreux et pur de cerise noire mêlé de senteurs épicées, et se révèle moyennement corsé, élégant, concentré et bien vinifié, ressemblant un peu au 1987. Il sera prêt au terme d'une garde de 1 à 3 ans, et devrait se conserver **10 à 12 ans.**

Vêtu de rubis-grenat foncé, le 1994 déploie un nez doux et épicé aux senteurs de chêne et de fruits noirs. Bien structuré, modérément tannique et moyennement corsé, il présente un excellent fruité sous-jacent, richement extrait et bien glycériné, mais demande à être attendu 5 ou 6 ans de plus, étant encore légèrement austère et peu évolué. **A maturité : 2003-2014.**

Le 1995 se révélait merveilleusement bien lorsque je l'ai dégusté en janvier 1997. Sa robe soutenue de couleur pourpre est opaque au centre, et les arômes explosifs qu'il exprime comprennent des notes de minéral, ainsi que des senteurs pures et exotiques de cassis confituré et de réglisse. Il s'agit d'un vin riche, mûr, doux et opulent, moyennement corsé, modérément tannique et bien structuré, qui déborde littéralement d'un généreux fruité. Doté de manière impressionnante, c'est le meilleur La Fleur de Gay depuis les fabuleux 1989 et 1990. **A maturité : 2002-2018.**

LES GLOIRES DU PASSÉ : 1990 (89), 1985 (95), 1988 (93), 1987 (90), 1986 (90).

LES MÉDIOCRITÉS (OU PIRE) DU PASSÉ : 1982 (83).

LAFLEUR-GAZIN (POMEROL)**

33500 Pomerol
Établissements Jean-Pierre Moueix
54, quai du Priourat – BP 129 – 33500 Libourne
Tél. 05 57 51 78 96 – Fax 05 57 51 79 79
Contact : Frédéric Lospied
Visites réservées aux professionnels

1993	C	74
1992	C	72

Le 1992 est impressionnant de couleur, mais il se montre maintenant dur, austère et fermé, alors qu'il déployait avant la mise en bouteille plus de fruité et de corps, et semblait de meilleure qualité. En bouche, il est creux et dur, et paraît dépouillé.

Quant au 1993, sa robe de couleur rubis moyennement foncé prélude à un nez vert et herbacé et à une bouche dure, austère et compacte, manquant de fruit, de charme et de finesse.

Note : Lafleur-Gazin n'a pas diffusé de 1991 sous son étiquette.

LA FLEUR DE JAUGUE (SAINT-ÉMILION)***

150, avenue du Général-de-Gaulle – 33500 Libourne
Tél. 05 57 51 51 29 – Fax 05 57 51 29 70
Contact : Marie-Claire ou Georges Bigaud

1995	B	89-90
1994	A	87
1993	A	86

Cette propriété de la taille d'un timbre-poste, située sur des sols graveleux en dehors de Saint-Émilion, produit des vins savoureux et richement fruités, issus d'un mélange de 75 % de merlot et de 25 % de cabernet franc. Environ 70 % des vignes ont un âge moyen de 40 à 50 ans. Le propriétaire des lieux, Georges Bigaud, y fait tout lui-même, depuis les vendanges en vert jusqu'à la mise en bouteille, en passant par l'effeuillage, le collage et la vinification.

Le 1993, qui marque les débuts du château (ce fut la première année où l'on y fit la mise en bouteille), pourrait rapidement se dessécher, aussi conseillerai-je de le boire d'ici 4 ou 5 ans. D'une belle couleur rubis foncé, il offre un doux nez de cerise et de groseille, ainsi qu'une finale aux tannins amers. Il s'agit, dans l'ensemble, d'un bordeaux solidement fait.

Le 1994 est le premier millésime que Georges Bigaud juge de qualité satisfaisante. Moyennement corsé et modérément tannique, il déploie un fruité plus mûr que son aîné d'un an et de séduisants arômes, purs et doux, de cassis et de cerise, dans un ensemble joliment boisé. Ce vin se conservera agréable les 5 ou 6 ans après une garde de 1 ou 2 ans.

Le 1995 est, à ce jour, la plus belle réussite de la propriété. De couleur pourpre foncé, il est bien gras et doux, avec un excellent bouquet de minéral, de groseille, de cassis et de chêne fumé. Moyennement corsé, profond, rond et épicé, il devra être consommé jusqu'à 7 à 10 ans d'âge.

LA FLEUR-PETRUS (POMEROL)****

Établissements Jean-Pierre Moueix
54, quai du Priourat – BP 129 – 33500 Libourne
Tél. 05 57 51 78 96 – Fax 05 57 51 79 79
Contact : Frédéric Lospied
Visites réservées aux professionnels

1995	D	91-93
1994	D	89+
1993	D	87
1992	D	87

Incontestablement, Christian Moueix fait d'énormes efforts pour promouvoir La Fleur-Petrus et en faire l'un des meilleurs vins de l'appellation. Il a récemment augmenté la superficie de ce vignoble de 13 ha par l'achat d'une parcelle de 4 ha à Le Gay, propriété voisine. Cette acquisition a d'ailleurs produit un effet immédiat, puisque le 1995 se révèle d'une richesse et d'une puissance exceptionnelles, tout en étant très élégant.

L'excellent 1992 présente une robe rubis-pourpre profond et un nez énorme et doux de fruits noirs confiturés, de caramel et de vanille. Moyennement corsé, riche et mûr, ce vin dense, concentré et élégant, et néanmoins puissant, devrait se révéler exceptionnel entre 8 et 15 ans d'âge.

Le 1993, d'excellente qualité, est moyennement corsé, peu évolué et structuré, avec une robe rubis-pourpre très sombre et un séduisant nez de fleurs de fruits noirs. Il est aussi bien épicé et d'une belle longueur en bouche. A maturité : 2002-2016.

Le 1994 exhale un beau nez aux notes de kirsch, de cerise et de pain grillé, et se révèle moyennement corsé, réservé, pur et mesuré en bouche. Impressionnant par sa couleur très soutenue, il déploie un fruité sous-jacent doux et concentré, et sa finale est modérément tannique. C'est un vin très bien doté, très riche en extrait et bien équilibré. A maturité : 2003-2018.

L'histoire se souviendra peut-être du 1995 comme du vin marquant la véritable percée de La Fleur-Petrus. Ce Pomerol à la robe très soutenue, de couleur pourpre foncé, libère au nez des arômes fabuleusement doux et explosifs de cerise noire confiturée, de terre, de minéral et de truffe. Puissant, dense et harmonieux, il développe en bouche sa belle extraction par paliers, et s'impose, à mon sens, comme le meilleur vin de la propriété de ces trente dernières années. Il s'épanouit merveilleusement en fût, et est apparu, en janvier 1997, plus gras et plus impressionnant encore que lorsque je l'avais dégusté au printemps précédent.

Note : La Fleur-Petrus n'a pas diffusé de 1991 sous son étiquette.

LES GLOIRES DU PASSÉ : 1982 (90), 1975 (90), 1970 (88), 1952 (91), 1950 (95), 1947 (96).

LA FLEUR-POURRET (SAINT-ÉMILION)**

33330 Saint-Émilion
Tél. 05 56 73 24 20 – Fax 05 56 59 26 42
Pas de visites

1992	B	79
1991	B	64

Même s'il est évident que toutes les propriétés ne peuvent se permettre de déclasser l'ensemble de leur récolte dans un mauvais millésime, la mise en bouteille du 1991 de La Fleur-Pourret me semble être une erreur. En effet, ce vin est terriblement acide, végétal, austère et sans agrément aucun.

Le 1992, lui, révèle de généreux arômes doux et mûrs de fruits rouges et se montre légèrement corsé, avec une finale veloutée et sans détour. Il devrait être convenable pendant encore **3 ou 4 ans.**

LA FLEUR-SAINT-GEORGES (LALANDE-DE-POMEROL)**

12, rue Bertineau – 33500 Néac
Tél. 05 56 59 41 72 – Fax 05 56 59 93 22
Contact : Carine Bijon

1993	B	84

Ce 1993 est bien vinifié et se montre fruité, sans détour et généreusement doté. Il est aussi étonnamment gras et mûr. **A boire dans les 4 ou 5 ans.**

FONGABAN (PUISSEGUIN-SAINT-ÉMILION)***

1, Fongaban – 33570 Puisseguin-Saint-Émilion
Tél. 05 57 74 54 07 – Fax 05 57 74 50 97

1993	B	84

Tout dépendra de ce que recèle la bouteille, mais il se pourrait bien que le 1993 de Fongaban se pose comme une des révélations du millésime. Les échantillons qui m'ont été présentés arboraient une robe impressionnante, soutenue, de couleur rubis-pourpre tirant sur le noir, et dégageaient un nez énorme, subtilement herbacé et épicé, de cerise noire et de réglisse. Moyennement corsé, ce vin était étonnamment souple et légèrement tannique en fin de bouche. Il sera intéressant de le déguster après la mise en bouteille.

FONPLÉGADE (SAINT-ÉMILION)***

33330 Saint-Émilion
Tél. 05 57 74 43 11 – Fax 05 57 74 44 67

1995	C	85-87
1994	C	75
1993	C	85
1992	C	80

De couleur rubis-pourpre moyen, avec un nez épicé auquel se mêlent des senteurs de cerise confiturée, le 1992 de Fonplégade se montre moyennement corsé et relativement tannique, avec une acidité faible. Moyennement concentré, il est plaisant, mais fondamentalement inintéressant. **A boire dans les 5 ou 6 ans.**

Le séduisant 1993 ne déploie pas les notes végétales et de poivron vert que l'on retrouve dans nombre de ses jumeaux. Rubis foncé, moyennement corsé, il déploie un doux fruité de prune mûre, avec une faible acidité. Savoureux et accessible en bouche, ce vin bien fait, mais inintéressant, sera agréable ces **6 ou 7 prochaines années.**

Le 1994, austère, anguleux et manquant de charme avant la mise, ne se révèle pas sous un jour meilleur depuis qu'il est en bouteille. De couleur rubis moyennement foncé, avec un bord aqueux, il exhale un nez de poussière et de filtre. Court, comprimé et inintéressant, il n'a ni le fruité ni la profondeur suffisants pour bien vieillir.

Le 1995 pourra se révéler très bon, voire excellent, s'il n'est ni trop collé ni trop filtré au moment de la mise en bouteille. De couleur rubis-bleu tirant sur le noir, avec dans sa palette aromatique de généreuses senteurs de cassis doux, il se révèle bien glycériné et un peu épicé en bouche, où il dévoile par paliers son abondant fruité. La finale est longue et rassurante. Je crains cependant qu'un œnologue trop zélé ne conseille un collage excessif qui le rendrait creux en mileu de bouche. **A maturité : 2001-2012.**

Note : Fonplégade n'a pas diffusé de 1991 sous son étiquette.

FONRÉAUD (LISTRAC)**

33480 Listrac
Tél. 05 56 58 02 43 – Fax 05 56 58 04 33
Contact : Jean Chanfreau

1993	C	74

Les Listrac ont une propension à se montrer durs, même dans certains millésimes chauds et secs où l'on atteint un niveau de maturité correct. Cette tendance n'a évidemment pu que s'accentuer en 1993, quand des pluies diluviennes ont inondé le cabernet sauvignon qui n'était pas encore mûr. C'est pour cela que le Fonréaud de cette année, trop dur, rugueux, maigre, n'est pas suffisamment étoffé pour être acceptable.

FONROQUE (SAINT-ÉMILION)**

33330 Saint-Émilion
Établissements Jean-Pierre Moueix
54, quai du Priourat – BP 129 – 33500 Libourne
Tél. 05 57 51 78 96 – Fax 05 57 51 79 79
Contact : Frédéric Lospied
Visites réservées aux professionnels

1993	C	84 ?
1992	C	74 ?

Lorsque je l'ai goûté au fût, j'ai vraiment trouvé le Fonroque 1992 excellent : avec sa couleur rubis profond et son nez énorme, épicé et charnu de terre et de grillé, il était, en bouche, moyennement corsé et mûr. Cependant, depuis la mise en bouteille, il se montre sauvagement tannique, vidé de son fruité, et il est certain qu'il se desséchera dans le courant des **2 ou 3 prochaines années.** Sans charme aucun, tout en muscle et sans cervelle, ce vin ne mérite pas que vous vous y arrêtiez.

Le 1993 déploie du gras, de la douceur, et manifeste un caractère opulent dominé par le merlot. Cependant, on se souvient que le 1992, si impressionnant au fût, s'est ensuite révélé tannique, sévère et creux. On peut donc légitimement s'interroger sur l'intensité du collage et de la filtration qui sont pratiqués à la propriété, car il est indiscutable que les échantillons tirés du fût présentaient une belle maturité, beaucoup de charme et d'attrait, ainsi qu'une personnalité charnue et moyennement corsée.

Note : Fonroque n'a pas diffusé de 1991 sous son étiquette.

FONTENIL (FRONSAC)***

33141 Saillans
Contact : Michel ou Dany Rolland
15, cours des Girondins – 33500 Libourne
Tél. 05 57 51 10 94 – Fax 05 57 25 05 54

1993	B	85

Le 1993 de Fontenil est moyennement corsé, bien structuré et musclé, mais son haut niveau de tannins peut susciter quelque inquiétude. Pourtant, ce vin de belle maturité se montre riche, avec de la mâche sur une structure tannique, et, si son fruité se maintient alors que ses tannins se fondent, il méritera une meilleure note. **A boire dans les 8 à 10 ans.**

LES FORTS DE LATOUR (PAUILLAC)***

Château Latour – 33250 Pauillac
Tél. 05 56 73 19 80 – Fax 05 56 73 19 81
Contact : Frédéric Engerer, Christian Le Sommer ou Séverine Cannis

1995	C	87-89+
1994	C	87

1993	C	?
1992	C	85
1991	C	86

S'inscrivant dans la même ligne de qualité que le grand vin, le second vin du Château Latour se montre en 1991 gracieux, élégant et moyennement corsé, avec des tannins modérés et un nez épicé de fruits des bois. D'une belle longueur, il possède les tannins suffisants pour lui donner de la structure et de la tenue. **A boire dans les 6 ou 7 ans.**

D'une belle couleur, le 1992 est souple, fruité et d'un faible niveau d'acidité. Bien qu'étonnamment léger et plaisant, ce vin racé devrait se maintenir encore **10 ans.**

Le 1993, resplendissant dans une belle robe opaque de couleur pourpre, libère un fruité dense et concentré et affiche un niveau modéré de tannins, mais les arômes qu'il déploie en bouche sont quelque peu desservis par une légère odeur de moisi et de filtre. Peut-être suis-je tombé sur une mauvaise bouteille ? Je réserve donc mon jugement jusqu'à ce que je puisse en déguster une autre.

Le 1994, de couleur rubis-pourpre foncé, exhale un nez modérément intense de noisette, de cassis et de minéral. Il est extrêmement tannique, peu évolué, et d'une belle densité. Gardez-le 4 ou 5 ans encore, il pourrait ensuite mériter une note plus élevée. **A maturité : 2002-2012.**

Le nez du 1995 déploie des notes mûres de minéral, de pierre concassée et de cassis, qui annoncent un vin dense et moyennement corsé, aux tannins rugueux, regorgeant de fruité et de glycérine, et montrant une grande maturité. Ce beau Pauillac se bonifiera au terme d'une garde de 6 à 8 ans et se conservera parfaitement sur les **20 ans suivants.**

LES GLOIRES DU PASSÉ : 1982 (92).

FOURCAS-DUPRÉ (LISTRAC)**

213, Fourcas-Est – 33480 Listrac
Tél. 05 56 58 01 07 – Fax 05 56 58 02 27

1993	B	71 ?

Il est vraiment pénible et frustrant d'essayer de discerner quelque fruité, quelque charme ou quelque finesse dans ce vin étriqué, compact et dépouillé. Ses tannins sont en effet excessifs par rapport à son fruité.

FOURCAS-HOSTEN (LISTRAC)**

Place de l'Église – 33480 Listrac
Tél. 05 56 58 01 15 – Fax 05 56 58 06 73

1993	B	72

Ce vin dur, astringent et dilué agresse le palais et ne possède pas le fruité ni le gras nécessaires à son équilibre.

FRANC-MAYNE (SAINT-ÉMILION)**

33330 Saint-Émilion
Tél. 05 57 24 62 61 – Fax 05 57 24 68 25

1993	C	76
1992	C	76
1991	C	73

Le nez du 1991, agressif et herbacé, révèle un manque évident de fruité et trop de verdeur. On y décèle néanmoins quelques arômes de fruits doux et dilués, mais il s'agit en fait d'une piètre performance de la part de cette propriété.

Avec sa robe rubis foncé, le 1992 est moyennement corsé et creux, et libère un bouquet très marqué par un caractère herbacé et végétal. Court en bouche, il déploie en finale des tannins excessifs. Ce n'est vraiment pas mon style.

Comme celle de la plupart des vins de la propriété, la robe du 1993 est impressionnante, soutenue, de couleur rubis-pourpre foncé. Cependant, ce Franc-Mayne présente indiscutablement un problème, car, outre son nez par trop végétal et herbacé, il libère en bouche des arômes creux dominés par son caractère boisé et tannique, et par sa structure. Il manque de fruité, de gras et de richesse en extrait. **A boire rapidement,** car il se desséchera vite.

DE FRANCE (GRAVES)**

33850 Léognan
Tél. 05 56 64 75 39 – Fax 05 56 64 72 13
Contact : Bernard Thomassin

1993	C	72

Ce vin d'un rubis moyen présente un nez sans détour et monolithique de terre et de vieux bois. Vif et maigre, trop acide, il ne montre ni fruité ni étoffe, que ce soit au nez ou en bouche ; il deviendra encore plus astringent avec le temps.

LA GAFFELIÈRE (SAINT-ÉMILION)***

33330 Saint-Émilion
Tél. 05 57 24 72 15 – Fax 05 57 24 65 24
Contact : Léo de Malet-Roquefort

1995	C	86-88
1994	C	84
1993	C	77
1992	C	85
1991	C	78

Les vins de ce domaine se caractérisant souvent par leur aspect légèrement corsé et très serré, il arrive qu'on leur préfère d'autres Saint-Émilion plus massifs et plus puissants, mais ce peut être une erreur, car cette propriété produit parfois des vins à l'élégance exceptionnelle.

Le 1991 de La Gaffelière est un vin creux, typique des 1991 de la rive droite. Moyennement corsé, il donne pourtant une certaine impression d'élégance et de maturité, et déploie une finale épicée. **A boire d'ici 3 ou 4 ans.**

Le 1992, assez corsé, doux et souple, est bien fruité, avec des touches de chêne neuf et grillé. Rond et gracieux, il sera au meilleur de sa forme au **cours des 4 ou 5 prochaines années.** Ce vin est vraiment réussi pour le millésime, surtout si l'on considère son aspect séduisant, soyeux et raffiné.

Maigre, serré et légèrement corsé, le 1993 de La Gaffelière est dépouillé en milieu de bouche et en finale. Il manque à la fois de fruité, de glycérine et de profondeur, et son avenir me semble plutôt compromis.

Le 1994 est un joli vin, discret et élégant, rubis moyennement foncé, aux arômes assez vifs et acidulés de cerise et de terre. Il manque de chair et de matière, et j'en attendais davantage d'intensité et de charme d'après les échantillons qui m'avaient été présentés avant la mise en bouteille. Mais il a perdu beeaucoup de fruité, de glycérine et de richesse en extrait. **A maturité : jusqu'à 2006.**

Le 1995 de La Gaffelière est un autre vin élégant, discret et moyennement corsé, au fruité doux et mûr de cerise marqué de notes de minéral et d'herbes aromatiques. La finale est douce et tannique, avec une faible acidité. Ce vin modérément massif et bien mûr devrait être agréable **entre 2000 et 2012.**

LES GLOIRES DU PASSÉ : 1982 (87), 1953 (89), 1947 (88).

LES MÉDIOCRITÉS (OU PIRE) DU PASSÉ : 1981 (72), 1978 (67), 1975 (79), 1971 (68), 1966 (78).

LA GARDE RÉSERVE DU CHÂTEAU (GRAVES)***

Château La Garde – 33650 Martillac
Contact : Groupe CVBG – 35, rue de Bordeaux – 33290 Parempuyre
Tél. 05 56 35 53 00 – Fax 05 56 35 53 29

1993	C 86

Après les investissements conséquents qui ont été faits dans cette propriété, la qualité des vins blancs et rouges y est de plus en plus impressionnante.

Le 1993 déploie un nez moyennement intense et pur de cassis mûr dans lequel on retrouve des touches de chêne neuf fort bien infusées. Moyennement corsé et élégant, il se montre imposant en bouche, et ses tannins ne sont ni agressifs ni astringents. Ce vin, que vous pouvez d'ores et déjà déguster, devrait tenir encore **une dizaine d'années.**

GASSIES (PREMIÈRES CÔTES DE BORDEAUX)**

33360 Latresne
Tél. 05 56 44 60 10
Contact : Jean Égreteau

1990	B 85

Ce vin moyennement corsé, aux senteurs agréables, dégage en bouche des arômes séduisants, presque trop mûrs, de cerise, et se montre succulent et assez élégant, malgré ce caractère mûr. La finale est moyennement corsée et douce. **A boire d'ici 1 ou 2 ans.**

LE GAY (POMEROL)***

33500 Pomerol
Tél. 05 57 51 12 43
Contact : Marie-Geneviève Robin

1992		C	78

Le 1992 de Le Gay est atypique : léger et dilué, il ne possède pas la robustesse ni l'intensité sauvage caractéristiques de ce cru. D'un rubis moyennement foncé, il est court en bouche, maigre et tannique. **A boire dans les 3 ou 4 ans.**

Note : Le Gay n'a pas diffusé de 1991 sous son étiquette.
LES GLOIRES DU PASSÉ : 1989 (92), 1975 (90).

GAZIN (POMEROL)****

33500 Pomerol
Tél. 05 57 51 07 05 – Fax 05 57 51 69 96
Contact : Nicolas de Baillancourt

1995	D	91-93
1994	D	90
1993	D	89
1992	D	89

Je l'ai déjà dit, Gazin s'impose comme l'une des étoiles montantes de Pomerol. Cette propriété bien située, qui jouxte Petrus, peut produire des vins splendides, comme en témoignent tous ses millésimes depuis 1990. Elle affiche désormais un niveau de qualité très régulier, même dans des années plus difficiles comme 1992 et 1993.

Le 1992 de Gazin est l'un des vins les plus remarquables de ce millésime. Avec sa robe opaque de couleur rubis-pourpre et son nez doux, envahissant, pénétrant de vanille, de caramel, de cerise et de fumé, il est moyennement corsé et riche, libérant en bouche des arômes mûrs et concentrés. Ce vin impeccablement vinifié est succulent. S'il peut être dégusté dès maintenant, il se bonifiera au terme d'une garde supplémentaire de 2 ou 3 ans et se maintiendra **ensuite une dizaine d'années, voire plus.** Saluons encore le retour de cette propriété à un niveau de qualité de plus en plus élevé. Bravo !

Le Gazin 1993, qui figure parmi les mieux réussis de l'année, déploie, outre une belle couleur foncée, une palette aromatique des plus impressionnantes, avec notamment des senteurs de framboise sauvage, de cerise, de moka et d'olive provençale. Profond et dense, étonnamment gras et glycériné pour un 1993, il est tout à la fois savoureux, ample et moyennement corsé, pur, riche et concentré. Ce vin au potentiel de **10 à 12 ans, voire plus,** devrait se révéler fabuleux. Il sera, je pense, disponible à des prix tout à fait abordables, compte tenu de la réputation générale du millésime.

Le 1994 est généreusement boisé, avec une robe opaque de couleur rubis-pourpre ; il exhale un nez énorme de cèdre, de cassis, de fumé et de viande grillée. Onctueux, épais et de bonne mâche en bouche, il y déploie une finale musclée et modérément tannique où l'on décèle beaucoup de puissance et de richesse. Ce Pomerol impressionnant demande de la patience. **A maturité : 2003-2018.**

Le 1995 pourrait se révéler le meilleur Gazin à ce jour, surpassant même le fabuleux 1990. Arborant une robe opaque de couleur pourpre, il offre au nez des arômes somptueusement riches et fumés aux notes de cassis et de chocolat. Opulent, fabuleusement doux et ample dès l'attaque en bouche, il révèle une faible acidité, et la finale est longue et moyennement corsée, avec des tannins assez abondants et mûrs. Un Pomerol exquis, pur et impressionnant, à déguster **entre 2003 et 2020.**

Note : Gazin n'a pas diffusé de 1991 sous son étiquette.

LES GLOIRES DU PASSÉ : 1990 (90), 1989 (88).

GISCOURS (MARGAUX)***/****

Labarde – 33460 Margaux
Té. 05 57 97 09 09 – Fax 05 57 97 09 00

1993	C	85
1992	C	86
1991	C	87

Si Giscours fut jadis l'une des propriétés les plus régulières du Médoc dans les mauvaises années, sa tenue pour le moins erratique dans le courant des années 1980 (dans les bons comme dans les mauvais millésimes) m'a incité à chercher ailleurs les révélations des années médiocres. Cependant, cette propriété a enregistré trois beaux succès en 1991, 1992 et 1993.

Le 1991, d'une couleur très soutenue, dégage un nez exotique de cerise noire, de café, de chocolat et de cannelle. Profond, il révèle un fruité riche marqué par des arômes de cassis et par de la mâche. Moyennement corsé et séduisant, ce vin bien doté et souple, à la faible acidité, se montre charnu et devrait se conserver pendant encore **7 ou 8 ans.**

Le 1992 est remarquable pour sa robe soutenue de couleur rubis-pourpre foncé. Son nez énorme de prune, de réglisse et d'épices orientales introduit en bouche des arômes ronds, concentrés, avec de la mâche. La finale est moyennement corsée, alcoolique et capiteuse. Un vin charnu, riche et concentré pour le millésime. **A boire dans les 5 à 7 ans.**

Le 1993 est typique de la propriété, avec son caractère charnu et corpulent. Plus gras que la majorité des autres vins de cette année, ce Giscours modérément tannique est trapu et sans détour, et tapisse le palais. A parfaite maturité, il a du corps et du fruité. **A boire dans les 6 à 9 ans.**

LES GLOIRES DU PASSÉ : 1979 (88), 1978 (90), 1975 (91).

LA GOMERIE (SAINT-ÉMILION)****

Beau-Séjour-Bécot – 33330 Saint-Émilion
Tél. 05 57 74 46 87 – Fax 05 57 24 66 88
Contact : Gérard ou Dominique Bécot

1995		EEE 90-92

Cette toute petite propriété de Saint-Émilion appartient à la famille Bécot (de Beau-Séjour-Bécot) et se voudrait le Le Pin de l'appellation. Le 1995, millésime de lancement, est issu de rendements assez réduits selon les normes bordelaises (30hl/ha). Entièrement composé de merlot et vieilli en fûts neufs – où se déroulent d'ailleurs les fermentations malolactiques –, il sera mis en bouteille sans collage ni filtration préalable.

De couleur rubis foncé, ce vin est onctueux en bouche, où il déploie un fruité doux, mûr et opulent de cerise noire. D'une concentration extraordinaire, avec une faible acidité, il montre également un caractère bien évolué, savoureux et exotique. Bien sûr, ce n'est pas un Le Pin, mais il est impressionnant, fabuleusement riche et pur, et tournera la tête à nombre de dégustateurs. **A boire dans les 10 à 12 ans.**

Note : j'ai peu dégusté les vins de cette propriété.

GRAND CORBIN (SAINT-ÉMILION)***

5, Grand Corbin – 33330 Saint-Émilion
Tél. 05 57 24 70 62 – Fax 05 57 74 47 18
Contact : Philippe Giraud

1993		C 86

Corsé et opulent, le Grand Corbin 1993 arbore une belle couleur et manifeste un caractère charnu, dominé par le merlot et marqué par des senteurs d'herbes rôties, de café et de cerise noire. D'une faible acidité, il déborde d'un fruité juteux, et sa finale est alcoolique. Ce Saint-Émilion bien en chair tapisse le palais. Il demeurera au meilleur de sa forme jusqu'à **7 ou 8 ans.**

GRAND-MAYNE (SAINT-ÉMILION)****

33330 Saint-Émilion
Tél. 05 57 74 42 50 – Fax 05 57 24 68 34
Contact : Jean-Pierre Nony

1995	C	89-92
1994	C	?
1993	C	?
1992	C	86

J'aimerais tout d'abord souligner ma grande admiration pour la famille Nony, qui a apporté des améliorations considérables à Grand-Mayne. Les 1989 et 1990 (que j'ai d'ailleurs achetés pour ma cave personnelle) sont absolument superbes, et je pense que le 1995 en est très proche du point de vue de la qualité.

D'une excellente qualité pour le millésime, le 1992 de Grand-Mayne est d'une séduisante couleur rubis-pourpre foncé, et déploie un nez énorme et épicé de cassis et de cerise. Moyennement corsé et parfaitement mûr, il présente des tannins légers et une finale opulente, succulente et capiteuse. **A boire d'ici 3 ou 4 ans.**

Comme je l'ai souvent exposé, certains bordeaux présentent, dans des millésimes bien particuliers, des arômes peu séduisants et plus ou moins intenses de carton moisi, de chien mouillé et de bois pourri qui déforment complètement le caractère propre du vin. Après Camensac dans les années 80, Ducru-Beaucaillou entre 1986 et 1990, c'est au tour de Grand-Mayne de connaître ces problèmes en 1993 et 1994. Je dois ajouter que tous les nez ne sont pas également sensibles, si bien que certains amateurs seront peut-être moins dérangés par ces odeurs que je ne l'ai été moi-même.

Le Grand-Mayne 1993, à la robe rubis foncé et au nez boisé et herbacé de vanille, révèle un caractère moyennement corsé, astringent et austère, marqué d'arômes de bois humide et pourri, et de chien mouillé. Deux échantillons présentaient les mêmes défauts, si bien que je réserve mon appréciation.

Trois dégustations du 1994 alors qu'il était encore en fût ont révélé des arômes de moisi et de carton. Trois dégustations après la mise en bouteille me convainquent que la palette aromatique de ce vin a été déformée par du chêne de mauvaise qualité – ou par autre chose. Je ne sais si ces odeurs de moisi finiront par se dissiper au terme d'une garde en cave, mais tout cela est bien regrettable quand on sait la qualité du travail accompli par la famille Nony à Grand-Mayne.

En revanche, le 1995 signe le retour de la propriété à un style net, pur, riche, massif et concentré qui rappelle celui des 1989 et 1990. On n'y décèle fort heureusement aucun arôme de carton ni de moisi. Ce vin arbore une robe superbe, épaisse et opaque, de couleur pourpre-noir, et montre un caractère moyennement corsé, remarquablement concentré, et de la mâche. Après une garde de 5 ou 6 ans, il s'imposera sans aucun doute comme l'une des révélations du millésime. **A maturité : 2002-2016.**
LES GLOIRES DU PASSÉ : 1990 (89), 1989 (91).

GRAND-PONTET (SAINT-ÉMILION)***

Beau-Séjour-Bécot – 33330 Saint-Émilion
Tél. 05 57 74 46 87 – Fax 05 57 24 66 88
Contact : Gérard ou Dominique Bécot

1995	C	87-90
1994	C	88
1993	C	87
1992	C	82

Grand-Pontet est une propriété qui monte, et la seule réserve que j'émettrais à son sujet est l'utilisation peut-être excessive que l'on y fait du bois neuf. Il est incontestable que les vins de ce château sont de plus en plus concentrés et se posent comme de merveilleux exemples de Saint-Émilion très corsés, très musclés et d'une grande richesse en extrait.

Le 1992, très alcoolique, dégage un nez capiteux et présente un boisé très agressif (trop de chêne neuf ?), ainsi qu'un fruité mûr. Légèrement corsé, doux et trapu, ce Saint-Émilion typique et bien en chair vous flattera le palais pendant 2 ou 3 ans encore.

Les amateurs avisés feraient bien d'accorder quelque attention au Grand-Pontet 1993 qui, compte tenu de la faible réputation du millésime, est proposé à un prix raisonnable. Ce vin de couleur rubis foncé présente un nez doux et mûr de fruits rouges, massivement infusé de notes de fumé et de chêne neuf et grillé. Savoureux, rond et souple en bouche, avec une faible acidité, il se révèle délicieux et complexe, dans un registre boisé. **A maturité : jusqu'en 2004.**

Le 1994, moyennement corsé, affiche les tons de chêne neuf typiques des vins de la famille Bécot. Il déploie son fruité généreux et riche, son acidité faible, et sa texture est de bonne mâche. Très pur et d'une belle maturité, il développe encore une finale musclée et bien glycérinée, au demeurant élégante. **A boire dans les 10 ans.**

Le 1995 est peut-être le meilleur vin que je connaisse de cette propriété, et il pourrait aisément se montrer extraordinaire s'il n'était pas trop collé ni trop filtré avant la mise en bouteille (ce qui est, malheureusement, fort peu vraisemblable à Grand-Pontet). Sa robe soutenue de couleur pourpre introduit un nez explosif de framboise très mûre, de cerise et de bois fumé. Très corsé et opulent, il révèle un fruité merveilleusement intense, une texture souple et de bonne mâche, ainsi qu'une finale capiteuse. Dégustez ce Saint-Émilion sensuel dans **les 10 ans.**

Note : Grand-Pontet n'a pas diffusé de 1991 sous son étiquette.

GRAND-PUY-DUCASSE (PAUILLAC)***

Mestrezat et domaines SA – 17, cours de la Martinique – BP 90 – 33027 Bordeaux Cedex
Tél. 05 56 01 30 10 – Fax 05 56 79 23 57

1995	C	88-90
1994	C	87
1993	C	81
1992	C	86

La robe du 1992 de Grand-Puy-Ducasse est impressionnante pour le millésime : très soutenue, de couleur rubis foncé avec de légères touches de pourpre, elle prélude à des arômes doux et mûrs de cassis qui jaillissent littéralement du verre. L'attaque en bouche révèle un fruité généreux et mûr, des tannins peu abondants et une grande douceur. Ce vin moyennement corsé et souple est vraiment réussi. **A boire dans les 5 ou 6 ans.**

Le 1993, de couleur rubis foncé, révèle bien les arômes herbacés et de poivre vert caractéristiques de ce millésime. Si son fruité doux et mûr paraît séduisant à l'attaque en bouche, et s'il se montre profond et bien corpulent, ce vin reste, dans l'ensemble, trop herbacé et anguleux. **A maturité : jusqu'en 2006.**

L'excellent 1994 conjugue de manière fort agréable des senteurs de cassis mûr et confituré avec des notes de chêne neuf, de fumé et de grillé. Il est délicieux et précoce, moyennement corsé et bien équilibré en bouche. **A boire dès maintenant** ou dans les **12 à 14 ans**. Les amateurs remarqueront qu'il est proposé à prix raisonnable.

Le 1995 est probablement le meilleur Grand-Puy-Ducasse que je connaisse. D'une impressionnante couleur pourpre, opaque et semblable à de l'encre, il exhale un nez peu évolué, mais prometteur, de réglisse, de fumé et de cassis. Bien structuré en bouche, il s'y déploie par paliers, montrant des tannins puissants, une excellente acidité et un caractère moyennement corsé. Ce Pauillac classique me semble le vin le plus concentré et le plus gras qui ait été élaboré à la propriété au cours de ces trente dernières années. Accordez-lui une garde de 3 ou 4 ans, et dégustez-le dans les **15 à 17 ans** qui suivront.

GRAND-PUY-LACOSTE (PAUILLAC)****

33250 Saint-Julien-Beychevelle
Tél. 05 56 59 05 20 – Fax 05 56 59 27 37
Contact : Jean-Eugène ou François-Xavier Borie

1995	C	91-93
1994	C	90
1993	C	87
1992	C	86
1991	C	87

Grand-Puy-Lacoste est le Pauillac de l'amateur qui déguste les vins qu'il achète. Il ne s'agit pas d'un cru dans lequel on investit financièrement (il est largement oublié des amateurs de trophées ou des investisseurs qui souhaitent réaliser un profit assez rapidement), à l'exception peut-être de certains millésimes, comme 1982 et 1990, qui ont vu leur prix initial tripler. Ce vin, qui déborde généralement de caractère et de personnalité, est particulièrement réussi en 1993, 1994 et 1995. Il est, dans chacune de ces années, proposé à des prix plus que raisonnables, compte tenu de sa qualité.

Le Grand-Puy-Lacoste 1991 s'impose comme la star de ce millésime, avec sa robe d'un rubis profond et son nez merveilleusement aromatique de fruits noirs, de cèdre et d'herbes. Moyennement corsé, il libère en bouche des arômes doux, mûrs et charnus, et se montre remarquablement profond. **Son potentiel est de 10 à 12 ans.**

Le 1992 est également l'une des réussites de cette année. Arborant un beau rubis et libérant des arômes fruités, doux et mûrs de cassis, il se montre gras et soyeux, et, bien qu'il ne possède pas la profondeur, la précision dans les arômes ou la concentration du 1991 et du 1993, il est néanmoins charmeur et velouté. **A boire dans les 4 ou 5 ans.**

Le 1993, de couleur rubis-pourpre, exhale un nez très aromatique d'herbes, de cassis et de tabac, et conjugue, avec sensualité, un riche fruité de cassis à un caractère bien glycériné. Moyennement corsé, avec une faible acidité et une belle maturité, il laisse en bouche une impression savoureuse, se révélant délicieux et voluptueux. **A boire dans les 7 ou 8 ans.**

Le 1994 est une réussite extraordinaire de la propriété. Plus charnu en bouteille qu'il ne l'était en fût, il affiche un niveau élevé de tannins – la marque de ce millésime. De couleur rubis-pourpre opaque, il offre au nez une explosion d'arômes fabuleusement purs de cassis doux. Ce Pauillac riche, classique, moyennement corsé et puissant, se dévoile en bouche par paliers. **A maturité : 2003-2020.** Une révélation !

Le 1995 s'est considérablement étoffé depuis que je l'ai dégusté pour la première fois, au printemps 1996. Il arbore une robe opaque de couleur pourpre tirant sur le noir, suivie d'un nez explosif de cassis, de réglisse et de chêne neuf. Très corsé et dense, d'une richesse superbe, avec une extraction et un caractère glycériné absolument énormes, il s'impose comme un Grand-Puy-Lacoste grandiose, qui pourrait aisément rivaliser avec les profonds 1990 et 1982. **A maturité : 2002-2025.**

LES GLOIRES DU PASSÉ : 1990 (90), 1989 (89), 1986 (90), 1982 (95), 1970 (90), 1949 (96).

LES GRANDS CHÊNES (MÉDOC)***

33340 Saint-Christoly-de-Médoc
Tél. 05 56 41 53 12 – Fax 05 56 41 35 69
Contact : Jacqueline Gauzy-Darricade

1993 Cuvée Prestige   C   86

Cette petite propriété (environ 7 ha) du nord du Médoc, qui jouxte le village de Saint-Christoly, s'est peut-être positionnée comme l'une des révélations du millésime 1993 avec une cuvée générique, potentiellement notée 82-85, mais surtout avec une Cuvée Prestige encore plus intéressante. Celle-ci présente une robe rubis profond et un nez intense, pur et mûr de groseille. Moyennement corsée, épicée en bouche, elle s'y montre séduisante, charnue et mûre, déployant des arômes concentrés et des tannins bien fondus. Son potentiel de garde est de **6 ou 7 ans, voire plus.**

LA GRAVE A POMEROL [TRIGANT DE BOISSET] (POMEROL)***

Établissements Jean-Pierre Moueix
54, quai du Priourat – BP 129 – 33500 Libourne
Tél. 05 57 51 78 96 – Fax 05 57 51 79 79
Contact : Frédéric Lospied
Visites réservées aux professionnels

1992   C   85

Ce vin doux et moyennement corsé, au nez séduisant et herbacé de cerise et de groseille, déploie en bouche des arômes de noix grillée et de fruits rouges. Souple, bien concentré et rond, il donne une impression d'élégance et de grâce. **A boire dans les 3 ou 4 ans.** Le lecteur prendra note de ce que, dorénavant, la marque figurant sur l'étiquette est simplement « La Grave à Pomerol ».

Note : La Grave à Pomerol n'a pas diffusé de 1991 sous son étiquette.

GRUAUD-LAROSE (SAINT-JULIEN)****/*****

33250 Saint-Julien-Beychevelle
Tél. 05 56 73 15 20 – Fax 05 56 59 64 72
Contact : François Peyran

1995	C	88-90
1994	C	82 ?
1993	C	86
1992	C	86
1991	C	85 ?

Gruaud-Larose, qui était l'une des propriétés phares du Médoc entre la fin des années 40 et le milieu des années 80, avait, semble-t-il, changé d'orientation en 1989 et en 1990, en produisant des vins de style plus léger et plus délicat, alors que ces millésimes étaient plutôt portés sur la puissance. Pourtant, le 1991, avec sa couleur foncée et ses arômes de cuir fin, de viande fumée, de nicotine et de réglisse, marque un retour vers le style puissant et massif typique de la propriété. Ce vin épicé, doux et fruité, à l'acidité peu marquée, déploie une texture lisse et charnue. Bien qu'il soit d'ores et déjà à maturité, il pourra être conservé encore 7 **ou 8 ans.**

Le 1992, avec sa couleur pourpre tirant sur le noir, semblerait prouver que Gruaud-Larose est revenu à ce caractère puissant, robuste et musclé qui a contribué à sa renommée. Et si le millésime 1992 n'est pas connu pour avoir donné – en général – des vins énormes et riches, celui-ci se montre à la fois ample, puissant, riche et épais, paraissant aussi plus net et mieux vinifié que le 1991. En effet, il dégage au nez des senteurs de cuir fin, et déborde en bouche d'abondants arômes riches et épicés, de terre, de poivre, de cassis et de fruits herbacés. Il présente aussi une faible acidité et une finale épaisse et opulente marquée par la mâche. Les tannins, très présents, sont néanmoins bien fondus, si bien que ce vin, déjà agréable à la dégustation, continuera de bien évoluer pendant 7 **ou 8 ans.**

Le séduisant 1993 exhale un nez intense, peut-être même un peu trop parfumé selon certains dégustateurs, aux arômes provocateurs de viande grillée, d'herbes fumées, d'olive, de terre et de fruits noirs marqués de notes de truffe. Ce vin mûr et moyennement corsé déborde de fruits doux et de glycérine, et présente une faible acidité. **A maturité : jusqu'en 2007.**

Le 1994 me semblait meilleur avant la mise en bouteille. Il paraît maintenant avoir beaucoup perdu de la douceur et du caractère gras qu'il déployait en milieu de bouche, de même qu'il est plus herbacé que ne l'indiquent mes précédentes notes de dégustation. La finale affiche un niveau très élevé de tannins durs et amers qui tapissent le palais. Peut-être ai-je dégusté ce vin alors qu'il était à un stade ingrat de son évolution ? Il n'empêche qu'il manque de maturité, de fruité et de texture. Son avenir me semble compromis compte tenu de l'absence d'harmonie entre ses différentes composantes.

La robe dense, de couleur rubis-pourpre tirant sur le grenat, du Gruaud-Larose 1995 prélude à des arômes de cerise noire douce et confiturée, de sauce soja, d'épices orientales et de terre. Suit un vin énorme, charnu et moyennement corsé, d'une excellente richesse. Il déborde de muscle et de glycérine, et libère des tannins doux, mais marquants, dans une finale capiteuse et intensément épicée. Massif et plein de matière, il requiert une garde de 6 ou 7 ans pour que ses tannins se fondent, et se conservera bien ensuite pendant **deux décennies.**

LES GLOIRES DU PASSÉ : 1986 (95), 1985 (90), 1983 (90), 1982 (96+), 1961 (96), 1953 (90), 1949 (93), 1945 (96+), 1928 (97).

GUILLOT-CLAUZEL (POMEROL)***

33500 Pomerol
Tél. 05 57 51 14 09 – Fax 05 57 51 57 66

1993	C	86

Ce minuscule vignoble de Pomerol est la propriété de M. Clauzel, qui s'occupe également du Château Beauregard. Son 1993 est impressionnant, avec sa robe soutenue de couleur rubis-pourpre foncé et ses arômes de fumé et de vanille dans lesquels on décèle des touches de bois neuf. Moyennement corsé, ce vin doux et concentré, à la texture veloutée, pourra se conserver **une dizaine d'années** encore.

HAUT-BAGES-AVÉROUS (PAUILLAC)**

Château Lynch-Bages – 33250 Pauillac
Tél. 05 56 73 24 00 – Fax 05 56 59 26 42
Contact : Jean-Michel Cazes et Daniel Llose

1993	C	80
1992	B	75
1991	B	74

Le second vin de Lynch-Bages se montre léger et maigre en 1991, avec un caractère anguleux et acide, et une finale courte.

Le 1992 a quant à lui une robe rubis foncé, mais il est maigre, compact et dilué, et je n'ai pas apprécié son bouquet poivré et herbacé.

Impressionnant par sa couleur rubis foncé très soutenu, le 1993 déploie des arômes séduisants de poivre, d'herbes et de cassis, et, s'il révèle une bonne concentration et des tannins modérés en finale, il se délite rapidement en bouche. **A boire avant qu'il n'atteigne 5 à 8 ans d'âge.**

HAUT-BAGES-LIBÉRAL (PAUILLAC)***

33250 Pauillac
Tél. 05 56 58 02 37 – Fax 05 56 59 29 82
Contact : Claire Villars

1995	C	86-88
1994	C	86
1993	C	85
1992	C	76

Légèrement corsé et d'une texture rugueuse, le 1992 de Haut-Bages-Libéral se montre tannique, inconsistant, trop astringent et dur. **A boire d'ici 2 ou 3 ans**, avant qu'il n'ait trop perdu de son fruité.

Le 1993 est un vin doux, rond et poivré, vêtu de rubis foncé. Son caractère séduisant, charnu et souple le rendra agréable ces **5 à 7 prochaines années**. Il est parfait pour les restaurants qui recherchent un Pauillac à boire jeune.

Avec sa robe rubis foncé, le 1994 se montre sous un excellent jour. Il n'a pas les tannins durs ni le caractère herbacé de nombre de ses homologues, et révèle une richesse admirable, ainsi qu'un fruité dense aux arômes de cerise noire, de cassis et de chocolat. La finale est moyennement corsée et épicée, et les tannins sont fermes, mais doux. Vous dégusterez ce vin dans les 15 ans qui suivront une garde de 2 ou 3 ans.

Le 1995, à la robe opaque de couleur pourpre, présente un nez doux et boisé de fumé et de cassis. Moyennement corsé et modérément tannique, il montre une belle richesse et une grande précision dans le dessin. Ce vin bien fait est probablement l'une des plus belles réussites récentes de cette propriété. **A maturité : 2001-2017.**

LES GLOIRES DU PASSÉ : 1986 (90), 1985 (89), 1982 (92), 1975 (88).

HAUT-BAILLY (GRAVES)****

33850 Léognan
Tél. 05 56 64 75 11 – Fax 05 56 64 53 60
Contact : Jean Sanders

1995	C	89-91
1994	C	88
1993	C	87
1992	C	87

Cette propriété qui monte donne depuis quelques années des vins d'une finesse incontestable, vinifiés de manière absolument irréprochable.

Le 1992 déploie des arômes pénétrants et élégants de fumé et de cerise, et se montre rond et mûr, généreux, charnu et fruité en bouche, laissant deviner un important pourcentage de merlot dans sa composition. Sa finale est douce, veloutée et gracieuse. On retrouve dans ce vin l'élégance classique de Haut-Bailly, conjuguée à une maturité, une richesse en extrait et une profondeur admirables. Ce 1992 impressionnant se conservera parfaitement **7 ou 8 ans** encore.

Le Haut-Bailly 1993 déploie, outre une couleur rubis foncé, un nez étonnamment intense, sensuel, doux et épicé de fruits rouges. Excellent, moyennement corsé et mûr, légèrement tannique, il est aussi charmeur, riche et d'une belle maturité, laissant en bouche une impression pure et bien équilibrée. Ce vin racé devrait se bonifier au terme d'une garde de 1 à 3 ans et se conserver les **10 premières années du prochain millénaire**. Il est de plus proposé à un prix raisonnable.

Le Haut-Bailly 1994, l'un des meilleurs Pessac-Léognan du millésime, arbore une robe rubis foncé marquée de touches de pourpre, et déploie un doux nez de terre, de minéral et de cassis. Mûr, moyennement corsé et charnu en bouche, il est l'expression même de l'élégance pour un Graves rouge. Riche, mais éthéré, charmeur et tout en rondeur (ce qui n'est pas peu dire pour un 1994), il présente une acidité et des notes de chêne neuf joliment fondues dans l'ensemble. **A maturité : jusqu'en 2005.**

Le 1995 est le Haut-Bailly le plus dense et le plus opaque que je connaisse. Son nez vif et pur de framboise sauvage, de myrtille et de groseille est joliment mêlé de notes de chêne fumé. Doux (grâce à son fruité mûr, et non pas en raison d'un éventuel taux de sucre résiduel) et d'une intensité exceptionnelle, il est superbe, rond et souple à l'attaque en bouche, se révélant par la suite moyennement corsé, avec des arômes purs et précis qui dévalent littéralement le palais. Un vin classique, que vous attendrez 3 à 5 ans avant de le déguster sur les **20 prochaines années.**

Note : Haut-Bailly n'a pas diffusé de 1991 sous son étiquette.

LES GLOIRES DU PASSÉ : 1990 (91), 1989 (90), 1988 (89), 1983 (87), 1979 (87), 1964 (88), 1961 (93), 1928 (90), 1900 (90).

LES MÉDIOCRITÉS (OU PIRE) DU PASSÉ : 1982 (?), 1975 (67), 1971 (75).

HAUT-BATAILLEY (PAUILLAC)***

33250 Saint-Julien-Beychevelle
Tél. 05 56 59 05 20 – Fax 05 56 59 27 37
Contact : Jean-Eugène ou François-Xavier Borie

1995	C	88-90
1994	C	86
1993	C	85
1992	C	81
1991	C	84

Moyennement corsé, le 1991 de Haut-Batailley révèle des arômes séduisants de fruits rouges, une bonne maturité et des tannins modérés en fin de bouche. La seule inquiétude qu'il puisse susciter concerne son fruité, qui risque de se dessécher avant que ses tannins ne se fondent. **A boire d'ici 4 ou 5 ans.**

Le 1992 s'est étoffé depuis la mise en bouteille ; il est aujourd'hui moyennement corsé, souple et bien évolué, avec plus de fruité et une faible acidité. Ce vin légèrement marqué par le bois devra être consommé dans les **2 à 4 ans.**

Le Haut-Batailley 1993, moyennement corsé et de couleur rubis foncé, exhale un nez de tabac, d'herbes et de cassis qui jaillit littéralement du verre. Doux et rond, il sera idéal pour accompagner vos pique-niques des **5 ou 6 prochaines années.**

Le 1994, plutôt médiocre au fût, se révèle meilleur en bouteille. Sa couleur rubis foncé prélude à des arômes épicés et modérément tanniques, bien concentrés et élégants, et il se montre plus fruité maintenant que lors de ma précédente dégustation. **A maturité : 2000-2008.**

Le 1995, vinifié par Jean-Eugène Borie et ses deux fils, François-Xavier et Bruno, s'impose comme l'une des plus belles réussites de la propriété.

Resplendissant d'une couleur rubis-pourpre foncé, il offre au nez des arômes doux et mûrs de fruits noirs, de vanille et d'épices. Souple, rond et moyennement corsé, il regorge de fruité, et peut être dégusté **dès maintenant** et dans les **10 à 12 ans** qui viennent.

HAUT-BERGEY (GRAVES)**

33850 Léognan
Tél. 05 56 64 05 22 – Fax 05 56 64 06 98
Contact : Sylviane Garcin-Cathiard

1993	B	80
1992	B	74
1991	B	78

Le Haut-Bergey 1991 présente une couleur rubis léger assez décevante par rapport à son bouquet moyennement intense d'herbes, de terre mouillée, de thé et de cerise. Légèrement corsé et structuré, très peu tannique et doux, il est plaisant et sans détour. **A boire dans les prochaines années.**

Le haut niveau d'acidité du 1992 laisse deviner dans ce vin au bouquet épicé et vert un indiscutable manque de maturité. Bien qu'il soit un peu fruité, il se délite en bouche, et se montre creux et cassant en finale.

Moyennement corsé, doux et très boisé, le 1993 de Haut-Bergey atteste un caractère précoce et bien évolué, et une excellente maturité. Malgré son côté herbacé et végétal, l'impression d'ensemble est celle d'un fruité souple et sans détour. **A boire dans les 2 ou 3 ans.**

HAUT-BRION (GRAVES)*****

SA Domaine de Clarence Dillon
BP 24 – 133, avenue Jean-Jaurès – 33600 Pessac
Tél. 05 56 00 29 30 – Fax 05 56 98 75 14
Contact : Jean-Bernard Delmas ou Carla Kuhn

1995	D	94-96
1994	D	93
1993	D	92
1992	D	90
1991	D	86

Le 1991 de Haut-Brion est austère, tannique et fermé. Il arbore cependant une robe rubis foncé et un nez serré, mais prometteur, de minéral et de fruits noirs vanillés. Profond et d'une remarquable précision dans le dessin, il est également épicé – on peut se demander s'il sortira de sa coquille pour montrer un peu plus de charme et de finesse. Si tel n'est pas le cas, il pourrait se dessécher avant que ses tannins ne se fondent. **A maturité : jusqu'en 2008.**

En 1992, seulement 60 % de la récolte ont été sélectionnés pour le premier vin de Haut-Brion. Celui-ci se révèle élégant, mais avec des arômes imposants qui rappellent – un cran au-dessous toutefois – ceux du superbe 1985. Sa merveilleuse robe rubis foncé prélude à un bouquet pénétrant de fruits noirs, de fumé et de minéral. D'ores et déjà très évolué et d'une richesse extraordinaire, ce vin moyennement corsé et élégant déploie une finale souple et modérément tannique laissant présager qu'il sera à maturité d'ici 3 ou 4 ans, et qu'il se conservera encore **15 à 20 ans**. Quelle merveilleuse réussite pour un 1992 !

Le Haut-Brion 1993 est l'un des vins les plus grandioses de l'année, avec sa robe de couleur pourpre-prune foncé tirant sur le grenat et son nez expressif, très aromatique et doux, de fruits rouges, de cassis, de minéral, de crayon et de terre. Moyennement corsé et concentré, il n'a pas le caractère dur ou herbacé propre au millésime, et dévoile par paliers des tannins doux, et une pureté extraordinaire, montrant une belle persistance en bouche. Le Haut-Brion 1993 est à un prix sensiblement plus raisonnable que celui d'autres millésimes récents de ce cru. Accordez-lui une garde de 2 ou 3 ans, et dégustez-le entre **2001 et 2020**.

Le 1994 est plus fermé au nez, surtout lorsqu'on le compare au 1993, dont les arômes sont plus évolués et plus pénétrants. Il révèle au mouvement du verre de douces senteurs de fruits noirs, de truffe, ainsi que des notes de minéral et de pierre. Épicé, puissant et très corsé, il est plus masculin et plus structuré que son aîné d'un an, et présente un caractère plus riche et plus complexe. Il est encore superbement sculpté et merveilleusement équilibré, aussi pur que peut l'être un vin, avec des arômes de boisé, une acidité et des tannins remarquablement fondus dans l'ensemble. **A maturité : 2002-2025.**

Le 1995, à la robe soutenue de couleur pourpre, est une réussite superbe, très proche en qualité du magnifique 1989 – et du 1990, toujours plus impressionnant. Ce vin révèle, avec une dimension supplémentaire, le caractère doux, gras et glycériné qui est la griffe de ce millésime, forgé par un grand ensoleillement et une belle maturité. Très corsé, mais sans lourdeur, il déploie un nez de fumé, de tabac, d'herbes rôties, de cassis et de prune. Il est aussi très mûr, joliment étayé par des tannins doux et une acidité souple, et se montre gracieux et sans défaut. Il devrait s'apprécier dès sa jeunesse, tout en présentant un potentiel de garde de **25 ans ou plus**. Bravo !

LES GLOIRES DU PASSÉ : 1990 (94), 1989 (100), 1988 (91), 1986 (92), 1985 (93), 1983 (90), 1982 (93), 1979 (93), 1978 (92), 1975 (90), 1964 (90), 1961 (97), 1959 (98), 1955 (97), 1953 (95), 1949 (98), 1945 (100), 1928 (97), 1926 (97).

LES MÉDIOCRITÉS (OU PIRE) DU PASSÉ : 1970 (84), 1966 (86), 1948 (76), 1947 (81).

HAUT-FAUGÈRES (SAINT-ÉMILION)***

33330 Saint-Étienne-de-Lisse
Tél. 05 57 40 34 99 – Fax 05 57 40 36 14
Contact : Corinne ou Peby Guisez

1993 Cap de Faugères	A	84
1992 Cap de Faugères	A	84
1992 Haut-Faugères	B	85

Ces vins sont commentés ensemble, car issus de châteaux qui appartiennent tous deux à Corinne et Peby Guisez.

Le 1992 du Cap de Faugères, plein d'attrait et moyennement corsé, déploie un fruité riche et doux ainsi qu'une finale agréable. **A boire ces prochaines années.**

Le 1993 s'est révélé être l'un des vins les plus séduisants des appellations satellites du Bordelais. D'une belle couleur et parfaitement mûr, il est moyennement corsé, avec de beaux arômes purs de cerise noire légèrement boisés. **A boire dans les 4 ou 5 ans.**

Plus tannique, le 1992 de Haut-Faugères révèle des arômes plus prononcés d'épices et de chêne, et un fruité également plus mûr. Moyennement corsé, il est très accessible. **A boire dans les 3 ou 4 ans.**

HAUT-MARBUZET (SAINT-ESTÈPHE)****/*****

33180 Saint-Estèphe
Tél. 05 56 59 30 54 – Fax 05 56 59 70 87
Contact : Henri Duboscq

1993	C	82
1992	C	82

Le Haut-Marbuzet figure depuis longtemps parmi les bordeaux que je préfère, et j'ai eu la chance de pouvoir déguster le 1982 en deux occasions au cours de l'été 1995. Quel vin somptueux, riche et complexe ! J'aurais aimé trouver le 1993 plus impressionnant, mais il est austère, extrêmement rugueux et tannique, d'une dureté atypique pour ce cru. En le dégustant plus attentivement, on y décèle un fruité mûr de cassis, malheureusement insuffisant pour contrebalancer son caractère sévère et creux. Je me demande si mon évaluation n'est pas trop généreuse.

La tendance qu'a cette propriété à utiliser 100 % de chêne neuf est judicieuse dans d'excellents millésimes comme 1990, 1989 et 1982, mais, dans une année comme 1992, cela donne un vin trop boisé. Ce Haut-Marbuzet moyennement corsé arbore une couleur rubis profond, concentrée, et déploie un bouquet épicé de prune marqué par le chêne. En bouche, il est doux, assez profond, avec une acidité faible ; la finale est souple. Extrêmement ostentatoire et précoce pour le millésime, il sera à son meilleur niveau jusqu'à **6 ou 7 ans d'âge.**

Note : Haut-Marbuzet n'a pas diffusé de 1991 sous son étiquette.

HAUT-SARPE (SAINT-ÉMILION)**

Maison Joseph Janoueix
37, rue Pline-Parmentier – BP 192 – 33506 Libourne Cedex
Tél. 05 57 51 41 86 – Fax 05 57 51 76 83

1993	C	73
1992	B	72

Le 1992 de Haut-Sarpe est un vin unidimensionnel et compact, dont la robe rubis introduit un nez monolithique de terre mouillée et d'épices, et dont la structure est mal étayée par un fruité insuffisant.

Tout en rudesse, alcool et tannins durs, le 1993, dur comme un clou et rugueux, m'a conduit à me précipiter sur un verre d'eau minérale.

Note : Haut-Sarpe n'a pas diffusé de 1991 sous son étiquette.

HORTEVIE (SAINT-JULIEN)***

Château Terrey-Gros-Cailloux – 33250 Saint-Julien-Beychevelle
Tél. 05 56 59 06 27 – Fax 05 56 59 29 32
Contact : Henri Pradère

1995	C	86-88
1994	C	87
1993	C	87

Le 1993 du Château Hortevie est incontestablement une révélation de ce millésime, qui pourrait bien se hisser au niveau de ses deux cadets. Outre son excellente couleur rubis foncé, il déploie les légendaires arômes de ce cru, avec de douces notes de goudron et de cassis confituré. Étonnamment doux et rond en bouche, il n'a en aucune façon le caractère herbacé, tannique et astringent que l'on retrouve dans ses homologues les moins réussis. Il est encore riche et délicieux, avec une acidité faible. **A boire dans les 5 à 7 ans.**

La robe du 1994, de couleur rubis foncé, est plus soutenue que celle de son aîné d'un an. Ce vin exhale un nez épicé de cèdre mêlé de notes vanillées (provenant des fûts neufs ?), et se révèle doux et moyennement corsé en bouche, d'une excellente concentration et d'une belle longueur, avec des tannins plus marqués que ceux du 1993. **A boire avant qu'il n'ait atteint 7 ou 8 ans d'âge.**

La robe pourpre foncé du 1995 prélude à un nez unidimensionnel, aux notes de fruits noirs et confiturés mêlées de senteurs d'épices et de terre. Suit un vin qui, bien que moyennement corsé, profond, doux et confituré, manque de précision dans le dessin. Il devrait toutefois évoluer en un Hortevie charnu et trapu. **A maturité : 1999-2007.**

HOSTENS-PICANT (SAINTE-FOY BORDEAUX)***

Grange-Neuve-Nord – 33220 Les Lèves-et-Thoumeyragnes
Tél. 05 57 46 38 11 – Fax 05 57 46 26 23
Contact : Nadine Picant

1992 Cuvée des Demoiselles	A	86

Ce vin goûteux et souple libère de généreux arômes de fruits rouges et présente une texture veloutée. **A boire maintenant.**

D'ISSAN (MARGAUX)**/***

33460 Cantenac
Tél. 05 57 88 35 91 – Fax 05 57 88 74 24
Contact : Lionel Cruse

1993	C	73

Ce vin unidimensionnel, végétal et légèrement corsé manque de concentration et ne révèle ni fruité ni charme en fin de bouche.

JONQUEYRES (BORDEAUX SUPÉRIEUR)***

33750 Saint-Germain-du-Puch
Tél. 05 56 68 55 88 – Fax 05 56 30 11 45
Contact : Jean-Michel Arcaute

1993	A	85
1992	A	85

Jean-Michel Arcaute, qui dirige également le fameux Château Clinet, produit à Jonqueyres des vins de haut niveau qui peuvent rivaliser avec ceux de certaines propriétés bien plus prestigieuses.

Le 1992, bien vinifié, est goûteux, mûr et concentré. Moyennement corsé, avec un nez séduisant de fruits rouges, il se montre doux en fin de bouche. **A boire dans les 2 ans.**

Le 1993 est également réussi, avec sa robe de couleur rubis-pourpre foncé et son nez modérément intense de cassis. Il libère en bouche des arômes merveilleusement concentrés, et sa finale est légèrement tannique. **A boire dans les 4 ou 5 ans.**

Note : Jonqueyres n'a pas diffusé de 1991 sous son étiquette.

KIRWAN (MARGAUX)***

33460 Margaux
Contact : Jean-Henri Schÿller
55, quai des Chartrons – 33000 Bordeaux
Tél. 05 56 81 24 10 – Fax 05 56 44 56 39

1993	C	85
1992	C	85
1991	C	77

Le Château Kirwan est un cru classé du Médoc où de sérieux progrès ont été accomplis ces dernières années.

Le 1991, d'un rubis moyennement foncé, est légèrement corsé et dégage un bouquet qui rappelle le thé vert. Fragile, avec une acidité faible, il affiche un manque évident de structure, laissant deviner qu'il devrait être consommé d'ici 2 ou 3 ans.

Le 1992 est une belle réussite. De couleur rubis-pourpre foncé, avec des arômes de cerise noire et de chêne neuf et grillé, il se montre relativement gras, avec une acidité faible et un fruité doux. Ce vin moyennement corsé est peut-être, avec le 1993, le meilleur qui ait été fait à la propriété depuis des années.

Le 1993 arbore une robe dense, de couleur rubis tirant sur le pourpre, et déploie des arômes nets, bien évolués et mûrs de fruits noirs, d'herbes et de chêne neuf. Moyennement corsé, il est d'une maturité et d'une concentration supérieures à la normale, et se montre modérément tannique. Ce vin bien vinifié requiert encore une garde de 4 ou 5 ans et pourra ensuite être conservé pendant 15 ans, **voire plus**.

LABÉGORCE-ZÉDÉ (MARGAUX)***

33460 Soussans
Tél. 05 56 88 71 31 – Fax 05 56 88 72 54
Contact : Luc Thienpont

1993	C	73
1992	B	75
1991	B	70

La couleur rouille-rosé du Labégorce 1991 permet de douter de sa qualité, et son nez très végétal de thé et d'herbes confirme ce premier diagnostic : ce vin est en effet maigre, court et très dépouillé.

Le 1992 manque quant à lui singulièrement de fruité et de maturité. Complètement dominé par ses tannins agressifs, il se desséchera d'ici 3 ou 4 ans.

Également rugueux, dur et maigre, le 1993 n'est pas suffisamment charnu pour sa structure et, comme son prédécesseur, il se desséchera d'ici 3 ou 4 ans.

LAFITE-ROTHSCHILD (PAUILLAC)*****

33250 Pauillac
Contact : Domaines Baron de Rothschild – 33, rue de la Baume –
75008 Paris
Tél. 01 53 89 78 00 – Fax 01 42 56 28 79

1995	E	91-94
1994	E	90+?
1993	E	88
1992	E	89
1991	E	86 ?

Plus que tout autre cru, il est souvent difficile d'évaluer Lafite-Rothschild dans sa jeunesse, et cela pour deux raisons : la première tient au fait qu'il n'a pas le caractère massif de ses homologues du nord du Médoc, la deuxième à ce qu'il n'est jamais voyant ou ostentatoire.

Légèrement corsé, le 1991 de Lafite est d'un rubis moyennement foncé, avec un fruité solide et sous-jacent, mais ses tannins se révéleront peut-être excessifs pour sa dimension et sa structure. Il déploie bien le caractère subtil typique de ce cru, avec des arômes de feuilles, de tabac et de crayon auxquels se mêlent des senteurs douces de cassis. Sec, austère et manquant de profondeur, c'est un bon exemple de ce que fait Lafite-Rothschild dans une année moyenne.

On n'a utilisé que 36 % de la récolte de 1992 pour faire le premier vin, si bien que celui-ci se montre profondément coloré, avec des arômes assez exceptionnels de cèdre, de chocolat et de cassis. Moyennement corsé, il est étonnamment concentré en bouche et déploie le profil aromatique typique de Lafite. S'il est vendu à bon prix, il faudra saisir cette occasion de découvrir la finesse de ce cru dans un millésime doux et précoce. Il sera prêt à boire d'ici 1 ou 2 ans, et son potentiel de garde est de **12 à 20 ans, si ce n'est plus.**

Le Lafite 1993, belle réussite de la propriété, arbore une robe rubis-pourpre foncé. Serré et moyennement corsé, il présente une palette aromatique très fermée, qui ne révèle qu'avec réticence des arômes de cassis doux, de tabac herbacé et de crayon. Policé et élégant, il affiche la noble réserve typiquement Lafite, et s'impose comme un vin d'excellente tenue, racé et légèrement austère. **A maturité : 2004-2020.**

Presque entièrement issu de cabernet sauvignon, le 1994, de couleur rubis-pourpre foncé, est décidément peu évolué et pas du tout séduisant, se révélant astringent et sévère au palais. Très massif et d'une admirable pureté, il n'a pas ce caractère herbacé ou immature qui est la griffe du millésime, mais il refuse de se dévoiler, même au mouvement du verre. Ce vin, qui peut sembler trop austère et décevant en bouche, déploie cependant des arômes absolument fabuleux qui rappellent le 1961 de cette propriété, également à dominante de cabernet sauvignon. Les amateurs devraient attendre une douzaine d'années au moins avant de déboucher leur première bouteille. **A maturité : 2010-2030.**

Le 1995, avec sa robe pourpre foncé, est l'expression même de l'élégance, tant au nez qu'en bouche. Son bouquet révèle, au mouvement du verre, de subtils arômes de crayon, de cassis et de cèdre, et l'on décèle en bouche une texture merveilleuse, ainsi qu'un caractère moyennement corsé, suave et élégant, qui n'est ni flamboyant ni ample. Un Lafite classique, qui récompensera ceux qui sauront l'attendre 10 à 20 ans. **A maturité : 2008-2035.**

LES GLOIRES DU PASSÉ : 1990 (94+), 1989 (92), 1988 (94), 1986 (99), 1983 (92), 1982 (98+), 1981 (93), 1976 (96), 1975 (92+), 1959 (99), 1953 (99), 1899 (96).

LES MÉDIOCRITÉS (OU PIRE) DU PASSÉ : 1971 (60), 1970 (79), 1966 (84), 1961 (84 ?), 1955 (84), 1949 (86), 1945 (77), 1929 (62), 1928 (60).

LAFLEUR (POMEROL)*****

9, Grand-Village – 33240 Mouillac
Tél. 05 57 84 44 03 – Fax 05 57 84 83 31
Contact : Sylvie ou Jacques Guineaudeau

1995	EE	93-96
1994	EE	93+
1993	EE	90+
1992	E	91

Le 1992 de Lafleur est un vin tellement puissant qu'il faut le goûter pour y croire. En effet, ce millésime compte tant de vins légers et dilués qu'on a peine à imaginer la concentration que recèle celui-ci. Sa robe impressionnante, très soutenue, de couleur rubis-pourpre tirant sur le noir, introduit un nez de cassis doux et de cerise noire confiturée auquel se mêlent des arômes d'épices orientales et de minéral. Moyennement corsé, il est admirablement dense, remarquablement doté, et déploie en bouche, par paliers, un fruité riche. Il se montre par ailleurs assez tannique et d'une longueur remarquable. Ce Lafleur ferait figure de grand vin dans n'importe quel millésime, mais il est particulièrement grandiose pour un 1992. Époustouflant ! **A maturité : 2000-2015.**

Avec sa robe pourpre foncé, opaque au centre, le Lafleur 1993 se révèle structuré et tannique, manquant de charme en raison de sa puissance démesurée. Il libère des arômes fabuleusement doux de framboise sauvage, de kirsch et de truffe (semblables à ceux de L'Évangile), mais, une fois que ceux-ci sont passés, le dégustateur doit se contenter d'une force sans retenue, d'un caractère moyennement corsé et de tannins féroces. Ce vin, pourtant pur, est dense et peu évolué. **A maturité : 2005-2020.**

Le 1994 conviendra aux amateurs qui sauront s'armer de patience durant 10 à 15 ans. Sa robe opaque de couleur pourpre introduit un nez d'une concentration exceptionnelle, au caractère tannique, massif, peu évolué et très prometteur. Ses arômes provocateurs de réglisse, de violette, de framboise sauvage et de truffe ouvrent sur un vin également énorme, tannique et peu évolué en bouche, qu'il faudra attendre jusqu'au prochain millénaire bien entamé... **A maturité : 2008-2030.**

Le 1995, profond et bien réussi, déploie un nez fabuleux et explosif de cassis, de framboise et de cerise mêlé de notes de terre et d'épices orientales. Énorme et très corsé, avec une richesse en extrait et un niveau de glycérine absolument renversants, il présente, outre un doux fruité sous-jacent, des tannins qui tapissent le palais, ainsi qu'un caractère de minéral d'une densité et d'une concentration telles qu'il faut le boire pour y croire. Le Lafleur 1995 sera presque impossible à trouver, compte tenu des toutes petites quantités produites, mais il devrait s'imposer comme l'un des vins de très longue garde du millésime. **A maturité : 2005-2035.**

Note : Lafleur n'a pas diffusé de 1991 sous son étiquette.

LES GLOIRES DU PASSÉ : 1990 (98), 1989 (96), 1988 (93), 1986 (95), 1985 (96), 1983 (94), 1982 (96), 1979 (98+), 1978 (90), 1975 (100), 1966 (96), 1962 (95), 1961 (100 ?), 1955 (92), 1950 (100), 1949 (96+), 1947 (100), 1945 (100).

LES MÉDIOCRITÉS (OU PIRE) DU PASSÉ : 1981 (?), 1976 (78), 1971 (83).

LAFON-ROCHET (SAINT-ESTÈPHE)***

Château Pontet-Canet — 33250 Pauillac
Tél. 05 56 59 04 04 — Fax 05 56 59 26 63
Contact : Alfred ou Michel Tesseron

1995	C	90-93
1994	C	89+

1993	C	86
1992	C	85 ?
1991	B	85

Voici une propriété que les amateurs devraient tenir à l'œil : elle s'impose désormais comme l'une des étoiles montantes de son appellation. Le dévouement de la famille Tesseron et la sélection très sévère qui prélude, depuis le millésime 1994, à l'assemblage du grand vin contribuent à hausser la qualité de ce cru. De plus, les prix auxquels il est proposé sont encore relativement bas.

Bien que compact, le 1991 est de bonne tenue, avec sa couleur rubis foncé et son nez de cerise noire et mûre, d'herbes et d'épices. Et, même s'il semble un peu comprimé, il déploie en bouche un fruité doux et gras, se montre moyennement corsé et remarquablement profond. Si ses tannins se fondent davantage, il n'en paraîtra que plus riche dans le courant des **10 à 12 prochaines années.**

Le 1992 possède ce qu'il faut de fruité riche et mûr, et, bien qu'il ne soit pas extrêmement puissant, il est tannique, avec un bon potentiel de garde. Il sera prêt à boire d'ici 2 ou 3 ans et pourrait être conservé pendant encore **12 ans,** si ce n'est plus, à condition toutefois que son fruité ne se dessèche pas ; c'est un pari, mais il vaut d'être tenté, car ce vin représente quand même une excellente affaire.

Le 1993, dont la robe est opaque et sombre, est desservi par des notes végétales et de poivre vert qui gênent ses arômes épicés. Son caractère très tannique accompagne un généreux fruité qui se desséchera très probablement assez vite. Cependant, ceux qui aiment le bordeaux un peu rugueux, tout en matière et en muscle, devraient considérer ce vin comme une excellente affaire. Vous consommerez ce rouge charnu dans les **5 à 10 ans.**

Le 1994, qui devrait se révéler extraordinaire, inaugure la percée de la propriété – il a été suivi d'un 1995 plus irrésistible encore. Le Lafon-Rochet 1994, dont la robe opaque est de couleur pourpre, exhale un nez doux et pur aux notes de cassis, de chêne neuf et de sang de bœuf. Musclé, massif et extrêmement corpulent, il est encore très tannique, et déborde de richesse en extrait et de puissance. Son potentiel de garde est de 20 à 30 ans, mais il demande à être attendu encore 5 ou 6 ans. **A maturité : 2003-2025.**

Le superbe 1995 s'impose comme le meilleur Lafon-Rochet qui soit. Sa robe opaque de couleur pourpre-noir, semblable à l'encre, ouvre sur un vin ample, puissant et très corsé, qui n'aura peut-être pas beaucoup d'admirateurs dans sa jeunesse, mais dont les amateurs jeunes et patients seraient bien inspirés de mettre une ou deux caisses de côté. Ce vin impressionnant de richesse en extrait est aussi massif. Ses tannins doux pourraient bien se fondre d'ici une dizaine d'années. **A maturité : 2006-2025.**

LAGRANGE (POMEROL)**

Établissements Jean-Pierre Moueix
54, quai du Priourat – BP 129 – 33500 Libourne
Tél. 05 57 51 78 96 – Fax 05 57 51 79 79
Visites réservées aux professionnels

1993	C	77
1992	C	84+

Arborant une robe d'un rubis profond et dégageant un nez épicé et serré, le 1992 de Lagrange pâtit de son caractère compact et de la rudesse de ses tannins. On y décèle un bon fruité sous-jacent, mais ce vin robuste et rude doit être attendu encore environ 2 ans. S'il ne se dessèche pas, il pourra être conservé pendant **une décennie environ**.

De couleur rubis assez foncé, le 1993 offre des notes d'épices et de terre mouillée, et se montre moyennement corsé, dur et maigre en bouche. Avec l'âge, il est très probable que ses tannins prendront le dessus sur son fruité.

Note : Lagrange n'a pas diffusé de 1991 sous son étiquette.

LAGRANGE (SAINT-JULIEN)****/*****

33250 Saint-Julien-Beychevelle
Tél. 05 56 73 38 38 – Fax 05 56 59 26 09
Contact : Marcel Ducasse

1995	C	89-91
1994	C	88
1993	C	87
1992	C	87

On produit à Lagrange des vins riches, concentrés et généreusement boisés, qui sont proposés à des prix intéressants.

Le 1992 est l'un des mieux réussis : d'une impressionnante couleur rubis foncé, il offre au nez des senteurs étonnamment riches de cassis, marquées par des arômes de chêne grillé et fumé. Moyennement corsé, concentré et doux, il présente en milieu de bouche un fruité mûr et s'impose comme l'un des vins les plus doux et les plus sensuels du millésime. **A boire dans les 6 à 8 ans.**

Le Lagrange 1993 est certainement disponible à prix encore raisonnable. Bien réussi pour le millésime, il déploie une robe rubis-pourpre foncé et présente, à la fois au nez et en bouche, les arômes caractéristiques de ce cru, aux notes généreusement boisées et épicées. On décèle également un fruité puissamment extrait, marqué de notes de cassis doux et confituré. Étonnamment dense, concentré et moyennement corsé, ce vin libère en finale des tannins qui, loin de lui infliger le caractère astringent ou herbacé qui dessert tant de 1993, servent tout au contraire à étayer sa structure – ce qui est d'ailleurs tout à son crédit. Le 1993 de Lagrange peut être dégusté **dès maintenant** ou dans les **10 ans, voire davantage**. Une belle réussite pour le millésime.

Le 1994, moins évolué et moins précoce, mais plus tannique que son aîné, se révèle en comparaison plus ouvert et plus flatteur. Il rappelle le style des millésimes des années 60 et 70. Resplendissant dans une belle robe rubis-pourpre foncé, il offre au nez de généreux arômes de chêne neuf, de fumé et de grillé. On perçoit en bouche un bon fruité mûr, mais la personnalité de ce vin est pour l'instant entièrement dominée par ses tannins extrêmement puissants. Accordez-lui une garde de 5 ou 6 ans avant de le déguster, il se conservera parfaitement sur les **15 à 20 ans qui suivront.**

Le 1995 est assurément le premier Lagrange vraiment extraordinaire depuis le 1990. Sa robe opaque de couleur pourpre est accompagnée d'abondantes senteurs, épaisses, douces et généreusement boisées, aux notes de charbon et de cassis peu évoluées et unidimensionnelles. Se révèle ensuite un vin gras, très corsé, aux tannins abondants. Ce caractère musclé, voire un peu brutal, devrait s'adoucir au terme d'un vieillissement supplémentaire de 3 ou 4 mois en fût. Un Lagrange magnifique dans un ensemble corsé et massif. **A maturité :** **2002-2020.**

LES GLOIRES DU PASSÉ : 1990 (93), 1989 (89), 1986 (92), 1985 (89).

LES MÉDIOCRITÉS (OU PIRE) DU PASSÉ : 1978 (80), 1975 (70), 1971 (65), 1970 (84).

LA LAGUNE (HAUT-MÉDOC)****

33290 Ludon-Médoc
Tél. 05 57 88 44 07 – Fax 05 57 88 05 37
Pas de visites

1993	C	86
1992	C	85
1991	C	81

Le 1991 de La Lagune arbore une robe de couleur rubis-pourpre foncé et déploie des arômes de cerise noire et de grillé, ainsi que des flaveurs austères, fermes et compactes. S'il peut à l'évidence tenir une quinzaine d'années, je doute qu'il s'améliore avec le temps.

Que ce soit avant ou après la mise en bouteille, le 1992 s'est toujours révélé moyennement corsé, plein de charme, doux et rond, marqué par de séduisantes senteurs d'herbes et de fruits rouges vanillés, avec des tannins pas trop durs. Il pèche cependant par manque de longueur en bouche. **A boire dans les 5 ou 6 ans.**

Le 1993 présente une douceur et un fruité souple que l'on ne retrouve que très rarement dans les Médoc de cette année. Dense et mûr, il se découvre par paliers et libère en bouche des arômes séduisants de prune, de cerise et de chêne. La finale est douce, riche et tannique. Ce vin moyennement corsé se révélera charmant, généreux et élégant sur les **10 à 15 ans** à venir.

LES GLOIRES DU PASSÉ : 1990 (89), 1989 (90), 1986 (90), 1982 (93), 1978 (88), 1976 (88).

LES MÉDIOCRITÉS (OU PIRE) DU PASSÉ : 1966 (84), 1961 (60).

LALANDE-BORIE (SAINT-JULIEN)***

Contact : Jean-Eugène ou François-Xavier Borie –
33250 Saint-Julien-Beychevelle
Tél. 05 56 59 05 20 – Fax 05 56 58 93 10

1993	C	85

Avec sa robe de couleur rubis foncé et son nez doux et séduisant de chocolat et de groseille, le 1993 de Lalande-Borie donne une impression de grâce et d'élégance, se révélant moyennement corsé et mûr. Contrairement à ceux d'autres vins du même millésime, ses tannins sont bien fondus et discrets. **A boire dans les 10 ans.**

LANESSAN (HAUT-MÉDOC)***

33460 Cussac-Fort-Médoc
Tél. 05 56 58 94 80 – Fax 05 56 58 93 10
Contact : Hubert Bouteiller

1993	C	86
1992	B	83

Le 1992 de Lanessan, dont la robe est d'un rubis moyennement foncé, présente de séduisants arômes herbacés de fruits noirs et rouges poussiéreux et de bois terreux. Moyennement corsé et doux, avec une faible acidité, il se montre relativement tannique en fin de bouche. **A boire d'ici 3 ou 4 ans,** avant qu'il ne se dessèche.

Lanessan est un cru bourgeois très bien tenu, ce dont témoigne la parfaite maîtrise des agressifs tannins du 1993. On y a en effet produit cette année-là un vin charnu, goûteux et souple, au nez franc de cassis, de cèdre et d'herbes. Moyennement corsé et tout à fait mûr, il déploie une finale ronde et généreuse. **A boire dans les 10 à 12 ans.**

Note : Lanessan n'a pas diffusé de 1991 sous son étiquette.

LANGOA-BARTON (SAINT-JULIEN)***

Léoville-Barton – 33250 Saint-Julien-Beychevelle
Tél. 05 56 59 06 05 – Fax 05 56 59 14 29
Contact : Anthony Barton ou Danielle Nieto

1995	C	87-88
1994	C	86+?
1993	C	86
1992	C	83
1991	C	86

Le 1991 de Langoa-Barton est un vin très réussi pour le millésime. Il est profondément coloré et moyennement corsé, avec un séduisant nez de cèdre, de cassis et de cuir fin. Très ferme en bouche, il y fait montre d'une richesse et d'une profondeur admirables, déployant par ailleurs une finale épicée et masculine. Bien qu'il soit déjà prêt, il devrait bien se conserver durant les 10 ans à venir.

Les deux propriétés Barton ont donné en 1992 des vins plaisants, même si le Langoa n'est pas aussi intense que son jumeau de Léoville. Très classique, il est doux et charmeur, déployant un fruité séduisant et une finale excessivement tannique. Cependant, son fruité et sa profondeur ne sont pas suffisamment intenses pour équilibrer sa structure tannique. Ce vin aux arômes de cèdre, d'herbes et de groseille sera néanmoins fort agréable à déguster au cours des 3 à 5 prochaines années.

Le 1993, moyennement corsé et sans détour, libère des arômes de cassis et d'épices, mais ne montre aucun caractère herbacé. Solidement fruité et plaisant en bouche, il déploie des tannins plus doux et se révèle plus précoce que son jumeau de Léoville-Barton. **A boire dans les 10 ans.**

Le 1994, de couleur rubis foncé, n'est pas expressif au nez, et peut sembler trop austère et très sévère. Puissant et d'une belle richesse en extrait, il recèle cependant des tannins astringents qui risquent de dessécher son fruité avant qu'il ne perde de son amertume. Ne touchez pas à une seule bouteille avant 5 à 7 ans... et croisez les doigts !

Le 1995, d'une couleur pourpre-noir semblable à de l'encre, est musclé et dense, avec des tannins astringents. La seule réserve que j'émette à son sujet est l'incertitude quant à la capacité de son fruité à étayer sa structure. Ce vin est pur, dense et de bonne mâche, mais peut-être un peu trop austère et trop rugueux. **A maturité : 2005-2020.**

LARCIS-DUCASSE (SAINT-ÉMILION)**

33330 Saint-Émilion
Tél. 05 57 24 70 94

1995	C	86-88
1994	C	87
1993	C	85
1992	C	76
1991	C	76

Le 1991 de Larcis-Ducasse est un vin souple et herbacé que vous consommerez dans les **3 ou 4 ans.**

Le 1992, d'un rubis léger, manque de profondeur. Ses tannins durs lui confèrent une certaine rugosité en fin de bouche. Son maigre fruité se desséchera certainement assez vite. Ce vin témoigne bien des difficultés que la propriété n'est pas parvenue à surmonter dans ce millésime particulier.

Cette propriété tient rarement son rang, mais les millésimes 1993, 1994 et 1995 laissent penser qu'elle évolue dans la bonne direction.

Le 1993, dont la robe rubis assez foncé est marquée de touches roses sur le bord, offre un fruité doux et pur de cerise et de groseille dans un ensemble suave, moyennement corsé et subtilement épicé. Élégant, discret, souple et savoureux, avec une faible acidité, il ne présente aucun caractère végétal ni astringent. **A boire dans les 6 ou 7 ans.**

La robe soutenue et sombre, de couleur rubis-pourpre, du 1994 accompagne un nez doux et mûr de cerise, de cassis et d'épices orientales. Ce joli vin, moyennement corsé et élégant, est velouté et d'une excellente concentration en bouche. Il n'a pas le caractère creux ni les tannins durs qui affligent nombre de ses jumeaux. Vous dégusterez ce Larcis bien fait et souple dans les **8 à 10 ans.**

Le 1995, de couleur rubis-pourpre foncé, arbore une robe plutôt soutenue, qui prélude à un nez modérément intense, épicé, mûr et richement fruité, aux notes de terre et de chêne neuf. Suit un vin qui présente en bouche, outre une belle pureté, un caractère moyennement corsé et tannique dans un ensemble ferme, mesuré et élégant. Gardez-le 2 ou 3 ans, son potentiel est de 10 à 12 ans.

LARMANDE (SAINT-ÉMILION)***

33330 Saint-Émilion
Tél. 05 57 24 71 41 – Fax 05 57 74 42 80

1995	C	89-91
1994	C	86+
1993	C	86
1992	C	85 .

Cette propriété de bonne tenue a produit en 1992 un vin aux arômes doux, mûrs et nets de cassis, affichant une fraîcheur qui rappelle celle d'un Cabernet sauvignon de Californie. Moyennement corsé et rond, il déploie en finale de séduisantes touches de chêne neuf et des tannins très abondants. **A boire dans les 4 ou 5 ans.**

La robe du 1993, de couleur rubis-pourpre foncé, est bien soutenue pour le millésime. Ce vin, élaboré dans le style traditionnel de la propriété (généreusement boisé et fumé, avec des notes de cerise noire), se révèle mûr dès l'attaque en bouche, moyennement corsé, avec une finale ferme, musclée et solide. On y décèle quelques tannins secs qui desservent légèrement l'ensemble et dont je ne suis d'ailleurs pas convaincu qu'ils se fondront joliment dans une texture veloutée. Un Saint-Émilion rustique et boisé, à boire **entre 1999 et 2004.**

Le Larmande 1994 s'est refermé depuis la mise en bouteille, et il pourrait bien se révéler moins bon que je ne l'avais pronostiqué. Avec sa robe rubis-pourpre foncé et son nez serré et atténué aux notes de boisé, il est doux et impressionnant à l'attaque en bouche, mais laisse ensuite la place à des tannins durs et amers qui dérangent un ensemble que l'on trouverait autrement séduisant, moyennement corsé et musclé. Ce vin requiert, ce qui est assez exceptionnel pour ce cru, plusieurs années de garde avant d'être dégusté. **A maturité : 2003-2015.**

La robe opaque, de couleur pourpre, du 1995 introduit un nez sensuel et épicé de boisé et de cassis confituré. Profond et très corsé, ce vin déborde d'un fruité pur et révèle un caractère admirablement glycériné, avec une faible acidité. Il est encore modérément tannique, bien gras et long en bouche. **A maturité : 2002-2017.**

Note : Larmande n'a pas diffusé de 1991 sous son étiquette.
LES GLOIRES DU PASSÉ : 1990 (89), 1989 (88), 1988 (90).

LAROSE-TRINTAUDON (HAUT-MÉDOC)**

33112 Saint-Laurent-du-Médoc
Tél. 05 56 59 41 72 – Fax 05 56 59 93 22

1993		B	85

J'ai longtemps critiqué les vins de cette propriété, car ils présentaient régulièrement des senteurs de moisi, mais cela ne semble plus être le cas depuis quelques années. En 1993, Larose-Trintaudon a produit un vin moyennement corsé, séduisant et accessible, bien épicé, au fruité net et mûr de groseille, équilibré et élégant. Vous le dégusterez avant qu'il n'ait **5 à 7 ans d'âge.** Grâce à son prix raisonnable, il fera bonne figure sur les cartes de restaurant.

LAROZE (SAINT-ÉMILION)**

33330 Saint-Émilion
Tél. 05 57 51 11 31 – Fax 05 57 51 10 36
Contact : Guy Meslin

1993		C	73
1992		C	74

Légèrement corsé, maigre et herbacé, le 1992 révèle quelques arômes intéressants de cigare et de cerise noire diluée, mais il ne montre en bouche rien de mieux que de l'acidité, de l'alcool, des tannins et du boisé.

Quant au 1993, il manque singulièrement de fruité et de maturité, et ses arômes maigres, dilués et anguleux accompagnent des tannins excessifs.

LARRIVET-HAUT-BRION (GRAVES)**/***

33850 Léognan
Tél. 05 56 64 75 51 – Fax 05 56 64 53 47
Contact : Mmes Gervoson ou Duval

1992		C	85

Le Larrivet-Haut-Brion 1992 est séduisant avec sa robe foncée, de couleur prune, et son nez assez intense de cerise noire confiturée et de cake épicé. Doux, rond et moyennement corsé, il présente un beau fruité et une pureté admirable, ainsi qu'une finale de velours. Ce vin léger est aussi très aromatique. **A boire dans les 3 ans.**

LASCOMBES (MARGAUX)***

33460 Margaux
Tél. 05 57 88 70 66 – Fax 05 57 88 72 17
Contact : M. Vannetelle

1995		C	84-86
1994		C	?
1993		C	85

1992	C	82
1991	C	82

On fait maintenant à Lascombes des vins de meilleure qualité, comme en témoignent les derniers millésimes.

Le 1991, légèrement corsé, est bien fait, compte tenu des difficultés que présentait le millésime. Il arbore une belle couleur rubis, révèle des arômes épicés et vanillés et de fruits rouges, de la souplesse, et un fruité mûr et séduisant. **A boire d'ici 3 ou 4 ans.**

Le 1992, de couleur rubis moyen, déploie un fruité marqué par la groseille auquel se mêlent des senteurs de cèdre – un vin plaisant de prime abord. On distingue cependant une certaine dilution en bouche, où les tannins et les notes de boisé dominent un fruité trop maigre. Peut-être ce vin s'étoffera-t-il avec le temps, mais il me semble qu'il serait préférable de le consommer dans les **2 ou 3 ans** à venir.

Le Lascombes 1993 est un vin doux, élégant et légèrement corsé, qui libère, à la fois au nez et en bouche, des arômes de cassis et d'airelle. Une belle acidité lui confère du ressort, mais il doit être dégusté avant d'avoir atteint **5 ou 6 ans d'âge.**

Je me souviens d'avoir été réellement impressionné par le Lascombes 1994 lorsque je l'ai dégusté pour la première fois à la propriété, et plusieurs fois ensuite, en d'autres occasions. Cependant, depuis qu'il est en bouteille, ce vin libère d'étranges arômes de bois moisi qui suggèrent de prime abord un problème dû au bouchon. Alors qu'il semblait si prometteur avant la mise, il manque désormais de tenue, et présente des notes peu séduisantes que l'on pourrait attribuer à des fûts mal lavés ou à des bouchons défectueux. Je réserve mon appréciation.

Le 1995 arbore une robe moins soutenue que nombre de ses jumeaux, mais offre au nez de copieux et élégants arômes de fruits doux et confiturés, marqués de notes florales et de grillé. Ce vin, moyennement corsé et modérément concentré, doux et faible en acidité, charmera **jusqu'à 10 ans d'âge.**

LES GLOIRES DU PASSÉ : 1966 (88), 1959 (90).

LES MÉDIOCRITÉS (OU PIRE) DU PASSÉ : 1981 (72), 1979 (76), 1978 (76).

LATOUR (PAUILLAC)*****

33250 Pauillac

Tél. 05 56 73 19 80 – Fax 05 56 73 19 81

Contact : Frédéric Engerer, Christian Le Sommer ou Séverine Camus

1995	E	94-96
1994	E	94
1993	E	90+
1992	E	88+
1991	D	89

Le Château Latour a connu une période difficile entre 1983 et 1989, mais produit régulièrement, depuis cette dernière année, des vins classiques puissants et massifs, faits pour résister à l'épreuve du temps.

Après un 1990 absolument exquis, le 1991 de Latour est assez décevant ; il peut néanmoins prétendre au titre de réussite du millésime pour son caractère concentré et racé. Cette année-là, suite à une sélection sévère, seulement 11 500 caisses de grand vin ont été produites. Celui-ci arbore une robe dense de couleur rubis foncé et présente un nez réticent, mais prometteur, de cerise noire, de cassis, de minéral, de noix grillée, d'épices et d'herbes subtiles. Moyennement corsé, il est mûr, musclé et charnu, remarquablement riche, déployant un gras merveilleux et des tannins agressifs qui ne se fondront qu'au bout de 5 ou 6 ans. Son potentiel de garde est de 15 ans, voire plus.

En 1992, la moitié seulement de la récolte était sélectionnée pour l'assemblage final du grand vin, qui se montre doux, expansif et riche. Moyennement corsé, il est aussi étonnamment souple et déploie des arômes féeriques de noisette, de cassis et de minéral. D'une excellente concentration aromatique en bouche, il présente une faible acidité et des tannins modérés en finale. Ce vin, extrêmement bien vinifié et accessible, devrait parfaitement se conserver encore environ 10 à 12 ans. Il se pourrait même qu'il se bonifie avec le temps, méritant alors une meilleure note.

Le 1993 est absolument formidable dans le contexte de ce millésime. Sa robe opaque de couleur pourpre introduit un nez peu évolué de cèdre, de noisette, de cassis et de terre. Moyennement corsé en bouche, il y déploie un fruité fabuleusement riche et concentré, des tannins modérément abondants (et non astringents), ainsi qu'une finale douce, longue et puissante. Ce vin n'a heureusement pas le caractère végétal ou herbacé qui marque le millésime, et ne trahit pas la moindre tendance à la dureté ou au creux en milieu de bouche. Il se pourrait même que je lui accorde dans l'avenir une note plus élevée. Serait-ce une répétition du 1967 et du 1971 ? **A maturité : 2007-2025.**

Le 1994 est à la fois grandiose et intéressant. Il semble plus doux et charnu que de coutume pour un vin jeune de la propriété, très certainement en raison du fort pourcentage de merlot dans son assemblage final, mais ne commettez surtout pas l'erreur de le considérer comme un vin accessible et de style commercial. Avec sa robe opaque de couleur rubis-pourpre foncé, il exhale un nez classique, peu évolué et intense, de cassis et de noisette mêlé de notes de pain grillé et fumé qui se développent dans le verre. Ce Latour corsé et puissant se dévoile par couches, révèle d'abondants tannins, mais ne libère aucun caractère amer ni astringent. Sa superbe pureté, sa fabuleuse précision et sa remarquable persistance en bouche laissent deviner une longévité de 35 à 40 ans. Les amateurs trouveront ce vin plus gras, plus charnu et plus glycériné qu'il n'est de tradition pour un Latour récent (à l'exception des 1990 et 1982). Qu'ils ne soient pas déçus, il requiert bien une garde de 8 à 10 ans avant d'être bu. **A maturité : 2005-2035.**

Dès ma première dégustation du Latour 1995 au mois de mars 1996, j'avais pronostiqué que ce vin s'imposerait comme l'une des plus belles réussites de ce millésime. Il s'est bien étoffé au cours de son vieillissement en fût, et l'on peut avancer sans exagérer qu'il est – avec ceux de Petrus, Clinet, Angélus et Valandraud sur la rive droite, et Mouton-Rothschild sur la rive gauche – l'un des vins les plus concentrés et les plus épais de cette année. Sa robe opaque de couleur pourpre-noir, sa texture onctueuse comme son caractère extraordinairement riche sont admirables. Il commence tout juste à libérer des arômes complexes de cassis, de minéral et d'épices, bien que le nez demeure, dans l'ensemble, assez fermé. Fabuleusement concentré, bien équilibré, ce vin tannique et ample est encore bien doté et exquis, avec une faible acidité. **A maturité : 2010-2035.**

LES GLOIRES DU PASSÉ : 1990 (98+), 1989 (90), 1988 (89), 1986 (91), 1982 (99), 1978 (92), 1975 (92), 1971 (91), 1970 (98), 1966 (96+), 1964 (90), 1962 (93), 1961 (100), 1959 (95), 1949 (100), 1948 (94), 1945 (99), 1928 (100), 1926 (93), 1924 (94), 1900 (89), 1899 (93), 1870 (90).

LES MÉDIOCRITÉS (OU PIRE) DU PASSÉ : on ne peut en citer pratiquement aucune, si ce n'est que les 1985, 1983, 1979 et 1976 sont au-dessous du niveau de qualité extraordinairement élevé dont le château est coutumier.

LATOUR A POMEROL (POMEROL)****

Établissements Jean-Pierre Moueix
54, quai du Priourat – BP 129 – 33500 Libourne
Tél. 05 57 51 78 96 – Fax 05 57 51 79 79
Contact : Frédéric Lospied
Visites réservées aux professionnels

1995	D	90-91
1994	D	89
1993	D	87
1992	D	86

Plus légers, plus souples et plus fruités, les vins que l'on fait maintenant à la propriété sont d'un style tout à fait différent de celui des légendes qui en furent issues en 1947, 1948, 1950, 1959 et 1961.

Le 1992 est l'exemple même de ce qu'un vigneron consciencieux devrait faire dans un millésime léger. En effet, plutôt que de rechercher la puissance, l'intensité, la structure ou le potentiel de garde, on a adopté à Latour à Pomerol la meilleure stratégie, celle qui consistait à domestiquer le charme et le fruité qu'offrait le millésime. Il en est résulté un vin séduisant, accessible, agréablement fruité et doux, aux arômes de fruits rouges, d'herbes et de café. Parfaitement mûr, il se montre plein d'attraits en milieu de bouche et souple en finale. **A boire dans les 3 ou 4 ans.**

Le 1993 fait bonne impression de prime abord, avec sa belle robe de couleur pourpre foncé et son excellent nez, généreusement fruité, d'épices et de moka. Moyennement corsé, il étonne par sa richesse et son bel équilibre d'ensemble, et, bien qu'il ne soit pas massif, il s'impose comme un vin bien fait et élégant, avec une faible acidité et un abondant fruité mûr. **A maturité : 1999-2010.**

La robe sombre, de couleur pourpre foncé, du Latour à Pomerol 1994 introduit un nez piquant et confituré de fraise, de cerise noire, de tabac herbacé et d'épices. Ce vin délicieux, moyennement corsé et faible en acidité, qui montre un caractère gras, mûr et très séduisant, déploie une finale douce, longue et savoureuse. **A boire dans les 10 à 14 ans.**

Le 1995 s'impose comme le meilleur vin qui ait été fait à la propriété ces dernières années. Sa robe soutenue, de couleur pourpre, précède un nez fabuleusement pur et expressif de framboise sauvage qui rappelle un peu celui d'autres crus, comme L'Évangile. Moyennement corsé et faible en acidité, il est encore riche, d'un équilibre et d'une pureté extraordinaires. Ce vin impressionnant sera bon dès sa diffusion, mais se conservera bien sur les **15 années qui suivront.**

Note : Latour à Pomerol n'a pas diffusé de 1991 sous son étiquette.

LES GLOIRES DU PASSÉ : 1983 (88), 1982 (93), 1970 (90), 1961 (100), 1959 (98), 1950 (96), 1948 (100), 1947 (100).

LES MÉDIOCRITÉS (OU PIRE) DU PASSÉ : 1978 (83), 1975 (67), 1971 (82).

LÉOVILLE-BARTON (SAINT-JULIEN)****/*****

33250 Saint-Julien-Beychevelle
Tél. 05 56 59 06 05 – Fax 05 56 59 14 29
Contact : Anthony Barton ou Danielle Nieto

1995	C	94-96
1994	C	93
1993	C	90
1992	C	87
1991	C	87

C'est sans tambour ni trompette que Léoville-Barton produit régulièrement des Médoc d'anthologie, très stylés et riches, au potentiel de garde assez important. Il est également intéressant de noter qu'ils sont proposés à des prix bien plus raisonnables que la majorité des meilleurs crus classés, Anthony Barton se tenant à une rigoureuse politique commerciale, très protectrice des intérêts du consommateur.

Si vous êtes à la recherche d'un vin extraordinaire dans une année dite moyenne, tournez-vous vers le 1991 de Léoville-Barton. Avec sa couleur rubis foncé et son nez énorme de cèdre, de cassis et d'herbes, il est riche, mûr et moyennement corsé en bouche, où il laisse l'impression d'une formidable concentration. Ses tannins sont modérés, et sa finale admirablement longue. Ce 1991 est bien meilleur que ne l'étaient les 1979 et les 1981 de la propriété. **A boire dans les 10 à 15 ans.**

Déjà impressionnant au fût, le 1992 se présente toujours, après la mise en bouteille, comme l'un des plus beaux succès du millésime. De couleur rubis foncé, avec un nez de cèdre, d'épices, de cerise noire et de groseille, il se montre riche et moyennement corsé en bouche. A maturité parfaite, il est élégant, juteux et succulent. Ce vin remarquable, aux tannins étonnamment doux, ne donne aucun signe de dilution. **A boire dans les 10 ans.**

Le 1993 s'impose comme l'un des vins les plus énormes, les plus riches et les plus impressionnants du millésime. Avec sa robe soutenue de couleur pourpre-noir, il révèle, à la fois au nez et en bouche, des arômes denses et riches de sous-bois, de chocolat et de cassis. Profond, d'une excellente maturité et bien gras, il déploie des tannins durs en finale. Il s'agit d'un vin exceptionnel doté et peu évolué, que vous attendrez encore 5 à 7 ans, mais qui se conservera parfaitement sur les **20 ans** suivants.

Le 1994 se présente comme un bordeaux classique, sérieux, impressionnant et bien doté, convenant particulièrement aux amateurs qui sauront s'armer de patience sur les 10 prochaines années. Son potentiel de garde est en effet de 30 ans. Sa couleur pourpre, dense et un peu trouble prélude à une palette aromatique très fermée. En bouche, il révèle néanmoins une richesse massive, et déploie un niveau élevé de tannins qui rappelle les Médoc puissants et charnus, élaborés dans un style traditionnel et sans compromission, tels qu'on les connaissait il y a trente ans. Mais celui-ci a des tannins plus doux et a été vinifié dans des conditions plus saines. Un classique. **A maturité : 2007-2030.**

La robe opaque, de couleur pourpre, du 1995 précède un nez de doux arômes de cassis mêlés de notes d'herbes rôties et de chêne épicé. C'est l'un des vins les plus tanniques et les moins évolués du millésime, sa richesse, sa densité et sa puissance corsée rappelant celles d'un 1986. Ce Saint-Julien gigantesque évoluera très lentement – il viendra à bout de la patience de tous, si ce n'est, peut-être, de celle des amateurs les plus sérieux. **A maturité : 2007-2030.**

LES GLOIRES DU PASSÉ : 1990 (95), 1989 (88), 1988 (88), 1986 (92), 1985 (92), 1984 (94), 1975 (90), 1961 (92), 1959 (94), 1953 (95), 1949 (95), 1948 (96), 1945 (98).

LES MÉDIOCRITÉS (OU PIRE) DU PASSÉ : 1979 (75), 1971 (70), 1966 (84).

LÉOVILLE-LAS CASES (SAINT-JULIEN)*****

33250 Saint-Julien-Beychevelle
Tél. 05 56 59 25 26 – Fax 05 56 59 18 53
Contact : Michel ou Jean-Hubert Delon

1995	D	94-96
1994	D	93
1993	D	90
1992	D	90
1991	D	87

Michel Delon est un homme de talent qui gère méticuleusement sa grande propriété, située non loin de la frontière Saint-Julien/Pauillac et à quelques mètres seulement de Latour. Les récents millésimes sont de belles réussites, et Léoville-Las Cases demeure l'une des plus sûres références quand il s'agit de bordeaux de grande qualité.

En 1991, la moitié seulement de la récolte est entrée dans la composition du grand vin. Celui-ci déploie le nez classique des Pauillac/Saint-Julien, avec des arômes de crayon conjugués à des senteurs de cassis mûr. Élégant, parfaitement mûr et d'une belle corpulence, il déploie des tannins puissants – l'austérité dont il fait preuve ne permet d'ailleurs pas de lui attribuer une meilleure note. De par son style, il rappelle le 1987, mais en plus tannique et avec un potentiel de garde plus important. Bien qu'il soit tout à fait apte à tenir encore **10 à 15 ans**, il demeurera austère, comme le 1970.

Le 1992, dégusté après la mise en bouteille, se révèle aussi extraordinaire qu'il l'était au fût. Le château a déclassé cette année-là 55 % de la récolte totale pour le Léoville-Las Cases. Cela a donné un vin classique, au nez doux de cassis, de minéral et de grillé, qui présente en bouche, outre une richesse exceptionnelle (son fruité généreux se développe par paliers), des arômes massifs et assez corsés, ainsi qu'une finale longue et tannique. Incontestablement grand pour le millésime, ce Léoville 1992 très classique est à l'évidence très élégant, flatteur, précoce, et il se révèle plus agréable dans sa jeunesse que ne le sont habituellement les vins de cette propriété, surtout dans des années portées sur la puissance comme 1990, 1989, 1986, 1985 et 1982. Il s'agit vraiment d'une des plus grandes stars du millésime. **A boire dans les 10 à 12 ans.**

D'une douceur remarquable, le 1993, à la robe soutenue de couleur pourpre, libère de puissants arômes de cassis et de chocolat. Dense et moyennement corsé en bouche, il y révèle un superbe fruité sous-jacent, ainsi que la pureté, l'équilibre, la concentration et l'intensité qui sont la griffe de ce cru remarquable. Ceux d'entre vous qui auraient peine à croire que 1993 ait pu donner un vin comme celui-là n'auront qu'à ouvrir une bouteille de Léoville-Las Cases 1993. **A maturité : jusqu'en 2012.**

Le 1994 s'impose comme un Médoc des plus massifs, avec sa robe opaque de couleur pourpre, l'ampleur et la richesse fabuleuse qu'il présente en bouche. Son généreux et pur fruité de cassis et de cerise noire, mêlé de notes de pierre et de minéral, est marqué par de belles touches de boisé. C'est un vin moyennement corsé, doux et riche à l'attaque en bouche, très tannique, mais aussi d'une longueur et d'une extraction absolument somptueuses. Léoville-Las Cases compte assurément, en 1994, au nombre de la demi-douzaine de grands vins du Médoc. **A maturité : 2002-2025.**

Le Léoville-Las Cases 1995 se présente, après déclassement de 65 % de la récolte, comme un vin étonnamment profond, à la robe opaque de couleur pourpre-noir et au caractère formidablement doté, avec un fruité aux notes d'essence de cassis. L'attaque en bouche révèle une explosion d'arômes fruités et mûrs, ainsi qu'une acidité, un alcool et des tannins joliment fondus dans l'ensemble. Ce 1995 plein et riche, mais merveilleusement équilibré, offre l'exemple classique d'un vin regorgeant de puissance et d'arômes sans être trop lourd ni ostentatoire. **A maturité : 2005-2030.**

LES GLOIRES DU PASSÉ : 1990 (96), 1989 (95), 1988 (92), 1986 (97), 1985 (92), 1983 (90), 1982 (100), 1981 (88), 1978 (92), 1975 (92), 1966 (90).
LES MÉDIOCRITÉS (OU PIRE) DU PASSÉ : 1971 (73), 1970 (77), 1961 (84).

LÉOVILLE-POYFERRÉ (SAINT-JULIEN)***

33250 Saint-Julien-Beychevelle
Tél. 05 56 59 08 30 – Fax 05 56 59 60 09
Contact : Didier Cuvelier

1995	C	88-90
1994	C	87+
1993	C	87

1992	C	79
1991	C	84

Tout est mis en œuvre pour hisser ce cru à un niveau de qualité le plus proche possible de celui de son voisin Léoville-Las Cases. Avec Michel Rolland pour le suivi des vinifications, des fermentations malolactiques en fût, une sélection plus sévère et la construction d'une nouvelle cuverie, Léoville-Poy-ferré est prêt à s'imposer comme l'une des étoiles montantes de Saint-Julien.

Solide et musclé, le 1991 de Léoville-Poyferré est bien coloré, avec un fruité mûr et des tannins abondants. Assez marqué par le chêne, il manque de charme et de finesse, mais pourrait se bonifier avec le temps. **A boire dans les 10 ans.**

De couleur rubis moyen, le monolithique 1992 est enrobé d'arômes de chêne et manque de fruité. Tannique, anguleux et compact, il gagnera peut-être à être gardé 2 ou 3 ans, mais je sens d'instinct que son fruité se desséchera bien avant que ses tannins ne se fondent.

Outre sa robe rubis-pourpre foncé et son nez doux et parfumé aux notes de cassis, le 1993 présente à l'attaque en bouche un caractère rond et souple. Moyennement corsé, avec un fruité mûr, il n'est ni très puissant ni très ample, mais révèle une belle pureté, et offre de curieuses notes de chocolat et de fumé, ainsi qu'une finale veloutée et savoureuse. L'assemblage final de ce vin comprend une forte proportion de merlot : on le retrouve d'ailleurs dans son style élégant et goûteux. **A maturité : 2002-2010.**

Le 1994, de couleur rubis-pourpre foncé, offre au nez des senteurs de vanille et de grillé, ainsi que des notes de cassis doux. Moyennement corsé, bien gras et modérément tannique, il laisse en bouche une impression d'un vin peu évolué et très traditionnel. Bien qu'il soit encore dans sa petite enfance, il déploie un fruité suffisant pour contrebalancer ses tannins, et devrait se révéler d'excellente tenue après une garde de 2 ou 3 ans. **A maturité : 2000-2015.**

Les doux arômes de chêne épicé et de cassis confituré du 1995 ne trahissent aucun indice d'évolution. Ce vin suave, élégant, concentré, mais étonnamment bien équilibré, ne révèle qu'à peine ses tannins joliment fondus. De couleur pourpre très soutenu, il présente un admirable fruité doux, une belle pureté, ainsi qu'une belle richesse en extrait, et déploie un caractère gracieux. Il sera au meilleur de sa forme **entre 2001 et 2020.**

LES GLOIRES DU PASSÉ : 1983 (90), 1982 (92).

LES MÉDIOCRITÉS (OU PIRE) DU PASSÉ : 1976 (75), 1975 (?), 1970 (65), 1962 (67).

LA LOUVIÈRE (GRAVES)****

Château Bonnet – 33420 Grézillac
Tél. 05 57 25 58 58 – Fax 05 57 74 98 59
Contact : André Lurton

1993	C	87
1992	C	87

Tous ceux qui s'intéressent au Bordelais savent que La Louvière est mainte-nant une propriété qui monte. Ses vins demeurent encore sous-évalués, si bien qu'il serait intéressant de prendre le train en marche avant que les prix n'augmentent de 20 à 30 %.

Le 1992 est bien réussi. Il arbore une robe soutenue de couleur rubis-pourpre et déploie un nez énorme, épicé et doux, de cassis, d'herbes et de tabac. En bouche, on décèle des arômes de cassis et de fumé judicieusement infusés de touches de chêne qui lui apportent de la structure et de la douceur. Ce vin assez corsé, opulent, délicieux, est déjà complexe. **A boire dans les 7 ou 8 ans.**

Avec sa robe très soutenue de couleur rubis-pourpre foncé, le 1993 présente un nez serré, mais prometteur, de cerise noire et de cassis mûrs, de minéral et de chêne neuf et grillé. En bouche, il manifeste une excellente concentration et déploie un gras de belle qualité (ce qui n'est pas le propre des rouges de cette année), se montrant mûr avec de la mâche. Riche, long et capiteux, il offre une finale moyennement tannique. Son fruité et ses tannins pourraient laisser penser qu'il faut le boire rapidement, mais je pense qu'il pourra tenir encore **10 à 15 ans.**

LES GLOIRES DU PASSÉ : 1990 (89), 1989 (88), 1988 (90).

LUCIE (SAINT-ÉMILION)***

33330 Saint-Émilion
Tél. 05 57 74 44 42 – Fax 05 57 74 73 00
Contact : M. Bertolussi

1995	? 87-89

J'ai découvert ce cru lors de mon voyage à Bordeaux en janvier 1997. Il est issu d'une toute petite propriété de 4 ha, dont les chais sont nichés au sein de la cité médiévale de Saint-Émilion.

Composé à 95 % de merlot et à 5 % de cabernet franc, le Lucie 1995 est séduisant, savoureux, charnu, avec une acidité faible, et déborde d'un généreux fruité de cerise noire joliment infusé de belles notes de boisé, d'herbes aromatiques et de chocolat. L'ensemble est pur, moyennement corsé et doux. Ce vin accessible et plaisant sera mis en bouteille sans filtration préalable. **A maturité : jusqu'en 2004.**

LYNCH-BAGES (PAUILLAC)*****

33250 Pauillac
Tél. 05 56 73 24 00 – Fax 05 56 59 26 42
Contact : Jean-Michel Cazes et Daniel Llose

1995	C	90-92
1994	C	88
1993	C	86
1992	C	86
1991	C	86

Le 1991 de Lynch-Bages est moyennement corsé, séduisant et doux. Au-dessous de 80 F la bouteille (prix de lancement), il représente une excellente affaire. D'une couleur dense, il offre au nez des arômes massifs de cassis auxquels se mêlent des notes de terre et de chêne neuf. Relativement profond, il est assez tannique et court en fin de bouche. Ce vin moyennement corsé est bon et mûr, et devrait se déguster au meilleur de sa forme d'ici 6 ou 7 ans.

Le 1992 est impressionnant de couleur, et, bien que son nez ne soit pas encore suffisamment complexe, on y décèle des senteurs de cassis, de terre mouillée et d'épices. En bouche, il est moyennement corsé, merveilleusement gras et mûr, et présente des arômes de cèdre et d'épices. La finale est légèrement tannique. **A boire d'ici 4 ou 5 ans.**

Une fois passé ses senteurs herbacées de fenouil confit et de poivre vert, le Lynch-Bages 1993, à la robe dense de couleur rubis-pourpre, se révèle bien structuré et moyennement corsé, et déploie en bouche des arômes doux, mûrs et séduisants, bien gras, glycérinés et fruités, de cassis confituré. J'espère que ses notes herbacées prendront un caractère de cèdre au terme d'un certain vieillissement en bouteille. **A maturité jusqu'en 2008.**

Le 1994 arbore une robe de couleur rubis, pourpre au milieu, et déploie un fruité mûr de cassis, sans touches herbacées ni végétales. Moyennement corsé, il est étonnamment doux, gras et précoce pour un vin de ce millésime. Il révèle encore des senteurs de chêne grillé bien fondues dans l'ensemble et un caractère séduisant et voluptueux qui plairont sans aucun doute aux amateurs de ce Pauillac corpulent. **A boire dans les 12 à 15 ans.**

Le 1995 s'est bien étoffé depuis que je l'ai dégusté pour la première fois, en mars 1996. Il arbore une robe opaque de couleur pourpre, et déploie des arômes de terre et de cassis marqués de séduisantes notes de cèdre et de fumé. Dense et gras en milieu de bouche, il est richement extrait, avec une faible acidité, des tannins doux et un caractère bien glycériné. Bien que n'étant pas aussi massif ni aussi peu évolué que le 1989, ni même aussi savoureux et corpulent que le 1990, ce 1995 apparaît comme une répétition du délicieux et très sensuel 1985. **A maturité : 1999-2017.**

LES GLOIRES DU PASSÉ : 1990 (93), 1989 (96), 1986 (92), 1985 (93), 1983 (88), 1982 (93), 1970 (95), 1962 (89), 1961 (91), 1959 (94), 1957 (88), 1955 (92), 1953 (90), 1952 (91).

LES MÉDIOCRITÉS (OU PIRE) DU PASSÉ : 1979 (79), 1978 (82), 1976 (72), 1975 (79), 1971 (58), 1966 (84).

LYNCH-MOUSSAS (PAUILLAC)***

33250 Pauillac
Contact : Philippe Castéja – Maison Borie-Manoux
86, cours Balguerie-Stuttenberg – 33082 Bordeaux Cedex
Tél. 05 56 00 00 70 – Fax 05 57 87 60 30

1995	C	84-86
1994	C	82
1993	C	76

Cette propriété tend aujourd'hui à produire des vins de meilleure qualité, comme en témoigne son 1995.

Herbacé et végétal, le 1993 est également maigre et dur. Il se desséchera vraisemblablement sur les 10 prochaines années.

Le 1994 est assez réussi. De couleur rubis foncé, avec un bouquet doux et mûr aux notes de groseille, de cèdre, d'herbes aromatiques et d'épices, il est moyennement corsé, souple et fruité, bien fait et sans détour. **A boire dans les 7 ans.**

La robe opaque, de couleur rubis-pourpre, du 1995 est la plus soutenue que je connaisse de ce cru. Elle prélude à un nez doux et prometteur de cassis mêlé de notes de chêne épicé. Suit un vin moyennement corsé qui révèle une excellente maturité et un niveau modéré de tannins. **A maturité :** 2002-2010.

Note : les trois étoiles concernent la production du domaine à partir de 1995.

MAGDELAINE (SAINT-ÉMILION)***

Établissements Jean-Pierre Moueix
54, quai du Priourat – BP 129 – 33500 Libourne
Tél. 05 57 51 78 96 – Fax 05 57 51 79 79
Contact : Frédéric Lospied
Visites réservées aux professionnels

1995	D	90-91
1994	D	88
1993	D	87
1992	D	86

D'une couleur rubis foncé, avec un nez épicé de cerise noire, de chêne et de thé, le 1992 se révèle moyennement corsé et modérément tannique. Plus profond et plus riche que la plupart des grand crus classés de Saint-Émilion, il est assez long en bouche et y dégage un fruité moyen, marqué par des arômes de cerise noire. Ce vin élégant et racé a un potentiel de garde de **10 ans environ.**

Le 1993, de couleur rubis foncé, présente un nez modérément intense aux arômes de cerise douce. Moyennement corsé et élégant, il est confituré, doux et assez massif. Outre un fruité pur et un caractère charmeur, il révèle une longueur et une structure suffisantes pour durer **10 à 12 ans.** Attendez cependant 1 à 3 ans avant de le déguster.

La robe opaque, de couleur rubis foncé et grenat en son centre, du 1994 précède d'abondants arômes de cerise noire et confiturée. Ce vin moyennement corsé et élégant, d'une excellente pureté et bien équilibré, est savoureux et tannique. Un Saint-Émilion racé et goûteux, que vous consommerez dans les **16 ans, voire au-delà.** Lors de ma dernière dégustation, j'ai d'ailleurs été plutôt surpris de constater combien il se montrait voyant et spectaculaire, les vins de Magdelaine ayant plutôt tendance, malgré leur fort pourcentage de merlot, à se refermer après la mise en bouteille.

Le 1995 est l'un des meilleurs vins élaborés à la propriété ces dernières années. Vêtu de rubis-pourpre foncé, il présente au nez des senteurs de terre et de cerise noire subtilement boisées, et révèle en bouche des arômes concentrés, racés et moyennement corsés, d'une belle intensité et très persistants. Ce cru réservé et mesuré est également très complexe et intense. Sans être un Saint-Émilion des plus voyants, il est bien fait. **A maturité : 2005-2020.**

Note : Magdelaine n'a pas diffusé de 1991 sous son étiquette.

LES GLOIRES DU PASSÉ : 1982 (90), 1961 (91).

LES MÉDIOCRITÉS (OU PIRE) DU PASSÉ : 1986 (?), 1985 (82), 1981 (80), 1979 (84).

MAGNEAU (GRAVES)***

12, chemin Maxime-Ardurats – 33650 Labrède
Tél. 05 56 20 20 57 – Fax 05 56 20 39 95
Contact : Henri Ardurats

1993	B	85

Le Château Magneau est une propriété des Graves qui demeure dans l'ombre, mais qui produit de beaux vins, élégants, racés et doux, qui sont déjà prêts à boire dès leur diffusion.

Le 1993 présente beaucoup de douceur et dégage un nez mûr de tabac, de cèdre et de groseille. Ses tannins ne sont ni amers ni astringents, et sa finale est veloutée. **A boire d'ici 5 ou 6 ans.**

MALARTIC-LAGRAVIÈRE (GRAVES)**

39, avenue de Mont-de-Marsan – 33850 Léognan
Tél. 05 56 64 75 08 – Fax 05 56 64 53 66

1995	C	78-82
1994	C	74
1993	C	77
1992	C	71
1991	C	72

Cette propriété a, jusqu'en 1994, régulièrement produit des vins austères, verts et maigres. Depuis cette dernière année, grâce aux investissements du groupe Laurent-Perrier qui en est le repreneur, le niveau de qualité s'est considérablement amélioré.

Le 1991 arbore une couleur pâle et aqueuse, et exhale un vague bouquet mou de fruits rouges terreux et d'épices. Peu profond, il se montre tannique et acide en fin de bouche.

Avec sa robe rubis moyen, le 1992 a un nez fermé, presque inexistant, qui offre avec réticence quelques senteurs de bois vert et d'herbes sèches et rances. Compact, sévère et sans charme aucun, ce vin aux tannins abominablement durs ne possède que peu de fruité et aucune qualité qui puisse le racheter.

Le 1993 exhale un nez fugitif de terre et de terroir vaguement marqué de notes de groseille, qui s'atténue rapidement dans le verre. De couleur rubis foncé, avec des arômes herbacés d'olive et de poivre vert, il est légèrement corsé et très tannique, avec une finale de moyenne tenue. **A boire dans les 4 à 6 ans.**

Le 1994, de couleur moins soutenue que le 1993, semble dépouillé et maigre, avec un caractère creux et une finale toute boisée, tannique, acide et alcoolique. Je ne crois pas que ce vin sorte jamais de sa léthargie.

Le 1995, légèrement corsé et de couleur rubis moyennement foncé, a, depuis que je l'ai goûté en mars 1996, beaucoup perdu du gras de sa petite enfance. Il affiche un niveau bien trop élevé de tannins pour son fruité, et je ne pense pas qu'il puisse s'améliorer.

MALESCASSE (HAUT-MÉDOC)**

6, chemin du Moulin-Rose – 33460 Lamarque
Tél. 05 56 73 15 20 – Fax 05 56 59 64 72
Contact : François Peyran

1993	C 86

Depuis que M. Gaudin, ancien maître de chais de Pichon-Lalande, a pris ses quartiers à Malescasse, les vins de cette propriété ont, entre ses mains magiques, perdu leur style anguleux et rugueux. Dans un millésime incontestablement austère comme 1993, ils se montrent même ronds, généreux et expansifs, avec un fruité mûr et doux marqué par le cassis. On distingue en finale des tannins bien fondus. **A boire dans les 5 à 7 ans.**

MALESCOT-SAINT-EXUPÉRY (MARGAUX)**

33460 Margaux
Tél. 05 57 88 70 68 – Fax 05 57 88 35 80
Contact : Jean-Luc Zuger

1995	C 89-91
1994	C 87+
1993	C 85
1992	C 82
1991	C 84

Cette propriété, qui s'est révélée plus sérieuse ces dernières années, a produit un beau 1991, herbacé et moyennement doté, aux arômes fruités, qui donne une impression d'élégance et se montre immédiatement séduisant. **A boire dans les 3 ou 4 ans.**

Le 1992, légèrement corsé, présente un nez herbacé de groseille et de chêne, et déploie une finale très marquée par des tannins rugueux. Sa grâce et son fruité me conduisent à penser qu'il sera à son meilleur niveau jusqu'à 6 ou 7 ans d'âge.

Moyennement corsé et de couleur rubis foncé, le 1993 demeure, malgré de légères notes de poivre vert, élégant et séduisant, manquant peut-être d'ampleur, mais bien équilibré et charmeur. **A boire dans les 7 ou 8 ans.**

Le 1994, de couleur rubis foncé, offre au nez de séduisants arômes herbacés et vanillés de groseille. Mais, à mon avis, sa véritable séduction réside dans le caractère richement fruité et merveilleusement pur qu'il dévoile par paliers. Ce n'est pas un vin énorme, mais il est intense, gracieux et bien équilibré, avec une capacité impressionnante à parfaitement se développer au terme de cinq à dix minutes d'aération. Cette réussite racée pourrait bien mériter une note supérieure, si son caractère herbacé se transformait en notes de cèdre après un vieillissement de 3 ou 4 ans en bouteille. **A maturité : 2001-2016.**

Le 1995 est le meilleur vin produit à la propriété depuis le grandiose 1961. Sa robe opaque, de couleur pourpre, prélude à un nez parfumé de cerise noire mêlé de belles notes de chêne grillé et épicé. Moyennement corsé et richement extrait, il montre également une belle précision tant dans les arômes que dans le dessin. Ce vin bien fait pourrait se conserver **15 à 20 ans.** Impressionnant !

LES GLOIRES DU PASSÉ : 1961 (92), 1959 (90).

LES MÉDIOCRITÉS (OU PIRE) DU PASSÉ : 1986 (82), 1985 (74), 1983 (83), 1981 (78), 1978 (78), 1975 (76), 1966 (67).

MARBUZET (SAINT-ESTÈPHE)**/***

33180 Saint-Estèphe
Contact : Château Cos d'Estournel
Tél. 05 56 73 15 50 – Fax 05 56 59 72 59

1992	B	81
1991	B	84

En 1991, le second vin de Cos d'Estournel se montre plaisant et doux, avec un fruité herbacé et poivré, et sans tannins apparents. Ce vin moyennement corsé, mûr et velouté se dégustera au meilleur de sa forme au cours des **2 prochaines années.**

Le 1992 est également doux et agréable, mais moins concentré, et présente une finale courte. Il sera cependant bon à boire dans les **3 ou 4 prochaines années.**

CHÂTEAU MARGAUX (MARGAUX)*****

33460 Margaux
Tél. 05 57 88 83 83 – Fax 05 57 88 31 32
Contact : Paul Pontallier

1995	D	93-96
1995 Pavillon Rouge	?	89-91
1994	D	92
1993	D	89
1992	D	89
1991	D	88

De tous les premiers crus du Bordelais (et même des huit grands), seuls Haut-Brion et Margaux produisent très régulièrement, depuis 1988, des vins d'excellente, voire de superbe tenue. La constance merveilleuse du Château Margaux est bien illustrée par les 1993, 1994 et 1995.

Le 1991 de Margaux pourrait s'imposer comme l'un des vins les mieux réussis de ce millésime. Il arbore une robe rubis profond et dégage un nez serré, mais prometteur, de cassis, de réglisse et de chêne neuf et grillé. Assez corsé et dense, il est aussi d'une belle profondeur et déploie, outre des tannins modérés, une finale longue et riche. **A maturité : jusqu'en 2007.**

Plus ample et plus puissant que le 1987, le 1992 se rapprocherait plutôt du 1988, avec sa robe impressionnante et soutenue de couleur rubis-pourpre foncé et son nez très aromatique de cassis, de vanille et de senteurs florales. Soyeux et souple, merveilleusement mûr et séduisant, ce vin moyennement corsé, à l'acidité faible, est légèrement tannique en fin de bouche. Certains commentateurs lui attribueront sans aucun doute une meilleure note que celle-ci, compte tenu de son élégance et du généreux fruité qu'il libère en bouche par paliers. D'ores et déjà très agréable, cet impressionnant 1992 sera superbe au cours des 10 à 15 **prochaines années.**

L'excellente robe rubis-pourpre foncé du 1993 ouvre sur de doux arômes de fumé et de cassis. Suit un vin rond, généreux, sensuel et séduisant, qui n'est cependant pas suffisamment long en bouche pour que je puisse lui attribuer une note extraordinaire. Mais je ne serais pas surpris qu'il développe davantage de persistance au terme d'un vieillissement supplémentaire de 2 ou 3 ans en bouteille. Dégustez ce Margaux joliment fait, élégant et riche, dans les **15 ans, voire au-delà.**

En septembre 1996, Château Margaux était la toute dernière propriété du Bordelais à mettre son 1994 en bouteille, dans l'espoir de voir s'adoucir, par un séjour prolongé en fût, les tannins abondants et durs qui sont la marque du millésime. Ce vin se révèle désormais comme un Margaux classique et de longue garde, à la robe opaque de couleur pourpre, qui déploie les légendaires arômes de fleurs, de cassis, de réglisse et de chêne fumé caractéristiques de ce cru. Il s'agit d'un véritable vin de garde, dense, puissant et fermé, que vous attendrez au moins 8 ans avant de déguster, et qui se conservera parfaitement 25 à 35 ans. Il rappelle un peu le 1988, mais en plus mûr et en plus puissant. **A maturité : 2005-2030.**

Le 1995, qui s'est étoffé depuis que je l'ai dégusté pour la première fois en 1996, a gagné en intensité, tout en développant de stupéfiants arômes. C'est un Margaux sensationnel, qui a incontestablement sa place aux côtés des vins grandioses produits à la propriété sous la houlette de la famille Mentzelopoulos. Je doute qu'il puisse rivaliser avec le 1990, le 1986, le 1983 ou le 1982, mais il est majestueux et talonne ces grands classiques. Une robe opaque de couleur pourpre précède un nez fabuleusement doux de fruits noirs, de réglisse et de fumé marqué des notes florales caractéristiques de ce cru. On décèle encore en bouche des arômes très présents et d'une intensité merveilleuse, de généreuses notes de fruits noirs, un caractère bien corsé, ainsi qu'un boisé, une acidité et des tannins bien fondus dans l'ensemble. Sans être aussi crémeux ni aussi flatteur que le 1990, sans se montrer aussi peu évolué ni aussi tannique que le 1986, ce 1995 s'est développé de manière spectaculaire en fût. **A maturité : 2005-2025.**

Quant au Pavillon Rouge Margaux 1995, il est extraordinairement bon – c'est peut-être même le meilleur second vin qui soit de cette propriété. Il arbore une robe rubis-pourpre foncé, se révèle sensuel et opulent en bouche, d'une pureté fabuleuse, avec un très beau fruité. Incontestablement séduisant et soyeux en bouche, il comprend une forte proportion de merlot (déclassé et non utilisé dans le grand vin). **A boire dans les 10 ans.**

LES GLOIRES DU PASSÉ : 1990 (100), 1989 (90), 1986 (96+), 1985 (95), 1983 (96), 1982 (99), 1981 (90), 1979 (92), 1978 (94), 1961 (93), 1953 (98), 1947 (92), 1945 (94), 1928 (98), 1900 (100).

LES MÉDIOCRITÉS (OU PIRE) DU PASSÉ : 1976 (70), 1975 (68), 1971 (70), 1966 (83), 1964 (78).

MARJOSSE (BORDEAUX)**/***

33420 Tizac-de-Curton
Tél. 05 57 74 94 66 – Fax 05 57 84 64 61
Contact : Pierre Lurton

1992	A	85

Le 1992 de Marjosse est un bordeaux générique à prix tout à fait accessible, qui s'impose comme l'une des révélations de cette année assez moyenne. Mûr, fruité et souple, il est d'une pureté admirable, et déploie des quantités généreuses d'un fruité délicieux et crémeux. **A boire dans les 2 ans.**

MARQUIS DE TERME (MARGAUX)***

BP 11 – 33460 Margaux
Tél. 05 57 88 30 01 – Fax 05 57 88 32 51
Contact : Jean-Pierre Hugon

1993	C	81
1992	C	76
1991	C	74

Cette propriété donne de temps à autre des vins étonnamment réussis ; malheureusement, les 1991, 1992 et même 1993 ne sont pas au nombre de ceux-là.

Légèrement corsé, court et compact, le 1991 est inintéressant et montre des signes patents de dilution. D'une couleur rubis moyen, avec un nez de bois, de terre poussiéreuse et d'herbes, ce vin légèrement corsé, mou et sans structure devrait être consommé d'ici 3 ou 4 ans.

Le 1992, d'un rubis moyennement foncé, déploie au nez de séduisantes senteurs de fruits rouges et d'herbes. Celles-ci sont cependant assez fugitives, laissant rapidement la place à une véritable coquille d'acidité et de tannins.

Moyennement corsé, de couleur foncée et concentrée, le 1993 n'échappe pas à l'inconvénient du millésime, se montrant compact et trop tannique en bouche. Cependant, il possède quelques qualités (maturité, richesse en extrait et pureté) qui donnent à penser qu'il pourrait tenir environ **10 ans.**

MARTINENS (MARGAUX)**

Rue Martinens – Cantenac – 33460 Margaux
Tél. 05 57 88 71 37

| 1993 | | B 75 |

Légèrement corsé, ce vin creux, d'un rubis moyen, présente des arômes mous de fruits rouges, des tannins excessifs et des touches herbacées sousjacentes. **A boire d'ici 6 ou 7 ans.**

MAZERIS (CANON-FRONSAC)***

33126 Saint-Michel-de-Fronsac
Tél. 05 57 24 96 93 – Fax 05 57 24 98 25
Contact : Patrick de Cournuaud

| 1993 | | B 85 |
| 1992 | | B 82 |

Le 1992 de Mazeris est rubis foncé, avec un nez serré, mais agréable, de pierre mouillée, d'herbes et de fruits rouges. Ferme et tannique, il révèle une douceur et un bon fruité sous-jacents, ressemblant un peu à un Médoc. Il sera plaisant à déguster dans les **prochaines années,** mais se montrera toujours assez serré.

Le 1993, moyennement corsé, est tannique, mais doux et mûr, assez concentré, avec un caractère compact et austère. Profond et complexe, il tiendra encore **10 ans, voire plus.**

MAZEYRES (POMEROL)**

33500 Pomerol
Contact : Alain Moueix – 56, avenue Georges-Pompidou – 33500 Libourne
Tél. 05 57 51 00 48 – Fax 05 57 25 22 56

| 1993 | | B 79 |

Ce château produit des vins légèrement corsés et agréables, qui doivent normalement être consommés sur les 4 ou 5 ans suivant le millésime. Vous boirez ce 1993, doux et fruité, **avant la fin de ce siècle.**

MEYNEY (SAINT-ESTÈPHE)***

33180 Saint-Estèphe
Contact : Domaines Cordier – 53, rue du Dehez – 33290 Blanquefort
Tél. 05 56 95 53 00 – Fax 05 56 95 53 01

| 1993 | | B 77 |
| 1992 | | B 81 |

Moyennement corsé, doté d'une robe rubis foncé, le 1992 de Meyney déploie une bonne acidité, mais une finale rugueuse, trop marquée par des tannins abondants. Bien qu'il soit meilleur que la plupart des vins de cette année, cet aspect tannique ne préfigure pas une évolution gracieuse.

Cette propriété, dont les vins sont d'un niveau bien plus élevé que celui auquel on pourrait s'attendre, a malheureusement donné un 1993 des plus médiocres. De couleur rubis foncé, il se montre dur, avec des tannins trop abondants pour son fruité maigre. Il est aussi compact et comprimé, manquant de charme et de maturité.

LES GLOIRES DU PASSÉ : 1986 (91), 1982 (90), 1975 (90).

LA MISSION-HAUT-BRION (GRAVES)*****

SA Domaine de Clarence Dillon
BP 24 – 133, avenue Jean-Jaurès – 33600 Pessac
Tél. 05 56 00 29 30 – Fax 05 56 98 75 14
Contact : Jean-Bernard Delmas ou Carla Kuhn

1995	D	90-92+
1994	D	91
1993	D	90
1992	D	89
1991	D	87

Le 1991 de La Mission est un vin très réussi, à la robe rubis profond et au nez très aromatique de fumé, de minéral et de fruits rouges. Suave, élégant et riche, avec des flaveurs harmonieuses bien accompagnées par un gras remarquable, il se montre long, moyennement corsé et bien équilibré. Tout à fait mûr, goûteux et aromatique, ce vin précoce est d'une excellente tenue pour le millésime. **A boire dans les 6 à 10 ans.**

De couleur rubis foncé, avec un nez intense de cassis, de minéral et de fleurs, le 1992 libère en bouche des arômes souples et moyennement corsés qui se déploient en cascade. Doux et opulent, il est très gras, et présente une finale somptueuse et vigoureusement alcoolique. Ce vin, auquel j'attribuerai peut-être une meilleure note dans l'avenir, est à déguster dans le courant des **10 prochaines années.**

La Mission-Haut-Brion 1993 est l'un des vins les plus prometteurs de l'année, et Jean-Bernard Delmas peut, à juste raison, être fier des résultats qu'il a obtenus sur les trois propriétés qu'il gère (Haut-Brion, La Mission-Haut-Brion et La Tour-Haut-Brion) dans ce millésime grandement compromis par les pluies. La robe profonde, de couleur rubis-pourpre, de ce grand Graves prélude à un nez provocateur de cassis, de minéral, de fumé et de chêne doux. Moyennement corsé, avec des tannins étonnamment souples, il est élégant et riche en bouche. Il s'agit d'un vin complexe et pur, dénué de tout caractère végétal ou astringent, que vous pourrez déguster pour votre plus grand plaisir, malgré sa finale quelque peu tannique. **A maturité : 1999-2010.**

Le 1994 est extraordinaire, étonnamment évolué et velouté, avec une couleur pourpre foncé qui laisse deviner une très grande richesse en extrait. Son nez très aromatique, aux notes de fumé, de tabac, de cuir, d'herbes rôties et de cassis, est absolument renversant. Il se révèle voluptueux, rond et moyennement corsé en bouche, débordant littéralement de fruité, de glycérine, de complexité et de charme. Ce vin intensément parfumé est extrêmement ouvert, du moins pour l'instant. **A maturité : 1999-2015.**

Je n'étais pas convaincu, en le dégustant en mars 1996, que le 1995 de La Mission puisse être meilleur que son aîné d'un an. Mais il révèle, après un vieillissement supplémentaire de neuf mois en fût, un fruité plus riche, plus mûr, plus puissant et plus doux, ainsi qu'un caractère plus glycériné et plus corsé. Sa couleur sombre et soutenue ouvre sur de doux arômes de terre, mais ce vin n'a pas encore développé ces notes de fumé, de tabac et d'herbes rôties qui ajoutent à la complexité des grands Graves. Intense et très corsé, avec une faible acidité et une bonne mâche en bouche, il s'impose comme une réussite de premier ordre pour cette propriété, talonnant le profond 1989 et le superbe 1990. **A maturité : 2000-2020.**

LES GLOIRES DU PASSÉ : 1990 (92), 1989 (99), 1988 (90), 1986 (90), 1985 (94), 1983 (90), 1982 (95), 1981 (90), 1979 (91), 1978 (94), 1975 (100), 1970 (94 ?), 1966 (89), 1964 (91), 1961 (100), 1959 (100), 1958 (94), 1957 (93), 1955 (100), 1953 (93), 1952 (93), 1950 (95), 1949 (100), 1948 (93), 1947 (95), 1946 (90), 1945 (94), 1937 (88), 1929 (97), 1928 (98).

LES MÉDIOCRITÉS (OU PIRE) DU PASSÉ : on n'en dénombre aucune, même si le 1976 se révèle décevant et si plusieurs bouteilles de 1970 sont desservies par un excès d'acidité volatile.

MONBOUSQUET (SAINT-ÉMILION)****

42, avenue Saint-Émilion – 33330 Saint-Sulpice-de-Faleyrens
Tél. 05 57 24 67 19 – Fax 05 57 74 41 29
Contact : Gérard Perse

1995	D-E	91-93
1994	D	90
1993	D	89

Ce n'est un secret pour personne que Monbousquet affiche des standards de qualité de plus en plus élevés, sous la houlette de son nouveau propriétaire, jeune et passionné. Les millésimes récents s'imposent de fait comme les meilleurs vins que je connaisse du domaine. Les rendements y sont généralement très tenus (de l'ordre de 30 hl/ha, voire moins en 1994 et 1995), et, à l'instar d'autres châteaux du Saint-Émilionnais – comme Angélus, Valandraud et Troplong-Mondot –, Monbousquet n'opère ni collage ni filtration avant la mise en bouteille.

Le 1993 est l'une des révélations du millésime. Généreusement boisé, avec une robe dense de couleur pourpre, il exhale de beaux et doux arômes de cerise noire et de cassis mêlés de senteurs de fumé et de chêne neuf. Très richement extrait et tout en rondeur, il est gras, bien glycériné, pur et de bonne mâche en bouche. **A boire dans les 10 à 12 ans.**

La robe opaque, de couleur pourpre, du 1994 introduit un nez serré, mais prometteur, de confiture de cerise, de cassis, d'herbes fumées et de viande grillée. Moyennement corsé, dense et de bonne mâche, il déploie les tannins rugueux qui sont la marque du millésime, mais son fruité, sa richesse en extrait et son caractère glycériné sont parfaitement aptes à contrebalancer sa structure. Ce vin requiert une garde de 2 ou 3 ans, mais promet de bien se conserver 15 ans.

Le 1995 serait-il le meilleur Monbousquet élaboré à ce jour ? Issu de rendements de 25 hl/ha, il arbore une robe opaque de couleur pourpre-noir semblable à de l'encre, et dégage un nez absolument renversant de fumé, de réglisse et d'épices orientales aux généreuses notes de fruits noirs. Très corsé, merveilleusement dense et de bonne mâche en bouche, il révèle une texture ample, qui accompagne un fruité doux et sous-jacent, déployant par paliers sa superbe concentration et son caractère net et bien sculpté. Monbousquet, un nom à retenir ! **A maturité : 2002-2018.**

MONBRISON (MARGAUX)***

33460 Arsac
Tél. 05 56 58 80 04 – Fax 05 56 58 85 33
Contact : Laurent Van der Heyden

1995	C	84-85
1994	C	76
1993	C	79
1992	C	74
1991	C	85

Le 1991 de Monbrison est d'une très bonne tenue pour le millésime. Sa couleur superbe introduit un nez épicé de chêne neuf et grillé, ainsi qu'un fruité très mûr. Moyennement corsé, il déploie une finale compacte mais très aromatique. **A boire dans les 3 ou 4 ans.**

Quant au 1992, il s'agit du vin le plus décevant qui ait été fait à la propriété depuis plus d'une décennie. Maigre, court et boisé, excessivement tannique et trop marqué par le chêne, il manque de concentration, et il y a fort à parier qu'avec le temps ces défauts ne feront que s'accentuer. Il doit donc être consommé dans les **toutes prochaines années.**

Malgré son caractère quelque peu herbacé, le 1993 de Monbrison se révèle doux, épicé et moyennement corsé, avec des arômes mesurés et éthérés, tout en finesse et en élégance. **A boire dans les 3 ou 4 ans.**

Le 1994 est rugueux, maigre et tannique, et manque de charme. Il y a peu d'espoir que son fruité puisse un jour dominer ses tannins.

Le 1995, de couleur rubis foncé, est correctement fait, moyennement corsé et élégant, avec un fruité doux, dans un ensemble mesuré et policé. **A maturité : 2000-2006.**

MONTROSE (SAINT-ESTÈPHE)****/*****

33180 Saint-Estèphe
Tél. 05 56 59 30 12 – Fax 05 56 59 38 48
Contact : Jean-Louis Charmolüe ou Bruno Lemoine

1995	C	90-92
1994	C	91

1993	C 87
1992	C 87
1991	C 88

Montrose s'impose comme l'une des propriétés les plus régulièrement performantes du Bordelais depuis 1989.

C'est l'appellation Saint-Estèphe qui a connu le plus de succès en 1991, très certainement parce que les gelées meurtrières du printemps ont épargné les fruits de la première génération dans les vignobles du nord du Médoc. Ainsi, la récolte de Montrose fut cette année-là proche de la normale, donnant l'un des vins les mieux réussis du millésime. Cela étant, il n'arrive pas à la cheville des 1989 et 1990 – absolument féeriques – de la propriété, mais il est tout de même de meilleur niveau que le 1988. Arborant une robe très soutenue et très foncée qui figure parmi les plus opaques en 1991, il exhale un nez serré, mais prometteur, de framboise sauvage douce et confiturée et de minéral, ainsi que de subtils arômes de chêne neuf. Assez corsé et très tannique, il est d'une maturité admirable, déployant son fruité par couches. Cet excellent vin devrait atteindre son apogée d'ici 5 ou 6 ans, et son potentiel de garde est de **presque 20 ans.**

Le 1992 arbore une robe rubis foncé et déploie un bouquet serré, mais prometteur, de réglisse, de cassis et de minéral. Moyennement corsé, il présente en bouche un fruité séduisant, doux et riche, marqué par le cassis et par des tannins modérés. Il révèle également une concentration et une maturité d'excellent niveau, mais requiert une garde supplémentaire de 2 ou 4 ans. Il s'agit d'un des rares 1992 qui possèdent suffisamment de fruit pour contrebalancer leurs tannins sur **10 à 12 ans** encore.

Le 1993, de couleur rubis foncé, présente un nez de viande grillée, de poivre, d'épices et de fruits noirs. Moyennement corsé, il étonne par le fruité doux et la souplesse qu'il déploie en bouche, où il se révèle modérément tannique, avec un caractère ferme, concentré et bien équilibré. Il se bonifiera au terme d'une garde de 2 à 4 ans, et se conservera bien sur **les 15 prochaines années** (il s'agit probablement d'une des plus longues gardes du millésime).

La robe opaque, de couleur pourpre, du 1994 laisse deviner un vin d'une intensité considérable – l'un des mieux réussis du nord du Médoc. Il exhale un nez fermé de fruits noirs confiturés, de prune, d'épices et de terre, manifeste en bouche une pureté et une richesse en extrait stupéfiantes, et déploie un abondant fruité de cassis joliment équilibré par des tannins mûrs, mais d'un niveau modéré. Ce Montrose impressionnant, moyennement corsé et d'une excellente, voire d'une extraordinaire concentration, devrait atteindre la pointe de sa maturité d'ici 4 ou 5 ans. **A maturité : 2002-2020.**

Le 1995 s'est étoffé ; il présente maintenant un caractère plus concentré et plus précis que lorsque je l'avais dégusté en mars 1996. Surpassera-t-il le 1994, grandement réussi ? Outre sa robe opaque de couleur pourpre, il déploie des arômes de framboise sauvage, de myrtille et de cassis, et se révèle assez corsé en bouche, d'une richesse exceptionnelle, avec une faible acidité, un niveau de tannins modéré et un caractère ample et de bonne mâche. Ses tannins commenceront à se fondre dans 5 ou 6 ans, et son potentiel de garde est de **20 ans environ.**

LES GLOIRES DU PASSÉ : 1990 (100), 1989 (95), 1986 (91), 1982 (89), 1970 (94), 1964 (92), 1961 (95), 1959 (95), 1955 (90), 1953 (93).

LES MÉDIOCRITÉS (OU PIRE) DU PASSÉ : 1988 (83), 1985 (85), 1983 (83), 1981 (84), 1979 (82), 1978 (84).

MONTVIEL (POMEROL)**

1, rue du Grand-Moulinet – 33500 Pomerol
Tél. 05 57 51 87 92 – Fax 03 21 95 47 74
Contact : Jean-Marie Bouldy
Tél. 05 57 51 20 47 – Fax 05 57 51 23 14

1993	B 81

Ce vin doux, agréable et sans détour est légèrement corsé, offre des arômes épicés et de fruits rouges, ainsi qu'une finale compacte. **A boire d'ici 3 ou 4 ans.**

MOULIN DU CADET (SAINT-ÉMILION)**

Établissements Jean-Pierre Moueix
54, quai du Priourat – BP 129 – 33500 Libourne
Tél. 05 57 51 78 96 – Fax 05 57 51 79 79
Contact : Frédéric Lospied
Visites réservées aux professionnels

1993	C 86

Si vous cherchez un 1993 opulent et voluptueux, au fruité charnu et succulent marqué par la mâche, tournez-vous vers le 1993 du Moulin du Cadet. Moyennement corsé, mûr et fruité, avec une faible acidité, il est idéal pour les adeptes du plaisir immédiat.

MOULIN-PEY-LABRIE (CANON-FRONSAC)***/****

33126 Fronsac
Tél. 05 57 51 14 37 – Fax 05 57 51 53 45
Contact : Grégoire Hubau

1993	B 85
1992	B 85

Moulin-Pey-Labrie est l'une des propriétés les mieux tenues de son appellation ; il n'est donc pas surprenant qu'il ait donné en 1992 un vin doux, bien fruité et d'une belle richesse en extrait. Moyennement corsé et bien coloré, il est charmeur et sans détour, se montrant mûr et fin. **A boire dans les 4 ou 5 ans.**

Le 1993 devrait s'imposer parmi les meilleurs Fronsac et Canon-Fronsac. Comme beaucoup de ses homologues de ces deux belles régions pastorales des environs de Libourne, il est moyennement corsé, offre de doux arômes

de groseille et révèle une belle concentration. Ses tannins sont fermes, mais pas agressifs. **A boire dans les 10 ans.**
Note : Moulin-Pey-Labrie n'a pas diffusé de 1991 sous son étiquette.

MOUTON-ROTHSCHILD (PAUILLAC)*****

Château Mouton-Rothschild – 33250 Pauillac
Tél. 05 56 73 21 29 – Fax 05 56 73 21 28
Contact : Marie-Françoise Parinet

Année		Note
1995	E	95-97+
1994	E	91+
1993	E	90
1992	E	88
1991	E	86+

Après deux performances peu convaincantes en 1989 et 1990 (pourtant deux années grandioses), Mouton-Rothschild semble à nouveau sur les rails et a bien réussi récemment, notamment avec un 1995 énorme, prometteur et incontestablement profond.

Arborant une robe moyennement foncée de couleur rubis-pourpre, le Mouton-Rothschild 1991 déploie un nez prometteur et complexe, typiquement Pauillac, avec des arômes de crayon, de noix grillée et de cassis mûr. La richesse initialement perçue en bouche est vite submergée par des tannins excessivement abondants, et par une finale dure et rugueuse. Bien qu'il soit intéressant et avenant par certains côtés, ce vin est bien trop tannique – il se desséchera vraisemblablement au terme d'une garde de 10 à 15 ans. Les amateurs de vins austères et peu fruités lui attribueront certainement une meilleure note.

Moyennement corsé, le 1992 se montre flatteur et opulent, avec une couleur rubis-pourpre foncé et un nez énorme et très aromatique de cassis confituré, de chêne fumé, d'herbes et de noix grillée. En milieu de bouche, il se révèle doux et ample, et sa finale est généreuse et veloutée. Un Mouton ostentatoire et tapageur, à boire dans le courant de **la prochaine décennie.**

Le 1993 de Mouton-Rothschild s'impose comme une révélation du millésime. Sa robe pourpre foncé précède un nez tout juste naissant aux arômes de cassis, de pain et de noix grillés. Suit un vin qui, tout en ne présentant pas en bouche la corpulence ni l'ampleur de millésimes comme 1989 ou 1990, déploie tout de même, outre un fruité riche et une pureté douce et mûre, un caractère moyennement corsé et un équilibre extraordinaire. Il est modérément tannique, étonnamment doté et d'une belle précision dans le dessin. **A maturité : 2004-2015.**

Le 1994 me semble le meilleur Mouton-Rothschild qui soit après le 1986 et avant la conception du 1995. Avec sa robe dense et soutenue de couleur pourpre, il exhale le nez classique de ce cru, aux doux arômes de fruits noirs mêlés de notes de fumé, de pain grillé, d'épices et de cèdre. Moyennement corsé et extraordinairement concentré, il se dévoile en bouche par paliers, déployant d'abondants tannins et un fruité riche et bien doté – un vin semblable au 1988. **A maturité : 2005-2025.** Vous noterez, en passant, que l'artiste néerlandais Appel a créé une étiquette fabuleuse pour habiller les bouteilles de ce millésime.

Le 1995 est l'une des plus belles réussites de la propriété. D'une couleur pourpre semblable à de l'encre, il exhale un nez puissant et massif, aux arômes explosifs de cassis confituré mêlés de notes de chêne neuf et grillé, de minéral et d'épices. Ce vin se dévoile en bouche par paliers, et se montre très glycériné et d'une belle persistance, avec une profondeur et une richesse extraordinaires. Il s'agit incontestablement du meilleur Mouton-Rothschild depuis le 1986, mais il est plus précoce que ce dernier vin. Ses tannins formidables, alliés à sa faible acidité et à son généreux fruité, laissent deviner qu'il sera accessible dès qu'il sera en bouteille, mais je m'attends qu'il se referme 6 ou 7 ans après la mise pour se réouvrir seulement au terme d'un vieillissement de 15 à 20 ans (comme le font, d'ailleurs, tous les vins de la propriété). **A maturité : 2005-2030.** Bien que Mouton-Rothschild soit l'un des premiers crus les plus irréguliers, il donne, lorsqu'il décroche la timbale, des vins qui comptent au nombre des plus irrésistibles du Bordelais.

LES GLOIRES DU PASSÉ : 1986 (100), 1985 (91), 1983 (90), 1982 (100), 1970 (92 ?), 1966 (90), 1962 (92), 1961 (98), 1959 (100), 1955 (97), 1953 (95), 1952 (87), 1949 (94), 1947 (97), 1945 (100).

LES MÉDIOCRITÉS (OU PIRE) DU PASSÉ : 1981 (83), 1979 (84), 1978 (86).

NENIN (POMEROL)**/***

Catusseau – 33500 Pomerol
Tél. 05 57 51 00 01 – Fax 05 57 51 77 47
Contact : François Despujol

1995	C	85-87
1994	C	86-88
1993	C	86 ?

Si le Château Nenin a longtemps végété à un niveau de qualité assez piètre, il s'est récemment relevé avec des vins de bien meilleure tenue.

Le 1993 présente une couleur rubis-pourpre foncé très saine, et dégage un nez doux de framboise sauvage et de cerise. Moyennement corsé, il révèle en finale des tannins fermes. Si l'un des échantillons que j'ai dégustés déployait un nez marqué par des arômes de bois moisi, les autres, en revanche, étaient sains, purs et mûrs, et montraient un bon potentiel. Comme beaucoup d'autres vins de ce millésime, le 1993 de Nenin se bonifiera au terme de quelques années de garde et tiendra **10 à 15 ans.**

L'excellent 1994 me semble le meilleur Nenin de ces vingt dernières années. Rubis foncé, il est sans détour, souple et bien mûr, avec des tannins doux, et un caractère soyeux et caressant – qu'il tient du merlot. Ce vin déjà agréable tiendra encore **4 ou 5 ans.**

D'un resplendissant rubis moyennement foncé, le 1995 déploie d'abondants et doux arômes de cerise et de prune. Modérément corsé et faible en acidité, il se montre séduisant et souple, tant en milieu de bouche qu'en finale. **A boire dans les 3 ou 4 ans.**

OLIVIER (GRAVES)**

33850 Léognan
Tél. 05 56 64 73 31 – Fax 05 56 64 54 23
Contact : Jean-Jacques de Bethmann

1995	C	78-82
1994	B	71
1993	B	74
1992	C	75
1991	C	85

Cette propriété a tendance à produire des vins d'une couleur dense, bien trop marqués par des arômes de fumé et de bois neuf par rapport à leur maigreur.

Compte tenu du niveau général assez moyen du millésime 1991, le Château Olivier a réussi une performance assez méritoire. Son 1991 est en effet d'une couleur rubis profond, avec un nez ouvert et accessible aux arômes d'herbes, de tabac, d'épices et de groseille. De généreuses touches de chêne neuf le font paraître bien évolué, sensuel et attirant, et, une fois passé ces senteurs boisées, on décèle dans ce vin moyennement corsé, doux et velouté un fruité riche et séduisant, et beaucoup de charme. **A boire dans les 3 ou 4 ans.**

Malgré sa couleur impressionnante et profonde, et son bouquet épicé de chêne, le 1992 n'a ni le fruité, ni la concentration, ni la longueur du 1991. En bouche, son caractère creux devient plus évident. **A boire d'ici 2 ans.**

Le 1993 présente une bonne couleur rubis moyennement foncé, mais offre des arômes épicés aux notes herbacées et végétales très prononcées, ainsi qu'un maigre fruité. Vous boirez ce Graves simple, aqueux, légèrement corsé, mais plaisant, dans les **3 ou 4 ans.**

La robe du 1994, de couleur rubis moyennement foncé, est aqueuse sur le bord, et son nez, aux vagues arômes de fruits rouges, est fortement herbacé et végétal. Très atténué et excessivement tannique, ce vin, néanmoins épicé et boisé, n'a ni le fruité ni la concentration nécessaires pour contrebalancer sa structure.

Le 1995 libère un nez tout en notes de fumé et de boisé. On décèle, certes, un peu de fruité au palais, mais ce vin maigre, dur et compact ne compte pas parmi les plus belles réussites du millésime. Fera-t-il preuve d'un caractère plus gras et plus charnu après la mise en bouteille ?

LES ORMES DE PEZ (SAINT-ESTÈPHE)***

Château Lynch-Bages – 33250 Pauillac
Tél. 05 56 73 24 00 – Fax 05 56 59 26 42
Contact : Jean-Michel Cazes ou Daniel Llose

1995	B	84-85
1994	B	?
1993	B	82

1992	B	85
1991	B	81

Les consommateurs dotés d'un certain bon sens réaliseront que ce vin, proposé à des prix très raisonnables, représente souvent une excellente affaire.

Le 1991, avec son fruité herbacé et épicé, est d'une profondeur supérieure à la moyenne pour le millésime. Ce vin possède un bon niveau de tannins, et déploie une finale nette et unidimensionnelle. **A boire dans les 4 à 6 ans.**

Le 1992 est d'un excellent rapport qualité/prix. De couleur rubis foncé, il libère de délicieux arômes de fruits rouges et mûrs, et présente une finale assez tannique. Moyennement corsé, il révèle de la mâche, ainsi qu'un fruité et une souplesse d'excellente qualité. J'ai peut-être un peu sous-noté ce vin... **A boire dans les 6 ou 7 ans.**

La couleur rubis foncé du 1993 précède des arômes de poivron vert et de cassis. Suit un vin élégant, doux, mûr et moyennement corsé, que vous dégusterez dans les **4 ou 5 ans.**

Deux bouteilles de 1994 révélaient un étrange caractère de moisi que pour l'heure j'attribue à des bouchons défectueux. Je pense regoûter ce vin d'ici quelques mois.

Le 1995 présente une robe rubis foncé aux nuances pourpres ainsi qu'un fruité doux et sans détour, mais il donne l'impresssion d'un vin maquillé et élaboré dans un style unidimensionnel. Bien que fruité et doux, il est plus léger que les vins issus de la propriété dans les années 80. **A boire dans les 7 ou 8 ans.**

LES ORMES-SORBET (MÉDOC)***

33340 Couquèques
Tél. 05 56 41 53 78 – Fax 05 56 41 38 42
Contact : Jean Boivert

1993	B	85
1992	B	85
1991	B	75

Le 1991 est sans détour, austère, et manque de fruité... mais pas de bois neuf.

En raison des prix généralement peu élevés qu'ils pratiquent, les crus bourgeois, qui sont des châteaux de moindre renommée, peuvent difficilement se permettre d'opérer, dans des années difficiles comme 1991, 1992 et 1993, les sélections très strictes qui seules leur permettraient d'élaborer un bon vin. Si ces contraintes leur compliquent les choses dans certains millésimes critiques, on a parfois de belles surprises, comme le 1992 des Ormes-Sorbet. Ce vignoble médocain a donné quelques vins de bonne tenue dans les années récentes, et son 1992 est doux et épicé, avec des arômes de vanilline et de cassis. Moyennement corsé, avec un fruité séduisant, il devra être consommé dans les **2 à 4 ans.** Compte tenu du fait que la majorité des crus bourgeois de 1992 sont décevants, aqueux et/ou par trop tanniques, celui-ci s'impose comme une excellente affaire.

Quant au 1993, il montre bien ce dont cette propriété est capable, dans une année difficile, en pratiquant la sélection nécessaire pour faire une cuvée de bonne qualité. Exhalant des senteurs de chêne grillé et de cerise noire et mûre, ce vin présente une certaine opulence (ce qui est rare pour le millésime), des tannins légers et une finale douce. **A boire dans les 4 ou 5 ans.**

PALMER (MARGAUX)*****

Cantenac – 33460 Margaux
Tél. 05 57 88 72 72 – Fax 05 57 88 37 16

1995	C	90-93
1994	C	86
1993	C	78
1992	C	84 ?
1991	C	87

Le 1991 de Palmer est une réussite remarquable. Sa robe de couleur rubis-pourpre foncé introduit au nez des arômes de fruits noirs et mûrs et de chêne neuf. Moyennement corsé, doux et crémeux en bouche, ce vin d'une grande précision dans le dessin présente un gras remarquable, ainsi qu'une finale opulente, riche et concentrée. Sensuel et séduisant. **A boire dans les 6 à 8 ans.**

Le 1992 présentait au fût plus de concentration et de maturité que maintenant : il est bien évident qu'il a perdu beaucoup de son fruité délicat et de sa finesse lors du collage et de la filtration. De couleur rubis moyen, il dégage un nez agressif de chêne neuf et grillé, de cerise noire et de cassis. Jusque-là, tout va bien, mais, une fois passé ce bouquet charmeur et moyennement intense, on s'aperçoit que ce vin est léger, avec un fruité très dilué, et qu'il manque de concentration. La finale est extrêmement courte. **A boire d'ici 3 ou 4 ans.**

Malgré sa belle robe rubis foncé, le Palmer 1993 se révèle aqueux, dilué et émacié, manquant de profondeur et de corpulence. Les tannins abondants que l'on perçoit dans sa finale le rendront de plus en plus anguleux, et contribueront à le dessécher.

J'avais espéré que le 1994 serait meilleur, mais il est simplement bon et inintéressant. Sa robe rubis moyennement foncé précède des arômes de fruits rouges doux et sans détour, et l'on décèle en bouche un vin modérément corsé, d'une belle concentration et assez tannique, avec une finale courte et épicée. Il est bon, mais décevant pour un Palmer. **A maturité : 1999-2010.**

Le 1995 a bien évolué depuis que je l'ai dégusté pour la première fois, en mars 1996. Sans pour autant être de la qualité d'un 1989 ou d'un 1983, il est beau et convaincant, élégant et moyennement corsé, avec une robe pourpre foncé. Ce vin modérément tannique regorge de généreux et doux arômes de fruits noirs judicieusement infusés de notes de chêne épicé. Il tiendra une vingtaine d'années. **A maturité : 2002-2016.**

LES GLOIRES DU PASSÉ : 1989 (96), 1986 (90), 1983 (97), 1979 (91), 1978 (91), 1975 (90), 1970 (96), 1966 (96), 1961 (99), 1959 (93), 1949 (93), 1945 (97), 1928 (96).

LES MÉDIOCRITÉS (OU PIRE) DU PASSÉ : 1981 (81).

PAPE-CLÉMENT (GRAVES)****

216, avenue du Docteur-Nancel-Pénard – 33600 Pessac
Tél. 05 56 07 04 11 – Fax 05 56 07 36 70
Contact : Bernard Pujol

1995		C	88-90
1994		C	87
1993		C	86
1992		C	83
1991		C	87

Cette propriété produit depuis 1986 des vins qui comptent parmi les plus élégants du Bordelais, avec un profil aromatique des plus complexes. Je suis heureux de constater qu'elle n'a pas flanché en 1991 et en 1992, pas plus qu'en 1993.

Le 1991 est excellent, avec un bouquet intensément odorant de cèdre, de tabac, de fumé et de fruits noirs. Moyennement corsé et d'une belle profondeur, il est merveilleux d'élégance et présente un fruité doux et confituré, ainsi qu'une finale satinée. Impressionnant et admirablement long, il est déjà délicieux et tiendra encore **6 ou 7 ans.**

Malgré sa robe d'un rubis assez léger – ce que l'on pourrait prendre pour un signe de dilution –, le 1992 révèle des arômes complexes de tabac, d'herbes, de cèdre et de fruits noirs et rouges, très typiques de Pape-Clément. Légèrement corsé, avec une faible acidité, ce vin pourtant agréable se montre court, manque de concentration et ne présente aucune des caractéristiques propres à ce cru d'excellente tenue. **A boire dans les 2 ou 3 ans.**

Arborant une robe peu impressionnante d'un rubis moyennement foncé, le 1993 exhale le nez classique des vins des Graves, aux arômes de fruits rouges, de tabac et d'épices vaguement marqués de notes de terre fraîchement remuée et de pierre chaude. Plus léger que le grandiose 1990, il s'inscrit incontestablement dans le style du millésime, en se révélant bien équilibré, avec un doux fruité de groseille et de prune, ainsi qu'une finesse et une élégance d'ensemble indéniables. La finale est douce et ronde. Ce vin est plus plaisant que ne l'indiquent d'emblée mes notes de dégustation. **A boire dans les 7 ou 8 ans.**

Le 1994 présente une robe rubis modérément foncé plus légère que je ne le pensais. Ses arômes de tabac, de minéral et de groseille préludent à un vin moyennement corsé, mesuré et discret, au fruité doux, tout en rondeur et au caractère suave. Un Pape-Clément élégant. **A boire dans les 7 ou 8 ans.**

La robe sombre, de couleur rubis-pourpre, du Pape-Clément 1995 précède un nez doux et mûr de cassis, de terre et de crayon. Ce vin présente à l'attaque en bouche un caractère bien glycériné, et se révèle par la suite moyennement corsé et modérément tannique, produit d'une vinification nette et pure. Il se bonifiera au terme d'une garde de 2 ou 3 ans, et pourrait même se montrer extraordinaire – il me semble néanmoins avoir perdu un peu de son intensité lors de son séjour en fût. Serait-ce une répétition du 1966 ? **A maturité : 2001-2016.**

LES GLOIRES DU PASSÉ : 1990 (93), 1988 (92), 1986 (91), 1961 (93), 1959 (90), 1955 (89).

LES MÉDIOCRITÉS (OU PIRE) DU PASSÉ : 1982 (59), 1981 (65), 1978 (72), 1976 (62).

PATACHE D'AUX (MÉDOC)**/***

33340 Bégadan
Tél. 05 56 41 50 18 – Fax 05 56 41 54 65
Contact : Patrice Ricard

1993	A	85

Moyennement corsé, ce vin fruité et net, aux arômes de groseille, sera agréable sur les 3 à 5 prochaines années.

PAUILLAC (PAUILLAC)**/***

Château Latour – 33250 Pauillac
Tél. 05 56 73 19 80 – Fax 05 56 73 19 81
Contact : Frédéric Engerer, Christian Le Sommer ou Séverine Camus

1993	C	85

Cela fait plusieurs années maintenant que le Château Latour produit un troisième vin sous cette dénomination générique.

Le 1993, à la robe rubis assez foncé, est un vin souple. Bien qu'il n'exprime aucun des caractères propres à Latour, il s'agit d'un bon Pauillac, très accessible, dont il faut souligner qu'il ne possède heureusement pas les tannins très âpres des autres vins de ce millésime. **A boire dans les 5 ou 6 ans.**

PAVIE (SAINT-ÉMILION)***

33330 Saint-Émilion
Tél. 05 57 55 43 43 – Fax 05 57 24 63 99
Contact : Jean-Paul Valette

1995	C	80-83 ?
1994	C	80 ?
1993	C	75
1992	C	78
1991	C	82

Les lecteurs auront peut-être relevé les critiques que j'ai formulées à propos des millésimes récents de cette propriété, compte tenu de leur caractère maigre, austère et dépouillé. Les commentaires qui suivent n'indiquent pas de changement vers un mieux.

Le Château Pavie est l'un des rares premiers grands crus classés de Saint-Émilion à avoir produit un 1991. Si celui-ci n'est pas particulièrement grandiose, sa robe rubis moyen introduit un séduisant nez épicé de cerise et de vanilline. Moyennement corsé et d'une bonne profondeur en bouche, il y déploie des tannins légers. **A boire d'ici 6 ou 7 ans.**

Le 1992 de Pavie est un vin légèrement corsé et compact, auquel ses tannins excessifs confèrent une texture rugueuse et une finale très dure. Son potentiel de garde est de 10 ans, voire plus, mais son fruité n'étant pas suffisant pour étayer sa structure, il est vraisemblable qu'il se desséchera d'ici **4 ou 5 ans.**

Le 1993 de Pavie, de couleur rubis foncé, exhale un nez aux indéfinissables arômes de fruits rouges, de poivron vert et de terre. Il est sinueux, très structuré, dur et astringent, et se desséchera vraisemblablement bien avant que ses tannins ne se fondent.

Le 1994, sévère et légèrement corsé, manque de fruité, de charme et de texture. Les tannins que l'on perçoit dans sa finale sont tels que, très probablement, son fruité ne survivra pas à une garde en cave de 8 à 10 ans.

La robe brillante, de couleur pourpre foncé, du 1995 ne révèle pas l'opacité de celle de la majorité des vins de ce millésime. On distingue au nez quelques arômes de cerise rouge et d'airelle entre des notes de terre, mais ce vin est compact et atténué, bien fait, mais réservé, astringent et tannique. **A maturité : 2002-2012.**

LES GLOIRES DU PASSÉ : 1986 (90), 1983 (88), 1982 (92).

LES MÉDIOCRITÉS (OU PIRE) DU PASSÉ : 1975 (72), 1970 (83).

PAVIE-DECESSE (SAINT-ÉMILION)***

Château Monbousquet – 42, avenue de Saint-Émilion –
33330 Saint-Sulpice-de-Felleyrens
Tél. 05 57 24 67 19 – Fax 05 57 74 41 29
Contact : Gérard Perse

1995	C	86-88
1994	C	82 ?
1993	C	86
1992	C	84
1991	C	78

Bien que léger, le 1991 de Pavie-Decesse affiche de la corpulence et de la maturité. En bouche, il présente des arômes moyennement dotés, ainsi qu'une finale assez brève. **A boire dans les 2 ou 3 ans.**

Après avoir goûté le 1992 au fût et deux fois après la mise en bouteille, je puis affirmer que, des deux Pavie appartenant aux consorts Valette, c'est celui-ci (qui est d'ailleurs le moins cher) qui se révèle le meilleur. Sa robe rubis foncé accompagne un nez épicé et fruité de terre, marqué par de subtiles touches boisées et par des notes herbacées. Moyennement corsé et épicé en bouche, il est étriqué, austère et musclé. Ce vin gagnera à être conservé encore 1 an avant d'être dégusté et tiendra ensuite **3 ou 4 ans.**

Les vins de cette propriété auraient plutôt tendance à se montrer astringents et austères dans leur jeunesse, mais le 1993 est étonnamment réussi. Vêtu de rubis foncé, il affiche en effet un niveau élevé de tannins, et déploie des arômes joliment extraits de cerise et de prune mûres bien étayés par des notes d'épices, de chêne, d'herbes et de bois. Il s'agit d'un vin moyennement corsé, bien structuré et d'une belle pureté. **A maturité : 2000-2008.**

La robe soutenue, de couleur pourpre foncé, du 1994 laisse deviner une belle intensité, mais ce vin est dominé par son acidité élevée et ses tannins amers. Il est énorme et structuré, et manque de charme, de glycérine, de présence en milieu de bouche et de profondeur. Une garde de 4 ou 5 ans lui sera peut-être bénéfique, mais je pense qu'il se révélera plutôt comme un vin comprimé et atténué, au potentiel de 12 à 15 ans.

La robe opaque, de couleur pourpre, du 1995 prélude à de caractéristiques arômes d'airelle douce et de cassis. Suit un vin dense et doux en milieu de bouche, assez gras (ce qui est inhabituel pour ce cru), d'une excellente longueur et d'une belle maturité. Moyennement corsé, tannique et bien sculpté, il requiert une garde de 4 à 6 ans, et tiendra ensuite **une quinzaine d'années.**

PAVIE-MACQUIN (SAINT-ÉMILION)****

33330 Saint-Émilion
Tél. 05 57 24 74 23 – Fax 05 57 24 63 78
Contact : Nicolas Thienpont

1995	C	88-90+ ?
1994	C	88+
1993	C	89+
1992	B	84

Le vignoble de Pavie-Macquin, superbement situé à Saint-Émilion, comprend une forte proportion de vieilles vignes. On y respecte scrupuleusement les principes de la culture biodynamique, et les vins qui en sont issus pourraient bien être les Lafleur de Saint-Émilion. Ils sont puissants, tanniques et peu évolués, et ne devraient être achetés que par les amateurs suffisamment patients et jeunes pour attendre 10 à 12 ans qu'ils soient au meilleur de leur forme. Ce sont des vins que l'on est plus enclin à admirer qu'à apprécier, en raison de leur sévérité, mais leur impressionnant fruité sous-jacent, aux notes de vieilles vignes, ainsi que leur pureté et leur maturité extraordinaires sont absolument remarquables.

Le 1992, doux, élégant et goûteux, est moyennement corsé. Il est aussi d'une maturité et d'un équilibre absolument remarquables, et sa finale est agréable et douce. **A boire dans les 3 ou 4 ans.**

La robe rubis-pourpre foncé du 1993 prélude à un nez de kirsch, de terre et de truffe. Ce vin puissant et peu évolué, très corsé et confituré requiert une garde d'au moins 7 à 10 ans. Il est curieusement riche, musclé et massif pour le millésime, et présente un potentiel de garde de 20 à 25 ans. Mais combien d'amateurs auront la patience d'attendre que ce Pavie-Macquin, traditionnel et doté de manière impressionnante, parvienne au meilleur de sa forme ? **A maturité : 2005-2020.**

Le 1994, de couleur rubis foncé, exhale un nez semblable à celui d'un Musigny – aux arômes de violette, de cerise noire et de pierre concassée. Tannique, musclé et rugueux, il suinte littéralement de personnalité et de caractère, mais requiert une garde de 6 à 8 ans avant d'être bu. Il pourrait éventuellement se révéler extraordinaire, mais il est, depuis la mise en bouteille, dominé par sa structure et ses tannins, si bien qu'il me semble moins sûr que lorsque je l'avais dégusté au fût. On peut se demander, malgré sa richesse et son caractère, s'il évoluera avec grâce sur les prochaines années, ou si au contraire il se desséchera. **A maturité : 2005-2020.**

Le 1995 est du même métal que le vin précédent – débordant de généreux et purs arômes de fleurs, de framboise sauvage et de cerise aux notes de minéral. Il est encore très puissant et richement extrait, avec une belle intensité qu'il doit aux vieilles vignes dont il est issu, mais il déploie en finale des tannins abondants qui tapissent le palais. C'est un vin qui suscite incontestablement l'admiration, mais auquel il est difficile de s'attacher. Il pourrait éventuellement se révéler extraordinaire, comme il pourrait tout aussi bien se dessécher. **A maturité : 2007-2025.**

Note : Pavie-Macquin n'a pas diffusé de 1991 sous son étiquette.
LES GLOIRES DU PASSÉ : 1990 (90), 1989 (90).

PÉDESCLAUX (PAUILLAC)**

33250 Pauillac
Tél. et Fax 05 56 59 22 59
Contact : Bernard Jugla

1993	C	74

J'entends toujours parler d'amélioration de ce cinquième cru classé du Médoc, qui est le plus souvent sous-performant. Le 1993 présente un semblant de maturité, mais ses tannins excessifs et son acidité par trop marquée le rendent désagréable en bouche. Je doute qu'il évolue dans le bon sens. Ce n'est certes pas ce vin qui me convaincra des bonnes intentions de la propriété.

LES PENSÉES DE LAFLEUR (POMEROL)***

Château Lafleur – 9, Grand-Village – 33240 Mouillac
Tél. 05 57 84 44 03 – Fax 05 57 84 83 31
Contact : Sylvie ou Jacques Guineaudeau

1993	D	86
1992	D	86
1991	D	74

Lafleur n'ayant pas diffusé de 1991 sous son étiquette, l'essentiel de la production du château a été écoulée sous une deuxième étiquette, Les Pensées de Lafleur – et l'on comprend très bien pourquoi. En effet, le seul aspect positif de ce vin léger, dilué, court et compact est son bon fruité de cerise. **A boire d'ici 3 ou 4 ans.**

De couleur rubis foncé, le 1992 exhale un nez doux de cerise noire, de minéral et de terre. On discerne bien son fruité doux et confituré sous sa structure et sa rudesse, malgré ses tannins. Lorsque ceux-ci se seront fondus, ce vin s'imposera comme une belle réussite de ce millésime. Je trouve admirable qu'une propriété produisant seulement 1 500 caisses annuellement accepte de déclasser presque le tiers de sa récolte (soit 500 caisses en second vin), afin d'élaborer un grand vin exceptionnel. Quelle volonté perfectionniste !

Il semblerait que le 1993 (production de 500 caisses seulement) soit issu des cuvées les plus souples et les plus douces. Impressionnant de couleur et modérément tannique, il est bien mûr, avec ce caractère exotique de cerise noire confiturée que l'on ne retrouve que dans les meilleurs millésimes de Lafleur. Plus accessible que son aîné, ce vin pourra être dégusté sur les 10 à 15 années suivant une garde de 1 ou 2 ans.

PETIT-FAURIE-DE-SOUTARD (SAINT-ÉMILION)**

33330 Saint-Émilion
Tél. 05 57 74 62 06 – Fax 05 57 74 59 34
Contact : Jacques Capdemourlin

1992	B	79

Ce vin à la robe rubis moyen révèle un nez plaisant, mais inintéressant, de fruits rouges, d'herbes et de terre mouillée. Moyennement corsé, il atteste une bonne profondeur, mais avec des tannins et une acidité trop marqués. Un vin maigre, sinueux et compact. **A boire dans les 2 ou 3 ans.**

Note : Petit-Faurie-de-Soutard n'a pas diffusé de 1991 sous son étiquette.

PETIT-FIGEAC (SAINT-ÉMILION)**

33330 Saint-Émilion
Tél. 05 57 24 62 61 – Fax 05 57 24 68 25

1992	B	77
1991	B	72

Le 1991 de Petit-Figeac est maigre, léger et aqueux.

Le 1992, d'un rubis léger, avec un nez doux et végétal de terre poussiéreuse et de cerise, est moyennement corsé. **A boire d'ici 1 ou 2 ans.**

PETIT-VILLAGE (POMEROL)****

Châteaux et associés – 33250 Pauillac
Tél. 05 57 51 21 08 – Fax 05 57 51 87 31
Contact : Jean-Michel Cazes ou Bernard Terrier

1995	C	83-85
1994	C	81
1993	C	78
1992	C	79
1991	C	74

Lorsque Petit-Village réussit bien, il donne des vins luxuriants, exotiques et fumés, extrêmement doux et délicieux dès leur jeunesse, et capables de durer presque une décennie. Ainsi, le 1982, l'un des meilleurs Petit-Village que j'aie jamais goûtés, était prêt dès sa mise sur le marché. C'est désormais le très talentueux Michel Rolland qui conseille cette propriété (depuis le millésime 1994), et il faut espérer que son intervention s'y révélera aussi magique qu'ailleurs.

Le 1991, à la robe rubis léger, offre un nez atténué aux arômes herbacés, conjugués à des senteurs de café, de bois neuf et de fruits rouges. L'attaque en bouche est bonne, et l'on distingue de prime abord une certaine douceur et un fruité herbacé. En bouche, les flaveurs se dissipent rapidement, et la finale est maigre et courte. **A boire dans les toutes prochaines années.**

De couleur rubis moyen, le 1992 exhale un nez doux, herbacé et légèrement marqué par le chêne, mais qui manque néanmoins de fruité. Quelques arômes de cerise noire sont cependant perceptibles en bouche, mais, dans l'ensemble, ce vin est sans détour, moyennement corsé et sans structure bien définie. **A boire d'ici 2 ans.**

Le 1993, de couleur rubis foncé, exhale un nez végétal et herbacé, se montre maigre et dépouillé, et manque totalement de distinction.

Le 1994, de couleur rubis moyennement foncé, déploie des arômes sans détour de terre, d'épices, de groseille et de cerise. Dur et terne, il pèche par manque d'intensité, de maturité et de longueur en bouche. **A boire dans les 6 ou 7 ans.**

La couleur rubis foncé du 1995 introduit en bouche un vin au fruité doux et mûr qui, bien qu'étant techniquement net et bien fait, manque de profondeur, de complexité et d'intensité. Élaboré dans un style commercial et bien évolué, il doit être consommé dans les **5 ou 6 ans.**

LES GLOIRES DU PASSÉ : 1990 (90), 1989 (88), 1988 (92), 1985 (89), 1982 (93), 1948 (93).

PETRUS (POMEROL)*****

Établissements Jean-Pierre Moueix
54, quai du Priourat – BP 129 – 33500 Libourne
Tél. 05 57 51 78 96 – Fax 05 57 51 79 79
Contact : Frédéric Lospied
Visites réservées aux professionnels

1995	EEE	96-98
1994	EEE	93+
1993	EEE	92+
1992	EEE	90+

Après des performances inintéressantes entre 1978 et 1988, Christian Moueix et sa propriété fétiche de Petrus tiennent incontestablement leur revanche avec une série de vins extraordinaires, y compris dans des millésimes aussi compromis par les pluies que 1992 et 1993.

Le 1992 se pose comme l'un des deux plus grands succès du millésime. Cette année-là, Petrus ne donne que 2 600 caisses d'un vin inhabituellement concentré, puissant et riche, à la robe sombre et soutenue de couleur rubis-pourpre et au nez serré, mais prometteur, de cerise noire et douce, de vanille et de caramel, avec des notes herbacées de moka. Son fruité d'une rare densité et sa superbe richesse sont magnifiquement étayés par des tannins merveilleusement doux. Il se bonifiera au terme d'une garde de 3 à 5 ans, et vous pourrez ensuite le déguster sur **15 à 20 ans, si ce n'est plus.**

Il est intéressant de noter que le vignoble de Petrus, comme celui de son homologue, Trotanoy, a été protégé par une couverture plastique noire pendant les pluies du mois de septembre 1992, si bien que celles-ci n'ont pu gorger ni le sol ni les raisins. Ce procédé s'est à l'évidence révélé judicieux.

Le 1993, qui pourrait prétendre au titre du vin le plus concentré de l'année, arbore une robe soutenue de couleur pourpre-prune et exhale un doux nez de fruits noirs, d'épices orientales et de vanille. Énorme et d'une richesse formidable, il est encore puissant, dense et extraordinairement pur – un véritable tour de force en matière de vinification. Dans un millésime n'offrant que peu de vins réellement riches et longs, ce Petrus se révèle magnifiquement doté et massif, avec une acidité et un niveau modéré de tannins. Il requiert une garde de 8 à 10 ans avant d'être bu. C'est l'un des vins de cette année les plus aptes à une longue garde – il se conservera parfaitement **30 ans.** Impressionnant !

Avec sa robe opaque de couleur pourpre et son nez de vanille douce, de pain grillé, de cerise et de cassis confituré, le Petrus 1994, très corsé et densément doté, se dévoile en bouche par paliers, révélant, outre une douceur sous-jacente, un caractère glycériné et une profondeur énorme. Ce vin tannique et classique, très corpulent et d'une belle pureté, développe une finale peu évoluée ; il requiert une garde d'une dizaine d'années avant d'être prêt. **A maturité : 2006-2035.**

La robe opaque, de couleur pourpre, du 1995 précède un nez sensationnel aux notes de fruits noirs confiturés et d'épices. Il s'agit d'un vin monstrueux et extraordinairement ample, débordant de richesse en extrait, de glycérine et de fruité confituré, mais aussi tellement pur et équilibré... Son extraction, qui tapisse littéralement le palais et colore les dents, est étonnamment proche de celle de ses aînés de 1989 et 1990, absolument parfaits. **A maturité : 2004-2035.**

Note : Petrus n'a pas diffusé de 1991 sous son étiquette.

LES GLOIRES DU PASSÉ : 1990 (100), 1989 (98), 1988 (94), 1986 (89), 1985 (89), 1982 (97), 1979 (89), 1975 (98), 1971 (95), 1970 (99+), 1967 (92), 1964 (97), 1961 (100), 1950 (100), 1949 (95), 1948 (95), 1947 (100), 1945 (98+). LES MÉDIOCRITÉS (OU PIRE) DU PASSÉ : on n'en relève aucune, si ce n'est que les 1983, 1981 et 1978 ne se sont pas révélés à la hauteur de mes premières appréciations.

PHÉLAN-SÉGUR (SAINT-ESTÈPHE)****

33180 Saint-Estèphe
Tél. 05 56 59 30 09 – Fax 05 56 59 30 04
Contact : Thierry Gardinier

1995	C	83-85
1994	C	86
1993	C	87

| 1992 | C 86 |
| 1991 | C 86 |

Phélan-Ségur, l'une des propriétés les mieux tenues de Saint-Estèphe, a produit des 1991, 1992 et 1993 de bon niveau. Elle avait déjà fait un grand bond en avant avec des 1988, 1989 et 1990 de premier ordre. Ses vins, proposés à prix raisonnables, sont à mon sens sous-évalués.

Profondément coloré, le 1991 est doux, avec un nez assez intense de fruits noirs, de minéral et de chêne. Moyennement corsé, il présente une belle concentration et une finale lisse et tannique. **A boire dans les 6 à 9 ans.**

Avec sa robe d'un rubis profond et son nez doux de cassis, de chêne et d'épices, le 1992 déploie en bouche des arômes moyennement corsés et goûteux. Parfaitement mûr et d'une belle richesse en extrait, il est souple, avec une finale douce marquée par la mâche. Il s'agit d'un succès remarquable pour le millésime. **A boire d'ici 2 ou 3 ans.**

Ironie du sort, le 1993 de Phélan-Ségur se révèle mieux réussi, plus gras et plus riche que le 1994 ou le 1995 – ce qui est, au demeurant, étonnant, ces millésimes offrant généralement une matière première de meilleure qualité que le 1993.

Le 1993, de couleur rubis-pourpre foncé, dégage un excellent nez de fumé, de chêne doux et grillé, et de fruits noirs. Admirablement gras et mûr, il révèle une excellente pureté en milieu de bouche, et déploie une finale douce, séduisante et moyennement corsée, aux notes de cèdre, sans aucun caractère astringent. Vous apprécierez ce délicieux 1993 dans les **5 à 7 prochaines années.** Une révélation !

Le nez du 1994 libère des arômes de groseille, de cassis, de chêne et de grillé. Assez doux pour un vin de ce millésime, il manque cependant de la présence en bouche que déploie le 1993. Il est néanmoins bien fait, dense et moyennement corsé, et devrait être agréable à boire **dès sa jeunesse,** nonobstant les tannins légers que l'on perçoit dans sa finale. Son potentiel de garde est de **7 à 8 ans.**

Le 1995 reflète, quant à lui, un style commercial et étonnamment plus léger, qui semble avoir été l'objectif de la propriété. Sa robe rubis moyennement foncé est moins soutenue que celle de ses deux aînés, et il se montre légèrement corsé, doux et sans détour. C'est un vin plaisant, qui vous offrira des joies simples, mais il n'a pas l'intensité ni la richesse que j'attendais d'un Phélan-Ségur.

LES GLOIRES DU PASSÉ : 1990 (89+), 1989 (88+).

PIBRAN (PAUILLAC)**

33250 Pauillac
Tél. 05 56 73 17 17 – Fax 05 56 59 64 62
Contact : Jean-Michel Cazes ou Suzanne Calvez

| 1992 | C 74 |
| 1991 | B 76 |

Arborant une robe rubis foncé, le 1991 de Pibran se révèle sans détour, avec un bouquet très restreint et des tannins très durs. En finale, il est moyennement corsé et rugueux – il est évident qu'il se desséchera avant de présenter le moindre charme.

Le 1992 n'est impressionnant que par sa couleur très soutenue. Son taux d'acidité est bien trop élevé, ses tannins sont trop présents, et son fruité brille par son absence. Ce vin creux et rugueux ne recèle aucun charme.

PICHON-LONGUEVILLE BARON (PAUILLAC)*****

Châteaux et Associés – 33250 Pauillac
Tél. 05 56 73 17 17 – Fax 05 56 73 17 28
Contact : Jean-Michel Cazes ou Jean-René Matignon

1995	D	90-92
1994	D	88
1993	D	84
1992	C	89
1991	C	86+

Le 1991 de Pichon-Baron arbore une robe formidable, opaque, de couleur pourpre, et déploie un nez prometteur de réglisse, de minéral et de cassis. L'attaque en bouche révèle un fruité merveilleusement mûr qui étaye bien un vin moyennement corsé, mais la finale est dominée par des tannins durs et rugueux. Je pense néanmoins qu'il y a là suffisamment de fruité pour affirmer que ce 1991, encore peu évolué, a un bel avenir devant lui : attendez-le au moins 2 ans, il se conservera bien les **15 années suivantes, voire davantage.**

Le 1992 peut légitimement prétendre – avec quelques rares autres – au titre d'étoile du millésime. Sa robe soutenue, de couleur rubis-pourpre foncé, précède un nez énorme, tapageur et massif de cassis confituré, de cèdre et de chêne fumé. En bouche, il est assez fortement corsé et déploie un fruité merveilleusement doux et concentré, soutenu par des tannins modérés. Très riche en extrait, ce vin fabuleusement bien fait présente une acidité suffisamment faible pour pouvoir être bu maintenant, mais il promet d'évoluer avec grâce sur les **12 à 15 années** à venir. Quelle belle réussite pour ce millésime !

Le 1993 arbore une robe très évoluée de couleur grenat foncé, et présente, outre des arômes végétaux et de poivre vert, un doux fruité de groseille. Quand on connaît la remarquable régularité de cette propriété depuis les années 80, ce 1993 fait figure de médiocrité. Il est en effet doux, végétal et accessible, mais inintéressant. **A maturité : jusqu'en 2006.**

Le 1994, de couleur rubis-pourpre foncé, exhale un excellent nez aux purs arômes de cassis écrasé. Moyennement corsé, il déploie à l'attaque en bouche un doux fruité et des tannins abondants, mais n'a pas la richesse et la densité sous-jacentes d'autres Pauillac de ce même millésime (Pichon-Lalande, Grand-Puy-Lacoste ou Pontet-Canet). On dira, à sa décharge, qu'il n'exprime aucun caractère végétal, et qu'il devrait évoluer joliment sur les 10 à 15 prochaines années en un bordeaux classique, séduisant et bien fait. **A maturité : 1999-2014.**

La robe opaque, de couleur pourpre, et le doux nez de grillé, de cassis et de chocolat du Pichon-Longueville Baron 1995 introduisent en bouche un vin d'une superbe richesse, qui impressionne par son caractère voyant et moyennement corsé, et par sa belle longueur. Sans être aussi flamboyant que le remarquable 1990, ni aussi concentré que le très massif 1989, il est bien fait et extraordinaire, rappelant le 1988 par sa puissance et sa structure. **A maturité : 2002-2020.**

PICHON-LONGUEVILLE COMTESSE DE LALANDE (PAUILLAC)*****

33250 Pauillac
Tél. 05 56 59 19 40 – Fax 05 56 59 29 78
Contact : May-Éliane de Lencquesaing ou Gildas d'Ollone

1995	D	94-96
1994	D	91
1993	D	85
1992	C	79
1991	C	89

En 1991, Pichon-Lalande a déclassé 70 % de sa récolte : le grand vin, qui est d'ailleurs au nombre des quelques grandes réussites de ce millésime, se montre donc plus profondément coloré, plus riche, plus concentré et plus complexe que le 1990, qui, lui, était inhabituellement léger, même si l'on tient compte de son caractère élégant. Ce 1991, très tannique, arbore une robe opaque de couleur rubis-pourpre et déploie un nez doux de chocolat, de cèdre, de prune et de cassis riche. Rond, moyennement corsé et opulent (ce qui est assez atypique de cette année), il est extrêmement long et très imposant en finale. **A boire dans les 10 à 15 ans.** Quel beau succès !

Le 1992 est quant à lui le vin le plus décevant de cette propriété dans les dix dernières années. De couleur rubis moyen, il est décousu et difficile à comprendre, avec des arômes très atténués et un aspect étouffé. La finale révèle aussi des tannins rugueux. Si sa couleur est belle, ce vin sans charme et sans fruité mûr est tout en structure, trop tannique et trop alcoolique. Trois dégustations après la mise en bouteille corroborent les notes que je lui ai attribuées lorsqu'il était encore en fût, confirmant cette piètre performance.

Le 1993 n'est pas aussi doux ni aussi fruité que je l'espérais. Légèrement corsé, il exhale un doux nez d'herbes et de groseille, et se montre disjoint en bouche, avec un caractère évolué, dénaturé par des notes végétales. Ce vin souple se dégustera au meilleur de sa forme dans les **5 ou 6 ans.**

Le 1994 est l'une des stars du millésime, avec sa robe opaque de couleur pourpre et son nez fabuleusement parfumé et exotique de cassis, de fumé, d'épices orientales et de vanille douce. Épais, riche et modérément tannique en bouche, il est encore moyennement corsé et bien structuré, avec une belle pureté et une finale longue et pure qui se dévoile par paliers. Ce Pichon-Lalande absolument formidable devrait parfaitement évoluer. **A maturité : 2001-2020.**

Le fabuleux 1995 est la plus belle réussite de la propriété depuis l'extraordinaire duo 1982 et 1983. Sa robe opaque de couleur pourpre est semblable à de l'encre. Son nez de fruits noirs confiturés, de minéral, de réglisse, d'épices et de fumé se révèle extrêmement doté et absolument renversant. Ce vin riche, l'un des plus grandioses de cet excellent millésime, est d'une pureté et d'une concentration fabuleuses. Il se dévoile en bouche par paliers et se montre de bonne mâche au palais. Sa pureté, sa richesse en extrait et sa palette aromatique irrésistibles déploieront toute leur séduction dès sa jeunesse, mais son ampleur ainsi que son équilibre et sa profondeur laissent deviner un potentiel de garde de 25 ans. **A maturité : 1999-2020.**

LES GLOIRES DU PASSÉ : 1989 (95), 1988 (90), 1986 (96), 1985 (90), 1983 (96), 1982 (99-100), 1981 (89), 1979 (92), 1978 (93), 1975 (90), 1961 (95 ?), 1945 (96).

PICQUE-CAILLOU (GRAVES)***

Contact : Paulin Calvet – Avenue Pierre-Mendès-France – 33700 Mérignac
Tél. 05 56 47 37 98 – Fax 05 56 47 17 72

1993	B	?

Je n'ai goûté ce vin qu'une seule fois et l'ai trouvé étrangement végétal et pas suffisamment mûr.

LE PIN (POMEROL)*****

Les Grands Champs – 33500 Pomerol
Tél. 05 57 51 33 99

1994	EE	91+
1993	EE	90
1992	D	82 ?

Il est aisé de critiquer cette toute petite propriété pour les prix absurdes que ses vins atteignent aux enchères. Mais Le Pin s'impose tout de même comme l'un des crus les plus exotiques, les plus concentrés et les plus spectaculaires de Bordeaux. Sachant cependant qu'il se vend plus de six fois le prix de certains vins comme Clinet, La Conseillante, L'Évangile et La Fleur de Gay, les lecteurs peuvent, avec raison, se demander si certains n'auraient pas perdu le sens des réalités.

Le 1992 de Le Pin est trop marqué par des arômes de chêne neuf et grillé pour sa structure délicate et fragile. D'un rubis assez profond, il déploie au nez des senteurs boisées et agressives, ainsi que des arômes légèrement fumés et herbacés, et libère en bouche des flaveurs moyennement corsées de cerise noire qui ne dominent pas cette enveloppe boisée. D'un faible niveau d'acidité et légèrement dilué, ce vin très marqué par des touches de vanille et de fumé devra être consommé d'ici 4 ou 5 ans. Compte tenu du prix exorbitant auquel se vend la production microscopique de la propriété (un peu plus de 500 caisses d'un vin généralement exotique et brillantissime), il eût été préférable que celle de 1992 fût entièrement déclassée.

Le 1993 arbore la robe bien évoluée, de couleur prune-grenat foncé, si caractéristique de ce cru, et présente au nez des arômes exotiques et coquins de boisé, d'herbes aromatiques et de cerise noire confiturée. Ces senteurs très prononcées sont suivies, comme on pouvait s'y attendre, d'un vin tout à la fois délicieux, luxuriant, moyennement corsé, avec une faible acidité, et débordant littéralement de fruité. Ceux d'entre vous qui se souviennent de la joie avec laquelle ils se ruaient sur les banana splits extraordinairement riches de leur enfance apprécieront sans aucun doute, d'un point de vue viticole, ce que ce vin peut offrir. **A maturité : jusqu'en 2010.**

Le 1994, plus discret, moins ostentatoire et moins flamboyant que son aîné d'un an, resplendit d'une belle couleur rubis-pourpre foncé, et présente à l'attaque en bouche des arômes épicés, soyeux et veloutés, aux notes de chêne doux. Moyennement corsé, avec davantage de structure et de concentration que le 1993, il déploie, outre un généreux fruité, un niveau modéré de tannins, ainsi qu'une finale longue, riche et confiturée. Une fois encore, le chêne neuf, une pureté extraordinaire et une grande saveur en bouche permettent à ce vin impressionnant de se distinguer lors de dégustations à l'aveugle. **A maturité : 1999-2012.**

Le 1995, sur colle en janvier 1997, ne m'a pas été présenté, mais je lui avais attribué, lors d'une précédente dégustation, une note de 92-95+.

LES GLOIRES DU PASSÉ : 1990 (95), 1989 (91), 1988 (90), 1987 (89), 1986 (90), 1985 (94), 1983 (98), 1982 (99), 1981 (93), 1980 (89), 1979 (93).

DE PITRAY (CÔTES DE CASTILLON)***

33350 Cardegan-et-Tourtirac
Tél. 05 57 40 63 38 – Fax 05 57 40 66 24
Contact : Pierre Chiberry

1992	A	75
1991	A	74

Ce vin est en général le grand favori des initiés, car d'un excellent rapport qualité/prix. Cependant, le 1991, dur, creux, légèrement corsé et aqueux, n'est pas une affaire.

Le 1992 concentre quant à lui tous les aspects négatifs du millésime : dilué et léger, il présente aussi des arômes dépouillés et un fruité herbacé.

PLAISANCE (PREMIÈRES CÔTES DE BORDEAUX)***

33550 Capian
Tél. 05 56 72 15 06 – Fax 05 56 72 13 40

1993 Cuvée Tradition	B	85

Le Château Plaisance est l'une des propriétés les mieux tenues de son appellation. Son 1993, non filtré, est épicé, avec des arômes de cerise noire. Moyennement corsé et bien fruité, il est d'une élégance et d'une pureté superbes, et se montre doux en fin de bouche. **A boire dans les 4 ou 5 ans.**

PLINCE (POMEROL)**

15, place Jean-Moulin – 33500 Libourne
Tél. 05 57 51 20 24 – Fax 05 57 51 59 62
Contact : Michel ou Francis Moreau

1993	C	79
1992	C	76

J'ai apprécié la robustesse sans complications du 1992 de Plince lorsque je l'ai goûté au fût, mais, depuis la mise en bouteille, ce vin a perdu beaucoup de son charme et de son élégance. Il se montre maintenant dur, sec et maigre, avec des tannins rugueux et un nez de cerise noire rance. **A boire d'ici 1 ou 2 ans.**

Le 1993, très coloré et très intense, est unidimensionnel et trapu, et son fruité est dominé par ses tannins. Il devrait tenir encore **5 ou 6 ans.**

Note : Plince n'a pas diffusé de 1991 sous son étiquette.

PONTET-CANET (PAUILLAC)***

Château Pontet-Canet – 33250 Pauillac
Tél. 05 56 59 04 04 – Fax 05 56 59 26 63
Contact : Alfred ou Michel Tesseron

1995	C	90-92+
1994	C	91+
1993	C	86+
1992	C	85 ?
1991	B	84

La famille Tesseron accomplit de gros efforts pour améliorer l'image de Pontet-Canet et en faire l'un des meilleurs crus du nord du Médoc. Les standards de qualité que l'on respecte à la propriété sont de plus en plus élevés, notamment depuis le millésime 1994, mais les prix n'ont pas encore rattrapé la tenue du « nouveau » Pontet-Canet. Cependant, il ne s'agit pas d'un Pauillac bien évolué, savoureux, riche, doux et fruité, dans le style de Pichon-Lalande ou de Haut-Batailley ; il est plutôt dense, masculin et massif, et destiné à une longue garde.

Le 1991 est légèrement corsé, bien coloré, fruité et doux, avec un nez de cèdre et de cassis. Il donne une impression d'élégance, et sa finale est veloutée. **A boire dans les 4 ou 5 ans.**

Lors de deux dégustations, le 1992 exhalait de beaux arômes de cassis très mûr et se montrait rond, doux et juteux ; deux autres fois, il m'a semblé plus légèrement corsé, plus simple et plus tannique. Pontet-Canet est une très grande propriété, si bien que l'on peut s'attendre à quelques différences entre les lots de bouteilles, mais ce 1992 séduisant représente quoi qu'il en soit une bonne affaire. **A boire dans les 3 ou 4 ans.** Le point d'interrogation qui acompagne la notation s'explique par les différences importantes perçues lors des dégustations.

Pontet-Canet est l'un des crus classés (premiers crus non compris) les moins herbacés de Pauillac en 1993, avec son fruité séduisant, mûr et riche de cassis marqué de subtiles notes de tabac et de feuilles. De couleur rubis foncé, moyennement corsé, dense et tannique, il se révèle de très longue garde pour le millésime. Bien que fermé, il est bien fait, pur, musclé et ample. **A maturité : 2001-2017.**

Le 1994 est l'un des vins de plus longue garde du millésime. Avec sa robe opaque de couleur pourpre, il est riche, impressionnant et très corsé, et s'impose comme le meilleur vin de la propriété depuis le 1961. Débordant d'un fruité mûr, il est encore extraordinairement tannique et peu évolué. **A maturité : 2005-2025.**

Le 1995 a quelque peu perdu de son astringence, et se révèle désormais proche, d'un point de vue qualitatif, de son aîné d'un an, le formidable et classique 1994. Il déploie un fruité plus doux et plus confituré, ainsi que des notes de boisé plus prononcées. Ce vin à la robe opaque de couleur pourpre est moyennement corsé et concentré, avec une finale très longue. Je ne serais pas surpris qu'il vienne à égaler le 1994 au terme d'une évolution de 15 à 20 ans. **A maturité : 2004-2025.**

LES GLOIRES DU PASSÉ : 1986 (88), 1982 (87), 1961 (95), 1945 (96), 1929 (92 ?).

LES MÉDIOCRITÉS (OU PIRE) DU PASSÉ : 1979 (80), 1978 (82), 1971 (81), 1970 (82), 1966 (77).

POTENSAC (MÉDOC)***

33340 Moulis-en-Médoc
Contact : Michel ou Jean-Hubert Delon
Château Léoville-Las Cases – 33250 Saint-Julien-Beychevelle
Tél. 05 56 59 25 26 – Fax 05 56 59 85 33

1992	A	75
1991	A	74

Le 1991 de Potensac est maigre, creux, dur et très peu fruité. Il est dominé par son côté astringent et perdra encore en équilibre avec le temps.

Moyennement corsé, le 1992 est maigre et végétal, avec des tannins très durs ; on distingue néanmoins un peu de fruité mûr sous sa structure. Vous boirez – si vous y tenez – ce vin médiocre sur les **2 ou 3 prochaines années.**

POUJEAUX (MOULIS)***

33480 Moulis-en-Médoc
Tél. 05 56 58 02 96 – Fax 05 56 58 01 25
Contact : Philippe ou François Theil

1993	C	84

Avec sa robe très saine de couleur rubis foncé et son nez un peu mûr et poussiéreux de terre et de groseille, le 1993 de Poujeaux est moyennement corsé et modérément profond. La finale montre un niveau de tannins absolument phénoménal. Bien que ce cru soit l'un de mes Médoc préférés, ce millésime en particulier se desséchera vraisemblablement au terme d'une garde de 5 ou 6 ans.

PRIEURÉ-LICHINE (MARGAUX)****

34, avenue de la Ve-République – Cantenac – 33460 Margaux
Tél. 05 57 88 36 28 – Fax 05 57 88 78 93

1995	C	85-86
1994	C	?
1993	C	83
1992	C	87
1991	B	84

Des sélections plus sévères, des vendanges plus tardives et les conseils avisés de l'œnologue libournais Michel Rolland ont permis à Prieuré-Lichine de produire des vins plus riches, plus complets et plus complexes.

Les consommateurs devraient rechercher le 1991 de la propriété, qui est certainement proposé à prix très intéressant. D'une belle couleur et moyennement corsé, il offre un fruité doux et mûr, marqué par des arômes de cèdre et de cassis, et se montre épicé et souple en fin de bouche. Ce vin est bien meilleur que tous ceux que cette propriété a pu produire entre 1979 et 1985. **A boire dans les 4 ou 5 ans.**

Le 1992 est également remarquable, compte tenu de la qualité générale du millésime. Une robe très soutenue de couleur rubis foncé introduit un bouquet séduisant de cassis crémeux auquel se mêlent des senteurs de fumé et de chêne neuf vanillé ; ce vin se montre souple et velouté, étonnamment concentré et moyennement corsé, avec une finale imposante, longue et riche en extrait. **A boire dans les 3 ou 4 ans.**

Le 1993 et le 1994 semblent tous deux avoir beaucoup perdu du charme, de l'élégance et du fruité qu'ils déployaient avant la mise en bouteille.

Le 1993, à la séduisante robe rubis foncé, se révèle herbacé, avec des tannins agressifs. Modérément massif, il est légèrement corsé et mûr, et libère un fruité doux. Mais il est fragile, et une garde de 5 ou 6 ans ne fera que le rendre encore plus austère et plus dépouillé. **A boire assez rapidement.**

Le 1994 a décliné depuis que je l'avais goûté pour la première fois, en mars 1995. Les dégustations que j'ai faites par la suite ont toutes révélé qu'il perdait assez rapidement de son fruité. Maintenant qu'il est en bouteille, ce vin se montre dur et dépouillé, avec de curieux arômes aigres de fût mal lavé qui dénaturent le maigre fruité qui lui reste. Il est également dominé par ses tannins et son acidité. Tout cela est douteux. **A maturité : 2000-2006.**

Le 1995, qui aurait pourtant pu être très bon, perd très rapidement du gras de sa petite enfance. De couleur rubis foncé et moyennement corsé, il déploie un séduisant fruité de cassis doux, joliment boisé et bien étayé par un niveau modéré de tannins. Mais, s'il évolue à l'image des 1993 et 1994, il sera renoté à la baisse. Il semble, pour l'instant, devoir être consommé **entre 2000 et 2008.**

LES GLOIRES DU PASSÉ : 1986 (88).
LES MÉDIOCRITÉS (OU PIRE) DU PASSÉ : 1981 (75).

PUY-BLANQUET (SAINT-ÉMILION)**

33330 Saint-Étienne-de-Lisse
Tél. 05 57 40 18 18
Contact : Pierre Meunier

1993	C	75
1992	B	75

Lorsqu'il était en fût, le 1992 de Puy-Blanquet déployait un fruité charmeur et un certain style, mais, depuis la mise en bouteille, il se montre desséché, trop tannique et trop acide. Pourquoi cette finesse et ce charme ont-ils disparu ?

Le 1993, tannique, dur et rugueux en bouche, est typique des vins médiocres de ce millésime. Il se desséchera avant de développer le moindre charme.

Note : Puy-Blanquet n'a pas diffusé de 1991 sous son étiquette.

RAHOUL (GRAVES)**

33640 Portets
Tél. 05 56 67 01 12 – Fax 05 56 67 02 88
Contact : Alain Thiénot

1993	C	85
1992	B	85
1991	B	83

Le 1991 du Château Rahoul est bien vinifié et séduisant, avec sa couleur rubis moyen et son nez doux et mûr de cassis, de tabac et d'épices. Un vin doux, rond et élégant. **A boire dans les 2 ou 3 ans.**

Le 1992 est bien meilleur que je ne l'aurais pensé. L'appellation Graves en général a enregistré de belles réussites dans ce millésime, et le Château Rahoul en particulier est d'un rubis assez foncé, avec un nez riche et confituré de cerise noire, de fumé et de grillé. Moyennement corsé, doux et sans détour, il sera parfait dans les **3 ou 4 ans** qui viennent.

Resplendissant d'une belle couleur rubis-pourpre foncé, le 1993 exhale un nez riche et confituré de fumé, de grillé et de cerise noire. Les arômes denses, puissants et concentrés qu'il libère en bouche manquent de complexité, mais cela est compensé par une intensité et une puissance considérables, et par une finale souple et légèrement tannique. Si ce vin ne subit pas de manipulations excessives lors de la mise en bouteille, il s'imposera comme un Graves moyennement corsé et concentré, qui se conservera **au-delà de 10 ans** – et auquel j'attribuerai peut-être une note plus élevée.

RAUZAN-GASSIES (MARGAUX)**

33460 Margaux
Tél. 05 57 88 71 88 – Fax 05 57 88 37 49
Contact : Jean-Louis Camp

1995	C	85-87
1994	C	74
1993	C	78
1992	B	71

Quand je goûte le 1992, je me dis que la vie est trop courte pour boire de tels vins. Il est rude, végétal et légèrement corsé en bouche, avec des tannins terriblement durs qui le rendent vraiment peu séduisant.

Le 1993, de couleur rubis foncé, exhale un nez d'herbes et de fumé, et se révèle sans grand charme, moyennement corsé et aqueux en bouche. Il n'a pas le fruité suffisant pour étayer ses tannins et son acidité. **A boire dans les 3 ou 4 ans.**

Quant au 1994, il est maigre, rugueux et anguleux, très peu fruité et très tannique, avec une acidité très élevée. **A maturité : 2000-2008.**

En revanche, Rauzan-Gassies semble renaître avec un 1995 de très bonne qualité. Ce vin, de couleur pourpre foncé, est le meilleur que j'aie dégusté de la propriété depuis fort longtemps. Il exhale de généreux arômes, purs et mûrs, de cassis conjugués à de belles notes de boisé. Moyennement corsé et doux à l'attaque en bouche, il montre une bonne maturité, est élégant et se déploie par paliers. C'est une belle amélioration par rapport aux performances antérieures. Bon dès sa jeunesse, ce vin tiendra une quinzaine d'années. **A maturité : 2002-2012.**

RAUZAN-SÉGLA (MARGAUX)****/*****

33460 Margaux
Tél. 05 57 88 82 10 – Fax 05 57 88 34 54
Contact : John Kolassa

1995	C	91-93
1994	C	87 ?
1993	C	87 ?
1992	C	88
1991	C	87

Rauzan-Ségla a donné un 1991 des plus réussis, dont la robe rubis foncé très soutenu introduit au nez un bouquet de cake épicé, de cèdre, de cassis et de senteurs florales. Doux et rond, ce vin remarquablement précis dans le dessin est bien doté, concentré et d'un équilibre impeccable. En bouche, il déploie son fruité généreux par couches, se montrant long et souple en finale. **A boire dans les 10 à 15 ans.**

Le 1992 s'impose également comme l'une des grandes stars de cette année. Étonnamment riche et opulent, il impressionne par sa robe de couleur rubis-pourpre foncé et son nez puissant et pénétrant de cerise noire, de groseille, de chêne épicé, de fumé et de fleurs. Assez fortement corsé, avec un fruité fabuleusement doux et riche qu'il déploie par paliers, ce vin aux tannins mûrs présente une finale longue, capiteuse et voluptueuse. Le château n'a sélectionné que 50 % de la récolte 1992 pour le grand vin, et celui-ci se révèle extraordinaire pour un millésime aussi difficile. **A boire dans les 10 ans.**

Pour la première fois, en 1993, le nom de la propriété s'est orthographié avec un « z », et non plus avec un « s ». Ce 1993, de couleur rubis-pourpre, est incontestablement un vin de garde, mais il est terriblement tannique, austère et maigre, et l'on peut légitimement se demander s'il se développera harmonieusement. On décèle bien, à l'attaque en bouche, du fruité et de la richesse en extrait, mais le vin s'amenuise ensuite, libérant des tannins qui fouettent littéralement l'arrière du palais. Comme d'habitude, c'est le mauvais équilibre entre les tannins et le fruité (il est vrai particulièrement difficile à trouver dans ce millésime) qui pourrait compromettre l'évolution de ce cru. **A maturité : 2005-2015.**

La robe soutenue, de couleur pourpre foncé, du 1994 accompagne de doux arômes de terre, d'herbes et de cassis. Suit un vin dominé par sa structure et ses tannins, qui se révèle assez massif et moyennement corsé, laissant en bouche une impression de maturité et de fruité doux. Il me semblait plus riche et plus profond avant la mise en bouteille, et je pense l'avoir regoûté à un stade ingrat de son évolution. Ce Rauzan musclé et viril demande de la patience – il n'atteindra la pointe de sa maturité qu'**entre 2006 et 2020.**

Comme nombre de ses contemporains, le 1995 s'est étoffé ; il se révèle maintenant plus gras et plus charnu, avec des arômes d'une richesse et d'une maturité plus explosives que lorsque je l'avais dégusté en mars 1996. Cela donne un vin irrésistible et curieux. Sa robe opaque de couleur pourpre précède de généreuses senteurs de cassis doux mêlées de notes de cèdre, de réglisse et de chêne grillé. Dense et très corsé, avec une finale explosive, il est extrêmement concentré et ample, et pourrait s'imposer comme l'un des Margaux de plus longue garde du millésime. **A maturité : 2005-2035.**

LES GLOIRES DU PASSÉ : 1990 (92), 1989 (90), 1988 (92), 1986 (96), 1983 (92).

LES MÉDIOCRITÉS (OU PIRE) DU PASSÉ : 1981 (65), 1979 (72), 1978 (74), 1975 (75).

RÉSERVE DE LA COMTESSE (PAUILLAC)**

Château Pichon-Longueville Comtesse de Lalande – 33250 Pauillac
Tél. 05 56 59 19 40 – Fax 05 56 59 29 78
Contact : Gildas d'Ollone

1992	B	76
1991	B	85

Le second vin de Pichon-Lalande est remarquable en 1991, avec un fruité merveilleusement mûr de prune et de cassis, juste effleuré par de légers arômes de chêne neuf et grillé. Moyennement corsé et doux, il présente une certaine corpulence et une belle maturité. **A boire dans les 3 à 5 ans.**

Le 1992 ressemble fort au 1990, avec un style léger et déstructuré. L'attaque en bouche et le bouquet sont impressionnants, mais le vin se délite ensuite en bouche, révélant un caractère tannique, alcoolique et très acide, ainsi qu'une finale courte et comprimée. Il manque à l'évidence de concentration et doit être consommé **rapidement.**

ROC DE CAMBES (CÔTES DE BOURG)***

33710 Bourg-sur-Gironde
Tél. 05 57 68 25 58 – Fax 05 56 68 35 97
Contact : François Mitjaville

Année		
1995	B	87-89
1994	B	86
1993	B	86
1992	A	84
1991	A	82

Le 1991 présente une robe rubis moyen et libère des arômes mûrs de baies rouges. Moyennement corsé, il possède des tannins doux et déploie une finale lisse. **A boire dans les 2 ou 3 ans.**

Le 1992 se révèle de bon niveau, avec des senteurs séduisantes et épicées de café, de tabac et de cerise douce. En bouche, il est rond, doux et velouté. Moyennement corsé, il sera facile et plaisant à déguster **d'ici 2 ou 3 ans.**

Élaboré par François Mitjaville, propriétaire de Tertre-Rotebœuf, le Roc de Cambes 1993 est un vin délicieux – qui représente aussi une excellente affaire sous l'angle du rapport qualité/prix. Arborant une impressionnante robe rubis-pourpre foncé, il offre un nez énorme de fumé, de chocolat et de fruits rouges. Dense et opulent en bouche, il s'y montre aussi moyennement corsé, avec une finale souple. Ce vin serait un excellent choix sur une carte de restaurant. **A boire dans les 4 ou 5 ans.**

Moins impressionnant en bouteille que lorsqu'il était encore en fût, le 1994 révèle une douce robe rubis et un nez épicé et doux aux notes de terre et de truffe. Moyennement corsé, savoureux, souple et mûr en bouche, il déploie une finale plaisante, mais il est désormais bien moins gras et moins concentré qu'avant la mise. **A maturité : jusqu'en 2003.**

L'extraordinaire 1995 arbore une robe opaque de couleur pourpre, et déploie un nez stupéfiant de cerise noire, de terre, de cuir, de fruits rouges et de moka. Moyennement corsé et d'une excellente concentration, il libère des tannins sous-jacents et fermes, avec une bonne acidité. Ce vin sera prêt dès sa diffusion, et devrait se conserver pendant une décennie. Il titre, de manière assez remarquable, 13,7° d'alcool naturel. **A maturité : 1998-2007.**

ROUET (FRONSAC)***

33240 Saint-Germain-la-Rivière
Tél. 05 57 84 40 24
Contact : Patrick Danglade

1993	B 85

Le propriétaire, Patrick Danglade, a pris la magnifique décision de déclasser son entière récolte en 1991 et en 1992, si bien que le 1993 est le premier millésime que commercialise la propriété après le 1990. Il s'agit d'un Fronsac des plus réussis, au bouquet mûr et moyennement intense de minéral et de fruits noirs et rouges. Élégant et moyennement corsé en bouche, il y fait montre d'une richesse en extrait très séduisante. Ses tannins sont doux et dénués de tout caractère dur ou végétal. Un vin vraiment délicieux. **A boire dans les 4 à 6 ans.**

DE SALES (POMEROL)**

33500 Pomerol
Tél. 05 57 51 04 92 – Fax 05 57 25 23 91
Contact : Bruno de Lambert

1993	C ?

Le 1992 et le 1993 de cette propriété présentaient le même problème : d'étranges arômes de moisi, de bois humide ou de chien mouillé. Je réserve donc mon appréciation.

LA SERRE (SAINT-ÉMILION)***

33330 Saint-Émilion
Tél. 05 57 24 71 38 – Fax 05 57 51 08 15
Contact : M. d'Arfeuille

1993	C 87
1992	B 85

Cette propriété, qui est longtemps demeurée dans l'obscurité, a produit en 1992 un vin goûteux et velouté, au nez séduisant et doux de cerise. Il est d'ores et déjà délicieux, et vous pourrez apprécier ses arômes de fruits rouges et son caractère plaisant sur les **2 ou 3 années** à venir.

Le bouquet odorant de chocolat et de cerise noire du 1993 m'a enchanté. Ce vin assez corsé, expansif et riche, est d'une belle précision dans le dessin et se montre concentré en bouche. Il conjugue merveilleusement puissance et finesse, et se révèle suffisamment doux pour être dégusté dès maintenant. Ce Saint-Émilion vif et pur, aux arômes imposants, devrait plaire au plus grand nombre. **A boire dans les 10 ans, peut-être même au-delà.**

SIRAN (MARGAUX)***

33460 Labarde
Tél. 05 57 88 34 04 – Fax 05 57 88 70 05
Contact : William-Alain Miailhe

1993	C	85

Le Château Siran réserve souvent de très belles surprises, donnant depuis longtemps des vins riches et bien structurés, au potentiel de garde important. Avec son caractère tannique et sa richesse en extrait, le 1993 sera incontestablement de longue garde. Moyennement corsé, il est d'une couleur rubispourpre impressionnante, et, s'il manque de complexité, il montre une excellente concentration, déployant un caractère musclé et charnu, avec de la mâche. Après 4 à 6 ans de garde, vous pourrez le déguster sur **15 à 20 ans.**

SMITH-HAUT-LAFITTE (GRAVES)***/****

33650 Martillac
Tél. 05 57 83 11 22 – Fax 05 57 83 11 21
Contact : Florence ou Daniel Cathiard

1995	C	90-92
1994	C	88
1993	C	87
1992	C	86
1991	C	85

Les nouveaux propriétaires de Smith-Haut-Lafitte, enthousiastes et désireux de rehausser le niveau de qualité de cette propriété, y ont injecté des millions de francs, et une nette amélioration est déjà évidente.

Le 1991 de Smith est de couleur rubis foncé, avec un séduisant nez de cassis, de tabac, d'herbes et d'épices. Attestant un bel équilibre et une extraordinaire finesse, il est moyennement corsé, admirablement mûr, avec des tannins légers en finale. Ce vin est une vraie réussite, compte tenu de la qualité générale du millésime. **A boire dans les 7 ou 8 ans.**

Le 1992 est incontestablement un beau succès. Il déploie un bouquet fumé, marqué par des touches élégantes et épicées de minéral et de cerise noire. Moyennement corsé et magnifiquement riche, il présente une texture veloutée et des tannins légers en finale. **A boire dans les 7 ou 8 ans.**

Le 1993, de couleur rubis-pourpre foncé, est impressionnant pour un Pessac-Léognan de ce millésime. Il exhale le nez classique des vins des Graves, aux notes de fumé, de pierre chaude, de groseille douce et de mûre, avec une touche d'herbes rôties. A la fois élégant et très parfumé, il est moyennement corsé et concentré, mûr et doux à l'attaque en bouche. Légèrement tannique et joliment infusé de belles notes de chêne neuf, il est encore suave et savoureux. Cet exemple illustre bien le fait que les vins français peuvent être intenses, sans aucune lourdeur. Un Smith-Haut-Lafitte superbe, à déguster dans les **6 ou 7 ans.**

Le 1994 est étonnamment souple, doux et velouté, avec un minimum de ces tannins astringents qui sont la griffe du millésime. Resplendissant d'une belle couleur pourpre, il exhale un nez épicé et fumé de cassis, et se révèle moyennement corsé et bien doté en bouche, avec une finale tannique. Ce vin jeune n'a pas encore le caractère complexe de son aîné d'un an, mais il devrait être à maturité d'ici 2 à 4 ans et se conserver ensuite 15 à 18 ans.

Le 1995 est incontestablement le meilleur Smith-Haut-Lafitte produit sous la houlette de la famille Cathiard (qui a racheté la propriété au tout début des années 90). Déjà impressionnant lorsque je l'avais dégusté au fût pour la première fois, en mars 1996, il se présente toujours comme un merveilleux exemple du millésime. Sa robe opaque, de couleur pourpre, introduit un doux nez de cassis mêlé d'arômes de fumé, de minéral et de belles notes de boisé. Suit un vin gracieux, généreux et d'une pureté exceptionnelle, avec des tannins bien fondus et un doux fruité sous-jacent. La finale est longue. Il faudra se montrer patient avec ce seigneur et l'attendre 4 à 6 ans avant de le déguster. **A maturité : 2002-2025. Impressionnant !**

SOCIANDO-MALLET (HAUT-MÉDOC)****

33180 Saint-Seurin-de-Cadourne
Tél. 05 56 59 36 57 – Fax 05 56 59 70 88
Contact : Jean Gautreau

1995	C	90-93
1994	C	89
1993	C	87
1992	C	87

Cette propriété d'excellente tenue a produit un superbe 1992, à la robe opaque de couleur rubis-pourpre, et au nez doux et mûr de cassis auquel se mêlent des senteurs de minéral et de bois. Moyennement corsé, avec des tannins modérés, ce vin ferme et bien vinifié requiert une garde de 3 ou 4 ans avant de pouvoir être dégusté sur les **10 à 15 années** suivantes.

Le Sociando-Mallet 1993 est mieux que réussi pour le millésime, avec sa robe dense de couleur rubis-pourpre et son nez étonnamment évolué et direct de cèdre, de cerise noire, de groseille et de minéral. Il est charnu et épicé en bouche, avec une excellente texture, et témoigne, chose rare pour cette propriété, d'une souplesse séduisante malgré son jeune âge. Jean Gautreau a, de toute évidence, triomphé des difficultés que présentait le millésime. **A boire dans les 5 à 10 ans.**

Le Sociando-Mallet 1994 rappelle le 1985, mais en plus structuré et en plus tannique. De couleur rubis-pourpre, il exhale un nez serré, mais naissant, aux arômes de fruits noirs et de crayon, marqué de notes boisées joliment fondues. Il se révèle consistant en bouche, moyennement corsé et classique, avec un niveau modéré de tannins. Il sera au meilleur de sa forme **entre 2000 et 2010.**

Le stupéfiant 1995 s'est étoffé depuis ma première dégustation, et il se révèle maintenant plus gras, plus doux, avec des tannins plus souples. Sa robe est toujours opaque et pourpre, et son nez libère de doux et purs arômes de cassis, de fleurs et de minéral. Un vin moyennement corsé et riche, avec une faible acidité et un niveau modéré de tannins, qui se dévoile en bouche par paliers. Le meilleur Sociando-Mallet depuis le 1990 et le 1982. **A maturité : 2000-2015.**

LES GLOIRES DU PASSÉ : 1990 (90), 1986 (90), 1985 (90), 1982 (92), 1975 (90).

SOUDARS (HAUT-MÉDOC)***

33180 Saint-Seurin-de-Cadourne
Tél. 05 56 59 36 09 – Fax 05 56 59 72 39
Contact : Éric Miailhe

1993		B	85

Le 1993 de Soudars présente, à la fois au nez et en bouche, des arômes de terre et de cassis, et se montre extrêmement souple et charnu, d'une pureté et d'une maturité absolument magnifiques. **A boire dans les 4 ou 5 ans.**

SOUTARD (SAINT-ÉMILION)***

33330 Saint-Émilion
Tél. 05 57 24 72 23 – Fax 05 57 24 66 94
Contact : François des Ligneris

1993	C	87
1992	C	77
1991	C	64

Le Château Soutard aurait dû y réfléchir à deux fois avant de mettre son 1991 sur le marché. Creux, léger, insipide et végétal, il est terriblement décevant – presque imbuvable.

Le 1992, de couleur rubis moyen, libère des arômes herbacés et fumés de fruits rouges que l'on perçoit plus modestement en bouche qu'au nez. Il faut le boire dans les **3 ou 4 ans** qui viennent, avant que son fruité fragile ne soit dominé par ses tannins.

J'ai dégusté des échantillons absolument impressionnants du 1993 de Soutard, alors qu'il était encore en fût. En effet, cette propriété, qui adopte un rythme différent de celui de ses collègues quand il s'agit de mise en bouteille (plus tardive) et de commercialisation (sa production est principalement vendue en direct plutôt que par le négoce), a élaboré cette année-là un vin très corsé, concentré et mûr, d'une étonnante souplesse et d'une belle structure sous-jacente, avec des tannins modérés. Il présente un caractère confituré, marqué par du merlot juteux, et devrait se montrer, avec le temps, plus tannique et plus précis dans le dessin. Ce vin énorme, charnu, tapisse le palais. **A boire dans les 10 à 15 ans.**

LES GLOIRES DU PASSÉ : 1990 (89+), 1985 (90), 1982 (88), 1964 (90), 1955 (88).

TAILLEFER (POMEROL)**

33500 Pomerol
Tél. 05 57 55 30 20 – Fax 05 57 25 22 14

1992	B	77

Le 1992 de Taillefer est un vin légèrement corsé et sans détour, avec une finale douce mais diluée. **A boire dans les 3 ou 4 ans.**
Note : Taillefer n'a pas diffusé de 1991 sous son étiquette.

TALBOT (SAINT-JULIEN)****

33250 Saint-Julien-Beychevelle
Tél. 05 56 73 21 50 – Fax 05 56 73 21 51
Contact : M. Rustmann

1995	C	86-87
1994	C	85
1993	C	84
1992	C	86
1991	B	72

Après avoir produit des vins absolument formidables au début des années 80 (après un splendide 1982 et un superbe 1983, le 1985 est délicieux et le 1986 très puissant), le Château Talbot a accusé une légère baisse à la fin de cette même décennie. Ainsi, son 1991 se révèle une piètre performance, avec sa robe d'un rubis moyen assez douteux et ses arômes médiocres, herbacés, végétaux et délavés, tant au nez qu'en bouche. Il est également curieux, peu structuré et mou.

Lorsqu'il était en fût, le 1992 se montrait sinueux et tannique, manquant de fruité, mais je suis ravi de constater qu'il se porte bien en bouteille. S'il est vendu à un prix aussi intéressant que je le pense, il représentera une excellente affaire. Avec son nez exotique et extraverti de cerise noire confiturée, de truffe et de réglisse marqué par des senteurs végétales et herbacées, il est moyennement corsé et souple, juteux et succulent. Sa faible acidité et son fruité mûr achèvent d'en faire un vin délicieux. **A boire dans les 5 ou 6 ans.**

Le Talbot 1993, de couleur rubis moyennement foncé, présente un nez très parfumé de fumé, d'herbes et de poivre vert. Il est légèrement corsé, sans aucune astringence ni dureté, mais aussi – ce qui est bien triste – sans aucun arôme intéressant. Ce vin, déjà prêt, doit être consommé dans les **4 ou 5 ans.**

Doux, souple et commercial, le 1994 arbore une robe rubis modérément foncé, et déploie un nez de fumé et de fruits rouges. Souple et fruité en bouche, il est moyennement corsé, sans les tannins durs propres à ce millésime ; la finale est accessible. **A boire dans les 4 à 8 ans.**

Rubis-pourpre foncé, le 1995 déploie un nez modérément intense et pur de cassis mêlé de senteurs de cuir fin et de fumé. Moyennement corsé, mûr et rond en bouche, il devra être consommé dans les **10 à 12 ans.**

LES GLOIRES DU PASSÉ : 1988 (89), 1986 (96), 1985 (89), 1983 (91), 1982 (95), 1953 (90), 1949 (90), 1945 (94).
LES MÉDIOCRITÉS (OU PIRE) DU PASSÉ : 1975 (84), 1970 (78), 1966 (77).

TAYAC (CÔTES DE BOURG)***

33710 Saint-Seurin-de-Bourg
Tél. 05 57 68 40 60 – Fax 05 57 68 29 93
Contact : Annick Saturny

1993 Clos du Pain de Sucre	A	85
1993 Rubis du Prince Noir	A	85
1993 Cuvée Réservée	B	86

Pour nombre d'Américains, le Château Tayac est le plus connu des Côtes de Bourg. Comme la plupart des propriétés de Californie, il produit plusieurs cuvées, commençant par une Cuvée générique, qui est le Clos du Pain de Sucre, et allant crescendo en intensité, en potentiel de garde et en prix, avec le Rubis du Prince Noir et la Cuvée Réservée, la meilleure de toutes. Dans les très grands millésimes (1985 et 1989), les meilleures sélections font de plus une Cuvée Prestige.

Avec sa robe de couleur rubis foncé et son fruité mûr et solidement structuré, le Clos du Pain de Sucre 1993 est rond, avec une finale vive, nette et moyennement longue. **A boire dans les 3 ou 4 ans.**

Le Rubis du Prince Noir de la même année est plus austère, plus tannique, également plus corpulent et plus concentré. Il sera intéressant de voir comment il réagira à la mise en bouteille, car il pourrait bien se révéler plus sec et plus astringent que le Clos du Pain de Sucre, moins onéreux.

Enfin, la Cuvée Réservée 1993, d'une impressionnante couleur rubis foncé, déploie des arômes plus denses, plus riches et plus puissants, avec des tannins plus abondants. Moyennement corsée, avec une acidité de bon ressort, elle devrait s'imposer comme la meilleure de ces trois cuvées.

TERTRE-DAUGAY (SAINT-ÉMILION)***

Château La Gaffelière – 33330 Saint-Émilion
Tél. 05 57 24 72 15 – Fax 05 57 24 65 24
Contact : Léo de Malet-Roquefort

1993	C	75

Bien que cette propriété ait fait de gros progrès ces derniers temps, son 1993 se montre légèrement corsé et maigre, avec des tannins excessifs et un fruité peu perceptible.

LE TERTRE-ROTEBŒUF (SAINT-ÉMILION)*****

33330 Saint-Émilion
Tél. 05 57 24 70 57 – Fax 05 57 74 42 11
Contact : François Mitjaville

1995		D	90-93
1994		D	90
1993		D	90
1992		C	77
1991		C	83

Ironie du sort, le 1991 se révèle plus profond, plus mûr et plus fruité que le 1992, dilué et légèrement corsé. Ce vin boisé et doux, aux arômes de fruits rouges, sera plaisant ces **3 ou 4 prochaines années.**

Je suis en principe un inconditionnel des vins du Tertre-Rotebœuf, mais même ce vignoble, pourtant géré avec un soin des plus scrupuleux, n'a pu triompher des mauvaises conditions climatiques du mois de septembre 1992, produisant un vin légèrement corsé, doux, épicé et herbacé, qui manque de profondeur et d'acidité. **A boire d'ici 1 ou 2 ans.**

Le Tertre-Rotebœuf 1993, de couleur rubis-pourpre, présente un nez doux, fermé et peu évolué de cassis et de prune, marqué de notes de terre et de chêne neuf. Dense, moyennement corsé et modérément tannique, il n'a cependant pas le caractère exotique, ouvert et flamboyant du 1989 et du 1990. Malgré tout doté de manière impressionnante, il se bonifiera au terme d'une garde de 3 à 5 ans. **A maturité : 2001-2015.**

Chaque fois que je l'ai dégusté au fût, le 1994 s'est révélé plus étonnant et plus souple, mais il semble maintenant s'être refermé. Sa robe, d'un rubis-pourpre foncé très soutenu, introduit un nez serré aux notes de terre, qui ne dégage qu'avec réticence des arômes de cerise et de cassis confiturés mêlés de senteurs de viande grillée et de fumé. Moyennement corsé, plus tannique qu'avant la mise en bouteille, ce vin est dense, gras et ample en bouche, et d'une pureté, d'une maturité et d'une richesse extraordinaires. J'ai tendance à privilégier la note attribuée à un vin déjà en bouteille par rapport à celle que je lui avais donnée avant la mise, le contenu de la bouteille étant le plus important. J'ai peut-être redégusté celui-ci à un stade ingrat de son évolution, car il est incontestablement massif et riche, peut-être même extraordinaire, mais j'attendais qu'il soit plus intense. **A maturité : 1999-2012.**

Le 1995 a le potentiel pour rivaliser avec ses aînés de 1989 et de 1990. D'une impressionnante couleur pourpre très soutenu, il libère au nez d'exotiques senteurs de fumé, de cassis, de vanille, de kirsch et de minéral. Très corsé, avec un fruité merveilleusement doux et mûr, et une faible acidité, il dévoile par paliers une texture soyeuse (caractéristique de ce cru), et sa finale est longue, pure et savoureuse. Ce vin se bonifiera au terme d'une garde de 2 ou 3 ans, et se conservera **15 ans ou davantage.**
LES GLOIRES DU PASSÉ : 1990 (96), 1989 (94), 1988 (91).

LA TOUR-HAUT-BRION (GRAVES)***

SA Domaine de Clarence Dillon
BP 24 – 133, avenue Jean-Jaurès – 33600 Pessac
Tél. 05 56 00 29 30 – Fax 05 56 98 75 14
Contact : Jean-Bernard Delmas ou Carla Kuhn

1995	C	87-89
1994	C	89
1993	C	88
1992	C	87
1991	C	85

Jean-Bernard Delmas, également administrateur de Haut-Brion, a eu à cœur d'améliorer l'intensité et le caractère de ce cru, comme en témoignent les millésimes récents.

Avec sa robe de couleur rubis-pourpre foncé, et son nez doux et épicé de minéral et de tabac, le 1991 de La Tour-Haut-Brion présente une excellente attaque en bouche, où il se révèle très riche. Il est cependant un peu court en finale. Ce vin séduisant et bien évolué demande à être consommé d'ici 3 ou 4 ans.

Le 1992 est réussi pour le millésime. D'une resplendissante couleur rubis moyen, il offre un nez acerbe et fumé de terre, de tabac, de prune et de cerise mûres. En bouche, il est souple, séduisant et bien concentré, avec une finale douce et élégante, mûre et ample. **A boire dans les 4 ou 5 ans.**

L'excellent 1993, de couleur rubis modérément foncé, exhale un nez épicé et poivré de fruits noirs et doux, et révèle en bouche de purs arômes de terre et de fumé, ainsi qu'une maturité et un caractère savoureux extrêmement sensuels. Moyennement corsé, avec une finale douce et flatteuse, il est déjà très séduisant et complexe, et devrait bien se déguster dans les **10 à 12 prochaines années.**

Le 1994 se révèle étonnamment souple, parfumé, riche et moyennement corsé, dans un millésime davantage connu pour ses vins austères, tanniques et parfois creux. De couleur rubis-pourpre foncé, il exhale le nez classique des vins des Graves, aux notes de fumé, d'herbes, de tabac et de fruits noirs et doux. D'une excellente précision dans le dessin, il est tout à la fois pur, net et bien sculpté, avec une finale douce aux tannins bien fondus. **A boire dans les 10 à 14 ans.**

Le 1995 arbore une robe rubis foncé légèrement teintée de pourpre. Plus tannique que ses deux aînés, il dégage des arômes mûrs de fruits noirs et doux qui n'ont pas encore ce caractère de terre si typique des vins de la propriété. Moyennement corsé, presque extraordinaire de concentration, il libère des tannins doux et laisse en bouche une impression massive. Ce vin, probablement le meilleur de La Tour-Haut-Brion depuis le 1982, se bonifiera au terme d'une garde de 2 ou 3 ans. **A boire dans les 15 ans.**

LES GLOIRES DU PASSÉ : 1988 (89), 1982 (94), 1978 (93), 1975 (97), 1970 (87), 1966 (88), 1961 (95), 1959 (97), 1955 (94), 1953 (96), 1949 (98), 1947 (95).

LES MÉDIOCRITÉS (OU PIRE) DU PASSÉ : 1986 (82), 1983 (84).

LA TOUR-MARTILLAC (GRAVES)**

33650 Martillac
Tél. 05 56 72 71 21 – Fax 05 56 72 64 03
Contact : Tristan Kressmann

1995	C	85-87
1994	C	81 ?
1993	C	84
1992	C	75
1991	C	76

Le 1991, légèrement corsé, agressif et herbacé, doit être dégusté dans les 3 ou 4 ans.

Quant au 1992, il est incontestablement impressionnant par sa couleur rubis foncé très soutenu, mais, passé le premier bouquet, l'absence de nez, hormis de vagues notes herbacées de terre, il peut légitimement susciter quelques inquiétudes. En bouche, c'est une explosion de tannins et d'arômes boisés et de terre, mais on relève peu de fruité, de maturité ou de charme. **A boire d'ici 3 ou 4 ans**, avant qu'il ne perde davantage de son maigre équilibre.

Le 1993, raisonnablement bien fait, exhale le nez classique d'un jeune bordeaux, aux notes vanillées de terre, de crayon et de cassis, et libère encore, après aération, quelques senteurs herbacées de poivre vert qui sont la marque du millésime. Épicé, moyennement corsé et modérément tannique, il montre une légère tendance à la maigreur et à l'austérité. **A boire dans les 4 ou 5 ans**, avant qu'il ne se dessèche.

La robe du 1994, rubis-pourpre foncé, laisse deviner une bonne maturité et une belle richesse en extrait, mais ce vin présente peu d'intérêt d'un point de vue aromatique. En effet, il est complètement fermé, compact et dur en bouche, avec une petite pointe d'un fruité doux. Sa finale n'est que tannins astringents, acidité, boisé et alcool. Je ne suis pas sûr qu'il puisse se conserver longtemps, mais je le pense meilleur qu'il ne se révélait au moment de ma dégustation.

Arborant une robe impressionnante opaque et soutenue, de couleur rubis-pourpre foncé, le 1995 libère un nez énorme et généreusement boisé de cassis. Moyennement corsé, il déploie à l'attaque en bouche un doux fruité bien mûr, ces impressions persistant jusqu'en finale. C'est l'un des meilleurs La Tour-Martillac de ces dernières années. Une garde de 2 ou 3 ans lui sera bénéfique, compte tenu de ses tannins, et il devrait bien se conserver sur **les 12 prochaines années**.

LA TOUR DE MONS (MARGAUX)**

33460 Soussans
Tél. 05 57 88 33 03 – Fax 05 57 88 32 46
Contact : Dominique Laux

1992	B	72

D'après les échantillons que j'ai dégustés, ce vin se révélait bien meilleur au fût qu'en bouteille, la mise l'ayant certainement dépouillé de son maigre fruité ; il se montre maintenant légèrement corsé, vif, tannique et peu équilibré.

Note : La Tour de Mons n'a pas diffusé de 1991 sous son étiquette.

LA TOUR DU PIN-FIGEAC (SAINT-ÉMILION)***

Contact : Sylvie et André Giraud
Château Le Caillou – 33500 Pomerol
Tél. 05 57 51 63 93 – Fax 05 57 51 74 95

1995	C	86-88
1994	C	87
1993	C	86

Cette propriété produit des vins doux et d'un style commercial qui sont incontestablement délicieux et d'un excellent rapport qualité/prix.

Doux et fruité, avec des arômes de fraise et de cerise, le 1993 n'affiche aucune prétention de complexité ou de séduction intellectuelle. Vous dégusterez ce joli vin de couleur rubis moyennement foncé, délicieusement fruité et d'un faible niveau d'acidité, dans les 4 ou 5 ans.

Semblable au 1993, le 1994 présente lui aussi un bon fruité, davantage marqué par des notes de framboise et de kirsch. Moyennement corsé, doux et savoureux, il affiche encore une faible acidité, mais ne présente aucunement le caractère tannique et astringent propre au millésime. **A boire dans les 6 ou 7 ans.**

Sans être complexe, le 1995 se révèle sensuel, flatteur, bien évolué, avec un faible niveau d'acidité. Il déploie en bouche un caractère moyennement corsé et un généreux fruité mûr dans un ensemble délicieux, doux et enchanteur. **A boire dans les 7 ou 8 ans.**

LES TOURELLES DE LONGUEVILLE (PAUILLAC)***

Châteaux et Associés – 33250 Pauillac
Tél. 05 56 73 17 17 – Fax 05 56 73 17 28
Contact : Jean-Michel Cazes ou Jean-René Matignon

1993	C	82
1992	B	75
1991	B	79

En 1991, le second vin de Pichon-Baron est honnête, offrant un modeste fruité herbacé marqué par des arômes de cassis. Bien que dilué, il est doux, avec une robe rubis profond et des senteurs bien évoluées de fruits rouges auxquelles se mêlent des arômes d'épices. **A boire d'ici 2 ou 3 ans.**

Arborant une belle couleur, moyennement corsé, le 1992 est maigre, tout en muscle, et sa structure domine totalement son fruité fragile. **A boire dans les 3 ou 4 ans.**

Impressionnant de couleur, le 1993 offre un bouquet mûr, mais ses tannins trop abondants lui confèrent un caractère austère et maigre. Ce vin compact et loyal se conservera **une décennie** encore.

TROPLONG-MONDOT (SAINT-ÉMILION)*****

33330 Saint-Émilion
Tél. 05 57 55 32 05 – Fax 05 57 55 32 07
Contact : Christine Fabre-Valette

1995	C	90-92+
1994	C	90
1993	C	87+
1992	C	89+
1991	C	85

Cette propriété extrêmement bien gérée aurait, à mon sens, mérité d'être élevée au rang de grand cru classé lors du dernier classement de Saint-Émilion.

Le 1991 se distingue par sa robe rubis assez foncé et son nez épicé et mûr de cassis, de vanille, de réglisse et de grillé. Moyennement corsé, il est riche, séduisant et élégant en bouche, et se montre souple et bien doté. **A boire dans les 3 à 5 ans.**

Lors de trois dégustations distinctes de vins de Saint-Émilion après leur mise en bouteille, le 1992 de Troplong-Mondot a complètement éclipsé les autres participants – et même considérablement gêné certains premiers grands crus classés. Ce vin arbore une robe très soutenue de couleur pourpre tirant sur le noir et exhale un nez énorme, doux et mûr de cassis auquel se mêlent des senteurs de chêne neuf et grillé, d'herbes et de réglisse. Fabuleusement concentré pour le millésime, avec un fruité mûr et une densité absolument superbes, il présente des tannins modérés ainsi qu'une finale longue, pure et merveilleusement proportionnée. Une garde de 2 ou 3 ans lui sera bénéfique, son potentiel de garde étant de **15 ans environ.** Il méritera peut-être une note exceptionnelle après un temps supplémentaire de vieillissement en bouteille.

Le 1993 arbore une robe de couleur rubis foncé, pourpre au centre, et exhale des senteurs épicées et grillées de prune, de cerise noire et de cassis. Moyennement corsé et tannique en bouche, il y déploie une douceur, une maturité et une pureté d'excellent aloi. Il s'agit d'un vin peu évolué, qui requiert une garde de 2 à 4 ans, mais il devrait se conserver ensuite une douzaine d'années. **A maturité : 2001-2012.**

La robe opaque, de couleur rubis-pourpre, du 1994 prélude à un nez serré, mais prometteur, aux notes de chêne neuf et grillé, de fruits noirs, de réglisse et d'épices. Destiné à une longue garde, avec ses abondants tannins, sa concentration et sa maturité extraordinaires, ce vin est encore très fermé, en dépit de la richesse et de la maturité explosives qu'il déploie en fin de bouche. Il devrait s'arrondir au terme d'une garde de 7 ou 8 ans. **A maturité : 2005-2015.**

Le 1995 s'impose comme le meilleur Troplong-Mondot depuis le fabuleux trio des 1988, 1989 et 1990. Peu évolué, avec une robe opaque de couleur rubis-pourpre, il libère une richesse en extrait absolument énorme, et se révèle moyennement corsé, avec une faible acidité et une maturité extraordinaire. Il est férocement tannique, mais construit comme un véritable vin de garde, qu'il faudra attendre. L'essentiel de son charme réside pour l'heure dans sa pureté,

son caractère massif et la longueur qu'il déploie en bouche. **A maturité :
2006-2022.**
LES GLOIRES DU PASSÉ : 1990 (94), 1989 (91), 1988 (89).

TROTANOY (POMEROL)****

Établissements Jean-Pierre Moueix
54, quai du Priourat – BP 129 – 33500 Libourne
Tél. 05 57 51 78 96 – Fax 05 57 51 79 79
Contact : Frédéric Lospied
Visites réservées aux professionnels

1995	E	92-95
1994	E	89+
1993	E	90
1992	D	88

En tant qu'admirateur de longue date de cette propriété, j'ai souvent parlé avec franchise de ses performances décevantes entre 1983 et 1989. Mais le 1990 signe le retour à ce style énorme, massif et concentré qui fit la marque de Trotanoy dans les années 40, 50, 60 et au début des années 70. Je suis maintenant convaincu que ce château est à nouveau sur les rails, avec des 1993, 1994 et 1995 absolument sensationnels, 1995 se révélant la réussite la plus grandiose depuis le 1970 et le 1982.

Le 1992 présente une robe dense et soutenue de couleur rubis foncé et dégage un merveilleux nez vanillé de cerise noire, de moka et de minéral. Moyennement corsé, il libère en bouche des arômes concentrés, avec un fruité fabuleusement souple et succulent, et une finale longue, capiteuse, tannique et riche. Ce vin ample et aromatique est moyennement tannique. **A boire dans les 12 ans.**

Dans un millésime largement oublié, le Trotanoy 1993 est un vin à rechercher. Sa robe soutenue, de couleur pourpre, introduit un nez doux et mûr de cerise noire, de réglisse et de terre. En bouche, les arômes sont de tout premier ordre, ce vin se révélant opulent, moyennement corsé et modérément tannique, avec un fruité sous-jacent doux, concentré et confituré. Quelle réussite formidable pour un 1993 ! Une révélation ! **A maturité : 2001-2018.**

Le 1994, de couleur rubis-pourpre foncé, présente une palette aromatique très fermée. Celle-ci ne révèle qu'après une minutieuse recherche un fruité doux et mûr qui semble s'être recroquevillé depuis la mise en bouteille. Ce Trotanoy masculin, puissant et peu évolué requiert une garde de 5 à 7 ans. Riche et moyennement corsé, il s'impose comme un véritable vin de garde, charnu et massif, d'une richesse en extrait absolument extraordinaire. **A maturité : 2003-2020.**

Le 1995 se présentait, quelques mois avant la mise en bouteille, comme les Trotanoy puissants et massifs d'antan, tout à la fois opulents et très concentrés, débordant de richesse en extrait, de glycérine et de tannins. Au moment de l'assemblage final, le produit des vignes de 60 ans d'âge a été ajouté à celui des vignes de 20 et de 40 ans, ce qui confère à l'ensemble une belle intensité de vieilles vignes. Quant au vin des jeunes vignes, il a été déclassé. Ce 1995 arbore une robe soutenue de couleur pourpre et exhale un nez fabuleusement doux de fruits noirs (kirsch, cerise et groseille). En bouche, il est dense, puissant et très gras, très corsé et très tannique, d'une profondeur et d'une pureté somptueuses. Un Trotanoy comme on n'en avait plus vu depuis les 1982, 1975, 1971 et 1970. **A maturité : 2004-2025.**

Il est rassurant de voir que cette propriété, qui a donné tant de merveilles des années 40 jusqu'au milieu des années 70, revient maintenant à une bien meilleure forme.

Note : Trotanoy n'a pas diffusé de 1991 sous son étiquette.

LES GLOIRES DU PASSÉ : 1982 (96), 1975 (94), 1971 (93), 1970 (96+), 1967 (91), 1964 (90), 1961 (98), 1959 (92), 1945 (95).

LES MÉDIOCRITÉS (OU PIRE) DU PASSÉ : 1983 (81).

TROTTEVIEILLE (SAINT-ÉMILION)***

Contact : Philippe Castéja – Maison Borie-Manoux
86, cours Balguerie-Stuttenberg – 33082 Bordeaux Cedex
Tél. 05 56 00 00 70 – Fax 05 57 87 60 30

1995	C	87-88
1994	C	85
1993	C	84
1992	C	78
1991	C	72

Le 1991 semble avoir suscité beaucoup d'enthousiasme à la propriété, mais je ne comprends vraiment pas pourquoi. En effet, il est dilué, maigre, avec un fruité végétal, et n'a ni tenue ni concentration.

Légèrement corsé et doux, le 1992 ne possède pas les tannins agressifs et le caractère végétal que l'on retrouve dans nombre de vins de cette même année, mais il ne présente pas vraiment de densité ni de profondeur. On accorde cependant un certain charme à ses arômes de fruits rouges et à son caractère agréable, accessible et dilué qui rappelle certains bourgognes. **A boire d'ici 3 ou 4 ans.**

Bien meilleur que nombre de premiers crus classés Saint-Émilion, le Trotte-vieille 1993 arbore une robe rubis moyennement foncé et déploie un doux nez aux arômes de cerise légèrement marqués d'une touche d'herbes de Provence. Il est austère en bouche, mais avec davantage de précision, de maturité et de gras que ses jumeaux. **A boire dans les 5 à 7 ans.**

Le 1994, de couleur rubis foncé, présente un gentil nez de cèdre et de cerise infusé de notes herbacées. Doux et moyennement corsé, il déploie des facettes totalement différentes, avec une faible acidité et un niveau très élevé de tannins. L'attaque en bouche est souple, mais les tannins se font ensuite très présents, et la finale est courte et atténuée. Ce vin devrait se conserver **8 à 10 ans.**

La robe rubis foncé du 1995 prélude à un nez élégant et doux de grillé et de cerise noire qui rappelle un peu celui de Magdelaine, dominé par le merlot. Ce vin commercial est généreusement boisé, bien fait et moyennement corsé et son potentiel de garde est assez important. **A maturité : 2000-2012.**

VALANDRAUD (SAINT-ÉMILION)****

1, rue Vergnaud – 33330 Saint-Émilion
Tél. 05 57 24 65 60 – Fax 05 57 24 67 03
Contact : Jean-Luc Thunevin

1995	E	94-96
1994	E	94+
1993	E	93
1992	D	88
1991	E	83

Les amateurs de bordeaux considèrent cette minuscule propriété – où les vins, non filtrés et extrêmement concentrés, sont presque faits main – comme un deuxième Le Pin. Malheureusement, les débuts de Valandraud ont été deux millésimes difficiles, si bien qu'il est impossible d'en estimer le véritable niveau de qualité.

Le caractère boisé du 1991, très marqué par le chêne, masque son fruité moyennement généreux, doux et mûr ; par ailleurs, bien que ce vin soit bon, il est d'un rapport qualité/prix tout à fait déraisonnable.

Avec sa robe opaque et très soutenue de couleur rubis-pourpre foncé et son nez riche de chêne doux, étayé par d'abondants arômes de cassis et de cerise confiturés, le 1992 est assez corsé et d'une grande richesse. Il se montre étonnamment opulent, avec beaucoup de mâche (ce qui est rare pour le millésime), déployant une finale longue, luxuriante et concentrée, d'un faible niveau d'acidité. Il devrait se révéler merveilleux sur les **6 à 8 années** à venir. Bravo !

Le 1993 de Valandraud est incontestablement l'un des vins les plus concentrés du millésime. Sa robe opaque, de couleur pourpre, introduit un nez fabuleusement doux et mûr de cerise noire et de cassis, judicieusement infusé de subtiles notes de boisé, et légèrement marqué d'une touche de minéral et de truffe. Très corsé, exceptionnellement dense et tout en rondeur, ce vin incroyablement intense est un véritable tour de force dans un millésime où l'on n'en connaît pas de cet acabit. Accordez-lui une garde de 3 ou 4 ans, et dégustez-le sur les **10 à 20 ans** qui suivront.

Le puissant et massif 1994 présente une robe opaque de couleur pourpre et une palette aromatique assez fermée (on distingue, après aération, des notes de cassis doux, de boisé et de fumé). Fabuleusement pur, avec des parfums superbes et intenses, il dévoile par paliers une finale très corsée et visqueuse. Il s'agit incontestablement de l'une des réussites du millésime, que vous conserverez encore 5 ans au moins avant de le déguster. **A maturité : 2002-2020.**

Le Valandraud 1995 est une fabuleuse illustration du millésime. Il a superbement évolué et s'est grandement étoffé depuis ma première dégustation, en mars 1996. Il déploie maintenant des tannins plus doux et un boisé plus fondu, ainsi qu'un généreux fruité, richement extrait, aux notes de cerise noire et de cassis. Ce vin massif, mais d'une belle précision, tant dans les arômes que dans le dessin, dévale littéralement le palais sans révéler la plus petite aspérité. Cette beauté d'ébène, qui regorge de fruité et de glycérine, sera plus accessible que son aîné d'un an. **A maturité : 2001-2030.**

LA VIEILLE CURE (FRONSAC)***

1, rue Coutreau – 33141 Saillans
Tél. 05 57 84 32 05

1993	B	85
1992	B	85

La société américaine propriétaire de La Vieille Cure a compris qu'il était nécessaire d'augmenter le pourcentage de merlot dans ce vignoble ; les premiers résultats sont encourageants. En effet, cette propriété produit maintenant des Fronsac des mieux équilibrés et des plus charmeurs.

La très belle couleur rubis du 1992 introduit un nez moyennement intense d'épices, de cerise noire et d'herbes. En bouche, ce vin se montre magnifiquement rond et mûr, avec une acidité faible et une finale douce et généreuse. **A boire dans les 3 ou 4 ans.**

Le 1993 est l'un des vins les mieux réussis de l'appellation. De couleur rubis foncé, il possède un nez mûr de fruits noirs et rouges subtilement nuancé par des notes boisées et herbacées, et se montre moyennement corsé, concentré et riche, avec des tannins bien fondus. **A boire dans les 10 ans.**

VIEUX CHÂTEAU CERTAN (POMEROL)*****

33500 Pomerol
Tél. 05 57 51 17 33 – Fax 05 57 25 35 08
Contact : Alexandre Thienpont

1995	D	88-91
1994	D	88
1993	D	84
1992	C	78

De couleur rubis moyen avec un nez légèrement intense de cerise herbacée, le 1992 de Vieux Château Certan se montre moyennement corsé, épicé et compact avec des tannins assez présents, mais une finale courte et sans consistance. **A boire dans les 3 ou 4 ans.**

Le 1993 est assez décevant depuis sa mise en bouteille, avec son caractère vert, herbacé et moyennement corsé aux notes épicées et de fruits rouges. Il est maigre et manque de maturité en bouche. **A maturité : jusqu'en 2006.**

Le 1994 est bien, ne présentant aucun caractère excessivement tannique ou astringent. De couleur rubis foncé, avec un nez doux de cerise confiturée, d'épices orientales et de fumé, il se révèle dense, riche et moyennement corsé en bouche, d'une excellente concentration et d'une superbe pureté. Ce vin, très charnu, affiche encore une belle acidité, si bien qu'il sera agréable à boire **jusqu'en 2010**.

Quant au 1995, de couleur pourpre foncé, il libère de doux arômes de fruits noirs confiturés bien marqués de notes de chêne neuf et d'épices orientales. D'un caractère charnu, savoureux et accessible, avec une acidité faible, il est bien évolué. **A maturité : 2000-2012**.

LES GLOIRES DU PASSÉ : 1990 (94), 1988 (91), 1986 (93), 1983 (88), 1982 (91), 1964 (90), 1959 (93), 1952 (94), 1950 (97), 1948 (98+), 1947 (97), 1945 (98-100), 1928 (96).

LES MÉDIOCRITÉS (OU PIRE) DU PASSÉ : 1971 (74), 1970 (80), 1966 (74).

VIEUX CLOS SAINT-ÉMILION (SAINT-ÉMILION)**/***

33330 Saint-Émilion
Tél. 05 57 24 60 91 – Fax 05 57 74 46 65
Contact : Michel Terras

1992	B	77
1991	B	70

Après un 1991 décevant car austère, léger et dilué, le 1992 de cette propriété se montre doux, mûr et herbacé, mais charmeur. Légèrement corsé, avec des arômes séduisants de fruits rouges, il présente une finale courte et douce. **A boire dans les 2 ou 3 ans.**

VILLEMAURINE (SAINT-ÉMILION)**/***

33330 Saint-Émilion
Contact : Dany Dournelle – BP 31 – 33240 Saint-André-de-Cubzac
Tél. 05 57 43 01 44 – Fax 05 57 42 08 75

1993	C	74

Ce 1993 légèrement corsé et très tannique libère d'importants arômes de chêne neuf qui masquent complètement son maigre fruité. Tout cela donne un vin plutôt désagréable à la dégustation et qui se desséchera rapidement.

LES VINS BLANCS SECS DE BORDEAUX

AILE D'ARGENT (BORDEAUX)***

1993	E	89
1992	E	87
1991	E	74

Pour un début (1991), ce vin blanc sec et très onéreux produit par Mouton-Rothschild s'est révélé un échec total. Excessivement boisé, il a déjà perdu le peu de fruité qu'il possédait, et sa finale est vraiment très courte.

Le 1992 et le 1993 sont mieux réussis, avec un généreux fruité riche et mielleux.

ARCHAMBEAU (GRAVES)***

1993	C	87

Doux, opulent et riche, ce blanc sec, vif et mielleux est excellent, avec un fruité généreux et mûr. **A boire dans l'année.**

BAUDUC LES TROIS HECTARES (BORDEAUX)***

1993	B	85
1992	A	85

Le 1992 présente au nez des senteurs fruitées très séduisantes. Moyennement corsé en bouche, il y développe des arômes vivaces de minéral et de fruits, ainsi qu'une finale austère. Un blanc sec et vif. **A boire dans l'année.**

Fruité et capiteux, avec des arômes d'herbes et d'épices, le 1993 se montre moyennement corsé, d'une pureté et d'une vivacité admirables. En fin de bouche, il est sec et rafraîchissant. **A boire dans l'année.**

BLANC DE LYNCH-BAGES (PAUILLAC)***

1993	D	89
1992	D	87
1991	D	70

Jean-Michel Cazes réussit toujours merveilleusement bien avec ce vin blanc sec, qu'il produit juste en dehors de l'appellation Pauillac.

Le 1991 perdant déjà de son fruité, on peut en déduire que les vins blancs du Médoc (à l'exception du Pavillon Blanc du Château Margaux) doivent normalement être consommés aussi rapidement que possible. Celui-ci développe un nez austère, et ses arômes fruités, autrefois séduisants, sont maintenant très atténués.

Je lui préférerai le 1992, plus mûr et plus parfumé, avec son nez floral de fruits tropicaux marqué par de subtiles touches de grillé. Moyennement corsé et vif, il est racé et exubérant, et déborde de fruité. Mais, s'il est certes délicieux, il est aussi trop cher.

Parmi les qualités admirables que présente le 1993, on peut citer son nez odorant, de fleurs et de fruits tropicaux, les arômes moyennement corsés et vivaces qu'il déploie en bouche, ainsi que ses tannins bien fondus et sa finale merveilleusement fraîche et sèche. Il donne une impression générale de légèreté, mais s'impose aussi par son intensité de fruit extraordinaire. **A boire d'ici 1 ou 2 ans.**

CARBONNIEUX (GRAVES)****

1993	C	89
1992	C	88

Le Château Carbonnieux s'impose comme une référence pour ses vins blancs secs, vifs et élégants. Depuis quelques années, ceux-ci semblent plus riches et plus massifs sans avoir toutefois rien perdu de leur élégance et de leur style sublimes.

Avec son nez riche d'épices et de miel, le 1992 se montre moyennement corsé et d'une belle maturité en bouche, présentant suffisamment d'acidité de bon ressort et d'arômes de chêne grillé pour étayer sa richesse. C'est précisément pour leur caractère exubérant et très frais que les blancs secs de cette propriété sont les plus prisés du Bordelais. **A boire dans les 10 ans, voire au-delà.**

Riche et mielleux, le 1993 montre également une belle pureté, avec des arômes séduisants de chêne fumé qui contribuent à sa complexité. Il possède en outre un caractère marqué par des senteurs de cire, d'herbes, de fruits et de fumé. **A boire dans les 10 à 15 ans.**

CARSIN (BORDEAUX)***

1993 Cuvée Prestige	A	85
1992	A	85

Cette propriété, dirigée par des Australiens, produit des vins secs, délicieux et fruités qui doivent être consommés avant d'avoir atteint 1 an d'âge.

Le 1992, avec son nez marqué par des arômes de citron, se montre légèrement corsé, vif et fruité en bouche, où il déploie une finale sèche et austère. Il se révélera délicieux à l'apéritif ou en accompagnement d'un plat de crustacés.

Carsin a également donné en 1993 une Cuvée Prestige élevée en fûts neufs. Il s'agit d'un bordeaux générique dont les arômes de chêne sont bien fondus, contrairement à ce qui se voit chez certains autres, dont ils dominent l'élégance et le fruité. Je lui ai attribué la note de 85, mais il coûte quand même beaucoup plus cher que la cuvée ordinaire.

CHANTEGRIVE (GRAVES)***

1993 Cuvée Caroline	C	87
1992 Cuvée Caroline	C	87
1992	B	85

Cette propriété bien connue produit régulièrement des blancs et des rouges qui, pour être délicieux, n'en sont pas moins proposés à des prix tout à fait raisonnables. En 1992, la cuvée générique dégage un nez de miel, d'herbes et de melon, et se montre moyennement corsée en bouche, révélant une belle précision dans le dessin ainsi qu'une finale sèche et vive. **A boire d'ici 1 an.**

La Cuvée Caroline de la même année est plus marquée par des arômes de chêne neuf, de miel et de fruits exotiques. Moyennement corsée, avec une finale épicée, elle est aussi plus corpulente, plus aromatique, et accompagnera donc des plats plus riches.

Le 1993, assez corsé, est mielleux, richement doté et se révèle d'une merveilleuse pureté. Il déborde d'un fruité mûr et acidulé, et déploie une finale sèche et vive. Comme d'autres vins de ce même millésime, le Chantegrive 1993 est doux. **A boire dans l'année.**

DOMAINE DE CHEVALIER (GRAVES)*****

1993		D	89
1992		D	93
1991		D	89

Le 1991 – qui est, avec le 1992 et le 1993, une des trois dernières belles réussites du Domaine de Chevalier – est un vin moyennement corsé, à l'excellent fruité, qui révèle des arômes intenses de minéral et de chêne. Remarquablement long, il présente une finale explosive, alors même qu'il commence à se refermer. Vous aurez compris qu'il s'agit là d'un Graves que vous pourrez garder de longues années car, même dans les millésimes légers, les vins blancs du Domaine de Chevalier ont un potentiel de garde de 15 à 20 ans.

Le 1992 exhale un nez serré, mais prometteur et riche, de melon, de cire et de fruits confits agréablement marqué par des senteurs de chêne neuf. Très structuré et concentré, avec un beau fruité qu'il déploie par paliers, il présente aussi en bouche des effluves sous-jacents de minéral et de métal. Ce vin formidablement doté et peu évolué requiert 6 à 10 ans de garde supplémentaire avant de s'ouvrir, mais il devrait se conserver sur les **25 prochaines années, sinon plus**. Impressionnant !

Le Domaine de Chevalier 1993 ne révèle pas encore la mâche ni le caractère riche, gras et musclé de l'extraordinaire 1992. Encore dans son enfance, ce vin aux arômes d'agrumes est fermé et peu évolué, mais il présente un abondant fruité vif et acidulé auquel s'ajoutent de généreuses notes de chêne neuf et grillé. Bien qu'il soit serré, ferme et très bon, je pense qu'il n'a ni la richesse ni la plénitude du 1992. Son potentiel de garde est de **15 à 20 ans, voire plus.**

LES GLOIRES DU PASSÉ : 1985 (93), 1983 (93), 1970 (93), 1962 (93).

CLOS FLORIDÈNE (GRAVES)****

1993		C	89

Cette propriété, qui appartient à Denis Dubourdieu, produit des vins prisés surtout des initiés. Pourquoi ? Parce qu'ils sont en général moins chers que la plupart des vins des Graves plus renommés et plus prestigieux. Composés à 70 % de sémillon et à 30 % de sauvignon plantés sur sol calcaire, ils sont sensuels, merveilleusement riches, débordant de fruité et délicieux jusqu'à **3 ou 4 ans d'âge**. Le 1993 est charnu et délicieux, et vous l'admirerez pour sa pureté, ses parfums et son fruité riche.

LA CLOSIÈRE (BORDEAUX)***

1992		A	86

Cet excellent vin blanc sec, très pur et très fin, et parfaitement mûr, exhale des arômes explosifs et intenses d'herbes et de melon. **A boire dans l'année.**

COUCHEROY (GRAVES)***

1992	A	86

Classique, le Château Coucheroy 1992 est moyennement corsé et racé, avec un nez de minéral et d'herbes, un bon fruité et une finale douce. **A boire dans l'année.**

COUHINS-LURTON (GRAVES)****

1993	D	91
1992	D	90

Il est vraiment dommage que ce vin, qui est un de mes Graves favoris, soit produit en quantités aussi restreintes. Composé à 100 % de sauvignon blanc, il est d'une richesse et d'une intensité telles que l'on croirait qu'il contient du sémillon ; mais ce n'est pas le cas.

Le 1993 est un Graves classique, qui déploie, à la fois au nez et en bouche, des arômes intenses et merveilleux de minéral, de fumé et de confit. Moyennement corsé, il montre une belle pureté et de la vivacité, et présente une finale d'une superbe précision. **A boire dans les 10 ans, voire au-delà.**

Le 1992 est également extraordinaire. Plus ample et plus doux en bouche, avec plus de mâche aussi, il ne possède toutefois pas la vivacité ni l'exceptionnelle finesse du 1993. **A maturité : jusqu'en 2000.**

DOISY-DAËNE (BORDEAUX)***

1993 Blanc Sec	A	86

Le 1993 de Doisy-Daëne est un vin sec, bien vinifié et frais, qui se révèle aussi juteux, vif et richement fruité. **A boire dans l'année.**

FERBOS (GRAVES)***

1990	A	86

Ce vin riche et moyennement corsé présente une concentration étonnante et une texture crémeuse. J'ai surtout été sensible au mélange des arômes de minéral, de miel et de melon qu'il déploie. **A boire dans l'année.**

DE FIEUZAL (GRAVES)*****

1993	D	92
1992	D	91
1991	D	86

Le Château de Fieuzal produit, depuis 1985, des vins blancs sensationnels, et ce dernier millésime demeure l'un des plus extraordinaires qu'il ait à son actif. Par la suite, ses 1988 et 1989 se sont révélés formidables, et ses 1992 et 1993 sont de beaux succès.

Le 1991 est réussi pour une année aussi difficile. Bien que discret, il déploie une certaine élégance, avec des arômes vifs et légèrement corsés de citron et de miel marqués par des touches de chêne neuf et grillé. La finale est goûteuse et sèche. **A boire dans les 4 ou 5 ans.**

Le 1992 exhale quant à lui un nez énorme, crémeux et riche, de chêne neuf et grillé, et révèle un fruité très mûr. Moyennement corsé et d'une belle concentration, avec une finale marquée par la mâche, il se montre généreux en bouche, sans toutefois faire preuve de la précision dans le dessin propre à ce cru dans certains autres millésimes. **A boire dans les 6 ou 7 ans.**

Puissant et riche, le 1993 révèle au nez et en bouche des arômes imposants et généreux de miel, de cire, de citron et de chêne neuf et épicé. Très corsé, avec une texture épaisse marquée par la mâche, il est long et vif en fin de bouche. Comme tous les De Fieuzal blancs, il est composé à parts égales de sémillon et de sauvignon blanc et entièrement vieilli en fûts neufs. **A boire dans les 10 à 15 ans.**

LES GLOIRES DU PASSÉ : 1989 (90), 1988 (90+), 1985 (94).

DE FRANCE (GRAVES)**

1993	C	74
1992	C	86

Racé et discret, le 1992 du Château de France est moyennement corsé, avec un fruité vif, des arômes de chêne grillé et une finale sèche. **A boire dans les 2 ou 3 ans.**

Légèrement corsé et vert, le 1993 déçoit par ses arômes dilués ; ce vin ne présente que peu d'intérêt.

G DU CHÂTEAU GUIRAUD (BORDEAUX)***

1993	B	85
1992	B	86

Le Château Guiraud a connu un franc succès avec ce vin blanc sec qu'il produit dans son vignoble de Sauternes.

Avec son nez énorme, épicé et mielleux, le 1992 est moyennement corsé, d'une bonne longueur, riche et mûr en bouche. Puissant, il déploie une finale robuste et capiteuse. **A boire l'année prochaine.**

Légèrement corsé, le 1993 est vif, frais et acidulé, et révèle un fruité vigoureux et une finale sèche. **A boire l'année prochaine.**

LA GARDE RÉSERVE DU CHÂTEAU (GRAVES)***

1993	C	89

Grâce à des investissements considérables, les vins blancs et rouges de ce vignoble de Pessac-Léognan sont de plus en plus impressionnants. Je tiens le 1993 pour une belle réussite, avec son caractère riche, ses arômes généreux de fruits confits et sa finale pure, nette et vive.

GRAVILLE-LACOSTE (GRAVES)***

1992	A 86

En 1992, les vignobles à vins blancs du Bordelais furent vendangés avant l'arrivée des pluies importantes, et cela semble assez évident lorsqu'on goûte le Graville-Lacoste de cette année. En effet, ce délicieux Graves blanc révèle un abondant fruité vif de minéral, de figue et de melon. Moyennement corsé, il déploie une bonne acidité, ainsi qu'une finale fraîche, longue et sèche. Ce vin plein de caractère est par ailleurs d'un excellent rapport qualité/prix. **A boire dans les 2 ans.**

HAUT-BRION (GRAVES)*****

1993	E 94
1992	E 93

Le Haut-Brion blanc 1992 est un monument, au nez énorme et ostentatoire de fruits doux et confits. Très corsé, avec un fruité généreux qu'il déploie par paliers, il est crémeux et charnu, et se montre plus évolué et plus spectaculaire que son jumeau de Laville. Il déploie également une belle acidité ainsi qu'une finale explosive, longue et sèche. Ce vin éblouissant a une longue vie de **30 ans et plus.**

Légèrement supérieur au 1992, le 1993 exhale un nez flatteur d'huile, de minéral et de fruits confits et mûrs. En bouche, il est très corsé et très concentré, avec une acidité admirable, une vivacité et une précision dans le dessin assez extraordinaires. Sa finale est riche, longue, sèche et rafraîchissante. Ce vin riche possède plus de complexité aromatique que le 1992, il est plus musclé et davantage marqué par la mâche, mais tous deux résisteront parfaitement à l'épreuve du temps, sur **30 ans et plus.**

Note : Haut-Brion n'a pas diffusé de 1991 sous son étiquette.
LES GLOIRES DU PASSÉ : 1989 (98), 1985 (97).

LARRIVET-HAUT-BRION (GRAVES)***

1993	C 75
1992	C 88

Fort réussi, le 1992 de Larrivet-Haut-Brion déploie un nez énorme, mielleux et mûr qui jaillit littéralement du verre, offrant des arômes de cire, de minéral et de grillé qui rappellent le sémillon. Très corsé et généreusement doté, avec un fruité très gras qu'il développe en couches, il se montre sec, corpulent, riche et explosif. Vous dégusterez ce délicieux Graves avant qu'il n'ait atteint **5 à 7 ans d'âge.**

Quant au 1993, ses arômes plats, mous et faibles en acidité sont diffus et manquent de concentration. Très dilué, il se délite au palais.

LAVILLE-HAUT-BRION (GRAVES)*****

1993	E	90
1992	E	91

Le 1992 de Laville est un des Graves blancs secs les moins évolués qu'il m'ait été donné de déguster. Avec sa robe assez soutenue de couleur paille et son nez serré, mais prometteur et fruité, de cire, il se montre moyennement corsé en bouche, où il déploie une bonne acidité, ainsi qu'une mâche et une richesse opulentes. Bien qu'il ne soit pas aussi monumental que le 1989, ce vin d'une longueur phénoménale est de toute première classe. **A boire dans les 20 à 30 ans.**

Le 1993 pourra rivaliser avec son aîné d'un an au terme d'une garde supplémentaire de quelques années, mais, pour l'instant, il se montre plus serré et moins corsé que celui-ci, qui est plus gras et plus robuste. Peu évolué, mais racé et plein de finesse, il possède une structure riche et ferme, et dégage des arômes d'épices, de fruits confits et de chêne neuf et grillé, ainsi qu'une belle acidité.

Note : Laville-Haut-Brion n'a pas diffusé de 1991 sous son étiquette.
LES GLOIRES DU PASSÉ : 1989 (98+), 1985 (93), 1983 (90), 1975 (90), 1966 (92), 1962 (88), 1947 (93), 1945 (96).

LA LOUVIÈRE (GRAVES)*****

1993	C	90
1992	C	87-89

Cette propriété produit des vins blancs et rouges de plus en plus remarquables. Vous ne serez donc pas surpris par son superbe 1993, moyennement corsé, aux senteurs de miel et de fumé, qui développe en bouche des arômes généreux et une magnifique pureté. Son potentiel de garde est **d'une dizaine d'années.**

Quant au riche 1992, qui vous ferait tomber à la renverse, il explose littéralement d'un fruité aux arômes de melon, de miel, de fumé et d'herbes. Bien qu'il n'ait ni la complexité ni la longueur du 1993, je l'ai régulièrement bien noté. **A maturité : jusqu'en 2002.**

MALARTIC-LAGRAVIÈRE (GRAVES)***

1993	C	72
1992	C	76

Si vous avez un penchant pour les arômes de petit pois et de citron pas mûrs, il y a des chances pour que vous appréciiez plus que moi le 1992 de Malartic-Lagravière. Coupant et anguleux en bouche, il montre une pureté, une légèreté et une grande austérité qui pourraient présenter quelque intérêt pour les masochistes, mais ce n'est décidément pas mon style. Très maigre, aqueux et légèrement corsé, le 1993 est vert, avec des arômes vraiment trop herbacés.

OLIVIER (GRAVES)**

1993	C 81
1992	C 84
1991	C 76

Ni le 1991, ni le 1992, ni le 1993 de cette propriété ne sont agréables à la dégustation. Le 1991, dilué, présente une finale sirupeuse et écœurante. Le 1992, plus délicat, est moyennement corsé, avec un nez de pierre et d'agrumes. Il offre en bouche des arômes agréables, mais sa finale est compacte. Quant au 1993, il est moyennement corsé et monolithique, avec des notes de chêne neuf et grillé. Il s'agit d'un vin simple, que vous boirez **cette année.**

PAPE-CLÉMENT (GRAVES)****

1993	D 90

Seuls 2,6 ha du vignoble de Pape-Clément sont complantés en cépages blancs (45 % chacun pour le sémillon et le sauvignon blanc, et 10 % pour la muscadelle). Tous les vins sont vinifiés et élevés en fûts neufs.

Le 1993 est à ce jour la plus belle réussite de la propriété, avec son bouquet aromatique et merveilleusement mûr de fruits épicés et ses notes bien infusées de chêne. Moyennement corsé et riche, il déploie en bouche des arômes vifs de minéral, de melon et de miel, ainsi qu'une finale rafraîchissante. **A boire dans les 10 à 15 ans.**

PLAISANCE (BORDEAUX)***

1993 Cuvée Tradition	B 86

Entièrement issu de sémillon, le 1993 du Château Plaisance dégage un nez mielleux et épicé, avec des notes de chêne. Moyennement corsé et riche en bouche, il y déploie une bonne concentration et une belle finale. **A boire cette année.**

R DE RIEUSSEC (GRAVES)***

1993	C 87

Composé à parts égales de sauvignon blanc et de sémillon, ce vin élégant et accessible offre en 1993 l'exemple d'un Graves classique, sec et richement fruité. Avec ses arômes séduisants de melon et d'ananas, il se dégustera au meilleur de sa forme dans le courant de **l'année prochaine.**

RAHOUL (GRAVES)***

1993	C 85

Moyennement corsé, le 1993 de Rahoul révèle des arômes fruités, séduisants, gras et mûrs d'ananas, et déploie une finale juteuse, vive et sèche. **A boire dans les 3 ou 4 ans.**

REYNON (BORDEAUX)***/****

1993 Vieilles Vignes	B	87
1992	B	87

Cette propriété, qui donne régulièrement l'un des meilleurs vins blancs du Bordelais, appartient à Denis Dubourdieu, le « M. Vin-Blanc » de la région.

Riche et moyennement corsé, le 1992 exhale un bouquet de fruits, de miel et d'épices qui jaillit littéralement du verre. D'un faible niveau d'acidité, il déploie un fruité sensuel et une finale longue, riche, sèche et généreuse. Il s'agit d'une excellente affaire, dont je vous conseille de vous procurer une caisse. **A boire maintenant.**

Le 1993 Vieilles Vignes est merveilleusement riche et moyennement corsé. Il présente des senteurs de fumé, d'herbes et de melon confit, ainsi qu'un fruité exubérant, une acidité de bon ressort et une fraîcheur vive. **A boire dans les 2 ans.**

ROCHEMORIN (GRAVES)***

1992	B	86

Ce château de bonne tenue est une autre des propriétés d'André Lurton, qui y produit des vins blancs secs moyennement corsés, séduisants et purs, très fruités et bien concentrés, à consommer avant **2 ans d'âge.** Ceux qui dégusteront le 1992 apprécieront son caractère charnu et ses arômes d'agrumes, de figue et de melon.

ROQUEFORT (BORDEAUX)***

1993	A	86
1992	A	85

Sous la talentueuse direction de Denis Dubourdieu et de son assistant, Christophe Olivier, Roquefort donne les bordeaux blancs génériques les plus intéressants du Bordelais.

Très aromatique et sec, le 1992 exhale un nez d'herbes et de melon, et se montre moyennement corsé en bouche, avec une finale sèche. **A boire maintenant.**

Le 1993, moyennement corsé et d'une belle pureté, révèle un fruité merveilleusement mûr de melon et de fruits confits, et une formidable richesse. **A boire maintenant.**

SMITH-HAUT-LAFITTE (GRAVES)*****

1993	C	89
1992	C	87
1991	C	84

Cette propriété, qui atteint des niveaux de qualité de plus en plus élevés, produit actuellement des vins comptant au nombre des meilleurs Graves blancs.

Entièrement composé de sauvignon blanc, le 1991 se révèle légèrement corsé, sec et vif au nez, avec des senteurs de melon et d'agrumes. En bouche, il est plus corsé, d'une pureté admirable, mais sa finale est trop courte pour que je lui décerne une meilleure note.

Le 1992 allie les effluves herbacés d'agrumes et de melon du 1991 à des notes de miel et de chêne fumé. Il en résulte un vin riche et concentré, moyennement corsé en bouche, qui offre, outre une belle précision dans le dessin, un fruité généreux et une finale vive et longue. Déja délicieux, il promet de bien se conserver ces 10 prochaines années, voire davantage.

Composé à 100 % de sauvignon blanc, le 1993 exhale un nez riche de melon confit aux séduisantes notes de chêne neuf et grillé. Gras et généreusement doté, extrêmement frais et vif, il présente une belle acidité sous-jacente. A boire dans les 2 ou 3 ans.

THIEULEY (BORDEAUX)***

1993	A	86

Le Château Thieuley est l'une des propriétés les mieux gérées du Bordelais. Il a donné en 1993 un blanc délicieusement sec et vif, moyennement corsé, au fruité généreux et à la finale acidulée. Cette année-là, tous les blancs secs de Bordeaux avaient été récoltés avant l'arrivée des pluies.

LA TOUR-MARTILLAC (GRAVES)****

1993	C	89
1992	C	90
1991	C	86

Ce château a produit, ces dernières années, des vins blancs absolument merveilleux. Même le 1991 se montre délicieusement fruité et moyennement corsé, dans un ensemble très élégant. Ce Graves racé et léger, d'une belle profondeur, déploie un nez intense et une finale superbe et vive. A boire d'ici 4 ou 5 ans.

Issu de rendements raisonnables et fermenté en fût, le 1992 exhale un nez énorme, riche, mielleux et fumé, et déborde en bouche d'un fruité magnifique, marqué par la mâche. Il s'y montre moyennement corsé, pur et d'une merveilleuse précision dans le dessin, avec une finale remarquable et sèche. A boire dans les 6 ou 7 ans.

Moyennement corsé, avec un abondant fruité riche et concentré, le 1993 est également d'une merveilleuse précision et possède une bonne acidité sous-jacente. Sa finale est longue, avec des arômes de fumé et de miel. A boire dans les 10 ans.

LES VINS BLANCS LIQUOREUX DE SAUTERNES ET DE BARSAC

Les dégustations que je considère comme les plus délicates sont celles des liquoreux de Sauternes et de Barsac. En effet, l'évaluation de ces vins est rendue extrêmement difficile par leur titre alcoométrique élevé et par leur taux de sucre résiduel, ainsi que par leur évolution plus lente que celle des bordeaux rouges.

Cela étant dit, ces deux appellations ont récemment connu trois millésimes consécutifs de très haut niveau (1988, 1989 et 1990), fait sans précédent dans leur histoire. Chacune de ces années a ses zélateurs, la majorité étant partagée sur le point de savoir laquelle, de 1988 ou de 1990, est la plus grandiose de cette historique trilogie. Certains châteaux ayant également produit des vins extraordinaires en 1989, le débat n'en devient que plus intéressant.

J'ai donc décidé de regoûter tous ces vins à l'aveugle, dégustant en même temps les trois millésimes d'une même propriété dans un ordre indéfini. Après cet exercice méthodique, j'ai établi des comparaisons entre les meilleurs vins de chacune de ces années et, comme l'indiquent les notes de dégustation ci-après, les 1988 et les 1990 se sont montrés grandioses. Seuls quelques 1989 révélaient autant de caractère que les 1988 et les 1990 les plus fins, mais, redisons-le, dans l'ensemble, ces trois millésimes sont exceptionnels.

C'est à 1988 que revient la palme du millésime le plus élégant : ses vins allient en effet de beaux niveaux de botrytis à une acidité sous-jacente de bon ressort, à une richesse et à une douceur bien équilibrées, le tout dans une harmonie parfaite. Plus extraverti, le 1989 est aussi plus lourd, avec des taux de sucre résiduel plus importants. Quant à 1990, il s'agit d'un millésime massif, énorme et puissant. Cependant, les vins de ces trois années demeurent bien équilibrés, malgré leur caractère massif, et possèdent l'acidité qu'il faut pour obtenir une belle précision dans le dessin. Je pense que les 1990 seront d'aussi longue garde que les 1988, mais qu'ils se montreront au mieux de leur forme plus tôt. S'il fallait aussi établir des comparaisons de styles, je rapprocherais le 1988 du 1975, du 1971 et du 1962, et le 1990 du 1976, du 1959 et du 1949. Quant au 1989, il pourrait bien se révéler la réplique du 1967.

La plupart de ces dégustations à l'aveugle ont eu lieu à Bordeaux, mais j'ai également goûté certaines cuvées prestigieuses et quelques autres vins aux États-Unis.

D'ARCHE (SAUTERNES)***

1990	C	87 ?
1989	C	86

Peut-être un peu trop mûr et trop alcoolique, le 1990 du Château d'Arche est relativement puissant, mais son point faible pourrait être son manque d'acidité. Sous condition qu'il se redresse, il pourrait se révéler bon, voire très bon, très musclé et ardent, avec un fruité énorme et épais marqué par la mâche. On peut espérer qu'il évoluera pendant encore **une décennie**.

Le 1989 semblait au départ lourd et peu précis, tant au fût qu'après la mise en bouteille. Cependant, il s'est étoffé (ce qui augure bien de l'évolution du 1990), déployant maintenant un fruité bien évolué, mûr et musclé, marqué par la mâche. Faible en acidité, il est aussi moyennement sucré. **A boire dans les 6 ou 7 ans.**

CAILLOU (BARSAC)***

1990	C	88
1989	C	84
1988	C	87

Moyennement doux, riches et fruités, les vins du Château Caillou ont tendance à être compacts et n'ont pas la complexité que l'on retrouve dans ceux des meilleures propriétés du Sauternais.

Avec son nez mielleux de cerise, d'abricot et d'orange mûre, le 1990 se montre moyennement corsé, d'une acidité étonnante, et présente une finale épaisse marquée par la mâche. Il est aussi impressionnant que peut l'être un vin de cette propriété. **A boire dans les 10 à 15 ans.**

Le 1989, qui n'est pas mon préféré, apparaît gras, doux et trapu, sans grande complexité ni précision, et son faible niveau d'acidité le rend plus diffus à mesure qu'il vieillit.

Quant au 1988, épais, riche et mûr, il exhale un fruité marqué par des senteurs d'ananas confit et se montre moyennement corsé en bouche, avec un caractère plus élégant que les 1989 et 1990. **A boire dans les 10 ans.**

CLIMENS (BARSAC)*****

1990	D	95
1989	D	90
1988	D	96

Outre un abondant fruité d'orange et d'ananas confits qu'il déploie par couches à la fois au nez et en bouche, le 1988 de Climens recèle une acidité de bon ressort et de grandes quantités de botrytis. Sa finale est fabuleusement longue et d'une belle précision. Quel grand vin ! **A maturité : 1998-2015.**

Pour des raisons que j'ignore, le 1989 est simplement extraordinaire, mais pas éblouissant. Bien qu'il n'ait pas la complexité de son aîné d'un an, il est charnu, musclé, riche et intense. En bouche, il se révèle très corsé, plus doux que d'habitude, avec un bon niveau d'acidité pour le millésime. S'il acquiert davantage de complexité et de tenue, ma notation actuelle pourrait paraître insuffisante. **A maturité : jusqu'en 2010.**

Le 1990 se déguste toujours merveilleusement bien – mieux, même, que je ne l'aurais pensé – et se pose maintenant en sérieux rival du fabuleux 1988. Ses arômes absolument superbes (ananas, acacia, vanille et miel) introduisent en bouche un vin riche, très corsé et très alcoolique, d'une puissance inhabituelle pour ce cru, qui présente aussi un bon niveau d'acidité, ainsi qu'un superbe fruité et une grande richesse en extrait. **A maturité : 2000-2030.**

LES GLOIRES DU PASSÉ : 1986 (96), 1983 (93), 1980 (90), 1975 (89), 1971 (96), 1959 (92), 1949 (96), 1947 (94 ?), 1937 (92), 1929 (90).

CLOS HAUT-PEYRAGUEY (SAUTERNES)***

1990	C	90
1989	C	86
1988	C	89

Ces trois vins méritent aujourd'hui de meilleures notes que celles que je leur avais initialement attribuées. Le 1988, dont le bouquet et les arômes sont supérieurs à ceux des autres, déploie un nez marquant de chèvrefeuille, de pêche, d'abricot et d'ananas doux. La palme du vin le plus riche, le plus corsé, le plus puissant et le plus onctueux revient au 1990. Et, encore une fois, le caractère élégant et corsé du 1988 tranche avec celui plus titanesque, plus spectaculaire, plus ostentatoire même du 1990, mais le premier est moins alcoolique (avec un bon degré de moins) que le second.

Le 1989 souffre de la comparaison avec les deux autres millésimes, en grande partie parce qu'il est plus sec, avec un caractère de cire assez proche de celui d'un Tokay-Pinot gris. Même s'il se présente bien, il semble moins ample que le très aromatique 1988 ou le très riche 1990. Mon expérience des vins de Lafaurie-Peyraguey ne me permet pas d'évaluer très précisément leur potentiel de garde, mais il me semble bien que le 1990 peut parfaitement être conservé pendant **20 ans, si ce n'est plus**, et que le 1988 évoluera bien sur les **15 prochaines années**. Même le 1989 aura une aussi longue vie, malgré son extraction de fruit moindre ; mais, une fois qu'il commencera à se dessécher, il se révélera moins intéressant.

COUTET (BARSAC)****/*****

1990	D	88
1989	D	90
1988	D	89+
1990 Cuvée Madame	E	98
1989 Cuvée Madame	E	95
1988 Cuvée Madame	E	99

Il s'agit d'une des rares propriétés où le 1989 s'est révélé meilleur que le 1988 ou le 1990. Plus riche, plus doux et plus gras que ces deux derniers vins, le 1989 est en effet corsé et très concentré, avec un nez très pur d'ananas. Le 1988, plus légèrement corsé et plus sec, est moins massif, avec des senteurs relativement corsées, séduisantes et épicées de vanille et d'agrumes, légèrement touchées par des notes de terre – ce qui m'a empêché de lui attribuer une meilleure note encore. Moyennement corsé, doux, riche et mielleux, le 1990 n'a pas la complexité ni la netteté de son aîné d'un an.

La Cuvée Madame n'est produite qu'en quantités très restreintes. Spectaculaire et riche, elle illustre bien, avec D'Yquem, les sommets de quintessence que peuvent atteindre les très grands liquoreux de cette région. Les trois Cuvées Madame 1988, 1989 et 1990 sont des vins quasi parfaits. Ce dernier millésime est le plus riche et le plus puissant, mais le 1988 offre des arômes tellement extraordinaires qu'ils en sont presque irréels. Tous trois libèrent un profond bouquet de chêne neuf fumé et grillé auquel se mêlent des senteurs de pêche et d'abricot confits, ainsi que de noix de coco et de crème brûlée. Fabuleusement riches et très corsés, ils possèdent tous une merveilleuse extraction de fruit et une excellente acidité sous-jacente – ce sont des vins flamboyants.

Pour terminer, précisons que la Cuvée Madame n'est faite que dans les très grandes années. Issue des plus vieilles vignes et des baies les plus botrytisées, elle a vu le jour en 1943, millésime suivi de 1949, 1950, 1959, 1971, 1975, 1981, 1986, 1988, 1989 et 1990.

LES GLOIRES DU PASSÉ : Cuvée Madame – 1986 (96), 1981 (96), 1975 (94), 1971 (98).

DOISY-DAËNE (BARSAC)***

1990 L'Extravagance	E	95
1990	C	91
1989	C	89
1988	C	89

En 1990, Doisy-Daëne a produit 100 caisses d'une cuvée de prestige absolument sensationnelle, appelée L'Extravagance. Très marquée par le botrytis, d'une intensité et d'une richesse en extrait imposantes, elle est remarquablement équilibrée malgré sa puissance massive. Il est peu probable que vous trouviez de ce vin (embouteillé dans de très lourds flacons de 375 ml) en dehors de Bordeaux. Sa robe dorée, assez soutenue, sa richesse et sa puissance extraordinaires donnent à penser qu'il restera magnifique ces **20 prochaines années, voire au-delà.**

La cuvée générique se révèle en 1990 plus complexe et plus riche que par le passé : un vin exquis, puissant et opulent – le plus riche et le plus intense Doisy-Daëne que je connaisse. D'une couleur dorée assez soutenue, il dégage un nez mielleux influencé par le botrytis, et se montre très alcoolique et puissant, avec une finale capiteuse. Ses flaveurs vigoureuses et sa puissance sont bien étayées par une acidité juste suffisante. **A boire dans les 15 ans.**

Le 1989 se montre aujourd'hui sous un meilleur jour que lors de précédentes dégustations, déployant de généreux arômes de fruits confits, un caractère élégant et une grande richesse. Trapu et profond, il est moyennement corsé, avec une acidité faible, et n'est pas aussi botrytisé que le 1990 ou le 1988. **A maturité : jusqu'en 2025.**

Le 1988 est le plus léger des trois. Moyennement corsé, il présente un nez très aromatique d'ananas, de pêche et de pomme, avec une touche de chèvrefeuille qui lui apporte une certaine complexité. Vif et sec, il est d'ores et déjà parfait et le demeurera ces **10 prochaines années.**

DOISY-VÉDRINES (BARSAC)***

1990	C	84
1989	C	88
1988	C	86

Les notes ci-dessus sont bien le reflet de celles que j'avais déjà attribuées à ces mêmes vins après dégustation d'échantillons au fût et en bouteille.

Le 1989 s'impose comme le vin le mieux doté. Bien qu'il manque de botrytis, il est plus corsé, avec davantage de fruité mielleux que les autres, et se montre riche et intéressant.

Le 1988 déploie une meilleure acidité et plus de précision dans le dessin. Il accompagnera parfaitement un foie gras ou un plat de poisson très riche, ou encore un homard grillé au beurre.

Très doux, le 1990 est plutôt simple, terne et rustique.

Ces trois vins devront être consommés dans les 10 à 15 ans qui viennent.

FILHOT (SAUTERNES)***

1990	C	90
1989	C	86
1988	C	88

A Filhot, où l'on préfère les fermentations en cuve aux fermentations en fût, le 1990 se révèle le meilleur vin que je connaisse de la propriété. Ses arômes merveilleusement mûrs de fruits tropicaux confits accompagnent un caractère moyennement corsé, une belle pureté et une excellente acidité. Très marqué par la pourriture noble, ce vin offre une finale longue et acidulée.

Le 1989, très doux et épais, est un peu lourd et semble évoluer rapidement. Il révélera un fruité doux et confit dans les 4 à 6 ans à venir.

Le 1988 se montre aujourd'hui sous un meilleur jour que lors de précédentes dégustations, déployant un nez merveilleusement pur d'ananas mielleux, ainsi que des flaveurs riches et moyennement corsées. Il recèle également une excellente acidité sous-jacente ainsi qu'un caractère de terroir lui apportant de la complexité. La finale est nette, riche et vive. Ce vin, qui est déjà prêt, évoluera bien sur les 10 à 15 prochaines années.

GUIRAUD (SAUTERNES)****

1990	D	91
1989	D	86
1988	D	89+

De ces trois vins, le 1988 était jusque récemment mon préféré, suivi du 1989, puis du 1990. Toutefois, lors de nouvelles dégustations, c'est le 1990 qui a emporté la palme, déployant de manière spectaculaire des arômes richement extraits de fumé, d'orange et d'ananas crémeux, de généreuses notes de chêne neuf, des flaveurs et une texture épaisses et massives. Ce vin énorme n'est cependant pas trop imposant, grâce à une acidité suffisante. **A boire dans les 15 à 20 ans.**

Le 1989 manque de structure et, bien que riche et énorme, s'apparente à une masse de sucre, d'alcool et de bois. Il s'agit d'une performance très décevante, mêm si l'on peut espérer qu'il acquerra avec l'âge davantage de précision dans le dessin, et qu'il reviendra au niveau que laissaient supposer les échantillons tirés du fût.

Plus serré et moins évolué que dans mes souvenirs, le 1988 dégage aujourd'hui un nez racé et épicé de fruits mûrs légèrement marqué par le botrytis, ainsi que des arômes assez moyennement corsés et bien infusés de chêne neuf. Il montre également un séduisant caractère de fumé et de fruits confits, et déploie une finale vive. Ce 1988 est néanmoins plus timide et plus fermé que ne le sont habituellement les vins de la propriété. **A boire dans les 20 à 30 ans.**

LAFAURIE-PEYRAGUEY (SAUTERNES)****/*****

1990	D	89
1989	D	88+
1988	D	95

J'ai toujours attribué la meilleure note au 1988, mais je ne pensais pas, de prime abord, que le 1989 serait à ce point d'un niveau inférieur. Cependant, le 1988 s'est progressivement élevé bien au-dessus du lot. Massif et riche, mais frais, il offre un bouquet irrésistible, fleuri et mielleux, de vanille, ainsi que des senteurs crémeuses d'orange et d'abricot. Il tire également une extraordinaire netteté de sa merveilleuse acidité... acidulée. Très corsé et extrêmement concentré, c'est un Sauternes fascinant et précoce, qui vieillira magnifiquement. **A boire dans les 25 à 30 ans.**

Le 1989 et le 1990 sont tous deux unidimensionnels. Le 1990 est épais, alcoolique et diffus, avec de la mâche. Quant au 1989, peu évolué, il ressemble à un Barsac par son caractère vif et son style moins massif. Mais il se peut que ces vins se soient simplement refermés. En effet, je me souviens qu'après la mise en bouteille le 1988 se montrait plus serré et plus étouffé que maintenant. LES GLOIRES DU PASSÉ : 1986 (92), 1983 (92).

LAMOTHE-DESPUJOLS (SAUTERNES)***

1990	C	88
1989	C	87

Je n'ai malheureusement pu trouver de 1988 pour le regoûter, mais, lors de précédentes dégustations, il s'était révélé décevant pour un millésime de premier ordre. Le 1990, en revanche, est de meilleur niveau. Gras, il déploie des arômes énormes et mûrs de fruits confits, et est très intense, avec une acidité faible. Très corsé, marqué par la mâche, il devrait être dégusté dans les **10 ans.**

Bien que de style similaire, le 1989 s'est récemment montré plus riche, plus intense et plus net que lors d'une précédente dégustation. Bien gras, il révèle un faible niveau d'acidité, une texture onctueuse et un merveilleux fruité, très intense, de fruits tropicaux. **A boire dans les 6 ou 7 ans.**

Ces deux vins ont obtenu de bien meilleures notes que lors des dégustations antérieures.

LAMOTHE-GUIGNARD (SAUTERNES)***/****

1990	C	91
1989	C	91
1988	C	89+

Il est dommage que cette propriété, très sous-estimée, ne soit pas plus connue, car la famille Guignard, qui en est propriétaire, y a apporté de nombreuses améliorations.

Puissant et onctueux, le 1990 est épais, avec de la mâche, un aspect alcoolique et capiteux, un fruité abondant et un caractère exubérant. Plus aromatique et plus complexe, il se révèle aussi plus ample et plus précis dans le dessin qu'il y a quelques années. Il devrait bien évoluer sur encore **15 à 20 ans.**

Le 1989 se montre lui aussi plus complexe aujourd'hui que de prime abord, avec plus de caractère. Bien qu'il soit très alcoolique (15 %), il est massif et riche, avec une belle extraction, et paraît doté de manière impressionnante, débordant d'arômes d'abricot, d'orange, d'ananas et de citron mielleux et crémeux. Son acidité remarquable confère à ce vin énorme ressort et vivacité. Le Lamothe-Guignard 1989 a été l'une des révélations de cette année et devrait être disponible à prix raisonnable.

Des trois millésimes, le 1988 est le moins évolué et le plus longiligne, avec des arômes de cire et de miel semblables à ceux d'un Tokay-Pinot gris, et des flaveurs riches et moyennement corsées qui semblent fermées et étouffées à cause de son bon niveau d'acidité. Plutôt timide pour un vin de cette propriété, il n'est pas aussi ostentatoire ni musclé que le 1989 ou le 1990.

Ces trois vins devraient tenir encore **20 à 25 ans,** donc nettement plus longtemps que je ne l'aurais pensé il y a quelques années.

DE MALLE (SAUTERNES)***

1990	C	90
1989	C	87
1988	C	91

Les résultats de la dégustation qui donne lieu à ce commentaire sont extrêmement intéressants, dans la mesure où plusieurs négociants de la place et moi-même pensons que le 1990 du Château de Malle était le meilleur vin de la propriété depuis des décennies. Cependant, le 1988 s'est récemment révélé dans une forme éblouissante. Plus proche de la maturité que le 1990, il libère un bouquet absolument divin de cerise et de noix de coco, déployant de manière ostentatoire de remarquables arômes d'ananas confit et de chêne grillé. Moyennement corsé et d'une pureté magnifique, il est merveilleusement frais et mûr. **A boire dans les 10 à 12 ans.**

Le 1989, plutôt simple en comparaison des deux autres vins, s'est montré sous un bon jour. Moyennement corsé, il présente un fruité riche et mûr, une acidité suffisante pour montrer du ressort et déployer une finale charnue. Il sera agréable dans **la prochaine décennie.**

Très corsé et d'une incroyable douceur, le 1990 manifeste également une belle pureté et déploie un généreux fruité riche et mielleux, bien étayé par d'importants arômes de chêne neuf. Bien qu'il n'ait ni la complexité ni la richesse aromatique du 1988, il s'agit incontestablement d'une réussite extraordinaire pour le millésime, qui, compte tenu de son prix très raisonnable, s'impose de surcroît comme une excellente affaire. **A boire dans les 10 à 15 ans.**

RABAUD-PROMIS (SAUTERNES)****

1990	C	89
1989	D	92
1988	D	93

Rabaud-Promis figurait autrefois parmi les propriétés les plus notoirement sous-performantes de l'appellation, mais les choses ont bien changé depuis 1986. Et ces trois millésimes témoignent parfaitement des actuels critères de qualité du château, plus régulier à haut niveau que certains de ses voisins plus renommés.

Le 1990 est peut-être le vin le moins impressionnant du trio, mais il n'en demeure pas moins extraordinaire. Massif et ample, abondamment doté, mielleux, il est également très épicé et, bien que manquant d'acidité, se montre énorme et corsé. **A boire dans les 15 ans.**

Plus riche et d'une plus grande complexité aromatique, le 1989 est énorme et massif. Il montre également davantage de précision dans le dessin, offrant une fraîcheur et un ressort qui plaident merveilleusement en sa faveur. Son potentiel de garde est de **20 à 25 ans.**

Le 1988 est le plus classique des trois. Généreusement doté et doux, avec une texture onctueuse, il est très botrytisé et présente un taux d'acidité plus élevé. Son nez merveilleusment riche libère des arômes d'ananas confit, de noix de coco et d'orange. Il déploie aussi un fruité généreux et riche, et montre une excellente précision dans le dessin. Déjà prêt, il promet de bien vieillir sur les **25 à 30 ans** qui viennent.

RAYMOND-LAFON (SAUTERNES)*****

1990	E	95
1989	E	91+
1988	E	92+

Cette petite propriété donne régulièrement des vins remarquablement riches, onctueux et épais, qui allient merveilleusement puissance, intensité, élégance et finesse. Maintenant que ces trois vins ont un peu évolué en bouteille, il semblerait que ce soit le 1990 qui s'impose comme le plus complet et le plus botrytisé de ce trio exceptionnel. Tous trois arborent une robe or moyennement soutenue, mais celle du 1989 semble la plus évoluée. Ce dernier vin dégage, outre des arômes d'ananas, de fruits tropicaux confits et de chêne neuf et grillé, des senteurs exotiques et clinquantes, qui sont moins prononcées dans le 1990 ou le 1988. Ils ont également en commun un caractère opulent, très corsé, exotique et terriblement riche, et partagent une douceur modérée ainsi qu'une finale très glycérinée, très alcoolique et d'une extraction fabuleuse. Ils sont enfin jeunes et peu évolués. Le 1990 paraît le plus riche, et le 1988 offre le profil aromatique le plus fin et la structure la plus serrée. Quant au 1989, il semble le plus comprimé en bouche. Ces trois millésimes peuvent être dégustés dès maintenant, mais je conseillerais à ceux qui en possèdent d'attendre plutôt la **fin de ce siècle** pour les apprécier sur **les deux décennies qui suivront.**

LES GLOIRES DU PASSÉ : 1986 (92), 1983 (93), 1980 (90), 1975 (90).

RAYNE-VIGNEAU (SAUTERNES)***

1990	D	85
1988	D	89

Le 1989 de la propriété m'avait déjà déçu. Quant au 1988, il se révèle plus fin que le 1990, monolithique, épais, juteux et succulent. Avec son nez aux arômes fleuris de pêche et de miel, il est d'une grande finesse, moyennement corsé et complexe, plus frais que le 1990, plutôt ostentatoire, doux et de faible acidité. Aucun de ces vins très marchands ne fera de vieux os ; il serait donc préférable de les consommer dans les **10 ans.**

RIEUSSEC (SAUTERNES)*****

1990	D	90
1989	D	92 ?
1988	D	93+

Hormis le 1989, très étrange, qui m'a récemment paru manquer de structure et de caractère (d'autres dégustations avaient révélé un vin riche et alcoolique, gras et puissant), les deux autres millésimes de Rieussec ont confirmé leur superbe qualité.

Bien que le 1988 ait reçu la note la plus élevée, il demeure très peu évolué. Très corsé et puissant, extrêmement riche et dense, il se pourrait même qu'il s'agisse du moins évolué de tous les 1988 de Sauternes et de Barsac. Avec son nez séduisant de noix de coco, d'orange et de vanille, et ses senteurs de miel, il présente des flaveurs richement extraites. Son acidité et sa jeunesse donnent à penser qu'il requiert une garde supplémentaire de 5 à 8 ans, et il devrait se conserver sur les **30 prochaines années.**

Plus précoce et plus flatteur, le 1990 déploie un nez de fruits tropicaux et se montre énorme, épicé, riche et très alcoolique en bouche. On décèle également une belle acidité sous-jacente qui lui donne une netteté et une vivacité d'ensemble. Ce vin sera prêt plus tôt que le 1989, mais il sera d'aussi longue garde.

ROMER DU HAYOT (SAUTERNES)**

1990	B	86
1989	B	85 ?
1988	B	?

Le 1990 de Romer du Hayot exhale un nez moyennement intense d'ananas et des arômes modérément corsés, mûrs et doux en bouche. Sa finale est nette et fraîche. Vous dégusterez ce vin accessible et sans détour dans les 5 ou 6 prochaines années.

Le 1989 m'est apparu trop sulfureux au nez, présentant en bouche des notes piquantes et sales de terre. Mais on décèle derrière ces défauts un vin simple, moyennement corsé et modérément doux.

Le 1988, dont j'avais auparavant remarqué les arômes rances, ne s'est pas amélioré, au contraire. Bien qu'il présente une maturité et une concentration de bon niveau, ses senteurs sont franchement déplaisantes.

SIGALAS-RABAUD (SAUTERNES)***

1990	D	89
1989	C	86
1988	D	84

Lors de dégustations précédentes, j'avais préféré le 1988 de Sigalas-Rabaud, mais, récemment, il m'a semblé plutôt simple, sucré et moyennement corsé, manquant de botrytis, de concentration et de caractère.

Le 1989 ne s'est pas montré en meilleure forme, avec sa couleur or moyennement soutenue et passée, et sa finale marquée par une certaine acidité. Il possédait néanmoins un bon fruité mûr.

Le vin qui m'est apparu le plus complet est le 1990. Avec son fruité riche et mielleux de pêche et ses arômes de bois épicé, il s'est montré moyennement corsé en bouche. Sa finale est alcoolique, marquée par la mâche.

Aucun de ces trois vins n'étant très intense ou complexe, ils devront être consommés dans les 10 à 15 années à venir.

SUAU (BARSAC)**

1990	C	89
1989	C	87
1988	C	78

N'ayant jamais tenu le 1988 en haute estime, je ne suis pas surpris que soit aujourd'hui confirmée sa médiocre performance. En revanche, j'ai été agréablement surpris de constater la bonne évolution des 1989 et 1990.

Moyennement corsé, le 1989 est élégant, ce qui n'est pas typique de ce millésime gras et massif. Très fin, il déploie également un merveilleux fruité d'abricot et d'ananas, ainsi qu'un caractère vif et frais. Ce vin n'est pas fait pour durer, et devrait être consommé dans les 5 à 7 ans qui viennent.

Le 1990 est le vin de la propriété le plus concentré et le puissant que je connaisse. Énorme et très corsé, il déployait au départ un caractère monolithique qui a désormais fait place à plus de précision et de complexité au nez. Cet excellent vin devrait bien tenir 7 ou 8 ans.

SUDUIRAUT (SAUTERNES)****/*****

1990	D	88
1989	D	89
1988	D	88 ?

Suduiraut est une propriété qui peut produire des vins puissants et riches, souvent rustiques, excessivement tanniques et chauds. On m'a dit qu'ils se civilisaient avec l'âge, ce que de vieux millésimes, classiques, m'ont confirmé. La production d'une cuvée de prestige (Cuvée Madame) dans certaines années comme 1989 tendrait à avoir des répercussions plutôt négatives sur la cuvée générique.

Les trois vins ci-dessus titrent tous presque 15 % d'alcool. Le 1989 se montre très chaud, et les 1988 et 1990 révèlent une certaine amertume ainsi qu'un taux d'alcool terriblement élevé en finale.

La robe du 1990, d'un or moyennement soutenu, est prématurément évoluée, ce qui ne laisse pas d'inquiéter quant à la longévité de ce vin. Très intense et onctueux, il est épais et juteux, mais son caractère trop alcoolique et rugueux ne me permet pas de lui attribuer une meilleure note.

Le 1989 est le plus équilibré de tous, mais son fruité est insuffisant pour contrebalancer son caractère agressif et hautement alcoolique.

Le 1988 présente une couleur classique, légèrement dorée avec des touches verdâtres. Bien qu'il ne soit pas aussi massif que ses deux successeurs, il offre une meilleure acidité et plus de douceur, se montrant aussi plus alcoolique. Il manque actuellement de structure, et seul le temps le resserrera. Ce vin est impressionnant lorsque ses qualités sont disséquées une à une, mais il est moins remarquable lorsqu'il est évalué dans l'ensemble.

Aucun de ces trois vins n'étant suffisamment précis dans le dessin, une garde en cave leur serait peut-être bénéfique, car ils sont d'une admirable richesse en extrait.

LA TOUR BLANCHE (SAUTERNES)****

1990	D	92
1989	D	90
1988	D	92

Incroyablement riche et très botrytisé, le 1988 de La Tour Blanche est crémeux, avec des arômes mielleux de fruits tropicaux (ananas) merveilleusement infusés de chêne grillé. Montrant une acidité de bon ressort, il développe une finale riche, très corsée et longue. Ce vin, qui commence tout juste à évoluer, tiendra facilement **25 à 35 ans** encore.

D'une structure moins serrée, le 1989, moyennement corsé, révèle un fruité intense et mielleux, ainsi qu'une finale riche et imposante. Énorme et puissant, il est aussi doux et lourd, avec des arômes pénétrants de miel et de fleurs. Ce vin généreusement doté, déjà prêt, se conservera facilement encore **15 à 20 ans**.

Moins aromatique, mais plus riche et plus corsé que le 1988, le 1990 n'a rien perdu de son caractère élégant, mielleux et botrytisé. On notera avec intérêt que le 1988 affichait un titre alcoométrique de 13,5 % au moment de la mise en bouteille, et le 1990 de 13,2 %. Ce dernier est juste un peu plus riche et plus gras que le premier, mais tous deux sont des Sauternes classiques, qui demeurent sous-évalués si l'on tient compte de la renaissance de cette propriété de bon renom. Ils se conserveront parfaitement pendant encore **3 ou 4 décennies**.

D'YQUEM (SAUTERNES)*****

1989	E	97+
1988	E	99

Le Château d'Yquem produit les vins favoris des milliardaires, et son 1989 est, exactement comme on pouvait s'y attendre, une merveilleuse réussite. Ample, massif et riche, il est onctueux et devrait évoluer magnifiquement dans les **50 prochaines années, voire plus**. Il n'a certes pas la finesse ni la complexité du 1988 ou du 1986, mais il est plus lourd et plus riche, rappelant le 1976, en plus gras et plus glycériné toutefois. Extrêmement alcoolique et riche, il dégage un nez énorme de fumé, de noix de coco enrobée de miel, d'ananas et d'abricot très mûrs. Comme presque toujours chez les Yquem quand ils sont jeunes, la structure du 1989 se remarque à peine. En effet, ces vins sont très richement extraits et prêts à boire rapidement, si bien qu'il est difficile de concevoir que leur potentiel de garde est de 50 ans et plus. Le 1989 est l'Yquem le plus riche de la décennie. Il se montre légèrement plus complexe que le très puissant 1983, et il reste à voir s'il développera la fabuleuse richesse aromatique des très prometteurs 1988 et 1986.

Quant au 1988, il est moins évolué et semble fait du même métal que le 1975. Avec un nez mielleux et fumé d'orange, de noix de coco et d'ananas, il se montre puissant, très corsé et très botrytisé, déployant par paliers de généreux arômes richement extraits, ainsi qu'une finale sensationnelle.

Je n'ai malheureusement pas encore dégusté le 1990, mais, compte tenu de la qualité générale de ce millésime, il se révélera certainement extrêmement puissant.

LES GLOIRES DU PASSÉ : 1983 (96), 1982 (92), 1981 (90), 1980 (93), 1976 (93), 1975 (99), 1971 (92), 1967 (96), 1962 (90), 1959 (96), 1949 (95), 1948 (91), 1947 (98 ?), 1937 (99), 1921 (100).

Note : si vous n'êtes pas au nombre des gens célèbres et fortunés qui peuvent se permettre d'acheter les vins du Château d'Yquem, tournez-vous vers le Château de Fargues, qui se montre souvent aussi bon dans sa jeunesse, avec un potentiel de garde d'environ 15-25 ans. Produit par la même famille, ce vin est fait de manière identique. Les meilleurs millésimes sont le 1986 (93), le 1983 (92), le 1980 (91), le 1976 (90) et le 1975 (91).

NOTES DE DÉGUSTATION

Coup d'œil sur les bordeaux 1996 [1]

1996   ANGÉLUS (SAINT-ÉMILION)*****   92-94

Une nouvelle réussite impressionnante à l'actif de cette propriété extrêmement bien menée : l'Angélus 1996, à la robe opaque de couleur pourpre-noir, présente une texture épaisse qui laisse deviner des rendements très restreints et une belle extraction. Moins ostentatoire que certains millésimes précédents, il offre au nez des arômes de viande fumée et de grillé marqués par de subtiles touches herbacées, ainsi que par d'épaisses senteurs de fruits noirs et fabuleusement mûrs. C'est un vin moyennement corsé et d'une richesse superbe, qui déploie en bouche une finale longue, opulente et modérément tannique, judicieusement infusée de belles notes boisées. Dans certains millésimes, l'Angélus était presque trop exubérant dans sa jeunesse, mais le 1996 est à la fois concentré et élégant, et n'a pas ce style un peu massif et très richement extrait qu'affiche généralement ce cru. A maturité : 2003-2018.

1996   D'ANGLUDET (MARGAUX)***   88-89

Il s'agit probablement du vin jeune le plus stupéfiant que je connaisse de cette propriété. Arborant une robe impressionnante, soutenue et de couleur pourpre-noir, il est moyennement corsé et étonnamment bien doté, avec un fruité extraordinaire, débordant d'arômes de cassis et de réglisse. Certes très tannique, il possède néanmoins plus de richesse en extrait, de profondeur et de glycérine qu'il n'en faudrait pour contrebalancer sa structure. D'Angludet s'impose en 1996 comme l'une des affaires les plus exceptionnelles du millésime. A maturité : 2003-2020.

1996   D'ARMAILHAC (PAUILLAC)***   85-87

La robe rubis foncé du 1996 de D'Armailhac introduit un nez doux, élégant et sans détour de chêne grillé et de fruits rouges. Ce joli vin moyennement corsé et racé manque cependant de profondeur et de longueur. **A boire dans les 10 à 12 ans.**

---

1. On pourra noter quelques – rares – variations dans le nombre d'étoiles attribué à certains producteurs entre ces pages et le cœur du chapitre (millésimes précédents). Elles ne sont dues qu'au souci de l'auteur de préciser le niveau du domaine en 1996. Par ailleurs, l'auteur tient à préciser que ces vins ont tous été dégustés au fût.

1996 L'ARROSÉE (SAINT-ÉMILION)**** 90-91+

Je suis grand amateur de ce cru de style bourguignon, riche, doux, aromatique et complexe, mais le 1996, très proche du 1986 de la propriété, requiert une garde de 5 à 7 ans avant d'être bu, et n'offrira pas la séduction immédiate de ses aînés de 1995, 1993, 1990, 1989, 1985 et 1983. Il arbore une robe profonde et sombre de couleur pourpre-noir, déploie un nez serré et se dévoile en bouche par paliers. Doux et concentré, il offre encore des arômes de cerise noire et de groseille, profonds, mûrs et chauds, tassés dans un ensemble moyennement corsé et modérément tannique. Vous consommerez ce vin impressionnant et pur, élégant et imposant de richesse au meilleur de sa forme **entre 2003 et 2015.**

1996 AUSONE (SAINT-ÉMILION)**** 92-94+

Cet Ausone grandiose pourrait bien se révéler le meilleur vin de la propriété depuis le 1982. Superbement équilibré, il arbore une robe dense et soutenue de couleur pourpre, et exhale un nez serré, mais étonnamment complexe, de violette, de pierre concassée et de fruits noirs et bleus. Son caractère très tannique est joliment accompagné d'un fruité dense et concentré, à la découpe très pure, qui dévale le palais en y laissant une impression d'intensité, mais jamais de lourdeur. Ce vin révèle un côté velouté (ce qui est plutôt rare pour Ausone), des arômes judicieusement infusés de notes de chêne neuf et persiste en bouche de manière exceptionnelle, avec une finale longue de plus de trente-cinq secondes. L'Ausone 1996 s'impose comme l'une des étoiles du millésime, mais n'attendez pas qu'il se montre gratifiant sur le court terme. Il vous faudra patienter encore 10 à 15 ans. **A maturité : 2010-2030.**

1996 BATAILLEY (PAUILLAC)*** 87-88+ ?

Le Batailley 1996, de couleur pourpre tirant sur le noir, est doté de manière impressionnante. Il déploie, à la fois au nez et en bouche, un généreux fruité de cassis et d'herbes, et révèle un caractère moyennement corsé et dense, exceptionnellement tannique et structuré. C'est un bordeaux austère, traditionnel, élaboré sans compromission, qui ne sera prêt que dans plusieurs années. **A maturité : 2006-2020.**

1996 BEAUREGARD (POMEROL)*** 84-86

Cette propriété a récemment accompli d'énormes progrès, mais le 1996 présente des signes de dilution témoignant bien des effets néfastes des pluies importantes qui sont tombées au moment des vendanges. Cependant, ce 1996 est joli, doux et moyennement corsé, et se montre rond, soyeux et sans détour au palais, dans un ensemble souple, fruité et très plaisant. **A boire dans les 4 à 6 ans.**

1996 BEAU-SÉJOUR-BÉCOT (SAINT-ÉMILION)*** 89-91

Extraordinaire pour le millésime, ce vin requiert de manière tout à fait inhabituelle une garde de 5 ou 6 ans avant d'être bu et se conservera pendant **une vingtaine d'années.** Avec sa robe opaque, profonde et soutenue, de couleur pourpre, il libère un doux nez de vieille vigne aux arômes de kirsch et de framboise sauvage mêlés de notes de chêne neuf et épicé. Très corsé, il est encore d'une richesse, d'une intensité, d'une pureté et d'une longueur extraordinaires, dévoilant par paliers un caractère multidimensionnel et généreusement fruité, épais et juteux, totalement atypique dans un millésime plutôt porté sur la structure.

1996   BEAUSÉJOUR-DUFFAU (SAINT-ÉMILION)*****   90-92

Aussi bon qu'ait pu se révéler le 1995 de Beauséjour-Duffau, je pense que le 1996 lui ravira la vedette et s'imposera comme le meilleur vin de la propriété depuis l'extraordinaire 1990. Impressionnant par sa couleur pourpre tirant sur le noir, profonde et dense, il déploie une palette aromatique semblable à celle d'un Richebourg du Domaine Leroy en Côte de Nuits (Bourgogne), et l'on distingue bien dans son bouquet provocateur, doux et intensément parfumé, de généreuses senteurs de violette, de framboise sauvage et de mûre. Ce vin fabuleusement pur et au dessin d'une belle précision présente un niveau modéré de tannins, et, s'il n'est pas aussi massif que son aîné de 1990, il repose davantage sur l'intensité de ses parfums, qui ne manqueront pas d'impressionner le dégustateur. Un vin à attendre encore 7 ou 8 ans, mais qui se conservera **30 ans de plus**.

1996   BELAIR (SAINT-ÉMILION)**   85-87

Alors qu'il est souvent austère et maigre, le Belair se révèle en 1996 discret, sculpté, extrêmement policé et raffiné, et se montre sous un meilleur jour que je ne le pensais. Des notes de chêne neuf et grillé lui donnent une certaine contenance, tout comme ses arômes modérément abondants de cassis et de minéral. Moyennement corsé, avec des tannins mûrs, ce vin devrait évoluer en un Belair classique, anguleux et intellectuellement séduisant, capable de durer **10 à 20 ans**.

1996   BELLEFONT-BELCIER (SAINT-ÉMILION)*** [1]   87-88

33330 Saint-Laurent-des-Combes
Tél. 05 57 24 72 16 – Fax : 05 57 74 45 06

Un nouveau propriétaire et le fils de François Mitjaville, du Tertre-Rotebœuf, chargé de la vinification, ont donné un Bellefont-Belcier 1996 extrêmement séduisant, riche et complexe, qui mérite incontestablement l'attention. En effet, ce vin exhale un nez complexe de fumé, de réglisse et de cerise noire et douce étonnamment évolué pour un vin aussi jeune. On distingue en bouche des arômes doux, ronds et soyeux, faibles en acidité et savoureux. Un Saint-Émilion appétissant et de bonne mâche, à boire dans les **5 à 8 ans**. Une révélation !

1996   BEYCHEVELLE (SAINT-JULIEN)***   87-88

Soit le Château Beychevelle met dans le mille, soit il loupe le coche. Son 1996 est très bien réussi, avec une robe pourpre foncé, un nez doux et mûr, un caractère moyennement corsé, ainsi que des tannins bien fondus et une finale élégante, pure et concentrée. Attendez-le 4 ou 5 ans, il devrait se conserver sur les **15 ans** qui suivront, **voire davantage**.

---

1. Ce château n'étant pas cité précédemment, ses coordonnées sont mentionnées ici.

1996   BON PASTEUR (POMEROL)****   89-90

Le Bon Pasteur 1996 s'impose comme l'une des plus belles réussites de Pomerol, avec sa robe opaque de couleur pourpre et son nez séduisant de pain grillé, de moka, de chocolat et de cerise noire. L'attaque en bouche révèle un fruité étonnamment généreux, doux et mûr, et la finale est riche, moyennement corsée et modérément tannique. Ce vin pur et bien structuré n'est pas fait pour être bu dans sa jeunesse ; il requiert une garde de 5 ou 6 ans avant d'être dégusté. **A maturité : 2002-2015. Impressionnant !**

1996   BOURGNEUF-VAYRON (POMEROL)**   86-87

Le Château Bourgneuf connaît en ce moment un nouvel essor ; bien que le 1996 ne soit pas aussi dense que son aîné d'un an, il arbore néanmoins une robe opaque de couleur pourpre et montre une richesse impressionnante pour un Pomerol de ce millésime. Trapu et unidimensionnel, il est tout en muscle, puissant et bien doté. S'il requiert une garde de 2 à 4 ans, il devrait bien se conserver sur les **12 à 15 années** suivantes.

1996   BRANAIRE-DUCRU (SAINT-JULIEN)***   87-88 ?

Bien qu'excellent, le Branaire 1996 ne me semble pas d'aussi haute qualité que le 1995, mais je l'ai peut-être dégusté à un stade ingrat de son évolution – ce qui est d'ailleurs fort probable, compte tenu de son fort pourcentage de cabernet sauvignon. Il arbore une robe rubis sombre aux nuances pourpres (moins soutenue que celle de nombre de ses jumeaux), et présente un nez très fermé, qui laisse cependant échapper, progressivement et au mouvement du verre, les senteurs caractéristiques de ce cru, telles de douces notes de crayon, de groseille et de cassis. L'attaque en bouche révèle un certain fruité mûr, mais la finale est assez tannique. Ce vin moyennement corsé et pur me semble posséder toutes les qualités que l'on attend de lui, mais il est pour l'heure étrange et fermé. **A maturité : 2004-2015.**

1996   BRANE-CANTENAC (MARGAUX)***   85-86

Ce Margaux moyennement corsé et léger, aux arômes mûrs et nets de chêne épicé, de grillé, de fruits rouges et doux, est rond, souple et velouté en bouche, de manière tout à fait atypique pour le millésime. Il faudra attendre 2 ou 3 ans avant de le déguster sur les **10 années suivantes.**

1996   CALON-SÉGUR (SAINT-ESTÈPHE)***   90-93

Des compliments s'imposent à l'adresse de Mme Capbern-Gasqueton, femme stricte, mais passionnée, qui a repris les rênes de cette propriété depuis le décès de son époux, il y a maintenant plus de deux ans. Ce n'est certainement pas le fruit du hasard si le 1995 et le 1996 sont les deux meilleurs vins élaborés à Calon-Ségur depuis 1982. Pourquoi ? D'abord parce que Mme Capbern-Gasqueton procède à des sélections plus sévères et produit davantage de second vin (le Marquis de Calon) que par le passé. Ensuite, parce que les caves ont bénéficié de nombreuses améliorations, notamment d'une utilisation accrue de bois neuf, dont la proportion a été augmentée à 50 %. Enfin, environ 20 % de la récolte passent en fûts neufs pour les fermentations malolactiques, et les vins sont mis en bouteille au terme d'un vieillissement de dix-huit mois, alors qu'auparavant leur séjour en fût était de vingt-quatre à trente mois, ce qui était trop long.

Le 1996 – composé à 60 % de cabernet sauvignon et à 40 % de merlot, et issu de rendements très tenus (de l'ordre de 35 hl/ha) – me semble être un bordeaux classique, fait de manière traditionnelle et sans compromission, qui demande une attente de 10 à 15 ans. Seulement 60 % de la production totale de la propriété sont entrés dans le grand vin en 1996. Celui-ci arbore une robe opaque de couleur pourpre et déploie de généreuses et douces senteurs de fleurs, de cerise noire et de cassis. Très corsé, puissant et tannique, il devrait être d'aussi haute qualité que le 1995, mais moins séduisant dans sa jeunesse. **A maturité : 2006-2030.**

1996   CANON (SAINT-ÉMILION)****   85-86+

Ce vin, que j'ai dégusté deux fois, me semble peu structuré et à la recherche de son identité. Moyennement corsé et d'une couleur resplendissante rubis foncé, il déploie un nez de minéral où se faufile un fruité mûr. Sachant que les nouveaux dirigeants (la propriété a récemment été rachetée par le groupe Chanel) ont procédé à des sélections très sévères et ont investi des fonds considérables pour débarrasser les chais de certaines nuisances (les vins, notamment les 1994 et les 1995, avaient un goût de bouchon et de moisi), je m'attendais vraiment à un 1996 plus intéressant. Mais il est en fait très peu évolué et difficile à évaluer. Peut-être se révélera-t-il bon, ou même excellent, mais je réserve mon jugement jusqu'à une prochaine dégustation.

1996   CANON-LA GAFFELIÈRE (SAINT-ÉMILION)*****   90-92

Il se pourrait bien que je fasse figurer Stephan von Neippberg sur ma liste des personnalités du monde du vin de l'année 1997, compte tenu de son brillant parcours ces dix dernières années. Son Canon-La Gaffelière 1996, moins exubérant et moins flatteur que d'autres millésimes – tels les 1989, 1990 et 1995 –, plaira peut-être davantage aux traditionalistes, qui reprochent précisément à ce cru son caractère trop flamboyant. Sa robe opaque, de couleur pourpre-noir, laisse deviner une concentration extraordinaire, et le nez offre de douces senteurs de fumé, d'olive, de cassis, de réglisse et de minéral joliment infusées de notes de chêne grillé. Ce vin moyennement corsé, aux tannins, à l'acidité et au caractère alcoolique bien fondus, déploie une finale longue, concentrée et sans aspérités, où sont merveilleusement mis en valeur des tannins d'une remarquable qualité – la griffe du millésime. Ce 1996 pourra se boire au terme d'une garde de 3 à 5 ans et se conserver **jusqu'en 2010.** Je l'ai dégusté quatre fois lors de mon séjour à Bordeaux, et lui ai toujours attribué la même bonne note, régulièrement accompagnée de commentaires très laudatifs.

1996   CANTEMERLE (MÉDOC)***   88-90

Le Cantemerle 1996 est probablement le meilleur que je connaisse depuis le 1989 et le 1983 ; sa robe pourpre foncé est l'élégance même pour un jeune Médoc. Ce vin exhale un nez séduisant et modérément doté, aux doux arômes de fruits noirs et de fleurs généreusement mêlés de notes boisées, mais l'impression générale demeure celle d'un ensemble fruité et floral. On trouve encore dans ce Cantemerle, outre une belle profondeur et une grande richesse, de la légèreté et de l'harmonie, ainsi qu'un caractère soyeux. Les tannins souples et mûrs laissent deviner que ce vin racé et séduisant sera à la fois délicieux et complexe dès sa jeunesse, mais qu'il se conservera pendant encore 15 à 20 ans.

1996 CANTENAC-BROWN (MARGAUX)***   86-87

Le Cantenac-Brown 1996 me semble être l'un des vins les mieux réussis depuis que la propriété a changé de mains. Musclé, tannique et richement extrait, avec une robe opaque de couleur pourpre, il est doté d'un abondant fruité mûr, d'une pointe d'austérité et de tannins légèrement rugueux, lesquels, je pense, se fondront, compte tenu de sa richesse et de son équilibre d'ensemble. Cependant, ce vin ne se montrera jamais charnu, savoureux et charmeur ; il s'imposera tout de même comme un Médoc classique, anguleux et remarquable. **A maturité : 2004-2016.**

1996 CARBONNIEUX (GRAVES)***   86-87

Typiquement Carbonnieux avec son style élégant, gracieux et doux, ce 1996 se révèle fin et délicat, malgré le caractère généralement puissant, structuré et tannique du millésime. Étonnamment évolué, il libère de fort séduisantes senteurs de cerise noire marquées de touches de vanille, dans un ensemble moyennement corsé et mesuré. Ce cru vieillit souvent mieux que je ne le suppose de prime abord ; on peut dès lors penser qu'il atteindra la pointe de sa maturité d'ici 1 ou 2 ans et qu'il se conservera ensuite 12 à 15 ans.

1996 LES CARMES-HAUT-BRION (GRAVES)***/****   87-89

Trois dégustations de ce vin ont donné des résultats strictement identiques. Il exhale un nez classique aux notes de goudron, de fumé, de minéral, de viande grillée et de cassis – un nez que j'associe généralement aux meilleurs Graves de Pessac-Léognan. Moyennement corsé, étonnamment doux et évolué, il est également bien souple et faible en acidité, déployant des arômes confiturés de cassis, aux nuances de tabac, qui sont incontestablement délicieux. **A maturité : 1999-2010.**

1996 CERTAN-GIRAUD (POMEROL)***/****   86-87

La robe rubis-pourpre foncé du Certan-Giraud 1996 prélude à un nez doux de framboise sauvage légèrement marqué de touches de terre et de boisé. Moyennement corsé, d'une texture séduisante et ouverte, il fait preuve d'une belle élégance et d'une bonne maturité d'ensemble. Un Pomerol bien fait, qui sera agréable dès sa jeunesse, mais se conservera bien 10 à 12 ans.

1996 CERTAN DE MAY (POMEROL)****   86-88

Avec sa robe rubis-pourpre et son nez d'herbes rôties, de cacahuète et de chêne grillés, le Certan de May 1996 se montre moins puissant et moins riche que je ne l'espérais. Il est en effet modérément tannique et moyennement corsé, avec un caractère très reconnaissable de cinq-épices et de gingembre. Il requiert bien 2 ou 3 ans de garde en cave, et devrait se conserver 10 à 12 ans.

1996   CHASSE-SPLEEN (MOULIS)****   86-87 ?

Malgré son fruité profond et sa structure impressionnante, ce vin, que j'ai dégusté en trois occasions différentes, manque singulièrement de tenue et présente une finale astringente, en raison de son niveau très élevé de tannins. S'il s'étoffe dans le même temps que ses tannins se fondent, je lui attribuerai une meilleure note – entre 87 et 89. Il s'agit pour l'instant d'un 1996 de couleur pourpre foncé, moyennement corsé et dominé par le cabernet sauvignon, qui présente en milieu de bouche et en finale un caractère très tannique. Il ne sera probablement ni très charmeur ni très plaisant sur les 7 ou 8 années prochaines, mais se conservera **environ 20 ans.**

1996   CHEVAL BLANC (SAINT-ÉMILION)*****   89-90

Il me semble que cette grandiose propriété aurait pu produire un 1996 plus concentré et plus complexe, si l'on y avait pris davantage de risques. Je pense également que la sélection pour le grand vin aurait pu y être plus sévère. Lorsque Cheval Blanc décroche la timbale, comme en 1982, 1985 et 1990, il donne les vins les plus exotiques et les plus irrésistibles du monde, et, bien que ce cru ait été délicieux ces dernières années, le 1996 paraît tout de même trop léger pour un bordeaux comptant parmi les plus réputés. Bien sûr, le Cheval Blanc a généralement tendance à s'étoffer avec le temps, mais je pense vraiment qu'une sélection plus sévère l'aurait rendu plus imposant encore. Sa robe pourpre foncé introduit un nez bien évolué de groseille, de myrtille, de noix de coco et de chêne neuf et épicé. Moyennement corsé, doux, rond et savoureux en bouche, ce vin déploie une finale nette, mais manque de concentration, d'ampleur et de profondeur, et, bien que séduisant, se révèle un peu trop comprimé et trop policé. Il sera agréable dès sa jeunesse, et devrait bien se conserver sur les **15 années prochaines,** mais, compte tenu des efforts que déploie actuellement Ausone, il est possible que cette dernière propriété dépasse bientôt Cheval Blanc en tête de la course.

1996   DOMAINE DE CHEVALIER (GRAVES)****   84-86

Ce vin de couleur rubis foncé est dépouillé, bien trop boisé et excessivement tannique, mais il recèle quand même un certain fruité mûr. Moyennement corsé et assez massif en bouche, il présente un caractère dur et astringent dont on ne peut faire abstraction – c'est d'ailleurs la marque du millésime. Je pense qu'il se desséchera dans les 10 ans.

1996   CLERC-MILON (PAUILLAC)****   87-88+

Composé d'un intéressant mélange de 50 % de cabernet sauvignon, de 25 % de cabernet franc et de 25 % de merlot, le Clerc-Milon 1996 exhale un nez très caractéristique de myrtille aux notes d'épices, de crayon, de cèdre et de chêne neuf et épicé. Il est également pur, avec une acidité étonnamment fraîche et de bon ressort, et développe un style plus serré, plus compact que les millésimes précédents. La finale est modérément tannique. Alors que ce cru est en principe charnu, souple et accessible dans sa jeunesse, le 1996 se révèle peu évolué et plus structuré, si bien qu'il faudra l'attendre encore. **A maturité : 2003-2015.**

1996 CLINET (POMEROL)*****   91-94+

Clinet est le Pomerol le plus concentré de l'année 1996, avec une robe de couleur encre, ainsi que des tannins massifs et extrêmement abondants. Ceux-ci sont cependant bien étayés, ce vin révélant par ailleurs une puissance et une extraction largement suffisantes pour équilibrer l'ensemble sur les 25 ans à venir. C'est l'un des Clinet les moins mûrs que je connaisse, avec des senteurs douces, mais retenues, de myrtille, de prune très mûre, de violette et de truffe noire. Moyennement corsé et d'une concentration superbe, avec des tannins féroces, ce véritable vin de garde ample et peu évolué devrait se révéler impressionnant, si toutefois vous avez la patience de l'attendre encore 8 à 10 ans. **A maturité : 2006-2023.**

1996 CLOS DU CLOCHER (POMEROL)***   86-87

Le Clos du Clocher 1996 est un vin bien fait, très riche et profond, avec des tannins modérés. Il est doux et moyennement corsé en milieu de bouche, où il dévoile, joliment et par couches, un séduisant fruité de cerise noire infusé de notes de chocolat. **A boire dans les 8 à 12 ans.**

1996 CLOS FOURTET (SAINT-ÉMILION)***   90-92+

Je ne connais pas de Clos Fourtet plus impressionnant. Je l'ai dégusté en trois occasions différentes, et il s'est à chaque fois révélé brillant. Son étonnante robe de couleur pourpre tirant sur le noir prélude à de doux arômes de cassis et de myrtille mêlés de senteurs de minéral et de métal mouillé, ainsi que de subtiles notes de chêne neuf. D'une concentration énorme, mais modérément corsé, il se montre dense et épais, fabuleusement pur et bien équilibré, et s'impose comme le meilleur Clos Fourtet de ces trente ou quarante dernières années. Ses tannins, bien que très abondants, sont doux et bien infusés, laissant à penser qu'il évoluera plus rapidement que nombre d'autres 1996. **A maturité : 2003-2020.**

1996 CLOS DU MARQUIS (SAINT-JULIEN)***   90-92

Le second vin de Léoville-Las Cases est incontestablement meilleur que certains deuxièmes ou troisièmes crus du fameux classement de 1855. Le Clos du Marquis 1996 arbore une robe épaisse de couleur pourpre tirant sur le noir, et déploie une palette aromatique énorme, débordant de parfums de liqueur de cerise et de cassis. Épais, riche et tannique, merveilleusement équilibré et long en bouche, il requiert une garde de 4 à 6 ans avant d'être bu, et se conservera bien sur les **20 ans** suivants. Les amateurs se souviendront peut-être que j'avais également été très impressionné par le Clos du Marquis 1995.

1996 CLOS DE L'ORATOIRE (SAINT-ÉMILION)****   88-90

La plupart des amateurs de bordeaux sont certainement très admiratifs du travail que Stephan von Neipperg a accompli à Canon-La Gaffelière et, plus récemment, au Clos de l'Oratoire. Le 1996 de ce cru se présente comme un vin généreusement boisé et flamboyant, dont la robe opaque, de couleur rubis-pourpre, introduit un nez très riche, aux notes épicées de chêne neuf, de kirsch et de cerise noire confiturée légèrement marquées de touches d'olive et de cake. Ce vin est encore moyennement corsé, puissant et épais, dense et mûr, extrêmement charmeur, ostentatoire, mais séduisant. Déjà accessible et agréable dans sa jeunesse, il se gardera néanmoins **15 ans environ.**

1996 CLOS RENÉ (POMEROL)***   81-83

Le Clos René 1996, légèrement corsé et plutôt massif en bouche, témoigne bien des problèmes qu'ont connus les viticulteurs de Pomerol suite aux pluies importantes qui se sont abattues sur la région, notamment au moment des vendanges. D'un rubis moyennement foncé, avec un nez aux doux arômes de fruits rouges qui rappelle celui d'un Zinfandel, ce vin affiche une concentration et une pureté de bon aloi, mais n'est pas bien doté. **A boire dans les 5 à 7 ans.**

1996 LA CONSEILLANTE (POMEROL)*****   88-90

La Conseillante 1996 présente le caractère classique de ce cru : un nez ouvert et généreusement boisé de framboise sauvage et confiturée, des arômes modérément massifs, séduisants, mûrs et doux en bouche, et un style presque bourguignon. Sa rondeur, sa générosité et sa pureté sont tout simplement admirables, et j'ajouterai qu'il a dû être difficile de lui donner ce côté moyennement corsé, soyeux et souple, dans un millésime davantage connu pour ses vins relativement aqueux, trop structurés et tanniques. Un 1996 suave, gracieux et remarquablement réussi, que vous apprécierez **entre 1998 et 2010.**

1996 COS D'ESTOURNEL (SAINT-ESTÈPHE)*****   92-93+

Cos d'Estournel est, cette année encore, absolument fabuleux. Ce cru comprend généralement 60 % de cabernet sauvignon et 40 % de merlot, mais le 1996 est composé à 65 % de cabernet sauvignon et à 35 % de merlot, compte tenu de l'excellente qualité de ce premier cépage. Très proche du 1986, il est puissant et tannique, avec une robe pourpre tirant sur le noir, et un fruité fabuleusement doux et épais, marqué par la mâche. Ce vin est encore moyennement corsé, avec une finale qui persiste en bouche plus de trente secondes, et, bien qu'il soit peu évolué, impressionne par sa pureté, sa richesse et sa belle ampleur d'ensemble. Exactement comme son aîné de 10 ans, le 1996 requiert une garde de 8 à 10 ans avant d'être dégusté, mais il devrait bien se conserver **30 à 35 ans.** Je tiens de Bruno Prats que le grand vin est issu de deux tiers seulement de la production totale du château.

1996 COS LABORY (SAINT-ESTÈPHE)***   87-88+ ?

Ce vin dense, de couleur pourpre, est exceptionnellement tannique, mais il est aussi suffisamment riche pour que l'on demeure optimiste à son sujet. Faible en acidité, massif, très hautement extrait et profond, il doit cependant s'étoffer encore pour mériter la note que je lui ai provisoirement attribuée. **A maturité : 2005-2020.**

1996 LA COUSPAUDE (SAINT-ÉMILION)****   89-91

Cette toute petite propriété donne régulièrement des vins extrêmement sensuels, généreusement boisés, exubérants, riches et fruités. La robe soutenue, de couleur rubis-pourpre, du 1996 précède un nez à la fois massif et doux de pain grillé, de kirsch et de cerise noire confiturée. Savoureux, moyennement corsé, épais et juteux en bouche, ce vin révèle des tannins modérément abondants, mais persistants, sous un caractère bien glycériné. Profond et long, il s'étoffera certainement une fois qu'il sera en bouteille, mais sera tout aussi agréable à déguster dans sa jeunesse. Il sera à son meilleur niveau **entre 2001 et 2012.** Les amateurs de statistiques seront comblés de savoir qu'il est composé à 70 % de merlot et à 30 % de cabernet franc, et que la production totale du domaine était de l'ordre de 3 000 caisses pour le millésime. Les fermentations malolactiques ont eu lieu en fûts neufs. Au terme de celles-ci, un quart de la récolte a été transvasé dans des fûts totalement neufs – une technique appelée aujourd'hui le vieillissement dans 200 % de bois neuf – pour une période de seize mois.

1996   LA CROIX DU CASSE (POMEROL)***   86-87+

Ce vin, à la robe soutenue de couleur rubis-pourpre foncé, est dense et épicé. Il impressionne par sa richesse en extrait, mais est également austère et tannique. Son caractère moyennement corsé, ses généreux arômes de fruits noirs, ainsi que son style bien dessiné laissent présager un potentiel de garde de **15 ans,** ou plus, mais se pose toujours la question de savoir si son fruité s'étoffera suffisamment avec le temps pour étayer sa structure tannique. Il pourrait en tout cas se révéler comme un excellent Pomerol élaboré dans le style d'un Médoc. Il sera possible de dire, au terme d'un vieillissement supplémentaire de 6 à 12 mois, s'il peut prendre de l'ampleur ou s'il est destiné à rester dominé par sa structure et son côté tannique.

1996   LA CROIX DE GAY (POMEROL)***   78-80

La Croix de Gay 1996, d'un rubis plutôt foncé, présente à la dégustation des signes qui laisseraient penser que ce vignoble a été sévèrement touché par les pluies du mois de septembre. Il n'est en rien impressionnant et se révélera sans détour, avec un caractère aqueux et un fruité herbacé. **A boire dans les 10 à 12 ans.**

1996   DASSAULT (SAINT-ÉMILION)***   85-87

Cette propriété donne généralement des vins doux, fruités et plutôt légers, mais son 1996 me semble évolué, opulent et rond, plus profond et plus massif que de coutume. Bien que n'étant pas aussi structuré ni aussi tannique que nombre de ses jumeaux, il déploie un beau fruité aux notes de kirsch, de cassis et de framboise, dans un ensemble moyennement corsé, plaisant et accessible. **A boire dans les 6 à 8 ans.**

1996   LA DOMINIQUE (SAINT-ÉMILION)****   88-90

Ce vin mériterait une note extraordinaire. Très tannique, avec une robe soutenue de couleur pourpre foncé, il déploie en effet un fruité mûr et doux, et non pas astringent et végétal. Il a toujours révélé, lors de mes trois dégustations, un nez très expressif de kirsch, de framboise sauvage et de vanille. Moyennement corsé et très pur, il déborde de glycérine et de richesse en extrait ; et, bien qu'il soit plus structuré et plus réservé que ses aînés de 1989 et de 1990, il s'impose comme un exemple classique de ce cru et apparaît de tout premier ordre. La question demeure de savoir si son caractère tannique mettra ou non un frein à sa bonne évolution. **A maturité : 2004-2012.**

1996   DUCRU-BEAUCAILLOU (SAINT-JULIEN)*****   94-96

Jean-Eugène Borie et ses fils, François-Xavier et Bruno, ont réussi une perfor-mance extraordinaire, tant en 1995 qu'en 1996, sur leurs propriétés de Grand-Puy-Lacoste, de Haut-Batailley et de Ducru-Beaucaillou. Les 1996, en particu-lier, s'imposent comme leurs plus belles réussites depuis les 1982. J'ai dégusté ces crus en trois occasions différentes, lors de mon séjour à Bordeaux, et les ai toujours notés de manière identique.

Ducru-Beaucaillou produit maintenant un second vin, et, comme l'a souligné Xavier Borie, la propriété bénéficie depuis 1993 des services d'un nouveau chef de culture, qui non seulement fait des miracles dans les vignes, mais qui se révèle aussi parfaitement capable de travailler en bonne intelligence avec le personnel de cave.

Je ne sais par où commencer la description du 1996 de Ducru-Beaucaillou. Ce vin est incontestablement un classique dans un millésime réputé pour ses vins tanniques issus de cabernet sauvignon très mûr. Arborant une robe appa-remment épaisse, dense, opaque et de couleur pourpre, il exhale un nez déjà complexe et énorme de fleurs et de minéral qui déborde littéralement de sen-teurs de fruits noirs et rouges. Ce fruité est tellement puissant et profond qu'après un vieillissement de trois mois en fûts neufs, on n'y décèle même pas la moindre touche de boisé. Quoique moins massif que le Grand-Puy-Lacoste de la même année, ce Ducru-Beaucaillou 1996 se montre multidimen-sionnel et fabuleusement riche ; il se dévoile en bouche par paliers, tapissant le palais d'arômes sans jamais paraître lourd ni imposant. Son acidité, son alcool et ses tannins sont joliment mêlés dans sa structure, et il pourrait bien se révéler être l'un des vins les plus profonds jamais faits à la propriété, ravissant même la vedette au 1982. Seule mauvaise nouvelle : vous ne pourrez toucher à vos bouteilles avant 8 à 10 ans. **A maturité : 2006-2030.**

1996   DUHART-MILON-ROTHSCHILD (PAUILLAC)****   88-89

J'ai apprécié ce vin, belle réussite de cette propriété appartenant aux Rothschild de Lafite. Avec sa robe dense de couleur pourpre et son doux nez de framboise, de chêne et de minéral, il se montre puissant et moyennement corsé en bouche. La finale est tannique, mais les tannins sont mûrs et bien étayés par un fruité abondant et pur. Ce Duhart-Milon 1996 devrait se révéler racé, élégant et classique, agréable à consommer **entre 2004 et 2020.**

1996   L'ÉGLISE-CLINET (POMEROL)****   91-93

Une fois encore, l'Église Clinet s'impose comme l'une des étoiles de son appel-lation, dans un millésime où Pomerol n'a enregistré que peu de réussites. Bien que n'étant pas aussi voluptueux, aussi savoureux ni aussi concentré que le superbe 1995, il est riche, moyennement corsé et bien proportionné, plus en retrait que son aîné d'un an, qui, lui, serait plus exubérant. En 1996, Denis Durantou a effectué des sélections tellement sévères que la production du grand vin s'en est trouvée réduite de moitié par rapport aux disponibilités habituelles. Sa robe opaque de couleur pourpre introduit un nez de conte de fées, aux arômes de kirsch, de framboise sauvage et de confiture de cerise mêlés de subtiles notes de chêne neuf et grillé, et légèrement marqués de touches de truffe noire. En bouche, ce vin se dévoile par paliers, et déploie davantage de tannins, de structure et d'intensité que le 1995. Sa pureté formidable et son fruité extrêmement concentré dominent bien son caractère boisé et étayent parfaitement ses tannins. **A maturité : 2003-2020.**

1996 L'ÉVANGILE (POMEROL)*****   89-91 ?

Quatre dégustations différentes n'ont pas atténué ma perplexité quant à ce vin. Il arbore une fabuleuse robe opaque de couleur pourpre et déploie le nez caractéristique de ce cru, aux arômes de framboise sauvage confiturée. Mais là s'arrêtent les bonnes nouvelles, l'attaque en bouche révélant des tannins qui laissent une impression de dureté, de sévérité et d'astringence, ce qui ne manque pas d'inquiéter. Bien sûr, il s'agit d'un vin de garde sérieux, mais j'aurais aimé y trouver davantage d'opulence, de charme et de fruité. Il reste qu'il est richement extrait, dense, moyennement corsé et puissant. Mais il faudrait maintenant qu'il perde son manteau de tannins, qu'il s'étoffe au cours de son vieillissement en fût de chêne pour s'imposer comme un cru de belle carrure, au potentiel de 25 à 30 ans, et, surtout, pour qu'il se montre extrêmement plaisant à la dégustation. Il demande à être attendu encore 7 ou 8 ans, mais je compte bien suivre l'évolution de ce vin formidablement tannique. **A maturité : 2005-2025.**

1996 FERRAND-LARTIGUE (SAINT-ÉMILION)****   91-92

Le 1996 de Ferrand-Lartigue semble être, à ce jour, la plus belle réussite de la propriété. Sa robe pourpre foncé inaugure un vin épicé, exubérant et fruité, explosif et riche, qui vous ferait tourner la tête. Il déborde de généreux arômes de chocolat blanc, de cerise noire et de cassis qui disputent aux senteurs de chêne neuf et de fumé l'attention du dégustateur. Structuré, moyennement corsé, fabuleusement pur et bien doté, il manifeste le caractère corpulent et glycériné nécessaire pour étayer son niveau élevé de tannins – la griffe du millésime. Il sera agréable dès sa jeunesse, mais son potentiel de garde est d'une bonne quinzaine d'années, voire davantage. **A maturité : 1999-2012.** Une révélation !

1996 DE FIEUZAL (GRAVES)****   87-88 ?

J'ai constaté, lors de quatre dégustations différentes de ce cru, des variations qui m'ont posé quelques problèmes de notation, mais je pense que le 1996 de Fieuzal mérite une note aux alentours de 87 ou 88. Austère et peu évolué, ce vin présente des tannins rugueux, mais sa robe dense de couleur pourpre et son fruité séduisant et doux de cassis mûr conjugué à des notes de minéral le rendent impressionnant de structure et de longévité. Il n'éclipsera pas les plus belles réussites de la propriété, mais il pourra se révéler très bon, voire excellent. **A maturité : 2005-2015.**

1996 FIGEAC (SAINT-ÉMILION)****   84-86

Figeac est une autre de ces propriétés grandioses, au terroir fabuleux, qui semblent se limiter à environ deux vins vraiment profonds dans chaque décennie (on trouve récemment le 1982 et le 1990). Connaissant l'excellente tenue du cabernet sauvignon en 1996 et, dans une moindre mesure, celle des vieilles vignes de cabernet franc, j'attendais vraiment que Figeac réussisse brillamment. Mais son 1996, d'un rubis modérément soutenu, est moyennement corsé et présente une concentration de bon aloi, mais inintéressante. On décèle dans son nez épicé aux notes de cèdre des arômes doux et séduisants de groseille. La finale dévoile des tannins durs, qui ne se fondront certainement pas dans les 3 ou 4 prochaines années. Ce vin devrait évoluer assez rapidement pour le millésime. **A maturité : 2002-2010.**

1996   LA FLEUR DE GAY (POMEROL)*****   87-88

Ce vin de couleur rubis foncé était fermé, austère et serré lorsque je l'ai dégusté ; j'espère néanmoins qu'il s'étoffera, ce dont je ne suis pas certain, compte tenu des caractéristiques du millésime en Pomerol. On distingue au nez de séduisants arômes de cerise noire, ainsi que de douces senteurs de chêne épicé et grillé. Mais la bouche révèle un vin compact, qui ne possède en aucune façon le caractère riche, profond, multidimensionnel et glycériné, non plus que le doux fruité habituels de ce cru. Le 1996 de La Fleur de Gay est moyennement corsé et modérément tannique, mais quelque peu comprimé et anguleux. Peut-être l'ai-je dégusté à un stade peu flatteur de son évolution ? Toujours est-il qu'il ne m'apparaît pas, pour l'instant, comme une performance mémorable de cette propriété. **A maturité : 2002-2018.**

1996   LA FLEUR DE JAUGUE (SAINT-ÉMILION)***   86-87

Propulsée sur le devant de la scène avec un délicieux 1995, cette propriété bien gérée a cette fois produit un vin plus maigre et plus structuré, qui se livrera seulement avec le temps. Outre sa robe pourpre foncé et son doux fruité de cassis, il présente un caractère moyennement corsé, fermé et herbacé, avec une bonne extraction et un bel équilibre d'ensemble. **A maturité : 2000-2007.**
Note : j'ai peu dégusté ce vin.

1996   LA FLEUR-PETRUS (POMEROL)****   87-88+

Ce vin était fermé et difficile à évaluer lorsque je l'ai dégusté. Toutefois, j'ai apprécié sa robe dense de couleur pourpre et son nez serré, mais prometteur, de fruits noirs, de truffe, d'épices et de vanille. Il se montre masculin et puissant en bouche (serait-ce un nouveau style qu'il tiendrait de la parcelle récemment achetée à Le Gay ?). Moyennement corsé et peu évolué, il récompensera de belle manière ceux qui sauront attendre encore 6 ou 7 ans que ses tannins se fondent. Je pourrais éventuellement lui attribuer une note extraordinaire dans 8 à 10 ans. **A maturité : 2004-2015.**

1996   FRANC-MAYNE (SAINT-ÉMILION)***   84-86

Les vins de Franc-Mayne étaient autrefois extrêmement végétaux, mais ils se sont nettement améliorés sous la houlette du nouveau propriétaire. Malgré quelques touches herbacées, le 1996 se montre ainsi moyennement corsé, avec un séduisant fruité de groseille et de cassis mûr légèrement marqué de notes de menthe, et présenté dans un ensemble sans détour et savoureux. Ce 1996 sera prêt d'ici quelques années, et devrait se conserver **une décennie.**

1996 LA GAFFELIÈRE (SAINT-ÉMILION)*** 87-89

Ce 1996 est l'une des plus belles réussites récentes de la propriété. Celle-ci produit généralement des vins moyennement corsés, doux, séduisants et légers, que l'on apprécie pour leur délicatesse et leur subtilité plutôt que pour leur caractère puissant et massif. De couleur prune foncé, le 1996 exhale un doux nez de cerise noire et de cassis, et se montre moyennement corsé et très pur en bouche, avec une acidité et des notes de boisé bien infusées, ainsi qu'une finale douce et savoureuse, à la texture très fine. Il se bonifiera au terme d'une garde de 2 ou 3 ans, et se conservera **15 ans.**

1996 LE GAY (POMEROL)*** 79-84

J'étais curieux de constater l'évolution de ce cru depuis qu'une de ses meilleures parcelles, cédée à la famille Moueix, est incluse dans La Fleur-Petrus. 1996 n'est certes pas un millésime impressionnant en Pomerol, mais ce vin se montre particulièrement tannique, anguleux et plutôt massif, avec un peu de fruité. Il est bien trop structuré pour sa maigre extraction. Il se desséchera sans aucun doute.

1996 GAZIN (POMEROL)**** 90-92+

Cinq dégustations de ce vin et des notes régulières me permettent de dire que Gazin s'impose en 1996 comme l'une des étoiles de Pomerol. Il était difficile d'imaginer qu'il puisse présenter une telle concentration et une telle couleur, quand on connaît le niveau général de l'appellation dans ce millésime. Cette propriété, parmi les plus étendues de Pomerol, produit généralement 10 000 caisses environ par an, mais, en 1996, 40 % seulement de la récolte ont fait le grand vin, lequel ne sera donc disponible qu'à hauteur de 3 500 caisses.

Doté de manière impressionnante, le Gazin 1996 arbore une robe opaque de couleur pourpre, et exhale un nez exotique d'épices orientales, d'herbes rôties, de cerise noire et de framboise confiturées, avec en arrière-plan des notes de chocolat. Cette palette aromatique très complexe prélude à un vin d'une profondeur et d'une richesse extraordinaire, au niveau modérément élevé de tannins. Son caractère hautement glycériné contribue à donner le change à ces derniers. Ce Gazin, riche et formidable, montre bien que la propriété est à nouveau sur les rails, avec des réussites impressionnantes au cours des sept dernières années. **A maturité : 2003-2020.**

1996 GISCOURS (MARGAUX)***/**** 82-84

Une vinification de style commercial a donné un Giscours 1996 de couleur rubis foncé, bien évolué, doux et fruité, qui manque cependant de classe, de complexité et de longueur en bouche. **A boire dans les 5 à 8 ans.**

1996 DU GLANA VIEILLES VIGNES (SAINT-JULIEN)*** [1] 85-87

33250 Saint-Julien-Beychevelle
Tél. 05 56 59 32 30
Contact : Jean-Paul Meffre – Vignobles Meffre – 84810 Aubignan

---

1. Ce château n'étant pas cité précédemment, ses coordonnées sont mentionnées ici.

Fax 04 90 65 03 73

Ce Saint-Julien à la robe rubis-pourpre foncé se présente comme une pâte de fruits savoureuse et charnue, débordant de généreux et riches arômes de cerise noire et de groseille. Étonnant par sa faible acidité, il révèle des tannins modérés dans une finale structurée et rugueuse. Il peut être dégusté dans sa jeunesse et se conservera **jusqu'à 10 à 12 ans d'âge.**

<u>1996   GLORIA (SAINT-JULIEN)*** [1]</u>   87-89

Contact : Jean-Louis Triaud – Domaines Henri Martin – 33250 Saint-Julien-Beychevelle
Tél. 05 56 59 08 18 – Fax 05 56 59 16 18

Gloria arrive à chaque millésime grand gagnant dans la catégorie des vins proposés à moins de 100 F la bouteille. Le 1996 me semble être l'une des plus belles réussites de la propriété depuis les 1990 et 1982. Vinifié dans un style sensuel, il est faible en acidité, charnu et juteux, si bien qu'il est difficile de lui résister. Outre une robe plus soutenue que de coutume, il présente un fruité gras et mûr, ce qui est étonnant dans un millésime mieux connu pour sa structure que pour son opulence. Ce Saint-Julien, exceptionnellement bien fait, devrait se maintenir **10 à 15 ans, si ce n'est davantage.** Une révélation !

<u>1996   LA GOMERIE (SAINT-ÉMILION)****</u>   90-93

Ce vin, entièrement issu de merlot, fermenté et vieilli en fûts de chêne neuf, est élaboré par Gérard Bécot, propriétaire de Beau-Séjour-Bécot, un minuscule domaine de Saint-Émilion. Il n'est pas étonnant qu'une telle production recueille les louanges d'une presse enthousiaste, en dépit des disponibilités extrêmement réduites et des prix élevés de La Gomerie 1996.

Ce vin impressionnant, riche, crémeux et puissant séduira quiconque le dégustera. Il est étonnamment gras, mûr et largement doté, autant de qualités que l'on ne s'attend pas à trouver dans un millésime plutôt connu pour ses vins tanniques et peu évolués. Avec sa robe soutenue de couleur pourpre foncé, il se révèle doux, mais puissant, dévoilant par paliers un saisissant fruité de cerise et de cassis. Il exprime encore un boisé extravagant (c'est volontaire), mais son fruit et sa richesse en extrait, ainsi que son caractère glycériné et concentré, étayent parfaitement ses arômes de fumé et de pain grillé. Un Saint-Émilion moyennement corsé, déjà savoureux, opulent et luxuriant, charnu et riche, que vous apprécierez ces **10 à 15 prochaines années.**

<u>1996   GRAND CORBIN (SAINT-ÉMILION)***</u>   87-88

Le Grand Corbin 1996 est bien réussi, avec une robe opaque de couleur pourpre et un nez épicé de grillé et de fruits confiturés. Riche et moyennement corsé, il est encore puissant et long en bouche, avec une bonne concentration et une acidité de bon niveau qui laissent présager un potentiel de **12 à 15 ans, voire davantage.** C'est l'un des exemples les plus structurés que je connaisse de ce cru.

---

1. Ce château n'étant pas cité précédemment, ses coordonnées sont mentionnées ici.

1996   GRAND-MAYNE (SAINT-ÉMILION)****   89-90

Ce 1996 est doté de manière impressionnante. Sa robe opaque de couleur pourpre précède un nez doux aux notes de minéral, de réglisse, de cerise noire et de framboise – très caractéristique de ce cru. Long, profond et moyennement corsé en bouche, il est plus tannique que de coutume, et s'impose comme un Grand-Mayne élégant, puissant, intense et classique, qui se dévoile en bouche par paliers. Il requiert une garde de 3 à 5 ans avant d'être prêt, et, bien qu'il soit moins exubérant que ne l'étaient les 1995, 1990 et 1989 au même âge, il se développe merveilleusement dans le verre. Je lui attribuerai éventuellement une note extraordinaire au terme d'un vieillissement supplémentaire de 5 ou 6 mois en fût. Impressionnant ! **A maturité : 2000-2015.**

1996   GRAND-PONTET (SAINT-ÉMILION)***   88-90

Le Grand-Pontet 1996, que j'ai dégusté trois fois et noté de manière régulière, est un vin massif, de couleur pourpre foncé, aux généreux arômes de grillé et de chêne neuf vanillé accompagnés d'un abondant cortège de senteurs de cerise noire, de framboise et de groseille confiturées. Moyennement corsé et pur, plutôt gras pour le millésime, il se développe joliment en bouche par paliers. Il ne manque ni de structure ni de tannins, mais ceux-ci sont bien étayés par une belle profondeur et une grande richesse en extrait. **A boire dans les 15 ans.**

1996   GRAND-PUY-DUCASSE (PAUILLAC)***   86-89 ?

Depuis plusieurs années, Grand-Puy-Ducasse se déguste exceptionnellement bien au fût. Le 1996 présente une robe dense, presque opaque, de couleur pourpre, ainsi qu'un fabuleux fruité doux, mûr et sans détour. Moyennement corsé, il est bien doté, charnu et de bonne mâche en bouche, et se révèle intéressant, mûr et d'une belle pureté. Espérons que le collage et la filtration, que cette propriété pratique souvent à l'excès, ne le dépouilleront pas trop au moment de la mise. **A maturité : 2001-2016 (?).**

1996   GRAND-PUY-LACOSTE (PAUILLAC)****   94-96

Le Grand-Puy-Lacoste 1996, l'un des vins les plus grandioses du millésime, est une légende en perspective, qui rivalisera parfaitement avec le 1982 et le 1990 de la propriété. Xavier Borie a en effet mis dans le mille avec ce vin – composé aux trois quarts de cabernet sauvignon et pour le reste de merlot –, dont la robe pourpre-encre prélude à un nez fabuleusement doux de cassis. Il est même tellement riche qu'on n'y décèle pas la plus petite note de boisé. Massif en bouche et tout en rondeur, il se montre encore énorme, très corsé et fabuleusement concentré – assurément l'une des affaires les plus intéressantes de l'année. Il sera agréable dans les 5 ou 6 ans qui suivront sa diffusion, compte tenu de sa faible acidité et de sa douceur, mais son potentiel de garde est de **30 ans environ.** Quel vin profond !

1996   LA GRAVE A POMEROL (POMEROL)***   87-88

Le 1996 de La Grave à Pomerol, de couleur rubis foncé, offre au nez de copieux arômes de fruits noirs et doux mêlés de senteurs de caramel et de chêne épicé. L'attaque en bouche révèle un vin moyennement corsé et élégant, mais également doux, savoureux, vif et rafraîchissant. Il est encore racé et concentré, et devrait être agréable à boire dès sa diffusion et sur les **10 prochaines années.**

Note : cette propriété était auparavant connue sous le nom de La Grave Trigant de Boisset.

1996 GRUAUD-LAROSE (SAINT-JULIEN)****/***** 88-90

Le 1996 de Gruaud-Larose est séduisant, étonnamment évolué et moins musclé qu'il n'est de coutume pour les vins de ce domaine. Issu d'une sélection sévère (un tiers de la production a été déclassé pour faire un second vin), il a, en partie, effectué ses fermentations malolactiques en fût. Cela donne un vin sans détour, à la robe pourpre foncé et aux doux arômes de myrtille, de kirsch et de cerise confiturée. Moyennement corsé, plus charnu et plus évolué que certains de ses jumeaux d'un style plus « sérieux », il se montre gras et profond en bouche, avec un niveau modéré de tannins. Ce vin évoluera assez rapidement, mais durera bien **15 ans, ou davantage.** Ceux qui critiquaient les anciens Gruaud-Larose, au caractère animal, de terre et de cuir fin, et au généreux fruité concentré, apprécieront peut-être davantage ce nouveau style du domaine.

1996 HAUT-BAGES-LIBÉRAL (PAUILLAC)*** 85-87

Ce vin aurait mérité une meilleure note s'il avait exprimé davantage de profondeur. Resplendissant d'une couleur pourpre foncé, il offre au nez de généreux arômes de fruits noirs et de terre, ainsi que de subtiles notes de boisé. Moyennement corsé et joliment concentré en bouche, il manque cependant de la richesse en extrait qu'il faudrait pour étayer des tannins peut-être un peu excessifs. Ce 1996 me semble cependant bien, même très bien réussi, et rappellera aux amateurs certains Médoc de 1966. **A maturité : 2004-2015.**

1996 HAUT-BAILLY (GRAVES)**** 87-88

Le Haut-Bailly est l'un des vins les plus élégants et les plus agréables du Bordelais. Il ne possède heureusement pas, en 1996, la structure énorme, les tannins puissants ou le caractère massif qui desservent tant ses jumeaux à dominante de cabernet sauvignon. Rubis foncé, avec un nez classique de vanille, d'herbes rôties et de fruits rouges et doux, il se montre moyennement corsé et rond en bouche, plus intense et plus aromatique que je ne le pensais de prime abord. Il se développe au palais tout en rondeur, et pourra donc être dégusté relativement rapidement, d'ici 3 ou 4 ans. Il évoluera certainement en s'étoffant sur les **15 ou 16 prochaines années.**

1996 HAUT-BATAILLEY (PAUILLAC)*** 89-91

Cela fait dix-huit ans que je déguste le Haut-Batailley au fût, mais je n'en connaissais pas encore d'aussi riche, d'aussi complet et d'aussi gratifiant que celui-là. La propriété a donné nombre de vins réussis – qui ont d'ailleurs tendance à ressembler à des Saint-Julien –, mais ce 1996 signe incontestablement une percée dans la qualité. Avec sa robe de couleur pourpre et son nez fabuleusement doux et mûr aux arômes de cabernet sauvignon, il se révèle charnu, riche et d'un faible niveau d'acidité en bouche, où il déploie encore une remarquable pureté, ainsi qu'un généreux fruité affriolant. Ce Haut-Batailley époustouflant est certainement l'une des meilleures affaires du millésime. A maturité : 2003-2015.

1996   HAUT-BRION (GRAVES)***** 92-94+

Le Haut-Brion 1996, composé à 50 % de merlot, à 39 % de cabernet sauvignon et à 11 % de cabernet franc, est issu d'une sélection représentant 60 % de la production totale du château. Jean Delmas, le talentueux administrateur de cette propriété, était plus pessimiste au sujet du 1996 qu'à propos des brillants 1995 et 1994, mais, après avoir dégusté plusieurs échantillons du premier, je puis affirmer qu'il n'a aucun souci à se faire.

Bien que moins flatteur, plus structuré et plus tannique que ses deux aînés, ce vin impressionne par sa douceur, sa richesse et son caractère moyennement corsé. Les caractéristiques senteurs de ce cru y sont encore discrètes, mais ce 1996 se révèle merveilleusement au mouvement du verre. D'un rubis-pourpre très dense, avec un nez doux de fumé, de vanille, de crayon, de terre et de cassis, il se montre profond, très corsé et tannique en bouche (les tannins sont cependant mûrs et ronds, et non pas astringents). Un nouveau Haut-Brion formidable, qui demandera, chose inhabituelle, une attente de 10 à 12 ans, mais qui se conservera ensuite 20 à 30 ans. De prime abord, il m'a rappelé le 1986, mais, au même stade d'évolution, il est en fait plus doux, avec un fruité plus mûr. En s'étoffant, il pourrait presque égaler le 1995, extraordinairement opulent, complexe et crémeux.

Le Bahans-Haut-Brion 1996 est du même métal, mais en plus structuré, et me paraît être une autre belle réussite pour le second vin de la propriété. Rubis foncé et moyennement corsé, il est doux et riche, et révèle déjà un peu de la complexité bien évoluée qu'il tient du terroir de Haut-Brion. Ce vin méritera une très bonne note (entre 88 et 90) au moment de sa diffusion. A maturité : 2000-2010.

1996   HORTEVIE (SAINT-JULIEN)*** 86-88

Élaboré par les propriétaires de Terrey-Gros-Cailloux, l'excellent Hortevie 1996 révèle une robe épaisse et soutenue de couleur pourpre, ainsi qu'un nez, non encore formé mais impressionnant, aux arômes de cabernet mûr, de cassis, de fruits et de minéral, marqués de notes de chêne épicé. Moyennement corsé, tannique et de bonne mâche, il est bien équilibré et pourra être dégusté dans sa jeunesse, compte tenu de sa faible acidité, mais ceux qui en achèteront compteront plutôt sur une garde préalable de 4 ou 5 ans. Ce vin tiendra sans problème 15 ans, ou davantage. Quelle performance remarquable pour un cru bourgeois !

1996   D'ISSAN (MARGAUX)*** 85-87

Le 1996 est probablement le meilleur D'Issan qu'il m'ait été donné de déguster depuis des années. Habillé d'une robe de rubis-pourpre foncé, il exhale un doux nez de cassis et de fleurs printanières. Même si l'on ne peut compter qu'il se montre jamais musclé ou exceptionnellement concentré, il est racé, élégant et très bien fait, et l'on ne peut qu'apprécier la belle harmonie qui règne entre ses composantes (acidité, alcool, richesse en extrait et tannins). A maturité : 2002-2012.

1996   LABÉGORCE-ZÉDÉ (MARGAUX)***   86-87

Ce cru bourgeois de Margaux se révèle étonnamment puissant, richement extrait et moyennement corsé, avec des notes épicées et de terre. Il peut paraître un peu austère, mais son riche et doux fruité de cabernet prendra aisément le dessus. Accordez-lui encore 2 ou 3 ans avant de le déguster ; il devrait bien évoluer sur les **13 à 15 prochaines années**. Je ne serais pas étonné qu'il dure même plus longtemps.

1996   LAFITE-ROTHSCHILD (PAUILLAC)*****   91-93+

Plus de 60 % de la récolte totale de Lafite ont été déclassés en 1996. Le grand vin est composé à 83 % de cabernet sauvignon (plus que de coutume), à 8 % de merlot, à 8 % de cabernet franc et à 1 % de petit verdot, et se révèle la quintessence même de l'élégance. Rubis foncé, il déploie de très caractéristiques arômes de minéral fluide, de cassis, de groseille et de chêne neuf et épicé. Moyennement corsé et d'une excellente concentration en bouche, il est encore merveilleusement dessiné et intellectuellement séduisant. Bien qu'il ne soit pas aussi massif que le vin de Latour, ni même aussi flamboyant que le Mouton, ce Lafite est racé et harmonieux, un peu plus tannique et plus puissant qu'il ne l'est habituellement. Il demande de la patience, comme nombre d'autres vins du nord du Médoc. **A maturité : 2012-2035.**

1996   LAFLEUR (POMEROL)*****   90- ?

Le 1996 de Lafleur, dont la robe opaque est de couleur pourpre, est un vin richement extrait, avec une haute acidité. Encore complètement fermé, il est difficile à évaluer. Son fruité, aux notes de prune et de mûre confiturées, est d'une pureté admirable, mais son niveau très élevé de tannins, durs et astringents, me semble excessif au regard de l'ampleur qu'il déploie. Il est encore très musclé, masculin et structuré, et devrait évoluer avec la lenteur d'une tortue – disons sur 20 à 30 ans. Il se pourrait bien qu'il s'agisse d'une répétition du 1952, qui n'est prêt à la dégustation que depuis 6 ou 7 ans. La sélection pour l'assemblage final s'est faite en 1996 de manière plutôt brutale, car le grand vin est, pour la première fois d'ailleurs, presque entièrement composé de cabernet franc, le merlot ayant été jugé trop aqueux. **A maturité : 2010-2030.**

1996   LAFON-ROCHET (SAINT-ESTÈPHE)***   90-91

Pour ce qui est de Lafon-Rochet, les amateurs devraient prendre le train en marche : le 1994 était prometteur, le 1995 fut l'une des plus grandes révélations du millésime, et, sans être aussi doux ni aussi riche que son aîné d'un an, le 1996 se révèle extraordinaire, avec un potentiel de garde de 25 à 30 ans. Sa robe, d'un pourpre qui tire sur le noir, introduit un nez serré, mais curieux, d'épices orientales, de réglisse, de minéral, de framboise et de cassis confiturés. L'attaque en bouche est douce, mais suit un vin extrêmement tannique et puissant qui requiert une garde en cave d'au moins une dizaine d'années. Presque trop imposant et trop musclé, il affiche une extraordinaire pureté, ainsi qu'un équilibre remarquable, compte tenu de son ampleur. **A maturité : 2008-2025.** Une nouvelle révélation !

1996   LAGRANGE (SAINT-JULIEN)****/*****   90-92+

Lagrange est une propriété sous-estimée, dont les vins de très haute qualité, parfois même extraordinaires, ne reçoivent pas toute l'attention qu'ils méritent. Marcel Ducasse, qui administre le château et y conduit les vinifications, m'a confié que 1996 aurait pu être une répétition du millésime 1961, au moins dans le Médoc, s'il n'y avait eu ces pluies du début du mois d'octobre. Le 1996 de Lagrange est l'une des trois plus belles réussites de la propriété depuis que celle-ci a été rachetée par le groupe japonais Suntory, les deux autres étant le 1986 et le 1990 (1995 et 1989 étant également de sérieux rivaux). Sa robe opaque, de couleur pourpre, prélude à un nez fabuleusement doux aux arômes de cassis, de minéral et de chêne neuf et grillé. Suit un vin d'une excellente texture, au caractère riche et concentré, qui exprime encore une belle pureté, ainsi qu'un boisé, des tannins et une acidité joliment fondus dans l'ensemble. Moyennement corsé et peu évolué, il requiert une garde de 7 ou 8 ans, mais est tout à fait capable d'une longévité de 25 à 30 ans.

1996   LA LAGUNE (HAUT-MÉDOC)****   87-88

Plus structuré et plus léger que de coutume, le 1996 de La Lagune présente une robe de couleur rubis-pourpre foncé, des tannins légers et un bon fruité, et ne se montre pas, curieusement, aussi boisé qu'il l'est habituellement dans sa jeunesse. Ce vin très pur et moyennement massif laisse au palais une impression de belle structure. **A maturité : 2003-2016.**

1996   LANESSAN (HAUT-MÉDOC)***/****   87-88

Cette merveille pourrait bien être l'une des révélations du millésime. Il s'agit d'un bordeaux classique, à la robe dense et un peu trouble de couleur pourpre, qui déploie un généreux fruité de cassis riche et confituré mêlé de notes de minéral et de chêne neuf et grillé. Ce Médoc profond, moyennement corsé et bien doté nous vient d'un des meilleurs terroirs des crus bourgeois. **A maturité : 2002-2015.**

1996   LANGOA-BARTON (SAINT-JULIEN)***   87-88

Voici une belle réussite pour Langoa, qui tient toujours le second rôle auprès du plus puissant et grandiose Léoville-Barton. Arborant une robe dense, de couleur rubis-pourpre tirant sur le noir, ce vin révèle, malgré un bouquet serré, de doux arômes de terre, de cassis et de vanille. Moyennement corsé, il exprime une excellente concentration en bouche, mais sa finale déploie des tannins rugueux et astringents. Il s'agit d'un autre coureur du marathon de ce millésime. **A maturité : 2005-2020.**

1996   LARCIS-DUCASSE (SAINT-ÉMILION)**   84-86

Voici l'un des plus beaux terroirs de Saint-Émilion, mais qui produit d'année en année des vins inintéressants. Le 1996, d'un rubis moyennement foncé, exhale un nez sans détour, doux, plaisant et commercial, aux arômes de cerise, de terre et d'herbes. Il est moyennement corsé et simple. **A boire dans les 7 ou 8 ans.**

1996   LARMANDE   (SAINT-ÉMILION)***   87-88

Le 1996 de Larmande est un vin sensuel, au boisé généreux et au fruité abondant. Il arbore une robe rubis-pourpre foncé, et exhale un nez très boisé aux arômes d'olive, d'herbes rôties et de cerise noire confiturée mêlés de senteurs épicées, légèrement marquées de touches de goudron. Moyennement corsé, ouvert et bien évolué, il devrait être agréable dans les **6 ou 7 prochaines années.**

1996   LAROSE-PÉRAGASON   (HAUT-MÉDOC)*** [1]   86-87

Château Larose-Trintaudon – 33112 Saint-Laurent-Médoc
Tél. 05 56 59 41 72 – Fax 05 56 59 93 22
Cette sélection de Larose-Trintaudon est un vin séduisant, à la robe dense de couleur rubis et aux généreux arômes, mûrs, doux et évolués, de cassis et de chêne épicé. Étonnamment doux et précoce pour un 1996, il se boira dans les **7 ou 8 ans.**
Note : j'ai peu dégusté ce vin.

1996   LATOUR   (PAUILLAC)*****   94-96+

Les milliardaires pourront s'amuser à comparer les trois derniers millésimes de Latour. Le 1995 devrait se distinguer d'une courte tête, mais je pense que le 1996 l'égalera d'ici 15 à 20 ans environ. Ce vin, issu d'une sélection de 56 % de la production totale du château, est composé à 78 % de cabernet sauvignon, à 17 % de merlot et à 5 % de cabernet franc. Des rendements modestes (de l'ordre de 45 hl/ha) ont donné un Latour classique, typiquement Pauillac. C'est un vin énorme, rugueux, presque inaccessible tant il est riche, structuré et tannique. Le nez libère avec réticence des arômes de cassis, de minéral et de noix grillée, et l'on n'y décèle, curieusement, aucune note de boisé, ce qui m'amène à penser que les meilleurs Médoc recèlent une richesse en extrait vraiment impressionnante. Ce Latour exhale encore des senteurs de myrtille, mêlées aux caractéristiques arômes que déploie généralement ce cru. On distingue également des notes de réglisse et de chocolat dans un ensemble très corsé, puissant et extrêmement peu évolué. Je ne pense pas que ce vin arrive à maturité avant 15 ans, et, sachant que je passe cette année le cap des 50 ans, je me suis demandé si j'allais en acheter pour en déguster de mon vivant. Quoi qu'il en soit, j'encourage vivement les amateurs qui en ont les moyens à considérer un tel achat avec calme et sérénité. **A maturité : 2012-2040.**
Les Forts de Latour 1996, le second vin de Latour, composé à 73 % de cabernet sauvignon et à 27 % de merlot, est une belle réussite. D'une profonde couleur pourpre tirant sur le noir, il exprime une excellente douceur, avec une acidité de bon ressort. Plus évolué que le grand vin, il requiert toutefois une garde de 7 ou 8 ans avant d'être prêt. Son potentiel sera ensuite de **25 ans, voire davantage.** Il mérite une note aux alentours de 90.

---

1. Ce château n'étant pas cité précédemment, ses coordonnées sont mentionnées ici.

1996   LATOUR A POMEROL (POMEROL)****   86-87

Une couleur rubis-pourpre foncé précède un bouquet aux généreux arômes de réglisse, d'herbes et de cerise noire confiturée. Suit un vin moyennement corsé, doux et évolué, d'un faible niveau d'acidité, très persistant en bouche et affichant une belle maturité. Il sera délicieux dès sa jeunesse et se conservera **10 à 12 ans.**

1996   LÉOVILLE-BARTON (SAINT-JULIEN)****/*****   92-94+

Le 1996 de Léoville-Barton s'est révélé spectaculaire lors de mes trois dégustations, mais cela n'est pas étonnant pour une propriété qui ne produit que des vins de tout premier ordre depuis plus de dix ans maintenant. D'une richesse explosive – sans doute en raison de son fort pourcentage de cabernet sauvignon –, il présente une robe opaque et dense de couleur pourpre-noir, et déploie de doux arômes de cassis aux notes de pain grillé. L'attaque en bouche est fabuleuse, annonçant un caractère structuré, concentré et fruité, qui se dévoile par paliers et laisse au palais une impression massive. Puissant, très corsé et multidimensionnel, ce Léoville-Barton requiert de la patience – il n'atteindra sa pleine maturité que d'ici 12 à 15 ans. Son potentiel de garde est de 30 ans, si ce n'est plus. **A maturité : 2012-2030.**

1996   LÉOVILLE-LAS CASES (SAINT-JULIEN)*****   96-100

Disons les choses simplement : ce 1996 est le plus prodigieux Léoville-Las Cases que je connaisse depuis le 1982, et il pourrait se révéler aussi profond que ce vin historique. Michel Delon m'a confié n'avoir jamais vendangé à la propriété de cabernet sauvignon aussi mûr et intensément concentré, avec un taux de sucre aussi élevé. Les merlot et cabernet franc furent, quant à eux, plutôt décevants, à l'exception d'une petite parcelle de vieilles vignes de ce dernier cépage, dont la récolte a d'ailleurs été incluse dans l'assemblage du grand vin. Pour la première fois, celui-ci ne comprend pas de petit verdot. La sélection pour ce millésime fut aussi draconienne que d'habitude, et seulement 40 % de la production totale du château ont fait le Léoville-Las Cases 1996. Il est difficile, même pour moi, de décrire un vin d'une telle qualité. Sa robe opaque, de couleur pourpre-bleu tirant sur le noir, précède un nez qui, bien qu'étant dans sa petite enfance, jaillit littéralement du verre, offrant des arômes étonnamment pénétrants et purs de cassis, de minéral et d'épices. On ne décèle pas la plus petite touche de boisé, alors que la proportion de bois neuf utilisé pour l'élevage était de l'ordre de 70 % – ce qui témoigne de l'incroyable richesse du cabernet sauvignon vendangé relativement tard. Ce vin extrêmement corsé exprime encore une concentration magnifique et un équilibre fabuleux, tout en rondeur. Un classique en voie d'entrer dans la légende, qui requiert une garde de 10 à 12 ans et évoluera magnifiquement sur **35 à 40 ans.**

De manière remarquable, Léoville-Las Cases n'a produit que des vins de tout premier ordre au cours de ces dix dernières années. Il serait certes dommage que les amateurs n'achètent pas les fabuleux 1994 et 1995 de cette propriété, mais, croyez-moi, le 1996 les dépasse largement. Serait-ce la perfection même ?

1996   LÉOVILLE-POYFERRÉ (SAINT-JULIEN)***   90-92

Des trois Léoville, Léoville-Poyferré est le moins évolué et le plus difficile à déguster dans sa jeunesse. Le 1996, issu d'une sélection de 45 % de la production totale de la propriété, est composé à 70 % de cabernet sauvignon, à 25 % de merlot et à 5 % de petit verdot. Contrairement au 1995, plus flatteur et plus charmeur, il présente une robe dense de couleur pourpre et un caractère fermé et peu évolué, mais il recèle suffisamment de fruité doux, de richesse en extrait, de densité, de pureté et de longueur pour laisser supposer un potentiel de garde extraordinaire. Moyennement corsé, avec de fabuleux arômes de myrtille douce, il est encore très massif et très intense, avec un niveau très élevé de tannins. Il faudra l'attendre une dizaine d'années. **A maturité : 2007-2025.**

1996   LIVERSAN (HAUT-MÉDOC)*** [1]   86-87

33250 Saint-Sauveur
Tél. 05 56 59 57 07 – Fax 05 56 59 59 59
Contact : Emmanuel Thiéblin

C'est le meilleur Liversan que je connaisse, et il pourrait bien s'imposer comme l'une des révélations du millésime. Sa robe dense et sombre, de couleur pourpre, prélude à des arômes doux et riches de cassis ponctués de notes de chêne neuf et de minéral. Il est étonnamment bien doté et mûr, et ne montre heureusement pas les tannins durs qui sont la marque de ce millésime. Ce Liversan de bonne mâche, dont la belle texture et la belle précision dans le dessin achèvent de faire un vin agréable, devrait tenir **10 à 12 ans.** Il est intéressant de noter que l'assemblage final comprenait 38 % de merlot (une forte proportion), 49 % de cabernet sauvignon, 3 % de petit verdot et 10 % de cabernet franc.

1996   LA LOUVIÈRE (GRAVES)***/****   86-88

La Louvière produit régulièrement des vins de haut niveau. Le 1996 est musclé, charnu et bien doté, avec une robe dense de couleur pourpre, un niveau élevé de tannins durs et poussiéreux, ainsi qu'un doux fruité sous-jacent aux notes de tabac et de cassis. Moyennement corsé, épicé et concentré, il sera certainement bien équilibré à maturité. **A boire entre 2003 et 2015.**

1996   LUCIE (SAINT-ÉMILION)***   87-88

Cette minuscule propriété, située à Saint-Émilion *intra-muros*, a donné en 1996 un vin rond, savoureux, opulent et de bonne mâche, tout à fait atypique du millésime. Il est encore richement fruité et goûteux, mais je pense qu'il évoluera extrêmement rapidement. Les amateurs ne devraient pas en acheter plus qu'ils n'en consommeront dans les **5 à 7 ans.**
Note : j'ai peu dégusté ce vin.

1996   LYNCH-BAGES (PAUILLAC)*****   88-90

J'ai dégusté ce vin en quatre occasions, mais il n'a jamais été facile à évaluer. Sa robe rubis-pourpre n'est pas aussi soutenue que celle de nombre d'autres

---

1. Ce château n'étant pas cité précédemment, ses coordonnées sont mentionnées ici.

Pauillac, ni même que celle de certains Saint-Julien ou Saint-Estèphe, et il déploie un caractère excessivement tannique, très serré et fermé. Je ne doute pas qu'il se révèle à terme excellent – fruité, solide et moyennement corsé –, mais il demeurera sur la réserve. Ce cru tendrait-il vers un style plus élégant, que ses amateurs de longue date n'apprécieront probablement pas ? Toujours est-il que ce 1996 n'a pas la densité, le muscle ou la plénitude habituels de ce cru dans les grands millésimes. **A maturité : 2003-2014.**

Rappelons que, au même âge, le 1995 était tout aussi serré et manquait de richesse et de densité en milieu de bouche, mais qu'il s'est merveilleusement étoffé dans l'année qui a suivi. Espérons qu'il en sera de même pour le 1996.

1996   LYNCH-MOUSSAS (PAUILLAC)***   87-89

Il s'agit incontestablement du meilleur vin que je connaisse de cette propriété, et, si mes notes sont justes, il s'imposera comme l'une des grandes révélations de ce millésime. Alors qu'il a longtemps donné des vins inintéressants, Lynch-Moussas semble avoir amorcé le virage en 1995, et son 1996 constitue indéniablement une belle percée. Sa robe opaque, de couleur pourpre, annonce de doux arômes de réglisse et de cassis mêlés de subtiles notes de chêne grillé. Dense, étonnamment doux et souple pour le millésime, il est moyennement corsé, avec une fabuleuse richesse en extrait. C'est malheureusement l'un des rares crus que je n'ai pu déguster qu'une seule fois ; je serais donc heureux de pouvoir le goûter à nouveau, histoire de vérifier s'il est vraiment aussi remarquable. **A maturité : 2004-2018.**

1996   MAGDELAINE (SAINT-ÉMILION)***   86-87

Christian Moueix a procédé sur cette propriété à des sélections extrêmement rigoureuses, si bien que le grand vin ne sera disponible qu'à raison de 2 000 caisses, au lieu des 3 500 habituelles. D'un rubis moyennement foncé, le 1996 offre au nez des arômes mûrs et sans détour de cerise noire, mêlés de notes épicées et subtilement herbacées. Doux à l'attaque en bouche, moyennement corsé et massif, il déploie en finale des tannins durs, mais je pense qu'il vaudra mieux le déguster avant qu'il n'ait **8 à 10 ans d'âge.**

1996   MALESCOT-SAINT-EXUPÉRY (MARGAUX)**   88-90

Ces dernières années, cette propriété donne des vins racés et d'une qualité sans cesse grandissante ; le 1996 s'impose comme une nouvelle belle réussite. Il ne s'agit pas d'un vin puissant ou très musclé, à l'instar de nombre de Médoc de ce millésime ; il serait plutôt suave, extrêmement élégant et gracieux – bien dans le style des Margaux. Sa robe dense et soutenue, de couleur prune, prélude à un bouquet de fruits rouges et doux mêlé de senteurs de chêne neuf et d'herbes de Provence. Suit un vin rond et mûr, moyennement corsé et étonnamment évolué pour son jeune âge, qui révèle un fruité fabuleux et sans détour. **A maturité : 2001-2020.**

1996   CHÂTEAU MARGAUX (MARGAUX)*****   96-100

Le Château Margaux est, avec Léoville-Las Cases de Saint-Julien, l'une des rares propriétés à n'avoir terminé ses vendanges de cabernet sauvignon que le 12 octobre 1996. Je ne sais si ce fait a son importance, toujours est-il que ces deux propriétés ont incontestablement produit les deux vins les plus grandioses et les plus irrésistibles du millésime. A Margaux, les vendanges de cabernet sauvignon ont eu lieu entre le 1er et le 12 octobre.

L'assemblage final a donné un vin d'un faible niveau d'acidité, titrant environ 13° d'alcool naturel. J'ai certes dégusté certains Margaux extraordinaires au cours de ces dix-huit dernières années, mais je n'en connais aucun qui soit aussi riche et aussi marqué par le cabernet sauvignon que celui-ci. Le 1986 en était probablement très voisin au même âge, mais le 1996, composé à 85 % de cabernet sauvignon, à 10 % de merlot et à 5 % de petit verdot, contient 10 % de merlot de moins que son aîné d'un an. Il s'agit indéniablement d'un vin proche de la perfection.

La famille Mentzelopoulos a produit nombre de vins spectaculaires depuis qu'elle a repris cette propriété, en 1977, mais le 1996 est tellement extraordinaire qu'il pourrait se révéler plus prodigieux encore que les légendaires 1982, 1983, 1985, 1986 et 1990. Paul Pontallier et Corinne Mentzelopoulos m'ont confirmé n'avoir jamais vendangé de cabernet sauvignon aussi mûr. Le Margaux 1996 arbore une robe opaque, de couleur pourpre-bleu tirant sur le noir, semblable à de l'encre. Le nez exhale des arômes incroyablement doux de cassis confituré dans lesquels on ne décèle pas le moindre signe d'un vieillissement de quatre mois en fûts neufs. C'est là un trait commun aux meilleurs 1996, et je pense qu'il reflète la richesse en extrait des crus les mieux réussis du millésime. Je ne me rappelle pas en effet un vin jeune qui ait aussi parfaitement masqué le chêne neuf que celui-ci. L'attaque en bouche révèle une pureté, un équilibre et une richesse inouïs, et chaque élément de ce vin velouté, voluptueux et sans aspérité est tout simplement stupéfiant. Alors que je le promenais sur mon palais, j'ai soudain ressenti des frissons dans le dos, réalisant que j'étais en présence d'un des vins jeunes les plus grandioses qu'il m'ait été donné de déguster. Je pensais que son côté tannique serait davantage perceptible, compte tenu de son fort pourcentage de cabernet sauvignon, mais il est tellement riche que ses abondants tannins sont parfaitement masqués par son taux de glycérine, son extraction et son fruité. Il est difficile de prédire le moment où il arrivera à maturité. Je pense qu'il se révélera plus tannique d'ici 1 ou 2 ans, mais sa douceur et sa richesse sont telles qu'il pourra être apprécié dès sa jeunesse. Il n'atteindra le meilleur de sa forme que d'ici 15 ans ou plus, mais il sera très intéressant de suivre son évolution sur les 30 à 40 prochaines années. Des lauriers pour Corinne Mentzelopoulos et sa mère, ainsi que pour le talentueux Paul Pontallier. **A maturité : 2004-2035.**

1996 MARQUIS DE TERME (MARGAUX)***   89-90

Trois dégustations différentes ont révélé un vin semblable à un Saint-Estèphe : de couleur pourpre-noir et exceptionnellement puissant, dominé par un généreux fruité de cabernet sauvignon. Extrêmement massif, mûr et structuré, il développe des tannins qui tapissent le palais. Il s'agit incontestablement d'une des révélations du millésime, mais il demande à être attendu plusieurs années encore. **A maturité : 2006-2025.**

1996   MAZEYRES (POMEROL)**   83-85

Ce Pomerol, pourtant simple et sans détour, ne révèle aucun signe de dilution, si ce n'est sa faible acidité. Rubis foncé, avec un nez séduisant, modérément intense et débordant d'arômes bien fruités, il est rond et soyeux en bouche, où il déploie encore des tannins légers. **A boire dans les 5 à 7 ans.**

1996   MEYNEY (SAINT-ESTÈPHE)***/****   85-87

Ce cru bourgeois de bonne tenue a donné un 1996 dense, fumé et herbacé, au nez d'épices et de cerise noire. Bien que ne déployant pas la richesse et le caractère massif qu'on lui connaît dans les meilleurs millésimes, ce Meyney est bien fait, moyennement corsé et étonnamment évolué pour un 1996. Les tannins solides que l'on perçoit en finale laissent deviner un potentiel de garde de **10 à 15 ans.**

1996   LA MISSION-HAUT-BRION (GRAVES)*****   90-91+

J'attribue, pour le moment, une note légèrement supérieure au 1995 de La Mission-Haut-Brion, en raison de son nez sans détour, doux et complexe, plus évolué que celui de son cadet d'un an. Il est en effet difficile de résister à son caractère dense et bien doté. Le 1996 est cependant extraordinaire, avec sa robe rubis-pourpre foncé et son nez d'herbes rôties, de confiture de myrtille douce et de cassis mêlé de notes de terre et de truffe. Ce vin rond, riche et doux, moyennement corsé et d'une profondeur remarquable, n'a pas le côté massif et glycériné, ni même l'opulence d'ensemble de son aîné, mais il devrait être à maturité d'ici 7 ou 8 ans. Son potentiel de garde est de **25 ans environ.**

1996   MONBOUSQUET (SAINT-ÉMILION)****   91-93

J'ai beaucoup écrit au sujet de cette étoile montante de Saint-Émilion. Les lecteurs qui sont aujourd'hui entre deux âges et qui ont acheté ce cru dans les années 70 se souviennent peut-être de Monbousquet comme d'un Saint-Émilion doux, insipide et de style commercial. Mais les choses ont bien changé sous la houlette du nouveau propriétaire, M. Persé. Celui-ci a produit un très bon 1993, suivi d'un 1994 et d'un 1995 plus impressionnants encore, et le 1996, pourtant d'un millésime difficile pour l'appellation, semble être sa plus belle réussite à ce jour. Des rendements de 24 hl/ha ont donné un vin de couleur encre très corsé, charnu et massif, qui sera apprécié de tous ceux qui aiment les bordeaux extrêmement concentrés et riches (« parkérisés », henniraient mes détracteurs). Ce vin n'est pas aussi accessible que ses deux aînés, mais sa robe opaque et ses fabuleux arômes de myrtille douce, de cassis et de chêne neuf accompagnent merveilleusement sa remarquable richesse et sa texture multidimensionnelle. Cet ensemble énorme et charnu révèle encore d'abondant tannins, si bien que son dessin sera plus précis d'ici 3 ou 4 ans. Ce vin est apte à une garde de **20 ans environ**, et, compte tenu de l'engagement du propriétaire des lieux pour la qualité et des résultats obtenus à ce jour, je ne serais pas autrement étonné que les prix décollent...

1996   MONBRISON (MARGAUX)***   85-86+ ?

Le 1996 de Monbrison me semble l'un des vins les mieux réussis par la propriété au cours de ces dernières années. Certains échantillons révélaient de légères notes de carton – qu'on attribue souvent à des bouchons défectueux – mais, si l'on excepte ce fait, ce 1996, de couleur rubis-pourpre foncé, discret, moyennement corsé, au fruité mûr et séduisant contenu dans un ensemble élégant, est remarquable. Accordez-lui une garde de 4 ou 5 ans avant de le déguster sur les **12 à 15 ans** qui suivront.

1996   LA MONDOTTE (SAINT-ÉMILION)****/***** [1]   95-97

Château Canon-La Gaffelière – 33330 Saint-Émilion
Tél. 05 57 24 71 33 – Fax 05 57 24 67 95
Contact : Stephan von Neippberg

La Mondotte a fait ses débuts sous de bons auspices. Ce vin, produit à hauteur de 800 caisses seulement, est issu d'une parcelle de vignes de 30 ans d'âge située entre le Tertre-Rotebœuf et Canon-La Gaffelière. Entièrement fait de merlot, il est totalement fermenté et vieilli en fûts neufs, et s'impose comme l'un des jeunes bordeaux les plus concentrés que je connaisse. Les trois fois où je l'ai dégusté, mes notes comprenaient la mention « à acheter absolument ». Il serait vain d'épiloguer sur le fait de savoir s'il est ou non le Petrus ou le Le Pin de Saint-Émilion, car ce cru, élaboré par le talentueux Stephan von Neippberg, propriétaire de Canon-La Gaffelière et du Clos de l'Oratoire, est déjà une vedette qui fait tourner les têtes et suscite bien des jalousies. Sa robe opaque de couleur pourpre annonce un vin dont la texture rappelle celle d'un grand Porto. Massif et extrêmement bien doté, il est tellement épais et riche que l'on n'y décèle pas la moindre touche de boisé, alors qu'il a été entièrement vieilli en fûts neufs. La Mondotte 1996, très corsé et merveilleusement pur, déploie une finale longue de plus de quarante secondes. Ce vin sera difficile à trouver, compte tenu des disponibilités réduites, mais quel début ! Il sera remarquable dès sa jeunesse, en raison de son extravagante richesse en extrait, mais devrait bien évoluer sur **20 ans**. Bravo !
Note : j'ai peu dégusté ce vin.

1996   MONTROSE (SAINT-ESTÈPHE)****/*****   92-94+

Montrose, qui ne quitte pas les sommets depuis 1989, a produit un 1996 somptueux, gigantesque. J'ai pu me rendre compte, grâce à quatre dégustations de ce cru, des standards de qualité qui règnent à la propriété. Jean-Louis Charmolüe m'a confié que 59 % seulement de la récolte avaient été sélectionnés pour faire le grand vin en 1996, et que celui-ci était composé à 72 % de cabernet sauvignon, à 24 % de merlot et à 4 % de cabernet franc. Une robe épaisse et opaque de couleur pourpre introduit un nez jeune, mais remarquablement doux, de fruits noirs et de réglisse marqué de subtiles notes de chêne neuf. Tout en rondeur, présentant un caractère richement extrait, bien dessiné et très corsé, ce Montrose dévale littéralement le palais. Son niveau élevé

---

1. Ce château n'étant pas cité précédemment, ses coordonnées sont mentionnées ici.

de tannins est compensé par un fruité énorme et généreux. Il se refermera vraisemblablement dans les 12 mois qui viennent mais vous l'apprécierez au terme d'une garde de 7 à 10 ans. Son potentiel est de **25 à 30 ans.**

La Dame de Montrose 1996 devrait être une affaire intéressante au moment de sa diffusion. Je l'ai trouvé excellent chaque fois que je l'ai dégusté (tout comme le 1990).

1996 MOULIN SAINT-GEORGES (SAINT-ÉMILION)****[1]   89-92

33330 Saint-Émilion
Tél. 05 57 24 70 26 – Fax 05 57 74 47 39
Contact : Alain Vauthier

Alain Vauthier, propriétaire d'Ausone, possède également ce petit château bien situé à Saint-Émilion. Il y produit des vins formidables, que l'on pourrait tenir pour une version édulcorée du premier cru. Son 1995 est très réussi, tout comme le 1996, bien que celui-ci soit plus tannique et plus puissant. Il présente une robe soutenue de couleur pourpre-noir et un nez serré, mais prometteur, de framboise sauvage, de myrtille, de minéral et de vanille. Mûr, dense et puissant, il est également massif et d'une concentration superbe en bouche. Il ressemble sur certains points à Ausone, mais vous l'obtiendrez à un moindre prix. **A maturité : 2002-2020.** Une merveille !

1996 MOUTON-ROTHSCHILD (PAUILLAC)*****   92-94+

Le Mouton-Rothschild 1996, composé à 80 % de cabernet sauvignon, à 10 % de cabernet franc, à 8 % de merlot et à 2 % de petit verdot, contient davantage de cabernet sauvignon (10 % de plus) que le spectaculaire 1995. Les vendanges à la propriété ont été effectuées par 400 personnes, et se sont déroulées du 30 septembre au 9 octobre, avec une interruption de deux jours.

Ce vin impressionnant n'est pas aussi flatteur ni aussi opulent que son aîné d'un an, mais il demande incontestablement à être attendu. Sa robe dense, de couleur pourpre-noir, accompagne un nez serré, mais doux, aux notes de fruits noirs, de bois, de cassis et de vanille. Moins flamboyant que le 1995, il est tout à la fois structuré, puissant, tannique, moyennement corsé, merveilleusement concentré et pur ; il ne pourra être bu avant 10 à 15 ans. Mouton-Rothschild peut parfois se révéler trop tannique et trop dur, comme en 1990, mais il n'en va pas de même avec le 1996, solide et très intense, car il a le fruité, la richesse en extrait et la profondeur requises pour contre-balancer son impressionnante structure. **A maturité : 2009-2040.** Si ce vin s'étoffe davantage, je pourrai lui décerner une meilleure note encore.

1996 NENIN (POMEROL)**/***   76-78

Ce vin de couleur rubis moyennement foncé, maigre et légèrement corsé, révèle les effets néfastes des pluies diluviennes qui se sont abattues sur la région avant et pendant les vendanges. On y distingue certes quelque fruité, mais il est faible, comparé à celui de ses aînés, mieux réussis. **A boire dans les 5 à 7 ans.**

---

1. Ce château n'étant pas cité précédemment, ses coordonnées sont mentionnées ici.

1996   LES ORMES DE PEZ (SAINT-ESTÈPHE)***   85-86

Arborant une séduisante robe de couleur rubis foncé, ce vin exhale un nez intense aux arômes de prune, de groseille et de cerise, et se montre moyennement corsé et assez tannique, mais dominé par son fruité de cerise. Accordez-lui un délai de 2 ou 3 ans, et dégustez-le sur les 10 ans qui suivront.

1996   PALMER (MARGAUX)*****   86 ?

Le Palmer 1996, que j'ai dégusté en deux occasions, m'a déçu et laissé perplexe. D'un rubis sombre, alors que la plupart des Médoc ont des robes soutenues de couleur pourpre-noir, il se montre disjoint et creux en milieu de bouche, avec des tannins astringents en finale. Après aération, on distingue des arômes de prune douce et de cerise, mais le creux persiste. Il m'est difficile de croire que D'Angludet, qui n'est qu'un cru bourgeois, ait pu faire tellement mieux que son grand frère. J'aimerais déguster à nouveau ce Palmer, pour voir s'il s'est étoffé – pour l'heure, c'est l'un des vins les plus décevants du Médoc.

1996   PAPE-CLÉMENT (GRAVES)****   90-91

Pape-Clément s'impose maintenant comme l'une des vedettes de la partie nord des Graves, et son 1996 me semble la répétition du très brillant 1986 de la propriété, montrant bien qu'une équipe de talent pouvait parfaitement surmonter les difficultés dues aux pluies qui ont arrosé la région au moment des vendanges. Un effeuillage intensif, des vendanges les plus tardives possible pour le cabernet sauvignon, ainsi que des rendements d'environ 43 hl/ha, ont donné un vin élégant et typique de ce cru. Une partie de la récolte (40 %) a complété sa fermentation malolactique en fûts neufs, et l'assemblage, composé à 70 % de cabernet sauvignon et à 30 % de merlot (exactement comme le 1986), sera mis en bouteille sans filtration préalable.

Le Pape-Clément 1996, à la robe profonde et très soutenue, exhale un doux nez de crayon, d'herbes rôties, de terre et de cassis. Très accessible, il est moyennement corsé et concentré, d'une admirable précision dans le dessin, et dévoile en bouche, par paliers, un caractère riche, complexe et multidimensionnel. Il devrait évoluer assez rapidement, son fruité étant plus doux que celui du 1986 au même âge. A maturité : 2001-2018. (Je classerais ce Pape-Clément avec les trois réussites précédentes – les 1986, 1988 et 1990.)

1996   PAVIE (SAINT-ÉMILION)***   85-87

A l'exception des millésimes opulents et riches comme 1982 ou 1990, Pavie n'obtient jamais des notes très élevées, en raison de son style policé, réservé et discret. Le 1996 est moyennement corsé, avec de jolis arômes de fruits rouges qui accompagnent bien son caractère d'ensemble. Ses tannins légèrement marquants imposent une garde de 4 à 6 ans, mais il se conservera bien 15 ans, ou davantage.

1996   PAVIE-DECESSE (SAINT-ÉMILION)***   85-87

Dans les millésimes récents, Pavie-Decesse a régulièrement surpassé son homonyme partiel (Château Pavie), pourtant plus connu et plus cher. D'un rubis foncé aux nuances de pourpre, le 1996 est très musclé et très tannique (donc bien dans la ligne du millésime), mais il a plus de richesse en extrait, de profondeur et de présence en bouche que les millésimes précédents. On y décèle encore de généreux arômes de cerise, de terre, d'herbes et d'olive dans un ensemble élégant et plutôt massif. A boire dans les **10 ans** qui suivront une garde en cave de 5 ou 6 ans.

1996 PAVIE-MACQUIN (SAINT-ÉMILION)****   89-91+

Pavie-Macquin a produit, cette année encore, un vin à la robe opaque de couleur pourpre, dense, concentré et musclé, au fruité extraordinairement pur de framboise sauvage et de groseille. Après une aération de quinze minutes environ, il déploie des notes de terre (de truffe ?), de réglisse et de goudron. Il ne s'agit en aucun cas d'un bordeaux charmeur et précoce, à boire dans les 10 ans : il requiert, en effet, une garde d'au moins 10 à 15 ans avant d'être prêt. Pour la première fois, le Pavie-Macquin comprend quelque 10 % de cabernet sauvignon dans son assemblage de cabernet franc et de merlot. Ce 1996 développe joliment le caractère de vieilles vignes typique des vins de cette propriété sous-estimée, et extrêmement performante, de Saint-Émilion.

1996 PETIT-VILLAGE (POMEROL)****   81-86 ?

J'ai dégusté ce vin en cinq occasions, le notant deux fois aux alentours de 80-81 et trois fois juste au-dessus de 85. A son meilleur niveau, le Petit-Village 1996, à la robe rubis foncé, est légèrement corsé, doux et bien fait, avec des notes de fumé ; mais il manque de richesse et d'intensité, les pluies ayant quelque peu compromis les vendanges dans cette région. Si les « bons » échantillons sont représentatifs de ce cru, vous pourrez le déguster jusqu'à **5 à 8 ans d'âge.** Les deux autres dégustations révélaient un vin à la finale excessivement tannique, donnant à penser que son caractère doux et son charme précoce ne dureraient pas longtemps, et qu'il serait bien diminué au terme d'une garde de 5 ou 6 ans.

1996 PETRUS (POMEROL)*****   92-94+

Petrus est, avec Clinet, le meilleur Pomerol de 1996. Au terme d'une sélection sévère, Christian Moueix n'a produit que 1 800 caisses d'un vin brillantissime (au lieu des 4 500 caisses habituelles). D'un rubis-pourpre tirant sur le noir, le Petrus 1996 exhale un nez merveilleusement doux de cerise noire, de framboise, de truffe, de cèdre et de vanille. Riche, moyennement corsé et bien glycériné en bouche, où il se dévoile par paliers, il révèle enfin beaucoup de douceur, de puissance et de concentration. Il devrait évoluer plus rapidement que certains de ses aînés – notamment les 1993, 1994 et 1995, tous parfaitement réussis. **A maturité : 2003-2020.** Une réussite superbe, dans un millésime très difficile pour cette appellation.

1996 DE PEZ (SAINT-ESTÈPHE)***[1]   84-86

BP 14 – 33180 Saint-Estèphe
Tél. 05 56 59 30 26 – Fax 05 56 59 39 25
Contact : Philippe Moureau

1. Ce château n'étant pas cité précédemment, ses coordonnées sont mentionnées ici.

Le Château de Pez appartient désormais à la maison Roederer. Les tannins astringents de 1996 exigent qu'il s'étoffe pour mériter une meilleure note. Moyennement corsé, doté de séduisants et purs arômes de cerise noire, il est bien doux en bouche, avec une belle texture, mais son caractère tannique domine l'ensemble. **A maturité : 2004-2012.**

1996   PHÉLAN-SÉGUR (SAINT-ESTÈPHE)****   87-88

Après un 1995 étonnamment léger et faible, Phélan-Ségur rebondit avec un 1996 goûteux et classique, d'un pourpre très soutenu, aux généreux arômes d'herbes et de cassis marqués, en arrière-plan, par un boisé d'excellente qualité. Bien corsé et de bonne mâche, ce vin déploie le caractère tannique inhérent au millésime. Un Saint-Estèphe bien doté, qui requiert une garde de 5 ou 6 ans avant d'être prêt. **A maturité : 2002-2012.**

1996   PIBRAN (PAUILLAC)**   85-87 ?

Ce vin, qui s'est montré sous un très bon jour au moment des dégustations, pourrait bien être l'un des meilleurs Pibran que je connaisse. Sa robe pourpre très soutenu précède un nez aux arômes convaincants et riches de cassis, mêlés de senteurs de vanille épicée – qu'il tient des fûts neufs. Moyennement corsé et bon à l'attaque en bouche, il s'amenuise ensuite, quand les tannins surgissent, et présente alors une légère astringence. S'il s'étoffe, il méritera une note aux alentours de 87, mais il est trop tôt pour l'apprécier.

1996   PICHON-LONGUEVILLE BARON (PAUILLAC)*****   89-90

Bien que peu évolué, le 1996 de Pichon-Longueville Baron impressionne par sa robe soutenue de couleur rubis-pourpre foncé, qui précède un nez carré aux généreux arômes de chêne neuf, de terre et d'épices. Il ne possède peut-être pas la douceur ou le caractère charnu de millésimes comme 1989 ou 1990, mais il est moyennement corsé, avec un bon niveau de tannins, et déploie une finale et une pureté d'excellent aloi. Très apprivoisé pour un vin aussi jeune, il s'étoffera certainement avec le temps, pour offrir davantage de profondeur en milieu de bouche. **A maturité : 2005-2020.**

1996   PICHON-LONGUEVILLE
COMTESSE DE LALANDE (PAUILLAC)*****   94-97

Le Pichon-Lalande 1996, que j'ai dégusté trois fois, s'est toujours révélé spectaculaire, et je le tiens pour la plus belle réussite de la propriété depuis le légendaire 1982. N'oubliez pas que le 1989 est également formidable, et que les 1994 et 1995 sont prodigieux. Il est intéressant de savoir que l'assemblage final du 1996 comprend la proportion la plus élevée de cabernet sauvignon qui ait jamais été utilisée pour le grand vin. Composé à 75 % de ce dernier cépage, à 15 % de merlot et à 5 % chacun de petit verdot et de cabernet franc, le Pichon 1996 arbore une robe resplendissante, épaisse, de couleur pourpre tirant sur le noir, qui ouvre sur une texture onctueuse – phénomène d'ailleurs remarquable, quand on sait le fort pourcentage de cabernet sauvignon qu'il contient, mais celui-ci était extraordinairement mûr, avec un niveau de sucre encore inégalé. Le nez jaillit littéralement du verre, exhalant des notes

d'épices et de vanille, et de généreuses senteurs de cassis, de réglisse et
d'épices orientales. Doté d'un merveilleux fruité qu'il dévoile en bouche par
couches, ce vin s'impose comme l'un des plus spectaculaires que je connaisse.
Les amateurs de bordeaux – et de Pichon – doivent en acheter impérativement.
A maturité : 2002-2020.
Le 1996 de la Réserve de la Comtesse est également le meilleur élaboré à
ce jour. Plus doux que le grand vin, grâce à son plus fort pourcentage de
merlot (69 % de merlot, 30 % de cabernet sauvignon et 1 % de cabernet franc),
il mérite une note aux alentours de 90.

1996   LE PIN (POMEROL)*****   91-93

Mauvaise nouvelle pour les milliardaires qui ont déjà de la peine à trouver
d'authentiques bouteilles de Le Pin : la production habituelle de 600 caisses
a été réduite en 1996 à 350 caisses, en raison d'une très petite vendange et
de sélections rigoureuses, dictées par les pluies du mois de septembre. Ce
1996 est un beau vin, et je ne serais pas autrement étonné de devoir lui
attribuer une note plus élevée au terme d'un vieillissement supplémentaire en
fût. D'un rubis-pourpre impressionnant, il exhale les légendaires arômes de
ce cru – exotiques, généreux, mûrs et confiturés, avec des notes de grillé.
Très corsé et d'un faible niveau d'acidité, il est également doux, luxuriant et
de bonne mâche, avec une texture onctueuse et une finale capiteuse. Déjà
délicieux, il sera encore parfait durant **15 ans, voire davantage.**

1996   PLINCE (POMEROL)**   84-86

Ce vin dense, rubis-pourpre foncé, est monolithique et peu expressif, mais
corpulent, solide et moyennement corsé en bouche, avec un fruité doux et
sans détour de prune et de cerise. **A boire dans les 5 à 8 ans.**

1996   PONTET-CANET (PAUILLAC)***   92-93+

C'est à Alfred et Michel Tesseron que revient le mérite d'avoir, en trois ans,
amené ce cinquième cru de Pauillac – connu pour ses vins bien faits et
robustes, mais sans plus – à en produire qui comptent parmi les plus belles
réussites de chaque millésime. S'il existait un « Château Latour du pauvre »,
ce serait Pontet-Canet. Bien que les vignobles de cette propriété jouxtent ceux
de Mouton-Rothschild, ses 1994, 1995 et 1996 présentent plus de ressemblances avec un Latour qu'avec n'importe quel autre Pauillac.
Le 1996 me semble un vin typique de la propriété. Avec sa robe opaque de
couleur pourpre et son nez énorme, peu évolué, mais prometteur, de fruits
noirs et doux, de cake, de terre et d'épices, il s'impose comme un Pauillac
traditionnel, élaboré sans compromission. Ce vin gigantesque, extrêmement
puissant et d'une concentration fabuleuse, requiert au moins 10 à 15 ans pour
que ses tannins se fondent. Mais il a incontestablement le fruité, la richesse
en extrait et le caractère glycériné qui lui permettront de résister à l'épreuve
du temps. Il serait amusant de comparer les 1994, 1995 et 1996 de Pontet-
Canet sur les 30 à 35 prochaines années, pour déterminer lequel des trois
se distingue le mieux. **A maturité : 2007-2035.** Les amateurs qui pensent
acheter ce vin devront s'armer de patience...

1996 POTENSAC (MÉDOC)*** 88-90

Le 1996 de Potensac est le meilleur vin que je connaisse de cette propriété. Sa robe opaque, de couleur pourpre-noir, introduit un nez doux, superbe et remarquable, mais peu évolué, aux arômes de fruits noirs et rouges confiturés mêlés de notes de minéral et de terre. Tannique et très corsé, il se dévoile en bouche par paliers. C'est un vin que les amateurs peuvent acheter en grande quantité, mais qui ne sera malheureusement pas aussi délicieux dans sa jeunesse que le 1986 (qui se montre encore très bien). **A maturité : 2002-2012.** Bravo !

1996 POUJEAUX (MOULIS)*** 88-89

Voici une autre belle réussite de cette propriété, qui se surpasse toujours. Le 1996 de Poujeaux, d'un pourpre foncé très soutenu, exhale un nez doux et mûr, mais serré, de cerise noire et de groseille. Dense, moyennement corsé et modérément tannique, il est peu évolué en bouche, et dispose du potentiel pour se révéler extraordinaire au terme d'une garde de 5 à 7 ans. **A maturité : 2003-2018.**

1996 RAUZAN-SÉGLA (MARGAUX)****/***** 89-91+

Les vendanges à Rauzan-Ségla se sont déroulées entre le 24 septembre et le 4 octobre. Seulement 58 % de la production totale ont fait le grand vin, lequel est composé à 60 % de cabernet sauvignon et à 40 % de merlot. Les vins de cette propriété sont très peu évolués, et les vieux millésimes ont souvent une *très* grande longévité (plus de 100 ans). Si les vins plus récents ne présentent pas un tel potentiel, ils s'imposent néanmoins comme les plus classiques vins de garde de la région. Le 1996 me semble extraordinaire, peut-être un cran au-dessous du 1995, plus charnu, plus évolué et plus intense. Ce vin, dont la robe opaque de couleur pourpre prélude à un nez discret de fruits noirs, de terre et de chêne neuf et grillé, est moyennement corsé et très tannique en bouche, où il révèle une structure énorme et une profondeur incroyable. De tous les 1996 du Médoc, il est peut-être celui qui contient le plus fort pourcentage de merlot. Son potentiel de garde est de **25 à 30 ans.**

1996 ROC DE CAMBES (CÔTES DE BOURG)*** 88-90

François Mitjaville a encore bien réussi à Roc de Cambes en 1996, avec un vin de couleur rubis-pourpre dont le nez luxuriant de fumé et de fruits rouges confiturés et doux est à la fois spectaculaire et séduisant. Moyennement corsé, rond et d'un faible niveau d'acidité, il affiche un caractère charnu et bien évolué. Vous dégusterez ce vin issu de la meilleure propriété de Côtes de Bourg dans les **5 à 8 ans.**

1996 SAINT-PIERRE (SAINT-JULIEN)****[1] 86- ?

Contact : Jean-Louis Triaud – Domaines Henri Martin –
33250 Saint-Julien-Beychevelle
Tél. 05 56 59 08 18 – Fax 05 56 59 16 18

---

1. Ce château n'étant pas cité précédemment, ses coordonnées sont mentionnées ici.

Pour des raisons que j'ignore, ce cru classé ne s'est pas montré aussi impressionnant que son jumeau de Gloria – un vin de moindre qualité qui se vend généralement bien moins cher. Il s'est révélé, lors de mes deux dégustations, d'une profonde couleur pourpre, étonnamment doux pour un Médoc de ce millésime, avec un caractère étrange aux éléments discordants. J'espère pouvoir le goûter à nouveau d'ici la fin de cette année, car, à mon avis, il a la matière première qu'il faut ; il doit simplement s'étoffer et trouver son identité.

1996   DE SALES (POMEROL)***   86-87

Le 1996 du Château de Sales est probablement le meilleur vin qui ait été produit à la propriété depuis longtemps. J'espère que cette qualité s'accompagnera d'un prix raisonnable, afin que ce cru constitue une affaire pour les amateurs de Pomerol. Avec sa couleur rubis-pourpre foncé et les doux arômes de moka, de chocolat et de cerise noire qu'il déploie à la fois au nez et en bouche, ce vin est profond et moyennement corsé, dévoilant à l'attaque en bouche un doux fruité. Un 1996 concentré et bien fait. **A boire dans les 10 à 12 ans.**

1996   SEMEILLAN-MAZEAU (LISTRAC)*** [1]   85-87

33480 Listrac
Tél. 05 56 58 01 12 – Fax 05 56 58 01 57
Contact : Alain Bistodeau

Le Château Semeillan-Mazeau a très bien réussi en 1996, avec un vin de couleur pourpre et extrêmement tannique, qui requiert énormément de patience. Moyennement corsé, il déborde de généreux arômes mûrs, épicés et fruités, révélant une bonne acidité et une belle longueur en bouche. Peu évolué, mais bien doté, il sera agréable **entre 2000 et 2010.**

1996   SMITH-HAUT-LAFITTE (GRAVES)***/****   90-92+

Cette propriété est assurément l'un des étoiles montantes du Bordelais depuis qu'elle est gérée par la famille Cathiard. Le 1996 me semble le meilleur vin qui en soit issu ; ce n'est pas peu dire, quand on sait combien les millésimes récents ont été impressionnants. Sa robe resplendissante, soutenue, presque opaque, de couleur pourpre, introduit un nez intense aux arômes de fruits noirs mêlés de notes de minéral, de fleurs et de chêne neuf et grillé, joliment infusées dans l'ensemble. Concentré et remarquable de précision dans le dessin, il conjugue avec brio puissance et finesse. Riche, mais sans lourdeur, pur et expressif à la fois, plein de caractère sans se révéler stérile ni ostentatoire, il est moyennement corsé et intensément aromatique en bouche. Il se développe encore dans le verre pour libérer d'autres nuances, tels de très caractéristiques parfums de myrtille. Ce Smith-Haut-Lafitte structuré et concentré, mais merveilleusement harmonieux, sera à son meilleur niveau **entre 2004 et 2020.** Les amateurs remarqueront que les prix n'ont pas encore rattrapé la qualité de ce cru...

1996   SOCIANDO-MALLET (HAUT-MÉDOC)****   88-89

Le Sociando-Mallet 1996 n'a pas, à ce stade d'évolution, le caractère charnu et la présence en bouche de son aîné d'un an. Sa robe soutenue, de couleur rubis-pourpre, annonce un nez aux généreuses notes de chêne neuf et grillé, dominé par des arômes serrés, mais prometteurs et purs, de cèdre et de cassis. Moyennement corsé, ce vin déploie une finale marquée par les tannins agressifs du cabernet sauvignon. Il requiert une garde de 5 à 7 ans avant d'être prêt et devrait se conserver **une bonne vingtaine d'années**. Mais il ne semble pas de même carrure que les 1990, 1986 et 1982 de cette propriété.

1996   TALBOT (SAINT-JULIEN)****   87-89

Le Talbot 1996 est une belle réussite de ce château. Vêtu de rubis-pourpre sombre et soutenu, il exhale un nez doux et expressif de fumé, d'herbes et de fruits noirs confiturés, déployant des arômes de cerise et de cassis très mûrs. Moyennement corsé et modérément tannique, dominé par le cabernet sauvignon, il devrait évoluer plus rapidement que nombre de Médoc de ce même millésime. Une bonne acidité, un doux fruité intense, une belle pureté et une excellente précision dans le dessin achèvent d'en faire un vin excellent, sinon extraordinaire. **A maturité : 2002-2017.**

1996   DU TERTRE (MARGAUX)***/****[1]   87-89+

33460 Arsac
Tél. 05 56 59 30 08 – Fax 05 56 59 71 51
Le 1996 de Du Tertre est l'une des belles surprises de l'année. Sa robe rubis-pourpre presque noire prélude à un doux nez de terre, d'épices orientales, de cerise noire et de cassis. Mûr, dense et moyennement corsé, avec des tannins modérés, ce vin de bonne mâche déploie par paliers une finale étonnamment longue. Cette propriété est gérée par Mme Capbern-Gasqueton, qui accomplit également un travail formidable à Calon-Ségur. Du Tertre devrait être une excellente affaire. **A maturité : 2005-2018.**

1996   LE TERTRE-ROTEBŒUF (SAINT-ÉMILION)*****   91-94

La plupart des vins décrits dans ce chapitre ont été dégustés plusieurs fois, parfois en quatre occasions différentes, mais je n'ai pu goûter celui-ci qu'une seule fois. L'impressionnant Tertre-Rotebœuf 1996 libère de très caractéristiques senteurs de kirsch, de chocolat, de fumé et de cerise noire. Fabuleusement soyeux et voluptueux, avec un fruité et un caractère glycériné des plus généreux, il a encore la structure et l'acidité nécessaires pour préciser le dessin de l'ensemble. Je pensais que ce vin serait plus structuré et moins exubérant, compte tenu des traits propres au millésime, mais il n'en est rien. Le Tertre-Rotebœuf demeure l'un des bordeaux les plus généreusement fruités et les plus luxuriants qui soient. **A maturité : 1998-2010.**

1996   LA TOUR CARNET (HAUT-MÉDOC)**[1]   85-87

33112 Saint-Laurent-Médoc
Tél. 05 56 59 40 13 – Fax 05 56 59 48 54
Contact : Mme Pélegrin
Le 1996 de La Tour Carnet est bien mieux réussi que les millésimes précédents de ce cru classé du Médoc. Sa robe dense, de couleur rubis-pourpre, introduit un nez séduisant aux notes de chêne neuf et épicé, dominé par des arômes

---

1. Ce château n'étant pas cité précédemment, ses coordonnées sont mentionnées ici.

serrés, mais prometteurs et purs, de cassis et d'herbes. Impressionnant de carrure, très tannique et d'une belle précision dans le dessin, il est moyennement corsé, et bien concentré. Un bordeaux élégant et assez massif en perspective, au potentiel de garde de **15 à 20 ans**.

1996   LA TOUR-FIGEAC (SAINT-ÉMILION)*** [1]   86-88

4, Tour-Figeac – 33330 Saint-Émilion
Tél. 05 57 51 77 62 – Fax 05 57 25 36 92
Je n'avais pas attribué de note aussi élevée à un vin de cette propriété depuis 1982. De couleur rubis foncé, avec un généreux fruité de cassis et de myrtille mêlé de notes de chêne neuf, de minéral et d'épices, le 1996 de La Tour-Figeac se révèle exubérant, souple et moyennement corsé en bouche. Il est bien charnu pour le millésime, et devrait évoluer de belle manière ces 3 ou 4 prochaines années. Son potentiel de garde est de **15 ou 16 ans**.

1996   LA TOUR-HAUT-BRION (GRAVES)***   86-87

Ce vin rubis-pourpre, à dominante de cabernet franc, se révèle élégant et racé, avec un nez complexe et tout en finesse. Dense et riche en bouche, il laisse une impression de caractère dans un ensemble pur et moyennement corsé. Il pourra être bu d'ici 4 ou 5 ans, et se conservera bien sur **15 années de plus, voire davantage**. Mais je ne pense pas qu'il soit, à l'heure actuelle, aussi réussi que le superbe 1995, plus gras et plus multidimensionnel.

1996   LA TOUR SAINT-BONNET (MÉDOC)*** [1]   85-86+

33340 Saint-Christoly
Tél. 05 56 41 53 03
Contact : Jacques Merlet-Lafon
Ce cru bourgeois de bonne tenue s'est défait du « La » dans sa domination, très certainement en raison du célèbre Château Latour de Pauillac. Depuis plus de vingt ans, il donne régulièrement l'un des meilleurs vins de sa catégorie. Le 1996, pourpre foncé, libère des arômes puissants et mûrs de terre et de cassis. Dense et doux à l'attaque en bouche, il est moyennement corsé et joliment pur, avec d'abondants tannins. Il se révélera racé et légèrement austère, mais délicieux ces **10 à 15 prochaines années**. S'il s'étoffe en bouteille, je lui décernerai une meilleure note.

1996   TROPLONG-MONDOT (SAINT-ÉMILION)*****   87-89 ?

En tant que très fervent admirateur à la fois du cru et de sa propriétaire, je m'inquiète du niveau élevé de tannins astringents que présente le 1996 de Troplong-Mondot. Ce vin rubis-pourpre ne présente pas l'opacité de ses aînés de 1993, 1994 et 1995. Il déploie un fruité modérément généreux, pur et doux de cassis mêlé de notes de chêne neuf et grillé. Moyennement corsé, il est bon à l'attaque en bouche, mais d'abondants tannins prennent ensuite le palais d'assaut et y laissent une impression de dureté, de sévérité et d'astringence. Un des échantillons révélait des tannins mieux fondus, mais toujours excessifs. Ce 1996 ne me semble pas être le Troplong-Mondot le plus richement extrait et le plus profond qui soit. Mon appréciation peut certes paraître extrê-

---

1. Ce château n'étant pas cité précédemment, ses coordonnées sont mentionnées ici.

mement critique, mais ce n'est pas ainsi que je l'entends. En effet, cette propriété a fait un sans-faute depuis la fin des années 80 et, comme tous ses fidèles, j'en attends le meilleur. Il est possible que ce vin, dégusté quatre fois, se révèle très bon après une garde de 5 à 7 ans. Mais il demeurera, à mon avis, toujours plus austère, plus sec et plus tannique que ne le sont habituellement les vins de Troplong-Mondot. Son potentiel est de **20 ans, ou plus.**

1996   TROTANOY (POMEROL)****   90-92

Le Trotanoy 1996 est une réussite formidable dans un millésime mitigé en Pomerol, grâce aux sélections sévères qu'a effectuées Christian Moueix. Les disponibilités de ce cru seront, pour cette année, de l'ordre de 1 700 caisses seulement, soit la moitié de la production habituelle. La robe dense, de couleur pourpre-bleu tirant sur le noir, du 1996 introduit un nez fabuleusement doux de framboise sauvage et de minéral, aux notes florales. Puissant, tannique et moyennement corsé, il déploie en bouche de généreux arômes fruités, doux et mûrs, et sa finale est longue. Ce vin requiert une garde de 7 ou 8 ans, mais il devrait bien se conserver sur **20 à 25 ans.** Serait-il une répétition du 1962, à l'élégance merveilleuse ?

1996   TROTTEVIEILLE (SAINT-ÉMILION)***   87-88+

Voici une belle réussite de cette propriété. Les fermentations malolactiques se font désormais en fûts neufs à Trottevieille, ce qui donne un 1996 à la robe sombre, de couleur rubis-pourpre foncé, qui semble monolithique de prime abord, mais qui s'ouvre ensuite dans le verre en révélant un généreux fruité de cerise noire et douce mêlé de notes florales et de vanille. Moyennement corsé et bien vinifié, il est rond et généreux en bouche, avec des tannins fermes et une finale modérément longue. Il sera à maturité dans 3 ou 4 ans, et se conservera **15 ans.**

1996   VALANDRAUD (SAINT-ÉMILION)****   92-95

J'ai dégusté le Valandraud 1996 à trois reprises. Moins exotique que ses aînés de 1993, 1994 et 1995, il présente cependant des notes de chêne neuf et grillé mieux fondues dans l'ensemble. Ce cru d'une concentration phénoménale est peut-être le moins évolué que Jean-Louis Thunevin ait élaboré à ce jour. Sa robe opaque, de couleur pourpre, prélude à un nez de fruits noirs et de minéral. Suit un vin merveilleusement pur, dense et puissant, qui se révèle épais et modérément tannique en milieu de bouche. Riche, très corsé et imposant, il sera à son meilleur niveau d'ici 3 à 5 ans, et se conservera parfaitement **15 à 20 ans.** Compte tenu du fait que les vins de Valandraud ont une histoire toute récente (le premier millésime fut le 1991), il est aisé pour leurs détracteurs d'insinuer qu'ils ne tiendront pas leurs promesses. Peut-être en sera-t-il ainsi, mais ils sont pour l'heure au nombre des vins jeunes les plus stupéfiants du Bordelais. En ce qui me concerne, je leur fais confiance : ils seront encore superbes dans **15 ans.**

1996   VIEUX CHÂTEAU CERTAN (POMEROL)*****   88-90

Le 1996 de Vieux Château Certan me semble être la plus belle réussite de cette propriété depuis le 1990. Sans être énorme, il se montre plutôt massif, et exhale un nez complexe de fumé, d'olive, de cassis et de cerise noire. Séduisant en bouche, avec une structure et des tannins veloutés, il est moyennement corsé et joliment concentré, remarquablement parfumé. Il pourra être bu dès sa jeunesse. **A maturité : 2001-2016.**

1996 VIEUX FORTIN (SAINT-ÉMILION)*** [1]	86-87

6, rue Fortin – 33330 Saint-Émilion

Tél. 05 57 24 69 97

Ce vin au généreux fruité herbacé de cassis et de cerise noire se révèle bien gras, moyennement corsé et de bonne mâche en bouche, avec une faible acidité et une finale pure, plaisante et accessible. Un Saint-Émilion ample et bien fait, à consommer dans les **5 à 7 ans.**

Note : j'ai peu dégusté ce vin.

---

1. Ce château n'étant pas cité précédemment, ses coordonnées sont mentionnées ici.

BOURGOGNE
ET BEAUJOLAIS

Un champ de mines

Même les amateurs les plus inconditionnels de vins de Bourgogne reconnaissent qu'ils sont trop chers, trop irréguliers, trop difficiles à trouver et d'une longévité insuffisante. On peut donc s'interroger sur la raison de leur succès. Et si l'on n'a ni l'argent ni la passion, on peut se consoler facilement en se disant que le bourgogne n'est acheté que par des masochistes cousus d'or. Cependant, à son meilleur niveau, c'est le vin de pinot noir ou de chardonnay le plus majestueux, le plus somptueux et le plus sensuel que l'on puisse trouver. La Bourgogne a toujours découragé les classifications et les définitions. Et, quelles que soient les recherches entreprises et les sommes dépensées pour goûter tous les vins ou pour tenter de comprendre la complexité de cette région aux multiples vignobles, elle demeure encore un mystère.

On s'en aperçoit en la comparant au Bordelais. Le fameux vignoble de Ducru-Beaucaillou (Saint-Julien), au cœur du Médoc, a une surface de 50 ha, et celui de son prestigieux voisin, Château Palmer (Margaux), situé 15 km plus au sud, s'étend sur 45 ha. Quelles que soient les bouteilles achetées dans l'un de ces domaines, on est certain d'y trouver le même vin. Bien sûr, il y a des différences dues au transport et au stockage, mais, à la propriété, tout est vinifié par une seule et même équipe, avec un assemblage unique. Ainsi le vin sera-t-il toujours identique à lui-même – par son goût, sa texture et ses arômes –, qu'il soit bu à Paris, à Vienne, à New York ou à Los Angeles.

Mais prenons le cas du très célèbre vignoble de Côte de Nuits, le Clos de Vougeot (grand cru). Il s'étend sur 50 ha, comme celui de Ducru-Beaucaillou, mais il est divisé entre... soixante-dix-sept propriétaires différents ! Certes, beaucoup d'entre eux vendent leur production à des négociants, mais, dans un millésime donné, il y a sur le marché guère moins d'une quarantaine de Clos de Vougeot. Tous ont le droit de s'appeler « grand cru », et les prix

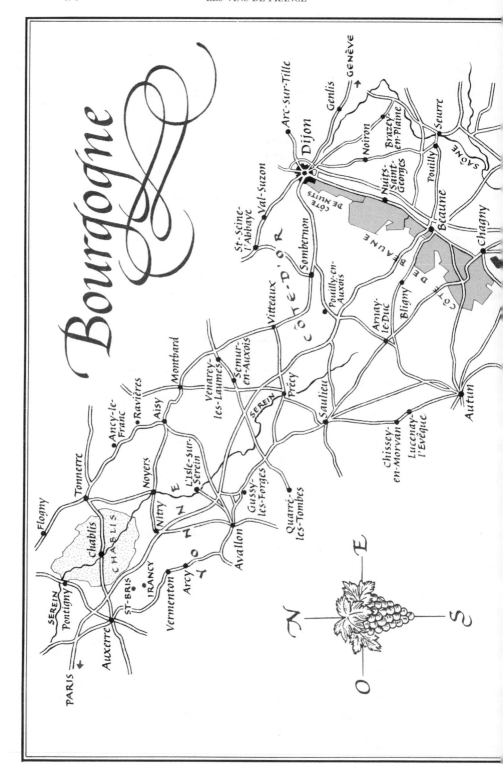

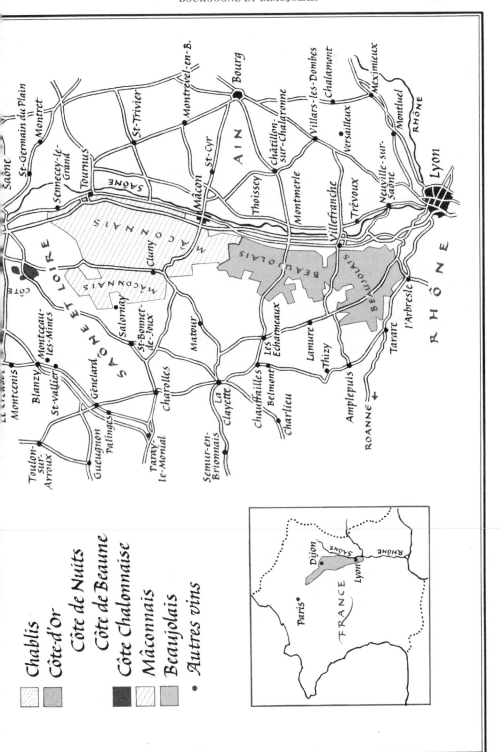

varient entre 300 et 1 200 F la bouteille (parfois même davantage !) ; cependant, moins d'une demi-douzaine seulement méritent d'être considérés comme des vins exceptionnels – les autres allant du très bon au terne et à l'insipide. Mais, si ce vignoble est souvent cité pour illustrer la division extrême de la Bourgogne, où tout est toujours très confus, il n'en reste pas moins que, dans cet exemple, les vins les plus remarquables sont faciles à trouver... dans les chais d'une petite poignée de grands producteurs.

Considérons aussi Chambertin, le vignoble le plus réputé de Bourgogne. Avec une surface de 13 ha environ, il est à peine plus grand (1 ha) que le domaine le plus célèbre du Bordelais, celui de Château Petrus, lequel donne le vin rouge le plus cher au monde. Mais s'il y a un seul propriétaire à Petrus, et évidemment un seul vin – avec un assemblage unique et une qualité égale pour toutes les bouteilles –, on n'en compte pas moins de vingt-trois à Chambertin. Seuls quelques-uns d'entre eux produisent un vin vraiment extraordinaire, alors que tous les Chambertin, y compris les pires, sont vendus un minimum de 900 à 1 000 F la bouteille.

La situation est identique dans les autres grands vignobles de la région. Celui de Musigny (10 ha) est divisé entre dix-sept propriétaires ; quant au vignoble de Richebourg (8 ha), il n'en compte que douze ! Quinze propriétaires se partagent le plus prestigieux vignoble de blanc, le Montrachet, mais seuls cinq ou six d'entre eux font de grands vins. Cependant, tous vendent leurs bouteilles plus de 1 000 F pièce.

Pour s'y retrouver en Bourgogne, il faut donc impérativement connaître les meilleurs producteurs pour chacune des appellations. Certes, le caractère du vignoble et celui du millésime sont importants, mais ce sont avant tout le sérieux, le respect de la qualité et la compétence du viticulteur et du producteur qui font le bon bourgogne.

TYPES DE VIN

Cette région, dont la superficie est relativement modeste, produit en moyenne 22 millions de caisses de vins rouges et blancs (et de petites quantités de rosés) par an.

Vins rouges : les bourgognes rouges viennent de la Côte-d'Or, qui se partage en deux zones distinctes, la Côte de Nuits, au nord, et la Côte de Beaune, au sud. On fait aussi des rouges dans la Côte Chalonnaise, et, encore plus au sud, dans le Mâconnais et le Beaujolais.

Vins blancs : on produit des vins blancs secs un peu partout en Bourgogne, mais l'essentiel vient de la Côte de Beaune, de la Côte Chalonnaise et du Mâconnais, ainsi que de Chablis, au nord.

CÉPAGES

On trouve trois cépages dominants. Les rouges sont issus du **pinot noir**, le plus inconstant et le plus problématique de tous les cépages connus. Mais, si ce raisin fait bien des caprices pour se laisser transformer en vin, confié à des mains habiles et compétentes, il donne ces rouges somptueux et veloutés de la Côte-d'Or. Le **gamay**, lui aussi très présent dans cette aire, est à l'origine des beaujolais délicieux, généreusement fruités, faciles à boire et à comprendre. Quant au troisième, le **chardonnay**, il produit les grands vins blancs de Chablis et de la Côte de Beaune.

Parmi les cépages secondaires, on trouve l'aligoté, planté sur les sites les moins favorables, le pinot blanc et le pinot beurot (appelé aussi pinot gris), mais sur des surfaces très réduites.

ARÔMES ET SAVEURS

Quand tout va bien, le pinot donne les vins rouges les plus complexes, les plus sensuels et les plus passionnants qui soient au monde. Cependant, seul un très petit pourcentage de vins de Bourgogne atteint un tel niveau. Avec un bouquet chargé de fruits rouges et d'épices exotiques, un goût ample, expansif, rond, séveux et délicieux, les grands bourgognes paraissent toujours plus doux en bouche que les grands bordeaux, et leur robe est en général nettement plus claire. La couleur d'un bourgogne jeune est rarement plus foncée que celle de la cerise.

On ne boit pas les vins de gamay pour leur complexité, mais pour leur caractère coulant en bouche, fruité, charnu, tendre, épanoui, flatteur et direct.

Quant aux blancs de chardonnay, ils sont dominés par le minéral et la pierre, avec une acidité élevée à Chablis ; ils sont onctueux, crémeux, riches et voluptueux, avec des arômes de fumé, d'amande et de noisette grillées dans la Côte de Beaune ; ils sont légers et rafraîchissants, floraux, citronnés et désaltérants dans le Mâconnais.

POTENTIEL DE GARDE
Vins rouges
Côte de Nuits : 2 à 15 ans
Côte de Beaune : 2 à 15 ans
Beaujolais : 1 à 5 ans
Vins blancs
Chablis : 1 à 10 ans
Côte de Beaune : 4 à 10 ans
Mâconnais : 1 à 4 ans

QUALITÉ DES VINS

Dans toutes les appellations de Bourgogne, on trouve des vins aqueux et mal faits, et d'autres qui se révèlent somptueux, délicieux et débordants d'arômes. La région est pleine d'embûches et de pièges pour le consommateur mal informé. Si le nombre des vins médiocres est en régression depuis quelques années, il excède encore celui des vins fins.

CE QU'IL FAUT SAVOIR

Consultez la liste des meilleurs producteurs de Bourgogne : vous serez sûrs d'éviter les vins médiocres. Ne vous lancez pas à l'aventure, les désillusions seraient trop nombreuses !

MILLÉSIMES RÉCENTS

1994 La Bourgogne a connu pour la quatrième année consécutive des pluies importantes avant et pendant le millésime. La vendange de chardonnay, rentrée avec une dilution minimale, promettait, dès l'abord, des vins très alcooliques, avec une faible acidité et mûrs, que les consommateurs adoreront sans nul doute. Ces vins sont à placer entre les 1992, gras et riches, et les 1993, dont le niveau d'acidité est assez élevé et qui se révèlent relativement creux. Les vignobles de pinot noir, très sévèrement touchés par les pluies du mois de septembre, ont, quant à eux, donné des vins qui n'auront peut-être pas la couleur, la corpulence ni l'intensité des très bons 1993. Les rumeurs les plus optimistes tendraient à les situer entre les 1991 et les 1992.

1993 Exactement à l'opposé de 1994, la récolte de chardonnay en 1993 a été très importante et considérablement diluée par les fortes pluies qui se sont abattues sur la région juste avant la période des vendanges. La plupart des vins blancs sont monolithiques, manquent d'arômes, de fruité et de concentration, et se présentent simplement comme des blocs d'acidité et d'alcool. Les producteurs qui ont tenu de petits rendements et ont procédé, en temps utile, à des vendanges en vert ont obtenu des vins plus profonds et plus concentrés, mais il s'agit, dans l'ensemble, d'une année très moyenne pour les bourgognes blancs. Le millésime sera donc porté par la réputation de ses très bons vins rouges. Ceux-ci sont incroyablement riches et tanniques, ce qui ne manque pas de surprendre quand on sait la violence des orages qu'a connus la région au début du mois de septembre. La récolte n'était pas énorme, et les peaux de raisins ont étonnamment bien résisté à la pourriture, les températures ayant été plutôt fraîches pendant les vendanges. Les 1993 sont profondément colorés, à l'image des 1990, mais ils n'ont pas le caractère gras et riche des belles réussites de cette année-là. Très tanniques et d'une belle structure, ils seront plus appréciés par les amateurs de bordeaux que par ceux qui préfèrent les bourgognes rouges classiques, savoureux, amples et veloutés. Les 1993 demanderont à être attendus (le millésime n'offrira pas de vins précoces), et les meilleurs d'entre eux se révéleront très bons, voire exceptionnels : issus de rendements restreints, ils sont généralement très concentrés et richement extraits.

1992 Une année fabuleuse pour les bourgognes blancs : ils sont énormes, mûrs, juteux et savoureux. En haut de l'échelle, les vins rouges se révèlent remarquablement charmeurs, ronds, délicieux, moyennement concentrés, avec une faible acidité. Les premiers ont vite disparu de la circulation, malgré leurs prix terriblement élevés, et on trouve parmi les seconds, pourtant discrédités par une certaine presse, des vins souples et de tout premier ordre, issus à la fois de la Côte de Beaune et de la Côte de Nuits. Ils ont été proposés à des prix extrêmement bas (les plus bas de ces dix dernières années), et, à condition d'acheter avec discernement, il est possible de réaliser d'excellentes affaires, le millésime recelant de véritables trésors. Les 1992 devront être consommés dans les 5 à 8 ans.

1991 Les meilleurs vins de ce millésime proviennent généralement de la Côte de Nuits. Issus de rendements extrêmement réduits (15 à 35 hl/ha), ils présentent une concentration et une richesse d'un excellent niveau, les mieux réussis étant plus proches en qualité des 1990 que je ne l'aurais imaginé. En effet, ils se révèlent plus riches, plus pleins, plus complets que les meilleurs 1988, 1987 et 1986, mais sont généralement proposés 25 à 40 % moins chers que les 1990. A cause des petits rendements, les disponibilités des meilleurs crus sont habituellement très limitées, la plupart des viticulteurs ayant produit en 1991 moitié moins que l'année précédente. Ces vins sont dignes de figurer dans la cave du vrai connaisseur.

Le revers de la médaille réside dans leur niveau de tannins très élevé. L'équilibre d'un vin est un élément primordial, et nombre de 1991 déploient des tannins qui ne se fondront vraisemblablement jamais. J'ai attribué les notes les plus hautes à ceux d'entre eux dont le riche fruité paraissait apte à contrebalancer le caractère tannique. En règle générale, j'essaie de repérer les vins aux tannins mûrs et doux (ce qui est habituellement le signe d'une vendange extrêmement mûre), et je suis très critique à l'égard de ceux dont les tannins sont durs, astringents et végétaux.

1991 est un millésime qu'il est plus difficile d'appréhender en Côte de Beaune, où l'on trouve nombre de vins décevants – excessivement légers et/ou terriblement tanniques, et manquant d'équilibre.

1990 C'est un très bon millésime pour le bourgogne blanc, mais seuls quelques producteurs ont élaboré des vins réellement grandioses, les rendements ayant été trop élevés pour que la concentration soit au rendez-vous. Ceux qui ont été assez consciencieux pour éclaircir et qui n'ont vendangé que du raisin arrivé à maturité physiologique ont fait des vins exceptionnels. On trouve des Chablis de grande classe, des Meursault au-dessus de la moyenne, des Puligny-Montrachet et des Montrachet bons ou excellents. Corton-Charlemagne a connu une splendide réussite. A leur meilleur niveau, les rouges sont les plus grands qu'il m'ait été donné de goûter. Je n'ai jamais vu de robes aussi foncées, ni cette somptuosité, cette richesse, cette épaisseur du fruit. En outre, beaucoup de ces vins présentent une structure excellente et une quantité modérée de tannins, qui plus est arrondis. 1990 est l'un des rares millésimes offrant une grande quantité de bourgognes buvables et agréables. Pour ce qui est de la qualité, il dépasse 1985 et 1988.

1989 C'est un millésime spectaculaire pour le bourgogne blanc, et il pourrait bien se révéler le meilleur depuis vingt ans pour les Corton-Charlemagne, Meursault, Puligny-Montrachet et Chassagne-Montrachet. Les bourgognes rouges 1989 sont délicieux dès à présent, précoces et épanouis, et, dans bien des cas, mieux équilibrés et plus complexes que les 1988. Il n'est pas étonnant que beaucoup de producteurs préfèrent leurs 1989 à leurs 1988. Je crois qu'il vaut mieux les boire assez rapidement (dans les 6 à 9 ans), plutôt que d'attendre.

1988   Une question mérite d'être posée : pourquoi les critiques, notamment les Anglais (qui jugent le bourgogne comme si c'était du bordeaux), ont-ils si bien noté ce millésime ? La région a produit quelques grands vins que l'on peut comparer aux superbes rouges de 1969. Mais que dire des hauts rendements et de l'astringence d'une grande partie de ces 1988, pour lesquels une course est engagée entre fruit et tannins ? Dans les vins de pinot noir, un caractère tannique entraîne souvent une évolution médiocre. Les amateurs qui ont fait rentrer de grosses quantités de 1988 auront sans doute plus de déceptions que de bonnes surprises dans quelques années. Beaucoup de producteurs ont exprimé leurs préoccupations à propos de ces tannins, qui sont astringents, verts et secs, et non pas tendres, arrondis et agréables comme en 1985 et en 1990. Les bourgognes blancs 1988, maigres et austères, rappellent les 1981. S'ils évoluent de la même manière, ils seront plus acides et plus alcooliques que fruités dans 5 ou 6 ans.

1987   Les meilleurs domaines ont fait des vins rouges délicieux et souples, ce qui est étonnant, compte tenu que beaucoup de producteurs ont vendangé sous de fortes pluies. Il est donc possible de réaliser quelques bonnes affaires, mais les consommateurs se montrent très méfiants, étant donné la mauvaise réputation de ce millésime. C'est une année médiocre pour les blancs.

1986   Grande année pour les bourgognes blancs et peu intéressante pour les rouges. Ces derniers, dans leur majorité, ont de la structure et des tannins, mais ils se révèlent creux en milieu de bouche. Ils n'ont pas la mâche ni la chair que l'on trouve dans les grandes années, telles 1985 et 1990, et le choix est hasardeux. Si certains ont assez bien tenu, j'ai noté que beaucoup ont perdu leurs tannins au bout de 1 ou 2 ans, et qu'ils sont maintenant en passe de brunir. Je crois qu'il vaut mieux s'abstenir de les acheter, sauf s'il s'agit des quelques perles du millésime.

1985   Il fut proclamé, dès l'abord, millésime du siècle pour les vins blancs ! Ces derniers sont toujours riches et somptueux, et les meilleurs dureront encore 5 à 7 ans. Quant aux rouges, ils sont à l'heure actuelle très irréguliers. Les plus largement charpentés sont souvent fermés, muets, monolithiques et sans complexité ; mais ils continuent à présenter une robe saine, d'un beau rubis, et montrent du poids et de la profondeur. Les plus légers ont pris une teinte ambrée sur le bord, un caractère tendre et fruité, mais n'ont pas développé la complexité aromatique que j'avais espérée. Ces 1985 peuvent sans doute se révéler de haut niveau, mais très inégaux en vieillissant.

1984   On n'est pas près d'oublier ce millésime que certains critiques ont qualifié de « grande catastrophe » longtemps avant d'avoir goûté les vins – ils avaient fait de même en 1980 –, tenant surtout leurs informations du négociant Louis Latour, qui a connu de gros problèmes cette année-là, et dont les vins ont été effectivement très médiocres. Les amateurs savent que les 1980 se sont révélés les plus délicieux et les plus harmonieux des vins des quinze dernières années, et que quelques Côte de Nuits ont atteint un très haut niveau. Les 1984 n'ont pas connu une telle réussite, mais ils sont, pour bon nombre d'entre eux, mieux équilibrés et plus riches que les 1982. La maturation a été tardive, et tous les producteurs ont chaptalisé parce que les vins ne titraient naturellement que 9 ou 10°. Cependant, les rouges sont dans l'ensemble assez élégants, bien faits et sains, fruités, tendres et agréables. Les rendements ont été bas, en raison d'une floraison modeste. L'irrégularité habituelle est de mise, mais les Côte de Nuits sont mieux colorés et plus riches que les Côte de Beaune. Ces vins ne sont pas de longue garde, et il faut les consommer rapidement.

1983   Au moment des vendanges, avant d'avoir goûté les vins, beaucoup de critiques ont chanté les louanges de ce millésime, uniquement sur la base du taux élevé de sucre relevé dans les raisins très mûrs. Après des dégustations longues et complètes, Clive Coates, l'un des critiques britanniques connaissant le mieux la Bourgogne, écrivit : « C'est le type de millésime de bourgogne que le monde attendait ardemment. On trouve une concentration formidable d'un fruit très épanoui. Ces vins sont profonds, plein de caractère, complexes et longs en bouche. » Cette appréciation est juste pour 15 % des rouges. Mais, dès août 1984, j'ai averti mes lecteurs que les trois quarts des bourgognes rouges que j'avais goûtés étaient défectueux ; la cause en était soit la pourriture qui avait touché les vignes cette année-là, soit un orage de grêle qui avait endommagé les vignobles les plus prestigieux de la Côte-d'Or. A l'heure actuelle, chacun reconnaît que le millésime 1983 est, pour une grande part, un échec en matière de rouges. Beaucoup de vins ont une odeur et un goût de pourri ; en outre, ils sont souvent terriblement tanniques et astringents. Cependant, les meilleurs producteurs du millésime, tels les Domaines de la Romanée-Conti, Maume, Mongeard-Mugneret, Faiveley, Ponsot et Georges Roumier, Henri Jayer, Hubert Lignier, ont diffusé les vins les plus aptes à la garde des trois dernières décennies. C'est donc un millésime qu'il faut approcher avec méfiance ; on attendra la fin des années 90 pour ouvrir les meilleures bouteilles.

LES PLUS GRANDS BOURGOGNES ROUGES

Bertrand Ambroise Nuits-Saint-Georges Les Vaucrains
Bertrand Ambroise Corton Le Rognet
Robert Arnoux Vosne-Romanée Les Suchots
Bourée Père et Fils Clos de la Roche
Jean Chauvenet Nuits-Saint-Georges Les Vaucrains
Daniel Chopin-Groffier Clos de Vougeot
Jean-Jacques Confuron Romanée-Saint-Vivant
Jacques Confuron-Cotetidot Clos de Vougeot
Jacques Confuron-Cotetidot Échézeaux
Claude et Maurice Dugat Charmes-Chambertin
Claude et Maurice Dugat Gevrey-Chambertin Lavaux Saint-Jacques
Claude et Maurice Dugat Griottes-Chambertin
Dujac Bonnes Mares
Dujac Clos de la Roche
Dujac Clos Saint-Denis
Michel Esmonin et Fille Gevrey-Chambertin Clos Saint-Jacques
Jean Grivot Clos de Vougeot
A. F. Gros Richebourg

Anne et François Gros Clos de Vougeot Le Grand Maupertuis
Anne et François Gros Richebourg
Jean Gros Clos de Vougeot
Jean Gros Richebourg
Gros Frère et Sœur Clos de Vougeot
Gros Frère et Sœur Richebourg
Haegelen-Jayer Clos de Vougeot
Hospices de Beaune Beaune Nicolas Rollin [1]
Hospices de Beaune Corton Charlotte Dumay
Hospices de Beaune Mazis-Chambertin
Hospices de Beaune Pommard Dames de la Charité
Hospices de Beaune Savigny-lès-Beaune Arthur Girard
Hospices de Beaune Volnay Santenots Jehan de Massol
Louis Jadot Corton-Pougets
Louis Jadot Gevrey-Chambertin Clos Saint-Jacques
Henri Jayer Richebourg
Henri Jayer Vosne-Romanée Les Brûlées
Henri Jayer Vosne-Romanée Cros Parantoux
Robert Jayer-Gilles Échézeaux
Robert Jayer-Gilles Nuits-Saint-Georges Les Damodes
Robert Jayer-Gilles Nuits-Saint-Georges Les Hauts Poirets
Michel Lafarge Volnay Clos des Chênes
Michel Lafarge Volnay Clos du Château des Ducs
Comtes Lafon Volnay Champans
Comtes Lafon Volnay Santenots
Comtes Lafon Volnay Clos des Chênes
Lecheneaut Clos de la Roche
Lecheneaut Nuits-Saint-Georges Les Cailles
Lecheneaut Nuits-Saint-Georges Les Damodes
Philippe Leclerc Gevrey-Chambertin Les Cazetiers
Philippe Leclerc Gevrey-Chambertin Combe aux Moines
Lejeune Pommard Les Rugiens
Leroy Chambertin
Leroy Clos de la Roche
Leroy Clos de Vougeot
Leroy Latricières-Chambertin
Leroy Mazis-Chambertin
Leroy Musigny
Leroy Nuits-Saint-Georges Les Boudots
Leroy Richebourg
Leroy Romanée-Saint-Vivant
Leroy Savigny-lès-Beaune Les Narbantons
Leroy Volnay Santenots

---

1. Les vins des Hospices de Beaune sont vendus en fût aux différents acheteurs lors de la célèbre vente aux enchères du mois de novembre. Ils étaient généralement d'une superbe qualité entre 1978 et 1987, mais révèlent un manque de richesse, de concentration et de structure depuis cette dernière année. Le talentueux André Porcheret, parti en 1988 au Domaine Leroy, s'occupe à nouveau, depuis 1994, de la vinification aux Hospices.

Leroy Vosne-Romanée Les Beaux Monts
Leroy Vosne-Romanée Les Brûlées
Hubert Lignier Charmes-Chambertin
Hubert Lignier Clos de la Roche
Marquis d'Angerville Volnay Cailleret
Marquis d'Angerville Volnay Champans
Marquis d'Angerville Volnay Clos des Ducs
Marquis d'Angerville Volnay Taillepieds
Jean Méo-Camuzet Clos de Vougeot
Jean Méo-Camuzet Richebourg
Jean Méo-Camuzet Vosne-Romanée Les Brûlées
Jean Méo-Camuzet Vosne-Romanée Cros Parantoux
Mongeard-Mugneret Richebourg
Jacques-Frédéric Mugnier Bonnes Mares
Jacques-Frédéric Mugnier Musigny
André Mussy Pommard Les Épenots
Ponsot Chambertin
Ponsot Clos de la Roche Vieilles Vignes
Ponsot Clos Saint-Denis
Ponsot Griotte-Chambertin
Pothier-Rieusset Pommard Les Rugiens
Pousse d'Or Volnay Clos de la Bousse d'Or
Domaine de la Romanée-Conti Grands Échézeaux
Domaine de la Romanée-Conti La Romanée-Conti
Domaine de la Romanée-Conti La Tâche
Joseph Roty Charmes-Chambertin
Joseph Roty Mazis-Chambertin
Emmanuel Rouget Échézeaux
Emmanuel Rouget Vosne-Romanée Cros Parantoux
Georges et Christophe Roumier Bonnes Mares
Georges et Christophe Roumier Chambolle-Musigny Les Amoureuses
Georges et Christophe Roumier Ruchottes-Chambertin
Armand Rousseau Chambertin
Armand Rousseau Chambertin Clos de Bèze
Armand Rousseau Gevrey-Chambertin Clos Saint-Jacques
Christian Sérafin Charmes-Chambertin
Christian Sérafin Gevrey-Chambertin Les Cazetiers
Château de la Tour Clos de Vougeot Vieilles Vignes
Truchot-Martin Charmes-Chambertin Vieilles Vignes
Comte Georges de Vogüé Musigny Vieilles Vignes
    (avant 1973 et après 1989)

Évaluation des viticulteurs, producteurs et négociants de Bourgogne

On rencontre bien des déboires si l'on achète du bourgogne sans connaître les meilleurs producteurs et négociants. Les plus sérieux font souvent de meilleurs vins dans les millésimes médiocres que les moins consciencieux dans les grandes années.

Les listes ci-après mentionnent les meilleurs producteurs de bourgogne rouge et blanc. J'ai avant tout pris en considération la régularité, sur une longue période, de l'ensemble de la production de chaque domaine. Mais certains producteurs mal notés peuvent produire tel ou tel vin de haute qualité.

Note : les producteurs que j'estime entre deux niveaux (***/**** par exemple) sont classés dans la catégorie inférieure.

LES MEILLEURS PRODUCTEURS DE BOURGOGNE ROUGE

*****EXTRAORDINAIRE

Domaine Daniel Chopin-Groffier (Prémeaux)
Domaine Jean-Jacques Confuron (Prémeaux)
Domaine Claude et Maurice Dugat (Gevrey-Chambertin)
Domaine Henri Jayer (Vosne-Romanée)
Domaine Robert Jayer-Gilles (Magny-lès-Villers)
Domaine des Comtes Lafon (Meursault)
Domaine Leroy (Vosne-Romanée)
Domaine Hubert Lignier (Morey-Saint-Denis)
Domaine Jean Méo-Camuzet (Vosne-Romanée)
Domaine Ponsot (Morey-Saint-Denis)
Domaine de la Romanée-Conti (Vosne-Romanée)
Comte Georges de Vogüé (Chambolle-Musigny) [avant 1973 et après 1989]

****EXCELLENT

Bertrand Ambroise (Prémeaux)
Amiot-Servelle (Chambolle-Musigny)
Domaine de l'Arlot (Prémeaux)
Domaine Comte Armand (Pommard)
Domaine Robert Arnoux (Vosne-Romanée)
Domaine Barthod-Noëllat (Chambolle-Musigny)
Domaine Pierre Boillot (Meursault)
Maison Bourée Père et Fils (Gevrey-Chambertin)
Jacques Cacheux-Blée et Fils (Vosne-Romanée)
Domaine Jean Chauvenet (Nuits-Saint-Georges)
Domaine des Chézeaux (Gevrey-Chambertin)
Domaine Georges Chicotot (Nuits-Saint-Georges)
Domaine Jacques Confuron-Cotetidot (Vosne-Romanée)
Domaine Dujac (Morey-Saint-Denis)
Maurice Écard et Fils (Savigny-lès-Beaune)
Domaine René Engel (Vosne-Romanée)
Michel Esmonin et Fille (Gevrey-Chambertin)
Jean Faurois (Vosne-Romanée)
Fougeray (Marsannay)

Fougeray de Beauclair (Marsannay)
Domaine Michel Gaunoux (Pommard)
Domaine Pierre Gélin (Fixin)
Domaine Armand Girardin (Pommard)
Domaine Jean Grivot (Vosne-Romanée)
Domaine Haegelen-Jayer (Vosne-Romanée)****/*****
Hospices de Beaune (Beaune)
Hospices de Nuits (Nuits-Saint-Georges)
Domaine Alain Hudelot-Noëllat (Vougeot)
Louis Jadot (Beaune)****/*****
Domaine Joblot (Givry)
Domaine Michel Lafarge (Volnay)****/*****
Domaine Dominique Laurent (Nuits-Saint-Georges)****/*****
Domaine Lecheneaut (Nuits-Saint-Georges)****/*****
Domaine Philippe Leclerc (Gevrey-Chambertin)****/*****
Domaine René Leclerc (Gevrey-Chambertin)
Domaine Lejeune (Pommard)****/*****
Machard de Gramont (Nuits-Saint-Georges)
Domaine Marquis d'Angerville (Volnay)
Domaine Meix-Foulot (Mercurey)
Domaine Mongeard-Mugneret (Vosne-Romanée)****/*****
Domaine Albert Morot (Beaune)
Domaine Mugneret-Gibourg (Vosne-Romanée)
Domaine Jacques-Frédéric Mugnier – Château de Chambolle-Musigny
   (Chambolle-Musigny)
Domaine André Mussy (Pommard)****/*****
Domaine Pernin-Rossin (Vosne-Romanée)
Domaine Les Perrières (Gevrey-Chambertin)
Domaine Pothier-Rieusset (Pommard)
Domaine Prince Florent de Mérode (Ladoix-Serrigny)
Domaine Michel Prunier (Auxey-Duresses)
Domaine Daniel Rion (Nuits-Saint-Georges)
Domaine Joseph Roty (Gevrey-Chambertin)****/*****
Domaine Emmanuel Rouget (Nuits-Saint-Georges)****/*****
Domaine Georges et Christophe Roumier (Chambolle-Musigny)
Domaine Armand Rousseau (Gevrey-Chambertin)
Domaine Christian Sérafin (Gevrey-Chambertin)****/*****
Château de la Tour (Vougeot)****/*****
Domaine Truchot-Martin (Morey-Saint-Denis)

***BON

Bernard Amiot (Chambolle-Musigny)
Domaine Pierre André (Aloxe-Corton)
Domaine Ballot-Millot (Meursault)
Château de Beauregard (Fuissé)
Domaine Joseph Belland (Santenay)
Domaine Denis Berthaut (Fixin)

Domaine Pierre Bertheau (Chambolle-Musigny)***/****
Besancenot-Mathouillet (Beaune)
Domaine Pierre Bitouzet (Savigny-lès-Beaune)
Domaine Bitouzet-Prieur (Volnay)
Domaine Simon Bize et Fils (Savigny-lès-Beaune)***/****
Domaine Marcel Bocquenet (Nuits-Saint-Georges)
Domaine Henri Boillot (Pommard)
Domaine Jean Boillot (Volnay)
Domaine Jean-Marc Boillot (Pommard)
Domaine Bonnot-Lamblot (Savigny-lès-Beaune)
Domaine Bordeaux-Montrieux (Mercurey)
Domaine Bouchard Père et Fils (Beaune)
Domaine Jean-Marc Bouley (Volnay)
Domaine Denis Boussey (Monthélie)
Domaine Jean-Claude Brelière (Rully)
Domaine Michel Briday (Rully)
Georges Bryczek (Morey-Saint-Denis)
Alain Burguet (Gevrey-Chambertin)
Domaine Luc Camus (Savigny-lès-Beaune)
Domaine Capitain-Gagnerot (Ladoix-Serrigny)
Domaine Capron-Manieux (Savigny-lès-Beaune)
Domaine Guy Castagnier (Morey-Saint-Denis)
Domaine Cathiard-Molinier (Vosne-Romanée)
Domaine Ceci (Vougeot)
Domaine Émile Chandesais (Fontaines)
Domaine Chandon de Briailles (Savigny-lès-Beaune)
Domaine Chanson Père et Fils (Beaune)
Domaine Maurice Chapuis (Aloxe-Corton)
Domaine Philippe Charlopin-Parizot (Marsannay)
Domaine Jean Chartron (Puligny-Montrachet)
Georges et Michel Chevillon (Nuits-Saint-Georges)
Robert Chevillon (Nuits-Saint-Georges)
Domaine Bruno Clair (Marsannay)
Domaine Michel Clair (Santenay)
Domaine Michel Clerget (Vougeot)
Domaine Yvon Clerget (Volnay)
Domaine Coche-Bizouard (Meursault)
Domaine Jean-François Coche-Dury (Meursault)***/****
Domaine Les Colombiers (Saint-Véran)
Domaine Edmond Cornu et Fils (Ladoix-Serrigny)
Domaine Coron Père et Fils (Beaune)
Domaine Coste-Caumartin (Pommard)
Domaine de Courcel (Pommard)
Domaine Pierre Damoy (Gevrey-Chambertin)***/**** (depuis 1993)
Domaine Marius Delarche (Pernand-Vergelesses)***/****
Domaine Jean-Pierre Diconne (Auxey-Duresses)
Domaine Doudet-Naudin (Savigny-lès-Beaune)

Maison Joseph Drouhin (Beaune)***/****
Domaine Drouhin-Larose (Gevrey-Chambertin)
Jean-Luc Dubois (Savigny-lès-Beaune)
Domaine P. Dubreuil-Fontaine et Fils (Pernand-Vergelesses)
Domaine Duchet (Beaune)
Domaine Pierre Dugat (Gevrey-Chambertin)
Frédéric Esmonin (Gevrey-Chambertin)
Maison Faiveley (Nuits-Saint-Georges)
Domaine Bernard Fèvre (Saint-Romain)
Domaine Fichet (Volnay)
Domaine René Fleurot-Larose (Santenay)
Domaine de la Folie (Rully)
Domaine Jean Garaudet (Pommard)***/****
Domaine du Gardin-Clos Salomon (Givry)
Philippe Gavignat (Nuits-Saint-Georges)
Domaine Geantet-Pansiot (Gevrey-Chambertin)***/****
Domaine Lucien Geoffroy (Gevrey-Chambertin)
Domaine François Gerbet (Vosne-Romanée)
Domaine Jacques Germain (Chorey-lès-Beaune)
Domaine Jacques Girardin (Santenay)
Domaine Bernard Glantenay (Volnay)
Domaine Michel Goubard (Saint-Désert)
Domaine Bertrand de Gramont (Nuits-Saint-Georges)
Domaine Alain Gras (Saint-Romain)
Domaine Robert Groffier (Morey-Saint-Denis)
Domaine A. F. Gros (Pommard)
Domaine Anne et François Gros (Vosne-Romanée)
Domaine Jean Gros (Vosne-Romanée)***/****
Domaine Gros Frère et Sœur (Vosne-Romanée)***/****
Domaine Pierre Guillemot (Savigny-lès-Beaune)
Domaine Heresztyn (Gevrey-Chambertin)
Domaine Alain Hudelot-Noëllat (Vougeot)***/****
Domaine Paul et Henri Jacqueson (Rully)***/****
Domaine Georges Jayer (Vosne-Romanée)
Domaine Jacqueline Jayer (Vosne-Romanée)
Domaine Lucien Jayer (Vosne-Romanée)
Domaine Jeannin-Naltet Père et Fils (Mercurey)
Domaine Jean-Luc Joillot-Porcheray (Pommard)
Domaine Philippe Joliet (Fixin)
Michel Juillot (Mercurey)
Domaine François Labet (Vougeot)
Labouré-Roi (Nuits-Saint-Georges)
Domaine Lafouge (Auxey-Duresses)
Domaine Laleure-Piot Père et Fils (Pernand-Vergelesses)
Domaine Lamarche (Vosne-Romanée)
Domaine Hubert Lamy (Saint-Aubin)
Louis Latour (Beaune)
Olivier Leflaive Frères (Puligny-Montrachet)

Domaine François Legros (Nuits-Saint-Georges)
Domaine Lequin-Roussot (Santenay)
Domaine Thierry Lespinasse (Givry)
Domaine Georges Lignier (Morey-Saint-Denis)
Loron et Fils (Pontanevaux)
Château de La Maltroye (Chassagne-Montrachet)
Domaine Manière-Noirot (Vosne-Romanée)
Tim Marshall (Nuits-Saint-Georges)
Domaine Joseph Matrot (Meursault)
Domaine Maume (Gevrey-Chambertin)***/****
Domaine Michel (Vosne-Romanée)
Domaine Alain Michelot (Nuits-Saint-Georges)
Domaine Jean Michelot (Pommard)
Michaël Modot (Chambolle-Musigny)
Domaine Daniel Moine-Hudelot (Chambolle-Musigny)
Domaine de la Monette (Mercurey)
Domaine Bernard Morey (Chassagne-Montrachet)
Domaine Denis Mortet (Gevrey-Chambertin)
Domaine Gérard et René Mugneret (Vosne-Romanée)
Philippe Naddef (Couchey)***/****
Domaine André Nudant et Fils (Ladoix-Serrigny)
Domaine Parent (Pommard)
Domaine Parigot Père et Fils (Meloisey)
Domaine Pavelot-Glantenay (Savigny-lès-Beaune)
Domaine des Perdrix (Prémeaux-Prissey)
Domaine des Pierres Blanches (Beaune)
Domaine de la Pousse d'Or (Volnay)***/****
Domaine Jacques Prieur (Meursault)***/****
Domaine Prieur-Brunet (Santenay)
Domaine Henri Prudhon (Saint-Aubin)
Domaine Ramonet (Chassagne-Montrachet)
Remoissenet Père et Fils (Beaune)
Domaine Henri Remoriquet (Nuits-Saint-Georges)
Armelle et Bernard Rion (Vosne-Romanée)
Antonin Rodet (Mercurey)***/****
Domaine Michel Rossignol (Volnay)
Domaine Philippe Rossignol (Gevrey-Chambertin)
Domaine Régis Rossignol-Changarnier (Volnay)
Domaine Rossignol-Trapet (Gevrey-Chambertin)
Domaine Rougeot (Meursault)
Domaine Roux Père et Fils (Saint-Aubin)
Château de Rully (Rully)
Domaine Daniel Sénard (Aloxe-Corton)
Domaine Bernard Serveau (Morey-Saint-Denis)***/****
Domaine Servelle-Tachot (Chambolle-Musigny)
Domaine Robert Sirugue (Vosne-Romanée)
Domaine Jean Tardy (Vosne-Romanée)
Domaine Thévenot-Le-Brun et Fils (Marey-lès-Fussey)

Domaine Gérard Thomas (Saint-Aubin)
Domaine Tollot-Beaut et Fils (Chorey-lès-Beaune)***/****
Domaine Jean et Jean-Louis Trapet (Gevrey-Chambertin)
Domaine Michel Voarick (Aloxe-Corton)
Domaine Joseph Voillot (Volnay)
Domaine Leni Volpato (Chambolle-Musigny)

**MOYEN

Pierre Amiot et Fils (Morey-Saint-Denis)
Domaine Arlaud Père et Fils (Nuits-Saint-Georges)
Domaine Arnoux Père et Fils (Chorey-lès-Beaune)
Denis Bachelet (Gevrey-Chambertin)**/***
Domaine André Bart (Marsannay)
Philippe Batacchi (Gevrey-Chambertin)
Domaine Adrien Belland (Santeney)**/***
Domaine Bertagna (Vougeot)
Domaine Albert Bichot (Beaune)*/****
Domaine Billard-Gonnet (Pommard)
Domaine de Blagny (Blagny)
Domaine Lucien Boillot et Fils (Gevrey-Chambertin)
Domaine Jean-Claude Boisset (Nuits-Saint-Georges)*/**
Domaine Bouchard Père et Fils (Beaune)
Domaine Marc Brocot (Marsannay)
Domaine Camus (Gevrey-Chambertin)
Domaine Lucien Camus-Bauchon (Savigny-lès-Beaune)
Domaine Chanzy Frères – Domaine de l'Hermitage (Bouzeron)
F. Chauvenet (Nuits-Saint-Georges)
Bruno Clavelier-Boisson (Vosne-Romanée)
Domaine Georges Clerget (Vougeot)
Domaine Clos Frantin-Bichot (Vosne-Romanée)**/*****
Domaine Clos des Lambrays (Morey-Saint-Denis)
Domaine Michel Clunny et Fils (Brochon)
Domaine Coquard-Loison-Fleurot (Flagey-Échézeaux)
Domaine Claude Cornu (Magny-lès-Villers)
Domaine Gérard Creusefond (Auxey-Duresses)
Domaine David et Foillard (Saint-Georges-de-Reneins)
Domaine Denis Père et Fils (Pernand-Vergelesses)
Dufouleur Père et Fils (Nuits-Saint-Georges)
Domaine Dupont-Tisserandot (Gevrey-Chambertin)
Domaine René Durand (Comblanchien)
Domaine Jacques Durand-Roblot (Fixin)
Domaine Dureuil-Janthial (Rully)
Domaine Forey Père et Fils (Vosne-Romanée)
Domaine Didier Fornerol (Nuits-Saint-Georges)
Domaine Jean-Claude Fourrier (Gevrey-Chambertin)
Domaine Gay Père et Fils (Chorey-lès-Beaune)
Domaine Geisweiler et Fils (Nuits-Saint-Georges)

Domaine Maurice et Jean-Michel Giboulot (Savigny-lès-Beaune)
Domaine Girard-Vollot et Fils (Savigny-lès-Beaune)
Domaine Henri Gouges (Nuits-Saint-Georges)
Domaine Jean Guitton (Bligny-lès-Beaune)
Domaine Antonin Guyon (Savigny-lès-Beaune)
Domaine Hubert Guyot-Verpiot (Rully)
Château Philippe Le Hardi (Santenay)
Domaine des Hautes-Cornières (Santenay)
Domaine André L'Héritier (Chagny)
Domaine Huguenot Père et Fils (Marsannay)
Domaine Frederick Humbert (Gevrey-Chambertin)
Domaine Lucien Jacob (Échevronne)
Jaffelin (Beaune)
Domaine Jessiaume Père et Fils (Santenay)
Domaine Henri Lafarge (Bray)
Domaine Lahaye Père et Fils (Pommard)
René Lamy-Pillot (Santenay)
Domaine Henri Latour (Auxey-Duresses)
Domaine Lumpp Frères (Givry)
Domaine Lupé-Cholet (Nuits-Saint-Georges)
Lycée agricole et viticole (Beaune)
Domaine Henri Magnien (Gevrey-Chambertin)
Domaine Michel Magnien (Morey-Saint-Denis)
Domaine Maillard Père et Fils (Chorey-lès-Beaune)
Domaine Maldant (Chorey-lès-Beaune)
Domaine Michel Mallard et Fils (Ladoix-Serrigny)
Domaine Yves Marceau – Domaine de la Croix Gault (Mercurey)
Domaine Marchand-Grillot et Fils (Gevrey-Chambertin)
P. de Marcilly (Beaune)
Domaine Jean Maréchal (Mercurey)
Prosper Maufoux (Santenay)
Domaine Mazilly Père et Fils (Meloisey)
Domaine Louis Menand Père et Fils (Mercurey)
Domaine Mestre Père et Fils (Santenay)
Domaine Alain Michelot (Nuits-Saint-Georges)**/***
Domaine Pierre Millot-Battault (Meursault)
P. Misserey (Nuits-Saint-Georges)
Moillard (Nuits-Saint-Georges)**/****
Château de Monthélie (Monthélie)
Domaine Monthélie-Douhairet (Monthélie)
Domaine Hubert de Montille (Volnay)**/***
Domaine Jean Moreau (Santenay)
Domaine Gabriel Muskovac (Pernand-Vergelesses)
Domaine Newman (Morey-Saint-Denis)
Domaine Patriarche Père et Fils (Beaune)
Domaine Pavelot (Pernand-Vergelesses)
Domaine Paul Pernot (Puligny-Montrachet)
Domaine Henri Perrot-Minot (Morey-Saint-Denis)

Château de Pommard (Pommard)
Domaine de la Poulette (Corgoloin)
Domaine du Prieuré (Rully)
Domaine du Prieuré (Savigny-lès-Beaune)
Domaine Maurice Protheau et Fils (Mercurey)
Domaine Roger Prunier (Auxey-Duresses)
Max Quenot Fils et Meunevaux (Aloxe-Corton)
Domaine Charles Quillardet (Gevrey-Chambertin)
Domaine Gaston et Pierre Ravaut (Ladoix-Serrigny)
Domaine Rebourgeon-Mure (Pommard)
Domaine Henri Rebourseau (Gevrey-Chambertin)
Caves de la Reine Pédauque (Aloxe-Corton)
Domaine Louis Rémy (Gevrey-Chambertin)
Domaine Henri Richard (Gevrey-Chambertin)
Domaine Maurice Rollin et Fils (Pernand-Vergelesses)
Domaine Hervé Roumier (Chambolle-Musigny)
Domaine Roy Frères (Auxey-Duresses)
Domaine Roy Père et Fils (Gevrey-Chambertin)
Domaine Fabien et Louis Saier (Mercurey)
Domaine Maurice et Hervé Sigaut (Chambolle-Musigny)
Domaine Suremain (Mercurey)
Domaine Taupenot Père et Fils (Saint-Romain)
Domaine Tortochot (Gevrey-Chambertin)
Domaine Louis Trapet (Gevrey-Chambertin)
Domaine Vachet-Rousseau (Gevrey-Chambertin)
Domaine des Varoilles (Gevrey-Chambertin)
Domaine Henri de Villamont (Savigny-lès-Beaune)
Domaine Émile Voarick (Saint-Martin-sous-Montaigu)
Domaine Alain Voegeli (Gevrey-Chambertin)
Domaine André Ziltener Père et Fils (Gevrey-Chambertin)

Les bourgognes rouges sous le rapport qualité/prix

Les appellations universellement renommées de la Côte de Nuits et de la Côte de Beaune affichent des prix exorbitants et une qualité irrégulière. Si l'on veut réaliser de bonnes affaires, il faut se tourner vers les noms les moins prestigieux et les moins connus, dans les appellations peu courues. On trouvera ci-après quelques appellations et producteurs qui méritent d'être recherchés dans la Côte de Nuits et la Côte de Beaune, et, dans ce qui est peut-être, sous ce rapport, la meilleure source de bourgognes blancs et rouges, la Côte Chalonnaise.

Marsannay (Côte de Nuits) Vous ne trouverez certainement pas là de très grands vins, mais de bons producteurs qui produisent souvent des vins supérieurs à la moyenne, c'est-à-dire meilleurs que ces vins de pinot noir compacts, durs et sans charme que Marsannay offre parfois, et pour un prix souvent nettement inférieur à 100 F.

Les meilleurs vins : Régis Bouvier Marsannay Clos du Roy, Marsannay Vieilles Vignes ; Marc Brocot Marsannay ; Bruno Clair Marsannay, Marsannay

Les Longeroies, Marsannay Vaudenelles ; Jean-Pierre Guyard Marsannay Les Recilles ; Louis Jadot Marsannay ; Philippe Naddef Marsannay.

Fixin (Côte de Nuits)

Si cette appellation est située à côté de celle de Gevrey-Chambertin, Fixin n'a jamais surmonté sa réputation, selon laquelle elle produit toujours des vins très robustes, trapus et musclés, qui manquent de finesse et de longueur. Cependant, quelques producteurs offrent des bourgognes riches en arômes et harmonieux.

Les meilleurs vins : André Bart Fixin Les Hervelets ; Denis Berthaut Fixin Les Arvelets, Fixin Les Clos, Fixin Les Crais ; Bruno Clair Fixin ; Faiveley Fixin ; Pierre Gélin Fixin Clos du Chapitre, Fixin Les Hervelets, Fixin Clos Napoléon ; Philippe Joliet Fixin Clos de la Perrière ; Mongeard-Mugneret Fixin.

Ladoix (Côte de Beaune)

C'est la moins connue des appellations de Bourgogne, et c'est donc un lieu où l'on peut réaliser de très bonnes affaires. Il ne faut certes pas acheter les yeux fermés, car les vins ont parfois de fortes nuances de terre et de poussière, et trop peu de fruit.

Les meilleurs vins : Capitain-Gagnerot Ladoix, Ladoix Les Micaudes ; Chevalier Père et Fils Ladoix Premier Cru ; Edmond Cornu Ladoix, Ladoix Premier Cru ; Michel Mallard Ladoix Les Joyeuses ; André Nudant Ladoix Premier Cru ; Gaston et Pierre Ravaut Ladoix Les Corvées.

Savigny-lès-Beaune (Côte de Beaune)

Cette appellation est assez réputée pour ses vins légers aux parfums de petits fruits (avec une dominante de cerise), mais ils ont parfois, malheureusement, un fort arrière-goût de rouille et de terre. Les vignobles situés sur les coteaux de la partie nord, dominant le Rhône qui coupe en deux l'appellation, produisent les vins les plus intéressants. Ils sont un peu plus chers que les Ladoix ou les Marsannay, mais, à leur meilleur niveau, ils déploient un parfum de pinot noir beaucoup plus prononcé et une belle complexité.

Les meilleurs vins : Simon Bize Savigny-lès-Beaune Aux Vergelesses, Savigny-lès-Beaune Aux Guettes, Savigny-lès-Beaune Premier Cru ; Bonnot-Lamblot Savigny-lès-Beaune Les Dominodes ; Capron-Manieux Savigny-lès-Beaune Les Lavières ; Chandon de Briailles Savigny-lès-Beaune Les Lavières ; Chanson Savigny-lès-Beaune Les Dominodes ; Bruno Clair Savigny-lès-Beaune Les Dominodes ; Doudet-Naudin Savigny-lès-Beaune Aux Guettes ; Joseph Drouhin Savigny-lès-Beaune Premier Cru ; Maurice Écard Savigny-lès-Beaune Les Serpentières, Savigny-lès-Beaune Les Narbantons ; J.-M. Giboulot Savigny-lès-Beaune Les Serpentières ; Machard de Gramont Savigny-lès-Beaune Aux Guettes ; Pierre Guillemot Savigny-lès-Beaune Les Serpentières, Savigny-lès-Beaune Les Jarrons ; Hospices de Beaune Savigny-lès-Beaune Cuvée Arthur Girard, Savigny-lès-Beaune Cuvée Fouquerand, Savigny-lès-Beaune Cuvée Forneret ; Louis Jadot Savigny-lès-Beaune Les Dominodes ; Albert Morot Savigny-lès-Beaune Les Vergelesses Clos La Bataillère ; Pavelot-Glantenay Savigny-lès-Beaune Les Dominodes, Savigny-lès-Beaune Aux Guettes ; Jean Pichenot Savigny-lès-Beaune ; Tollot-Beaut Savigny-lès-Beaune Les Lavières.

Monthélie (Côte de Beaune)

Le vignoble de Monthélie est voisin de celui de Volnay, mais les vins pourraient difficilement être plus différents. Les Monthélie « vieux style » sont gâtés par des tannins et un corps excessifs, mais une nouvelle génération de vinificateurs propose maintenant des vins fruités et de caractère, espérant que les amateurs voudront bien venir des villages de Volnay et de Pommard, qui se trouvent à un jet de pierre, jusqu'à cette colline, où ils trouveront un certain nombre de bons bourgognes pour moins de 100 F.

Les meilleurs vins : Éric Boussey Monthélie ; Jean-François Coche-Dury Monthélie ; Louis Deschamps Monthélie Les Mandènes ; Gérard Doreau Monthélie Les Champs Fulliot ; Jean Garaudet Monthélie ; Hospices de Beaune Monthélie Cuvée Lebelin ; Louis Jadot Monthélie ; Jehan-Changarnier Monthélie ; Comtes Lafon Monthélie ; Pernin-Rossin Monthélie ; Henri Potinet-Ampeau Monthélie ; Éric de Suremain Monthélie Château de Monthélie, Monthélie Sur la Velle.

Auxey-Duresses (Côte de Beaune)   On a souvent décrit Auxey-Duresses comme le parent pauvre de Volnay. Les vignerons de l'appellation n'apprécient pas cette condescendance, car ils sont fiers de leurs vins épicés et robustes, aux arômes de cerise noire et offrant un potentiel de garde étonnant, avec cette réserve qu'ils ne sont pas toujours très fruités ; or, si le fruit n'est pas assez épanoui, les tannins deviennent verts et l'acidité beaucoup trop élevée.

Les meilleurs vins : Robert Ampereau Auxey-Duresses Écussaux ; Jean-Pierre Diconne Auxey-Duresses ; Hospices de Beaune Auxey-Duresses Cuvée Boillot ; Domaine Jessiaume Auxey-Duresses Écussaux ; Domaine Lafouge Auxey-Duresses La Chapelle ; Leroy Auxey-Duresses ; Duc de Magenta (Jadot) Auxey-Duresses ; Maroslavic-Léger Auxey-Duresses Les Bréterins ; Pernin-Rossin Auxey-Duresses ; Michel Prunier Auxey-Duresses Clos du Val ; Roy Frères Auxey-Duresses Le Val ; René Thévenin Auxey-Duresses Clos du Moulin des Moines.

Chassagne-Montrachet (Côte de Beaune)   Cette appellation est réputée pour ses grands blancs, mais il y a un revers à la médaille : les amateurs ne prêtent pas une attention suffisante aux rouges, délicieux, qui offrent des arômes de cerise anglaise, d'amande et de terroir. Les premiers crus se vendent à des prix fort intéressants pour la région, et ces Chassagne rouges ont, dans les grands millésimes, un potentiel de garde de 10 ans.

Les meilleurs vins : Jean-Noël Gagnard Chassagne-Montrachet Clos de la Maltroye, Chassagne-Montrachet Clos Saint-Jean ; Duc de Magenta (Louis Jadot) Chassagne-Montrachet Clos de la Chapelle ; Château de la Maltroye Chassagne-Montrachet Clos du Château, Chassagne-Montrachet Clos Saint-Jean, Chassagne-Montrachet Clos de la Boudriotte ; Paul Pillot Chassagne-Montrachet Clos Saint-Jean ; Domaine Ramonet Chassagne-Montrachet Clos de la Boudriotte ; Domaine Roux Chassagne-Montrachet Clos Saint-Jean.

Saint-Romain (Côte de Beaune)   Bien que ce village pittoresque ne soit pas sur les routes fréquentées, il n'est guère qu'à dix minutes de Meursault ou de Volnay, et il vaut la visite. On y trouve des bourgognes rouges à des prix intéressants, car c'est aujourd'hui sur le blanc que porte le principal effort de l'appellation.

Les meilleurs vins : Bernard Fèvre Saint-Romain ; Alain Gras Saint-Romain ; Taupenot Père et Fils Saint-Romain ; René Thévenin-Monthélie Saint-Romain.

Saint-Aubin (Côte de Beaune) Saint-Aubin est un vrai petit paradis pour les amateurs de bourgogne, qui y trouvent beaucoup de producteurs jeunes, talentueux et ambitieux, et des vins à des prix fort raisonnables. Les rouges sont souvent étonnamment robustes, pleins, concentrés et pulpeux.

Les meilleurs vins : Jean-Claude Bachelet Saint-Aubin Derrière La Tour ; Raoul Clerget Saint-Aubin Les Frionnes ; Marc Colin Saint-Aubin ; Lamy-Pillot Saint-Aubin ; Langoureau (Gilles Bouton) Saint-Aubin En Remilly ; Henri Prudhon Saint-Aubin Sentiers de Clou, Saint-Aubin Les Frionnes ; Domaine Roux Père et Fils Saint-Aubin ; Gérard Thomas Saint-Aubin Les Frionnes.

Rully (Côte Chalonnaise) Il faut être prudent − comme partout ! −, mais cette appellation propose des vins aux arômes d'épices, de cerise et de fraise, pour des prix très intéressants.

Les meilleurs vins : Michel Briday Rully ; Domaine de la Folie Rully Clos de Bellecroix ; Paul et Henri Jacqueson Rully Les Cloux, Rully les Chaponnières ; Domaine de la Renarde Rully Premier Cru ; Antonin Rodet Rully ; Château de Rully Rully ; Domaine de Rully Saint-Michel Rully Les Champs Cloux, Rully Clos de Pelleret.

Mercurey (Côte Chalonnaise) Les prix ont un peu augmenté depuis quelques années, mais les amateurs ont déjà découvert les progrès réalisés par les producteurs de cette appellation qui propose de plus en plus de bons vins.

Les meilleurs vins : Château de Chamirey Mercurey ; Chartron et Trébuchet Mercurey Clos des Hayes ; Faiveley Mercurey Clos du Roi, Mercurey Clos des Myglands, Mercurey La Framboisière, Mercurey La Croix Jacquelet, Mercurey Les Mauvarennes ; Michel Juillot Mercurey Clos des Barraults, Mercurey Clos Tonnerre ; Domaine de Meix-Foulot Mercurey Les Veleys, Mercurey Clos du Château de Montaigu ; Domaine de la Monette Mercurey ; Domaine de Suremain Mercurey Clos Voyen, Mercurey Clos L'Évêque.

Givry (Côte Chalonnaise) Givry compte deux des meilleurs viticulteurs de toute la Bourgogne, MM. Joblot et Lespinasse. L'un et l'autre proposent des vins capables de rivaliser avec les plus fins de la Côte-d'Or. Ils attirent du monde dans cette appellation.

Les meilleurs vins : Jean Choffet Givry ; Domaine Joblot Givry Clos du Cellier-aux-Moines, Givry Clos Les Bois Chevaux ; Givry Clos de la Servoisine ; Louis Latour Givry ; Gérard Mouton Givry ; Domaine Veuve Steinmaier Givry Clos de la Baraude ; Domaine Thénard Givry Clos Givry Cellier-aux-Moines, Givry Les Bois Chevaux ; Thierry Lespinasse Givry En Choué.

Santenay (Côte de Beaune) Il est étonnant que Santenay continue à avoir des difficultés à surmonter sa réputation de dernière appellation de la Côte-d'Or. Sa production est à 99 % en rouge, et le seul cépage est le pinot noir. Les professionnels ont le poil qui se hérisse quand on leur rappelle la phrase d'un grand marchand de vin britannique, « La vie est trop courte pour boire du Santenay » ; ce n'est plus le cas depuis bien longtemps, mais Santenay n'est toujours pas à la mode. C'est la raison pour laquelle on peut y réaliser de bonnes affaires en achetant des vins solides et souvent délicieux. Si beaucoup de Santenay se révèlent trop tanniques, creux et sans charme, les bons producteurs font des vins d'un poids assez considérable pour des bourgognes, avec un bouquet intense de fraise et de cerise aux notes minérales – et presque d'amande.

Les meilleurs vins : Bernard Bachelet Santenay ; Adrien Belland Santenay Clos des Gravières, Santenay La Comme ; Marc Colin Santenay ; Joseph Drouhin Santenay ; Jean-Noël Gagnard Santenay Clos de Tavannes ; Jessiaume Père Santenay Gravières ; Lequin-Roussot Santenay Premier Cru ; Château de la Maltroye Santenay La Comme, Santenay Les Gravières ; Bernard Morey Santenay Grand Clos Rousseau ; Jean-Marc Morey Santenay Grand Clos Rousseau ; Domaine de la Pousse d'Or Santenay Clos Tavannes ; Prieur-Brunet Santenay La Maladière, Santenay La Comme ; Remoissenet Santenay Les Gravières.

Beaujolais

Quel est le vin le plus populaire de Bourgogne, et qui rapporte le plus d'argent ? C'est bien lui, le beaujolais (puisque, traditionnellement, ce vignoble du Rhône est considéré comme faisant partie de celui de la région viticole de Bourgogne, au sens le plus large). Il est issu de vignobles qui se déroulent sur les pentes douces des collines, premiers contreforts du Massif central. Les monts atteignent une altitude de 700 à plus de 1 000 m, constituant une toile de fond idéale pour l'une des deux plus belles régions viticoles de France (l'autre étant l'Alsace).

Plus de 4 000 vignerons travaillent dans ce décor idyllique. Un certain nombre d'entre eux vendent une petite partie de leur production sur place, mais la plupart préfèrent traiter avec les grosses maisons qui dominent le marché. Le seul cépage autorisé pour le beaujolais est le gamay, ou plutôt le gamay noir à jus blanc, pour reprendre le terme officiel, qui réussit particulièrement bien sur ces sols schisteux et pierreux. Beaucoup de cépages rouges donnent de mauvaises récoltes sur ces terrains granitiques, mais ce n'est pas le cas du gamay qui, au contraire, semble leur être parfaitement adapté.

Le vin de gamay a naturellement un heureux caractère : il est frais, débordant de vie, exubérant et fruité, et les viticulteurs du Beaujolais ont appris à souligner ces belles qualités en pratiquant l'étonnante macération carbonique. Dans cette méthode de vinification, les raisins ne sont pas pressés, mais simplement entassés tels quels dans la cuve, avec les rafles. Dans le fond du récipient, sous le poids, les grains éclatent et le moût commence à fermenter. Il s'ensuit une élévation de la température qui déclenche l'entrée en fermentation des grains non écrasés, à l'intérieur même de la peau. Cette technique est intéressante quand on sait que le parfum et le fruit d'un vin proviennent essentiellement de la pulpe du grain, alors que l'on extrait les tannins et l'acidité en faisant éclater les peaux et en les pressant.

C'est pourquoi l'on obtient ici des vins si parfumés et si fruités, qui sont très agréables à boire dès qu'ils sont refroidis. Ces vins nouveaux connaissent aujourd'hui un énorme succès international, mais le phénomène n'a vraiment commencé qu'à la fin des années 70. Le Beaujolais nouveau, qui, on le sait, ne peut être commercialisé qu'à partir du troisième jeudi de novembre, représente près de la moitié de l'énorme production de la région. Il constitue l'une des meilleures denrées d'exportation pour le pays. Afin d'étancher la soif tenace du monde entier, c'est chaque année un véritable fleuve de vin qui prend la voie des airs, des mers ou de la route, destination New York, San Francisco, Tokyo, Hong Kong, Séoul, Sydney, Londres et, bien sûr, Paris.

La fièvre du vin nouveau et les énormes profits qu'en tirent les marchands ont conduit un certain nombre de critiques à décrier non seulement le produit lui-même, mais encore ceux qui le consomment. C'est une absurdité, car il est patent que, dans de grandes années telles que 1988 ou 1989, le Beaujolais nouveau est souvent délicieux, savoureux, plein d'exubérance et de fraîcheur, et vibrant de fruit – à condition, toutefois, qu'il soit bu dans les 3 ou 4 mois. D'ailleurs, c'est souvent lui qui introduit les néophytes aux merveilles du royaume du vin rouge. En outre, il a libéré bien des peuples jusque-là englués dans des vins sucrés et écœurants comme le Zinfandel américain ou le Liebfraumilch allemand. Quelques snobs laissent entendre qu'il manque de distinction, mais c'est tout simplement stupide.

Cependant, ce serait faire une grande injustice à cette contrée que de ne la considérer que comme la terre du vin nouveau. Il y a aussi le Beaujolais Supérieur, ordinairement mis sur le marché un mois après le nouveau, et le Beaujolais-Villages, qui constitue une appellation en tant que telle : trente-neuf communes, en effet, ont été sélectionnées, dans toute la région, comme produisant les meilleurs vins. Beaucoup de bons producteurs font un Beaujolais-Villages nouveau qui a un caractère plus ferme et plus robuste et qui peut se boire plus longtemps (de 3 à 4 mois et plus) que le simple Beaujolais nouveau. Mais, si vous aimez le vin primeur pour son côté guilleret, sa vivacité et ses parfums fruités, le simple Beaujolais nouveau est sans doute plus approprié. Les vrais trésors du Beaujolais, outre les petites routes sinueuses et aventureuses, les vallées somnolentes, les collines bucoliques et les vieux villages retirés, ce sont les célèbres crus, au nombre de dix. Tous viennent d'un village ou d'un groupe de villages de la partie septentrionale de la région, chacun ayant théoriquement un caractère spécifique.

LES MEILLEURS PRODUCTEURS DE BEAUJOLAIS

*****EXCEPTIONNEL

Domaine Bachelard – Georges Dubœuf (Fleurie)
René Berrod (Moulin-à-Vent)
René Berrod Les Roches du Vivier (Fleurie)
Guy Braillon (Chénas)
Domaine des Brureaux (Chénas)
Domaine des Champs Grillés – J.-G. Revillon (Saint-Amour)
Chauvet – Georges Dubœuf (Moulin-à-Vent)
Michel Chignard Les Moriers (Fleurie)
Clos de la Roilette – F. Coudert (Fleurie)
Domaine de la Combe-Remont – Georges Dubœuf (Chénas)
Château des Déduits – Georges Dubœuf (Fleurie)
Jean Descombes – Georges Dubœuf (Morgon)
Diochon (Moulin-à-Vent)
Domaine des Grandes Vignes – J.-C. Nesme (Brouilly)
Jacky Janodet (Moulin-à-Vent)
Château de Moulin-à-Vent – Famille Bloud (Moulin-à-Vent)
Domaine des Terres Dorées – J.-P. Brun (Beaujolais-Villages)
Domaine de la Tour du Bief – Georges Dubœuf (Moulin-à-Vent)
Jacques Trichard (Morgon)

****EXCELLENT

L. Bassy (Côte de Brouilly)
Alain Bernillon (Côte de Brouilly)
Bouillard (Chiroubles)
Georges Boulon (Chiroubles)
Georges Brun (Morgon)
Domaine de la Bruyère (Moulin-à-Vent)
Louis Champagnon (Chénas)
Cheysson-Les Fargues (Chiroubles)
Guy Cotton (Côte de Brouilly)
Domaine des Darroux – Georges Dubœuf (Chénas)
Guy Depardon (Fleurie)
Desmeures – Georges Dubœuf (Chiroubles)
Georges Dubœuf (Régnié)
Jean Durand (Régnié)
Château de Grand Pré – Pierre Ferraud (Fleurie)
Domaine du Granite Bleu – Georges Dubœuf (Beaujolais-Villages)
Château des Jacques (Moulin-à-Vent)
Janin (Saint-Amour)
Château de Javernand – Georges Dubœuf (Chiroubles)
Hubert Lapierre (Chénas)
Manoir des Journets – Georges Dubœuf (Chénas)
Domaine des Mouilles – Georges Dubœuf (Juliénas)

Château de Nervers – Georges Dubœuf (Brouilly)
J.-C. Nesme (Côte de Brouilly)
Domaine des Nugues – Gérard Gélin (Beaujolais-Villages)
Georges Passot (Chiroubles)
André Pelletier (Juliénas)
Domaine Pirolette – Georges Dubœuf (Saint-Amour)
Domaine Ponchon – Jean Durand (Régnié)
Domaine du Potet – Georges Dubœuf (Régnié)
Domaine de la Princesse Lieven – Georges Dubœuf (Morgon)
Domaine des Quatre Vents – Georges Dubœuf (Fleurie)
Joël Rochette (Régnié)
Jean-Paul Ruet (Brouilly)
Jean-Paul Ruet (Régnié)
Jean-Louis Santé (Chénas)
Domaine de la Seigneurie de Juliénas – Georges Dubœuf (Juliénas)
Domaine de la Sorbière – J.-C. Pivot (Beaujolais-Villages)
Domaine de la Teppe – Chanut Frères (Moulin-à-Vent)
Trénel Fils (Chénas) [certaines cuvées sont peut-être du niveau
    5 étoiles, mais la qualité générale mérite au moins 4 étoiles]
Georges Trichard (Saint-Amour)
Domaine Vatoux – Georges Dubœuf (Morgon)
Château des Vierres – Georges Dubœuf (Beaujolais-Villages)
Château des Vignes – Georges Dubœuf (Juliénas)

***BON

Gabriel Aligne (Moulin-à-Vent)
Gabriel Aligne (Régnié)
Ernest Aujas (Juliénas)
Paul Beaudet (presque toutes les cuvées)
Antoine Béroujon (Brouilly)
Château de Bluizard – Georges Dubœuf (Brouilly)
Domaine de Boischampt (Juliénas)
Domaine de la Boittière (Juliénas)
Château Bonnet (Chénas)
Domaine des Caves – Georges Dubœuf (Moulin-à-Vent)
Château de la Chaize (Brouilly)
Louis Champagnon (Moulin-à-Vent)
Domaine de la Chanaise (Morgon)
Château des Chénas (Chénas)
Paul Cinquin (Régnié)
Clos du Fief (Juliénas)
Clos du Fief (Saint-Amour)
Robert Condemine (Brouilly)
Pierre Cotton (Brouilly)
Deplace Frères – Domaine du Crêt des Bruyères (Régnié)
Claude Desvignes (Morgon)
Joseph Drouhin (presque toutes les cuvées)

Domaine des Ducs (Saint-Amour)
Pierre Ferraud (Régnié)
Pierre Ferraud (autres cuvées)
Sylvain Fessy Cuvée André Gauthier (Morgon)
Domaine de la Gérarde (Régnié)
Gonon (Juliénas)
Domaine de la Grand Cour (Brouilly)
Domaine de la Grand Cour (Fleurie)
Domaine de la Grand Cru (Fleurie)
Domaine de Grande Grange – Georges Dubœuf (Beaujolais-Villages)
Claude et Michel Joubert (Juliénas)
Marcel Joubert (Brouilly)
Château de Juliénas (Juliénas)
Château des Labourons (Fleurie)
André Large (Côte de Brouilly)
Domaine de Lavant (Brouilly)
Lémonon – Loron et Fils (Moulin-à-Vent)
Bernard Meziat (Chiroubles)
Gilles Meziat (Chiroubles)
Domaine du Paradis – Georges Dubœuf (Saint-Amour)
Georges Passot (Morgon)
Jean Patissier (Saint-Amour)
Pavillon de Chavannes (Côte de Brouilly)
Domaine du Petit Pressoir (Côte de Brouilly)
Alain Pierre (Régnié)
Domaine des Pillets (Morgon)
Domaine des Pins (Saint-Amour)
Domaine de Pizay (Morgon)
Domaine du Prieuré – Georges Dubœuf (Brouilly)
Château de Raousset (Chiroubles)
Michel et Jean-Paul Rampon (Régnié)
Remont – Pierre Ferraud (Chénas)
Domaine de la Roche – Georges Dubœuf (Brouilly)
André Ronzière (Brouilly)
Claude et Bernard Roux (Régnié)
Francis Saillant (Saint-Amour)
René Savoye (Chiroubles)
Domaine Savoye (Morgon)
Domaine de la Source (Chiroubles)
Château Thivin (Côte de Brouilly)
Château des Tours (Brouilly)
Michel Tribolet (Fleurie)
René et Bernard Vassot (Régnié)
Lucien et Robert Verger (Côte de Brouilly)
Domaine des Versaudes – Georges Dubœuf (Morgon)

**MOYEN

Château de la Chaize	Robert Pain
Château de Corcelles	Pasquier-Desvigne
Jaffelin	Piat
Loron	Roger Rocassel
Moillard	Paul Spain
Mommessin	Louis Tête

A propos des millésimes récents et des caractéristiques des dix crus du Beaujolais

Bien que certaines bouteilles de beaujolais conservent très longtemps leur fruit (en 1991, j'ai bu un Moulin-à-Vent 1929, au célèbre restaurant Le Montrachet de New York, avec le sommelier Daniel Johnes, qui était merveilleusement intact), il faut en général les boire assez rapidement. Cependant, si vous souhaitez prendre le risque de faire vieillir des beaujolais, tournez-vous vers les Moulin-à-Vent. Si, au contraire, vous aimez surtout ces vins pour leur caractère vibrant, ouvert, exubérant et volubile, vous les boirez très jeunes.

En descendant du nord au sud, voici les dix crus.

Le **Saint-Amour** est bien connu pour sa couleur, mais il manque un peu de corps et de longueur en bouche, parce que le raisin, dans les vignobles exposés à l'est et au sud-est, n'arrive pas toujours à complète maturité – sauf, évidemment, dans les dernières années chaudes et sèches comme 1989. Quand il est bon, le vin montre de la souplesse, un beau fruit de mûre et de framboise, et suffisamment de corps.

L'appellation **Juliénas** est beaucoup plus étendue. Elle regroupe de nombreux producteurs de bon niveau, et il y a entre eux une saine émulation. Les meilleurs Juliénas ont le fruit exubérant, riche et frais du Beaujolais, étayé par beaucoup de corps et d'intensité, et un degré alcoolique assez élevé.

Chénas, le plus petit des crus du Beaujolais, produit des vins qui ressemblent beaucoup à ceux de son voisin Moulin-à-Vent. Un bon Chénas est profond, robuste, intensément coloré, riche, musclé et concentré. Il est plein et trapu pour un Beaujolais, mais manque parfois de parfum et d'élégance. Étant donné sa rusticité, il peut en général vieillir 4 ou 5 ans.

On dit, traditionnellement, que le **Moulin-à-Vent** est le roi du Beaujolais. En tout cas, c'est le plus cher. Il est assez puissant, concentré et capable de bien vieillir. C'est un vin relativement atypique pour la région, qui ressemble davantage, sous bien des aspects, à un rouge moyennement corsé de la Côte-d'Or qu'à un Beaujolais fruité. S'il est issu des chais d'un bon producteur, il est capable de tenir une dizaine d'années.

Ceux qui disent que le Moulin-à-Vent est le roi de la région ajoutent que le **Fleurie** en est la reine. Cette appellation au vignoble très étendu livre l'essence même du Beaujolais, avec des vins parfumés et riches qui n'ont ni le poids, ni le corps, ni les tannins d'un Moulin-à-Vent ou d'un Chénas. A son meilleur niveau, le Fleurie est pur, séveux, soyeux et fruité, terriblement séduisant et charmeur.

Le vignoble de **Chiroubles** est le plus élevé du Beaujolais, et ses vins sont considérés comme les plus aériens et les plus charmeurs de la région. Ils séduisent surtout par leur parfum gracieux et pénétrant. Cependant, ils peuvent manquer de corps et arriver très rapidement à maturité. D'une manière générale, il faut les boire au maximum dans les 2 ans qui suivent la vendange.

Le **Morgon** a la réputation d'être l'un des plus robustes et des plus aptes au vieillissement des crus du Beaujolais. En fait, il se montre très variable par son style, étant donné la grande étendue de son vignoble. Il peut être plein et riche, ou au contraire triste et creux. Un très bon Morgon offre des arômes exotiques et fruités, dominés par la cerise, la pêche et l'abricot, avec un goût de kirsch.

Le **Régnié**, le plus récent des crus du Beaujolais, est lui aussi assez variable. Les connaisseurs locaux estiment qu'un Régnié classique doit dégager des parfums intenses de cassis et de framboise. C'est un vin relativement léger ou assez corsé, qui doit être bu dans les 3 ans qui suivent la vendange.

Le **Brouilly**, issu d'un vignoble étendu et très productif, est relativement léger ; aromatique et fruité, il n'est cependant pas meilleur, dans bien des cas, qu'un Beaujolais-Villages. Mais, s'il est issu d'un bon producteur, il se distingue par son charme.

Le **Côte de Brouilly** vient de vignobles situés sur des pentes bien exposées et bien drainées. Il est en général plus alcoolique que le Brouilly, mieux doté en corps et en glycérine.

Lorsqu'il s'agit des Beaujolais génériques et Villages, c'est encore le producteur qui fait la différence. Un vin de tout premier ordre de ces appellations constitue généralement une excellente affaire.

Quant aux millésimes, la plupart des producteurs de cette région ont vendangé en 1994 avant les pluies diluviennes du mois de septembre, si bien que les vins de cette année expriment bien la chaleur torride des mois de juillet et d'août. A leur meilleur niveau, les Régnié, Moulin-à-Vent, Juliénas, Morgon et Fleurie sont profondément colorés, gras, capiteux, très mûrs et débordent littéralement de fruité. Ils devront pour la plupart être consommés d'ici l'an 2000.

LES RÉALITÉS DE LA BOURGOGNE

Ce qu'il faut impérativement savoir pour acheter un bourgogne rouge ou blanc de qualité supérieure

Les Français disent souvent, en parlant des vins de Bourgogne : « C'est l'homme qui fait la différence », ce qui traduit une opinion sans équivoque. Ce point de vue simpliste, qui exprime un a priori sexiste (c'est paradoxalement une femme qui produit les meilleurs bourgognes), reflète pourtant la règle cardinale lorsqu'il s'agit d'acheter un bourgogne de bonne tenue. S'il est important de connaître la qualité du millésime, il est également essentiel de considérer la compétence du producteur, car, il faut le rappeler, un vigneron ou un négociant chevronné fera un bien meilleur vin dans une année quelconque qu'un producteur médiocre dans une année faste. Les amateurs doivent avant tout se familiariser avec les noms des meilleurs producteurs de chacune des appellations de la région pour acheter judicieusement et sans dommage. Le seul fait de mémoriser un grand millésime n'est, en effet, pas suffisant pour faire un bon choix.

Pourquoi toute cette publicité autour du concept de « terroir » ?

Le proverbe oriental suivant résume bien la question : « Une connaissance partielle permet de faire un beau récit, mais la sagesse découle d'une connaissance parfaite. »

Il en est de même avec le concept de « terroir », cette notion vague et intellectuellement séduisante qui implique que le caractère d'un vin est fortement influencé par la parcelle dont il est issu. Les Français se révèlent extrêmement préoccupés par la question de terroir. Et pourquoi n'en serait-il pas ainsi ? La plupart des vignobles les plus renommés de leur pays sont classés selon une hiérarchie complexe reposant sur la nature des sols et leur exposition. Mais les Français voudraient faire croire à la terre entière que rien ne peut rivaliser avec la qualité de leur pinot noir, de leur chardonnay et de leur syrah (pour ne citer que ceux-là) et que leur terroir privilégié est sans égal. L'une des régions viticoles les plus célèbres de France, la Bourgogne, est généralement considérée comme celle illustrant le plus parfaitement la notion de terroir. Les adeptes de ce concept (les terroiristes) soutiennent qu'une parcelle particulière et sa contribution à la vigne qu'elle porte confèrent à son vin un caractère distinct de celui qui provient de parcelles ou de coteaux différents. La Bourgogne, avec ses grands crus, ses premiers crus, ses vins de village et ses génériques, est la raison d'être des terroiristes.

Il est dommage que le terme « terroir » soit aujourd'hui une expression à la mode ou « politiquement correcte » dans certaines conversations. Il est des cercles choisis où ce serait une erreur monumentale de ne pas placer quelques commentaires inspirés sur « le sentiment d'une appartenance à quelque part », en dégustant un Vosne-Romanée Les Malconsorts ou un Latricières-Chambertin. Parmi les plus fervents défenseurs de la notion de terroir, on trouve Lalou Bize-Leroy, Becky Wasserman et Matt Kramer, et c'est probablement ce dernier qui prône, de la manière la plus convaincante et la plus éloquente, la nécessité de trouver, selon ses propres termes, « la vraie voix du sol », celle qui donne sa légitimité à un cru.

Cependant, comme tant de choses qui se rapportent au vin, notamment à la dégustation, les propositions de Lalou Bize-Leroy, de Becky Wasserman ou de Matt Kramer ne reposent sur aucune base scientifique. Selon leur opinion, partagée seulement sur la forme par la plupart des Bourguignons et par les propriétaires des meilleurs vignobles, un vin authentique et noble doit obligatoirement laisser deviner son terroir.

Dans l'autre camp de ce débat se trouvent les « réalistes », que j'appellerais aussi les « modernistes ». Selon eux, le terroir (c'est-à-dire le sol, son exposition et le microclimat auquel il est soumis) n'est que l'un des facteurs déterminant le style d'un vin ; ils attribuent à bien d'autres éléments que le terroir un rôle important. On retiendra, entre autres, les points cités ci-dessous.

1. *Le cépage.* Est-il destiné à donner une récolte abondante ou restreinte ?

2. *Les levures.* Le viticulteur utilise-t-il des levures indigènes ou industrielles ? Chacune d'entre elles donnera au vin des arômes, des saveurs et des textures différents.

3. *Le rendement et l'âge des vignes.* Des récoltes abondantes conjuguées à des rendements élevés font généralement des vins aqueux. En revanche, des rendements restreints, de moins de 40 hl/ha, font des vins plus concentrés, avec davantage de caractère. Les jeunes vignes ont plutôt tendance à produire beaucoup, tandis que les vieilles vignes donnent de petites baies, et par conséquent moins de vin. C'est la raison pour laquelle on procède à des vendanges en vert sur les jeunes vignes, de manière à réduire leur rendement.

4. *La vendange.* Le raisin est-il cueilli alors qu'il n'est pas tout à fait mûr, afin qu'il conserve une certaine acidité, ou est-il ramassé à parfaite maturité, afin que soient mises en valeur la richesse et l'opulence du cépage ?

5. *Les techniques et le matériel de vinification.* De nombreuses techniques permettent de modifier les arômes et les saveurs d'un vin. En outre, les matériels choisis (égrappoirs, pressoirs, etc.) influent profondément sur le caractère du vin qu'ils servent à élaborer.

6. *L'élevage.* Le vin est-il élevé en fûts de chêne, en cuves en ciment ou en acier inoxydable, ou encore en grands foudres ? Quelle est la proportion de bois neuf utilisé ? Tous ces éléments participent bien évidemment au caractère du vin, exactement comme le soutirage conditionne son bouquet et ses arômes. Le vin reste-t-il longtemps sur lies – ce qui lui apporte davantage de complexité et de rondeur –, ou est-il fréquemment soutiré de crainte qu'il n'acquière un goût ou une odeur désagréable ?

7. *Le collage et la filtration.* Même les vins les plus concentrés et les plus profonds, que les terroiristes considèrent comme la quintessence de leur terroir, peuvent être dépouillés de leurs arômes et de leur caractère s'ils sont trop collés ou filtrés. Le vin est-il traité avec la plus grande douceur, ou est-il au contraire manipulé à l'excès ?

8. *La mise en bouteille.* Est-elle faite le plus tôt possible, pour conserver le fruité du vin, ou plus tardivement, lorsque celui-ci a pris un caractère plus évolué et plus fondu ? Le critère qui détermine le moment de la mise en bouteille peut en effet radicalement changer la nature d'un vin.

9. *La température et l'état sanitaire des chais et des caves.* Certaines caves sont froides, d'autres le sont moins, et les vins qui en sont issus sont totalement différents. Les premières donnent des vins d'évolution lente, moins sujets à l'oxydation que ceux qui proviennent de caves plus chaudes. Enfin, les caves sont-elles propres ou sales ?

Ces quelques facteurs peuvent avoir un impact extraordinaire sur le style, le caractère et la qualité d'un vin. Comme le prétendent les modernistes, les choix de l'homme, même s'ils sont incontestablement orientés vers la recherche d'une qualité toujours meilleure, peuvent davantage influencer la personnalité d'un cru que son seul terroir.

En écoutant Robert Kacher, un « réaliste », et Matt Kramer, un « terroiriste », on pourrait conclure qu'ils appartiennent à deux mondes totalement différents. Or, ironie du sort, leurs opinions se rejoignent quand il s'agit de désigner les meilleurs producteurs de Bourgogne.

En ce qui me concerne, je crois fermement que le terroir est un facteur important dans l'élaboration des grands vins. Cependant, j'ajouterais que les illustrations les plus convaincantes de ce point de vue ne se trouvent pas en Bourgogne, mais plutôt en Alsace. Si l'on avance l'argument du terroir, il faut que le vin soit issu de très petits rendements, fermenté uniquement avec des levures indigènes, élevé en milieu neutre (en vieux fûts, en cuves en ciment ou en acier inoxydable), soumis à un traitement minimal en cave et mis en bouteille avec une filtration et un collage extrêmement légers.

Si je devais soutenir la cause des terroiristes, je prendrais pour exemple l'un des domaines les plus prestigieux d'Alsace, celui de Léonard et Olivier Humbrecht. Les Humbrecht font tout ce qui est en leur pouvoir pour bien marquer les différences entre leurs vignobles, mais pourquoi est-il si facile d'identifier leurs vins lors d'une dégustation à l'aveugle ? Bien sûr, leur Riesling Hengst se distingue de leur Riesling Rangen Clos Saint-Urbain, mais la question qui se pose est de savoir si l'on déguste un terroir ou la signature d'un vinificateur ? Les crus du Domaine Zind-Humbrecht sont généralement plus puissants, plus riches et plus intenses que les autres vins d'Alsace, mais ils sont issus de rendements plus restreints et ne sont pas filtrés avant la mise en bouteille. Il s'agit là d'un cas où les vins portent à la fois la griffe de leur vinificateur et le caractère particulier de leur terroir.

On cite également Lalou Bize-Leroy comme l'une de terroiristes les plus ferventes. Cette femme, qui sait convaincre, n'hésite pas à clamer tout haut la manière dont ses vins acquièrent un caractère indépendant du terroir dont ils sont issus. Mais, dans les dégustations à l'aveugle, les vins du Domaine Leroy se distinguent généralement parce qu'ils sont plus concentrés et de plus longue garde que ceux des autres propriétés de la région. Le dégustateur qui s'est familiarisé avec leur style particulier (ils présentent des différences subtiles) les identifiera grâce à leur puissance, à leur richesse et à leur intensité exceptionnelles, plutôt que par leur caractère pénétrant ou spectaculaire de terroir. Les vins du Domaine de la Romanée-Conti peuvent aussi parfaitement se reconnaître lors d'une dégustation à l'aveugle, précisément en raison de leur style bien à eux. Jacques Seysses, du Domaine Dujac, que j'admire et auquel j'ai attribué quatre étoiles dans mon dernier ouvrage sur les bourgognes, hisse bien haut le drapeau du terroir en arguant que « L'homme peut détruire, mais jamais créer ». Seysses, qui utilise 100 % de chêne neuf pour l'élevage de ses grands crus, en produit qui sont extraordinaires de finesse et d'élégance ; cependant, on constate qu'ils sont dominés par sa griffe personnelle et s'imposent par leur style propre, et non parce qu'ils proviennent de vignobles tels que le Clos de la Roche, le Clos Saint-Denis ou les Bonnes Mares.

Telle que l'entendent la plupart de ses adeptes, la notion de terroir est une excuse commode pour maintenir le statu quo. Si l'on accepte le fait que le terroir commande tout, comment juger alors les Chambertin, issus d'un des plus grands terroirs de Bourgogne ? Ce vignoble de 12,5 ha est divisé entre vingt-trois propriétaires différents, dont seul un petit nombre se consacre à l'élaboration d'un vin vraiment extraordinaire. Tout le monde s'accorde à dire qu'il s'agit d'une terre bénie, mais seuls quelques producteurs – comme les

Domaines Leroy, Ponsot et Rousseau (auxquels on peut ajouter le Domaine des Chézeaux, la vinification y étant faite par Ponsot) – font des vins qui méritent l'immense réputation de ce grand cru. Les Chambertin de ces trois vinificateurs ont cependant des allures totalement différentes : celui de Ponsot est le plus élégant, le plus souple et le plus rond, celui de Leroy le plus tannique, le moins évolué, le plus concentré et le plus charnu, tandis que celui de Rousseau s'impose comme le plus profondément coloré, le plus moderne dans sa saveur et sa texture, avec des notes de boisé plus prononcées. Quant aux vins des dix-huit à vingt autres producteurs de l'appellation, que les amateurs trouveront plus facilement chez les détaillants (je ne parle même pas des cuvées de certains négociants), ils vont généralement du médiocre à l'effroyablement maigre et insipide. Quel est alors le vin qui parle en faveur du terroir de Chambertin ? Est-ce celui de Leroy, celui de Ponsot ou celui de Rousseau ?

Les mêmes arguments valent pour n'importe quelle autre appellation de Bourgogne. Prenons pour exemple Corton-Charlemagne et quatre de ses producteurs les plus renommés. La Maison Faiveley, qui possède les vignobles les plus prisés de ce célèbre coteau, produit un Corton très élégant, d'un style diamétralement opposé à celui de Louis Latour, lequel serait plutôt concentré, très boisé, extrêmement savoureux et alcoolique. Généralement peu évolué, corsé et rugueux, le Corton du Domaine Leroy ressemble davantage à un vin rouge tannique qu'à un blanc, tandis que celui du Domaine Coche-Dury déploie un caractère de minéral extraordinaire, révèle une opulence, une onctuosité et une richesse remarquables, et manifeste un fruité et une texture qui relèguent à l'arrière-plan ses notes de boisé. Lequel de ces Corton-Charlemagne répond-il à la notion de « quelque part » que brandissent les terroiristes ?

Les terroiristes devraient-ils être considérés comme des intellectuels prétentieux ou ignorants, et qui auraient intérêt à se consacrer davantage aux dégustations et moins aux discours ? Sûrement pas. Mais on pourrait les accuser d'adhérer naïvement au plus gros mensonge de la Bourgogne. D'un autre côté, les réalistes devraient reconnaître que, quelles que soient l'intensité et la concentration d'un vin issu d'un modeste vignoble de Savigny-lès-Beaune, il n'aura jamais la complexité et la classe d'un grand cru de Vosne-Romanée produit par un viticulteur consciencieux.

Pour conclure, considérez le terroir comme vous le feriez pour du sel, du poivre ou de l'ail. Ceux-ci sont, dans nombre de mets, des ingrédients indispensables qui ajoutent merveilleusement aux arômes et aux saveurs. Mais, s'ils sont consommés seuls, ils sont en général assez difficiles à avaler. Par ailleurs, toute la publicité faite autour du terroir masque le plus important : l'identification et la découverte de viticulteurs dont les vins valent la peine d'être bus et savourés.

Les vins de Bourgogne sont-ils aussi bons aujourd'hui qu'il y a vingt ou quarante ans ?

Les vins de Bourgogne sont meilleurs aujourd'hui qu'ils ne l'étaient dans le passé. D'abord, il ne semble plus que les bourgognes rouges soient encore trafiqués. En effet, la pratique, illégale et très répandue jusqu'au début des années 70, qui consistait en l'adjonction de vins de moindre qualité, mais plus alcooliques et plus colorés, en provenance du sud de la France et de l'Afrique du Nord, paraît aujourd'hui ressortir de l'histoire ancienne.

Ensuite, plusieurs producteurs ont reconnu que c'était pure folie que de cultiver certains clones de pinot noir, comme le pinot droit, lequel favorisait des rendements prolifiques au détriment de la qualité. A l'instigation et avec l'encouragement des départements d'œnologie de prestigieuses universités, ils ont commencé à replanter leurs vignobles avec des clones de pinot noir à rendements inférieurs (comme le pinot fin-115).

Enfin, et c'est peut-être le facteur le plus important, il y a eu, au milieu des années 80, une nette tendance des producteurs à limiter le collage et la filtration de leurs vins, afin de ne pas les dépouiller de leurs arômes et saveurs.

L'avènement de la technologie moderne a permis que la mise en bouteille soit effectuée aussi rapidement que possible après la récolte. Les producteurs sont grandement aidés en la matière par l'utilisation de filtres micropores et de machines à centrifuger de fabrication germanique, avec une mise en marche simple (par pression sur un bouton). Ces procédés permettent non seulement qu'ils soient payés de leurs vins dans un délai minimal (puisque la mise en bouteille et donc la vente se font plus rapidement), mais aussi d'éviter des soutirages laborieux réclamant une importante main-d'œuvre. Il en résulte le plus souvent des vins resplendissants, merveilleux, policés et séduisants, manquant néanmoins de caractère et de saveur.

Le collage et la filtration excessifs comptent au nombre des plus grands problèmes de la Bourgogne. Beaucoup de producteurs ont cependant compris l'intérêt d'un collage au coup par coup et non plus systématique ; et ils ont souvent cessé de filtrer leurs vins pour répondre à la demande croissante de leurs principaux importateurs en quête de produits naturels, non traités et non manipulés. Même le professeur Feuillat, qui dirige le département d'œnologie de l'université de Dijon, recommande que les premiers et les grands crus ne soient pas filtrés, notamment si le vin est biologiquement stable et limpide.

Nombreux sont les courtiers et importateurs qui ont encouragé les producteurs bourguignons à coller et filtrer leurs vins à l'excès. Plutôt que de prendre la responsabilité de les faire voyager dans des conteneurs à température contrôlée et de veiller à ce qu'ils soient distribués dans de bonnes conditions. Je dois ici rendre hommage au nombre croissant d'importateurs américains qui non seulement demandent instamment à leurs fournisseurs bourguignons des vins le moins manipulés possible, mais encore les font expédier outre-Atlantique dans des conteneurs adéquats.

Tous ces facteurs – conjugués à des rendements plus restreints, à l'utilisation de fûts de chêne de meilleure qualité, ainsi qu'à une meilleure hygiène dans les caves – ont contribué à l'élaboration de bourgognes plus complets, plus complexes et plus savoureux.

On trouve enfin une nouvelle génération de vinificateurs très motivés et totalement engagés en faveur de la qualité. Parmi eux, André Porcheret, Lalou Bize-Leroy, Dominique Lafon, Jean-François Coche-Dury, Laurent Ponsot, Jacques Lardière et Jean-Pierre de Smet. Par ailleurs, de plus en plus de producteurs marquent maintenant leurs bouchons à la fois du millésime et du nom de leur vignoble, et utilisent, pour loger leurs vins, des bouteilles plus lourdes et de meilleure qualité, ainsi que des caisses en bois. Depuis environ dix ans, on observe une prise de conscience du danger que représente l'utilisation excessive de fertilisants et autres engrais chimiques, et certains domaines, comme le Domaine Leroy et le Domaine Leflaive, se sont résolument tournés vers la culture biodynamique.

Malgré toutes ces tendances positives, je ne voudrais pas suggérer que tout va pour le mieux. Il reste beaucoup de mauvais producteurs, dont certains, fort connus, qui produisent des vins insignifiants, manquant de corpulence et de saveur. Il en est d'autres qui présentent encore aux acheteurs et aux journalistes des échantillons absolument pas représentatifs du vin qui sera ensuite mis en bouteille ; cela constitue pour le moins une duperie – dans le pire des cas, une fraude.

Il y a eu aussi en Bourgogne trop de millésimes dont on a fait l'éloge – je me mets dans le lot – et qui ne se sont finalement pas montrés dignes de leur réputation et ont évolué avec une rapidité terrifiante.

Y a-t-il des différences significatives entre les vins de la Côte de Beaune et de la Côte de Nuits ?

C'est la Côte-d'Or qui produit les vins les plus profonds de toute la Bourgogne. Elle est composée de deux coteaux :
– la Côte de Nuits, qui commence au sud de Dijon et longe Nuits-Saint-Georges, donne essentiellement des vins rouges ;
– la Côte de Beaune, qui s'étend du nord de Beaune jusqu'à Santenay (au sud de Beaune), produit des blancs et des rouges extraordinaires.

Les vins rouges de la Côte de Nuits se distinguent généralement par des arômes de fruits noirs (cassis, cerise noire et prune), ainsi que par un caractère de terre et exotique. Les vins de la Côte de Beaune ont, quant à eux, tendance à se révéler moins corpulents et moins tanniques (les Pommard sont une exception remarquable) que les premiers, et débordent littéralement d'arômes de fruits rouges (fraise, cerise et groseille). Moins exotiques et moins marqués de notes de terre, ils sont, à quelques raretés près, encore moins aptes à une longue garde. Ainsi, on pourrait dire qu'un Pommard énorme, riche, généreux et viril, de la Côte de Beaune est un vin plus ample et plus complet que n'importe quel Chambolle-Musigny de la Côte de Nuits.

Si la Côte de Nuits ne produit qu'une toute petite quantité de vins blancs (dont certains sont d'ailleurs extraordinaires), la Côte de Beaune donne, en revanche, les meilleurs vins blancs issus du chardonnay du monde. Qu'il s'agisse des extraordinaires Corton-Charlemagne, d'une grande longévité et d'une belle précision dans le dessin, des Meursault accessibles, savoureux et riches au goût de noisette, des élégants Puligny-Montrachet, marqués de notes métalliques, ou encore des Chassagne-Montrachet opulents et corpulents, la Côte de Beaune est connue à la fois pour l'élégance et la finesse de ses vins rouges, et pour ses vins blancs exceptionnels.

Les bourgognes doivent-ils être manipulés ou servis différemment des bordeaux ?

Quiconque a mangé dans un restaurant ou chez un producteur en Bourgogne a certainement été surpris par le fait que l'on y décante rarement une bouteille de bourgogne rouge, même quand il s'agit d'un vieux millésime contenant beaucoup de dépôt. Contrairement à Bordeaux, où les vins jeunes sont aussi systématiquement décantés, la coutume bourguignonne consiste simplement à enlever le bouchon et à servir le vin directement de la bouteille.

Cela m'a intrigué pendant un bon nombre d'années, et je me suis souvent demandé pourquoi il y avait une différence si marquée dans la manière de servir le vin. Est-ce parce qu'un bordeaux, contrairement à un bourgogne, s'améliore vraiment après décantation ? Ou y a-t-il d'autres raisons, inhérentes à des considérations historiques ?

Certains Bourguignons ont suggéré que la Bourgogne, pays de fermiers et de petits viticulteurs, n'a jamais connu le service de classe et le formalisme que l'on retrouve dans le Bordelais, région fortement influencée pendant des siècles par les Britanniques, lesquels attachent, comme chacun le sait, beaucoup d'importance au cérémonial. On le remarque, encore de nos jours, dans le style de vie de ces deux régions. Tout professionnel du vin se déplace à Bordeaux en costume et cravate. En revanche, je crois n'avoir jamais vu un viticulteur bourguignon ainsi vêtu. Les tenues décontractées sont d'ailleurs généralement adoptées lors des visites aux producteurs de Bourgogne. Cette désinvolture atteint-elle aussi la table, où le décanteur témoignerait d'un service moins cérémonieux ? Il est certain que les grandes souffleries des XVIIIe et XIXe siècles ont favorisé l'usage de la carafe pour servir les bordeaux rouges, dont le dépôt semble plus épais que celui des bourgognes. Est-ce la raison pour laquelle on décante généralement les bordeaux et pas les bourgognes ? Peut-être. Mais nombreux sont les Bourguignons qui m'ont confié considérer les carafes comme une extravagance qu'il fallait, de ce fait, éviter.

J'ai appris d'expérience que le caractère d'un grand bourgogne réside essentiellement dans son immense complexité aromatique. Le bouquet de la bouteille, surtout s'il est très nuancé, peut se révéler extrêmement éphémère et se dissiper par suite d'une aération trop prolongée. En revanche, un bordeaux léger, jeune et austère, peut paraître plus ouvert après cinq à dix minutes d'aération. J'ai constaté que le fait de décanter un bourgogne lui faisait souvent perdre tout son bouquet et le rendait mou et informe. Toutefois, il existe quelques exceptions. En effet, plusieurs négociants, en possession d'anciens stocks, prétendent que certains vieux vins ont besoin d'une ou deux heures d'aération et de décantation avant d'être consommés. Je ne partage néanmoins pas cette idée. La plupart des vieux bourgognes que j'ai dégustés étaient au meilleur de leur forme quand ils étaient servis et bus au moment où ils étaient débouchés, et cela indépendamment de la quantité de dépôt qu'il y avait dans la bouteille. J'en parle librement, ne décantant personnellement jamais le bourgogne rouge ; cependant, il m'est arrivé de décanter certains grands bourgognes blancs, simplement parce que je leur trouve un aspect fort séduisant dans une carafe. Certains vins, tels les Meursault de Comtes Lafon, les Chassagne-

Montrachet, ou les Montrachet des Domaines Ramonet ou de la Romanée-Conti se bonifient souvent considérablement après dix minutes d'aération.

Autre différence majeure entre le bourgogne et le bordeaux : le verre dans lequel le vin est servi. On privilégie à Bordeaux le verre en forme de tulipe ou le verre INAO, tandis qu'en Bourgogne, on préfère un gros verre en forme de ballon ou de verre à cognac, à pied court. C'est celui que l'on utilise non seulement dans les caves des viticulteurs et dans les bureaux des négociants, mais aussi dans les restaurants de la région. En effet, on pense que ces verres, plus larges, accentuent le parfum intense et capiteux du bourgogne.

Il est extrêmement important que le bourgogne soit servi plus frais que le bordeaux, de préférence à une température de 14-17 °C, mais jamais plus, à l'exception d'un grand Montrachet ou d'un grand Meursault, lesquels peuvent être consommés à température ambiante (à condition que celle-ci ne soit pas supérieure à 20 °C). Mais, en règle générale, le bourgogne, en raison de sa teneur élevée en alcool et de ses arômes, est meilleur lorsqu'il est servi légèrement frais – la finesse de ses parfums, la pureté, la subtilité et la précision de toutes les nuances complexes de son bouquet s'expriment alors pleinement. Vous pourrez, pour vérifier mes dires, servir le même vin à 19-21 °C, et vous constaterez combien il semblera épais, confus et alcoolique. Le beaujolais doit être servi encore plus frais (11-14 °C).

Pour conclure, deux choses sont à retenir lorsqu'on sert du bourgogne. D'abord, ce vin peut être sérieusement endommagé par une aération exagérée. Ensuite, le bourgogne doit se boire légèrement plus frais qu'un bordeaux pour être à son meilleur niveau (ce dernier pouvant être servi aux alentours de 16-18 °C).

Quel vieillissement pour les bourgognes rouges ou blancs ?

Prévoir le moment où la plupart des bourgognes atteindront la pointe de leur maturité peut se révéler un jeu dangereux quand on sait que les producteurs et les négociants utilisent des techniques de vinification fort différentes les unes des autres. Cependant, on peut généraliser en disant que les vins de Chablis doivent en majorité être consommés avant d'avoir atteint 5 ou 6 ans d'âge. (Seuls quelques rares producteurs, dont Raveneau, en élaborent qui peuvent encore se bonifier au terme d'un vieillissement de 6 ans en bouteille.)

Même si l'on peut trouver un bon beaujolais de 10 ans d'âge ou un Pouilly-Fuissé qui ait bien tenu 10 à 20 ans, les vins de ces régions doivent, pour 95 % d'entre eux, être bus dans les 3 ans qui suivent le millésime. Au-delà de cette période, le consommateur sera sûrement déçu.

Quant aux grands bourgognes rouges et blancs de la Côte-d'Or, je pense que les amateurs risquent quelques déboires s'ils ne les dégustent pas dans les 10 ans qui suivent le millésime. Même les bourgognes rouges ou blancs les plus rugueux, les plus concentrés et les plus denses semblent perdre de leur caractère tannique avec une effroyable rapidité. Ils atteignent la pointe de leur maturité aux alentours de 5 ou 6 ans d'âge. Ils commencent ensuite à perdre de leur fraîcheur, et déclinent irrémédiablement après 10 à 12 ans. Les amateurs qui ont acheté des bourgognes de 1982 auraient dû les consommer avant 1992, et ceux qui ont conservé leur 1983 dans l'espoir que le temps bonifierait ces vins corsés, tanniques, controversés et marqués par la pourriture seront déçus. Si quelques rares 1985 étaient sensationnels, à pleine maturité et excellents en 1995, les autres n'avaient gagné ni en corpulence ni en sensualité au terme de ce vieillissement. De manière plus alarmante, certains 1985 ont perdu, ces dernières années, de leur fruité et de leur saveur. Toutefois, on peut relever des exceptions dans certaines années, comme 1993, 1990, 1988, 1978, 1976 et 1972, où les meilleurs vins requièrent parfois plus de 10 ans pour atteindre le meilleur de leur forme.

La durée de vie des bourgognes rouges et blancs est l'une des plus courtes de tous les grands vins du monde. Une des principales qualités du bordeaux – cela explique peut-être qu'il se vende si cher et qu'il soit si prisé de par le monde – est précisément sa longévité exceptionnelle. Ce vin est généralement capable de se maintenir à maturité pendant 10, 15, voire 20 ans, avant d'entamer un lent déclin. En revanche, j'ai vu des bourgognes parfaitement mûrs à 5 ans d'âge qui se fanent, sans autre forme de cérémonie, en 6 ou 7 mois. Cela est malheureux, mais c'est une réalité qui régit l'achat et la garde des bourgognes rouges et blancs. Vu sous un autre angle, on dira qu'une note de dégustation qui se rapporte à un bordeaux de premier ordre est généralement fiable sur une période de 10 à 15 ans. Mais elle ne vaudra pour un bourgogne de qualité supérieure que sur une période de 6 mois, ou moins encore. Les lecteurs devraient en conséquence accorder moins d'importance aux notes de dégustation attribuées aux bourgognes et se préoccuper avant tout du classement du producteur, de la qualité de ses vins et de ses vignobles, ainsi que des affaires les plus intéressantes qu'il propose.

Comment se présente un bon bourgogne rouge à parfaite maturité ?

Il est en général plus facile de s'entendre sur les facteurs clés qui contribuent à faire un grand bourgogne. Ce sont par ordre d'importance :
– le sol et l'exposition du vignoble ;
– des rendements restreints ;
– des raisins vendangés à maturité physiologique ;
– une vinification de qualité, menée en respectant des conditions d'hygiène très strictes, ainsi qu'un élevage le moins interventionniste possible (sauf, bien entendu, lorsqu'il s'agit de soutirage).

Il est cependant difficile de décrire un bourgogne rouge à son meilleur niveau, car il arrive à maturité très vite, passe par de nombreux stades d'évolution et peut se faner avec une rapidité déconcertante. De plus, on trouve rarement des bourgognes rouges vraiment profonds – le pinot noir ne révélant aucun caractère distinctif aisément identifiable, à l'instar du cabernet sauvignon ou du chardonnay.

Les bourgognes rouges les plus grandioses qu'il m'ait été donné de déguster (à maturité) – qu'il s'agisse des La Tâche 1959, 1962, 1978, 1980 et 1990, des Richebourg 1966 et 1978 (du Domaine de la Romanée-Conti) ; du Pommard Rugiens 1949 (du Domaine Pothier-Rieusset) ; des Clos des Lambrays 1945 et 1947, des Chambertin 1949 et 1955 (du Domaine Leroy) ; du Chambertin 1969 (du Domaine Armand Rousseau) ; des Clos de la Roche 1947 et 1980

(du Domaine Ponsot) ; du Volnay 1964 (du Domaine de la Pousse d'Or) ; des
Bonnes Mares 1969 et 1988 (du Domaine Georges Roumier) ; ou encore des
Musigny Vieilles Vignes 1947, 1969 et 1972 (du Domaine Comte Georges de
Vogüé) – partageaient tous les caractéristiques suivantes :
  – un bouquet pénétrant et irrésistible, dégageant des arômes luxuriants de
viande faisandée presque en décomposition, mêlés de senteurs intenses et enivrantes d'épices orientales et d'herbes séchées ;
  – un déploiement par paliers d'effluves de fruits noirs et rouges, explosant
littéralement contre le palais pour se répandre en une cascade de sensations
toujours plus amples. Assez alcooliques, ils tenaient leur belle précision dans
le dessin d'une bonne acidité plutôt que d'un caractère tannique. Ils offraient
des finales très persistantes, longues de plusieurs minute, extraordinairement
savoureuses et soyeuses. En dégustant de tels vins, on croyait presque manger
des bonbons, tant ils étaient doux.
  Est-ce bien ainsi que se présentent les grands bourgognes rouges ? Je n'en
suis pas certain, mais tous ces crus, issus de vignobles, de millésime et de
propriétés différentes étaient dotés des mêmes qualités intrinsèques.

Le profil aromatique des grands bourgognes blancs

  Tous ceux qui boivent du vin ont certainement une idée précise de ce
qu'offrent, en termes d'arômes et de saveurs, les vins de chardonnay les plus
fins, notamment ceux du Nouveau Monde. Mais combien d'amateurs ont-ils
dégusté des bourgognes blancs vraiment profonds ? En effet, leurs prix exorbitants ne les rendent accessibles qu'à un tout petit nombre de consommateurs
(ils touchent seulement 1 % des acheteurs de vins).
  Il serait cependant injuste de comparer, en les mettant sur un pied d'égalité,
les grands bourgognes blancs et les Chardonnay du Nouveau Monde, qui
doivent généralement être consommés dans les 2 ou 3 ans suivant le millésime.
Aussi agréables soient ces vins, leurs composantes jouent souvent les unes
contre les autres au lieu de se fondre en une parfaite harmonie. En les dégustant, on a souvent l'impression qu'ils sont faits de blocs séparés, mais d'importance égale, d'acidité, de structure, de fruité et de boisé. Serait-ce parce qu'ils
sont acidifiés ? Les grands bourgognes blancs, en revanche, présentent des
ensembles joliment fondus où aucun élément en particulier ne prédomine, et
les meilleurs d'entre eux libèrent d'extraordinaires arômes de pomme, de miel,
de vanille, de pierre mouillée, parfois d'orange, de mandarine ou de citron,
avec tantôt une note fumée, crémeuse ou de noisette, voire de pêche, tantôt,
dans le cas des plus opulents et des plus mûrs, des senteurs de fruits tropicaux,
de banane, de mangue ou d'ananas. Outre ces arômes merveilleusement
complexes qui déferlent dans le verre et contre le palais, ils sont également
irrésistibles par leur équilibre et leur grande précision dans le dessin. Les
bourgognes blancs ont encore cet avantage, pour un petit nombre d'entre eux,
de pouvoir, dans certains millésimes, bien vieillir sur une période de 10 à
20 ans en développant davantage de nuances. Mais, dans l'ensemble, rares
sont ceux qui s'améliorent vraiment au-delà d'un période de 7 ou 8 ans.
  Les plus grands bourgognes blancs semblent, à divers degrés et suivant les
millésimes, partager ces mêmes caractéristiques. Ils sont généralement issus

des Domaines Niellon, Colin-Deleger, Amiot-Bonfils et Ramonet en Chassagne-Montrachet, des Domaines Étienne Sauzet et Leflaive en Puligny-Montrachet, de chez Jean-Marie Raveneau en Chablis, du Château Fuissé et du Domaine J.A. Ferret en Pouilly-Fuissé, du légendaire Domaine de la Romanée-Conti en Montrachet, de chez Louis Latour et de chez Louis Jadot en Corton-Charlemagne, de chez Patrick Javillier, Jean-François Coche-Dury et du Domaine des Comtes Lafon en Meursault (non filtrés).

Les vins de Bourgogne constituent-ils un investissement fiable ?

S'il est courant de nos jours d'investir dans les vins, compte tenu des prix astronomiques qu'atteignent les meilleurs crus de Bordeaux, les bourgognes ne constituent cependant pas un placement aussi lucratif. Investir dans les vins dans un but uniquement spéculatif est une pratique qui m'indigne, mais elle s'est généralisée, notamment avec les premiers et les meilleurs deuxièmes crus du Bordelais, ainsi qu'avec un petit nombre de propriétés viticoles de Pomerol et de Saint-Émilion.

Toutefois, il existe une grande différence entre la manière d'acheter les bordeaux et celle d'acheter les bourgognes. Pour ce qui est des premiers, je dois une brève explication aux néophytes : au printemps suivant les vendanges, les bordeaux, encore en fût, sont généralement proposés à la vente en primeur. Si le millésime est réputé extraordinaire ou de grande qualité, les prix évoluent généralement à la hausse. Ainsi, les 1982 valent maintenant quatre à six fois leur cotation de départ, et le prix des dix ou douze meilleurs crus de 1990 a augmenté de 100 à 300 % en l'espace de cinq ans, ce millésime offrant un potentiel plus élevé que 1982 et 1961 à la fois. Les bourgognes, en revanche, ne sont jamais proposés en primeur. Il arrive même que les millésimes courants soient plus chers que les vieux, comme en témoignent les ventes aux enchères de Christie's, de Sotheby's, de la Compagnie viticole de Chicago, ou encore celles qui ont lieu à New York ou en Californie. Ainsi, les grands bourgognes des années 40, 50 et 60 se vendent souvent à des prix inférieurs à ceux des 1990 et des 1993, deux millésimes récents fort prisés. Cela s'explique de diverses manières :

— d'abord, les consommateurs n'ont, en règle générale, aucune confiance dans les bourgognes ;

— ensuite, les acheteurs avisés ont conscience de la fragilité et du potentiel de garde problématique de ces vins ;

— enfin, les commerçants et détaillants réclament et obtiennent des prix élevés pour les bourgognes lors de leur diffusion, notamment pour certains crus extrêmement fins produits en toutes petites quantités.

En outre, il est rare que les bourgognes gagnent en valeur après leur mise sur le marché. Dans la plupart des cas, ils se déprécient même. Bien sûr, il existe des exceptions comme les Montrachet, les Tâche et les Romanée-Conti du Domaine de la Romanée-Conti, dont la production est très limitée. En conclusion, on peut dire que les vins de Bourgogne constituent un mauvais investissement.

Pourquoi les meilleurs bourgognes sont-ils si chers ?

Les prix des vins de Bourgogne peuvent s'expliquer par le jeu de l'offre et de la demande. Depuis toujours, cette région connaît la situation unique et enviable d'avoir plus d'admirateurs et d'acheteurs potentiels que de vins disponibles à la vente. Cela se vérifie particulièrement pour les grands crus et les premiers crus, lesquels sont seuls dignes d'intérêt, les vins génériques et de village étant généralement de qualité peu satisfaisante. En outre, les grands bourgognes sont au nombre des crus les plus fins de France ; ils ne comptent pas de rivaux non seulement à l'intérieur des frontières, mais également au niveau mondial. Le problème du prix des grands crus et des premiers crus est encore accentué du fait de leur production extrêmement réduite. Les exemples ci-après en témoignent de manière éloquente. Ainsi, le Domaine de la Romanée-Conti, qui produit les bourgognes les plus chers, dispose dans une année faste de 300 à 500 caisses de Romanée-Conti, et de 900 à 1 800 caisses de Tâche, vignoble dont il a le monopole. Un des viticulteurs les plus réputés de la région, Henri Jayer, propose dans une année abondante 50 caisses de Richebourg et 125 caisses d'Échézeaux. Lalou Bize-Leroy, qui produit régulièrement depuis 1988 les bourgognes rouges les plus sublimes et de plus longue garde, n'offre au monde entier que 25 caisses chacun de Musigny et de Chambertin. Le célèbre Domaine Roumier, dont le Bonnes Mares Vieilles Vignes figure au tableau des vins héroïques, n'a donné en 1988 – une année d'abondante récolte – que 100 caisses de ce cru. Enfin, tous les amateurs de bourgognes qui tiennent le Clos de la Roche d'Hubert Lignier pour un des dix à douze meilleurs vins de la région se partagent chaque année environ 300 caisses seulement.

Ce ne sont pas des exemples isolés. L'excellent Beaune Clos des Ursules de la maison Louis Jadot est disponible à hauteur de 1 100 caisses dans une année faste (ce qui est énorme d'après les standards bourguignons), mais cela ne représente que le quart de la production d'un Pomerol comme Petrus. Or, Jadot vend sa production dans presque tous les pays, et l'on peut se demander combien de ces vins merveilleux finiront sur les étagères des meilleurs détaillants d'Omaha, au Nebraska, ou d'Édimbourg, en Écosse. Peut-être une caisse ou deux ? Dans le Bordelais, on considère qu'une production de 1 000 caisses est minuscule. Pour exemple, on peut citer l'un des bordeaux les plus prisés de par le monde, le Lynch-Bages à Pauillac, un vin musclé et très aromatique, qui est produit à raison de 35 000 à 45 000 caisses par an.

Cette situation frustrante pour les acheteurs se répète dans le cas des bourgognes blancs. On trouve rarement plus de 50 caisses du sublime Corton-Charlemagne de Jean-François Coche-Dury. Quant à celui de Louis Jadot, également extraordinaire, il peut, dans une année abondante, être disponible à hauteur de 1 200 caisses, mais il faut tenir compte que celles-ci sont distribuées non seulement aux clients de Jadot en France, mais aussi à travers le monde. Le cas du Montrachet du Domaine Ramonet est encore plus critique : une production de 50 caisses annuellement est considérée comme énorme...

La plupart des meilleurs bourgognes, qu'ils soient premiers crus ou grands crus, rouges ou blancs, pourraient parfaitement être proposés en exclusivité sur les plus grandes tables européennes, si tel était le souhait de leurs producteurs. Mais ceux-ci n'en ont aucunement l'intention ; en effet, ils préfèrent assurer une distribution équitable de leurs crus à travers le monde, en réservant une allocation à chacun de leurs importateurs.

C'est donc en raison des toutes petites quantités disponibles que les prix sont généralement si élevés, et, comme les connaisseurs de tous les pays exigent davantage de grands vins, la pression sur les fournisseurs entraîne également des prix sans cesse croissants pour les nouveaux millésimes.

Les bourgognes mis en bouteille à la propriété sont-ils meilleurs que ceux des négociants ?

Certains négociants n'ont pas de vignobles : ils achètent en vrac les vins de producteurs choisis pour les vendre ensuite sous leur propre étiquette. D'autres qui en possèdent, comme la Maison Faiveley et la Maison Bouchard Père et Fils, comptent parmi les plus grands producteurs de vins de Bourgogne : ils ont longtemps assuré le contrôle du marché, la mise en bouteille à la propriété étant une pratique plutôt récente. Le fait que nombre de vins insipides et plats aient longtemps porté l'étiquette des maisons de négoce les plus importantes et les plus réputées explique la mauvaise image de marque dont celles-ci pâtissent aujourd'hui auprès des consommateurs. Les négociants sont encore discrédités par certains viticulteurs soutenant que des vins authentiques et personnalisés ne peuvent provenir que de propriétés indépendantes. Les meilleurs d'entre eux ont cependant répondu intelligemment et de manière positive à ces insinuations. En effet, depuis les années 80, la maison Louis Jadot s'impose comme une référence pour ses vins de très grande qualité, tout comme la maison Louis Latour jouit d'une belle réputation pour ses vins blancs de bonne tenue. D'autres établissements, comme Bouchard Père et Fils, ont aussi considérablement amélioré leur niveau de qualité.

La pratique de la mise en bouteille à la propriété a été, dans un premier temps, initiée par feu Raymond Baudoin, fondateur de la *Revue du vin de France*. Elle fut ensuite encouragée par l'importateur américain Frank Schoonmaker, aujourd'hui décédé, mais elle n'est pas encore suffisamment répandue de nos jours. Les négociants, courant le risque de perdre l'essentiel de leur fonds de commerce avec des vignerons qui travailleraient désormais de manière indépendante, ont alors décidé non seulement de conclure des contrats d'exclusivité avec ces derniers, mais aussi de prendre les mesures qui s'imposaient pour améliorer la qualité de leurs vins.

Toutefois, on trouve des négociants dont les standards de qualité laissent encore à désirer : on citera, parmi les plus connus, les maisons Patriarche Père et Fils et Albert Bichot (sauf pour ses Domaines du Clos Frantin et Long-Depaquit), ainsi que les Caves de la Reine Pédauque, dont les vins font régulièrement l'objet de publicités. Il est en fait peu probable que vous trouviez dans ces maisons des vins de mauvaise qualité ; ils seront plutôt de style commercial, sans âme et sans caractère. Je pense néanmoins qu'il existe un vaste marché pour ce type de produits, car ces établissements comptent au nombre des plus florissants et des plus riches de France.

On dit souvent des vins de négoce qu'ils se ressemblent tous. Un tel argument me paraît totalement infondé. En effet, les plus grands négociants, tout en respectant le terroir de chacun de leurs vignobles, adoptent évidemment les mêmes méthodes de vinification pour leur entière production. Cependant, ils essaient de conserver l'identité de chacune de leurs parcelles, ainsi que celle de l'appellation dont elles font partie. Les vins de la maison Louis Jadot et de la maison Bourée Père et Fils portent peut-être tous la même griffe, mais il en va de même pour les vins des Domaines Georges Roumier, Joseph Roty, Ponsot, Jean Gros ou de la Romanée-Conti, pour ne citer que ceux-là. Ces producteurs, qui procèdent à la mise en bouteille de leurs crus à la propriété avec un soin des plus méticuleux, leur appliquent généralement, à tous, la même philosophie de vinification. Les vins du Domaine Armand Rousseau Père et Fils, à Gevrey-Chambertin, présenteront incontestablement des ressemblances parce qu'ils sont vinifiés et élevés selon les mêmes normes. Il n'empêche que le Chambertin de cette propriété se révélera différent à la dégustation de son Clos Saint-Jacques de Gevrey-Chambertin ou de son Clos de la Roche de Morey-Saint-Denis. La griffe du vinificateur attire autant l'attention dans la cave du vigneron que dans celle du négociant.

Comment fait-on un grand bourgogne rouge ?

En Bourgogne, les méthodes de vinification et d'élevage des vins varient considérablement d'une propriété à l'autre. (En revanche, la plupart des grands châteaux du Bordelais utilisent essentiellement les mêmes.)

Il existe en effet plusieurs manières de faire un grand bourgogne rouge.

Une technique extrêmement répandue dans les meilleurs domaines bourguignons est l'égrappage complet ou partiel de la vendange (l'égrappage est un procédé qui consiste à séparer le fruit de sa tige). Nombre de viticulteurs – estimant que les rafles atténuent la couleur du vin et lui confèrent des notes végétales, ainsi que des tannins astringents – procèdent à un égrappage total de leur récolte. D'autres sont d'avis qu'une certaine proportion de rafle donne davantage de structure et de caractère au vin, d'où un égrappage partiel.

Les meilleurs vignerons utilisent généralement des fûts de chêne neuf pour l'élevage de leurs premiers et de leurs grands crus, dans une proportion qui peut varier de 50 à 100 %. Si beaucoup de bourgognes ont un caractère boisé très prononcé, le fût de chêne neuf, idéal pour le vieillissement des vins de pinot noir, en constitue le réceptacle le plus approprié. Cependant, les rendements élevés font mauvais ménage avec une utilisation trop importante de bois neuf : ce mariage donne souvent des vins maigres et excessivement boisés. Mais, comme le dit si bien Jean-Marie Guffens-Heynen, producteur belge du Mâconnais fort controversé : « Aucun vin n'est boisé, il est simplement sousaviné. »

Les avis sont donc partagés en ce qui concerne la proportion de bois neuf qui doit être utilisée pour l'élevage des vins. Henri Jayer est un adepte du 100 % de chêne neuf, les maisons Louis Jadot et Bourée Père et Fils optent pour un pourcentage inférieur, tandis que le Domaine Ponsot en a une sainte horreur.

Nombreux aujourd'hui sont les producteurs qui ont adopté les méthodes de vinification du très influent Henri Jayer : cela consiste notamment en une macération préfermentaire à froid du pinot noir pendant cinq à sept jours.

Les adeptes de ce système soutiennent que ce bain froid apporte davantage de couleur, de richesse, d'arômes et d'ampleur au vin.

Cependant, les avis des plus grands divergent sur certains principes. Ainsi, on estime au Domaine Henri Jayer, comme aux Domaines de la Romanée-Conti et Ponsot, que le vin se fait à 90 % dans le vignoble, la vinification ne pouvant que détruire la qualité du vin ou l'améliorer dans une proportion très restreinte de 10 % environ. La recherche de la qualité, pour ces vignerons, passe par une taille courte des vignes, ainsi que par des vendanges en vert pour réduire les rendements. Selon eux, une récolte trop abondante nuit à la qualité du vin, malgré le talent du viticulteur et les miracles qui peuvent survenir dans les chais.

En revanche, certains, comme Jacques Seysses, soutiennent que des rendements élevés ne sont pas rédhibitoires, la concentration pouvant être acquise par des saignées au moment des vinifications. Henri Jayer rétorque qu'il s'agit là seulement d'une vaste mascarade dont les effets néfastes se retrouveront dans le vin au terme d'un vieillissement de 5 ou 6 ans en bouteille. Pour ma part, je me rallie à cette opinion.

Une autre école de vinification se prononce pour une macération à froid extrêmement longue, qui dure bien au-delà des cinq à sept jours respectés par les « jayeristes ». Cette méthode est essentiellement pratiquée par des vignerons conseillés par Guy Accad, l'œnologue très controversé de Nuits-Saint-Georges. Nombreux sont ceux qui condamnent ce procédé, l'accusant de donner des vins qui ressemblent davantage à des Côte-Rôtie qu'à des Pinot noir de Bourgogne. Il est encore trop tôt pour juger si ces techniques extrêmes et sophistiquées résisteront à l'épreuve du temps. En effet, elles permettent l'obtention de vins incontestablement impressionnants dans leur jeunesse par leur couleur, leur richesse et leurs parfums abondants. Mais traduisent-elles le terroir aussi bien que certaines des méthodes moins intenses ? Personne ne le sait exactement, mais chacun suit son idée et campe sur ses positions. Guy Accad, qui ne croit pas à l'égrappage, laisse généralement macérer la vendange à très basse température pendant dix jours ou plus, avant le début de toute fermentation. Il faut dire à sa décharge qu'il n'est pas partisan d'une mise en bouteille précoce – il conseille d'ailleurs à ses clients de n'y procéder que lorsque les vins sont fin prêts ; il les met également en garde contre les méfaits du collage et de la filtration. Certains de ses anciens clients, comme Jacky Confuron et Étienne Givot à Vosne-Romanée, Georges Chicotot à Nuits-Saint-Georges, Philippe Sénard à Aloxe-Corton ou le Château de la Tour à Vougeot, pour ne citer que les plus importants, produisent tous des vins intensément colorés, riches, aromatiques, concentrés et impressionnants par leur caractère jeune, mais je ne peux malheureusement pas me prononcer quant à la manière dont ils vieilliront. Il est peu probable que Guy Accad soit le nouveau sorcier de la Bourgogne, mais la plupart des critiques dont il est la cible semblent friser la paranoïa et me paraissent davantage dictées par la jalousie et la mesquinerie que par des considérations scientifiques – du moins pour le moment.

L'autre école de pensée en matière de vinification des grands bourgognes bannit toute macération à froid avant la fermentation. Ses adeptes prônent une méthode plus traditionnelle : le pressurage des raisins et leur fermentation à des températures relativement élevées, afin d'obtenir des vins bien colorés et corpulents. Les meilleurs résultats de cette école se retrouvent dans les vins des maisons Louis Jadot et Bourée Père et Fils. Ces vins conservent, après de longues macérations et des fermentations à températures élevées, la pureté de leurs arômes et présentent un grand potentiel de garde. Les Domaines Philippe Leclerc, Ponsot et Georges Mugneret adhèrent également à cette méthode de vinification.

La grande question est évidemment de savoir ce que fait, en la matière, le Domaine Leroy, lequel donne incontestablement les bourgognes rouges les plus somptueux – et les plus chers – qui soient. Ceux-ci sont généralement issus de rendements inférieurs de moitié, voire des deux tiers, à ceux des autres propriétés de la région ; cela explique d'ailleurs leur étonnante concentration. Les rendements moyens du Domaine Leroy sont généralement de l'ordre de 20 à 25 hl/ha, contre 55 à 60 hl/ha ailleurs. La vendange n'est pas égrappée et subit une macération à froid pendant une période de cinq ou six jours, avant que ne débutent les fermentations. Celles-ci sont généralement longues, et les macérations sont stimulées à l'aide de levures indigènes. Les vins sont élevés pendant environ quinze ou seize mois en fûts de chêne neuf (en provenance de l'Allier) et sont mis en bouteille sans collage ni filtration préalables.

En conclusion, on peut dire qu'il existe diverses manières de produire des vins grandioses, et tous les producteurs précédemment cités en élaborent qui comptent parmi les plus fins de toute la Bourgogne. On trouve encore des viticulteurs dont les vins sont neutres, insipides et médiocres, et ils ont généralement en commun les caractéristiques suivantes :

– leur récolte est très abondante ;
– la mise en bouteille est faite trop tôt ou trop tardivement ;
– les vins sont souvent collés et filtrés à l'excès ;
– ces viticulteurs ne prennent jamais de risques, ne s'attachant qu'à produire des vins totalement stables et stériles, pâles imitations de ce que devrait être un bon bourgogne rouge.

Je suis donc plus que jamais convaincu que les rendements excessifs, ainsi que le collage et la filtration, sont les principaux responsables de la mauvaise tenue des vins issus de pinot noir.

Comment fait-on un grand bourgogne blanc ?

Il paraît relativement facile de produire du bourgogne blanc. Si les techniques de vinification diffèrent largement d'une propriété à l'autre quand il s'agit de bourgognes rouges, elles sont en revanche presque identiques pour les blancs.

La plupart des vins blancs génériques de Bourgogne, de la Côte Chalonnaise et du Mâconnais sont vinifiés dans des cuves en acier inoxydable, mais les grands bourgognes de la Côte-d'Or fermentent principalement en fûts neufs, restent sur lies pendant dix ou onze mois et sont soutirés le moins souvent possible. Les producteurs tenant les plus petits rendements obtiennent les bourgognes blancs les plus profonds et les plus concentrés. Je pense notamment à des propriétés comme les Domaines des Comtes Lafon, Leflaive, Ramonet, Michel Niellon, et aussi à Jean-François Coche-Dury. Certes, il y en a d'autres, mais ces vignerons en particulier respectent tous des rendements restreints, conservent leurs vins relativement longtemps sur lies et se gardent bien d'intervenir dans le cours naturel de la vinification – sauf, bien sûr, en cas d'urgence. Le Domaine des Comtes Lafon et Jean-François Coche-Dury pratiquent, ce qui est extrêmement rare, une mise en bouteille sans collage ni filtration préalable – cette opération est en effet assez risquée, dans la mesure où la moindre bactérie ou levure qui demeurerait dans le vin pourrait être réactivée, si celui-ci était soumis à des températures relativement élevées, déclenchant alors une deuxième fermentation. Les caves du Domaine des Comtes Lafon sont en principe très fraîches, et les vins sont conservés très longtemps en fût. Ils sont donc stables lorsqu'ils sont mis en bouteille. Jean-François Coche-Dury utilise des techniques similaires, mais il met ses vins en bouteille plus tôt que le Domaine des Comtes Lafon.

Cependant, une filtration légère n'est pas de nature à compromettre la qualité d'un grand bourgogne blanc. Tous ceux qui ont dégusté les vins du Domaine Leflaive et du Domaine Ramonet ont pu constater combien ils sont extraordinaires – ils sont néanmoins légèrement filtrés.

La plupart des premiers et des grands crus sont aujourd'hui vinifiés en fûts neufs, dans une proportion qui peut varier entre 50 et 100 %. Ce sont généralement des fûts en chêne de l'Allier. Les vins sont en principe mis en bouteille entre douze et quatorze mois après le millésime. Mais, rappelons-le encore une fois, les trois facteurs clés qui contribuent à faire un grand bourgogne sont la situation du vignoble, le talent du vinificateur, ainsi que des rendements très restreints.

Les bourgognes seront-ils un jour proposés à des prix raisonnables ?

On ne peut malheureusement répondre à cette question que par un « non » catégorique. Certes, il est toujours possible qu'une récession internationale affecte un produit de luxe comme le vin. Par exemple, les prix des bourgognes rouges ont chuté de 35 % à 50 % en 1991 et en 1992 par rapport à ceux de 1989 et de 1990. En revanche, la cote des 1993 et des 1994 ne cesse de grimper, en raison de leurs disponibilités très réduites (les rendements étaient très faibles) et d'une demande internationale sans cesse croissante. Si les vins du Mâconnais, du Beaujolais et de Chablis peuvent éventuellement varier, compte tenu de leur production importante, les prestigieux crus de la Côte-d'Or seront vraisemblablement toujours terriblement chers. Quand on sait que la Bourgogne ne compte que trente grands crus, qui contribuent pour 1 % seulement au volume total des vins produits dans la région, on comprend parfaitement que leur cote ne puisse que grimper. Étant donné le tout petit nombre de bourgognes vraiment grandioses, ainsi que le nombre croissant des acheteurs, il est fort possible que le prix des grands crus soit, à la fin de ce siècle, le double de ce qu'il est aujourd'hui. On recense d'ailleurs actuellement plus d'acheteurs de bons vins qu'il n'y en a jamais eu.

Le marché du vin est devenu encore plus compétitif ces dernières années, la Suisse, l'Allemagne est les pays limitrophes du Pacifique (comme Singapour) s'imposant comme des acheteurs extrêmement exigeants. Leurs fortes devises et leur insatiable envie de découvrir tout ce que la France peut offrir de meilleur en termes vinicoles ont révolutionné le marché des premiers et des grands crus de Bourgogne. L'histoire montre que ce sont les pays les plus riches qui consomment les meilleurs vins ; et si les puissances montantes du Pacifique sont prêtes à payer le prix fort, pourquoi n'obtiendraient-elles pas le meilleur ?

On remarque aussi que se développe en France un intérêt croissant pour les meilleurs crus du pays, car, si l'on y consomme un océan de vins, il n'existait pas d'engouement particulier pour les plus fins d'entre eux. En outre, les Suisses, les Allemands, les Belges, les Danois et les Suédois, avec leurs monnaies fortes, s'intéressent eux aussi au marché du vin français, notamment à celui du bourgogne, ce qui réduit encore les quantités disponibles. Les acheteurs traditionnels que sont l'Angleterre et les États-Unis devront se mettre au diapason s'ils souhaitent pouvoir encore disposer des meilleurs crus de cette région. L'Europe de l'Est se réveille également depuis la chute du communisme, retrouvant ses traditions d'antan, et consommant à nouveau des vins fins. Après plus de quarante ans de privations, les nouvelles puissances financières de ces pays pèseront certainement de manière significative sur le marché des bourgognes rouges et blancs, lorsque leur pouvoir d'achat se consolidera.

Il est peu probable que les bourgognes génériques prennent une valeur à la mesure des premiers ou des grands crus. Mais il existe en Bourgogne, exactement comme à Bordeaux, un système de caste au sein des producteurs. Les très grands crus des meilleurs producteurs se vendent toujours à des prix astronomiques. En effet, il se trouve toujours des clients fortunés qui peuvent les acheter. La majorité des consommateurs et des néophytes, rebutés par ces prix, chercheront plutôt du côté de Saint-Aubin, de Saint-Romain, ou encore de la Côte Chalonnaise, dans l'espoir de dénicher quelques bonnes affaires. Ces derniers vins n'arriveront certes jamais à la cheville des grands crus comme les Musigny ou les Chambertin Clos de Bèze, mais ils ont suffisamment de ce caractère de vin de Bourgogne pour satisfaire les palais les plus exigeants.

Le problème s'accuse encore lorsqu'il s'agit des bourgognes blancs, extrêmement prisés. Quand on sait que les grands crus de Montrachet et de Chevalier-Montrachet s'étendent respectivement sur 8 et 7 ha, on comprend alors que les prix doubleront ou tripleront dans les prochaines années.

L'amateur de bourgogne doit aujourd'hui être prêt à payer très cher pour la qualité ; à moins qu'il ne se résolve à chercher ailleurs des grands vins de pinot noir et de chardonnay.

LES PLUS GRANDS BOURGOGNES BLANCS

Amiot-Bonfils Chassagne-Montrachet Les Caillerets
Amiot-Bonfils Le Montrachet
Amiot-Bonfils Puligny-Montrachet Les Demoiselles
Domaine Bessin Chablis Valmur
Jean-Marc Boillot Bâtard-Montrachet
Jean-Marc Boillot Puligny-Montrachet Les Combettes

Jean-Marc Boillot Puligny-Montrachet La Truffière
Domaine de la Bongran (Jean Thévenet) Mâcon-Clessé
Domaine Jean-François Coche-Dury Corton-Charlemagne
Domaine Jean-François Coche-Dury Meursault Les Perrières
Domaine Jean-François Coche-Dury Meursault Rougeot
Domaine Marc Colin Le Montrachet
Domaine Colin-Deleger Chassagne-Montrachet Les Chaumées
Domaine Colin-Deleger Chassagne-Montrachet Les Chevenottes
Domaine Colin-Deleger Chevalier-Montrachet
Domaine Colin-Deleger Puligny-Montrachet Les Demoiselles
Domaine Jean Collet Chablis Vaillons
Domaine Jean Dauvissat Chablis Les Preuses
Domaine Jean Dauvissat Chablis Les Vaillons Vieilles Vignes
Domaine René et Vincent Dauvissat Chablis Les Clos
Domaine Marius Delarche Corton-Charlemagne
Joseph Drouhin Beaune Clos des Mouches
Joseph Drouhin Chassagne-Montrachet Marquis de Laguiche
Domaine Marcel Duplessis Chablis Les Clos
Domaine J. A. Ferret Pouilly-Fuissé cuvées Hors Classe
Domaine Fontaine-Gagnard Bâtard-Montrachet
Château Fuissé Pouilly-Fuissé Vieilles Vignes
Domaine Jean-Noël Gagnard Bâtard-Montrachet
Domaine Jean-Noël Gagnard Chassagne-Montrachet Les Caillerets
Domaine Guffens-Heynen Pouilly-Fuissé Clos des Petits Cloux
Domaine Guffens-Heynen Pouilly-Fuissé Les Croux
Domaine Guffens-Heynen Pouilly-Fuissé La Roche
Hospices de Beaune Corton-Charlemagne Cuvée François de Salins
Hospices de Beaune Meursault Les Charmes Cuvée Albert-Grivault
Hospices de Beaune Meursault Cuvée Goureau
Hospices de Beaune Meursault Cuvée Loppin
Hospices de Beaune Meursault Les Genevrières Cuvée Baudot
Hospices de Beaune Meursault Les Genevrières Cuvée Philippe le Bon
Louis Jadot Chevalier-Montrachet Les Demoiselles
Louis Jadot Corton-Charlemagne
Louis Jadot Le Montrachet
Domaine Patrick Javillier Meursault Les Casse Tête
Domaine Patrick Javillier Meursault Les Narvaux
Domaine François Jobard Meursault Les Genevrières
Domaine des Comtes Lafon Meursault Les Charmes
Domaine des Comtes Lafon Meursault Les Perrières
Domaine des Comtes Lafon Le Montrachet
Domaine Lamy-Pillot Le Montrachet
Louis Latour Bâtard-Montrachet
Louis Latour Chevalier-Montrachet Les Demoiselles
Louis Latour Corton-Charlemagne
Domaine Leflaive Bâtard-Montrachet
Domaine Leflaive Chevalier-Montrachet
Domaine Leflaive Le Montrachet

Domaine Leflaive Puligny-Montrachet Les Combettes
Domaine Leflaive Puligny-Montrachet Les Folatières
Domaine Leflaive Puligny-Montrachet Les Pucelles
Leroy Chevalier-Montrachet
Leroy Corton-Charlemagne
Leroy Meursault Les Narvaux
Leroy Puligny-Montrachet Les Folatières
Domaine A. Long-Depaquit Chablis Les Clos
Domaine A. Long-Depaquit Chablis Les Preuses
Domaine A. Long-Depaquit Chablis Valmur
Domaine Louis Michel Chablis Les Clos
Domaine Louis Michel Chablis Vaudésir
Domaine Bernard Morey Chassagne-Montrachet Les Caillerets
Domaine Bernard Morey Chassagne-Montrachet Les Embrazées
Domaine Michel Niellon Bâtard-Montrachet
Domaine Michel Niellon Chassagne-Montrachet Les Champs Gains
Domaine Michel Niellon Chassagne-Montrachet Clos Saint-Jean
Domaine Michel Niellon Chassagne-Montrachet Les Vergers
Domaine Michel Niellon Chevalier-Montrachet
Domaine Ramonet Bâtard-Montrachet
Domaine Ramonet Chassagne-Montrachet Les Caillerets
Domaine Ramonet Chassagne-Montrachet Les Ruchottes
Domaine Ramonet Le Montrachet
Domaine François et Jean-Marie Raveneau Chablis Blanchots
Domaine François et Jean-Marie Raveneau Chablis Les Clos
Domaine François et Jean-Marie Raveneau Chablis Montée de Tonnerre
Domaine François et Jean-Marie Raveneau Chablis Valmur
Remoissenet Père et Fils Corton-Charlemagne Jubilée de Diamant
Domaine de la Romanée-Conti Le Montrachet
Domaine Étienne Sauzet Bâtard-Montrachet

LES MEILLEURS PRODUCTEURS DE BOURGOGNE BLANC

(à l'exception des producteurs du Mâconnais)

***** EXCEPTIONNEL

Domaine Jean-François Coche-Dury (Meursault)
Domaine Colin-Deleger (Chassagne-Montrachet)
Domaine René et Vincent Dauvissat (Chablis)
Domaine des Comtes Lafon (Meursault)
Domaine Leflaive (Puligny-Montrachet)
Leroy et Domaine d'Auvenay (Vosne-Romanée)
Domaine Michel Niellon (Chassagne-Montrachet)
Domaine Ramonet (Chassagne-Montrachet)
Domaine François et Jean-Marie Raveneau (Chablis)
Domaine de la Romanée-Conti (Vosne-Romanée)

Domaine Étienne Sauzet (Puligny-Montrachet)
Verget (Vergisson)

**** *EXCELLENT*

Amiot-Bonfils (Chassagne-Montrachet)
Domaine de l'Arlot (Prémeaux)
Domaine Charles et Paul Bavard (Puligny-Montrachet)
Domaine Bessin (Chablis)
Domaine Pierre Bitouzet (Savigny-lès-Beaune)
Domaine Blain-Gagnard (Chassagne-Montrachet)
Jean-Marc Boillot (Pommard)
Domaine Pierre Boillot (Meursault)
Domaine Marc Colin (Chassagne-Montrachet)
Domaine Jean Collet (Chablis)
Darnat (Meursault)
Domaine Jean Dauvissat (Chablis)
Domaine Georges Deleger (Chassagne-Montrachet)
Jean Deraix (Chablis)
Joseph Drouhin (Beaune)
Domaine Gérard Duplessis (Chablis)
Domaine Fontaine-Gagnard (Chassagne-Montrachet)
Domaine Jean-Noël Gagnard (Chassagne-Montrachet)
Château Grenouille (Chablis)
Domaine Albert Grivault (Meursault)
Louis Jadot (Beaune)
Domaine Patrick Javillier (Meursault)****/*****
Domaine François Jobard (Meursault)
Hubert Lamy (Saint-Aubin)
P. Lamy (Charraque)
Roger Lassaret (Vergisson)
Louis Latour (Beaune)
Domaine A. Long-Depaquit (Chablis)
Domaine du Duc de Magenta (Chassagne-Montrachet)
Domaine Manciat-Poncet (Charnay-lès-Mâcon)
Château de Meursault (Meursault)
Domaine Louis Michel – Domaine de La Tour Vaubourg (Chablis)
Domaine Michelot-Buisson (Meursault)
Domaine Bernard Morey (Chassagne-Montrachet)
Domaine Jean-Marc Morey (Chassagne-Montrachet)
Marc Morey (Chassagne-Montrachet)
Remoissenet Père et Fils (Beaune)
Guy Robin (Chablis)
Domaine Guy Roulot (Meursault)
Château de la Saule (Montagny)
Domaine Savary (Chablis)
Philippe Testut (Chablis)

*** BON

Robert Ampeau (Meursault)
Bachelet-Ramonet (Chassagne-Montrachet)
Domaine Bader-Mimeur (Chassagne-Montrachet)
Ballot-Millot et Fils (Meursault)
Billaud-Simon (Chablis)***/****
Domaine Bitouzet-Prieur (Volnay)
Blondeau-Danne (Meursault)
Guy Bocard (Meursault)
Domaine Henri Boillot (Pommard)
Domaine Boisson-Vadot (Meursault)
Bonneau du Martray (Pernand-Vergelesses)
Domaine Bouchard Père et Fils (Beaune)
Domaine Michel Bouzereau (Meursault)
Hubert Bouzereau-Gruère (Meursault)
Xavier Bouzerand (Monthélie)
Domaine Boyer-Martenot (Meursault)
Domaine Bressand (Pouilly-Fuissé)
Domaine A. Buisson-Battault (Meursault)
Roger Caillot et Fils (Meursault)
Domaine Louis Carillon (Puligny-Montrachet)
La Chablisienne (Chablis)
Chanzy Frères-Domaine de l'Hermitage (Bouzeron)
Jean Chartron (Puligny-Montrachet)
Chartron et Trébuchet (Puligny-Montrachet)
Domaine Anne-Marie Chavy (Puligny-Montrachet)
Chavy-Chouet (Puligny-Montrachet)
Chevalier Père et Fils (Buisson)
Chouet-Clivet (Meursault)
Domaine Henri Clerc et Fils (Puligny-Montrachet)
Julien Coche-Debord (Meursault)
Coopérative la Chablisienne (Chablis)
Domaine Jean Defaix (Milly)
Domaine Jean-Paul Droin (Chablis)
Paul Droin (Chablis)
Druid (Morey-Saint-Denis)
P. Dubreuil-Fontaine et Fils (Pernand-Vergelesses)
Michel Dupont-Fahn (Meursault)
Domaine de l'Églantière (Maligny)
Faiveley (Nuits-Saint-Georges)
Domaine William Fèvre / Domaine de la Maladière /
    Ancien Domaine Auffray (Chablis)
Domaine René Fleurot-Larose (Santenay)
Domaine de la Folie (Rully)
Gabriel Fournier (Meursault)
Domaine Gagnard-Delagrange (Chassagne-Montrachet)
Domaine Michel Gaunoux (Pommard)

Château Génot-Boulanger (Meursault)
Domaine Henri Germain (Meursault)
Maison Jean Germain (Meursault)
Domaine L'Héritier-Guyot (Dijon)
Jean-Paul Jauffroy (Meursault)
Domaine Michel Juillot (Mercurey)***/****
Domaine Lafouge (Auxey-Duresses)
Domaine Laleure-Piot (Pernand-Vergelesses)***/****
Lamblin et Fils (Maligny)
René Lamy-Pillot (Santenay)
Domaine Laroche (Chablis)
Domaine Latour-Giraud (Meursault)
Domaine des Malandes (Chablis)
Olivier Leflaive Frères (Puligny-Montrachet)***/****
Domaine Lequin-Roussot (Santenay)
Château de la Maltroye (Chassagne-Montrachet)
Maroslavac-Léger (Chassagne-Montrachet)
Domaine Joseph Matrot (Meursault)
Prosper Mauroux (Santenay)
Michelot-Buisson (Meursault)***/****
M. Millet (Montagny)
Raymond Millol et Fils (Meursault)
Domaine Pierre Millot-Battault (Meursault)
René Monnier (Meursault)
Henri Morconi (Puligny-Montrachet)
Bernard Moreau (Chassagne-Montrachet)
J. Moreau et Fils (Chablis)
Domaine Pierre Morey (Meursault)
Mosnier-Sylvain (Chablis)
Domaine P. M. Ninot-Cellier-Meix-Guillaume (Rully)
Jean Pascal et Fils (Puligny-Montrachet)
Baron Patrick (Chablis)
Domaine Paul Pernot (Puligny-Montrachet)
Domaine Perrin-Ponsot (Meursault)
Domaine Paul Pillot (Chassagne-Montrachet)
Louis Pinson (Chablis)
Michel Pouhin-Seurre (Meursault)
Jacques Prieur (Meursault)
Prieur-Brunet (Santenay)
Domaine Henri Prudhon (Saint-Aubin)
Château de Puligny-Montrachet (Puligny-Montrachet)
Rapel Père et Fils (Pernand-Vergelesses)
A. Regnard et Fils (Chablis)
Caves de la Reine Pédauque (Aloxe-Corton)
Riger-Briset (Puligny-Montrachet)
Antonin Rodet (Mercurey)
Domaine Maurice Rollin et Fils (Pernand-Vergelesses)
Ropiteau Frères (Meursault)

Domaine Roux Père et Fils (Saint-Aubin)
Château de Rully (Rully)
Domaine de Rully Saint-Michel (Rully)
Simonnet-Febvre et Fils (Chablis)
Jacques Thévenet-Machal (Puligny-Montrachet)
Gérard Thomas (Saint-Aubin)
Laurent Tribut (Chablis)
Domaine Jean Vachet (Saint-Vallerin)
Domaine de Vauroux (Chablis)
A. et P. de Villaine (Bouzeron)
Robert Vocoret et Fils (Chablis)

LES BOURGOGNES BLANCS SOUS LE RAPPORT QUALITÉ/PRIX

Aubert de Villaine Bourgogne Aligoté
Aubert de Villaine Bourgogne Les Clous
Jean-Claude Bachelet Saint-Aubin Les Champlots
Michel Briday Rully-Grésigny
Château de Chamirey Mercurey
Chartron et Trébuchet Rully Chaume
Chartron et Trébuchet Saint-Aubin
Chartron et Trébuchet Saint-Aubin La Chatenière
Raoul Clerget Saint-Aubin Le Charmois
Marc Colin Saint-Aubin La Chatenière
Joseph Drouhin Mâcon La Forêt
Joseph Drouhin Rully
Faiveley Bourgogne Blanc
Faiveley Mercurey Clos Rochette
Domaine de la Folie Rully Clos de Bellecroix
Domaine de la Folie Rully Clos Saint-Jacques
Jean Germain Saint-Romain Clos sous le Château
Alain Gras Saint-Romain
Jacqueson Rully-Grésigny
Louis Jadot Bourgogne Blanc
Robert Jayer-Gilles Bourgogne Hautes-Côtes de Beaune
Robert Jayer-Gilles Bourgogne Hautes-Côtes de Nuits
Michel Juillot Mercurey
Louis Latour Mâcon Lugny
Louis Latour Montagny
Louis Latour Saint-Véran
Lequin-Roussot Santenay Premier Cru
Moillard Montagny Premier Cru
Bernard Morey Saint-Aubin
Jean-Marc Morey Saint-Aubin Le Charmois
Prieur-Brunet Santenay Clos Rousseau
Henri Prudhon Saint-Aubin

Antonin Rodet Bourgogne Blanc
Antonin Rodet Montagny
Château de Rully Rully
Domaine de Rully Saint-Michel Rully Les Cloux
Domaine de Rully Saint-Michel Rully Rabourcé
Château de la Saule Montagny
Gérard Thomas Saint-Aubin Murgers des Dents de Chien
Jean Vachet Montagny Les Coères

Et n'oubliez pas...

Presque tous les meilleurs producteurs de vins de chardonnay, intéressants aussi pour leurs prix, sont notés ci-dessus, mais les vins de cette très grande région, surtout les Mâcon-Villages (issus de chardonnay) constituent souvent d'excellentes affaires. Quand ils se mettent à être bons, ils offrent des arômes merveilleusement frais de pomme et de citron.

LES MEILLEURS PRODUCTEURS DE VIN BLANC DU MÂCONNAIS

(Mâcon-Villages, Saint-Véran, Pouilly-Fuissé,
Pouilly-Loché et Beaujolais Blanc)

***** EXCEPTIONNEL

Domaine de la Bongran (Jean Thévenet) Mâcon-Villages
André Bonhomme Mâcon-Villages
J. A. Ferret Pouilly-Fuissé
Château Fuissé Pouilly-Fuissé Cuvée Vieilles Vignes
Émilian Gillet Mâcon-Viré
Domaine Guffens-Heynen Pouilly-Fuissé Clos des Petits Croux
Domaine Guffens-Heynen Pouilly-Fuissé Les Croux
Domaine Guffens-Heynen Pouilly-Fuissé La Roche
Jean-Claude Thévenet Saint-Véran Clos de l'Hermitage
Domaine Valette Mâcon-Chaintré Vieilles Vignes
Domaine Valette Pouilly-Fuissé Clos Reyssié
Verget – activité de négoce de Guffens-Heynen (Vergisson)
Domaine du Vieux Saint-Surlin Mâcon La Roche Vineuse

**** EXCELLENT

Auvigue-Burrier-Revel Mâcon-Villages
Auvigue-Burrier-Revel Pouilly-Fuissé Vieilles Vignes
Daniel Barraud Mâcon-Vergisson La Roche
Daniel Barraud Pouilly-Fuissé Cuvée Vieilles Vignes
Daniel Barraud Pouilly-Fuissé La Verchère
Château de Beauregard Pouilly-Fuissé
Domaine des Chazelles Mâcon-Viré
Chenevière Mâcon-Villages

Corsin Pouilly-Fuissé
André Forest Pouilly-Fuissé Cuvée Vieilles Vignes
Château Fuissé Pouilly-Fuissé
Domaine des Granges (J.F. Cognard) Mâcon-Villages
Château de la Greffière Mâcon La Roche Vineuse
Thierry Guérin Pouilly-Fuissé Clos de France
Domaine Guffens-Heynen Mâcon-Villages
Louis Jadot Mâcon-Villages
Domaine Henri Lafarge Mâcon-Bray
Roger Lasserat Pouilly-Fuissé
Roger Lasserat Pouilly-Fuissé Clos de France
Roger Lasserat Pouilly-Fuissé Cuvée Prestige
Roger Lasserat Saint-Véran Cuvée Prestige
Roger Lasserat Saint-Véran Fournaise
Louis Latour Mâcon-Lugny Les Genevrières
Château de Leynes Saint-Véran
Manciat-Poncet Mâcon-Villages
Manciat-Poncet Pouilly-Fuissé
René Michel Mâcon-Villages
Gilles Noblet Pouilly-Fuissé
Domaine de Roally Mâcon-Viré
Robert-Denogent Pouilly-Fuissé Cuvées Vieilles Vignes
Domaine Talmard Mâcon-Villages
Domaine des Vieilles Pierres Mâcon-Vergisson

*** BON

Château de Beauregard Saint-Véran
André Besson Saint-Véran
Domaine de Chervin (Albert Goyard) Mâcon-Villages
Collection Alain Corcia
Coopérative de Clessé Mâcon-Clessé
Coopérative d'Igé Mâcon-Igé
Coopérative de Lugny Mâcon-Lugny
Coopérative de Prissé Mâcon-Prissé
Coopérative de Viré Mâcon-Viré
Corsin Pouilly-Fuissé Saint-Véran
Louis Curvieux Pouilly-Fuissé
Joseph Drouhin Mâcon-Villages La Forêt
Georges Dubœuf Beaujolais Blanc
Georges Dubœuf Mâcon-Villages
Georges Dubœuf Saint-Véran
Château Fuissé Saint-Véran
Domaine de la Greffière (Henri Greuzard) Mâcon-Villages
Henri-Lucius Grégoire Saint-Véran
Thierry Guérin Saint-Véran
Louis Jadot Beaujolais Blanc
Louis Jadot Pouilly-Fuissé

Edmond Laneyrie Pouilly-Fuissé
Louis Latour Pouilly-Fuissé
Bernard Léger-Plumet Pouilly-Fuissé
Bernard Léger-Plumet Saint-Véran
Jean-Jacques Litaud Pouilly-Fuissé
Loron et Fils Mâcon-Villages
Roger Luquet Pouilly-Fuissé
Roger Luquet Saint-Véran
Domaine de la Maison (Georges Chagny) Saint-Véran
Jean Manciat Mâcon-Villages
Maurice Martin Saint-Véran
Mathias Pouilly-Fuissé
Domaine de Montbellet Mâcon-Villages
Perrusset Mâcon-Farges
Domaine des Pierres Rouges Saint-Véran
Domaine du Prieuré (Pierre Janny) Mâcon-Villages
Domaine Saint-Martin Saint-Véran
Jacques Saumaize Saint-Véran
Roger Saumaize Pouilly-Fuissé
Domaine Sève Pouilly-Fuissé
Trénel Fils Mâcon-Villages
Trénel Fils Pouilly-Fuissé

PRODUCTEURS DE BOURGOGNE ROUGE — PRÉSENTATION

BERTRAND AMBROISE (PRÉMEAUX)****

Bertrand Ambroise est un homme jeune, robuste et exubérant, qui fait des vins à son image. Puissants, musclés, très corsés et extrêmement concentrés, ceux-ci requièrent souvent une certaine garde avant d'être bus, car ils comptent en général au nombre des bourgognes rouges les moins évolués, les plus concentrés et les plus tanniques qui soient de Nuits-Saint-Georges. Ce producteur a enregistré de beaux succès dans des millésimes moyens comme 1991 et 1992.

Les meilleurs vins : Corton Le Rognet, Nuits-Saint-Georges Rue de Chaux, Nuits-Saint-Georges Les Vaucrains.

BERNARD AMIOT (CHAMBOLLE-MUSIGNY)***

Jusqu'en 1991, les vins de Bernard Amiot, légers, fragiles et aqueux, m'ont laissé totalement indifférent, mais, à partir de ce millésime, ses Chambolle-Musigny se révèlent charmeurs et tout en finesse, avec davantage d'intensité et de profondeur.

Le meilleur vin : Chambolle-Musigny Les Charmes.

PIERRE AMIOT ET FILS (MOREY-SAINT-DENIS)**/***

Les vignobles de Pierre Amiot, pourtant merveilleusement situés sur les meilleurs terroirs de Morey-Saint-Denis et de Chambolle-Musigny, ne donnent malheureusement que des vins relativement légers et manquant de consistance, et qui ne peuvent bien vieillir au-delà de 10 ans.

Les meilleurs vins : Clos de la Roche, Clos Saint-Denis, Gevrey-Chambertin, Gevrey-Chambertin Les Combottes.

DOMAINE ARLAUD PÈRE ET FILS (NUITS-SAINT-GEORGES)**

Je connais de ce domaine des vins relativement gras, doux et sucrés, plutôt monolithiques et de style très commercial. Certes plaisants, ils manquent cependant de caractère et de complexité, et doivent être généralement consommés dans les 5 ans qui suivent leur diffusion.

Les meilleurs vins : Bonnes Mares, Charmes-Chambertin, Clos de la Roche, Clos Saint-Denis.

DOMAINE DE L'ARLOT (PRÉMEAUX)****

Jean-Pierre de Smet, formé par Jacques Seysses du Domaine Dujac, élabore des vins à l'image de ceux de cette dernière propriété. J'adore le fruité élégant et pur, doux et juteux, qu'il obtient du pinot noir, et les amateurs qui souhaiteraient mesurer la puissance aromatique que peut développer un bourgogne à la robe rubis clair devraient se tourner vers les vins qu'il produit. Ceux-ci sont réguliers à haut niveau, même dans des millésimes aussi difficiles que 1991 et 1992. Vieillis en fûts dont la moitié au moins sont neufs, ils présentent un caractère séduisant qui doit beaucoup aux notes de vanille et de fumé que leur apporte le chêne neuf. Ces vins doivent être consommés avant 5 à 7 ans d'âge.

Les meilleurs vins : Nuits-Saint-Georges Clos de l'Arlot, Nuits-Saint-Georges Clos des Forêts-Saint-Georges et, pour l'avenir, Vosne-Romanée Les Suchots (une parcelle récemment rachetée).

DOMAINE COMTE ARMAND (POMMARD)****

En relisant mes notes de dégustation, je m'aperçois que j'ai toujours admiré ces vins dans leur jeunesse, ainsi que la manière dont ils sont faits. Cependant, je n'en ai jamais goûté de réellement mûrs. Même dans des millésimes aussi précoces que 1985 ou 1987, le Pommard Clos des Épeneaux (le seul vin de la propriété à l'époque) s'est montré, alors qu'il était au seuil de sa maturité, très tannique, rugueux et pas du tout à la hauteur de ce que j'en attendais. J'espère vivement que le 1990 se révélera parfait, mais se pourrait-il que ces vins soient trop tanniques, trop rustiques et trop solidement charpentés pour développer le caractère harmonieux du pinot noir ?

Le meilleur vin : Pommard Clos des Épeneaux.

DOMAINE ROBERT ARNOUX (VOSNE-ROMANÉE)****

Je suis tombé amoureux des vins de Robert Arnoux après avoir dégusté ses 1978 et 1980. Ces deux millésimes sont maintenant légèrement fatigués, mais des bouteilles conservées dans des caves bien fraîches peuvent encore se révéler saisissantes bien qu'à pleine maturité. Curieusement, Robert Arnoux n'a pas connu de grandes années entre 1980 et 1991. Sa propriété est très étendue, suivant les normes bourguignonnes, et sa tendance à y tenir des rendements élevés a donné ces années-là des vins diffus et assez lâches, manquant de concentration et de précision dans le dessin.

Cependant, quand Dame Nature intervient pour réduire les rendements (comme en 1991), le domaine peut produire des vins de pinot riches, complexes et classiques qui déploient une palette aromatique un peu similaire à celle des vins du Domaine de la Romanée-Conti. A l'exception de millésimes comme 1978 et 1980, ils doivent être dégustés avant d'avoir atteint 10 ans d'âge.

Les meilleurs vins : Clos de Vougeot, Nuits-Saint-Georges Les Procès, Romanée-Saint-Vivant, Vosne-Romanée Les Chaumes, Vosne-Romanée Les Suchots.

DENIS BACHELET (GEVREY-CHAMBERTIN)**/***

Ce minuscule domaine peut parfois décrocher la timbale, mais cela arrive trop peu fréquemment. Les toutes petites quantités de Charmes-Chambertin et de Gevrey-Chambertin Vieilles Vignes produites dans des millésimes comme 1990 seraient des achats intéressants. Cependant, la performance de ce producteur dans des années de niveau moyen ne me semble pas de nature à générer la fidélité d'une clientèle avisée.

Le meilleur vin : Charmes-Chambertin.

DOMAINE BARTHOD-NOËLLAT (CHAMBOLLE-MUSIGNY)****

C'est maintenant Ghislaine Barthod, fille de Gaston Barthod, qui vinifie sur cette propriété impeccablement tenue, mais sous-estimée, de Chambolle-Musigny. Bien que n'étant jamais au nombre des plus riches ou des plus spectaculaires, ses vins, fermes mais élégants, se révèlent en général racés et de bonne garde. On ne distingue que peu de différences entre les premiers crus qu'offre le domaine, mais Les Charmes sont souvent les plus précoces et les plus élégants. Malgré leur manque de muscle, ces vins ont une mystérieuse capacité à bien vieillir sur 10 à 12 ans.

Les meilleurs vins : Chambolle-Musigny Aux Beaux Bruns, Chambolle-Musigny Les Charmes, Chambolle-Musigny Les Cras, Chambolle-Musigny Les Varoilles.

PHILIPPE BATACCHI (GEVREY-CHAMBERTIN)**

Je n'ai toujours pas compris les vins de Philippe Batacchi. Profondément colorés, énormes et musclés, ils sont également tanniques, durs et plutôt

rugueux, et me rappellent le style grossier des vins du Domaine Maume. Il me semble que ce producteur réussirait mieux dans le Bordelais qu'en Bourgogne.
Le meilleur vin : Clos de la Roche.

DOMAINE ADRIEN BELLAND (SANTENAY)**/***

Tous les vins du Domaine Adrien Belland – ils sont nombreux – sont de qualité moyenne ou légèrement supérieure à la moyenne. Ils sont fermes, rustiques et de bonne garde, mais inintéressants.
Les meilleurs vins : Santenay Clos des Gravières, Santenay La Comme.

DOMAINE BERTAGNA (VOUGEOT)**

Situé dans le village de Vougeot, en retrait de la route nationale qui traverse le département de la Côte-d'Or, le Domaine Bertagna est une propriété relativement étendue qui produit une gamme de vins assez curieux, de qualité moyenne ou légèrement supérieure à la moyenne, légers, maigres, dilués et ternes. Malgré l'annonce d'une amélioration de la qualité, je n'ai pas constaté de mieux.
Les meilleurs vins : Clos de Vougeot, Vosne-Romanée Les Beaux Monts.

DOMAINE PIERRE BERTHEAU (CHAMBOLLE-MUSIGNY)***/****

Pierre Bertheau produit en règle générale des bourgognes rustiques et un peu vieillots, vinifiés de manière traditionnelle. Certains millésimes révèlent des arômes étranges, vraisemblablement dus aux anciens fûts encore utilisés au domaine. Cependant, ce producteur peut également être à l'origine des vins massifs et puissants, riches, amples et savoureux, capables de se conserver au-delà de 10 ans. Cette propriété n'a jamais reçu toutes les louanges qu'elle mériterait.
Les meilleurs vins : Bonnes Mares, Chambolle-Musigny Les Amoureuses, Chambolle-Musigny Les Charmes.

DOMAINE ALBERT BICHOT (BEAUNE)*/****

Ce négociant commercialise plusieurs vins sous différentes marques, mais ceux qui sont issus des vignobles qui lui appartiennent sont souvent superbes, en particulier le Clos Frantin en Vosne-Romanée et le Domaine Long-Depaquit en Chablis. Souvent collés ou filtrés à l'excès, ils peuvent certes révéler quelques différences de qualité d'une année sur l'autre, mais on compte aussi suffisamment de vins riches et irrésistibles (par exemple les 1985) pour que ce domaine mérite qu'on lui accorde une attention sérieuse.
Les meilleurs vins : Chambertin, Clos de Vougeot, Grands Échézeaux, Vosne-Romanée Les Malconsorts, Chablis Vaudésir, Chablis Les Clos.

DOMAINE BILLARD-GONNET (POMMARD)**

Le Domaine Billard-Gonnet produit des vins de pinot rugueux et durs, qui ont la réputation d'être de bonne garde ; ceux que j'ai achetés et conservés dans ma cave sont toutefois passés et ont perdu de leur fruité bien avant que leurs tannins ne se fondent.

Les meilleurs vins : Pommard Clos du Verger, Pommard Les Pézerolles, Pommard Les Rugiens.

DOMAINE BITOUZET-PRIEUR (VOLNAY)***

On connaît mieux ce domaine pour ses vins blancs que pour ses rouges, mais ces derniers, en particulier les Volnay Clos des Chênes, Pitures ainsi que Taillepieds sont séduisants et bien faits. Atteignant rarement des sommets, ce sont néanmoins des exemples classiques de leur appellation et peuvent durer 5 à 10 ans.

Les meilleurs vins : Volnay Clos des Chênes, Volnay Pitures, Volnay Taillepieds.

DOMAINE SIMON BIZE ET FILS (SAVIGNY-LÈS-BEAUNE)***

Simon Bize est l'un des rares vignerons de Bourgogne que je n'ai encore jamais rencontrés, mais je suis depuis longtemps admirateur de ses vins. Issus d'une appellation de moindre renom (Savigny-lès-Beaune), ils sont classiques, moyennement corsés, nets, modérément fruités et d'une étonnante longévité. Ils offrent de plus, cela mérite d'être souligné, un excellent rapport qualité/prix.

Les meilleurs vins : Savigny-lès-Beaune Les Forneau, Savigny-lès-Beaune Aux Guettes, Savigny-lès-Beaune Les Marconnets, Savigny-lès-Beaune Les Vergelesses.

DOMAINE JEAN-MARC BOILLOT (POMMARD)***

En même temps que ce domaine étendait sa superficie, la qualité de ses vins s'améliorait. Les blancs sont plus vivants que les rouges, qui sont trop collés et filtrés, mais il semblerait que Jean-Marc Boillot ait adopté une main plus légère en matière de techniques interventionnistes qui dépouillent le pinot noir de son caractère subtil. Utilisera-t-il au mieux le potentiel dont il dispose ?

Les meilleurs vins : Beaune Les Montrevenots, Pommard Les Jarolières.

DOMAINE LUCIEN BOILLOT ET FILS (GEVREY-CHAMBERTIN)**

J'ai dégusté de bons vins de ce producteur, mais il est bien trop irrégulier et a échoué dans des années difficiles, comme 1986, 1987, 1991 et 1992. Bien qu'il ait élaboré quelques vins de bonne tenue, il pourrait faire encore mieux.

Les meilleurs vins : Nuits-Saint-Georges Les Pruliers, Volnay Les Angles.

JEAN-CLAUDE BOISSET (NUITS-SAINT-GEORGES)*/**

Cette importante maison de négoce est peut-être la plus florissante de toute la Bourgogne. Contrôlant plusieurs autres affaires viticoles (Charles Vienot, Lionel J. Bruck et Thomas-Bassot), elle propose toute une gamme de vins représentatifs de la région. Cependant, ceux-ci ne s'adressent pas aux connaisseurs qui souhaitent des vins « faits main » et mis en bouteille à la propriété, mais conviennent plutôt à une clientèle de masse orientée vers des bourgognes d'appellations prestigieuses. Comme le dit Serena Sutcliffe dans son ouvrage sur les bourgognes blancs : « J'ai bien peur que ces vins ne me procurent pas la moindre émotion. »

DOMAINE BOUCHARD PÈRE ET FILS (BEAUNE)***

La qualité des vins de la maison Bouchard Père et Fils s'est grandement améliorée depuis la fin des années 80. Ses 1989 et 1990 sont suffisamment bons pour rivaliser avec les meilleurs vins de la région. Cela est particulièrement intéressant pour les amateurs, cet établissement possédant, avec le Domaine Faiveley, les propriétés les plus étendues et les plus impressionnantes de toute la Côte-d'Or. Les vins rouges se révèlent riches, impressionnants et généreusement dotés. Les 1990, très réussis, ont été suivis de 1991 de bon niveau, mais inintéressants, ainsi que de 1992 très séduisants, doux et bien évolués, qui se situent bien au-dessus de la qualité générale du millésime.

Les meilleurs vins : Beaune Grèves-Vignes de l'Enfant Jésus, Beaune-Marconnets, Chambertin Clos de Bèze, Le Corton, Échézeaux, La Romanée, Volnay Caillerets Ancienne Cuvée Carnot.

DOMAINE JEAN-MARC BOULEY (VOLNAY)***

Cet important domaine produisait dans le passé des vins autrement plus impressionnants qu'aujourd'hui. Ceux qu'il donne actuellement sont soit trop boisés, soit trop maigres. Il me semble que Jean-Marc Bouley devrait réduire ses rendements et rechercher davantage de concentration, compte tenu de son penchant pour les généreuses touches de chêne et de grillé.

Les meilleurs vins : Pommard Les Pézerolles, Pommard Les Rugiens, Volnay Clos des Chênes.

MAISON BOURÉE PÈRE ET FILS (GEVREY-CHAMBERTIN)****

Située sur la RN 74 qui traverse Gevrey-Chambertin, la maison Bourée Père et Fils est une propriété modeste, gérée par le très compétent M. Vallet. Ici, les chais ne sont pas envahis par la technologie moderne, et l'on n'y trouve pas d'étincelantes et nettes rangées de cuves en acier inoxydable, pas plus que des piles de fûts de chêne neuf. Toutefois, les vins sont riches, concentrés et mis en bouteille sans collage ni filtration, fût par fût, plus tardivement que dans les autres propriétés (ce que je n'approuve pas toujours), et il est incontestable que nombre de vins riches, parfois rustiques, mais intenses et de longue garde, proviennent de cet endroit. Dans les millésimes les plus récents, ils requièrent une garde de 5 à 8 ans pour s'ouvrir et peuvent durer 20 ans ou plus – ce qui est rare pour des bourgognes d'aujourd'hui. La maison possède encore quelques petites parcelles de Charmes-Chambertin et de Beaune Les Épenottes, et produit le seul vin de très grande classe du Clos de la Justice (situé à l'est de la RN 74).

Les meilleurs vins : Beaune Les Épenottes, Bonnes Mares, Chambertin, Charmes-Chambertin, Clos de la Roche, Gevrey-Chambertin Clos de la Justice.

ALAIN BURGUET (GEVREY-CHAMBERTIN)***

Peut-être est-ce en raison des millésimes difficiles du début des années 90, mais il me semble que les très belles réussites que ce domaine a enregistrées dans les années 80 sont de très loin supérieures à ses 1991 et 1992. Cette minuscule propriété, extrêmement bien gérée, possède un grand nombre de parcelles de vignes à Gevrey, mais les années récentes ont révélé des vins manquant de profondeur. Je suppose qu'il est difficile d'opérer une sélection sévère avec de si petites superficies.

Le meilleur vin : Gevrey-Chambertin Vieilles Vignes.

JACQUES CACHEUX-BLÉE ET FILS (VOSNE-ROMANÉE)****

Des bourgognes merveilleusement faits, riches, élégants et irrésistibles du point de vue aromatique sont la marque de cette propriété sous-estimée de Vosne-Romanée. Leur potentiel de garde est de 12 à 15 ans. Les 1985, 1987, 1988, 1989, 1990 et 1992 sont absolument superbes.

Les meilleurs vins : Échézeaux, Vosne-Romanée Les Suchots.

DOMAINE CAMUS (GEVREY-CHAMBERTIN)**

Cette propriété, pourtant bien dotée, continue son chemin par à-coups, gardant ses vins trop longtemps en fût, si bien qu'ils sont souvent trop évolués et déjà desséchés lorsqu'ils arrivent aux États-Unis au terme de leur voyage transatlantique. Quelques-uns des 1985 ont pu paraître de bon niveau de prime abord, mais ils sont maintenant totalement destructurés. Dans les millésimes récents, les 1987 et 1988 étaient terriblement tanniques et durs, manquant de charme et de chair. Ce domaine, qui possède quelques-unes des meilleures parcelles de Chambertin, de Charmes-Chambertin, de Latricières-Chambertin et de Mazis-Chambertin, a pourtant le potentiel nécessaire, en termes de terroir, pour produire des vins superbes.

Les meilleurs vins : Chambertin, Charmes-Chambertin, Mazis-Chambertin.

DOMAINE GUY CASTAGNIER (MOREY-SAINT-DENIS)***/****

Les vins du Domaine Guy Castagnier, également diffusés sous l'étiquette Vadey-Castagnier, sont des bourgognes rouges souples, mûrs et séduisants, qu'il faut déguster dans les 6 ou 7 ans qui suivent leur diffusion. Dans les millésimes récents, ce sont des vins de pinot noir très boisés, aromatiques et purs, élégants, souples et accessibles.

Les meilleurs vins : Bonnes Mares, Clos de la Roche, Clos Saint-Denis, Latricières-Chambertin.

DOMAINE CATHIARD-MOLINIER (VOSNE-ROMANÉE)***

Les vins de ce tout petit domaine étaient autrefois très prisés par des restaurants européens aussi célèbres que Taillevent à Paris et L'Enoteca Pinchiorri à Florence. Je n'en ai pas rencontré depuis plusieurs années, mais ils se présentaient comme des bourgognes rouges très corsés, vinifiés de manière traditionnelle et résistant fort bien à l'épreuve du temps.

Les meilleurs vins : Clos de Vougeot, Nuits-Saint-Georges Les Murgers, Romanée-Saint-Vivant, Vosne-Romanée Les Malconsorts.

CHÂTEAU DE CHAMBOLLE-MUSIGNY
(DOMAINE JACQUES-FRÉDÉRIC MUGNIER) (CHAMBOLLE-MUSIGNY)****

Ce domaine présente un potentiel important depuis ses débuts, en 1978, et je lui aurais volontiers attribué cinq étoiles si les rendements y étaient plus tenus. En général, les vins sont marqués par de généreuses touches de bois neuf, ainsi que par des arômes merveilleusement purs et mûrs de fruits noirs et rouges, présentés dans un ensemble souple et velouté. Les 1989 étaient étonnamment plus musclés que les 1988. Dans les millésimes plus récents, les vins de Jacques-Frédéric Mugnier illustrent fort bien la séduction des bourgognes rouges de premier ordre – ils montrent, en effet, un caractère très aromatique et intense, éclatent d'un fruité doux marqué par des notes très présentes, mais non détonnantes, de chêne neuf et de grillé. Leur seul inconvénient est leur faible potentiel de garde, sachant que même les 1985 sont actuellement sur le déclin.

Les meilleurs vins : Bonnes Mares, Chambolle-Musigny Les Amoureuses.

DOMAINE CHANDON DE BRIAILLES (SAVIGNY-LÈS-BEAUNE)***

Voici une propriété difficile à comprendre. Certes merveilleusement gérée, avec des chais impeccables et des vignobles parfaitement situés, elle produit néanmoins des vins traités ou manipulés à l'extrême. La matière première, pourtant excellente en fût, se montre légère et fragile après la mise en bouteille, en raison d'un excès de collage et de filtration. Si quelqu'un pouvait persuader le comte Aymard-Claude de Nicolay, propriétaire des lieux, d'abandonner sa filtration Kisselguhr et de diminuer l'intensité des collages pratiqués, ce domaine gagnerait en intérêt.

Les meilleurs vins : Corton Clos du Roi, Corton Les Maréchaudes.

DOMAINE PHILIPPE CHARLOPIN-PARIZOT (MARSANNAY)***

Cette propriété illustre bien, d'une certaine manière, les problèmes qui doivent être résolus pour que l'on puisse justifier les prix astronomiques qu'atteignent les vins rouges de Bourgogne. Lorsque, au tout début des années 80, l'importateur américain Neal Rosenthal a commencé à distribuer les vins de Philippe Charlopin-Parizot, je me souviens de leur avoir attribué des notes absolument remarquables, notamment à l'extraordinaire Charmes-Chambertin 1980. J'avais dégusté ce vin pour la première fois avec ceux du Domaine de la Romanée-Conti, dans le même millésime (ce sont encore mes bourgognes préférés de toute la décennie 80), et c'est le Charmes-Chambertin de Charlopin-Parizot qui était sorti premier. Neal Rosenthal a ensuite cessé de représenter les vins de ce domaine, avec raison d'ailleurs, les millésimes suivants se montrant ternes, aqueux et trop manipulés. Lors de ma dernière visite chez Charlopin-Parizot, les vins m'ont semblé bons, mais j'ai demandé pourquoi il tenait tant à les filtrer, alors que les 1980 avaient été mis en bouteille sans filtration préalable. Il m'a alors soutenu qu'il n'y avait jamais eu au domaine de cuvée non filtrée. Je lui ai alors dit que, dès mon retour aux États-Unis, je ferais parvenir une bouteille à son détaillant pour qu'il la déguste. C'est ce que j'ai fait, et il m'a été rapporté que le Charmes-Chambertin 1980 non filtré était bien supérieur à la cuvée filtrée destinée au marché européen. Charlopin-Parizot continue néanmoins de filtrer ses vins, et, bien que ceux-ci se révèlent bons, fruités, mûrs et moyennement corsés, il pourrait faire nettement mieux, compte tenu des vignobles extraordinaires dont il dispose.

Les meilleurs vins : Charmes-Chambertin, Clos Saint-Denis.

F. CHAUVENET (NUITS-SAINT-GEORGES)**

Cette maison de négoce élabore des vins plaisants, sans détour et de style commercial, qui sont aussi nets, fruités et marqués par de généreuses notes de boisé. Sans être complexes, ils se tiennent bien jusqu'à 5 ou 6 ans d'âge.

DOMAINE JEAN CHAUVENET (NUITS-SAINT-GEORGES)****

Dans ses beaux vignobles de Nuits-Saint-Georges, ce vigneron sous-estimé produit des vins purs et d'une belle précision, vieillissant avec grâce, mais pouvant aussi être consommés dès leur jeunesse. Les 1985, tout juste à la pointe de leur maturité, illustrent de manière somptueuse cet excellent millésime. Les vins de ce domaine ne sont jamais collés ni filtrés, si bien qu'ils offrent, dans les bonnes années, de très généreux arômes de fruits noirs et rouges.

Les meilleurs vins : Nuits-Saint-Georges Les Bousselots, Nuits-Saint-Georges Les Perrières, Nuits-Saint-Georges Les Vaucrains.

ROBERT CHEVILLON (NUITS-SAINT-GEORGES)***

J'ai quelque peu perdu de mon enthousiasme pour les vins de Robert Chevillon, très certainement parce que ceux des années 80 n'ont pas tenu leurs promesses. Les 1985 ne se sont jamais développés, les 1986 sont neutres et monolithiques, et les 1988 se révèlent creux et durs. Ce producteur élabore néanmoins des vins profondément colorés, épicés et flatteurs en fût, qui acquièrent de la rugosité en vieillissant, sans jamais s'épanouir. Peut-être existe-t-il des exceptions... J'espère bien que les 1989 en seront l'illustration.

Les meilleurs vins : Nuits-Saint-Georges Les Cailles, Nuits-Saint-Georges Les Roncières, Nuits-Saint-Georges Les Saint-Georges, Nuits-Saint-Georges Les Vaucrains.

DOMAINE GEORGES CHICOTOT (NUITS-SAINT-GEORGES)****

Georges Chicotot, un homme difficile et agressif, a longtemps été un disciple de Guy Accad, œnologue très controversé. Il produit des vins puissants, densément colorés et très corsés, qui seraient meilleurs s'ils étaient mis en bouteille plus tôt. Cependant, les amateurs de Nuits-Saint-Georges intenses et musclés se rappelleront que Georges Chicotot peut satisfaire leur demande.

Les meilleurs vins : Nuits-Saint-Georges Les Pruliers, Nuits-Saint-Georges Les Saint-Georges, Nuits-Saint-Georges Les Vaucrains.

DOMAINE DANIEL CHOPIN-GROFFIER (PRÉMEAUX)*****

Je suis maintenant de plus en plus convaincu que Daniel Chopin s'impose comme le véritable héritier du grand Henri Jayer. Ses vins sont extraordinairement purs, aromatiques et mûrs, avec un caractère très parfumé, et il est vraiment dommage qu'il ne possède pas un domaine plus vaste ou des vignobles plus prestigieux. Même ses vins bas de gamme peuvent se révéler remarquables et séduisants. La qualité est également très régulière. Ainsi, peu d'autres producteurs de Bourgogne ont fait, en 1991 et en 1992, de meilleurs vins que Daniel Chopin. Le seul reproche que l'on puisse adresser à ce vigneron est que sa production doit être consommée relativement rapidement – pas au-delà de 10 à 12 ans d'âge.

Les meilleurs vins : Chambolle-Musigny, Clos de Vougeot, Nuits-Saint-Georges Les Chaignots, Vougeot.

DOMAINE BRUNO CLAIR (MARSANNAY)***

J'avais fondé de grands espoirs sur cette propriété, mais Bruno Clair ne s'est jamais montré à la hauteur de ce que j'attendais. Bien sûr, il dit exactement ce que l'on souhaite entendre lors d'un entretien, et donne les bonnes réponses lorsqu'il est interrogé sur le terroir, la vinification et l'élevage. Mais la preuve est toujours dans la bouteille, et la plupart de ses vins sont dépouillés, compacts, maigres, manquant d'intensité et de caractère. Ses 1991 sont extrêmement décevants, et ses 1990, 1988 et même ses 1983 (je m'en mords les doigts, les ayant très bien notés dans un premier temps) n'ont vraiment pas résisté à l'épreuve du temps. Tout cela est vraiment dommage, car Bruno Clair possède des vignobles remarquablement situés. Cependant, pour terminer sur une note plus positive, signalons que ses 1992 sont de bon niveau.

Les meilleurs vins : Chambertin Clos de Bèze, Gevrey-Chambertin Les Cazetiers, Gevrey-Chambertin Clos Saint-Jacques, Savigny-lès-Beaune La Dominaude.

DOMAINE GEORGES CLERGET (VOUGEOT)**

Je n'ai encore jamais goûté un vin de Georges Clerget qui m'ait inspiré, et ses derniers millésimes ne laissent présager aucun changement. Ses vins manquent de couleur, sont terriblement irréguliers et n'ont pas la concentration voulue. On trouve même, dans certaines cuvées, un caractère assez gênant aux notes de terre qui fait soupçonner un mauvais entretien des fûts. Les 1991 et 1992 sont décevants, mais des rumeurs persistantes avancent qu'une injection d'argent frais dans cette affaire suffirait pour qu'elle redémarre d'un bon pied.

Les meilleurs vins : Chambolle-Musigny Les Charmes, Échézeaux.

DOMAINE DU CLOS DES LAMBRAYS (MOREY-SAINT-DENIS)**

Cette propriété traverse une période mouvementée, ce qui est dommage quand on sait que ses origines remontent à 1365. Elle a été classée grand cru en 1981, vraisemblablement davantage pour la qualité de son terroir que pour celle de ses vins. On retrace toute une lignée de millésimes très décevants, avec des 1983 catastrophiques, des 1985 complètement défaits, des 1986, 1987 et 1988 extrêmement légers et aqueux. Quant aux 1990 et 1991, ils sont plus fruités, mais n'ont rien de remarquable. Aujourd'hui, le Domaine des Lambrays demeure l'une des propriétés les moins performantes de la Côte-d'Or, et, lorsqu'on interroge ses responsables sur leur manière de procéder, toutes les réponses fournies sonnent juste, notamment quant à la gestion des vignobles, aux rendements restreints, à la vinification la moins interventionniste possible, à l'utilisation raisonnée de bois neuf et à la non-manipulation des vins. Où donc est le problème ?

DOMAINE JEAN-JACQUES CONFURON (PRÉMEAUX)*****

Cette propriété, l'une des étoiles montantes de la Bourgogne, produit désormais des vins superbes, et pas seulement de bon niveau. On y pratique des vendanges en vert très sévères, et l'on y respecte des rendements de moins de 30 hl/ha, même dans des millésimes aussi abondants que 1992. Les vins, puissants et généreusement dotés, sont mis en bouteille relativement tôt afin de préserver leur fruité riche et concentré. Le Domaine Jean-Jacques Confuron a enregistré des succès étonnants en 1991 et en 1992, et il semblerait que ses 1993 soient d'une qualité hors pair. Le temps des vins aqueux, au caractère végétal et de moisi, est maintenant révolu, la renaissance de cette propriété étant l'œuvre de Sophie Meunier, fille de feu Jean-Jacques Confuron.

Les meilleurs vins : Clos de Vougeot, Nuits-Saint-Georges Les Boudots, Nuits-Saint-Georges Les Chabœufs, Romanée-Saint-Vivant, Vosne-Romanée Les Beaux Monts.

DOMAINE JACQUES CONFURON-COTETIDOT (VOSNE-ROMANÉE)****

Jacques, ou Jacky, Confuron est un homme bourru, avec qui il n'est pas aisé de parler ou de déguster. Cependant, il élabore des vins riches, musclés et très corsés, issus de rendements restreints. Fuyant le bois neuf, ce viticulteur met ses vins en bouteille avec le moins de manipulation possible. Il obtient parfois une qualité absolument superbe, mais de façon irrégulière, et a tendance à procéder à la mise trop tardivement. De plus, son parc de vieux fûts moisis n'apporte pas grand-chose à ses bourgognes rouges trapus et charnus.

Les meilleurs vins : Clos de Vougeot, Échézeaux, Nuits-Saint-Georges Premier Cru, Vosne-Romanée Les Suchots.

DOMAINE COQUARD-LOISON-FLEUROT (FLAGEY-ÉCHÉZEAUX)**/***

La qualité des vins de ce domaine est très irrégulière, ce qui est dommage sachant que la famille Coquard possède des parcelles excellemment situées dans des grands crus aussi prestigieux que le Clos Saint-Denis, les Grands Échézeaux et les Charmes-Chambertin. Il en sort parfois des vins de pinot noir énormes, riches, épais et très corsés, mais ils sont le plus souvent un peu ternes, lourds, manquant de précision et inintéressants.

Les meilleurs vins : Charmes-Chambertin Clos de la Roche, Clos Saint-Denis, Clos de Vougeot, Grands Échézeaux.

DOMAINE EDMOND CORNU ET FILS (LADOIX-SERRIGNY)***

Tous les vignobles du Domaine Cornu et Fils sont situés dans des appellations modestes, à l'exception de celui de Corton Les Bressandes. La qualité des vins ne cesse cependant de s'améliorer, en grande partie grâce à des rendements très tenus et à des vinifications les moins interventionnistes possible. Dans les millésimes récents, 1989 et 1990 s'imposent comme de belles réussites, et le Corton Les Bressandes 1985 se montre à la hauteur des promesses qu'il émettait en fût.

Les meilleurs vins : Aloxe-Corton Les Moutottes, Corton Les Bressandes.

DOMAINE DE COURCEL (POMMARD)***

Cette importante propriété de Pommard m'a fait découvrir des vins extrêmement intéressants, notamment dans les années 1962, 1964, 1966, 1971 et 1978. Depuis, je me suis souvent demandé si je ne les avais pas surestimés. En effet, bien qu'étant toujours profondément colorés et très corsés, ils ne sont pas, à compter du millésime 1985, aussi concentrés que je l'aurais souhaité. J'ai été contrarié à la lecture de l'ouvrage de Remington Norman *(Great Domaines of Burgundy)*, qui déclare que ces vins « subissent une filtration très lâche et très légère, en particulier lorsqu'ils sont destinés aux États-Unis ». Il est difficile de croire que des importateurs sérieux puissent rechercher des cuvées de pinot noir manipulées à l'excès, mais cela explique peut-être la qualité très moyenne de certains crus de ce domaine dans des millésimes récents. Les 1991 sont plutôt décevants, les 1992 corrects, les 1990 bons, sans être spectaculaires, les 1989 plaisants et les 1988 durs, astringents et manquant de charme.

Les meilleurs vins : Pommard Grand Clos des Épenots, Pommard Les Rugiens.

DOMAINE PIERRE DAMOY (GEVREY-CHAMBERTIN)***/****

Cette propriété présente un potentiel immense, avec ses prestigieux vignobles en Chambertin Clos de Bèze (54 ha) et sa parcelle de Chambertin (0,5 ha).

Pierre Damoy a amorcé un tournant décisif avec les 1993, qui sont les meilleurs vins faits au domaine depuis des décennies.

Les meilleurs vins : Chambertin, Chambertin Clos de Bèze, Chapelle-Chambertin.

DOMAINE MARIUS DELARCHE (PERNAND-VERGELESSES)***/****

Marius Delarche est l'une des étoiles montantes de la Côte de Beaune. Lorsque j'ai visité ce domaine il y a plus de dix ans maintenant, la qualité des vins y était tout juste moyenne. Mais, depuis le milieu des années 80, des rendements plus restreints, ainsi que des vendanges et une vinification plus risquées, permettent d'en produire de plus intéressants. Le domaine donne des vins impressionnants dans les grands millésimes, et ses 1992 sont d'un niveau particulièrement haut.

Le meilleur vin : Corton Les Renardes.

MAISON JOSEPH DROUHIN (BEAUNE)***/****

Robert Drouhin, petit-fils du fondateur, conserve la direction de cette maison, pourtant rachetée à hauteur de 51 % par des Japonais en 1995. Les vins rouges que l'on y produit sont le plus souvent inintéressants, mais ils sont bien faits, fruités, légèrement corsés, accessibles et de style très commercial. Ils sont tout à fait indiqués pour les néophytes, qui apprécieront surtout leur aspect flatteur. Cependant, j'ai toujours pensé qu'ils pourraient sérieusement rivaliser avec les vins de nombre de bons négociants, comme Jadot, s'ils étaient un peu plus profonds et plus concentrés. Dans son ouvrage *Pinot noir*, André Barr cite Robert Drouhin, qui donne la raison pour laquelle les consommateurs sont prêts à payer le prix fort pour les bourgognes. En effet, Robert Drouhin déclare qu'il « ne vend pas des vins, mais des produits de luxe. Une image... ». Aujourd'hui, avec des consommateurs plus avisés, je ne suis pas sûr qu'il tiendrait le même langage. Le meilleur investissement que propose la maison est probablement le Beaune Clos des Mouches, mais de grands millésimes peuvent donner des Grands Échézeaux, des Musigny, des Volnay Clos des Chênes, des Chambolle-Musigny Les Amoureuses et des Bonnes Mares des plus gratifiants. Qu'ils soient grands crus ou premiers crus, les vins Drouhin doivent être consommés avant d'avoir atteint 10 ans d'âge.

Les meilleurs vins : Bonnes Mares, Chambolle-Musigny Les Amoureuses, Grands Échézeaux, Musigny, Volnay Clos des Chênes.

DOMAINE DROUHIN-LAROSE (GEVREY-CHAMBERTIN)***

Ce domaine impeccablement géré possède quelques-uns des vignobles les mieux placés de Gevrey-Chambertin. Je garde un souvenir mémorable de quelques grands millésimes entre 1959 et 1980, mais, malheureusement, certains crus récents se sont révélés plus légers, sans l'intensité ni la concentration de leurs prédécesseurs. Je suppose néanmoins que les vins de pinot noir, collés et filtrés à l'excès, sont de bon rapport pour cette maison. Cependant, ce changement de style est assez peu encourageant pour les vrais amateurs de bourgogne.

Les meilleurs vins : Bonnes Mares, Chambertin-Clos de Bèze, Chapelle-Chambertin, Clos de Vougeot, Latricières-Chambertin, Mazis-Chambertin.

DOMAINE P. DUBREUIL-FONTAINE ET FILS (PERNAND-VERGELESSES)***

Bernard Dubreuil produit généralement des vins rouges élégants et moyennement corsés, caractérisés par un fruité pur et racé de cerise, et par une texture souple. Leur potentiel de garde est de 10 ans environ.

Les meilleurs vins : Corton Les Bressandes, Corton Clos du Roi, Corton Les Perrières.

DOMAINE CLAUDE ET MAURICE DUGAT (GEVREY-CHAMBERTIN)*****

Ce domaine, l'un des plus grands de Bourgogne, produit des vins sensationnels, somptueux et de longue garde. Issus de rendements minuscules, de raisins à bonne maturité physiologique et d'une vinification la moins interventionniste possible (pas de collage ni de filtration), ils sont en principe extraordinairement riches, spectaculaires et d'une grande complexité. Même les 1991 et 1992, deux millésimes difficiles, sont superbes, ce qui tend bien à démontrer que c'est le producteur qui fait toute la différence. Malheureusement, cette propriété est très petite, et sa production très restreinte (seulement 10 caisses de Griotte-ou de Charmes-Chambertin sont exportées par an aux États-Unis). Cela explique le sentiment général de frustration qu'engendrent les bourgognes, même chez les amateurs qui pourraient les acheter.

Les meilleurs vins : Charmes-Chambertin, Gevrey-Chambertin Lavaux Saint-Jacques, Gevrey-Chambertin Premier Cru, Griotte-Chambertin.

DOMAINE PIERRE DUGAT (GEVREY-CHAMBERTIN)***

Après avoir, pendant longtemps, vendu la totalité de sa récolte à des négociants, ce producteur de Gevrey-Chambertin la met maintenant en bouteille à la propriété. Ses vins sont riches, solides et parfois massifs, capables d'une longévité d'une dizaine d'années, voire davantage.

Le meilleur vin : Gevrey-Chambertin Vieilles Vignes.

DOMAINE DUJAC (MOREY-SAINT-DENIS)****

Avec des idées ouvertes et intelligentes en matière de vinification, Jacques Seysses gère magnifiquement sa propriété. Il fait partie de cette nouvelle génération de vignerons bourguignons qui ont beaucoup voyagé et qui sont parfaitement conscients de la nécessité de produire des vins de très haut niveau, pour garantir la crédibilité de la région et justifier les prix de vente astronomiques.

L'entreprise de Jacques Seysses vise à faire des vins de pinot noir au fruité doux, souple, élégant, velouté et très aromatique. Légèrement colorés et superbement parfumés, ils sont moyennement corsés, avec des arômes de pinot juteux aux notes de terre. J'ai perdu toute confiance dans leur longévité depuis que j'ai constaté l'évolution, trop rapide et décevante, des 1982, 1983, 1986, 1987, 1988 et, dans une certaine mesure, des excellents 1985. Même les 1990, pourtant délicieux dans leur prime jeunesse, évoluent très rapidement et doivent être consommés avant 7 ou 8 ans d'âge. Puisque Jacques Seysses ne filtre pas ses vins, peut-être s'agit-il alors d'un excès de collage ? Ou bien est-ce parce qu'il tient sur ce vignoble, somme toute encore jeune, des rendements trop élevés ? Il me semble bien que les 1969 et 1978, les millésimes les plus grandioses du Domaine Dujac, ont une concentration et une intensité que l'on ne retrouve pas dans les vins d'aujourd'hui.

Les meilleurs vins : Bonnes Mares, Charmes-Chambertin, Clos de la Roche, Clos Saint-Denis.

MAURICE ÉCARD ET FILS (SAVIGNY-LÈS-BEAUNE)****

Il est vraiment dommage qu'on ne puisse trouver davantage de bourgognes rouges à l'image des premiers crus de Savigny-lès-Beaune que produit la maison Écard. Ces vins de pinot noir sont plus puissants d'année en année, et se montrent vivaces, mûrs et élégants. Merveilleusement purs et regorgeant de fruit, ils traduisent fidèlement leur terroir et sont encore proposés à des prix très intéressants. Agréables dès leur jeunesse, ils peuvent se conserver 10 à 12 ans. Voici une propriété à tenir à l'œil, si vous recherchez des vins de pinot noir à prix modestes et qui tiennent la route.

Les meilleurs vins : Savigny-lès-Beaune Les Narbentons, Savigny-lès-Beaune Les Peuillets, Savigny-lès-Beaune Les Serpentières.

DOMAINE RENÉ ENGEL (VOSNE-ROMANÉE)****

Les vins de Philippe Engel traduisent bien ses talents de vinificateur. Si ses premiers essais, bien que de qualité supérieure à la moyenne, étaient inintéressants, ses vins se révèlent aujourd'hui plutôt proches des cinq étoiles. Engel possède quelques superbes vignobles, notamment une parcelle de Clos de Vougeot où la plupart des vignes datent de 1922. Il élabore des vins imposants, bien colorés et moyennement corsés, aux tannins parfaitement fondus. D'une excellente pureté, très riches et très complexes, ils peuvent être dégustés dès leur jeunesse ou mis en cave pendant 10 à 15 ans. Presque tout ce que produit Philippe Engel est remarquable, et il enregistre de beaux succès aussi bien dans les grandes années que dans celles de niveau plus moyen, comme 1991.

Les meilleurs vins : Clos de Vougeot, Échézeaux, Grands Échézeaux, Vosne-Romanée Les Brûlées.

FRÉDÉRIC ESMONIN (GEVREY-CHAMBERTIN)***

Voici une propriété bourguignonne des plus typiques. Bien qu'elle possède nombre d'excellents vignobles, son immense potentiel demeure sous-exploité. Ses vins, filtrés et collés à l'excès, sont le plus souvent desséchés et compacts, moins amples en bouteille qu'au fût. Mais, tant que les consommateurs achèteront à des prix élevés des bourgognes aussi dépouillés, rien n'incitera les producteurs à modifier leur manière de faire. Cependant, ne perdez pas de vue ce domaine – tout y est fait exactement dans les règles pour ce qui est de la vinification – ; malheureusement, cela s'arrête à la mise en bouteille.

Les meilleurs vins : Gevrey-Chambertin Lavaux Saint-Jacques, Griotte-Chambertin, Mazis-Chambertin.

MICHEL ESMONIN ET FILLE (GEVREY-CHAMBERTIN)****

Ce domaine ne produit malheureusement qu'un seul premier cru, mais les initiés estiment que son Clos Saint-Jacques à Gevrey-Chambertin devrait être aussi classé comme tel. Michel Esmonin est maintenant presque à la retraite, et c'est sa charmante fille, Sylvie, qui reprend le flambeau. Les vins du domaine Michel Esmonin et Fille comptent au nombre des tout meilleurs du village de Gevrey-Chambertin et sont mis en bouteille sans collage ni filtration. Depuis 1985, la mise se fait entièrement à la propriété. Auparavant, la totalité de la production était vendue à des négociants, et les vins des millésimes 1988 et 1992 se révèlent réellement séduisants. Ils requièrent en général une garde de 4 ou 5 ans avant d'être prêts, et présentent un potentiel de 10 à 15 ans.

Le meilleur vin : Gevrey-Chambertin Clos Saint-Jacques.

MAISON FAIVELEY (NUITS-SAINT-GEORGES)***

Comme le savent mes fidèles lecteurs, j'ai longtemps été un fervent amateur des vins de Faiveley, dont j'ai souvent vanté les mérites. Cette maison peut s'enorgueillir d'être le plus important domaine de Côte-d'Or, possédant notamment de vastes vignobles en Côte Chalonnaise. François Faiveley, qui a pris la suite de son père Guy en 1976, semble faire les choses très correctement, choisissant systématiquement les meilleurs clones pour ses vignobles, procédant à des saignées pour obtenir une meilleure concentration dans des millésimes abondants comme 1982 ou 1986, et pratiquant une mise en bouteille manuelle et sans filtration pour ses premiers crus. Si j'ai souvent été impressionné lors de dégustations faites en Europe, d'autres spécialistes de la Bourgogne ne semblent pas séduits par le style Faiveley. Ainsi, dans *Making Sense of Burgundy*, Matt Kramer qualifie les vins de la maison Faiveley de « rugueux, plutôt desséchés », précisant que « la vinification est d'un style vieillot, dans le sens le moins flatteur du terme ». Quant à Andrew Barr, auteur britannique très controversé, il déclare dans son livre *Pinot noir* les « trouver trop grossiers, avec un caractère trop prononcé de terre ».

J'en suis arrivé à la conclusion que MM. Barr et Kramer ont une appréciation plus juste que la mienne, d'autant qu'ils ont commenté les vins de Faiveley longtemps après leur mise en bouteille. En effet, beaucoup d'entre eux manquent de fruité riche et concentré, et sont relativement compacts, tanniques et austères. Ils sont certes d'une grande longévité, mais également durs et émoussés. La maison Faiveley est extrêmement importante, et ses premiers crus et grands crus comptent au nombre des bourgognes rouges de négociant les plus chers qui soient. Cependant, on trouve d'excellentes affaires parmi ses vins de la Côte Chalonnaise, notamment ceux qui sont issus des vignobles de Mercurey (tels le Clos des Myglands, le Clos du Roy, Domaine de la Croix-Jacquet et La Framboisière), ainsi que l'excellent Bourgogne Rouge générique.

Les meilleurs vins : Chambertin Clos de Bèze, Charmes-Chambertin, Corton Clos des Cortons, Nuits-Saint-Georges Les Saint-Georges.

DOMAINE JEAN-CLAUDE FOURRIER (GEVREY-CHAMBERTIN)**

Je me suis fait le palais avec nombre de grands vins de cette propriété, alors qu'elle s'appelait Domaine Pernot-Fourrier. En effet, les 1966, 1969 et 1971 étaient d'une excellente tenue. Mais tout cela est de l'histoire ancienne, et, bien que le domaine possède quelques vignobles fabuleux, il ne produit plus que des vins légèrement corsés, fruités et doux, manquant de concentration et de stature.

Les meilleurs vins : Gevrey-Chambertin Clos Saint-Jacques, Gevrey-Chambertin Combe aux Moines, Griotte-Chambertin.

DOMAINE JEAN GARAUDET (POMMARD)***/****

Voici une source de bourgognes rouges séduisants, riches et moyennement corsés. Le Pommard Les Charmots du Domaine Jean Garaudet, issu d'une vigne plantée en 1902, mérite bien le niveau cinq étoiles dans les grandes années. La seule réserve que j'émette à l'égard des vins de cette propriété est leur caractère parfois monolithique. Cependant, ils sont généralement bien vinifiés, généreusement dotés et gratifiants, Les Charmots étant d'un niveau supérieur au reste de la production.

Les meilleurs vins : Beaune Clos des Mouches, Pommard Les Charmots.

DOMAINE MICHEL GAUNOUX (POMMARD)****

Cette propriété parfaitement gérée produit des Pommard de premier ordre, et j'ai pu en déguster quelques bouteilles absolument remarquables, notamment des 1962, 1964 et 1966. Si les millésimes récents se révèlent plus légers, les vins sont néanmoins dotés de manière impressionnante, se montrant riches et très corsés. C'est Mme Gaunoux qui dirige la propriété depuis le décès de son époux en 1984. Elle suit de très près la commercialisation de sa production, et conserve ses vins plusieurs années avant de les diffuser (les 1990 n'ont été vendus qu'en 1994). Elle a d'ailleurs fait preuve de beaucoup de courage en décidant de déclasser toute sa récolte en 1986. La propriété est à la tête de nombreuses vieilles vignes, et les amateurs en quête d'une bouteille du Domaine Michel Gaunoux feraient bien de fréquenter les plus luxueux restaurants de France, leurs sommeliers prisant en général beaucoup ces vins. Il est vraiment dommage que les Pommard de cette propriété impeccablement tenue ne soient pas davantage connus aux États-Unis. Les vins de ce domaine que j'ai dégustés en France m'ont semblé plus riches que ceux que j'ai goûtés outre-Atlantique. Est-ce l'importateur américain qui recherche des cuvées filtrées et collées, ou ces vins souffrent-ils de mauvaises conditions de transport ?

Les meilleurs vins : Beaune Les Boucherottes, Beaune Les Épenottes, Corton Les Renardes, Pommard Les Charmots, Pommard Les Grands Épenots, Pommard Les Rugiens.

DOMAINE PIERRE GÉLIN (FIXIN)****

Pour des raisons que j'ignore, ce domaine, géré par Stephen Gélin, n'a jamais recueilli les louanges qu'il mérite. Ici, les vins ne sont pas élaborés dans le style direct, fruité et commercial qu'affectionnent tant de producteurs bourguignons. Ils sont plutôt amples, musclés et puissants, et requièrent bien 4 ou 5 ans de garde en cave avant d'être dégustés. Nombre d'entre eux libèrent d'admirables notes de cuir fin qui dérangeraient certainement plus d'un technocrate, mais ils ont indiscutablement du caractère et de la distinction. Stephen Gélin produit également des vins d'un remarquable rapport qualité/prix, issus de ses vignobles situés dans la moins prestigieuse appellation de Fixin. Ses 1990 sont excellents, mais ils demandent à être attendus.

Les meilleurs vins : Chambertin Clos de Bèze, Fixin Clos du Chapitre, Fixin Clos Napoléon, Mazis-Chambertin.

DOMAINE LUCIEN GEOFFROY (GEVREY-CHAMBERTIN)***

Comme je l'ai déjà signalé dans mon ouvrage sur les vins de Bourgogne, je suis incapable d'apprécier le caractère excessivement boisé des vins de Lucien Geoffroy. En effet, ceux-ci sont amples et d'une belle couleur, mais bien trop marqués par le chêne et les tannins.

Les meilleurs vins : Gevrey-Chambertin Les Champeaux, Gevrey-Chambertin Clos Prieur, Mazis-Chambertin.

DOMAINE JACQUES GERMAIN (CHOREY-LÈS-BEAUNE)***

Les amateurs qui ont un penchant pour les vins légèrement corsés, élégants, soyeux, fruités et marqués par de généreuses notes de bois neuf trouveront ceux de Jacques Germain bons, sinon très bons. Sans être superbes, ils sont toujours bien faits, et se dégustent de manière idéale jusqu'à 10 ans d'âge.

Les meilleurs vins : Beaune Les Boucherottes, Beaune Les Cent Vignes, Beaune Les Teurons, Beaune Les Vignes Franches.

DOMAINE ARMAND GIRARDIN (POMMARD)****

Les vins d'Armand Girardin diffusés sur le marché américain sont des cuvées spéciales que l'on ne trouve nulle part ailleurs. Mes lecteurs se sont souvent plaints que les vins qu'ils achetaient en Europe étaient oxydés et marqués par un caractère de moisi. L'importateur américain de ce domaine insiste pour que sa réserve soit entièrement élevée en fûts neufs et mise en bouteille sans collage ni filtration. Dans la plupart des millésimes, ces vins ressemblent à des échantillons tirés du fût, avec leur robe de couleur pourpre foncé. Épais et riches, ils sont parfois même (comme en 1989 ou en 1990) au nombre des Pommard les plus puissants, les mieux dotés et les plus musclés du millésime. Mais ces vins traditionnels, massifs, de bonne mâche et d'une belle extraction ne sont pas faits pour être dégustés dans leur prime jeunesse.

Les meilleurs vins : Beaune Clos des Mouches, Pommard Les Charmots, Pommard Les Épenots, Pommard Les Rugiens.

DOMAINE HENRI GOUGES (NUITS-SAINT-GEORGES)**

Dans son ouvrage *Making Sense of Burgundy*, l'auteur américain Matt Kramer déclare : « Il est grand temps, désormais, de ne plus prendre de gants : les vins du Domaine Henri Gouges sont de deuxième ordre, et depuis des années. Aucune autre propriété de Bourgogne n'a aussi longtemps vécu sur sa réputation que celle-ci. » Lorsque j'ai visité ce domaine pour la première fois en 1975, j'y ai dégusté toute une série de vins remarquables des années 1969, 1966 et 1964. Mais, lorsque, une fois de retour aux États-Unis, j'ai acheté et goûté les 1971, j'ai été horrifié par leur caractère aqueux et léger. Vingt-cinq ans ont passé, et je n'ai constaté aucune amélioration marquante. Les vins des années 90 sont peut-être plus colorés que ceux des deux décennies précédentes, mais ils n'en sont pas moins durs, austères et de petite envergure, n'impressionnant ni par leur profondeur ni par leur intensité. Ainsi vont les choses...

Les meilleurs vins : Nuits-Saint-Georges Les Saint-Georges, Nuits-Saint-Georges Les Vaucrains.

MACHARD DE GRAMONT (NUITS-SAINT-GEORGES)****

Cette importante propriété de 20 ha environ possède de nombreux vignobles disséminés sur dix-neuf appellations différentes de Côte-d'Or. J'ai toujours apprécié les vins riches, structurés et concentrés qui en étaient issus. Arnaud Gramont demeure l'un des vignerons les plus francs et les plus ouverts de la région, et il a été aussi prompt à critiquer des millésimes comme 1987 et 1986 qu'à louer, avec raison d'ailleurs, une année comme 1990. Les vins de ce domaine ne sont pas faits pour être dégustés dès leur jeunesse, et requièrent en général 3 ou 4 ans de garde en cave avant d'être bus. Il s'agit d'une des rares maisons de Bourgogne qui remettent encore en question les méfaits de la filtration sur le pinot noir dans certains millésimes. Néanmoins, une légère filtration peut être parfois effectuée, bien qu'Arnaud Gramont soit farouchement opposé aux techniques interventionnistes. Enfin, vous trouverez les vins du domaine Machard de Gramont à des prix raisonnables, compte tenu de leur qualité.

Les meilleurs vins : Beaune Les Chouacheux, Beaune Les Épenottes, Nuits-Saint-Georges Les Damodes, Nuits-Saint-Georges Les Hauts Poirets, Pommard Le Clos Blanc.

DOMAINE JEAN GRIVOT (VOSNE-ROMANÉE)****

On a beaucoup insisté sur le fait que Jean Grivot était un adepte de Guy Accad, et il me semble qu'il a été injustement critiqué pour cela. Ce n'est pas Accad qui élabore les vins, et ses conseils ne sont peut-être pas toujours suivis par son client. Les vins du Domaine Jean Grivot sont généralement riches, robustes et de longue garde. Ils ne manquent certainement pas de richesse en extrait ni de couleur, et se révèlent toujours de qualité régulière, y compris dans des années comme 1987 ou 1991. Cela étant dit, je les dégusterais plus volontiers avant qu'ils n'aient atteint 10 à 12 ans d'âge, sauf dans les millésimes les plus concentrés.

Les meilleurs vins : Clos de Vougeot, Échézeaux, Nuits-Saint-Georges Les Boudots, Nuits-Saint-Georges Les Pruliers, Richebourg, Vosne-Romanée Les Brûlées, Vosne-Romanée Les Suchots.

DOMAINE ROBERT GROFFIER (MOREY-SAINT-DENIS)***

Ce domaine offre, de manière assez irritante, une qualité des plus irrégulières, et cela tient très probablement au fait que les rendements y sont souvent trop élevés. Ainsi, alors que j'avais été découragé par des 1985 terriblement légers, Robert Groffier a fait volte-face avec des 1986 de très bonne tenue. Quant à ses 1990, très décevants, ils ont été suivis d'excellents 1991. Les vins du Domaine Robert Groffier sont généralement très chers, mais, lorsque ce producteur décroche la timbale (généralement dans les années où la récolte a été naturellement réduite), ils offrent un fruité généreux, opulent et savoureux, mêlé d'abondants arômes de fumé et de chêne neuf et grillé. Ce sont des bourgognes rouges extrêmement précoces et luxuriants, que les véritables amateurs devront se résoudre à payer au prix fort.

Les meilleurs vins : Bonnes Mares, Chambertin Clos de Bèze, Chambolle-Musigny Les Amoureuses.

DOMAINE A. F. GROS (POMMARD)***

Les grands espoirs que j'avais fondés sur ce domaine ne se sont pas concrétisés, en dépit des Richebourg impressionnants produits dans certains millésimes. C'est l'une des nombreuses propriétés de la Bourgogne qui portent le nom de Gros, ce qui traduit bien le morcellement excessif des vignobles de cette région. Ce Domaine Gros (de Pommard) résulte du mariage de la fille de Jean Gros, Anne, avec François Parent, du Domaine Parent. Si vous trouvez un Richebourg d'une très grande année portant l'étiquette de ce domaine, et que vous ayez les moyens de vous l'offrir, n'hésitez pas.

Le meilleur vin : Richebourg.

DOMAINE ANNE ET FRANÇOIS GROS (VOSNE-ROMANÉE)***

Cette propriété produit d'excellents Richebourg, mais ses autres vins sont de qualité plus ou moins irrégulière. A son meilleur niveau, le Richebourg du Domaine Anne et François Gros révèle une opulence exotique et une grande richesse, avec de merveilleux arômes floraux et de fruits noirs. Il doit être consommé avant 10 à 12 ans d'âge.

Le meilleur vin : Richebourg.

DOMAINE JEAN GROS (VOSNE-ROMANÉE)***/****

Ce domaine de plus de 12 ha, dirigé par Mme Jean Gros et par son fils Michel, affiche depuis ces dernières années un niveau de qualité des plus irréguliers. Seul son Richebourg semble se situer au-dessus du lot, et Mme Gros a tendance à vouloir imposer à tout importateur désireux d'acquérir ce cru l'achat de grandes quantités de son Hautes-Côtes de Nuits. Or, ce dernier, très cher et rarement intéressant, constitue une mauvaise affaire. Le Vosne-Romanée Clos des Réas, autrefois superbe, semble maintenant plus léger, mais il peut se révéler profond dans les très bonnes années. La parcelle de Clos de Vougeot, récemment replantée et située sur un des coteaux les plus prisés de l'appellation, recommence tout juste à produire.

Les meilleurs vins : Clos de Vougeot, Richebourg, Vosne-Romanée Clos des Réas.

DOMAINE GROS FRÈRE ET SŒUR (VOSNE-ROMANÉE)***/****

Ce domaine, dirigé par Bernard Gros (un des fils de Mme Gros), possède un grand nombre de vignobles, et donne des vins de pinot noir extraordinairement riches, opulents et luxuriants, doux, confiturés et enivrants. Comme je l'ai déjà signalé dans mon ouvrage sur les vins de Bourgogne, les Échézeaux, Clos de Vougeot et Richebourg qu'il produit exhalent un incroyable bouquet d'orange, de framboise et d'abricot. De toutes les propriétés appartenant à la famille Gros, celle-ci me semble la plus performante à l'heure actuelle – mais les vins qui en sont issus sont terriblement chers.

Les meilleurs vins : Clos de Vougeot, Grands Échézeaux, Richebourg.

DOMAINE HAEGELEN-JAYER (VOSNE-ROMANÉE)****/*****

Je déplore vivement le fait que cette minuscule propriété ne produise que de toutes petites quantités de vins. Alfred Haegelen, cousin par alliance du grand Henri Jayer, fait preuve du même talent que ce dernier. Bien que je ne connaisse qu'un nombre limité de millésimes de ce domaine, les Clos de Vougeot et les Échézeaux peuvent se révéler superbes, même dans les années moyennes. Ce sont des bourgognes rouges traditionnels, charnus, riches et concentrés.

Les meilleurs vins : Clos de Vougeot, Échézeaux.

DOMAINE ALAIN HUDELOT-NOËLLAT (VOUGEOT)****

Les 1991 de cette propriété m'ont tellement impressionné que je me suis demandé si on n'avait pas renoncé à la filtration excessive qui était jadis pratiquée. Les vins sont riches, moyennement corsés et séduisants, avec un excellent fruité et cette texture ample et veloutée qui rend les grands bourgognes si merveilleux. Les grands crus sont en majeure partie élevés en fûts neufs, si bien que vous ne serez pas surpris de leur trouver des notes de fumé et de chêne neuf. Tous ces vins sont à leur meilleur niveau jusqu'à 10 à 12 ans d'âge.

Les meilleurs vins : Chambolle-Musigny Les Charmes, Clos de Vougeot, Richebourg, Romanée-Saint-Vivant, Vosne-Romanée Les Malconsorts, Vosne-Romanée Les Suchots.

DOMAINE PAUL ET HENRI JACQUESON (RULLY)***/****

Les Rully du Domaine Paul et Henri Jacqueson ne peuvent que séduire. Débordant de fruité, riches et purs, ils sont prisés par les meilleurs restaurants. Ils sont capables d'une longévité d'une décennie environ, mais peuvent être appréciés dès leur jeunesse.

Les meilleurs vins : Mercurey Les Naugues, Rully Les Cloux, Rully Les Chaponnières.

LOUIS JADOT (BEAUNE)****/*****

Négociant et propriétaire de vignobles, la maison Louis Jadot demeure une référence quant à la manière dont les négociants de la région devraient élaborer leurs vins. Gérée autrefois par André Gagey, véritable gentleman bourguignon, elle est maintenant dirigée par son fils Pierre-Henry, secondé par Jacques Lardière, un des œnologues les plus talentueux de toute la Côte-d'Or. Presque toute la production de la maison Jadot – du bourgogne générique au Chambertin Clos de Bèze ou au Bonnes Mares de tout premier ordre – est toujours de grande, sinon de superbe qualité. Mais les initiés savent aussi que les meilleures affaires à réaliser sont les Beaune premiers crus, merveilleusement faits, riches, séduisants et fruités. La gamme va du Beaune Clos des Ursules aux premiers crus d'une suprême richesse, tels les Beaune Les Avaux, Beaune Les Boucherottes, Beaune Les Bressandes, Beaune Les Chouacheux, Beaune Les Couchereaux, Beaune Les Grèves, Beaune Les Theurons et Beaune Les Toussaint (tous absolument splendides en 1989 et en 1990). De tous les vins rouges que propose la maison, c'est le Corton-Pougets, de très longue garde, qui me semble être le plus sous-estimé. En règle générale, les 1991 de Jadot, issus de la Côte de Beaune, ne sont pas aussi réussis que je l'aurais souhaité, et les 1986 se révèlent relativement durs et rugueux. Toutefois, ce producteur a traversé les années 80 avec des 1983 excellents, des 1985 riches et fermement structurés, des 1987 très bons, et des 1988 et 1989 remarquables. Quant aux 1990, ils sont fabuleux, et les 1992 absolument merveilleux. La maison ne cultive pas un style particulier, si ce n'est qu'elle produit des vins riches, d'une belle précision et bien structurés, résistant bien à l'épreuve du temps. Tous les grands crus sont mis en bouteille sans filtration préalable depuis 1988, et les premiers crus le sont également depuis 1990.

Les meilleurs vins : outre les cuvées qui sont issues de la Côte de Beaune et du Corton-Pougets, citons aussi les Chambolle-Musigny Les Amoureuses,

Chapelle-Chambertin, Clos de Vougeot, Gevrey-Chambertin Clos Saint-Jacques, Nuits-Saint-Georges Clos des Thorey, Romanée-Saint-Vivant, Ruchottes-Chambertin.

JAFFELIN (BEAUNE)**

Cette maison a été vendue par Robert Drouhin à Jean-Claude Boisset. Je n'ai pas encore dégusté les vins élaborés depuis le changement de direction, mais ceux qui étaient jusque-là proposés se révélaient en général bien faits, sans détour, nets et d'un style commercial. Ils convenaient parfaitement à des consommateurs en quête de bourgognes rouges plaisants, simples et fruités.

DOMAINE HENRI JAYER (VOSNE-ROMANÉE)*****

On a tant écrit sur Henri Jayer qu'il semble dérisoire de vouloir ajouter aux louanges, tout à fait méritées, qui lui ont déjà été adressées. Cet homme, qui rayonne de chaleur et de confiance, m'a inspiré une certaine sagesse, et une dégustation dans ses caves reste pour moi une expérience extraordinaire. Il a élaboré des vins légendaires – les toutes petites quantités d'Échézeaux, de Vosne-Romanée Cros Parantoux et de Vosne-Romanée Les Beaux Monts qu'il a produites sont presque impossibles à trouver, tant la demande internationale est grande. Henri Jayer n'a jamais fait mystère des raisons grâce auxquelles ses vins rouges sont si riches, si expressifs, si aromatiques et si gratifiants. Il les attribue au travail acharné qu'il mène à la vigne et aux rendements restreints qu'il tient (moins de 30 hl/ha), et explique, avec simplicité, que tout se passe dans le vignoble. Tous ses vins, élevés en fûts neufs, à peine collés et jamais filtrés, parlent d'eux-mêmes. Ses 1978, 1980 et 1985 sont des monuments qui illustrent parfaitement ce que devraient être les grands bourgognes. Emmanuel Rouget, neveu d'Henri Jayer, continue de faire des vins à l'image de ceux de son oncle.

Les meilleurs vins : Échézeaux, Richebourg, Vosne-Romanée Les Beaux Monts, Vosne-Romanée Cros Parantoux.

DOMAINE ROBERT JAYER-GILLES (MAGNY-LÈS-VILLERS)*****

Robert Jayer, cousin d'Henri Jayer, a toujours élaboré d'excellents vins. Mais ceux-ci se révèlent, ces dernières années, encore plus parfumés et plus riches. Ils sont entièrement élevés en fûts neufs, dans l'une des plus belles caves de toute la Bourgogne. Ce producteur, autrefois adepte d'une très légère filtration Kieselguhr, s'est rendu compte que ce procédé nuisait aux arômes des vins et à leur capacité de garde. Ceux qu'il produit aujourd'hui sont riches et séduisants, capables de durer 10 à 15 ans. L'affaire la plus intéressante est le Côte de Nuits-Villages, qui se révèle souvent de meilleur niveau que les premiers crus ou les grands crus de certains producteurs. Son secret le mieux gardé est probablement l'exquis Nuits-Saint-Georges Les Damodes, et son portefeuille s'est récemment enrichi d'une petite parcelle de Nuits-Saint-Georges

Les Hauts Poirets. Ce vigneron a connu de beaux succès dans les années 1987 et 1992.

Les meilleurs vins : Côte de Nuits-Villages, Échézeaux, Nuits-Saint-Georges Les Damodes, Nuits-Saint-Georges Les Hauts Poirets.

DOMAINE JOBLOT (GIVRY)****

Il est vraiment dommage que l'on ne trouve pas plus de producteurs aussi dévoués et aussi talentueux que Jean-Marc Joblot. Travaillant à Givry, une appellation de moindre renommée, il produit des bourgognes rouges purs, concentrés et de bonne mâche, qui peuvent être dégustés dès leur jeunesse ou conservés pendant une décennie environ. Ses vins pourraient mettre nombre de premiers et de grands crus prestigieux de la Côte-d'Or en position délicate, et les véritables amateurs de Bourgogne se ruent sur la production de Jean-Marc Joblot depuis ses fabuleux 1985. La qualité des vins du Domaine Joblot ne cesse de croître.

Les meilleurs vins : Givry Clos du Cellier aux Moines, Givry Clos de la Servoisine.

DOMAINE MICHEL JUILLOT (MERCUREY)***

Mon sentiment est assez mitigé quant aux vins de ce producteur. Soit il réussit merveilleusement bien, comme en 1990, produisant des vins de pinot noir d'une excellente tenue, riches et très corsés, soit il échoue lamentablement, comme en 1991 ou en 1992.

Les meilleurs vins : Mercurey Les Champs, Mercurey Clos des Barraults, Mercurey Clos Tonnerre.

LABOURÉ-ROI (NUITS-SAINT-GEORGES)***

Cette maison produit des bourgognes robustes et rustiques, plaisants et bons, mais inintéressants.

Les meilleurs vins : comme tous les négociants, la maison présente une large gamme de produits, mais les meilleurs vins sont issus du Domaine Chantal Lescure et des vignobles de Nuits-Saint-Georges comme Les Damodes.

DOMAINE MICHEL LAFARGE (VOLNAY)****/*****

En prenant de l'âge et en devenant, je l'espère, plus sage, j'apprécie mieux les vins de Lafarge. Mais peut-être sont-ils aussi de meilleure qualité. Ses Volnay sont aussi séduisants et aussi classiques que tous les autres vins issus de ce village, et ils se révèlent extrêmement réguliers à haut niveau, même dans des années difficiles comme 1981. Dans les grands millésimes, ce producteur peut décrocher la timbale, notamment avec ses cuvées prestige, qui sont des vins riches, concentrés et élégants, néanmoins imposants et parfumés, au potentiel de garde de 10 à 15 ans.

Les meilleurs vins : Volnay Clos des Chênes, Volnay Clos du Château des Ducs.

DOMAINE DES COMTES LAFON (MEURSAULT)*****

Si ce producteur est mondialement connu pour ses bourgognes blancs absolument spectaculaires, ses vins rouges sont également stupéfiants. Mais ils sont produits en si petites quantités que leur grande qualité passe souvent inaperçue. Les Volnay Champans, Volnay Clos des Chênes et Volnay Santenots du Domaine des Comtes Lafon sont les meilleurs de l'appellation – riches, extrêmement concentrés, merveilleusement purs, mais jamais lourds ni tanniques, ils peuvent durer et évoluer des décennies, même lorsqu'ils sont issus de millésime comme 1987. Ils sont malheureusement difficiles à trouver sur le marché.

Les meilleurs vins : Volnay Champans, Volnay Clos des Chênes, Volnay Santenots.

DOMAINE LAMARCHE (VOSNE-ROMANÉE)***

Ce domaine est assez représentatif de l'évolution de certaines propriétés historiques de Bourgogne. Après avoir produit nombre de vins grandioses après guerre, il a accusé une baisse de qualité dans les années 70 et au début des années 80. Après le décès d'Henri Lamarche, en 1985, son fils François reprit les rênes de la propriété (à la tête d'un véritable trésor en termes de vignobles), et mesura l'ampleur de son déclin. Depuis 1989, il applique en vinification un procédé de macération à froid dans le but d'obtenir des vins plus colorés et plus profonds. Mais, si l'on constate une amélioration de la qualité depuis quelques années, celle-ci n'est pas encore à la hauteur de ce que les amateurs seraient en droit d'attendre d'un domaine aux vignobles aussi prestigieux, qui pratique des prix aussi élevés. Il faudrait encore que François Lamarche jette ses filtres aux orties et qu'il ait l'esprit plus ouvert en ce qui concerne le collage de ses vins. Ses défenseurs argueront que ce style léger et délicat est intentionnel, mais, pour moi, ces qualificatifs masquent plutôt un manque de concentration.

Les meilleurs vins : Clos de Vougeot, Échézeaux, La Grande Rue, Grands Échézeaux.

LOUIS LATOUR (BEAUNE)***

La maison Louis Latour utilise pour ses vins rouges un procédé de pasteurisation éclair. Cette pratique a soulevé nombre de controverses, et les avis sont partagés quant à sa portée. Le célèbre négociant, aujourd'hui décédé, maintenait qu'elle était moins brutale qu'une filtration stérile et qu'elle permettait également de réduire les autres traitements du vin. Cette entreprise est, avec raison, très renommée pour sa large palette de vins blancs riches et très corsés, mais, si l'on constate certaines similitudes de style entre ses vins rouges les moins prestigieux, elle n'en demeure pas moins une bonne source d'approvisionnement pour des Corton corsés, tanniques et solides. Propriétaire d'une très grande partie de cette appellation, elle propose comme vin vedette un Corton-Grancey « macho », charnu et musclé, capable d'une longévité de 20 ans ou plus. Si l'on ne saurait espérer que ce cru compte jamais au nombre des plus aromatiques et des plus complexes, il se révèle ample et gratifiant dans les meilleurs millésimes. Les autres vins rouges de la maison, notamment les sélections de Beaune, de Pernand-Vergelesses et de Savigny, sont souvent dépouillés.

Les meilleurs vins : Corton Clos de la Vigne au Saint, Corton-Grancey, Romanée-Saint-Vivant.

DOMAINE DOMINIQUE LAURENT (NUITS-SAINT-GEORGES)****/*****

Dominique Laurent, ex-pâtissier, débute sa carrière viticole en 1989. Il sélectionne et achète les vins de certains viticulteurs, les élève entièrement en fûts neufs pour ensuite les mettre en bouteille sans collage ni filtration. Je n'ai jamais dégusté ses 1989, 1990 ou 1991, mais il me semble qu'il a mis dans le mille avec ses 1992, absolument spectaculaires, qui sont au nombre des vins les plus séduisants et les plus somptueux de l'année. Il faudra les consommer dès leur jeunesse, compte tenu de la précocité et de la douceur du millésime. Dominique Laurent me paraît déterminé à s'imposer avec des bourgognes riches, de grande qualité et de style traditionnel. Affaire à suivre...

Les meilleurs vins : la qualité sera probablement assez variable, dépendant des achats qu'effectuera ce négociant. A ce jour, les Bonnes Mares, Charmes-Chambertin et Clos de la Roche se sont révélés stupéfiants.

DOMAINE LECHENEAUT (NUITS-SAINT-GEORGES)****/*****

Les vins du Domaine Lecheneaut ont été découverts et mis à l'honneur par la *Revue du vin de France*, le périodique viticole le plus important de l'Hexagone. Les performances de cette propriété en 1990, 1991 et 1992 l'imposent désormais comme l'une des étoiles montantes de Nuits-Saint-Georges. En effet, Philippe et Vincent Lecheneaut y élaborent des vins bien plus grandioses que ceux des autres négociants et viticulteurs plus renommés de leur village, et le succès qu'ils ont enregistré dans des millésimes aussi difficiles que 1991 et 1992 justifie un niveau cinq étoiles. Leurs vins, profondément colorés, riches et bien structurés, avec des notes de chêne neuf et grillé, se révèlent également savoureux et bien équilibrés. Voilà une autre source fabuleuse de grands bourgognes rouges à déguster dès leur jeunesse ; ces vins ont néanmoins l'harmonie nécessaire pour très bien évoluer sur 10 à 15 ans.

Les meilleurs vins : Clos de la Roche, Nuits-Saint-Georges Les Cailles, Nuits-Saint-Georges Les Damodes.

DOMAINE PHILIPPE LECLERC (GEVREY-CHAMBERTIN)****/*****

On a beaucoup écrit sur Philippe Leclerc, cet individu pour le moins original, à l'allure et à la tenue vestimentaire proches de celles d'un chef de bande de motards. Cependant, cet homme doit trouver un certain équilibre et une sorte de paix dans ses caves, où il produit des bourgognes rouges uniques. Entièrement vieillis en fûts neufs pendant trois ans et mis en bouteille sans collage ni filtration, ils peuvent sembler trop boisés dans certains millésimes, mais Philippe Leclerc ne produit jamais de vins dépouillés. Sa vinification tend plutôt vers des vins musclés et hautement concentrés, mis en valeur par de généreuses notes de chêne neuf, et destinés à durer 15 à 20 ans. En effet, ce vigneron est de ceux qui s'insurgent le plus contre les bourgognes d'aujour-d'hui, au style commercial et destinés à être consommés dès leur jeunesse. Il a élaboré nombre de vins extraordinaires – issus notamment de ses deux meilleurs vignobles. La Combe aux Moines et Les Cazetiers –, qui requièrent 5 à 7 ans pour bien s'épanouir. Depuis quelques années, Philippe Leclerc a changé l'habillage et la forme de ses bouteilles, et sa nouvelle étiquette, ins-pirée de l'Apocalypse, révèle bien sa personnalité tourmentée.

Les meilleurs vins : Chambolle-Musigny Babillaires, Gevrey-Chambertin Les Cazetiers, Gevrey-Chambertin Combe aux Moines.

DOMAINE RENÉ LECLERC (GEVREY-CHAMBERTIN)****

Gevrey-Chambertin abrite un certain nombre de familles particulièrement intéressantes. René Leclerc travaillait avec son frère, Philippe Leclerc, jusqu'à ce que le mysticisme de celui-ci le décide à s'installer tout seul. Leur mère possède et dirige l'Hôtel des Terroirs de Gevrey.

René Leclerc a connu ces dernières années des fortunes plus diverses que son frère Philippe. Il élabore des vins d'un style différent, mais richement extraits, très corsés et très intenses. Mis en bouteille au terme d'un long vieillis-sement en fûts de chêne, ils ne sont jamais collés ni filtrés. J'ai l'impression qu'ils montrent, depuis les années 80, davantage de caractère à la fois au nez et en bouche, et j'ai été tout particulièrement impressionné par les 1991. Compte tenu de la petite proportion de bois neuf utilisée pour leur élevage (il en va différemment chez Philippe Leclerc), ces vins peuvent être dégustés dès leur diffusion, mais aussi être conservés 10 ans ou plus, dans les grands millésimes.

Les meilleurs vins : Gevrey-Chambertin Clos Prieur, Gevrey-Chambertin Combe aux Moines, Gevrey-Chambertin Lavaux Saint-Jacques.

DOMAINE LEJEUNE (POMMARD)****/*****

Voici un domaine que j'ai sous-estimé dans mon ouvrage sur les vins de Bourgogne. Les Pommard 1988, 1989 et 1990 du Domaine Lejeune s'imposent en effet comme des vins de pinot noir spectaculaires, d'une richesse et d'une concentration rares. Et, si les 1991 étaient moins réussis, les 1992 ont signé le retour de la propriété sur la voie du succès. Ces bourgognes opulents et généreusement dotés peuvent être dégustés dès leur jeunesse ou conservés environ 10 ans.

Les meilleurs vins : Pommard Les Argillières, Pommard Les Poutures, Pommard Les Rugiens.

DOMAINE LEROY (VOSNE-ROMANÉE)*****

Au risque de sembler redondant, je dirai, notamment aux lecteurs qui n'auraient pas consulté mon ouvrage sur les vins de Bourgogne, que seule Lalou Bize-Leroy règne au sommet de l'échelle de la qualité dans cette région. Parce qu'elle est perfectionniste, parce qu'elle a l'audace de tenir de petits rendements et de mettre ses vins en bouteille sans collage ni filtration, elle est vivement critiquée par certains négociants locaux et par quelques propriétaires de prestigieux domaines. Ses détracteurs ne sont pas seulement animés d'une envie et d'une jalousie féroce, mais ils craignent aussi cette femme qu'ils estiment être à l'origine d'un intérêt croissant pour les rendements restreints et la culture biodynamique. Les véritables passionnés de la Bourgogne réalisent peut-être que les vins du Domaine Leroy remettent en question une grande partie de ce qui se fait aujourd'hui dans cette région viticole.

Lalou Bize-Leroy produit, depuis qu'elle est à la tête du domaine (autrefois appelé Domaine Noëllat), le plus grand nombre de vins grandioses de toute la Bourgogne. Ses 1988, 1989, 1990, 1991 et 1992 sont les meilleurs qui soient, et, à ce jour, le 1993 semble être son millésime le plus réussi. Tous les vins que propose le domaine sont profonds, mais aussi très chers. Ils représentent également un placement extrêmement sûr pour ceux qui souhaitent acheter des bourgognes capables d'une longévité de plus de 15 à 20 ans. En effet, ils requièrent au minimum 5 à 10 ans pour être prêts. Une grande et belle leçon quant à ce que devrait être la Bourgogne.

Les meilleurs vins : Chambertin, Chambolle-Musigny Les Charmes, Clos de la Roche, Clos de Vougeot, Gevrey-Chambertin Les Combottes, Latricières-Chambertin, Musigny, Nuits-Saint-Georges Les Boudots, Nuits-Saint-Georges Les Vignes Rondes, Pommard Les Vignots, Richebourg, Romanée-Saint-Vivant, Savigny-lès-Beaune Les Narbantons, Volnay Santenots, Vosne-Romanée Les Beaux Monts, Vosne Romanée Les Brûlées.

DOMAINE GEORGES LIGNIER (MOREY-SAINT-DENIS)***

Les vins de Georges Lignier me laissent souvent perplexe. Alors qu'ils peuvent se révéler spectaculaires en fût, ses grands crus se montrent plus légers une fois en bouteille, exactement comme s'ils avaient été collés ou filtrés à l'excès. Les avis sont partagés quant à la qualité des vins de ce domaine. Ainsi, la presse britannique estime, avec Remington Norman, auteur d'un ouvrage sur la Bourgogne, que « Georges Lignier [...] sait faire des vins rouges aussi bien que quiconque ». En revanche, l'auteur américain Matt Kramer constate que ceux-ci manquent précisément « d'un caractère essentiel, qui est celui du terroir ». Il me semble que Georges Lignier pourrait, en respectant des rendements plus restreints, en jetant ses filtres aux orties et en procédant à une mise plus précoce (de manière que les vins ne passent qu'un hiver en fût) atteindre le niveau cinq étoiles. Mais, aujourd'hui, sa production se distingue à peine du lot.

Les meilleurs vins : Clos de la Roche, Clos Saint-Denis, Gevrey-Chambertin Les Combottes, Morey-Saint-Denis Clos des Ormes.

DOMAINE HUBERT LIGNIER (MOREY-SAINT-DENIS)*****

Peu de gens savent que ce domaine est une source d'excellents bourgognes. Moins étendu que celui de Georges Lignier, il n'a pas particulièrement retenu l'attention de la presse viticole européenne, si bien que Steve Tanzer et moi-même sommes les seuls à vanter la grande qualité de sa production. Ainsi, Anthony Hanson, auteur anglais et marchand de vins, explique, dans son ouvrage sur la Bourgogne, qu'il ne retrouve pas « ici une main aussi sûre que celle de Georges Lignier ». Il omet cependant de préciser qu'il distribue en Grande-Bretagne les vins de ce dernier. Chez Hubert Lignier, le bourgogne atteint des sommets – les vins sont riches, aromatiques, moyennement corsés, concentrés et veloutés, avec un étonnant bouquet de framboise sauvage et de cerise noire mêlé de senteurs de bois neuf. Ils sont également de longue garde, comme le prouvent les excellents 1978. Les Clos de la Roche et Charmes-Chambertin peuvent se révéler absolument magnifiques.

Les meilleurs vins : Chambolle-Musigny Premier Cru Vieilles Vignes, Charmes-Chambertin, Clos de la Roche, Morey-Saint-Denis Premier Cru Vieilles Vignes.

CHÂTEAU DE LA MALTROYE (CHASSAGNE-MONTRACHET)***

Cette extraordinaire propriété de Chassagne-Montrachet produit des rouges moyennement corsés, épicés, rustiques et d'un excellent rapport qualité/prix. Ils vous initieront bien aux vins de cette appellation, encore sous-estimés et à des prix raisonnables.

Le meilleur vin : Chassagne-Montrachet Clos Saint-Jean.

DOMAINE MARCHAND-GRILLOT ET FILS (GEVREY-CHAMBERTIN)**

J'ai fondé de grands espoirs sur cette propriété lorsque son importateur américain a enfin pu convaincre le propriétaire de réduire ses rendements et de procéder à une mise en bouteille la plus naturelle possible. Malheureusement, un engouement pour les meilleurs terroirs de Gevrey-Chambertin conduit les producteurs à adopter des rendements élevés et à opter pour un style plutôt commercial et sans détour, avec des vins qui doivent être consommés avant 5 à 7 ans d'âge.

Les meilleurs vins : Gevrey-Chambertin Petite Chapelle, Ruchottes-Chambertin.

DOMAINE MARQUIS D'ANGERVILLE (VOLNAY)****

J'avoue avoir régulièrement sous-estimé les vins de ce domaine, très probablement parce que ceux que j'ai dégustés aux États-Unis étaient de mauvaise qualité par suite de conditions de transport ou de stockage défectueuses. Cependant, certains millésimes, comme le 1989, m'ont impressionné par leur richesse soyeuse, leur structure ferme et leur fruité pur et concentré de pinot noir. Je crois vraiment que la réputation du Domaine d'Angerville est largement justifiée par la qualité de ses vins, qui présentent dans des années comme 1990 et 1993 un potentiel de 12 à 15 ans.

Les meilleurs vins : Volnay Les Caillerets, Volnay Champans, Volnay Clos des Ducs, Volnay Taillepieds.

DOMAINE MAUME (GEVREY-CHAMBERTIN)***/****

Les vins du Domaine Maume, très colorés et rustiques, avec une robe dense, opaque et sombre, et d'une intensité sauvage, sont mis en bouteille sans filtration préalable. Ce type de bourgogne me séduisait beaucoup il y a plusieurs années, mais, après avoir largement investi dans la production de Bernard Maume, j'émets des réserves sur la capacité de ses vins à évoluer harmonieusement. Il est incontestable que les Mazis-Chambertin de cette propriété sont souvent les plus riches et les plus aptes à la garde qui soient, mais ils peuvent tout aussi bien se révéler astringents, trop tanniques et manquant d'équilibre. Les autres crus sont encore plus difficiles à apprécier, mais, si vous êtes de nature optimiste, achetez-en dans des années de grande chaleur et de bel ensoleillement, afin que les tannins soient doux et mûrs plutôt que verts et d'un caractère végétal. Malgré mes réserves, je préciserai que le Domaine Maume a produit dans certains millésimes, comme 1982, 1985 et 1990, des Mazis-Chambertin absolument fabuleux, ainsi que des Charmes-Chambertin de premier ordre.

Les meilleurs vins : Charmes-Chambertin, Mazis-Chambertin.

DOMAINE MEIX-FOULOT (MERCUREY)****

Yves de Launay s'impose régulièrement comme un vinificateur à la main sûre, avec sa gamme de Mercurey riches, concentrés et de longue garde. De vieilles vignes ainsi qu'un élevage de bonne qualité et de style traditionnel donnent des vins au potentiel de 10 à 15 ans.

Les meilleurs vins : Mercurey Clos du Château Montaigu, Mercurey Cuvée Spéciale, Mercurey Meix-Foulot.

DOMAINE JEAN MÉO-CAMUZET (VOSNE-ROMANÉE)*****

Cette superbe propriété, dont la production n'est mise en bouteille au domaine que depuis 1983, atteint incontestablement la perfection. Henri Jayer y a distillé sa précieuse philosophie jusqu'à ce que les talentueux Jean-Nicolas Méo et Christian Faurois puissent en assumer totalement la gestion. Ils y produisent désormais des vins absolument merveilleux. D'aucuns feront certainement remarquer que la griffe d'Henri Jayer est omniprésente dans ces vins. Mais on ne peut que louer les mérites d'un produit qui correspond parfaitement au potentiel du terroir d'origine.

On trouve au Domaine Méo-Camuzet des bourgognes rouges époustouflants, issus de rendements de moins de 30 hl/ha, essentiellement vieillis en fûts neufs et mis en bouteille sans filtration préalable, parfois même sans collage. Ils sont stupéfiants, à la fois au nez et en bouche : aspect riche et imposant, texture veloutée et concentrée, caractère complexe et élégant, équilibre exceptionnel. Il s'agit d'une propriété d'avenir, qui a non seulement enregistré de beaux succès dans des années comme 1990, mais aussi dans des millésimes plus délicats comme 1991 et 1992.

Les meilleurs vins : Clos de Vougeot, Corton, Nuits-Saint-Georges Les Boudots, Nuits-Saint-Georges Aux Murgers, Richebourg, Vosne-Romanée Les Brûlées, Vosne-Romanée Cros Parantoux.

DOMAINE PRINCE FLORENT DE MÉRODE (LADOIX-SERRIGNY)****

Le Domaine Prince Florent de Mérode a retrouvé depuis 1989 les standards de qualité qui ont fait sa renommée dans les années 50 et 60. Les vins, mis en bouteille sans collage ni filtration préalables, se révèlent plus doux, plus riches et plus crémeux, avec une intensité aromatique plus prononcée et un potentiel de garde plus important. Les 1992, qui se montraient richement fruités, mais légers, ni puissants ni tanniques, lorsqu'ils étaient encore en fût, ont évolué en bouteille en des vins absolument délicieux.

Propriété de la famille Mérode depuis le milieu du XVIIe, ce domaine historique est à la tête d'un grand nombre de vignobles prestigieux. Le respect de rendements restreints et la mise en bouteille la moins interventionniste possible que l'on y pratique désormais ne peuvent que réjouir les véritables amateurs de grands bourgognes.

Les meilleurs vins : Corton Les Bressandes, Corton Clos du Roi, Corton Les Maréchaudes, Corton Les Renardes, Pommard Clos de la Platière.

Note : le Ladoix Les Chaillots de ce domaine constitue l'une des rares bonnes affaires que propose la Bourgogne.

DOMAINE ALAIN MICHELOT (NUITS-SAINT-GEORGES)***

Alain Michelot est un homme de forte carrure, jovial et très plaisant, qui possède quelques-uns des meilleurs vignobles de Nuits-Saint-Georges. Ses vins sont généralement de bonne qualité, mais malheureusement plus légers et de moins longue garde qu'on aurait pu l'espérer. Si les techniques de vinification qu'il applique sont irréprochables, ses rendements, supérieurs à 50 hl/ha, sont trop élevés. Je n'ai pas d'idée précise sur le système de filtration qu'il utilise, mais je constate que les vins perdent à la mise en bouteille une grande partie de leur fruité, de leur corpulence et de leur potentiel aromatique. Cependant, ils comptent au nombre des plus séduisants Nuits-Saint-Georges, appellation qui offre de nombreux vins rugueux et durs. Il faut ajouter au crédit d'Alain Michelot qu'il a été l'un des tout premiers vignerons de la région à marquer ses bouteilles du nom du cru et du millésime, pratique aujourd'hui couramment utilisée par tous les bons producteurs.

Les meilleurs vins : Nuits-Saint-Georges Les Champs Perdrix, Nuits-Saint-Georges La Richemone, Nuits-Saint-Georges Les Vaucrains.

MOILLARD (NUITS-SAINT-GEORGES)**/****

Cette énorme maison propose une très large gamme de vins de différents niveaux de qualité. Les meilleurs d'entre eux, issus de vignobles lui appartenant, sont généralement richement extraits, profondément colorés, très corsés et de bonne garde. Bien qu'ils n'atteignent jamais des sommets de finesse ou de complexité aromatique, ils présentent un caractère concentré et marqué par la mâche, qui leur permet de bien vieillir sur 15 à 20 ans.

Dans son ouvrage *Making Sense of Burgundy*, Matt Kramer décrit mieux que quiconque les vins Moillard en déclarant qu'« ils attirent tous ceux qui souhaitent des bourgognes qui ressemblent à des vins de cabernet, de couleur encre, puissants, fruités et relativement tanniques. Le caractère de terroir est relégué à l'arrière-plan, si tant est qu'il existe ».

Les meilleurs vins : ceux qui portent l'étiquette Thomas Moillard sont généralement les meilleurs, notamment les Beaune Les Grèves, Bonnes Mares, Corton Clos du Roi, Nuits-Saint-Georges Clos de Torey, Nuits-Saint-Georges La Richemone, Vosne-Romanée Les Beaux Monts, Vosne-Romanée Les Malconsorts.

DOMAINE MONGEARD-MUGNERET (VOSNE-ROMANÉE)****/*****

Jean Mongeard a élaboré nombre de bourgognes superbes. Après une légère baisse de qualité vers la fin des années 80, ses 1990 et 1991 se révèlent absolument merveilleux. Cet homme large d'épaules, jovial et au sourire malicieux, est à la tête d'une grande propriété dont les vignobles sont disséminés sur toute la Côte-d'Or. Ses grands crus sont indiscutablement de très grande classe, mais son Savigny-lès-Beaune Les Narbantons, ainsi que ses deux premiers crus, le Vosne-Romanée Les Orveaux et le Nuits-Saint-Georges Les Boudots, sont ceux qui présentent le meilleur rapport qualité/prix. Il s'agit de vins amples, purs, riches et savoureux, étonnamment accessibles dans leur jeunesse. Bien qu'ils ne soient pas les plus aptes à une longue garde, ils se révèlent gratifiants jusqu'à 10 à 12 ans d'âge.

Les meilleurs vins : Clos de Vougeot, Échézeaux Vieilles Vignes, Grands Échézeaux, Nuits-Saint-Georges Les Boudots, Richebourg, Savigny-lès-Beaune Les Narbantons, Vosne-Romanée Les Orveaux, Vosne-Romanée Les Suchots.

DOMAINE MONTHÉLIE-DOUHAIRET (MONTHÉLIE)**

Je garde un souvenir ému de ma rencontre avec Mme Douhairet, qui allait alors sur ses 90 ans, mais j'avoue également n'avoir jamais apprécié ses vins, que je trouve trop rustiques et trop marqués de notes de moisi et de terre. Certes très corsés, ils dégagent d'étranges arômes, absolument répugnants, qui rappellent les champignons rances et les marrons moisis et humides. Le fait que ce soit André Porcheret qui assure dorénavant sa vinification contribuera peut-être à une amélioration de la qualité, mais cela reste à démontrer.

Les meilleurs vins : Monthélie Premier Cru, Volnay Les Champans.

DOMAINE HUBERT DE MONTILLE (VOLNAY)**/***

Je fais partie d'une petite minorité lorsqu'il s'agit d'apprécier les vins d'Hubert de Montille. Presque tous les critiques spécialisés qui s'intéressent à la Bourgogne les décrivent comme des vins de garde classiques, imposants et riches, qui illustrent parfaitement leurs appellations respectives. Cependant, ayant acheté et conservé en cave nombre de Pommard et de Volnay des années 70 et 80, je suis au regret de constater qu'ils se révèlent décevants, avec une acidité terriblement élevée et des tannins astringents. Bien qu'ils exhalent des parfums séduisants, ils n'en manquent pas moins de fruité et d'équilibre. Dans certains millésimes (1971 et 1978, par exemple), le Pommard Les Rugiens peut être étonnant, mais dans d'autres, comme 1976, 1979, 1980 et 1985, il peut se montrer terriblement médiocre.

Je ne suis pas convaincu qu'il y ait eu au Domaine Hubert de Montille quelque amélioration notable ces dernières années, des vins récents (qui ne sont pas censés présenter un caractère flatteur dans leur jeunesse) m'étant apparu anormalement durs et astringents. Des miracles peuvent éventuellement survenir au terme d'un vieillissement de 20 ans en bouteille – mais n'y comptez pas trop.

Les meilleurs vins : Pommard Les Épenots, Pommard Les Pézerolles, Pommard Les Rugiens, Volnay Champans, Volnay Taillepieds.

DOMAINE ALBERT MOROT (BEAUNE)****

Le Domaine Albert Morot a la double casquette de négociant et de producteur ; ses vignobles de la Côte de Beaune ont toujours donné des bourgognes tout à fait classiques. Depuis le tout début des années 90, Françoise Choppin a apporté nombre d'améliorations au fonctionnement de la propriété : on y fait maintenant de sérieuses vendanges en vert, on a augmenté à 60 % le pourcentage de fûts neufs pour l'élevage des vins et on a renoncé au collage et à la filtration. C'est ainsi qu'elle obtient de beaux vins de pinot noir, savoureux, structurés et de belle garde, qui sont de surcroît proposés à des prix raisonnables. La plupart de ses premiers crus de Beaune constituent, à moins de 125 F la bouteille, des affaires très intéressantes.

Les meilleurs vins : Beaune Les Bressandes, Beaune Les Cent Vignes, Beaune Les Teurons, Beaune Les Toussaints, Savigny Vergelesses Clos la Bataillère.

DOMAINE DENIS MORTET (GEVREY-CHAMBERTIN)***

J'ai toujours apprécié les bourgognes rouges, très élégants et tout en finesse, de ce domaine, et je pensais qu'il pouvait s'imposer comme l'une des étoiles montantes de Gevrey-Chambertin. Cependant, depuis la publication de mon ouvrage sur les vins de Bourgogne, en 1990, force m'est de constater qu'il stagne à un niveau de qualité certes plaisant, mais inintéressant. Comme nombre d'autres viticulteurs de la région, Denis Mortet s'obstine à utiliser la filtration Kieselghur. Serait-ce là ce qui empêche de louer ces vins ? Leur potentiel de garde est de 5 à 8 ans.

Les meilleurs vins : Chambertin, Chambolle-Musigny Aux Beaux Bruns, Gevrey-Chambertin Les Champeaux.

DOMAINE MUGNERET-GIBOURG (VOSNE-ROMANÉE)****

Cette propriété, qui donne souvent des vins de niveau cinq étoiles (notamment son Ruchottes-Chambertin, son Clos de Vougeot et ses Échézeaux), est maintenant gérée par la veuve, la fille et la nièce du Dr Georges Mugneret. Ses vins sont des bourgognes de style traditionnel, faits pour évoluer et vieillir en bouteille ; ils constituent, dans des millésimes comme 1953, 1959 et 1966, de véritables références. Au cours des années 80, ils ont quelque peu perdu de leur concentration autrefois si impressionnante, mais leur caractère tannique, jeune et rugueux est demeuré intact. Ce sont des bourgognes de grande classe, d'une excellente, voire d'une extraordinaire, tenue, qui requièrent une garde de 5 ou 6 ans avant de pleinement révéler leur potentiel. Mais, ayant précisé ce point, je dois ajouter que les 1983 et les 1985 de ce domaine, auxquels j'avais initialement attribué de très élogieuses appréciations, n'ont pas été à la hauteur de ce que j'en espérais. Les premiers sont durs et secs, les seconds monolithiques et ternes. Quant aux 1988, qu'il est peut être un peu tôt pour condamner définitivement, ils me semblent terriblement astringents.

Les meilleurs vins : Chambolle-Musigny Les Feusselottes, Clos de Vougeot, Échézeaux, Nuits-Saint-Georges Les Chaignots, Ruchottes-Chambertin.

DOMAINE ANDRÉ MUSSY (POMMARD)****/*****

Exubérant et toujours jeune, André Mussy, âgé maintenant de 81 ans, produit des vins qui s'imposent comme de véritables références en matière de grands bourgognes. Je pense tout particulièrement à ses Beaune et à ses Pommard, riches, amples et puissants. Cet homme demeure, malgré son âge, un vigneron extrêmement ouvert, n'hésitant pas à ajuster ses dates de vendanges et ses méthodes de vinification suivant le millésime. Nombre de ses vins sont sensationnels, notamment ses Pommard Les Épenots et ses Beaune Les Montrevots, qui peuvent être dégustés dès leur jeunesse ou conservés pendant 10 à 15 ans.

Les meilleurs vins : Beaune Les Épenottes, Beaune Les Montrevots, Pommard Les Épenots.

PHILIPPE NADDEF (COUCHEY)***/****

Les Mazis-Chambertin et les Gevrey-Chambertin de Philippe Naddef peuvent se révéler étonnants, notamment dans les grandes années, mais ils ne sont malheureusement disponibles qu'en petites quantités. Bien que toujours bien faits, les autres vins de ce producteur sont moins séduisants. Si j'en crois mon expérience, les Mazis-Chambertin sont aptes à une garde de 10 à 15 ans dans les bons millésimes, et Les Cazetiers peuvent également bien évoluer sur la même durée. Philippe Naddef fera très bientôt partie du peloton de tête des viticulteurs bourguignons.

Les meilleurs vins : Gevrey-Chambertin Les Cazetiers, Mazis-Chambertin.

DOMAINE PARENT (POMMARD)***

Au risque de paraître un peu dépassé, j'avouerai m'être familiarisé avec les Pommard du Domaine Parent grâce aux 1964, 1966 et 1969, extraordinairement corsés, charnus et amples. Ces vins étaient splendides et dotés d'un énorme dépôt, de bonne mâche et d'une richesse qui font cruellement défaut aux bourgognes d'aujourd'hui. Le Domaine Parent produit toujours des vins savoureux et capiteux, mais qui semblent plus manipulés et plus policés que par le passé, très certainement parce que la clientèle actuelle répugne au moindre dépôt ou à la plus légère turbidité. Cela est vraiment dommage, et je ne retrouve dans aucun de ces vins des années 80 ou 90 la puissance aromatique et l'ampleur des parfums que dégageaient ceux de la décennie 1960. Le potentiel de garde des Pommard du Domaine Parent est de 8 à 10 ans.

Les meilleurs vins : Pommard Les Épenots, Pommard Les Rugiens.

DOMAINE PERNIN-ROSSIN (VOSNE-ROMANÉE)****

André Pernin a été injustement critiqué pour avoir fait appel aux services de l'œnologue libanais Guy Accad. Et, s'il est vrai que certains de ses vins se sont déstructurés assez rapidement (ce qui n'est somme toute pas rare en Bourgogne), ceux qu'il a produits à la fin des années 80 et au début des années 90 sont absolument splendides. Profondément colorés, purs, riches et parfumés (avec des arômes de fruits noirs), ils sont capables d'une longévité de 10 à 12 ans. Je n'ai malheureusement pas eu l'occasion de déguster les 1991 et les 1992 de ce domaine, lequel mérite incontestablement quatre étoiles, voire, dans certains cas, cinq étoiles.

Les meilleurs vins : Clos de la Roche, Morey-Saint-Denis Les Monts Luisants, Nuits-Saint-Georges La Richemone, Vosne-Romanée Les Beaux Monts.

DOMAINE PAUL PERNOT (PULIGNY-MONTRACHET)**

Je ne suis pas amateur des vins de Paul Pernot, légers, boisés et herbacés. Prêts dès leur diffusion, ils offrent un potentiel de 3 ou 4 ans.

Le meilleur vin : Beaune Les Teurons.

DOMAINE LES PERRIÈRES (GEVREY-CHAMBERTIN)****

Je n'ai que très rarement l'occasion de déguster les vins de cette propriété, mais je garde d'excellents souvenirs des 1978, 1980 et 1985. Charnus, musclés et concentrés, ils déployaient ce merveilleux caractère de terre, de cuir fin et de viande si caractéristique des Gevrey-Chambertin. Leur potentiel de garde est de 12 à 15 ans, ce qui est une belle performance pour des bourgognes d'aujourd'hui.

Le meilleur vin : Gevrey-Chambertin Petite Chapelle.

CHÂTEAU DE POMMARD (POMMARD)**/***

Les vins du Château de Pommard – merveilleusement dotés, trapus, profondément colorés et tanniques – illustrent parfaitement leur appellation. Ils ont en effet tendance à se montrer énormes, costauds et durs, et semblent présenter les tannins et la fermeté suffisants pour durer environ 10 ans. Cependant, ils ne sont pas assez fruités pour mon goût.

Le meilleur vin : Pommard.

DOMAINE PONSOT (MOREY-SAINT-DENIS)*****

Cette propriété absolument fascinante a donné, dans des millésimes comme 1947, 1949, 1972, 1980, 1985, 1990, 1991 et 1993, quelques-uns des bourgognes rouges les plus grandioses qui soient. Toutefois, on note des irrégularités consternantes, notamment en 1984, 1986 et 1987, et moins que brillantes en 1988 et 1989. Jean-Marie Ponsot et son fils Laurent, connus pour vendanger tardivement, respectent des méthodes de vinification traditionnelles. Ils n'emploient jamais de bois neuf, et leurs vins, collés uniquement au blanc d'œuf, ne sont jamais filtrés ni sulfités, ce qui est exceptionnel dans le monde viticole actuel. A leur meilleur niveau, les vins du Domaine Ponsot sont des bourgognes rouges classiques et remarquables, suffisamment riches et accessibles pour être dégustés dès leur jeunesse, mais aussi capables d'une longévité de 20 à 30 ans. Cette propriété s'impose ainsi comme l'une des deux de la région (l'autre étant le Domaine Leroy) à s'astreindre à produire des vins de grande garde.

Les meilleurs vins : Chambolle-Musigny Les Charmes, Clos de la Roche-Vieilles Vignes, Clos Saint-Denis, Griotte-Chambertin, Latricières-Chambertin.

Note : ce domaine donne épisodiquement de toutes petites quantités de Chambertin et de Chapelle-Chambertin. En outre, il produit et met en bouteille les vins du Domaine des Chézeaux.

DOMAINE POTHIER-RIEUSSET (POMMARD)ᵘ***

Cette propriété, gérée de manière traditionnelle, produit des vins riches, concentrés et de longue garde, qui, bien que n'étant pas toujours de qualité régulière, peuvent se révéler superbes dans les grandes années. Si certains millésimes plutôt légers des années 70 ont donné ici des vins de premier ordre, il n'en va pas de même dans la décennie 1980, avec des 1984, 1986 et 1987 de niveau médiocre. Toutefois, le domaine a bien réussi en 1985, 1988, 1989 et 1990, avec des vins exigeant parfois une garde de 5 à 10 ans avant d'être prêts et dont le potentiel de garde peut atteindre 20 à 30 ans. A ce jour, deux des plus grands bourgognes qu'il m'ait été donné de goûter sont les Pommard Les Rugiens 1947 et 1949 du Domaine Pothier.

Les meilleurs vins : Beaune Les Boucherottes, Pommard Les Charmots, · Pommard Clos des Vergers, Pommard Les Épenots, Pommard Les Rugiens.

DOMAINE DE LA POUSSE D'OR (VOLNAY)***/****

Cette propriété m'a longtemps servi de référence en matière de grands bourgognes, avec des 1964, 1966 et 1978 d'un grand classicisme, élégants et séduisants, richement fruités et complexes. Même les 1976, pourtant issus d'un millésime irrégulier, se sont révélés superbes. Malheureusement, dans le courant des années 80, les vins du Domaine de la Pousse d'Or ont été faits dans un style plus travaillé et plus légèrement extrait, présentant de ce fait un potentiel de garde moins important. Ainsi, les 1985, pourtant stupéfiants en fût, se sont ensuite montrés seulement très bons, et les 1986 et 1987 tout simplement décevants. En revanche, les 1989 et 1990 sont de bonne tenue. Le Domaine de la Pousse d'Or demeure néanmoins une excellente source de Pommard et de Volnay.

Les meilleurs vins : Pommard Les Jarolières, Volnay Les Caillerets, Volnay Les Caillerets Clos des 60 Ouvrées, Volnay Clos de la Bousse d'Or.

DOMAINE JACQUES PRIEUR (MEURSAULT)***/****

Cette propriété affiche des standards de qualité bien plus élevés depuis son rachat par la maison Antonin Rodet. Les meilleurs vins sont issus des vignobles que possède le domaine, notamment des très belles parcelles situées dans les premiers crus et les grands crus de renom. Sous l'égide de la nouvelle direction (depuis 1989), ils sont amples, profondément colorés, marqués par de généreuses notes de chêne neuf, et présentent un potentiel de garde de 10 à 15 ans.

Les meilleurs vins : Beaune Clos de la Féguine, Chambertin Clos de Bèze, Clos de Vougeot, Meursault Clos de Mazeray Rouge, Musigny, Volnay Champans, Volnay Clos des Santenots.

DOMAINE MICHEL PRUNIER (AUXEY-DURESSES)****

Le Domaine Michel Prunier est un petit bijou. Cependant, il ne possède que des vignobles de moindre prestige, à l'exception d'une parcelle de Volnay Les Caillerets. On y produit, issus de raisins mûrs, des vins moyennement corsés et richement fruités, qui sont ensuite mis en bouteille sans manipulations excessives. Expressifs et capables de durer environ 10 ans, ils sont proposés à des prix raisonnables.

Les meilleurs vins : Auxey-Duresses Clos du Val, Beaune Les Sizies, Volnay Les Caillerets.

REMOISSENET PÈRE ET FILS (BEAUNE)***

Cette maison de négoce florissante propose une très vaste gamme de crus et diffuse généralement ses meilleures cuvées – faisant l'impasse sur les mauvaises années – plus tardivement que ses concurrents. Bien que n'étant pas des plus complexes, ses vins se révèlent moyennement corsés, riches, charnus et de bonne garde. Remoissenet Père et Fils diffuse aussi, périodiquement, de petites quantités de bourgognes de grands millésimes, comme 1949 ou 1959.

Je me suis souvent demandé pourquoi de telles bouteilles ne présentaient aucun dépôt et étaient remplies jusqu'au col : il semblerait qu'elles subissent un reconditionnement (le dépôt est filtré et le niveau corrigé) avant d'être exportées vers les marchés étrangers.

D'aucuns critiqueront la maison Remoissenet pour ses vins de style très similaire, mais le même reproche peut être adressé à toutes les propriétés où prévalent la griffe et la personnalité du vinificateur.

Les meilleurs vins : Beaune Les Grèves, Beaune Les Marconnets, Beaune Les Toussaints, Grands Échézeaux, Pommard Les Épenots, Richebourg, Santenay Clos des Tavennes, Santenay La Comme, Santenay Les Gravières, Savigny-lès-Beaune Les Serpentières.

DOMAINE HENRI REMORIQUET (NUITS-SAINT-GEORGES)***

Cette propriété de taille moyenne produit régulièrement des vins profondément colorés, durs, trapus et costauds, qui manquent à mon sens de complexité et de finesse. Ce style de vinification est néanmoins fort apprécié de certains consommateurs, et les meilleurs crus de Nuits-Saint-Georges de ce domaine présentent un potentiel de garde de 10 à 15 ans.

Les meilleurs vins : Nuits-Saint-Georges Les Bousselots, Nuits-Saint-Georges Les Damodes, Nuits-Saint-Georges Rue de Chaux.

DOMAINE DANIEL RION (NUITS-SAINT-GEORGES)****

Voici l'un des rares domaines de la Côte de Nuits qui soit connu aux États-Unis. Daniel Rion y élabore des vins bien évolués, séduisants et accessibles, au fruité mûr marqué par de généreuses notes de chêne neuf et grillé. Ses 1986, 1988, 1989 et 1990 sont excellents, mais ses 1991 et 1992 sont moins réussis. S'il fallait adresser un reproche aux bourgognes rouges sans détour et bien fruités de ce domaine, ce serait qu'ils atteignent la pointe de leur maturité aux environs de 5 ou 6 ans d'âge et qu'ils amorcent leur déclin dès 1 ou 2 ans après.

Les meilleurs vins : Chambolle-Musigny Les Beaux Bruns, Clos de Vougeot, Nuits-Saint-Georges Les Hauts Pruliers, Nuits-Saint-Georges Les Vignes Rondes, Vosne-Romanée Les Beaux Monts, Vosne-Romanée Les Chaumes.

ANTONIN RODET (MERCUREY)***/****

Cette maison produit sur ses vignobles de la Côte Chalonnaise des vins qui m'impressionnent davantage chaque année. Les 1990, séduisants et d'un excellent rapport qualité/prix, offrent un caractère de pinot noir doux, fruité, charnu et joliment boisé.

La maison Antonin Rodet semble avoir reconnu le potentiel qui existe à Mercurey à la fois en termes de qualité et de prix de revient.

Les meilleurs vins : Mercurey Château de Chamirey, Château de Rully.

DOMAINE DE LA ROMANÉE-CONTI (VOSNE-ROMANÉE)*****

Le Domaine de la Romanée-Conti, la propriété viticole la plus célèbre de Bourgogne – si ce n'est de France –, a connu une période troublée au début des années 90, lorsque, au terme d'une querelle de direction, sa cogérante, Lalou Bize-Leroy, fut démise de ses fonctions.

Le Domaine de la Romanée-Conti a toujours été la cible privilégiée de toutes les critiques, en raison du monopole dont il jouit sur les prestigieux vignobles de la Tâche et de la Romanée-Conti, et des prix faramineux qu'atteignent ces deux crus. Mais, si l'on rencontre sur son parcours quelques déceptions, la propriété compte à son actif suffisamment de vins grandioses – tels les 1978, 1980 et 1990 – pour que sa réputation demeure intacte.

Des rendements extrêmement tenus, ainsi que des vendanges le plus tardives possible, y donnent régulièrement quelques-uns des bourgognes rouges les plus aromatiques et les plus opulents qui soient. Entièrement vieillis en fûts neufs, ils sont, aux dires du domaine, parfois collés, mais jamais filtrés.

En 1980, les vins de la Romanée-Conti ne furent ni collés ni filtrés, ce qui explique peut-être qu'ils soient encore, à ce jour, ceux que je préfère de toute cette décennie. Les 1983, toujours stupéfiants, n'en déplaise à certains, présentent incontestablement des variations entre les différents lots de bouteilles. Quant aux 1984, qui étaient d'une bonne tenue pour le millésime, ils me semblent actuellement sur le déclin. Les 1985, plutôt étranges, ne paraissent pas avoir été à la hauteur des espoirs que j'avais fondés sur eux, mais les 1986 et les 1987 sont d'un bon niveau. En revanche, les 1988 sont tanniques et monolithiques, et leur avenir me semble nettement moins brillant que je ne l'aurais supposé il y a de cela trois ou quatre ans.

Chaque dégustation des extraordinaires 1991 me convainc davantage qu'il s'agit d'un des millésimes les plus grandioses pour le domaine, et La Tâche de cette année s'est toujours révélée parfaite. Les 1991 sont également bien faits, mais les 1992, que j'ai pu déguster deux fois depuis leur mise en bouteille, sont les vins les plus décevants que cette propriété ait diffusés au cours de ces quinze dernières années. Ils sont en effet poivrés et herbacés, avec un caractère végétal, et manquent de profondeur et de fruité. Le Domaine de la Romanée-Conti n'a pas non plus proposé de Montrachet en 1992, qui est pourtant un excellent millésime pour les bourgognes blancs.

Il sera intéressant de suivre l'évolution de ce domaine, maintenant que la brillante Lalou Bize-Leroy n'y intervient plus en matière de vinification. Le dernier millésime auquel elle a participé est le 1991.

Les meilleurs vins : Grands Échézeaux, Richebourg, Romanée-Conti, Romanée-Saint-Vivant, La Tâche.

DOMAINE ROSSIGNOL-TRAPET (GEVREY-CHAMBERTIN)***

Ce domaine, relativement récent, a acquis la moitié des vignobles que possédait le Domaine Trapet de Gevrey-Chambertin (la fille de M. Trapet ayant épousé M. Rossignol). Il s'étend aujourd'hui sur une superficie de plus de 12 ha, disséminés sur dix-sept appellations.

Le propriétaire des lieux est un fervent adepte des soutirages, collages et filtrations excessifs, ainsi que des mises en bouteille trop précoces ; cela donne, comme on pourrait s'y attendre, des vins légers, fruités et souples, qui se consomment au meilleur de leur forme jusqu'à 5 ou 6 ans d'âge.

Les meilleurs vins : Chambertin, Chambertin Vieilles Vignes, Latricières-Chambertin.

DOMAINE JOSEPH ROTY (GEVREY-CHAMBERTIN)****/*****

Ce domaine très particulier, géré par le volubile Joseph Roty, fumeur impénitent, a donné des merveilles dans nombre de millésimes, notamment en 1978, 1980, 1985 et 1990. Mais, dans les années de moindre concentration, les vins peuvent se révéler terriblement boisés et manquant d'équilibre. A leur meilleur niveau, ils sont au contraire puissants, riches, marqués de généreuses notes de chêne neuf, et débordent littéralement de tannins et d'un fruité mûr et concentré. Ils requièrent alors une garde de 5 à 7 ans avant d'être bus. Les 1985 comptent parmi les rares bourgognes de ce millésime qui ne soient pas encore prêts, et les 1988 et 1989 demandent à être attendus encore une bonne dizaine d'années. Joseph Roty est parfaitement capable de produire des vins d'un niveau de qualité cinq étoiles, mais l'irrégularité dont il a fait preuve en 1983, 1986, 1987 et 1992 reste problématique.

Les meilleurs vins : Charmes-Chambertin, Gevrey-Chambertin Les Fontenys, Mazis-Chambertin, Vosne-Romanée Cros Parantoux.

DOMAINE EMMANUEL ROUGET (NUITS-SAINT-GEORGES)****/*****

Neveu d'Henri Jayer, Emmanuel Rouget produit régulièrement des vins riches et de grande classe. Bien colorés, avec des arômes doux et merveilleusement mûrs, ils sont opulents et moyennement corsés. Sans vouloir minimiser les talents de ce producteur, il semble évident que ses vins bénéficient des conseils bienveillants de l'oncle Henri. Mais, après tout, n'est-ce pas pour notre plus grand bonheur ?

Les meilleurs vins : Échézeaux, Vosne-Romanée Les Beaux Monts.

DOMAINE GEORGES ET CHRISTOPHE ROUMIER (CHAMBOLLE-MUSIGNY)****

Cette propriété de 16 ha a donné nombre de vins grandioses, découverts par Frank Schoonmaker (importateur américain aujourd'hui décédé), qui appréciait qu'ils fussent mis en bouteille au domaine – à une époque où une telle pratique n'était pas répandue en Bourgogne.

Christophe et Jean-Marc Roumier, qui gèrent aujourd'hui la propriété, ont remarquablement réussi dans des millésimes aussi légers que 1982 et 1986. Si les 1985 et 1991 sont un niveau en dessous, les 1988 comptent au nombre des meilleurs vins de l'année, et les 1990 constituent une belle performance. Leurs 1993 figurent aussi parmi les seuls bourgognes vraiment grandioses de ce curieux millésime, décimé par la pluie et la pourriture. Ces producteurs respectent des méthodes traditionnelles de vinification et procèdent à la mise en bouteille après un collage léger, mais sans filtration.

Les Bonnes Mares, les Musigny et les Chambolle-Musigny les Amoureuses du Domaine Georges et Christophe Roumier sont des références pour ces vignobles prestigieux, et les Clos de la Bussière, moins prisés, peuvent se révéler fabuleux – et surtout d'un excellent rapport qualité/prix. Pour des raisons que j'ignore, le Charmes-Chambertin n'a pas l'éclat, le ressort ni la concentration des autres crus, qui peuvent tous bien vieillir sur 20 ans environ.

Les meilleurs vins : Bonnes Mares, Chambolle-Musigny Les Amoureuses, Morey-Saint-Denis Clos de la Bussière, Musigny.

DOMAINE ARMAND ROUSSEAU (GEVREY-CHAMBERTIN)****

Ce domaine historique, qui pratique la mise en bouteille à la propriété depuis les années 30, pourrait aisément se voir attribuer le niveau cinq étoiles si Charles Rousseau acceptait d'abandonner ses filtres. On trouve dans les chais des matières premières absolument spectaculaires, notamment en Chambertin, en Chambertin Clos de Bèze et en Gevrey-Chambertin Clos Saint-Jacques. Bien que ces vins se révèlent le plus souvent superbes, l'obstination du propriétaire des lieux à vouloir les filtrer les dépouille très certainement d'une partie de leur potentiel aromatique et de leur aptitude à la garde. Il faudrait vraiment que Charles Rousseau se rappelle pourquoi ses 1969 comptent encore aujourd'hui parmi les bourgognes les plus magiques – tout simplement parce qu'ils n'avaient pas été filtrés.

Si le domaine a connu une baisse de qualité vers la fin des années 70, il s'est bien relevé avec des 1980 de tout premier ordre, suivis de 1983 très bons, mais tanniques, de 1985 plutôt légers, de 1988 très puissants, et de 1989, 1990 et 1991 d'une excellente tenue. Dans les grandes années, les meilleures cuvées peuvent parfaitement se conserver pendant 15 ans environ.

Pour des raisons que j'ignore, certains vins de ce domaine, tels le Gevrey-Chambertin Les Cazetiers, le Mazis-Chambertin, le Clos de la Roche et le Charmes-Chambertin, sont curieusement moins intéressants et moins irrésistibles que les autres crus.

Les meilleurs vins : Chambertin, Chambertin Clos de Bèze, Gevrey-Chambertin Clos Saint-Jacques, Ruchottes-Chambertin Clos des Ruchottes.

DOMAINE CHRISTIAN SÉRAFIN (GEVREY-CHAMBERTIN)****/*****

Dans ce village où l'on compte nombre de producteurs sous-performants, Christian Sérafin s'impose comme un vinificateur à la main sûre, qui produit régulièrement des vins de bonne tenue depuis le milieu des années 80. Ceux-ci gagnent chaque année en puissance, et la mise en bouteille se fait sans collage ni filtration préalables. Perfectionniste à la fois dans ses vignobles et dans ses chais, ce producteur prend grand soin de ne pas trop manipuler ses vins, qui se révèlent, de ce fait, riches et moyennement corsés, d'une belle complexité et d'une grande longévité. A ce jour, ses deux meilleurs crus, le Gevrey-Chambertin Les Cazetiers et le Charmes-Chambertin, sont capables d'une longévité de 10 à 15 ans, voire davantage.

Les meilleurs vins : Charmes-Chambertin, Gevrey-Chambertin Les Cazetiers, Gevrey-Chambertin Le Fonteny, Gevrey-Chambertin Vieilles Vignes.

DOMAINE BERNARD SERVEAU (MOREY-SAINT-DENIS)***/****

Lorsque Bernard Serveau décroche la timbale, ses vins s'imposent comme des expressions particulièrement élégantes et racées de pinot noir. Malheureusement, il lui arrive aussi de louper le coche, et il en produit alors qui sont maigres, légers et qui manquent de profondeur. Toutefois, il a brillamment réussi avec des 1985, 1987 et 1988 de premier ordre. Bien que ses vins ne comptent jamais au nombre des plus colorés, des plus puissants ni des plus massifs, ils sont souvent gracieux et tout en finesse.

Les meilleurs vins : Chambolle-Musigny Les Amoureuses, Chambolle-Musigny Les Chabiots, Morey-Saint-Denis Les Sorbès.

DOMAINE JEAN TARDY (VOSNE-ROMANÉE)***

Jean Tardy est parfaitement capable de produire des vins de niveau quatre ou cinq étoiles, notamment sur ses vignobles de Clos de Vougeot et de Nuits-Saint-Georges Les Boudots. Toutefois, sa production de la fin des années 80 et du début des années 90 s'est révélée trop boisée, manquant de la concentration que l'on trouvait dans ses vins du milieu de la décennie 80. Il n'empêche que ce producteur peut enregistrer de fabuleux succès, ce qui explique d'ailleurs que nombre de bons négociants (comme Louis Jadot) lui achètent une grande partie de sa récolte.

Les meilleurs vins : Clos de Vougeot, Nuits-Saint-Georges Les Boudots.

DOMAINE TOLLOT-BEAUT ET FILS (CHOREY-LÈS-BEAUNE)***/****

Voici une autre propriété historique où l'on devrait cesser de filtrer les vins. Les meilleures cuvées qui en sont issues – les Corton Les Bressandes, Corton et Beaune Clos du Roi – regorgent néanmoins de généreux arômes de fruits noirs judicieusement infusés de notes de chêne neuf et grillé. Délicieux dès leur jeunesse, la plupart de ces vins accusent des signes de déclin à 10 ans d'âge. Ainsi, les Corton Les Bressandes 1978 et 1985, brillantissimes pendant 5 à 8 ans, étaient déjà passés 10 ans après le millésime. Toutefois, ce domaine demeure une excellente source de bons bourgognes.

Les meilleurs vins : Beaune Clos du Roi, Beaune Les Grèves, Corton, Corton Les Bressandes.

CHÂTEAU DE LA TOUR (VOUGEOT)****

François Labet, propriétaire du Château de la Tour, a complètement redoré l'image de son domaine depuis la fin des années 80. En effet, avant 1986, ce dernier comptait au nombre des propriétés les plus notoirement sous-performantes de Bourgogne, mais, depuis la fin des années 80, on y produit régulièrement une excellente cuvée de Clos de Vougeot. Ainsi, bien que rare, le Clos de Vougeot Vieilles Vignes se révèle toujours superbe, mais il est préférable de l'acheter dans les millésimes 1988, 1989, 1990 et 1991 – à condition toutefois d'en avoir les moyens financiers. Ce domaine produit en général des vins profondément colorés, riches, très corsés et généreusement marqués par des notes de bois neuf. Leur potentiel de garde est de 10 à 15 ans. (Guy Accad est l'œnologue attitré du Château de la Tour.)

Les meilleurs vins : Clos de Vougeot, Clos de Vougeot Vieilles Vignes.

DOMAINE LOUIS TRAPET (GEVREY-CHAMBERTIN)**

Jean-Louis Trapet, fils de Jean Trapet, dirige maintenant le domaine. Il y a apporté quelques changements, notamment en réduisant les rendements et en mettant en œuvre un procédé de macération à froid avant les vinifications, de manière à obtenir des vins plus colorés et d'une plus grande complexité aromatique. L'élevage en fût demeure le même que par le passé, et on étudie en ce moment la possibilité de diminuer, sinon de cesser totalement, la filtration et le collage des vins. La production de Jean Trapet dans les années 70 et 80 était pour le moins décevante, avec des ratés tels que des Chambertin à 450 F la bouteille qui présentaient une robe couleur de thé et étaient déjà sur le déclin à 5 ou 6 ans d'âge. Cependant, ces désastres sont de l'histoire ancienne, car les vins du début de la décennie 1990 sont bien faits, quoique inintéressants. Ceux qui sont produits par Jean-Louis Trapet, fruités, doux et sans détour, seront consommés au meilleur de leur forme jusqu'à 5 à 8 ans d'âge.

Les meilleurs vins : Chambertin, Chambertin Vieilles Vignes, Latricières-Chambertin.

DOMAINE TRUCHOT-MARTIN (MOREY-SAINT-DENIS)****

Jacky Truchot demeure dans l'ombre, mais c'est un producteur sérieux, qui élabore des vins de pinot noir très traditionnels, souvent même terriblement tentants. Si vous recherchez surtout des vins à la robe très soutenue, ceux qui proviennent de ce domaine ne vous conviendront pas, car ils comptent généralement au nombre des bourgognes les plus légèrement colorés. Mais ils sont surtout irrésistibles par leurs arômes absolument étonnants et par leur richesse remarquable, dont on a peine à croire qu'ils puissent loger dans un ensemble aussi léger et moyennement corsé. Des vins réellement séduisants, à déguster avant 7 à 10 ans d'âge.

Les meilleurs vins : Charmes-Chambertin Vieilles Vignes, Clos de la Roche, Morey-Saint-Denis Clos Sorbès.

DOMAINE DES VAROILLES (GEVREY-CHAMBERTIN)**/***

J'ai acheté et gardé en cave les 1976, 1978 et 1980 du Domaine des Varoilles. En effet, je pensais que ces vins, impressionnants de richesse en extrait, énormes, charnus et tanniques, demandaient à être attendus pendant quelques années. Malheureusement, avec le temps, leurs tannins se sont atténués, et leur fruité s'est desséché. Plus récemment, les 1986 et 1987 se sont révélés tanniques, durs et maigres. Cette propriété possède de nombreux et vastes vignobles à Gevrey-Chambertin, et les vins qui en sont issus ont la réputation d'être de longue garde, longilignes et fermes. Mais le vin n'est-il pas avant tout une boisson de plaisir ? Je dois avouer n'en trouver aucun à la dégustation de ceux-là. Mais Jean-Pierre Naigeon, propriétaire des lieux, croit plus que jamais à ce style ferme, peu évolué et rugueux.

Les meilleurs vins : Clos de Vougeot, Gevrey-Chambertin Clos du Meix des Ouches, Gevrey-Chambertin Clos des Varoilles, Gevrey-Chambertin La Romanée.

DOMAINE COMTE GEORGES DE VOGÜÉ (CHAMBOLLE-MUSIGNY)*****

Le Domaine Comte Georges de Vogüé est la propriété la plus célèbre et la plus représentative de Chambolle-Musigny, s'étendant sur plus de 7 ha en Musigny – soit 70 % de la superficie de ce grand cru. Il est également à la tête de vastes vignobles en Bonnes Mares et en Chambolle-Musigny Les Amoureuses. Il était difficile, dans le courant des années 40, 50 et 60 de trouver des bourgognes plus grandioses que ceux de ce domaine. Je garde de merveilleux souvenirs des 1945, 1947, 1966, 1969 et 1972. Le niveau de qualité a ensuite considérablement chuté entre 1973 et 1988, mais, depuis cette dernière année, François Millet, jeune œnologue talentueux, s'est attaché à faire renaître la propriété. Les 1990 et 1991 sont splendides et riches, impressionnants de concentration, très corsés et très puissants, et les 1992 sont également de très bonne tenue. Aujourd'hui, ces vins comptent parmi les bourgognes les plus concentrés, les plus profondément colorés et les plus recherchés. Ils possèdent encore la richesse et l'intensité requises pour parfaitement évoluer sur 20 à 30 ans. Le Domaine Comte Georges de Vogüé est à nouveau sur les rails : de beaux moments en perspective pour les véritables connaisseurs...

Les meilleurs vins : Bonnes Mares, Musigny Vieilles Vignes.

COMMENTAIRES DE DÉGUSTATION

Les bourgognes rouges

BERTRAND AMBROISE (PRÉMEAUX)****

Rue de l'Église – 21700 Prémeaux-Prissey
Tél. 03 80 62 30 19 – Fax 03 80 62 38 69
Contact : Bertrand Ambroise

1993 Clos de Vougeot	E	90
1993 Nuits-Saint-Georges Les Vaucrains	D	90
1992 Nuits-Saint-Georges Les Vaucrains	D	90+
1991 Nuits-Saint-Georges Les Vaucrains	D	87+
1993 Nuits-Saint-Georges Rue de Chaux	D	85 ?
1992 Nuits-Saint-Georges Rue de Chaux	D	90+
1991 Nuits-Saint-Georges Rue de Chaux	D	87
1993 Corton Le Rognet	E	90
1992 Corton Le Rognet	E	91+
1991 Corton Le Rognet	E	90
1991 Nuits-Saint-Georges	D	83
1991 Côte de Nuits-Villages	C	87+

Si vous avez un penchant pour les vins de la Côte de Nuits non collés et non filtrés, riches, très corsés et musclés, tournez-vous vers ceux de Bertrand Ambroise. J'ai fait la connaissance de ce producteur en effectuant des recherches pour mon ouvrage sur les vins de Bourgogne, et je suis enchanté de constater le succès dont il jouit désormais, tant aux États-Unis qu'en Europe.

Bertrand Ambroise élabore quelques-uns des vins les plus richement extraits et les plus profondément colorés de la région. Ils ne sont pas faits pour être dégustés sur les bords d'une piscine. En effet, ce sont de véritables vins de garde, extrêmement dotés, qui seront gratifiants au terme d'une conservation en cave.

Bertrand Ambroise propose régulièrement l'un des meilleurs Côte de Nuits-Villages, et son 1991, à la couleur rubis très dense et au nez de fruits rouges vanillés, est énorme, moyennement corsé et tannique en bouche, avec une finale très longue. **A boire maintenant.**

Le Nuits-Saint-Georges 1991 est, quant à lui, moins richement doté, et se montre un peu dur, rugueux et astringent.

Le Nuits-Saint-Georges Les Vaucrains 1991 dégage un nez aromatique, épicé et herbacé, de terre, de poivre et de fruits noirs. Profond, moyennement corsé et musclé en bouche, il y déploie une finale très tannique. Ce vin peu évolué requiert une garde de 3 ou 4 ans, et a la profondeur sous-jacente nécessaire pour conserver son équilibre. **A maturité : 1998-2009.**

Plus doux, plus élégant et plus précoce que le vin précédent, le Nuits-Saint-Georges Rue de Chaux 1991, de couleur rubis-pourpre foncé, exhale un nez modérément intense de fruits noirs et de fleurs. Il est souple et gracieux, et se révélera délicieux et ample en bouche ces **10 prochaines années.**

Le Corton Le Rognet 1991 est lui aussi moins robuste et puissant que Les Vaucrains ou le Côte de Nuits-Villages. D'une couleur dense, avec un nez épicé de vanille et de fruits rouges, il est moyennement corsé, doux et ample en bouche. Il s'agit d'un vin exceptionnellement bien fait et bien doté, extrêmement concentré et élégant. **A maturité : jusqu'en 2008.**

Tous les 1992 de Bertrand Ambroise sont atypiques, masculins, puissants, denses et tanniques, ressemblant plus à des 1990 qu'à des 1992, plutôt doux. Aucun d'entre eux n'est prêt dès sa jeunesse ; ils requièrent tous une longue garde.

D'un rubis-pourpre impressionnant, le Nuits-Saint-Georges Les Vaucrains 1992 offre un nez serré et épicé de terre, de réglisse et de cerise noire. Dense, très corsé et modérément tannique, il montre une concentration impressionnante, et déploie une finale ferme et structurée. **A maturité : 1998-2010.**

Le plus évolué des trois 1992, le Nuits-Saint-Georges Rue de Chaux exhale un nez extraordinaire de viande rôtie, de framboise sauvage et de truffe. Bien marqué par des notes de chêne épicé, ainsi que par un fruité doux et confituré de cerise noire, il est encore très gras et très tannique, et se montre tout à la fois mûr, dense, trapu, costaud et puissant. Bien qu'il soit déjà prêt, il sera en meilleure forme encore d'ici 1 ou 2 ans, et se conservera parfaitement **10 à 15 ans.**

Outre sa robe rubis-pourpre foncé, le Corton Le Rognet 1992 présente de fabuleux arômes d'herbes, de fumé, de cerise noire et de sous-bois. Très corsé et bien structuré, il dévoile en bouche, par paliers, des tannins, un fruité et un caractère gras des plus généreux. Ce vin requiert une garde de 3 ou 4 ans avant d'être dégusté, et compte au nombre des rares bourgognes du millésime offrant un potentiel de garde de **20 ans.**

Les 1993 du domaine sont, comme on pouvait s'y attendre, des monstres de couleur noire, avec des tannins massifs et abondants, ainsi qu'un fruité sensationnel et extrêmement concentré pour les meilleurs d'entre eux. Se pose maintenant l'éternelle question de savoir si c'est le fruité qui, à terme, dominera les tannins ou l'inverse. En tout cas, les vins de Bertrand Ambroise sont, pour l'instant, généreusement dotés de ces deux points de vue.

D'une couleur impressionnante, le Corton Le Rognet 1993 est énorme, rugueux et massif, et demande plusieurs années pour révéler le meilleur de lui-même. Extrêmement bien équilibré malgré d'abondants tannins, il me semble qu'il vaut bien la peine d'être attendu, en dépit des risques que cela suppose. Ne touchez pas à une seule de vos bouteilles avant 2005.

Il m'était difficile d'attribuer une meilleure note au Nuits-Saint-Georges Rue de Chaux 1993, à cause des légers arômes de moisi qu'il présente au nez, de son pH extrêmement bas, de ses tannins durs et de son caractère sévère. Je me suis rué sur un verre d'eau minérale après l'avoir dégusté. Ce vin, dont la robe impressionnante prélude à une belle attaque en bouche et à un bon fruité mûr, enveloppe ensuite le palais d'une vague de tannins assez désagréable. Je serais curieux de voir ce qu'il en reste en 2005.

En revanche, le Nuits-Saint-Georges Les Vaucrains 1993 et le Clos de Vougeot 1993 sont plus accessibles. Tous deux sont puissants, flamboyants, massifs et richement extraits. De couleur rubis-pourpre foncé, avec un nez serré, mais prometteur, ils se révèlent moyennement corsés, généreusement dotés et musclés, et dévalent littéralement le palais du dégustateur. Le premier est davantage marqué par des arômes de fruits noirs aux notes de terre, de réglisse et de truffe. Plein, riche et structuré, il présente un potentiel de garde de **20 à 25 ans.** Le Clos de Vougeot, plus doux, est plus accessible et moyennement corsé, et exprime un caractère plus prononcé de fruits rouges. Très tannique et d'une excellente profondeur, avec une finale longue, il se dégustera bien dans les **20 ans** qui suivront une garde de 3 ou 4 ans.

BERNARD AMIOT (CHAMBOLLE-MUSIGNY)***

21220 Chambolle-Musigny
Tél. 03 80 62 35 38
Contact : Bertrand Amiot

1991 Chambolle-Musigny	D	86
1991 Chambolle-Musigny Premier Cru	D	86
1991 Chambolle-Musigny Les Chatelots	D	87
1991 Chambolle-Musigny Les Charmes	D	89

Les vins de Bernard Amiot sont en général d'un caractère plutôt léger, si bien que j'ai été agréablement surpris – étonné, même – de trouver des 1991 aussi concentrés et aussi riches. Dame Nature avait déjà fort bien fait les choses en réduisant les rendements, mais Bernard Amiot s'était également laissé convaincre, par son importateur américain, de procéder à une mise en bouteille sans collage ni filtration préalables. Tout cela a donné des vins pleins de charme et de finesse, au fruité de pinot noir merveilleusement doux et savoureux.

Le Chambolle-Musigny 1991, moyennement corsé, arbore une belle couleur rubis, et déploie un nez mûr et très parfumé. Il est rond, généreux et gracieux en bouche. **A boire dans les 4 ou 5 ans.**

Le Chambolle-Musigny Premier Cru 1991 est lui aussi moyennement corsé, avec un admirable fruité, mûr et profond, et des senteurs florales plus prononcées. On distingue en bouche une texture veloutée, merveilleusement douce, juteuse et succulente. **A boire d'ici 4 ou 5 ans.**

Le Chambolle-Musigny Les Chatelots 1991 est, quant à lui, légèrement plus riche, plus ample et plus parfumé. Il s'agit d'un vin merveilleux, à l'élégance exceptionnelle. **A boire d'ici 6 ou 7 ans.**

Le meilleur 1991 du domaine est sans doute le très beau Chambolle-Musigny Les Charmes. Ce vin, au bouquet intense, regorge littéralement d'arômes floraux et de cerise noire. Il est moyennement corsé, somptueusement riche et extrêmement bien équilibré, avec une finale longue, satinée et souple. Bel exemple classique d'un Chambolle-Musigny de premier ordre, qui allie merveilleusement finesse et richesse. **A boire d'ici 6 ou 7 ans.**

AMIOT-SERVELLE (CHAMBOLLE-MUSIGNY)****

21220 Chambolle-Musigny
Tél. 03 80 62 80 39 – Fax 03 80 62 84 16
Contact : Christian et Élisabeth Amiot

1993 Chambolle-Musigny Les Amoureuses	E	90+
1992 Chambolle-Musigny Les Amoureuses	E	89
1991 Chambolle-Musigny Les Amoureuses	E	89
1993 Clos de Vougeot	E	86
1991 Clos de Vougeot	E	91
1993 Chambolle-Musigny Derrière La Grange	E	89
1992 Chambolle-Musigny Derrière La Grange	D	88
1991 Chambolle-Musigny Derrière La Grange	D	88
1993 Chambolle-Musigny Les Charmes	E	90
1991 Chambolle-Musigny Les Charmes	D	87
1993 Bourgogne	C	85

Christian et Élisabeth Amiot méritent incontestablement des louanges pour le remarquable travail accompli sur cette toute petite propriété d'environ 6 ha, connue autrefois sous le nom de Servelle-Tachot. Les vins qu'ils y produisent se révèlent meilleurs d'année en année, et ils ont vraiment franchi une nouvelle étape avec des 1993 extrêmement réussis. Tous les vins de ce millésime, à l'exception toutefois du Chambolle-Musigny, ont été mis en bouteille sans filtration préalable. Densément colorés, fabuleusement extraits et d'une belle maturité, ils promettent également une grande longévité, alors que la règle générale en 1993 tendrait plutôt vers des vins durs, aqueux, astringents et totalement dépourvus de charme.

Même le Bourgogne générique 1993 est d'un bon niveau, avec ses généreuses senteurs de fruits noirs et les arômes moyennement corsés, souples et fermes qu'il déploie en bouche. **A boire dans les 4 ou 5 ans.**

Parmi les meilleurs 1993 du domaine, vous trouverez le stupéfiant Chambolle-Musigny Les Charmes, extraordinairement profond, au nez merveilleusement doux et parfumé de fruits noirs vanillés. Moyennement corsé, d'une excellente précision dans le dessin et parfaitement pur, il développe une finale douce, longue et modérément tannique. Ce vin, déjà accessible, sera au meilleur de sa forme dans 2 ou 3 ans et se conservera parfaitement 12 à 15 ans.

Également impressionnant, le Chambolle-Musigny Derrière La Grange 1993 est dense, doux et riche, structuré, mais concentré. Il pourrait se révéler extraordinaire d'ici 2 ou 3 ans et se conservera parfaitement 10 à 12 ans.

Le Chambolle-Musigny Les Amoureuses est, de tous les 1993 du domaine, le meilleur et le plus profondément coloré. C'est encore lui qui offre le plus grand potentiel de garde. Impressionnant par sa robe très soutenue, il déploie au nez des senteurs épicées, mais retenues, de fruits noirs et rouges, marquées d'une touche herbacée et de terre. Moyennement corsé et dense, il présente un fruité qui étaye bien son caractère tannique. Ce vin sera prêt d'ici 3 ou 4 ans, et devrait parfaitement se conserver sur les **12 à 15 prochaines années.**

Enfin, le Clos de Vougeot 1993 mérite que l'on s'y intéresse, bien qu'étant le vin le plus dur et le plus tannique de la gamme. Densément coloré, fermé et austère, il est pour l'instant presque monolithique, et requiert une garde de 4 ou 5 ans avant d'être prêt. **A maturité : 2003-2008.**

Des deux 1992, c'est le Chambolle-Musigny Derrière La Grange qui me semble le plus concentré et le plus complet, bien qu'à ce niveau de qualité on soit en train de couper les cheveux en quatre. En effet, ce vin présente une couleur rubis foncé et un beau et séduisant nez de fruits rouges et mûrs, de vanille, de chêne neuf et grillé marqué de notes florales. Extrêmement concentré, faible en acidité et étonnamment long pour le millésime, il est encore doux, ample et déjà bien évolué, charmeur et richement extrait. **A boire dans les 4 ou 5 ans.**

Plus léger et plus élégant, le Chambolle-Musigny Les Amoureuses 1992 exhale des parfums intenses et très aromatiques de vanille et de cerise confiturée. Rond et velouté en bouche, il y révèle une plaisante maturité, mais ne donne aucun signe de dilution ou de tannins astringents. **A boire dans les 3 ou 4 ans.**

Les 1991 de ce domaine sont incontestablement d'un meilleur niveau que les 1990 : cela tient au fait qu'ils sont issus de rendements plus restreints et qu'ils n'ont pas été filtrés avant la mise en bouteille, contrairement à leurs aînés. Ils sont maintenant tout en charme et en élégance, et débordent encore d'un généreux fruité, riche et doux.

Ainsi, le Chambolle-Musigny Les Charmes 1991 est un pur joyau, avec son nez de fruits rouges et mûrs, et ses arômes souples et merveilleux d'équilibre exprimant une excellente richesse. Les tannins sont doux et fondus, et la finale est longue. Ce vin, déjà délicieux, devrait s'améliorer encore sur les 7 à 10 **prochaines années.**

Légèrement plus ample et plus dense, avec une robe plus soutenue et plus profonde, le Chambolle-Musigny Derrière La Grange 1991 exhale un excellent bouquet de cerise noire, d'herbes aromatiques, d'épices, de chêne neuf et vanillé. Il se montre riche, ample et long en fin de bouche. Il allie merveilleusement puissance et finesse. **A maturité : jusqu'en 2003.**

Le superbe Clos de Vougeot 1991, à la robe rubis-pourpre foncé, exhale un nez explosif de fruits noirs et rouges confiturés aux notes de chêne neuf et grillé. Riche, onctueux et opulent, il se dévoile en bouche par paliers mais ne recèle pas les tannins durs qui desservent tant les vins de ce millésime. La finale est imposante, longue et bien équilibrée. **A boire dans les 10 ans.**

Enfin, le Chambolle-Musigny Les Amoureuses 1991 illustre bien la richesse, l'intensité et la puissance aromatique que peut présenter le pinot noir dans un ensemble léger et élégant. En effet, ce vin déploie un nez classique, doux et velouté de fruits noirs et rouges, de fleurs et d'herbes. Moyennement corsé, avec une finale bien glycérinée et modérément alcoolique, il est tout en tannins souples. **A boire dans les 10 ans.**

Très impressionnants, ces 1991 sont les meilleurs vins que je connaisse de cette propriété.

DOMAINE ARLAUD PÈRE ET FILS (NUITS-SAINT-GEORGES)**

16, rue du Grenier-à-Sel – 21700 Nuits-Saint-Georges
Tél. 03 80 61 29 85
Contact : Hervé Arlaud

1994 Clos Saint-Denis Réserve non filtrée	E	88
1993 Clos Saint-Denis	E	92
1991 Clos Saint-Denis	E	88
1994 Morey-Saint-Denis Les Ruchots Réserve non filtrée	D	88
1993 Morey-Saint-Denis Les Ruchots	D	92
1993 Charmes-Chambertin	E	90+
1991 Clos de la Roche	E	86
1991 Gevrey-Chambertin Les Combottes	D	85
1991 Gevrey-Chambertin	D	86

Si vous aimez les bourgognes rouges légèrement surmûris, riches, ronds et délicieusement évolués, relevez le nom de ce producteur. Arlaud a généralement tendance à tenir des rendements trop élevés et chaptalise souvent de manière excessive pour compenser le manque de corpulence et d'arômes de ses vins. Mais, dans une année aussi peu abondante que 1991, il ne fait aucun doute que ses vins sont entièrement naturels. Les quatre 1991 ci-dessus doivent être dégustés avant **5 à 7 ans d'âge,** et aucun d'entre eux ne présente les tannins durs, verts et astringents si caractéristiques du millésime.

Outre une belle robe profondément colorée, le Gevrey-Chambertin 1991 exhale un merveilleux nez de fruits noirs et d'herbes, ainsi qu'une finale ronde, moyennement corsée et riche. De la séduction à l'état pur.

Le Gevrey-Chambertin Les Combottes 1991 aurait normalement dû se révéler plus complexe que le vin précédent, mais tel n'est pas le cas. Plus élégant et un peu plus léger, il déploie en bouche les mêmes arômes doux, ronds et mûrs, et a la même texture juteuse et succulente.

Le Clos de la Roche 1991 dégage un nez d'herbes et de cerise noire et douce, avec des notes de terre plus prononcées que Les Combottes. Mûr et moyennement corsé en bouche, il y exprime une grande richesse, ainsi qu'un caractère très glycériné et très alcoolique. C'est un bourgogne rouge très évolué et très spectaculaire. **A boire dans les 4 ou 5 ans.**

Des quatre 1991 de ce domaine, c'est le Clos Saint-Denis qui s'impose comme le plus riche et le plus complet, avec sa robe d'un rubis profond et son nez riche et doux de cassis, de noix et de pain grillés – tous deux absolument renversants. Ce vin bien doté, moyennement corsé et admirablement extrait présente, à la fois au nez et en bouche, un caractère juteux, opulent et voluptueux, qui rappelle un 1990. Capiteux, ample et délicieux, il promet de durer encore au moins **6 ou 7 ans.**

La gamme des 1993 est superbe, mais j'attire l'attention des lecteurs sur le fait que les cuvées notées ci-dessus sont celles que ce producteur élabore à la demande expresse de son importateur américain. Elles ne sont ni collées ni filtrées. Les vins disponibles en Europe, collés et filtrés, sont certainement moins riches et moins complexes.

Le soyeux Morey-Saint-Denis Les Ruchots 1993 pourrait aisément passer pour un 1989 ou un 1990, compte tenu de son fabuleux fruité et de son caractère ample, velouté et extraordinairement équilibré. Le nez exhale des arômes explosifs de fruits rouges et noirs, et l'attaque en bouche révèle une opulente richesse et une intensité somptueuse. **A boire dans les 5 ou 6 ans.**

Également ample, de couleur rubis foncé, le Charmes-Chambertin 1993 est moyennement corsé, extrêmement pur et fruité, mais il n'a ni la longueur ni l'intensité du vin précédent. **A boire dans les 5 ou 6 ans.**

L'extraordinaire Clos Saint-Denis 1993 révèle un caractère ouvert, précoce et sans détour, et déploie au nez de généreuses senteurs de fruits doux et confiturés, infusées de copieuses notes de chêne grillé. Moyennement corsé et très alcoolique, débordant de glycérine et de fruité, il s'impose comme un bourgogne des plus somptueux. **A boire dans les 4 ou 5 ans.**

Rubis foncé, avec un nez de fruits noirs confiturés et de chêne neuf doux et grillé, le Morey-Saint-Denis Les Ruchots 1994 (non filtré) exprime une belle élégance d'ensemble et une complexité qui rappelle les vins du Domaine Dujac. Moyennement corsé, rond et velouté en bouche, il devra être consommé dans les **2 ou 3 ans.**

La robe rubis moyennement foncé du Clos Saint-Denis 1994 (non filtré) précède un nez énorme et épicé de terre et de fruits rouges, mêlé de notes de viande fumée et d'herbes. Doux, rond et savoureux, sans être très profond ni de très longue garde, ce vin est néanmoins délicieux et sensuel. **A boire dans les 3 ou 4 ans.**

DOMAINE DE L'ARLOT (PRÉMEAUX)****

21700 Prémeaux
Tél. 03 80 61 01 92 – Fax 03 80 61 04 22
Contact : Jean-Pierre de Smet

1994 Nuits-Saint-Georges Clos des Forêts-Saint-Georges	D	88
1992 Nuits-Saint-Georges Clos des Forêts-Saint-Georges	D	91
1991 Nuits-Saint-Georges Clos des Forêts-Saint-Georges	D	91
1994 Nuits-Saint-Georges Clos de l'Arlot	D	87
1992 Nuits-Saint-Georges Clos de l'Arlot	D	89
1991 Nuits-Saint-Georges Clos de l'Arlot	D	88
1991 Nuits-Saint-Georges	C	86
1994 Côte de Nuits-Villages Clos du Chapeau	C	85
1992 Côte de Nuits-Villages Clos du Chapitre	C	86
1991 Côte de Nuits-Villages Clos du Chapeau	C	87
1992 Vosne-Romanée Premier Cru	D	87
1994 Vosne-Romanée Les Suchots	D	81 ?

Jean-Pierre de Smet produit au Domaine de l'Arlot des vins soyeux et élégants, proches de ceux du Domaine Dujac, ce qui n'a d'ailleurs rien d'étonnant quand on sait qu'il y a fait son apprentissage. Il ne faut surtout pas se fier à leur robe décevante – généralement d'un rubis très clair, qui rappelle celle d'un vin de Zinfandel de 3 ans d'âge –, car ils présentent une complexité aromatique, un fruité, une richesse et une profondeur assez extraordinaires. Ce producteur a vraiment bien réussi en 1994, millésime pourtant fort compromis par les pluies.

Le Côte de Nuits-Villages Clos du Chapeau 1994 arbore une robe rosée marquée de subtiles touches ambrées sur le bord – on dirait presque un Tavel d'autrefois. Mais il révèle aussi un doux fruité de cerise et de fraise, bien plus profond et plus riche que ne le laisse deviner sa robe. Souple, rond et légèrement corsé, il sera parfait ces **toutes prochaines années**.

Également d'un rubis assez clair, le Nuits-Saint-Georges Clos de l'Arlot 1994 offre un nez élégant et épicé de cerise et de fraise, et se montre doux, rond, moyennement corsé, mûr et velouté en bouche. Un bourgogne séduisant et charmeur. **A boire dans les 2 ou 3 ans.**

L'imposant Nuits-Saint-Georges Clos des Forêts-Saint-Georges arbore la robe la plus foncée des quatre 1994. Son nez énorme de poivre, de fruits rouges et de fruits noirs est marqué par de curieuses notes de sous-bois et de truffe. Doux en bouche, il y déploie des arômes ronds et moyennement corsés qui témoignent d'une concentration, d'une profondeur et d'une intensité d'excellent aloi. Ce vin souple est suffisamment profond pour durer encore 4 **ou 5 ans.** Impressionnant !

Enfin, le Vosne-Romanée Les Suchots 1994, dont la robe rubis assez foncé est déjà ambrée sur le bord, est léger et un peu aqueux, et se révèle rond, fruité et très bourguignon, mais fluide. **A boire les toutes prochaines années.**

Une vue globale des bourgognes rouges de 1992 permettrait d'avancer avec quelque raison que ce millésime est de qualité médiocre. Toutefois, maintenant que la mise en bouteille a été effectuée, on peut aisément déterminer quels producteurs ont élaboré les meilleurs vins de l'année – ceux-ci ont en commun une texture veloutée et bien dotée, ainsi qu'une souplesse et une richesse d'une merveilleuse facture.

J'ai toujours admiré les vins délicieux que Jean-Pierre de Smet produit depuis ses débuts en 1987, et ses 1992 rassemblent toutes les qualités que l'on souhaiterait voir réunies dans les vins de cette année. Ils sont amples, purs, riches et délicieusement souples.

Le Côte de Nuits-Villages Clos du Chapitre 1992, rubis moyennement foncé, révèle un nez merveilleusement expressif, précoce et parfumé de fruits noirs et doux, de terre et de vanille, et se montre rond, généreux et souple en bouche. **A boire d'ici 1 ou 2 ans.**

Le Vosne-Romanée Premier Cru 1992, entièrement issu de l'excellent vignoble Les Suchots, présente de généreuses et douces notes de chêne grillé conjuguées à un riche fruité de fumé et de cerise noire. Mûr, avec une faible acidité, mais sans aspérités ni tannins marquants, il se révèle très séduisant. **A boire dans les 2 ou 3 ans.**

Les deux meilleurs 1992 de ce domaine sont le Nuits-Saint-Georges Clos de l'Arlot et le Nuits-Saint-Georges Clos des Forêts-Saint-Georges.

Le Nuits-Saint-Georges Clos de l'Arlot 1992, de couleur rubis plutôt foncé, déploie une palette aromatique assez extraordinaire, qui inclut de généreuses notes de cerise noire confiturée, de fumé, d'épices, de chêne neuf et d'herbes. Moyennement corsé et soyeux en bouche, il est d'un gras admirable, et son fruité de pinot noir, juteux et savoureux, caresse littéralement le palais. Ce vin sans aspérités est faible en acidité, si bien que rien ne vous empêche de l'apprécier dès maintenant. A consommer **d'ici 3 à 5 ans** pour son caractère des plus charmeurs.

Plus structuré, le Nuits-Saint-Georges Clos des Forêts-Saint-Georges 1992 s'impose aussi comme le vin le plus riche, le plus long et le plus complet du domaine. Il révèle un merveilleux et doux nez de fumé et de cerise noire. Ample, moyennement corsé et légèrement tannique en bouche, avec une faible acidité, il déploie par paliers un fruité riche et crémeux, aux notes florales. Il s'agit d'un vin généreux et charnu, que vous apprécierez dans les **6 ou 7 ans.**

Les 1991 de Jacques Seysses, fort réussis, sont merveilleux à la dégustation, et se maintiendront bien pendant les **4 ou 5 prochaines années.**

Le Côte de Nuits-Villages Clos du Chapeau 1991 constitue une excellente affaire. Il offre de merveilleux arômes de framboise douce et se montre velouté, révélant une excellente concentration en bouche, où il déploie une finale douce et souple. **A boire d'ici 3 ou 4 ans.** Je préfère ce vin au Nuits-Saint-Georges de la même année. En effet, ce dernier, bien que plus profondément coloré et moyennement corsé, avec des notes de chêne neuf et grillé, présente une légère astringence due aux tannins rugueux qui caractérisent le millésime. Consommez-le avant qu'il n'atteigne **6 ou 7 ans d'âge.**

Le Nuits-Saint-Georges Clos de l'Arlot 1991 ainsi que le Nuits-Saint-Georges Clos des Forêts-Saint-Georges 1991 sont deux belles réussites auxquelles je pourrais éventuellement attribuer des notes extraordinaires d'ici 1 an.

Outre sa robe d'un rubis profond (plus colorée que d'habitude), le Clos de l'Arlot 1991 arbore un nez énorme, doux et parfumé de vanille, de framboise, de cerise et d'épices. Profond et savoureux, avec un généreux fruité gras et velouté, il est tout en richesse et en élégance. **A boire dans les 6 ou 7 ans.**

Légèrement plus profond que le Clos de l'Arlot, le Clos des Forêts-Saint-Georges 1991 exhale lui aussi un nez intensément parfumé et doux de fruits noirs et rouges, marqué de notes de chêne neuf et grillé. Mûr et opulent, richement fruité, il est encore ample, moyennement corsé et souple en bouche. **A boire dans les 6 ou 7 ans.**

Les amateurs des vins de ce domaine seront enchantés d'apprendre qu'il vient d'acquérir une parcelle de vignes aux Suchots, l'un des tout premiers crus de Vosne-Romanée.

DOMAINE ROBERT ARNOUX (VOSNE-ROMANÉE)****

3, route Nationale 74 – 21700 Vosne-Romanée
Tél. 03 80 61 09 85 ou 03 80 61 08 41 – Fax 03 80 61 36 02
Contact : Pascal Lachaux

1993 Romanée-Saint-Vivant	EEE	92
1991 Romanée-Saint-Vivant	EEE	90
1993 Vosne-Romanée Les Suchots	E	92
1991 Vosne-Romanée Les Suchots	E	92
1993 Échézeaux	EE	90
1993 Vosne-Romanée Les Chaumes	D	87
1993 Vosne-Romanée Les Hautes-Maizières	D	87
1991 Vosne-Romanée Les Hautes-Maizières	D	86
1993 Nuits-Saint-Georges Les Procès	D	88+
1991 Nuits-Saint-Georges Les Procès	D	89
1991 Nuits-Saint-Georges Les Corvées Pagets	D	86
1991 Clos de Vougeot	D	89
1991 Bourgogne Pinot Noir	C	87

Feu Robert Arnoux, « surproducteur » impénitent, a vu Dame Nature réduire ses rendements à moins de 35 hl/ha en 1991, et il a enregistré cette année-là sa plus petite vendange depuis 1978. Il en est sorti des vins qui sont aussi opulents et aussi étonnants que ses excellents 1990. En effet, il faut vraiment déguster les 1991 pour y croire : ne les évitez surtout pas sous prétexte que vous n'avez aucune confiance dans le millésime – ce sont des bourgognes rouges extrêmement complexes et séduisants.

Le domaine propose, pour les néophytes, un merveilleux Bourgogne Pinot Noir générique 1991 profondément coloré, au nez énorme et mûr de cerise noire. Doux et velouté en bouche, avec des tannins souples, il offre une finale capiteuse, étonnamment riche et concentrée. **A boire d'ici 2 ou 3 ans.** Il se révèle d'ailleurs d'un plus haut niveau que le Vosne-Romanée Les Hautes-

Maizières 1991, pourtant lui aussi doux, mûr, riche et souple. **A maturité : jusqu'en 2001.**

L'une des révélations de la gamme de Robert Arnoux est son Nuits-Saint-Georges Les Procès. Le 1991 peut parfaitement rivaliser avec le 1990. Sa couleur rubis foncé ainsi que son nez énorme et explosif de fruits noirs, de terre, de grillé et de fleurs sont absolument renversants. Ce vin mûr, au généreux fruité doux et confituré, présente une faible acidité et une finale modérément tannique. Déjà merveilleux, il promet de se maintenir **6 ou 7 ans encore.**

De couleur rubis profond, le Nuits-Saint-Georges Les Corvées Pagets 1991 se révèle plus maigre et plus serré que le précédent, mais on y distingue, malgré des tannins marquants, l'excellente maturité et le doux fruité qui caractérisent les 1991 de Robert Arnoux. **A maturité : jusqu'en 2003.**

Le Clos de Vougeot 1991 est presque aussi extraordinaire que le vin précédent. Sa robe de couleur rubis profond et son nez énorme et parfumé aux arômes de cassis mûr, de vanille et de fumé préludent à un vin riche, satiné et voluptueux, qui déborde d'un fruité confituré et déploie des tannins et une finale époustouflants. Je réviserai vraisemblablement ma note à la hausse, après un certain temps de vieillissement en bouteille. **A maturité : jusqu'en 2004.**

Les deux meilleurs 1991 de Robert Arnoux ne devraient pas surprendre ceux qui auront suivi l'évolution de ce domaine dans les dix dernières années.

La robe très profonde du Vosne-Romanée Les Suchots 1991 laisse deviner une richesse en extrait et une concentration absolument superbes. Le nez exhale d'amples arômes d'herbes, de noix et de pain grillé auxquels se mêlent de généreuses notes de cerise noire confiturée et de framboise. Ce vin riche et très corsé présente des tannins étonnamment doux et souples, et l'on pourrait parfaitement, dans une dégustation à l'aveugle, le confondre avec un grandiose 1990. Déjà délicieux et complexe, il promet de bien évoluer dans **la décennie qui vient.**

Quant au Romanée-Saint-Vivant 1991, il déploie ce bouquet insaisissable, luxuriant et charnu de cerise noire et de prune, mêlé d'arômes d'épices orientales et de gibier fumé, que l'on retrouve souvent dans les vins du Domaine de la Romanée-Conti. Il s'agit d'un vin magnifique, profond, gras et riche, débordant d'arômes, qui peut être dégusté dès maintenant, mais qui se conservera encore **une bonne dizaine d'années.**

Les 1991 du Domaine Arnoux comptent assurément au nombre des vedettes du millésime.

Les 1993 sont du même métal. Cette année-là, Dame Nature avait encore considérablement restreint les rendements. De plus, Robert Arnoux et Pascal Lachaux, son maître de chais, avaient réduit l'usage de fertilisants dans le vignoble et opté pour une extraction plus poussée, ainsi que pour une mise en bouteille la moins interventionniste possible. Les vins, ni collés ni filtrés, sont prometteurs, très complexes, avec des tannins bien fondus et un fruité de pinot noir généreux, ample et doux.

Le Vosne-Romanée Les Hautes-Maizières 1993, rubis foncé, offre un nez séduisant et doux de fumé, de terre et de fruits rouges. Moyennement corsé, succulent et d'une belle ampleur, il déploie une finale élégante et veloutée. **A maturité : 2000-2006.**

Arborant une robe resplendissante d'un beau rubis foncé, le Nuits-Saint-Georges Les Procès 1993 est somptueux d'équilibre et merveilleusement pur, d'une concentration et d'une complexité extraordinaires. Il déborde d'un généreux et doux fruité, et développe une finale longue et moyennement corsée. Je ne serais pas surpris de devoir le renoter aux environs de 90, au terme d'une garde de 1 à 3 ans. **A maturité : 2001-2007.**

Plus structuré et plus monolithique que les autres vins de la gamme, le Vosne-Romanée Les Chaumes 1993 libère au nez des arômes de fumé, de viande, de fruits rouges et doux. Toutefois, il se montre fermé et modérément tannique en bouche. Accordez-lui un délai de grâce de 2 ou 3 ans encore, il se pourrait qu'il soit meilleur que ne le suggèrent mes notes de dégustation. **A maturité : 2000-2004.**

L'Échézeaux 1993, profondément coloré, est plus fermé et plus serré au nez que le vin précédent, mais il révèle en bouche un caractère moyennement corsé, concentré et mûr, marqué de tannins et de notes boisées bien fondus dans l'ensemble. Pur et de bon ressort, il offre une finale longue et douce, où l'on ne décèle aucune astringence, dureté ou acidité excessive. Un Échézeaux merveilleusement ciselé ! **A maturité : 1998-2008.**

Les deux meilleures cuvées 1993 ne surprendront pas les amateurs du domaine. Le Vosne-Romanée Les Suchots 1993, issu de vignes de 40 à 70 ans d'âge, se révèle toujours aussi exquis, avec une palette aromatique semblable à celle des vins du Domaine de la Romanée-Conti. Tout dans ce Vosne-Romanée contribue à en faire un bourgogne rouge voluptueux et remarquablement riche : depuis son nez énorme d'épices orientales, de fumé, de grillé, de fruits rouges et doux jusqu'à sa finale intense et généreusement fruitée. **A boire dans les 10 à 12 ans.**

Vous retrouverez dans le Romanée-Saint-Vivant 1993 toutes les qualités du vin précédent, si ce n'est qu'il est plus tannique, plus serré et plus fermé. Il est tout à la fois merveilleusement fait, concentré, imposant et puissant, et possède un tel fruité – et d'une telle intensité – qu'il suffira à étayer son caractère modérément tannique. Un vin que vous apprécierez dans les **15 ans** qui suivront une garde de 4 ou 5 ans.

DOMAINE BARTHOD-NOËLLAT (CHAMBOLLE-MUSIGNY)****

Rue du Lavoir – 21220 Chambolle-Musigny
Tél. 03 80 62 80 16 – Fax 03 80 62 82 42
Contact : Ghislaine Barthod

1993 Chambolle-Musigny Les Charmes	D	87
1991 Chambolle-Musigny Les Charmes	D	89
1993 Chambolle-Musigny Aux Beaux Bruns	D	89
1991 Chambolle-Musigny Aux Beaux Bruns	D	87
1993 Chambolle-Musigny Les Cras	D	87
1991 Chambolle-Musigny Les Cras	D	88+

1993 Chambolle-Musigny Les Fuées		D	86 ?
1991 Chambolle-Musigny Les Baudes		D	88
1991 Chambolle-Musigny Les Varoilles		D	86+
1991 Chambolle-Musigny		D	87
1991 Bourgogne		C	87

Cette propriété extrêmement bien gérée donne des vins d'une qualité sans cesse grandissante, et ses 1991 sont d'un niveau équivalent à celui de ses 1990, même si la plupart d'entre eux présentent des notes de surmaturité, déployant alors, tant au nez qu'en bouche, des arômes merveilleusement amples et doux de cerise noire. On peut déceler dans ces 1991 un caractère gras ressemblant à celui qu'offrent nombre de 1990.

Les amateurs en quête de bonnes affaires devraient rechercher le Bourgogne 1991, merveilleusement fruité et mûr, à la texture souple et douce. **A boire dans les 2 ou 3 ans.**

Le Chambolle-Musigny 1991 exhale un doux nez d'abricot et de cerise noire confiturée propre aux vins de vendanges tardives. Rond, avec une faible acidité et une finale riche, il se présente comme un bourgogne plaisant et luxuriant. **A boire dans les 4 ou 5 ans.**

Le Chambolle-Musigny Les Varoilles et le Chambolle-Musigny Les Baudes sont les 1991 les plus évolués et les plus délicieux qu'ait donnés cette propriété. **A boire dans les 6 ou 7 ans.**

Le Chambolle-Musigny Aux Beaux Bruns 1991 est doux, mais un peu plus structuré que le Chambolle-Musigny Les Cras de la même année. Celui-ci se révèle le moins évolué et le plus tannique de tous les premiers crus que le Domaine Barthod-Noëllat produit dans cette appellation. Quant au Chambolle-Musigny Les Charmes 1991, il se situe exactement entre le style tannique et musclé de la cuvée Les Cras et celui, plus ouvert, mûr, gras et charnu, des Baudes. Tous sont des bourgognes rouges complexes et riches, bien équilibrés et merveilleusement fruités, qui seront excellents dans les **10 prochaines années.**

Les 1993 du domaine, bien réussis, ont la richesse en extrait et le fruité nécessaires pour étayer leur caractère tannique. Les quatre crus ci-dessous requièrent une garde de 4 ou 5 ans avant d'être prêts, mais ils se conserveront parfaitement sur les **12 à 15 prochaines années.**

Bien qu'étant le plus tannique de tous, le Chambolle-Musigny Les Fuées 1993 possède la maturité et la profondeur qui lui permettront de résister à l'épreuve du temps.

De couleur rubis foncé, avec un doux nez de cerise et de framboise mêlé de touches de terre, de vanille et d'épices, le Chambolle-Musigny Les Cras 1993 se révèle moyennement corsé, merveilleux d'équilibre et modérément tannique en finale.

Plus concentré et plus intense que les vins précédents, le Chambolle-Musigny Aux Beaux Bruns déploie un nez impressionnant et prometteur aux arômes de fruits mûrs, de chêne, de minéral et d'épices, qui introduit en bouche un vin moyennement corsé, bien structuré et d'une belle profondeur.

Quant au Chambolle-Musigny Les Charmes 1993, il tient bien son rang et présente un nez plaisant, qui commence tout juste à s'ouvrir. Riche et moyennement corsé en bouche, il y libère un fruité concentré, ainsi qu'une acidité fraîche et de bon ressort. Montrant encore une belle, voire une excellente concentration, il est bien fait et vif, malgré un caractère encore un peu fermé.

PHILIPPE BATACCHI (GEVREY-CHAMBERTIN)**

11, rue Gaizat – 21220 Gevrey-Chambertin
Tél. 03 80 34 36 01 – Fax 03 80 34 15 03
Contact : Philippe Batacchi

1991 Côte de Nuits	C	?
1991 Gevrey-Chambertin Les Évocelles	D	78
1991 Gevrey-Chambertin Jeunes Rois	D	78
1991 Morey-Saint-Denis	D	?
1991 Clos de la Roche Grand Cru	E	?

Philippe Batacchi est un jeune producteur qui fait les choses correctement (rendements tenus, collage minimal et pas de filtration). Toutefois, ses 1991 révèlent des défauts à la dégustation.

Le Côte de Nuits 1991 est dur, tannique et rugueux, et manque de charme.

Le Gevrey-Chambertin Les Évocelles 1991 se montre maigre, dépourvu de matière et terriblement court en bouche.

Quant au Gevrey-Chambertin Jeunes Rois 1991, il libère, malgré son caractère fermé, des tannins verts et astringents qui ne me permettent pas de vous le conseiller.

Le Morey-Saint-Denis 1991 et le Clos de la Roche Grand Cru 1991 arborent tous deux une couleur impressionnante, très soutenue, mais ils dégagent des arômes suspects de lies et de mercaptan, ce qui laisse penser qu'ils auraient dû être soutirés ou améliorés avec un sulfitage plus important. Si l'on peut espérer qu'ils se purifient avec le temps, ils demeurent, pour l'heure, difficiles à juger.

DOMAINE PIERRE BERTHEAU (CHAMBOLLE-MUSIGNY)***/****

21220 Chambolle-Musigny
Tél. 03 80 62 85 73
Contact : Pierre Bertheau

1991 Chambolle-Musigny	D	87
1991 Chambolle-Musigny Premier Cru	D	86
1991 Chambolle-Musigny Les Amoureuses	D	88
1991 Bonnes Mares	E	89 ?

Les vins de Pierre Bertheau comptent régulièrement au nombre des bourgognes rouges les plus traditionnels et les plus rustiques de la Côte de Nuits. N'étant jamais filtrés, ils présentent toujours des dépôts importants qui dérangent les technocrates. Ils contiennent également une forte proportion de levures, ce qui leur confère un caractère de cuir et de viande parfois un peu étrange.

Cependant, on ne trouve aucun arôme de cuir rance ou de viande faisandée dans le Chambolle-Musigny 1991. Ce beau vin souple, d'un rubis moyennement foncé, déploie un fruité mûr et à la texture opulente. Il est merveilleusement riche, avec une faible acidité. **A boire dans les 6 ou 7 ans.**

Moins complexe, moins doté et moins profond que le vin précédent, le Chambolle-Musigny Premier Cru 1991 est moyennement corsé, élégant et léger. **A maturité : jusqu'en 2001.**

Le Chambolle-Musigny Les Amoureuses 1991 présente un nez énorme et vanillé de cerise noire, d'herbes rôties et de terre qui jaillit littéralement du verre. Riche et gras, éclatant d'arômes, de glycérine et d'alcool, c'est un beau bourgogne luxuriant. **A boire dans les 7 ou 8 ans.**

Les adversaires des levures indigènes se révolteront s'ils plongent le nez dans un verre de Bonnes Mares 1991, dont les intenses arômes de cerise noire confiturée se mêlent de notes de cuir fin et de viande rôtie. Bien qu'étant le plus riche, le plus concentré et le plus puissamment aromatique de tous les 1991 de Bertheau, ce vin profondément coloré, luxuriant et généreusement doté est en effet sujet à controverses. Mais vous aurez été prévenus : il ne convient pas à tout le monde. Son potentiel de garde est de **10 à 15 ans.**

DOMAINE LUCIEN BOILLOT ET FILS (GEVREY-CHAMBERTIN)**

1, rue du Docteur-Magnon-Pujo – 21220 Gevrey-Chambertin
Tél. 03 80 51 85 61 – Fax 03 80 58 51 23
Contact : Pierre Boillot

1991 **Bourgogne**	C	84
1991 **Nuits-Saint-Georges Les Pruliers**	D	84
1991 **Gevrey-Chambertin Les Cherbaudes**	D	85

Les 1991 de Lucien Boillot sont bons, mais inintéressants.

Le Bourgogne 1991, plaisant, mûr, rond et accessible, constitue la meilleure affaire de la gamme, et devra être consommé ces **toutes prochaines années.**

Issu de vignes de 72 ans d'âge, le Nuits-Saint-Georges Les Pruliers 1991 déploie une très belle robe d'un rubis profond, ainsi que des arômes épicés de terre mouillée. Moyennement corsé, épicé et mûr en bouche, il présente une finale modérément tannique. **A maturité : jusqu'en 2003.**

Plus léger, le Gevrey-Chambertin Les Cherbaudes 1991 sera parfait pour ceux qui sont au régime. J'en attendais davantage de profondeur et de puissance aromatique, et les tannins rugueux qu'offre la finale m'ont conduit à me précipiter sur un verre d'eau minérale. Quoique bon, ce vin laisse indifférent, et son fruité se desséchera avant que ses tannins ne se fondent.

DOMAINE BOUCHARD PÈRE ET FILS (BEAUNE)***

Château de Beaune – 21200 Beaune
Tél. 03 80 24 80 24 – Fax 03 80 24 97 56
Contact : Annick Adjemian

1993 Beaune Clos de la Mousse	C	86
1993 Beaune Les Teurons	C	86
1993 Beaune Grèves-Vignes de l'Enfant Jésus	E	87
1990 Beaune Grèves-Vignes de l'Enfant Jésus	E	90
1993 Volnay Caillerets Ancienne Cuvée Carnot	D	86+
1990 Volnay Caillerets Ancienne Cuvée Carnot	E	88
1990 La Romanée	EEE	94
1990 Échézeaux	E	87
1990 Vosne-Romanée Aux Reignots	E	86
1990 Nuits-Saint-Georges Clos Saint-Marc	D	87
1990 Le Corton	E	90+
1990 Volnay Taillepieds	E	85+
1990 Beaune Marconnets	D	87
1990 Aloxe-Corton	D	85

Les méthodes de vinification employées au Domaine Bouchard Père et Fils ont subi une véritable révolution ces dernières années. Ce grand négociant, qui est l'un des plus riches de France, est aussi le plus important propriétaire de premiers crus et de grands crus de Bourgogne. Il s'est longtemps contenté de produire des vins classiques et commerciaux, mais sans intérêt, issus de rendements trop élevés et sulfités à l'excès. Ils étaient encore par trop collés, et, pire que tout, soumis à une filtration stérile.

Constatant le succès de certains de leurs concurrents, tels Faiveley et Louis Jadot (dont les premiers crus et les grands crus ne sont plus filtrés depuis 1988), Paul Bouchard et son fils François leur ont emboîté le pas. Ils ont ainsi commencé à produire leurs meilleurs vins depuis les années 40 et 50 – plus profondément colorés et bien plus concentrés que par le passé, tous les premiers et grands crus étant mis en bouteille sans collage ni filtration, avec un sulfitage minimal. Les notes et commentaires qui suivent reflètent cette nette amélioration de la qualité.

Les néophytes se tourneront vers l'Aloxe-Corton 1990, plaisant, mûr, épicé et joliment extrait, aux notes de terre. Sa très bonne maturité étaye bien les tannins rugueux que présente sa finale, et il devrait tenir encore 10 à 12 ans.

Outre sa couleur rubis profond et son doux nez d'épices et de cerise noire confiturée, le Beaune Marconnets 1990 présente en bouche des arômes moyennement corsés et imposants, une faible acidité et une excellente richesse. La finale, longue, est bien dotée. A maturité : jusqu'en 2004.

Le superbe Beaune Grèves-Vignes de l'Enfant Jésus 1990 est le meilleur vin issu de ce vignoble depuis vingt-cinq ans. Sa robe dense, de couleur rubis-pourpre foncé, prélude à des arômes merveilleusement doux d'herbes rôties, de cerise noire, de framboise, de vanille et de grillé. Riche et très corsé, opulent et voluptueux, il est encore d'une précision et d'une profondeur superbes, et déploie une très belle finale. A boire dans les 10 à 15 ans. Bravo !

La robe impressionnante, très soutenue, du Volnay Taillepieds 1990 introduit un vin fermé, dont l'austérité évoque celle d'un bordeaux. Son généreux fruité est étonnant, et l'on distingue dans sa finale serrée des tannins abondants. Ce vin n'a pas la texture souple, veloutée et riche propre au millésime, et requiert environ 3 ou 4 ans de garde en cave avant d'être prêt. **A maturité : jusqu'en 2004.**

Le Volnay Caillerets Ancienne Cuvée Carnot 1990 est élaboré dans un style totalement différent. Tout dans ce vin riche et concentré mérite une attention particulière, depuis son énorme bouquet de fruits noirs, d'épices et d'herbes jusqu'à ses arômes profonds et puissants, en passant par son excellente richesse moyennement corsée. Son niveau de tannins très élevé est bien masqué par un très généreux fruité. **A boire dans les 10 à 15 ans.**

Le Corton 1990 s'impose comme un autre vin extraordinaire. Profondément coloré, avec de riches arômes épicés de cassis, de minéral, de poussière et de terre, ce véritable vin de garde se révèle puissant et tannique, d'une superbe richesse, ample et doux en milieu de bouche, long et structuré. **A maturité : 1998-2012.**

Issu de la Côte de Nuits, le Clos Saint-Marc 1990, puissant, tannique et peu évolué, requiert une garde de 3 ou 4 ans, et devrait bien se conserver les **12 prochaines années.** Profondément coloré, très fermé du point de vue aromatique, il est long, riche et prometteur.

Plus légèrement coloré, le Vosne-Romanée Aux Reignots 1990 présente une finale tannique, mais n'a pas la profondeur ni la richesse des autres vins de cette propriété. Et, bien qu'il soit d'une bonne tenue, il est un peu étrange et manque de structure. **A maturité : jusqu'en 2000.**

L'Échézeaux 1990, profond et richement coloré, est très corsé et assez masculin, avec une finale extraordinaire qui révèle une belle longueur, une grande profondeur et des tannins généreux. Ce vin peu évolué requiert une garde de 4 ou 5 ans, et devrait se conserver sur les **12 à 15 prochaines années.**

La Romanée est incontestablement le meilleur vin du Domaine Bouchard Père et Fils, avec ses arômes extraordinaires qui rappellent ceux de La Tâche ou de La Romanée-Conti. Le 1990 libère des senteurs de gibier fumé et d'épices orientales mêlées de généreuses notes de fruits noirs doux et confiturés, et de chêne neuf. D'une profondeur et d'une richesse spectaculaires, modérément tannique, il est vraiment irrésistible : son caractère très corsé, son fruité doux, opulent et riche, et sa texture veloutée vous feront succomber ! Si vous avez la chance de mettre la main sur ce trésor, gardez-le en cave 2 ou 3 ans, il se dégustera parfaitement dans les **15 prochaines années.** Des lauriers pour la famille Bouchard !

Après les incontestables réussites de 1990, la maison Bouchard a enchaîné avec des 1991 d'un bon niveau, mais inintéressants, et des 1992 plaisants, doux et sans détour, d'une qualité bien supérieure à la moyenne de cette année.

Les 1993 que j'ai sélectionnés ci-dessus présentent le caractère tannique inhérent au millésime et sont profondément colorés, fermes, moyennement corsés, mais austères, bien que mûrs. Certains crus, tels le Chambertin, La Romanée et le Vosne-Romanée Aux Reignots m'ont paru excessivement tanniques, et je ne les recommande pas, car il est peu probable qu'ils atteignent jamais un seuil d'équilibre.

En revanche, mes vins préférés sont le Beaune Grèves-Vignes de l'Enfant Jésus, souple, mais structuré et riche, que vous dégusterez dans les 10 à 12 ans ; le Beaune Les Teurons (à **maturité : jusqu'en 2004**), ainsi que le Volnay Caillerets Ancienne Cuvée Carnot (à **maturité : 2000-2007**), toux deux de couleur rubis foncé, très tanniques et admirables de concentration. Le Beaune Clos de la Mousse est également d'une bonne tenue (à **maturité : 1999-2005**).

Toutefois, il faudra surveiller l'évolution de ces quatre crus, pour vérifier que leurs tannins ne dominent pas leur fruité.

MAISON BOURÉE PÈRE ET FILS (GEVREY-CHAMBERTIN)****

13, route de Beaune – 21220 Gevrey-Chambertin
Tél. 03 80 34 30 25 – Fax 03 80 51 85 64

1990 Bourgogne	C	86
1990 Pernand-Vergelesses Les Vergelesses	D	85
1990 Savigny-lès-Beaune Les Guettes	C	86
1990 Beaune Les Épenottes	D	87
1990 Volnay-Santenots	D	88
1990 Pommard Les Épenots	D	90
1990 Corton	E	90
1990 Côte de Nuits-Villages	C	87
1990 Gevrey-Chambertin	D	87
1990 Gevrey-Chambertin Clos de la Justice	D	90
1990 Chambolle-Musigny	D	75
1990 Chambolle-Musigny Les Charmes	E	86
1990 Chambolle-Musigny Les Amoureuses	E	88
1990 Gevrey-Chambertin Lavaux Saint-Jacques	E	90
1990 Gevrey-Chambertin Les Cazetiers	D	87+
1990 Gevrey-Chambertin Clos Saint-Jacques	E	88+
1990 Charmes-Chambertin	E	90
1990 Mazis-Chambertin	E	90
1990 Chapelle-Chambertin	D	89
1990 Chambertin	EE	90
1990 Bonnes Mares	E	94

Toutes les sélections de la Maison Bourée Père et Fils, issues de la Côte de Beaune, sont des vins bien faits.

Le Bourgogne 1990 est élégant, mûr, savoureux, ample et étonnamment corsé. **A boire dans les 2 ou 3 ans.**

Je n'ai jamais été très amateur de Pernand-Vergelesses, mais le 1990 de ce domaine est solide, bien fait, ferme et tannique. Il exhale de plaisantes notes de cerise conjuguées à d'intenses arômes de terre et d'épices. **A boire maintenant.**

Le Savigny-lès-Beaune Les Guettes 1990, sous-estimé, est d'un excellent rapport qualité/prix. Son nez de cerise et d'herbes aromatiques introduit en bouche un vin moyennement corsé, solide et naturel, d'une grande longueur et très tannique. **A boire dans les 10 ans.**

La robe rubis moyennement foncé du Beaune Les Épenottes 1990, issu de vignobles appartenant à la maison, introduit un nez voluptueux, luxuriant et riche de cerise noire confiturée et de chêne doux. Ce premier cru opulent, élégant et de bonne mâche révèle encore des tannins modérés et une belle richesse en extrait. **A boire dans les 10 ans.**

Puissant, dense, tannique, riche et très corsé, le Volnay-Santenots 1990 déborde de richesse en extrait. Profondément coloré, avec de fabuleuses réserves de fruité, de glycérine et de tannins, il se révélera exceptionnel d'ici 4 ou 5 ans – encore faut-il que vous disposiez d'une cave fraîche. Son potentiel de garde est de **15 ans.**

Le Pommard Les Épenots 1990, massif et puissant, est aussi corpulent qu'un grand cru de la vallée du Rhône. Formidable en bouche, il y déborde d'un fruité d'épices, de terre, de cassis et de cerise noire. Il est encore épais, énorme, alcoolique et tannique. **A maturité : jusqu'en 2010.**

Très corsé, avec un généreux fruité riche et juteux, le Corton 1990 est un autre vin superbe. Dense et concentré, il déploie un bouquet de fleurs, de cerise noire, d'épices et de minéral, et, en bouche, dévoile ses abondants arômes fruités par paliers. Étonnamment ferme et peu évolué pour un 1990, il sera prêt d'ici 2 ou 3 ans. **A maturité : 2000-2015.**

Le Côte de Nuits-Villages 1990 est une révélation. Débordant d'arômes de réglisse, de minéral et de framboise sauvage, il est riche et moyennement corsé, merveilleux, savoureux et charnu en bouche, avec une longue finale. Il s'agit de plus d'une excellente affaire. **A boire maintenant.**

L'excellent Gevrey-Chambertin 1990, au nez doux et mûr de cassis et de terre, déploie une finale merveilleuse, moyennement corsée et élégante. **A boire dans les 4 ou 5 ans.**

Le Gevrey-Chambertin Clos de la Justice de la Maison Bourée est un cru qui se surpasse toujours, et, bien que le terroir ne soit pas d'une excellente tenue, de petits rendements et de très vieilles vignes permettent d'y faire un vin qui se révèle, dans bien des cas, supérieur à certains premiers crus ou grands crus. Avec son nez énorme de viande, de fumé, de fruits noirs et rouges, le 1990 se montre opulent, musclé, profond, très corsé, riche et ample en bouche, où il déploie un caractère extrêmement glycériné, tannique et alcoolique. **A boire dans les 12 à 15 ans.**

Court, maigre et anguleux, le Chambolle-Musigny 1990 est pour le moins décevant.

Quant au Chambolle-Musigny Les Charmes 1990, il se révèle étonnamment tannique et dur pour le millésime. Bien qu'il soit épicé et d'une belle maturité, il est dominé par son caractère tannique. **A boire maintenant.**

Une telle critique ne s'applique pas au Chambolle-Musigny Les Amoureuses 1990, merveilleusement aromatique. Sa belle robe rubis introduit un doux et généreux fruité de cerise noire conjugué à d'abondantes notes de noix grillée, de fleurs et d'herbes. Ce vin moyennement corsé et modérément tannique est aussi d'une pureté et d'une précision admirables, avec une finale riche et longue. **A maturité : jusqu'en 2006.**

La Maison Bourée Père et Fils a peu de points faibles, et ses premiers et grands crus de Gevrey-Chambertin sont de premier ordre.

Ainsi, le Gevrey-Chambertin Lavaux Saint-Jacques 1990 se révèle exceptionnel, avec son bouquet exotique marqué d'un abondant fruité doux. Ce vin riche, moyennement corsé, profond et de bonne mâche, est encore luxuriant et confituré. Déjà délicieux, il évoluera bien dans les 10 à 12 ans.

Profondément coloré, peu évolué et rustique, le Gevrey-Chambertin Les Cazetiers 1990 déborde de tannins, et présente une profondeur et une maturité sous-jacentes de bon aloi. Ne touchez à aucune de vos bouteilles avant la fin de ce siècle. **A maturité : 2000-2010.**

Le Gevrey-Chambertin Clos Saint-Jacques 1990, d'un rubis profond, déploie un nez peu évolué, serré et fermé, où l'on décèle des notes de cerise noire et mûre, de minéral et de viande fumée. Riche et très corsé, mais aussi rugueux, dur et austère, il doit être attendu quelques années. **A maturité : 2000-2012.**

Quant au Charmes-Chambertin, il ne pouvait être plus différent que le vin précédent, avec sa robe d'un rubis moyennement foncé et son nez ample, doux et bien évolué d'herbes rôties, de noix et de fruits noirs et rouges. Il s'agit d'un bourgogne rouge satiné, riche et opulent, qui se révèle luxuriant et de grande classe dans le verre. Velouté et accessible, il sera agréable ces **10 à 12 prochaines années.**

Le Mazis-Chambertin 1990 est intense, puissant et musclé. Il offre un nez très expressif de framboise confiturée, de minéral et de fleurs. Profond, très corsé et massif, il est encore peu évolué, si bien qu'il vous faudra énormément de patience avant de pouvoir l'apprécier au meilleur de sa forme. **A maturité : 2000-2015.**

En attendant que le Mazis-Chambertin soit prêt, vous pourrez apprécier le Chapelle-Chambertin 1990, merveilleusement gras, mûr, puissant et de bonne mâche. Ce vin, qui conjugue l'élégance et la finesse à une richesse considérable, laisse en bouche une impression intense, et ne se montre ni trop lourd ni trop extrait. On distingue dans sa finale d'abondants tannins, ainsi que le fruité doux et succulent qui est la marque des meilleurs vins du millésime. **A boire dans les 10 à 12 ans.**

Le Chambertin 1990 est un authentique produit de ce grand cru, d'où sont malheureusement issus trop de vins maigres, creux et proposés à des prix terriblement élevés. Riche, très corsé et d'une belle extraction, il est encore musclé et concentré, et requiert une garde de 8 à 10 ans avant d'être prêt. Il se conservera **environ 25 ans.**

Le Bonnes Mares 1990, qui s'impose à mon sens comme le meilleur vin du millésime pour la Maison Bourée Père et Fils, est aussi irrésistible que le Chambertin précédent. Ce bourgogne spectaculaire, produit à hauteur de 75 caisses seulement, exhale un nez énorme de minéral, de fruits noirs, d'épices et de viande grillée. Opulent, presque visqueux et richement doté, il est très corsé et extrêmement concentré, avec une faible acidité et une finale généreusement tannique. Un vin large et ample, admirablement marqué par un caractère glycériné, alcoolique et richement extrait. **A maturité : jusqu'en 2012.**

ALAIN BURGUET (GEVREY-CHAMBERTIN)***

18, rue de l'Église – 21220 Gevrey-Chambertin
Tél. 03 80 34 36 35 – Fax 03 80 58 50 45
Contact : Alain Burguet

1991 Bourgogne	C	85
1991 Gevrey-Chambertin	D	76
1991 Gevrey-Chambertin Vieilles Vignes	D	83

L'élégant et doux Bourgogne 1991, au fruité mûr d'épices et de cerise, déploie une finale ronde, moyennement corsée et étonnamment longue. **A boire dans les 2 ou 3 ans.**

Légèrement corsé, le Gevrey-Chambertin 1991 (cuvée générique) présente un caractère austère, acidulé et compact ainsi qu'une finale maigre et marquée par des tannins durs. Son fruité se desséchera vraisemblablement avant que ses tannins ne se fondent.

Bien meilleur que le précédent, le Gevrey-Chambertin Vieilles Vignes 1991 est aussi plus fruité, légèrement plus corsé et plus glycériné. Malheureusement, il révèle encore en fin de bouche des tannins rugueux qui dominent complètement sa personnalité.

JACQUES CACHEUX-BLÉE ET FILS (VOSNE-ROMANÉE)****

58, route Nationale – 21700 Vosne-Romanée
Tél. 03 80 61 24 79 – Fax 03 80 61 01 84
Contact : Jacques et Patrice Cacheux

1993 Vosne-Romanée La Croix Rameau	D	86 ?
1991 Vosne-Romanée La Croix Rameau	D	89
1993 Vosne-Romanée Les Suchots	D	89
1991 Vosne-Romanée Les Suchots	D	89
1993 Échézeaux	E	87 ?
1992 Échézeaux	E	90
1991 Échézeaux	E	93
1991 Vosne-Romanée-Villages	D	87

J'admire cette propriété depuis que je l'ai découverte, en 1985, alors que je faisais des recherches pour mon ouvrage sur les bourgognes. Jacques Cacheux n'a jamais filtré ses vins et a pris la décision, en 1991, de ne plus les coller, si bien que le consommateur a désormais accès à un produit qui correspond parfaitement à celui que l'on peut déguster au fût.

Grâce aux rendements restreints décidés par Dame Nature, grâce à une augmentation de la proportion de bois neuf utilisé pour l'élevage des vins et grâce aussi à ses méthodes peu interventionnistes, Jacques Cacheux a produit, en 1991, les meilleurs vins jamais issus de ce domaine. Ils ressemblent fort à ceux de l'excellent Domaine Jean Méo-Camuzet.

Peu de Vosne-Romanée-Villages sont aussi intéressants que celui qu'a produit ce domaine en 1991. Sa robe très soutenue, de couleur rubis-pourpre foncé, prélude à des arômes de cerise noire, amples, très mûrs et marqués par la mâche, où l'on décèle une belle maturité, du gras et de la corpulence. Doux et gratifiant, ce vin présente en finale des tannins souples. **A boire dans les 6 ou 7 ans.**

Je suis peut-être un peu sévère dans ma notation des Vosne-Romanée La Croix Rameau et Les Suchots 1991.

Le premier, très impressionnant avec sa robe rubis-pourpre foncé très soutenu, présente un doux nez de grillé et de vanille (beaucoup de bois neuf) auquel se mêlent des arômes de framboise sauvage confiturée. Il s'agit d'un vin exquis, riche et exotique, flatteur pour le millésime, qui déborde littéralement de richesse en extrait, de tannins doux et d'un généreux fruité. **A boire dans les 10 ans.**

Le Vosne-Romanée Les Suchots 1991 est également impressionnant de couleur, bien qu'il n'arbore pas une robe aussi soutenue que La Croix Rameau. Il exhale un nez fantastique de fleurs, de fruits noirs et d'épices. Riche, moyennement corsé et élégant, il se conservera bien **6 ou 7 ans** encore, compte tenu de son opulence, de sa bonne mâche et de sa texture charnue.

Enfin, il y a l'Échézeaux 1991, avec son nez énorme aux arômes de framboise qui ne manque pas d'attirer l'attention. Merveilleusement précis et d'une grande richesse, il est spectaculaire, multidimensionnel et puissamment aromatique, avec une finale veloutée, mûre, longue et concentrée. **A maturité : jusqu'en 2003.**

Ce producteur sous-estimé de Vosne-Romanée a aussi élaboré un fabuleux Échézeaux 1992 : riche, doux et ample, avec des arômes confiturés et fumés de cerise noire et de framboise qui débordent littéralement de glycérine et de caractère. Moyennement corsé et d'une excellente concentration, il révèle à l'attaque en bouche un fruité explosif et velouté, et déploie une finale longue et capiteuse. Ce vin très séduisant évolue rapidement. **Dégustez-le dans les 3 ou 4 ans.**

En revanche, les 1993 sont de qualité plus mitigée, certaines cuvées étant trop tanniques et l'une d'elles se révélant même être un pari douteux.

Le Vosne-Romanée Les Suchots 1993 exhale de généreux et doux arômes de pinot noir, de fumé, de terre et de gibier. Moyennement corsé et très puissant, il révèle une finale tannique. Il sera prêt d'ici 2 ou 3 ans, et se conservera parfaitement **12 ans, voire davantage.**

L'Échézeaux 1993, moyennement corsé, fermé et austère, déploie de généreuses notes de chêne neuf et affiche un niveau de tannins terriblement élevé. L'attaque en bouche est douce et révèle une bonne maturité, mais le caractère tannique, qui prend ensuite le dessus, dérange incontestablement. **A maturité : 2000-2005.**

L'avenir du Vosne-Romanée La Croix Rameau me semble plus compromis que celui des deux vins précédents. Pourtant issu d'un excellent mais jeune vignoble qui jouxte la Romanée Saint-Vivant, il est fermé, dense, tannique et dur. Cependant, il a suffisamment de matière pour qu'on puisse affirmer qu'il est de bonne qualité. Accordez-lui 4 ou 5 ans et dégustez-le dans les **10 ans** qui suivront.

DOMAINE PHILIPPE CHARLOPIN-PARIZOT (MARSANNAY)***

18, rue de Dison – 21220 Gevrey-Chambertin
Tél. 03 80 51 81 18 – Fax 03 80 51 81 27 ou 03 80 52 85 65
Contact : Philippe Charlopin

1991 Gevrey-Chambertin Vieilles Vignes	D	86
1991 Charmes-Chambertin	E	86
1991 Chambertin	EE	87

Grâce à des macérations terriblement longues – dix jours –, Philippe Char-lopin a produit des 1991 profondément colorés. Néanmoins, s'ils sont solides, concentrés et bien faits, les trois vins ci-dessus n'ont pas la complexité et l'intensité qui me permettraient de leur attribuer une note extraordinaire.

Avec son nez doux et chocolaté de groseille, le Gevrey-Chambertin Vieilles Vignes 1991 se montre mûr, rond et trapu en bouche, avec une faible acidité et une finale modérément tannique. **A boire dans les 6 ou 7 ans.**

D'un style similaire, le Charmes-Chambertin 1991 est légèrement plus tan-nique en fin de bouche. Impressionnant de couleur, il est aussi monolithique, riche et marqué par la mâche. **A boire dans les 6 ou 7 ans.**

Le Chambertin 1991 est le vin le moins évolué de ce trio, avec son nez serré, mais prometteur, de café, d'herbes, de cèdre et de fruits noirs. Moyenne-ment corsé, d'une richesse et d'une maturité d'excellent niveau, il requiert une garde de 2 ou 3 ans avant d'être prêt. **A boire dans les 12 à 15 ans.**

DOMAINE JEAN CHAUVENET (NUITS-SAINT-GEORGES)****

Rue de Gilly – 21700 Nuits-Saint-Georges
Tél. 03 80 61 00 72 – Fax 03 80 61 12 87
Contact : Jean Chauvenet

1993 Nuits-Saint-Georges	D	86
1991 Nuits-Saint-Georges	D	86
1993 Nuits-Saint-Georges Rue de Chaux	D	86
1993 Nuits-Saint-Georges Les Bousselots	D	88
1991 Nuits-Saint-Georges Les Bousselots	D	90
1993 Nuits-Saint-Georges Les Vaucrains	E	88+
1991 Nuits-Saint-Georges Les Vaucrains	D	88+

Jean Chauvenet est l'un des producteurs les plus mystérieux de la Côte-d'Or. D'une régularité admirable, il a élaboré des 1991 riches et intenses, qui ne sont pas trop tanniques.

Son Nuits-Saint-Georges 1991, rubis foncé, laisse deviner une belle richesse en extrait. Il exhale un nez élégant aux notes de fruits noirs, et révèle en bouche une belle précision dans les arômes. La finale est douce et bien dessinée. **A boire d'ici 3 ou 4 ans.**

La robe opaque, de couleur pourpre, du superbe Nuits-Saint-Georges Les Bousselots 1991 prélude à un très beau nez floral de cassis et de minéral.

Généreusement doté et velouté, ce vin séduisant et plein de grâce se montre richement extrait dans un ensemble soyeux. **A boire dans les 10 ans.**

Plus ample, plus alcoolique et plus massif, le Nuits-Saint-Georges Les Vaucrains 1991 est plus tannique en fin de bouche que le vin précédent. Il regorge de puissance et de ressort, ainsi que d'un généreux et profond fruité de cerise noire et de groseille. Plus ample que Les Bousselots, mais aussi moins charmeur et moins gracieux, il pourrait se voir attribuer une note extraordinaire au terme d'une garde de 3 ou 4 ans. Son potentiel est de **12 ans environ.**

Les 1993 sont tels que l'on pouvait s'y attendre : d'une belle pureté et impressionnants de richesse en extrait, avec des robes sombres de couleur rubis-pourpre, un fruité bien mûr et des tannins un peu durs, mais moyennement corsés.

Le Nuits-Saint-Georges 1993 est actuellement le vin le plus accessible de la gamme. **A maturité : 1999-2004.**

Le Nuits-Saint-Georges Rue de Chaux 1993, excellent à l'attaque en bouche et très aromatique, se révèle moyennement corsé et concentré, avec une finale un peu dure. **A maturité : 2000-2006.**

Les Nuits-Saint-Georges Les Bousselots et Les Vaucrains sont les 1993 les plus riches, les plus complets, les plus concentrés et les plus richement dotés de ce domaine. Légèrement plus dur, le Nuits-Saint-Georges Les Vaucrains est très fruité en milieu de bouche, avec une belle douceur et une bonne richesse sous-jacentes. Ces deux crus requièrent une garde de 3 ou 4 ans avant d'être prêts, mais ils se conserveront **15 ans.**

Tous les vins du Domaine Jean Chauvenet sont mis en bouteille sans collage ni filtration préalables depuis le milieu des années 80.

ROBERT CHEVILLON (NUITS-SAINT-GEORGES)***

68, rue Félix-Tisserand – 21700 Nuits-Saint-Georges
Tél. 03 80 62 34 88 – Fax 03 80 61 13 31
Contact : Robert Chevillon

1991 Bourgogne	C	85
1991 Nuits-Saint-Georges	D	77
1991 Nuits-Saint-Georges Les Chaignots	D	85
1991 Nuits-Saint-Georges Les Pruliers	D	86
1991 Nuits-Saint-Georges Roncière	D	84 ?
1991 Nuits-Saint-Georges Les Perrières	D	86
1991 Nuits-Saint-Georges Les Vaucrains	D	87
1991 Nuits-Saint-Georges Les Cailles	D	87
1991 Nuits-Saint-Georges Les Saint-Georges	D	89

Robert Chevillon a enregistré quelques beaux succès en 1991, comme en témoignent les notes ci-dessus. Il a fait un grand pas en avant en cessant, à compter de ce millésime, de filtrer ses vins. Tous sont bien colorés et tanniques, et, même si certains d'entre eux relèvent du pari, ils possèdent, à mon sens, la profondeur et la puissance nécessaires pour contrebalancer leurs tannins. La seule exception serait le Nuits-Saint-Georges 1991, court, compact, avec des notes de terre, qui se révèle plus léger et plus atténué que le Bourgogne 1991. Ce dernier, en revanche, se montre extrêmement charmeur et moyennement corsé, avec un fruité doux et mûr, ainsi que des tannins souples. Ces deux vins sont à boire **maintenant**.

De tous les premiers crus, c'est le Nuits-Saint-Georges Les Chaignots 1991 qui me semble le plus léger. **A boire d'ici 4 ou 5 ans.**

Le Nuits-Saint-Georges Les Pruliers 1991, moyennement corsé, et marqué de notes de terre et d'épices, révèle un fruité mûr et une finale légèrement tannique. **A maturité : jusqu'en 2002.**

Le Nuits-Saint-Georges Roncière 1991, plus fermé et très tannique, requiert une garde de 2 ou 3 ans avant d'être prêt – non sans risques, car il est fort possible que son fruité se dessèche avant que ses tannins ne se fondent. **A maturité : jusqu'en 2002.**

D'un style similaire, le Nuits-Saint-Georges Les Perrières 1991 a néanmoins davantage de fruité sous-jacent et de caractère que le vin précédent. A l'instar de la plupart de ses jumeaux de la propriété, il est d'une belle couleur rubis foncé, avec un fruité dense, marqué par la mâche, et une finale aux notes épicées et rugueuses. **A maturité : jusqu'en 2004.**

Les meilleurs vins du domaine sont le Nuits-Saint-Georges Les Vaucrains 1991 (issu de vignes de 75 ans d'âge), le Nuits-Saint-Georges Les Cailles (le plus sous-estimé de tous les premiers crus de l'appellation), ainsi que le Nuits-Saint-Georges Les Saint-Georges (le plus apte à être promu grand cru).

Le Nuits-Saint-Georges Les Vaucrains 1991 déploie un doux nez poivré aux notes de terre. Long et moyennement corsé en bouche, il s'y révèle modérément tannique et d'une excellente longueur. **A maturité : jusqu'en 2006.**

Le Nuits-Saint-Georges Les Cailles 1991, moyennement corsé, se dévoile en bouche par paliers, et libère un fruité élégant et riche de cerise noire. Ses tannins sont doux et modérés, et sa finale excellente, opulente et de bon ressort. **A maturité : jusqu'en 2005.**

Le Nuits-Saint-Georges Les Saint-Georges 1991 s'impose comme le vin le plus riche, le plus complet et le plus concentré de ce trio. Modérément tannique, il offre un ensemble d'une grande richesse, d'une belle maturité et d'une remarquable pureté, et se révèle en bouche moyennement corsé. Vous l'apprécierez dans les **15 ans** qui suivront une garde de 2 ou 3 ans.

DOMAINE DES CHÉZEAUX (MOREY-SAINT-DENIS)****

Rue de l'Église – 21700 Prémeaux-Prissey
Tél. 03 80 62 30 63 – Fax 03 80 62 37 72
Contact : Bernard Chézeaux

1993 Griotte-Chambertin	EE	94
1991 Griotte-Chambertin	EE	91
1993 Clos Saint-Denis Vieilles Vignes	EE	93+

1991 Clos Saint-Denis Vieilles Vignes	EE	96
1993 Chambolle-Musigny Les Charmes	D	91
1991 Chambolle-Musigny Les Charmes	D	89
1993 Chambertin	EE	93
1991 Gevrey-Chambertin	D	87

Lors de ma dernière visite en Bourgogne, une information capitale m'a été communiquée concernant ce domaine. Les vignobles – Griotte-Chambertin, Chambertin, Chambolle-Musigny Les Charmes et une petite parcelle du Clos Saint-Denis – sont en double métayage auprès du Domaine Ponsot et du Domaine Denis Berthaud à Fixin. Ce qui signifie que, pour chacun d'eux, la production est en partie vinifiée par l'un, en partie par l'autre, et qu'apparaissent sous la même étiquette du Domaine des Chézeaux des vins très différents. Comment l'amateur peut-il s'y retrouver ? D'après Laurent Ponsot, les étiquettes ne diffèrent que par trois lettres : celles qui portent la mention « SNV – Domaine des Chézeaux » présentent les vins élaborés par Berthaud, et celles qui portent la mention « JFA – Domaine des Chézeaux » marquent le produit de Ponsot. Qui a dit que la Bourgogne était difficile à comprendre ?

Les commentaires de dégustation qui suivent concernent les vins élaborés par le Domaine Ponsot. Pour mes notes de dégustation relatives au Chambolle-Musigny Les Charmes 1991, au Griotte-Chambertin 1991 et au Clos Saint-Denis Vieilles Vignes 1991, veuillez consulter la rubrique Domaine Ponsot.

Le Gevrey-Chambertin 1991, moyennement corsé, modérément tannique, riche et doux, révèle une belle concentration. **A boire dans les 4 à 6 ans.**

Les 1993 sont tous excellents, mûrs, charnus et de bonne mâche – de manière totalement atypique pour le millésime. Le Chambolle-Musigny Les Charmes, le Clos Saint-Denis Vieilles Vignes, ainsi que le Griotte-Chambertin sont tous trois extrêmement concentrés et présentent un abondant fruité doux dans un ensemble moyennement corsé. Accessibles dès leur plus jeune âge, ils promettent néanmoins de bien se conserver. Le Chambertin et le Griotte-Chambertin ont un potentiel de garde de **10 à 15 ans.**

DOMAINE GEORGES CHICOTOT (NUITS-SAINT-GEORGES)****

12, rue Paul-Cabet – 21700 Nuits-Saint-Georges
Tél. 03 80 61 19 33
Contact : Georges Chicotot

1993 Nuits-Saint-Georges Rue de Chaux	D	88
1993 Nuits-Saint-Georges Les Saint-Georges	D	92+
1993 Nuits-Saint-Georges Les Vaucrains	D	92+

Georges Chicotot a longtemps été un disciple de Guy Accad, œnologue très controversé. Il produit des vins puissants, profondément colorés et très corsés, qui seraient encore meilleurs s'il les mettait en bouteille plus rapidement. Les amateurs qui recherchent des bourgognes rouges intenses, musclés, puissants et massifs se tourneront vers les vins de ce domaine.

Ressemblant davantage à des Hermitage qu'à des vins de pinot noir, les 1993 du Domaine Georges Chicotot arborent des robes opaques de couleur pourpre. Avec leur nez énorme de cassis, de réglisse et de vanille, ils sont stupéfiants de richesse en extrait, corpulents et massifs, avec des tannins féroces et très abondants. Ce sont des bourgognes rouges rustiques, riches et puissants, comme on en rencontre peu aujourd'hui. Aucun d'entre eux ne sera prêt avant une décennie, et j'espère que ce délai ne sera pas trop court, car il s'agit vraiment des vins les moins évolués et les plus concentrés du millésime.

Signalons pour terminer que Georges Chicotot déclare se passer dorénavant des services de Guy Accad ; les vins ci-dessus me semblent toutefois bien dans le style de ceux que fait cet œnologue.

DOMAINE DANIEL CHOPIN-GROFFIER (PRÉMEAUX)*****

Rue Claude-Henri – 21700 Comblanchien
Tél. 03 80 62 94 09
Contact : Daniel Chopin

1993 Clos de Vougeot	E	90
1992 Clos de Vougeot	E	95
1991 Clos de Vougeot	E	90
1993 Nuits-Saint-Georges Les Chaignots	D	87
1992 Nuits-Saint-Georges Les Chaignots	D	92
1991 Nuits-Saint-Georges Les Chaignots	D	88
1993 Vougeot	D	87
1992 Vougeot	D	92
1991 Vougeot	D	87
1993 Nuits-Saint-Georges	D	86
1991 Nuits-Saint-Georges	D	86

Si vous aimez les bourgognes d'Henri Jayer et si vous n'avez pas eu l'occasion de vous en procurer (il est maintenant à la retraite et n'en produit que quelques fûts), tournez-vous vers ceux de Daniel Chopin : merveilleusement purs et sensuels, ils sont vinifiés dans le style de ceux du grand maître.

Ce producteur est très régulier, et ses 1991 sont bien réussis, ce qui ne surprendra personne ayant goûté ses délicieux 1986 et 1987.

Le Nuits-Saint-Georges 1991 présente la robe de conte de fées, rubis assez profond, qu'arborent tous les vins issus de ce domaine. Cette pure merveille est un vin délicat et élégant, avec un doux nez de framboise mêlé de notes de terre. **A boire dans les 4 ou 5 ans.**

Légèrement plus doux, avec un fruité plus confituré, le Vougeot 1991 est moyennement corsé, extraordinairement pur et précis, avec une finale merveilleusement ronde, généreuse et très glycérinée. **A boire dans les 6 ou 7 ans.**

Le Nuits-Saint-Georges Les Chaignots 1991 exhale les senteurs d'épices et de truffe caractéristiques des grands vins de cette appellation. Moyennement corsé et mûr, avec un fruité épanoui de groseille, il offre une finale douce, riche et légèrement tannique. **A maturité : jusqu'en 2001.**

Nul ne contestera que Daniel Chopin possède l'une des meilleures parcelles de Clos de Vougeot (qui jouxte le château du même nom). Son Clos de Vougeot 1991 est grandiose, avec sa robe profondément colorée et son nez explosif de cerise noire, de vanille et de fleurs. Fabuleux et voluptueux en bouche, il ressemble davantage à un 1990 qu'aux bourgognes 1991, fermes et structurés. **A boire dans les 10 ans.**

Daniel Chopin a somptueusement réussi en 1992, ce qui n'est pas surprenant, car il commet peu d'erreurs, même dans des années très difficiles. Tous les vins qu'il a produits dans ce millésime sont luxuriants et opulents, et devront être dégustés avant d'avoir atteint 5 ou 6 ans d'âge – même si je pressens que le Clos de Vougeot sera de plus longue garde.

Le Vougeot 1992, d'un rubis assez foncé, exhale un nez doux, ample et très parfumé de fruits noirs et rouges presque trop mûrs et de chêne grillé. Merveilleusement savoureux et riche, il est également gras, de bonne mâche, avec une belle acidité, et libère en bouche des arômes extrêmement purs et fruités. **A boire dans les 3 ou 4 ans.**

Le Nuits-Saint-Georges Les Chaignots 1992 arbore une robe rubis-pourpre plus profondément colorée que celle du vin précédent, et déploie des senteurs de terre et de truffe joliment mêlées de généreux arômes de cerise noire et rouge. Le milieu de bouche révèle un caractère explosif et extrêmement gras, marqué de notes de fruits noirs et rouges. La finale est très tannique et bien structurée. Déjà délicieux, ce vin se bonifiera encore dans les **5 ou 6 ans.**

Le Clos de Vougeot 1992 traduit un véritable tour de force en matière de vinification. Il réunit toutes les qualités que l'on voudrait trouver dans un bourgogne : tout à la fois voluptueux, séduisant, charmeur, opulent et luxuriant, avec un bouquet étonnant, fabuleusement riche et mûr. Sa finale, énorme, déborde littéralement de fruité, de glycérine et d'alcool. Je souhaiterais vraiment que ce vin soit disponible en quantités infinies, de manière que les amateurs puissent se rendre compte des sommets que peuvent atteindre les vins de cette région. **A boire dans les 10 ans.**

Les 1993 de ce domaine sont bien réussis et montrent davantage de fruité que beaucoup de leurs contemporains. Ils sont heureusement dépourvus des tannins durs et astringents et de l'acidité élevée qui desservent nombre de vins de ce millésime.

Rond, souple et délicieux, le Nuits-Saint-Georges 1993 déploie un doux fruité, et se montre élégant et d'une belle pureté. **A boire dans les 5 ou 6 ans.**

Le Vougeot 1993 offre un séduisant fruité confituré aux notes de cerise. Moyennement corsé et doux en milieu de bouche, il y déploie une finale veloutée. **A maturité : 1999-2004.**

Le Nuits-Saint-Georges Les Chaignots, d'un rubis assez foncé, est le plus tannique de tous les 1993 de cette propriété. Son nez fruité est marqué de notes de terre, et il se révèle moyennement corsé, épicé, peu évolué et d'une fermeté inhabituelle pour un vin du domaine. Cependant, on distingue dans sa finale modérément longue un caractère souple, bien glycériné et fruité. A déguster dans les 10 à 12 ans qui suivront une garde de 1 ou 2 ans.

Bien que moins séduisant et moins massif que d'habitude, le Clos de Vougeot 1993 est extraordinaire. Merveilleusement pur et débordant d'un généreux fruité de cerise noire, il est moyennement corsé, doux en milieu de bouche, avec des tannins fermes et une finale à l'acidité élevée. Ce vin se bonifiera au terme d'une garde de 1 ou 2 ans, et se conservera parfaitement **une décennie**.

DOMAINE BRUNO CLAIR (MARSANNAY)***

5, rue du Vieux-Collège – BP 22 – 21160 Marsannay-la-Côte
Tél. 03 80 52 28 95 – Fax 03 80 52 18 14
Contact : Bruno Clair

1991 Chambertin Clos de Bèze	E	76
1991 Gevrey-Chambertin Les Cazetiers	E	72
1991 Gevrey-Chambertin Clos du Fonteny	D	76
1991 Gevrey-Chambertin Clos Saint-Jacques	E	74
1991 Marsannay Les Casse-Tête	D	77
1991 Marsannay Des Longeroies	D	79
1991 Morey-Saint-Denis En la Rue de Vergy	D	72
1991 Savigny-lès-Beaune La Dominaude	D	76
1991 Vosne-Romanée Les Champs Perdrix	D	74

Les 1991 de ce domaine géré par le très dynamique Bruno Clair sont pour le moins décevants. Tous pèchent par manque de couleur, de concentration et de richesse, et sont dominés par un caractère excessivement tannique qui les fait paraître creux, durs et rugueux, manquant de charme et de finesse. Seul le Marsannay Des Longeroies 1991, doux et légèrement corsé, se distingue du lot. Ce vin est à boire **maintenant**.

On peut seulement se demander comment ce producteur a mené ses vendanges en 1991, sachant qu'il est nettement plus talentueux et consciencieux que ne le suggèrent les notations ci-dessus. Même si j'accorde à ces vins qu'ils ont été dégustés à un moment défavorable de leur évolution, leur couleur rubis clair et leurs tannins sévères les desservent grandement.

BRUNO CLAVELIER-BOISSON (VOSNE-ROMANÉE)**

Route de Boncourt – 21700 Vosne-Romanée
Tél. 03 80 61 12 01
Contact : Bruno Clavelier

1991 Vosne-Romanée Les Brûlées Vieilles Vignes	D	85
1991 Vosne-Romanée Les Beaux Monts Vieilles Vignes	D	86

Les crus ci-dessus sont tous deux issus de rendements de 30 à 35 hl/ha, et ont été mis en bouteille sans collage ni filtration préalables. Élaborés dans un style doux, souple et sans détour, ils ne présentent heureusement pas les tannins durs qui desservent tant les vins de ce millésime.

Le Vosne-Romanée Les Brûlées 1991 exhale un doux nez de cerise et d'herbes, et se montre élégant et moyennement corsé en bouche, où il déploie une finale veloutée et riche. **A boire dans les 4 ou 5 ans.**

D'un style similaire, le Vosne-Romanée Les Beaux Monts Vieilles Vignes 1991 est légèrement plus aromatique et se montre plus long en fin de bouche. Il est aussi élégant. **A boire rapidement.**

DOMAINE JEAN-JACQUES CONFURON (PRÉMEAUX)*****

Route Nationale 74 – Les Vignottes – 21700 Prémeaux-Prissey
Tél. 03 80 62 31 08 – Fax 03 80 61 34 21
Contact : Sophie Meunier

1993 Côte de Nuits-Villages	C	87
1993 Nuits-Saint-Georges Fleurières	D	87
1993 Chambolle-Musigny	D	89
1993 Chambolle-Musigny Premier Cru	D	90
1991 Chambolle-Musigny Premier Cru	D	89
1993 Nuits-Saint-Georges Les Chabœufs	E	90
1992 Nuits-Saint-Georges Les Chabœufs	D	90
1991 Nuits-Saint-Georges Les Chabœufs	D	86
1993 Nuits-Saint-Georges Aux Boudots	E	92
1992 Nuits-Saint-Georges Aux Boudots	D	92
1993 Vosne-Romanée Les Beaux Monts	E	86 ?
1992 Vosne-Romanée Les Beaux Monts	D	88 ?
1991 Vosne-Romanée Les Beaux Monts	D	87
1993 Clos de Vougeot	E	92
1992 Clos de Vougeot	E	93
1991 Clos de Vougeot	E	90+
1993 Romanée-Saint-Vivant	EE	95+
1992 Romanée-Saint-Vivant	EE	94
1991 Romanée-Saint-Vivant	EE	92

Les amateurs américains devraient se réjouir d'apprendre que les vins de Jean-Jacques Confuron proposés à la vente aux États-Unis sont entièrement vieillis en fûts neufs et mis en bouteille sans collage ni filtration. (Seuls les 1992 ont subi un léger collage juste avant la mise.) En effet, ils sont nettement plus riches, plus complexes – donc plus irrésistibles – que ceux qui sont disponibles sur les marchés européens. Ne croyez pas les détracteurs de Robert Kacher (l'importateur des vins de ce domaine aux États-Unis), qui vous diront qu'ils sont trop boisés. Comme le résume si bien Jean-Marie Guffens-Heynen, vinificateur connu et talentueux, « aucun vin n'est trop boisé, il est juste sousaviné ». Ceux qui critiquent généralement l'utilisation du bois neuf sont précisément ceux qui ne peuvent investir dans cette méthode. Lorsque les vins sont issus de petits rendements et qu'ils sont aussi puissants et aussi richement extraits que ceux de Jean-Jacques Confuron, le chêne neuf s'impose comme le réceptacle idéal, étant parfaitement sain et mettant en valeur la qualité du · fruit et du terroir.

Les 1993 de ce domaine comptent incontestablement au nombre des vedettes du millésime.

Les néophytes s'initieront avec le Côte de Nuits-Villages 1993, profondément coloré pour un vin de sa catégorie. Extrêmement puissant et mûr, il est modérément tannique, impressionnant de richesse et d'intensité. **A boire dans les 7 ou 8 ans.**

Le Nuits-Saint-Georges Fleurières 1993 arbore, comme les autres vins de la gamme, une robe très soutenue de couleur rubis-pourpre foncé. Son nez puissant de fruits noirs et doux, de terre, d'épices et de vanille précède en bouche un caractère moyennement corsé, très musclé et modérément tannique, débordant d'une richesse en extrait qui lui confère un parfait équilibre. A déguster dans les 10 ans qui suivront une garde de 1 à 3 ans.

L'élégant Chambolle-Musigny 1993 est vraiment digne d'intérêt pour un vin de village. De couleur rubis foncé, avec un nez de cerise noire, de fleurs et d'herbes, il se révèle mûr, moyennement corsé, bien doux et gras en bouche. La finale est souple, légèrement tannique et modérément alcoolique. Un vin bien fait, au potentiel de garde de 10 ans environ.

La robe très soutenue, de couleur rubis-pourpre, du superbe Chambolle-Musigny Premier Cru 1993 introduit un nez pénétrant d'arômes épicés de fruits noirs et rouges, de chêne neuf et fumé. Moyennement corsé, ce vin révèle un fruité sous-jacent, doux et mûr, qui fait défaut à nombre de 1993, et témoigne d'une belle structure, ainsi que d'une richesse impressionnante. Vous dégusterez ce bourgogne généreux dans les 10 à 15 ans qui suivront une garde de 2 ou 3 ans.

Également extraordinaire et très structuré, le Nuits-Saint-Georges Les Chabœufs 1993 requiert une garde de 4 ou 5 ans avant d'être prêt. Il s'agit d'un vin puissant, concentré et musclé, aux généreux arômes de fruits noirs, de réglisse et de boisé. Moyennement corsé en bouche, où il déploie encore des notes d'épices et de fumé, il est apte à une garde étonnamment longue : vous le conserverez bien 12 à 15 ans.

Le Nuits-Saint-Georges Aux Boudots 1993 est encore meilleur. Doux et rond, il titre – de manière tout à fait inhabituelle pour le millésime – 13° d'alcool naturel et déploie par paliers de généreux arômes de fruits noirs. Superbement doté, il est souple en milieu de bouche, avec une finale longue, structurée et moyennement corsée. Sa richesse en extrait est absolument sensationnelle. **A maturité : 2000-2010.**

Le Vosne-Romanée Les Beaux Monts 1993 est, pour une raison que j'ignore, austère, excessivement tannique, dur et structuré. Il vaudrait peut-être la peine qu'on lui fasse confiance, mais il n'a pas la douceur, la maturité et le fruité ample que l'on retrouve dans les autres vins de la gamme. Sa couleur rubis foncé est certes resplendissante, mais il me semble vraiment trop tannique.

Il requiert une garde de 5 ou 6 ans avant d'être prêt, mais je suis plus que dubitatif quant à son évolution.

Le Clos de Vougeot 1993 regorge de généreux arômes de fruits rouges et noirs très mûrs, bien étayés par de plaisantes notes de fumé et de chêne vanillé. Il exprime également un caractère de surmaturité, ce qui est un tour de force pour le millésime. Moyennement corsé, peu évolué et très tannique, il est merveilleusement mûr, avec un beau fruité bien glycériné. Il s'agit d'un Clos de Vougeot riche, épicé et doté de manière impressionnante. **A maturité : 1998-2010.**

Enfin, le Romanée-Saint-Vivant 1993 est un autre vin puissant, monumental pour le millésime. Issu de vignes plantées en 1920 et de rendements inférieurs à 30 hl/ha, il possède toutes les qualités que l'on attend d'un jeune bourgogne rouge. Sa robe très soutenue, de couleur rubis-pourpre, précède un nez réticent de prune, de cerise noire et de framboise enrobée de réglisse. L'attaque en bouche révèle un fruité très richement extrait, une superbe maturité, ainsi qu'un caractère moyennement corsé. Ce vin persiste en milieu de bouche, avec une finale impressionnante, longue de trente-cinq à quarante-cinq secondes. Comme toujours, l'équilibre se jouera entre les tannins et le fruité, mais ce Romanée-Saint-Vivant me semble bien pourvu de ce côté-là. Ne touchez pas à une seule de vos bouteilles avant 3 ou 4 ans, et observez leur évolution sur les **20 prochaines années.** Impressionnant !

Grâce à des vendanges en vert extrêmement sévères et à des rendements très limités (une moyenne de 28 à 30 hl/ha en 1992), Jean-Jacques Confuron a obtenu des 1992 d'un meilleur niveau que ses 1990.

A l'exception du Vosne-Romanée Les Beaux Monts 1992, qui pourrait se révéler meilleur que ne le suggère ma notation, tous les vins présentés ici seront à coup sûr merveilleux.

Le Vosne-Romanée Les Beaux Monts 1992 est dominé par un caractère boisé et des tannins abondants, son fruité étant relégué à l'arrière-plan. Toutefois, il est riche, puissant et long, mais fermé et peu évolué – exactement comme s'il s'agissait d'un échantillon tiré du fût. **A maturité : jusqu'en 2000.**

Le Nuits-Saint-Georges Les Chabœufs 1992 offre un nez énorme de prune et de cerise noire. Extrêmement mûr et très corsé, il est riche et modérément tannique en bouche, avec une finale épicée aux notes de fumé et de terre. Il arbore une robe étonnamment profonde et soutenue pour le millésime. Ce vin, qui est déjà prêt, se bonifiera encore d'ici 1 an, et devrait se conserver **12 ans, voire davantage.**

Le très sensuel Nuits-Saint-Georges Aux Boudots 1992 présente une robe rubis-pourpre foncé et un nez explosif de poivre frais, de cerise noire, de framboise, de fumé et de vanille. Étonnamment souple et d'une concentration énorme, il est velouté, et déploie en bouche un caractère extrêmement fruité et glycériné, ainsi qu'une finale riche, capiteuse et alcoolique. Dégustez ce bourgogne fabuleusement doté et luxuriant dans les **10 ans.**

Parmi les grands crus, le domaine propose un Clos de Vougeot 1992, issu de vignes de 60 ans d'âge, de couleur rubis-pourpre foncé et au nez énorme et très aromatique de vanille, de grillé, de prune et de cerise noire. Renversant, gras et riche, il affiche un caractère très corsé et déborde littéralement d'un généreux fruité confituré. Vous pouvez le déguster dès maintenant ou le conserver en cave pendant 10 ans environ.

Le Romanée-Saint-Vivant 1992, issu d'un vignoble planté en 1920, exhale les caractéristiques senteurs de la Bourgogne : arômes de canard fumé, d'épices orientales, de cerise noire et de framboise. Terriblement concentré, avec un fruité abondant et profond incontestablement dû aux rendements restreints, il est généreux et richement extrait. Il dévoile en bouche un caractère extrêmement gras, ainsi que des tannins doux. Merveilleux d'équilibre, avec un boisé bien fondu, il déploie une finale éclatante de fruité, de glycérine et d'alcool. **A boire dans les 10 à 15 ans.**

Arborant une robe impressionnante, rubis-pourpre foncé, le Nuits-Saint-Georges Les Chabœufs 1991 (issu de rendements de l'ordre de 25 hl/ha) déploie un admirable nez de fruits noirs, de terre et d'épices. Ferme et bien équilibré, il se montre tannique et peu évolué, avec un fruité et une richesse en extrait bien profonds. **A maturité : 1998-2010.**

Le très beau Chambolle-Musigny Premier Cru 1991, d'un pourpre tirant sur le noir, se révèle dense et concentré en bouche, où il libère de doux arômes de cerise noire, de noix grillée et de chêne neuf. Il s'agit d'un vin peu évolué, bien fait, concentré, mûr, riche et long, à la finale très tannique. **A maturité : 1998-2010.**

On dira la même chose du Vosne-Romanée Les Beaux Monts 1991, austère, bien bâti et très structuré. Énorme et de bonne mâche, il est très richement extrait et présente en finale des tannins modérés. **A maturité : jusqu'en 2001.**

Les deux grands crus que propose Jean-Jacques Confuron comptent au nombre des belles réussites du millésime 1991. Le Clos de Vougeot 1991 exhale un beau nez de fruits noirs et doux, de minéral et de noix grillée. Généreusement parfumé et d'une concentration sensationnelle, il est riche, puissant et très corsé, avec un abondant fruité joliment étayé par des tannins fermes. **A maturité : jusqu'en 2010.**

Le Romanée-Saint-Vivant 1991, rubis-pourpre foncé, se révèle plus doux et plus parfumé en bouche, où il déploie une finale magnifique, voluptueuse et très corsée, qui masque bien de très abondants tannins. Merveilleux d'équilibre et de structure, il dévoile son fruité mûr par paliers – il me paraît issu de très petits rendements. **A boire dans les 15 ans.**

DOMAINE JACQUES CONFURON-COTETIDOT (VOSNE-ROMANÉE)****

10, rue de la Fontaine – 21700 Vosne-Romanée
Tél. 03 80 61 03 39 – Fax 03 80 61 17 85
Contact : Jacques Confuron-Cotetidot

1993 Nuits-Saint-Georges Premier Cru	D	89+
1991 Nuits-Saint-Georges Premier Cru	D	87
1993 Échézeaux	E	88
1991 Échézeaux	E	87
1993 Vosne-Romanée Les Suchots	D	88+
1991 Vosne-Romanée Les Suchots	E	89

Jacky Confuron a produit d'excellents 1991, profondément colorés, très musclés et richement extraits, au potentiel de garde de 10 ans ou plus.

Avec sa robe rubis-pourpre foncé et son nez mûr et épicé de terre (de truffe ?), le Nuits-Saint-Georges Premier Cru 1991 est tannique, moyennement corsé et riche en bouche, avec une finale persistante. Son caractère puissant et musclé donne à penser qu'il requiert 2 ou 3 ans de garde avant d'être prêt, mais il se conservera **au moins 10 ans.**

L'Échézeaux 1991, rubis-pourpre foncé, offre un bouquet plus évolué et plus aromatique de framboise douce et de cerise noire. Doux, moyennement corsé et riche, avec une faible acidité, il déploie en finale des tannins mûrs, mais d'un niveau modéré. Il s'impose comme le plus évolué et le plus séduisant de tous les 1991 du domaine. **A boire dans les 10 ans.**

Des trois crus 1991, le Clos de Vougeot est le plus riche et le plus profond, avec sa robe très soutenue d'un rubis profond et ses abondants arômes de vanille, de cassis, d'herbes et de cèdre. Ce vin ample et moyennement corsé, au fruité mûr et concentré, séduit par son caractère généreux et multidimensionnel, par sa longueur en bouche, ainsi que par son côté extrêmement glycériné et alcoolique. **A boire dans les 10 à 12 ans.**

Les 1993 ne relèvent pas tous la concentration que l'on serait en droit d'en attendre, sachant les petits rendements dont ils sont issus (18 hl/ha).

Le Nuits-Saint-Georges Premier Cru 1993, opaque, dense, de couleur rubis-pourpre, libère de puissants arômes de fruits noirs et rouges, de terre mouillée et d'épices. Très corsé, musclé et tannique, il demande à être attendu 6 ou 7 ans. Son fruité richement extrait (qualité qui manque à nombre de 1993) lui permettra incontestablement de contrebalancer sa structure. Il s'agit d'un des rares 1993 au potentiel de garde de **15 ans, ou plus.**

J'ai également beaucoup apprécié le Vosne-Romanée Les Suchots 1993. De couleur rubis foncé, il dégage un doux nez de cerise noire et de fruits rouges extrêmement mûrs, aux notes de vanille, de terre, d'herbes et de poivre. Moyennement corsé et tannique, un peu rugueux, il a le fruité requis pour équilibrer sa structure, et fait preuve d'une belle profondeur, ainsi que d'un caractère merveilleusement dessiné. Ne touchez pas à une seule de vos bouteilles avant 3 ou 4 ans, et savourez-les sur les **10 à 15 ans** qui suivront.

De tous les 1993 du domaine, l'Échézeaux est le plus accessible, le plus savoureux et le plus élégant. Sa couleur rubis précède un nez aux généreux arômes de framboise douce. Tout à la fois moyennement corsé, concentré et modérément tannique, il révèle une belle profondeur et une belle complexité, et promet de se conserver plusieurs années. **A boire dans les 12 à 14 ans.**

DOMAINE MARIUS DELARCHE (PERNAND-VERGELESSES)***/****

21420 Pernand-Vergelesses
Tél. 03 80 21 57 70 – Fax 03 80 21 58 96
Contact : Marius et Philippe Delarche

| 1992 Corton Les Renardes | D   91+ |

Il n'y a pas vraiment de secret pour faire de grands bourgognes. Or, il est terrible de constater combien de vins absolument formidables en fût sont ensuite complètement détruits par un collage et une filtration excessifs, sans compter que leur fruité est souvent sensiblement atténué par un sulfitage trop important au moment de la mise en bouteille.

Ce Corton Les Renardes 1992, mis en bouteille sans collage ni filtration préalables, issu de rendements de l'ordre de 25 hl/ha, incarne les sommets que peut atteindre le bourgogne. En effet, il ressemble plus à un 1990, formidablement puissant et massif, qu'à un 1992, généralement plus doux et moins structuré. Avec sa robe opaque de couleur rubis-pourpre et son nez énorme, doux et confituré de prune noire, de cerise, de chêne neuf et épicé, et de minéral, il est très corsé, riche et modérément tannique, et se révèle extrêmement concentré et merveilleusement doux en milieu de bouche. Il requiert une garde de 2 ou 3 ans, et devrait bien vieillir les **15 prochaines années.**

MAISON JOSEPH DROUHIN (BEAUNE)***/****

7, rue d'Enfer – 21200 Beaune
Tél. 03 80 24 68 88 – Fax 03 80 22 43 14
Contact : Robert Drouhin

1991 **Gevrey-Chambertin**	C	84
1991 **Échézeaux**	D	86
1991 **Chambolle-Musigny Les Amoureuses**	E	87
1991 **Clos de Vougeot**	E	86
1991 **Musigny**	EE	87

La gamme des 1991 de la Maison Joseph Drouhin, issus de la Côte de Nuits, va du bon à l'excellent.

Le Gevrey-Chambertin 1991, moyennement corsé, mûr et doux, aux arômes de viande, de gibier et d'épices, doit être consommé **d'ici 2 ou 3 ans.**

L'Échézeaux 1991 arbore une couleur rubis clair et déploie un merveilleux nez de framboise, d'épices et de fleurs printanières. Bien évolué et sans détour, il est moyennement corsé, doux et élégant, malgré une finale un peu tannique. **A boire dans les 4 ou 5 ans.**

Le Chambolle-Musigny Les Amoureuses 1991 s'impose comme le cru le plus riche de toute cette série. Sa couleur rubis foncé introduit un excellent bouquet de chêne neuf et grillé, de framboise sauvage et d'épices. Il s'agit d'un vin moyennement corsé, avec un niveau modéré de tannins et une finale longue, qui se bonifiera au terme d'un léger temps de vieillissement en bouteille. **A boire dans les 5 à 7 ans.**

Le Clos de Vougeot 1991 arbore une séduisante robe rubis foncé, et déploie un nez mûr et riche qui évoque le cassis et la cerise noire. Moyennement corsé, il présente en finale des tannins épicés. **A boire dans les 6 ou 7 ans.**

Rubis profond, le Musigny 1991, au nez très boisé, libère un abondant fruité de framboise et de cerise. Il est souple en bouche, d'une bonne profondeur et bien équilibré. **A boire dans les 6 ou 7 ans.**

JEAN-LUC DUBOIS (SAVIGNY-LÈS-BEAUNE)***

7, rue Brenots – 22200 Chorey-lès-Beaune
Tél. 03 80 22 28 36 – Fax 03 80 22 83 08
Contact : Jean-Luc Dubois

1993 Chorey-lès-Beaune	C	86
1993 Savigny-lès-Beaune	C	88

Note : les commentaires suivants se rapportent aux cuvées non filtrées, destinées au marché américain.

Voici deux vins totalement naturels, riches et concentrés, qui constituent d'excellentes affaires.

Avec son fruité merveilleusement mûr de cerise noire et d'épices, le Chorey-lès-Beaune 1993 est moyennement corsé, charnu et fruité en bouche. Sa texture est naturelle, et sa finale riche et ferme. **A boire dans les 3 ou 4 ans.**

Le Savigny-lès-Beaune 1993 est encore plus impressionnant. Issu de vignes de 45 ans d'âge, il arbore une robe très soutenue de couleur rubis foncé et un nez explosif de cerise noire, d'épices et de chêne doux. Moyennement corsé et extrêmement concentré, il déploie une finale nette, pure, vive et tannique. **A boire dans les 5 ou 6 ans.**

DOMAINE CLAUDE ET MAURICE DUGAT (GEVREY-CHAMBERTIN)*****

1, place de la Cure – 21220 Gevrey-Chambertin
Tél. 03 80 34 36 18 – Fax 03 80 58 50 64
Contact : Maurice et Claude Dugat

1993 Griotte-Chambertin	EE	100
1992 Griotte-Chambertin	E	93
1991 Griotte-Chambertin	EE	91
1993 Charmes-Chambertin	E	96
1992 Charmes-Chambertin	E	94
1991 Charmes-Chambertin	E	92
1993 Gevrey-Chambertin Lavaux Saint-Jacques	D	92
1992 Gevrey-Chambertin Lavaux Saint-Jacques	D	89
1991 Gevrey-Chambertin Lavaux Saint-Jacques	D	86
1993 Gevrey-Chambertin Premier Cru	D	90
1992 Gevrey-Chambertin Premier Cru	D	90
1991 Gevrey-Chambertin Premier Cru	D	88
1993 Gevrey-Chambertin	D	88

Ce producteur élabore de toutes petites quantités de vins qui ont longtemps servi aux négociants à rehausser leurs propres cuvées prestige. La production tout entière est maintenant mise en bouteille à la propriété, et les vins témoignent bien du talent de M. Dugat.

Il n'y a pas de secret pour faire de grands vins : des rendements restreints, de vieilles vignes, des chais propres et une vinification la moins interventionniste possible font des merveilles. C'est ainsi que le Domaine Claude et Maurice Dugat a fort bien réussi ses 1991.

Le fabuleux Gevrey-Chambertin Premier Cru 1991 présente, outre une robe remarquablement profonde et sombre de couleur rubis-pourpre, un nez doux et séduisant de fruits noirs et de fleurs, ainsi que des arômes généreux, mûrs, souples et voluptueux de pinot noir. Ce vin satiné devrait bien se conserver encore 10 à 12 ans.

Le Gevrey-Chambertin Lavaux Saint-Jacques 1991 a la même douceur et la même remarquable couleur que le précédent, mais il n'en a pas l'ampleur aromatique. A maturité : jusqu'en 2002.

Le Griotte-Chambertin et le Charmes-Chambertin 1991 de ce domaine, spectaculaires, achèveront de convaincre ceux qui douteraient encore des sommets que peuvent atteindre certains crus de ce millésime.

La robe opaque, de couleur rubis foncé, du Griotte-Chambertin 1991 prélude à un nez époustouflant d'herbes rôties, de chêne fumé et de cerise noire. Somptueux est le seul mot qui vienne ensuite à l'esprit pour qualifier ce que l'on perçoit en bouche. Ample et doux, ce vin se révèle en effet éclatant d'arômes et de richesse en extrait. Il s'agit d'un bourgogne rouge extrêmement riche et luxuriant. A boire dans les 10 ans.

Ajoutez au caractère du Griotte-Chambertin 1991 quelques arômes de truffe noire, de viande fumée et de noix, un peu de longueur et de richesse, et vous obtiendrez le Charmes-Chambertin 1991 du Domaine Dugat. Un autre vin riche, voluptueux et magnifique, qu'il faut boire pour y croire. A maturité : jusqu'en 2003.

Issu de vignes de 20 ans d'âge, le Gevrey-Chambertin Lavaux Saint-Jacques 1992 se révèle riche, ample et doux en bouche. On dirait une essence de fruits noirs et rouges infusée de notes de chêne neuf, fumé et grillé. A boire dans les 6 ou 7 ans. Toutefois, je ne pense pas qu'il mérite un jour une note extraordinaire.

Le Gevrey-Chambertin Premier Cru 1992 arbore une robe rubis-pourpre foncé et déploie un fruité dense de cerise noire aux arômes de viande et de chêne neuf et grillé. Avec des notes de cassis plus prononcées que de coutume pour un bourgogne, il est extrêmement fruité, mûr et très corsé, et déploie par paliers une finale longue et riche. A boire dans les 10 ans.

Les deux grands crus 1992 sont extrêmement profonds.

Le Griotte-Chambertin, à la robe très soutenue de couleur rubis-pourpre, exhale un nez énorme et stupéfiant de fruits noirs, d'épices et de chêne neuf et grillé. Il dévoile en bouche des arômes riches, très corsés, merveilleusement amples et purs, et se révèle superbe et harmonieux, avec des tannins et une acidité bien fondus. Richement doté, ce bourgogne rouge spectaculaire devrait se conserver parfaitement 10 à 12 ans, voire davantage.

Le Charmes-Chambertin 1992 est peut-être l'une des réussites du millésime, avec son nez énorme, puissant et doux de fruits noirs et rouges confiturés, de fumé et de chêne. Très corsé, avec un fruité mûr qui se déploie en bouche par paliers, il est sensationnel, merveilleusement riche et bien dessiné. Un véritable délice. A maturité : jusqu'en 2000.

Les 1993 sont également très réussis. La robe rubis-pourpre foncé du Gevrey-Chambertin 1993, étonnamment opulent pour un vin générique, précède un nez aux généreux et doux arômes de fruits noirs et rouges mêlés de senteurs de bois humide et de fleurs. Moyennement corsé, concentré et doux, ce vin est tout en rondeur. **A boire dans les 6 à 8 ans.**

Extraordinaire de richesse, opulent et savoureux, le Gevrey-Chambertin Premier Cru 1993 déploie un fruité profond et concentré de cerise noire et de fumé. La finale est longue, veloutée et légèrement tannique. **A boire dans les 10 ans.**

Le Gevrey-Chambertin Lavaux Saint-Jacques 1993, plus aromatique, plus riche et plus généreux que le vin précédent, libère un bouquet qui jaillit littéralement du verre en déployant des arômes de fruits rouges et doux, d'épices et de pain grillé. Riche et velouté, moyennement corsé en bouche, il y développe son beau fruité par paliers. Une essence de cerise noire ! **A boire dans les 10 à 12 ans.**

D'un rubis-pourpre foncé très soutenu, le Charmes-Chambertin 1993, généreusement parfumé, se révèle énorme à l'attaque en bouche, extrêmement tannique et musclé, avec une douceur sous-jacente et une profondeur qui font défaut à la plupart des vins de ce millésime. Tout à la fois mûr, riche, structuré, pur et complexe, il est parfait. Conservez-le 3 ou 4 ans, il tiendra **10 à 15 ans.**

Quant au Griotte-Chambertin. 1993, d'une intense couleur rubis-pourpre soutenu, il exhale un nez classique et pénétrant de fruits noirs et rouges, de grillé, de terre et d'épices. Moyennement corsée, cette essence de pinot noir est d'une pureté dépouillée, veloutée, avec une intensité phénoménale et une richesse en extrait exceptionnelle, bien étayée par des tannins doux et mûrs. Doté de manière insolente, ce vin est résolument séduisant, mais aussi puissant et structuré – un véritable tour de force en matière de vinification. D'un meilleur niveau même que le 1990, il devrait être conservé pendant quelques années avant d'être dégusté, mais les heureux élus qui auront la chance de mettre la main sur des bouteilles de ce cru (la production totale ne fut que de 100 caisses) n'auront peut-être pas la patience d'attendre... **A maturité : 1999-2006.**

DOMAINE DUJAC (MOREY-SAINT-DENIS)****

7, rue de la Buissière – 21220 Morey-Saint-Denis
Tél. 03 80 34 32 58 – Fax 03 80 51 89 76
Contact : Jacques Seysses

1993 Chambolle-Musigny Premier Cru	E	87
1991 Chambolle-Musigny Premier Cru	E	89
1993 Bonnes Mares	E	88+ ?
1993 Échézeaux	E	87
1991 Échézeaux	E	86 ?
1993 Clos de la Roche	E	89+
1991 Clos de la Roche	E	89

1993 Clos Saint-Denis	E	89	
1991 Clos Saint-Denis	E	86	?
1993 Charmes-Chambertin	E	86	?
1991 Charmes-Chambertin	E	87	
1991 Gevrey-Chambertin Les Combottes	E	86	
1991 Morey-Saint-Denis	D	76	

Jacques Seysses a modifié ses méthodes de vinification pour éviter les tannins trop durs du millésime 1991. Son initiative a été en partie couronnée de succès, comme en témoignent les notes ci-dessus, mais les vins de la propriété sont, cette année-là, plus austères et plus structurés que d'habitude.

Le Morey-Saint-Denis 1991, compact et creux, est excessivement tannique.

Le Gevrey-Chambertin Les Combottes 1991, d'un rubis plutôt foncé, offre au nez de plaisantes et douces notes de terre et de fruits rouges charnus. Moyennement corsé et très tannique, il ne manque ni de complexité ni de charme, mais je ne sais si son fruité persistera bien longtemps. **A maturité : jusqu'en 2000.**

D'un très beau rubis moyennement foncé, le Charmes-Chambertin 1991 montre une belle précision dans les arômes et dans le dessin ; il déploie, à la fois au nez et en bouche, des arômes mûrs et ronds d'herbes et de fruits rouges, mêlés de notes de chêne neuf et grillé. La finale est dominée par des tannins durs. **A maturité : jusqu'en 2003.**

Le Clos Saint-Denis, qui est en général le vin vedette du Domaine Dujac, se révèle en 1991 maigre et austère, avec des tannins durs et coupants. Il requiert une garde de 2 ou 3 ans et se conservera 12 ans. Je pense que son fruité se desséchera rapidement, mais si ses tannins se fondent joliment, la note que je lui ai attribuée sera revue à la hausse. En attendant, ne pariez pas dessus. Il en va de même pour l'Échézeaux.

L'Échézeaux 1991, plus fermé, présente un caractère maigre et rugueux, malgré les notes agréables que l'on décèle dans son bouquet et le fruité mûr qu'il déploie en bouche. **A maturité : jusqu'en 2004.**

Le Clos de la Roche 1991 me semble, quant à lui, tout à fait apte à évoluer avec grâce, car il est profond et riche, avec un nez charnu de minéral et de fruits noirs, un caractère moyennement corsé, ainsi qu'un fruité épicé, doux et ample. Ce vin présente d'abondants tannins, ce qui laisse penser qu'il devra être conservé encore 2 ou 3 ans, mais il devrait bien vieillir sur les 12 à **15 prochaines années.**

Jacques Seysses n'a pas produit de Bonnes Mares en 1991, la grêle ayant détruit plus de la moitié de la récolte ; la toute petite vendange effectuée a été déclassée et assemblée avec le Chambolle-Musigny Premier Cru. Ce vin est une révélation. Sa robe est en effet la plus profondément colorée, son fruité le plus riche et le plus mûr, et sa texture merveilleusement bien dotée, multidimensionnelle et de bonne mâche, éclate de doux arômes de fruits rouges. Il impressionne par son caractère complexe de fumé et de vanille, et par sa finale riche, longue et légèrement tannique. Il se pourrait que je lui attribue une note extraordinaire au terme d'un vieillissement supplémentaire en bouteille. **A maturité : jusqu'en 2001.**

Quant aux 1993, ils présentent le caractère précoce des vins du domaine, mais ils sont également très structurés et très tanniques. Jacques Seysses estime, à ma grande surprise, que 1993 est un millésime « des plus réussis, d'un meilleur niveau même que 1990 », qu'il qualifie maintenant de « trop mûr » et d'« atypique ».

D'un rubis moyennement foncé, le Charmes-Chambertin 1993 libère un fruité de pinot noir doux et épicé, mêlé de notes herbacées et de grillé. L'attaque en bouche, douce et moyennement corsée, laisse ensuite place à un vin maigre, rugueux, dur et anguleux, au fruité sec, dont la finale compacte m'inquiète un peu. Mais les amateurs de bourgognes rouges un peu durs, dans le style des vins du Médoc, devraient déguster celui-ci assez rapidement, car je pense qu'il se desséchera très vite. **A maturité : jusqu'en 2005.**

Le Clos Saint-Denis 1993, de couleur rubis légèrement foncé, exhale un doux nez de gibier, de viande fumée, de fruits rouges et d'herbes. Moyennement corsé, d'une belle pureté aromatique, il est soyeux et élégant, assez opulent, avec un bon fruité bien doux. Structuré, sans toutefois être aussi tannique ni aussi rugueux que le Charmes-Chambertin, il requiert une garde de 1 ou 2 ans, et pourra être dégusté sur les **8 ou 9 prochaines années.**

La robe rubis légèrement foncé du Clos de la Roche 1993 précède un nez de terre, de minéral et de fruits rouges et doux. Suit un vin modérément structuré, incontestablement élégant et gracieux, dont la finale révèle des tannins durs qui ne m'inquiètent pas. Cet ensemble moyennement corsé devrait évoluer avec grâce dans les **10 ans**, en développant des arômes complexes et giboyeux de pinot noir.

Moyennement corsé, avec une robe rubis légèrement foncé, l'Échézeaux 1993 se montre doux, complexe et légèrement tannique. Dégustez-le dès maintenant ou dans les **6 ou 7 ans** qui viennent.

Le Bonnes Mares 1993, quoique très bon, n'est pas aussi concentré que les autres grands crus. D'un rubis assez foncé, il offre un nez de terre, d'herbes, de cerise noire, de fumé et de gibier, et libère en bouche des arômes moyennement corsés et modérément tanniques, ainsi qu'une finale riche, ferme et structurée. **A boire dans les 10 à 12 ans** qui suivront une garde de 2 ou 3 ans.

Le meilleur 1993 de la gamme est probablement le Chambolle-Musigny Premier Cru. Issu d'un vignoble de très vieilles vignes tout proche de celui de Bonnes Mares, il n'est généralement produit qu'à hauteur de 100 à 150 caisses (ce sont les plus petits rendements du domaine). Ce vin déploie un nez intense de vieilles vignes, aux notes de gibier, de fumé, de fruits rouges doux et confiturés. Moyennement corsé et extraordinairement fruité, mûr et richement extrait, il est encore d'une pureté formidable et merveilleux d'équilibre, avec une finale souple et modérément tannique. **A boire dans les 10 à 12 ans.**

DOMAINE RENÉ ENGEL (VOSNE-ROMANÉE)****

3, place de la Mairie – 21700 Vosne-Romanée
Tél. 03 80 61 10 54 – Fax 03 80 62 39 73
Contact : Philippe Engel

1993 Clos de Vougeot	E	89+
1991 Clos de Vougeot	E	87
1993 Grands Échézeaux	E	90
1991 Grands Échézeaux	E	90
1993 Échézeaux	E	89
1991 Échézeaux	E	87
1993 Vosne-Romanée Les Brûlées	D	85
1991 Vosne-Romanée Les Brûlées	D	86
1991 Vosne-Romanée	C	85

Le jeune Philippe Engel a décidé, en 1991, d'utiliser une plus forte proportion de bois neuf pour l'élevage de ses vins, d'étendre la période de macération à quatre ou cinq jours et de procéder à la mise en bouteille sans filtration préalable. Cela donne des vins qui rivalisent parfaitement avec ses 1990.

Pour les néophytes, il y a l'excellent Vosne-Romanée 1991, au nez plaisant de cerise noire, qui se montre doux, velouté et mûr en bouche, avec une finale souple. **A boire d'ici 3 ou 4 ans.**

Le Vosne-Romanée Les Brûlées 1991 présente un nez de fumé et de grillé, ainsi que d'admirables arômes de fruits noirs, et donne une impression d'élégance et de précision. Il s'agit d'un vin doux, agréable et mûr, sans tannins excessifs. **A maturité : jusqu'en 2002.**

L'Échézeaux 1991, bien coloré et racé, exhale un nez doux, parfumé et floral de fruits noirs et rouges. Riche et moyennement corsé en bouche, il est bien équilibré, avec des tannins mûrs, et développe une finale modérément longue. Déjà délicieux, il sera encore parfait **6 ou 7 ans.**

Le Clos de Vougeot 1991 déploie des notes de cassis, et sa texture est riche, charnue et trapue. Il n'est pas dominé par ses tannins, tout comme le Grands Échézeaux. Tous deux sont plutôt marqués par un caractère très aromatique, et se révèlent bien dotés, souples et veloutés en bouche. Ils sont exceptionnellement bien faits pour des 1991, le Grands Échézeaux ayant peut-être plus d'ampleur, à la fois au nez et en bouche, que le Clos de Vougeot. **A boire dans les 10 ans.**

Les 1993 sont certainement les vins les plus réussis du domaine : bien que présentant le caractère rugueux propre au millésime, ils montrent un beau fruité doux et mûr. Tous ont été mis en bouteille sans filtration préalable, et le Grands Échézeaux n'a pas non plus été collé.

De couleur rubis moyennement foncé, le Vosne-Romanée Les Brûlées 1993 offre un doux nez de terre, de fruits, d'herbes et d'épices, et en bouche se révèle élégant et moyennement corsé, d'une belle maturité, bien épicé et modérément tannique. **A boire dans les 5 à 7 ans.**

Rubis foncé, l'Échézeaux 1993 est délicat, élégant et joliment fait, avec un doux nez de framboise mêlé de notes florales et de bois neuf. Moyennement corsé, bien concentré et modérément tannique, c'est un bourgogne suave, racé et longiligne, que vous dégusterez dans les **10 à 12 ans** qui suivront une garde de 2 ou 3 ans.

Le Grands Échézeaux est le plus époustouflant de toute la gamme des 1993. Arborant une robe impressionnante, très soutenue, de couleur rubis-pourpre foncé, il exprime une palette aromatique très puissante, aux généreuses notes de framboise, de cerise, de minéral, d'épices et de chêne neuf. Moyennement corsé, doux à l'attaque en bouche, il y révèle une grande richesse, ainsi que des notes très glycérinées, suivies d'un caractère bien musclé et tannique. Accordez-lui une garde de 3 ou 4 ans, et dégustez-le dans les 10 années qui suivent.

Probablement le plus tannique de tous les 1993, le Clos de Vougeot a néanmoins la richesse et l'intensité nécessaires pour contrebalancer cet aspect. Profondément coloré, avec un bouquet réticent, il est très corsé, mais superbement concentré. S'il ne mérite peut-être pas une note extraordinaire, il n'en est pas moins excellent. A boire dans les 4 ou 5 ans.

MICHEL ESMONIN ET FILLE (GEVREY-CHAMBERTIN)****

Clos Saint-Jacques – 1, rue Neuve – 21220 Gevrey-Chambertin
Tél. 03 80 34 36 44 – Fax 03 80 34 17 31
Contact : Michel et Sylvie Esmonin

1993 Gevrey-Chambertin Clos Saint-Jacques	D	89
1992 Gevrey-Chambertin Clos Saint-Jacques	E	87
1993 Gevrey-Chambertin Vieilles Vignes	D	86+
1993 Gevrey-Chambertin	D	86

C'est désormais Sylvie, la séduisante fille de Michel Esmonin, qui gère cette propriété.

Son Gevrey-Chambertin Clos Saint-Jacques 1992, aux arômes de canard fumé et de cerise douce, présente en bouche des notes épicées, riches, moyennement corsées et mûres. Légèrement tannique, il développe une finale généreusement dotée et fruitée. Bien qu'il soit déjà prêt, sa structure et sa profondeur lui permettront de bien vieillir 5 ou 6 ans de plus. Il s'agit d'un 1992 très classique.

Les 1993 méritent tous l'attention du consommateur. Très structurés, ils sont néanmoins puissants et richement extraits, et leur fruité doux et mûr de pinot noir étaye bien le caractère férocement tannique qu'ils doivent au millésime.

D'une belle profondeur, le Gevrey-Chambertin 1993 exhale un merveilleux nez de fruits rouges, d'herbes et de terre. Légèrement corsé, il déploie une excellente finale. A boire dans les 5 ou 6 ans.

Le Gevrey-Chambertin Vieilles Vignes 1993, issu de vignes de 60 ans d'âge, est plus concentré, plus puissant et plus corpulent que le vin précédent, mais il possède également les tannins durs communs aux 1993. Ce vin requiert une garde de 1 ou 2 ans, et devrait se conserver 8 à 10 ans, à condition toutefois que son fruité ne se fane pas.

Le Gevrey-Chambertin Clos Saint-Jacques 1993 libère de généreux arômes de chêne neuf, grillé et doux, et de fruits rouges et noirs très mûrs. Moyennement corsé et modérément tannique, il déploie une finale ferme, structurée et imposante. Accordez-lui une garde de 4 ou 5 ans, et dégustez-le sur les 10 à 12 ans qui suivront.

MAISON FAIVELEY (NUITS-SAINT-GEORGES)***

8, rue du Tribourg – BP 9 – 21701 Nuits-Saint-Georges Cedex
Tél. 03 80 61 04 55 – Fax 03 80 62 33 37
Contact : Philippe Ochin

1993 Clos de Vougeot	EE	86+
1991 Clos de Vougeot	EE	90
1993 Chambertin Clos de Bèze	EEE	86
1991 Chambertin Clos de Bèze	EE	93
1993 Corton Clos des Cortons	E	86+ ?
1993 Gevrey-Chambertin La Combe aux Moines	E	85
1991 Gevrey-Chambertin La Combe aux Moines	E	76
1993 Nuits-Saint-Georges Les Porets Saint-Georges	E	86
1991 Nuits-Saint-Georges Les Porets Saint-Georges	D	83 ?
1993 Nuits-Saint-Georges Aux Chaignots	E	87
1993 Latricières-Chambertin	EE	88
1991 Latricières-Chambertin	EE	92
1991 Charmes-Chambertin	EE	92
1991 Mazis-Chambertin	EE	93
1991 Échézeaux	EE	88
1991 Gevrey-Chambertin Les Cazetiers	E	79 ?
1991 Chambolle-Musigny Les Fuées	E	89
1991 Chambolle-Musigny La Combe d'Orveau	E	88
1991 Vosne-Romanée Les Chaumes	D	89
1991 Morey-Saint-Denis Clos des Ormes	E	77
1991 Nuits-Saint-Georges Les Saint-Georges	D	90
1991 Nuits-Saint-Georges Clos de la Maréchale	D	88
1991 Nuits-Saint-Georges Les Damodes	D	87+
1991 Nuits-Saint-Georges Les Lavières	D	88

La Maison Faiveley a enregistré de beaux succès en 1991, produisant des vins profondément colorés, puissants et très tanniques, qui ne sont pas faits pour être dégustés dans leur jeunesse, mais plutôt après une garde de plusieurs années, lorsque leurs tannins seront fondus. Je ne pense pas qu'ils se dessèchent avant terme, car leur fruité est suffisamment concentré pour contrebalancer leur caractère tannique.

Impressionnant par sa couleur foncée, le Nuits-Saint-Georges Les Lavières 1991, moyennement corsé, déploie un bouquet prometteur de minéral et de fruits noirs, ainsi qu'une excellente finale, modérément tannique et longue. A **maturité : jusqu'en 2008.**

Amplement structuré et large d'épaules, le Nuits-Saint-Georges Les Damodes 1991 se révèle également tannique et peu évolué, d'une richesse et d'une densité tout à fait remarquables. D'une couleur impressionnante, il présente un nez fermé et une finale austère et tannique, mais on y décèle une excellente maturité et un caractère bien massif. Accordez-lui encore 3 ou 4 ans, il devrait bien se conserver les **15 prochaines années.**

Les autres premiers crus que propose la maison sont également impressionnants. Le Nuits-Saint-Georges Clos de la Maréchale s'impose en 1991 comme le meilleur vin issu de ce vignoble. Outre son nez doux et séduisant de prune mûre et les arômes doux, veloutés et concentrés qu'il libère en bouche, il déploie une finale longue et riche. Vous pouvez le déguster dès maintenant, mais il promet de se maintenir encore **une décennie.**

Le Nuits-Saint-Georges Les Porets Saint-Georges 1991 est le seul qui présente peut-être quelques inconvénients, étant compact, austère et dominé par des tannins extrêmement abondants. D'une excellente couleur, il montre un caractère admirablement mûr et massif, mais j'émets des réserves quant à son potentiel d'évolution. Ne touchez à aucune de vos bouteilles avant 2 ou 3 ans.

Le Nuits-Saint-Georges Les Saint-Georges 1991 est un exemple classique de ce cru, avec sa robe de couleur rubis-pourpre foncé qui introduit au nez des arômes d'anis, de fruits noirs, de chêne neuf et de fleurs. Profond et riche, moyennement corsé et modérément tannique, il est d'une profondeur superbe et s'impose comme un vin de forte carrure, doté de manière impressionnante. **A maturité : jusqu'en 2008.**

Creux, léger et dépouillé, avec des arômes de fraise et de cerise, le Morey-Saint-Denis Clos des Ormes 1991 n'est pas suffisamment charnu pour son caractère excessivement tannique. Il pourrait se dessécher d'ici 3 ou 4 ans.

Alors que la Maison Faiveley est mondialement connue pour ses excellents Nuits-Saint-Georges et pour ses Gevrey-Chambertin, son Chambolle-Musigny et son Vosne-Romanée ne recueillent pas toute l'attention qu'ils mériteraient. Mis en bouteille sans filtration préalable, ils sont amples et d'une belle puissance aromatique.

Le Vosne-Romanée Les Chaumes 1991 rivalise parfaitement avec certains des meilleurs premiers crus de ce village. Il exhale des senteurs douces et crémeuses de cassis et de vanille, et libère en bouche des arômes profonds, souples et riches, qui masquent bien ses tannins. Un 1991 très corsé, riche et savoureux. **A boire dans les 8 à 12 ans.**

Moins musclé, mais élégant, doux et mûr, le Chambolle-Musigny La Combe d'Orveau 1991 présente au nez de généreuses notes de fruits noirs et rouges, et se montre velouté, charnu et gracieux à la fois en milieu et en fin de bouche. **A boire dans les 7 ou 8 ans.**

Un nez énorme de framboise et de fleurs printanières, mêlé de notes de chêne neuf et grillé, introduit de manière spectaculaire le Chambolle-Musigny Les Fuées 1991. Ce vin profond et souple, impressionnant de couleur, déploie, outre des arômes fruités, riches et longs, une belle acidité qui lui confère de l'équilibre. On décèle dans sa finale des tannins ronds. Cette merveille se maintiendra parfaitement au moins sur les **10 prochaines années.**

J'ai trouvé que le Gevrey-Chambertin Les Cazetiers 1991 et le Gevrey-Chambertin La Combe aux Moines 1991 étaient de qualité moyenne, sévères, avec des tannins durs, et il me semble que le second – fermé, rugueux, acerbe et anguleux – se desséchera avant que ses tannins marquants ne se fondent. Plus fruité et plus profond, le Gevrey-Chambertin Les Cazetiers est plus riche et plus ample en bouche, et on décèle une jolie douceur derrière son mur de tannins. Il s'agit d'un vin énorme, sur lequel il est un peu risqué de parier, compte tenu de son caractère extrêmement tannique. Accordez-lui 2 ou 3 ans avant de le déguster. Il se conservera 12 à 15 ans, mais je ne suis pas sûr qu'il évoluera de manière harmonieuse.

Tous les grands crus ont été mis en bouteille manuellement et sans filtration préalable en 1991.

L'Échézeaux 1991, le plus léger de tous, exhale de séduisantes notes de vanille et de chêne conjuguées à un fruité herbacé de framboise et de cerise noire. Moyennement corsé et merveilleusement mûr, avec des tannins doux, il se montre élégant et racé, et devra être dégusté **avant 10 ans d'âge.**

Plus ample, le Clos de Vougeot 1991 montre également une texture plus serrée. Il libère, à la fois au nez et en bouche, des arômes puissants et mûrs de cerise noire. Bien proportionné et très tannique, avec une belle profondeur et un équilibre impeccable, il est encore peu évolué et requiert une garde de 3 ou 4 ans avant d'être prêt. Son potentiel est de **15 ans, ou plus.**

Tous les grands crus de Gevrey-Chambertin que propose la Maison Faiveley se révèlent extraordinaires en 1991, et surtout bien meilleurs que leurs homologues de 1986, 1987, 1989, et peut-être même de 1988. Issus de rendements extrêmement tenus, ils présentent un bel équilibre entre tannins et fruité.

Le Mazis-Chambertin, le Chambertin Clos de Bèze, le Charmes-Chambertin et le Latricières-Chambertin 1991 comptent au nombre des réussites du millésime.

Le Mazis-Chambertin 1991, plus accessible que la plupart des autres crus de cette appellation, arbore une robe sombre de couleur rubis-pourpre, et déploie au nez de puissants arômes de prune confiturée et de cerise noire, des notes rôties et de belles senteurs de chêne neuf et grillé. Savoureux, onctueux et riche, il se montre encore énorme, profond et très corsé en bouche, débordant littéralement de richesse en extrait. **A maturité : jusqu'en 2010.**

Également opulent, avec un nez fabuleux et bien évolué de cerise noire fumée, d'herbes et d'épices orientales auquel se mêlent des senteurs de canard laqué, le Latricières-Chambertin 1991 est riche et souple, et exprime en milieu de bouche une douceur qui signe les petits rendements plutôt que le sucre résiduel. **A boire dans les 12 à 15 ans.**

Généralement plus doux que le Mazis ou le Latricières, le Charmes-Chambertin se révèle en 1991 plutôt énorme et masculin, avec une finale très tannique. Il demande impérativement à être attendu encore 3 ou 4 ans, mais devrait bien tenir ces **12 à 15 prochaines années.** Il s'agit d'un vin riche, profond, très corsé et serré, doté de manière impressionnante.

Le Chambertin Clos de Bèze, l'un des flambeaux de la Maison Faiveley, arbore en 1991 une robe opaque de couleur rubis-pourpre foncé, et déploie un bouquet superbe, mais serré, de fruits noirs, de minéral, de réglisse et d'herbes aromatiques. Riche, avec des tannins fermes bien étayés par un fruité doux et très concentré, il se présente comme un vin énorme et de bonne mâche. **A maturité : jusqu'en 2012.**

Les meilleurs 1993 de la Maison Faiveley offrent le caractère tannique, austère et rugueux propre au millésime mais leur bon fruité leur permettra de se maintenir 7 à 10 ans – le temps que leurs tannins se fondent.

Le Latricières-Chambertin 1993, le plus flatteur et le plus voluptueux de tous les 1993, exhale un nez de terre, de fumé et de fruits noirs et doux. Moyennement corsé et très profond, avec une finale longue, riche et structurée, il sera prêt d'ici 4 ou 5 ans, et se conservera ces **10 à 12 prochaines années.**

Parmi les vins les plus ouverts, vous trouverez le Nuits-Saint-Georges Aux Chaignots 1993 – richement fruité, gracieux et moyennement corsé –, le Nuits-Saint-Georges Les Porets Saint-Georges 1993 – plus structuré, mais bien doté –, ainsi que le Gevrey-Chambertin La Combe aux Moines.

Parmi les grands crus, le Corton Clos des Cortons 1993 se révèle le plus profondément coloré, mais se montre aussi extrêmement tannique, malgré sa richesse et son intensité sous-jacentes, ce qui justifie le point d'interrogation qui accompagne la note que je lui ai attribuée. Certes, il sera de longue garde (son potentiel est de **10 à 15 ans, voire plus**), mais je suis sceptique quant au fruité qui subsistera à ce terme.

Il en va de même pour le Chambertin Clos de Bèze, boisé, moyennement corsé et rugueux, suffisamment riche de matière première pour se révéler, à l'issue d'une garde de 10 ans, comme un très bon vin (d'environ 500 F !), et qui pourrait durer **une dizaine d'années.**

Le Clos de Vougeot, bien fait, offre un beau fruité de cerise noire mêlé de généreuses notes de terre. Très tannique et structuré, il promet de durer **7 à 10 ans.**

Quant aux autres 1993 que j'ai dégustés et qui ne figurent pas dans la liste ci-dessus, ils présentent les pires défauts du millésime : excessivement durs et tanniques, ils n'ont ni le fruité, ni la corpulence, ni le caractère glycériné nécessaires pour étayer leur structure. La Maison Faiveley produit généralement d'excellents Mercurey, mais les 1993 que j'ai goûtés en juillet 1995 étaient austères, creux et très fermés.

JEAN FAUROIS (VOSNE-ROMANÉE)****

Rue des Grands-Crus – 21700 Vosne-Romanée
Tél. 03 80 61 01 41 – Fax 03 80 62 34 50
Contact : Jean et Gilbert Faurois

1991 Vosne-Romanée Les Chaumes	D 89

Jean Faurois témoigne toujours d'une main sûre en matière de vinification. Il ne produit plus maintenant de Clos de Vougeot (il louait le vignoble du Domaine Jean Méo-Camuzet), mais seulement un Vosne-Romanée Les Chaumes, non collé et non filtré. Le 1991 libère un beau nez doux et très aromatique aux notes intenses et mûres, qui laisse deviner de petits rendements et de vieilles vignes. La finale de cette merveille est douce et veloutée. **A boire dans les 6 ou 7 ans.**

DOMAINE FOREY PÈRE ET FILS (VOSNE-ROMANÉE)****

2, rue Derrière-le-Four – 21700 Vosne-Romanée
Tél. 03 80 61 09 68 – Fax 03 80 61 12 63
Contact : Régis Forey

1991 Vosne-Romanée	D	76
1991 Nuits-Saint-Georges Les Perrières	D	79
1991 Échézeaux	D	86

Le Vosne-Romanée et le Nuits-Saint-Georges Les Perrières 1991 de ce domaine m'ont semblé très atténués lorsque je les ai dégustés, avec des tannins excessifs, astringents et rugueux, ainsi qu'un caractère maigre et dur. Suis-je injuste de les condamner sitôt après la mise en bouteille ?

L'Échézeaux 1991, plus équilibré et au fruité plus doux, exhale un nez élégant et épicé marqué de notes florales. Moyennement corsé, il n'a pas les tannins acerbes qui desservent tant les autres vins de la propriété, et sera agréable ces **4 ou 5 prochaines années.**

DOMAINE DIDIER FORNEROL (NUITS-SAINT-GEORGES)**

Grande-Rue – 21700 Corgoloin
Tél. et fax 03 80 62 93 09
Contact : Didier Fornerol

1991 Côte de Nuits-Villages	C	87
1990 Côte de Nuits-Villages	C	86

Didier Fornerol, qui travaille également au Domaine de l'Arlot, a produit en 1990 et en 1991 deux Côte de Nuits-Villages riches, élégants, souples et fruités, que vous dégusterez dans les **4 ou 5 ans.** De plus, ils constituent d'excellentes affaires. Le 1991 est plus concentré, plus glycériné et plus intense que le merveilleux 1990, avec une robe légèrement plus sombre et plus soutenue, ainsi qu'une finale plus riche et plus douce. Le séduisant 1990 présente un nez aux notes de framboise, et se révèle gras et savoureux en bouche.

FOUGERAY (MARSANNAY)***/****

44, rue Mazy – 21160 Marsannay
Tél. 03 80 52 21 12
Contact : Jean-Louis Fougeray

1993 Bonnes Mares	E	86
1991 Bonnes Mares	E	87
1993 Marsannay Le Dessus des Longeroies	C	85
1991 Marsannay Saint-Jacques	C	85

Le Marsannay Saint-Jacques 1991, à la belle couleur et au caractère doux, accessible et mûr, est un vin séduisant. **A boire dans les 3 ou 4 ans.**

D'une couleur rubis profond, le Bonnes Mares 1991 libère des senteurs d'épices et de chêne neuf, et présente un caractère moyennement corsé et riche, aux notes de minéral et de cerise noire et mûre. La finale est souple, mais ferme. Ce vin gagnera au terme d'une garde de 1 an. **A boire dans les 6 ou 7 ans.**

En revanche, les 1993 du domaine sont durs, compacts et terriblement austères, avec tant de tannins qu'ils en deviennent corrosifs. Toutefois, deux crus se distinguent du lot par leur fruité et leur équilibre de bonne tenue.

La belle robe rubis foncé du Marsannay Le Dessus des Longeroies 1993 introduit de doux arômes de fruits rouges et mûrs. Moyennement corsé et très riche, ce vin est aussi excessivement tannique et acide. **A maturité : jusqu'en 2000.**

Le Bonnes Mares 1993 (généralement le meilleur cru de la propriété), de couleur rubis foncé, est moyennement corsé et monolithique, joliment mûr, avec un doux fruité et un caractère glycériné. La finale, compacte, révèle des tannins modérés. Ce vin se bonifiera au terme d'une garde de 1 ou 2 ans et se conservera bien **10 à 12 ans.**

DOMAINE GEANTET-PANSIOT (GEVREY-CHAMBERTIN)****

3, route de Beaune — 21220 Gevrey-Chambertin
Tél. 03 80 34 32 37 — Fax 03 80 34 16 23
Contact : Vincent Geantet

1994 Charmes-Chambertin	E	90
1993 Charmes-Chambertin	E	92
1991 Charmes-Chambertin	D	90
1994 Chambolle-Musigny	D	87
1994 Chambolle-Musigny Premier Cru	D	89
1994 Gevrey-Chambertin Le Poissenot	D	86 ?
1993 Gevrey-Chambertin Le Poissenot	D	87
1994 Gevrey-Chambertin Vieilles Vignes	C	85 ?
1993 Gevrey-Chambertin Vieilles Vignes	D	88
1991 Gevrey-Chambertin Vieilles Vignes	D	87
1994 Marsannay Les Champs Perdrix	C	80
1991 Marsannay Les Champs Perdrix	C	86
1994 Bourgogne Pinot Fin	B	86
1991 Bourgogne Pinot Noir	B	82
1993 Gevrey-Chambertin Les Jeunes Rois	D	88

Cette propriété propose des vins d'une qualité sans cesse grandissante depuis qu'elle est gérée par un membre de la jeune génération.

Léger, pur, savoureux et élégant, le Bourgogne Pinot Noir 1991 doit être dégusté d'ici 1 ou 2 ans.

Plus profond, le Marsannay Les Champs Perdrix 1991 est moyennement corsé, avec un admirable fruité mûr de framboise conjugué à de plaisantes notes de sous-bois et de terre. Ce vin épicé et légèrement tannique est d'une belle profondeur. **A boire dans les 4 ou 5 ans.**

Le Gevrey-Chambertin Vieilles Vignes 1991 libère un fabuleux bouquet de framboise mûre qui jaillit littéralement du verre. Moyennement corsé, avec une maturité et une concentration d'excellent niveau, il est gracieux et racé, avec des tannins doux. **A boire dans les 4 ou 5 ans.**

Le superbe Charmes-Chambertin 1991, au beau bouquet intense de chêne neuf et épicé, de framboise, de cerise et de réglisse, se révèle dense, riche et moyennement corsé en bouche. Il y montre, outre une concentration extraordinaire, une très belle richesse et une texture souple, ainsi qu'une finale longue, marquée par des tannins doux. **A boire dans les 6 ou 7 ans.**

Les 1993 de ce domaine sont également somptueux. Avec leur robe soutenue de couleur rubis-pourpre foncé, ils comptent au nombre des plus profondément colorés du millésime. Les arômes doux et mûrs qu'ils dégagent laissent deviner que ces vins sont issus de tout petits rendements, et leurs abondants tannins sont bien étayés par un caractère charnu et de bonne mâche, que l'on perçoit en milieu de bouche. Tout cela laisse présager qu'ils seront encore bien fruités **d'ici une dizaine d'années.**

Le Gevrey-Chambertin Le Poissenot 1993, profondément coloré, présente de riches arômes de cerise noire bien marqués par des notes de chêne neuf et grillé. Moyennement corsé et d'une excellente richesse, il se dévoile joliment en bouche, et s'y révèle bien doté, pur, structuré et modérément tannique. **A boire dans les 10 à 12 ans** qui suivront une garde de 2 ou 3 ans.

La robe soutenue du Gevrey-Chambertin 1993, issu de vieilles vignes de 90 ans d'âge, introduit un vin au caractère moyennement corsé, très riche, et dont les tannins sont fermes. **A maturité : jusqu'en 2004.**

Le Gevrey-Chambertin Les Jeunes Rois 1993, issu de vignes de 45 ans d'âge, arbore lui aussi une robe soutenue et libère de généreux arômes de fruits noirs et doux. Il révèle un caractère jeune et relativement peu évolué. **A boire dans les 10 ans.**

Extraordinairement concentré et mûr (contrairement à nombre de ses jumeaux), le très impressionnant Charmes-Chambertin 1993, d'un rubis-pourpre très soutenu, est moyennement corsé, bien long et riche en bouche. On décèle au nez des arômes de chêne vanillé et grillé, mais ce vin riche libère surtout un intense fruité de pinot noir. Il sera au meilleur de sa forme dans 4 ou 5 ans et durera 10 ans.

Parmi les 1994, le Bourgogne Pinot Fin est le bienvenu dans l'océan de médiocrité qui envahit le marché. Il s'agit d'un vin trapu, chocolaté et charnu, aux arômes de terre et de fruits rouges. Bien épicé en bouche, il s'y révèle très profond, mais n'en attendez ni finesse ni grande complexité. **A boire dans les 2 ou 3 ans.**

Le Gevrey-Chambertin Vieilles Vignes, le Marsannay Les Champs Perdrix ainsi que le Gevrey-Chambertin Le Poissenot sont tous trois maigres, durs et rugueux, et n'ont pas le fruité crémeux nécessaire pour contrebalancer leur caractère tannique. Ce sont des vins bien faits, mais je pense que leur fruité se desséchera d'ici 2 ou 3 ans pour laisser un bloc creux et tannique.

L'excellent Chambolle-Musigny 1994, issu de vignes de 50 ans d'âge, est doux et rond, avec un nez plaisant de fruits rouges et d'épices. Moyennement corsé, il montre une profondeur et une maturité superbes. Un vin équilibré et bien fruité, que vous apprécierez **d'ici 1 ou 2 ans.**

Le Chambolle-Musigny Premier Cru 1994, issu des vignobles des Baudes, des Plantes et des Feusselottes, frise la perfection, avec sa robe d'un rubis sombre et ses merveilleux arômes floraux de griotte aigre et de vanille. Moyennement corsé, ce vin d'une profondeur et d'une richesse de premier ordre offre encore un doux fruité de cerise confiturée infusé de plaisantes notes de bois fumé. Un Chambolle-Musigny doux et séduisant, au potentiel de garde de 5 ou 6 ans.

L'extraordinaire Charmes-Chambertin 1994, à la robe très soutenue de couleur rubis-pourpre foncé, présente un nez énorme aux notes de viande fumée, de cerise noire et de vanille. Superbe de richesse et de maturité, il est aussi extrêmement profond, moyennement corsé et légèrement tannique, avec une finale persistante. Déjà prêt, il se conservera encore 6 ou 7 ans. Bien peu de bourgognes atteignent un tel niveau en 1994 !

DOMAINE HENRI GOUGES (NUITS-SAINT-GEORGES)**

7, rue du Moulin – 21700 Nuits-Saint-Georges
Tél. 03 80 61 04 40 – Fax 03 80 61 32 84
Contact : Pierre ou Christian Gouges

1991 Nuits-Saint-Georges	**D**	**83**
1991 Nuits-Saint-Georges Clos des Porrets	**D**	**86**
1991 Nuits-Saint-Georges Les Pruliers	**D**	**87**
1991 Nuits-Saint-Georges Les Vaucrains	**D**	**87**
1991 Nuits-Saint-Georges Les Saint-Georges	**D**	**86 ?**

Les 1991 présentés ici s'imposent comme les vins les plus complets qu'ait produits le Domaine Henri Gouges ces dernières années. Quoique n'étant pas exceptionnels, ils se révèlent plus colorés, plus aromatiques, plus riches et plus longs que tout ce qui y a été fait depuis les merveilleux 1969.

Le Nuits-Saint-Georges 1991, profondément coloré, exhale un nez séduisant de terre et de prune, et déploie en bouche des arômes moyennement corsés, épicés et mûrs, ainsi qu'une finale modérément tannique. Bien que compact, il est bien réussi pour l'appellation. **A boire dans les 6 ou 7 ans.**

Rubis foncé, le Nuits-Saint-Georges Clos des Porrets 1991 présente un nez serré, réticent et épicé, et offre en bouche des arômes et une structure riches, et d'une belle précision. Les abondants tannins que l'on décèle en finale ne mettent aucunement en péril l'équilibre de ce vin, que vous dégusterez de préférence au terme d'une garde de 2 ou 3 ans. **A maturité : 1998-2007.**

Plus dense et suffisamment profond pour contrebalancer ses tannins remarquablement abondants, le Nuits-Saint-Georges Les Pruliers 1991 se révèle moyennement corsé, avec une précision et une profondeur d'excellent niveau. Il développe au nez des senteurs de terre et de cassis doux, et en bouche des arômes longs et mûrs. Ce vin se bonifiera au terme d'une garde de 3 ou 4 ans et sera agréable dans les **12 ans qui suivront.**

Issu de vignes de 45 ans d'âge, le Nuits-Saint-Georges Les Vaucrains 1991 exhale un nez énorme et épicé de terre, de réglisse et de cerise noire. Tannique, musclé et puissant en bouche, il y exprime une excellente profondeur, ainsi qu'une finale austère, peu évoluée et jeune. Il demande, comme Les Pruliers, à être attendu 3 ou 4 ans, mais il se conservera ensuite **15 ans environ.**

Aussi coloré que Les Vaucrains, le Nuits-Saint-Georges Les Saint-Georges 1991 est plus fermé, avec des arômes et un caractère austères et rugueux qui rappellent ceux d'un bordeaux. Moyennement corsé, il semble profond et doté d'un doux fruité, mais je crois qu'il serait risqué de parier sur lui, ses tannins étant bien plus astringents que ceux des autres vins de la gamme. Je vous conseillerai de ne pas toucher à une seule de vos bouteilles avant 4 ou 5 ans. A maturité : jusqu'en 2005.

MACHARD DE GRAMONT (NUITS-SAINT-GEORGES)****

Le Clos – 21700 Prémeaux-Prissey
Tél. 03 80 61 15 25 ou 03 80 61 06 39
Contact : Marie-Christine ou Bertrand Machard de Gramont

1993 Nuits-Saint-Georges Les Hauts Pruliers	D	85+
1991 Nuits-Saint-Georges Les Hauts Pruliers	D	85
1993 Chambolle-Musigny Les Nazoires	D	86
1991 Chambolle-Musigny Les Nazoires	D	85
1991 Nuits-Saint-Georges Les Damodes	D	85
1991 Nuits-Saint-Georges Les Hauts Poirets	D	81

Je suis en général très amateur des vins de ce domaine, mais, si Gramont ne s'est pas cassé les dents en 1991, ses vins sont moins puissamment aromatiques et moins riches que je ne l'aurais souhaité.

Les trois premiers crus de Nuits-Saint-Georges 1991 vont du Hauts Pruliers, élégant, doux, rond et souple, moyennement corsé et prêt, au Hauts Poirets, plus léger et moins concentré, en passant par Les Damodes, moyennement corsé, satiné et richement fruité, aux arômes épicés et de terre. Ce producteur a, semble-t-il, fait de son mieux pour que ses vins ne présentent aucun caractère astringent : ils sont en effet sans détour et doux, et doivent être bus dans les 4 ou 5 ans.

Semblable aux Nuits-Saint-Georges, le Chambolle-Musigny Les Nazoires 1991 libère des senteurs plus intéressantes, dans un bouquet aux notes florales, épicées et de groseille. Il exhale encore en bouche des arômes moyennement corsés et doux de fruits rouges, et déploie une finale souple. Lui aussi doit être consommé **rapidement.**

Les 1993 de ce domaine sont généralement durs, maigres et tanniques, mais le Chambolle-Musigny Les Nazoires et le Nuits-Saint-Georges Les Hauts Pruliers représentent cependant les paris les plus sûrs. Tous deux sont élégants, moyennement corsés, austères et tanniques, avec un fruité plus mûr et plus concentré que les autres vins de cette série. Ils seront au meilleur de leur forme d'ici 2 ou 3 ans, et se conserveront bien **12 à 15 ans.**

DOMAINE ROBERT GROFFIER (MOREY-SAINT-DENIS)***

Route des Grands Crus – 21220 Morey-Saint-Denis
Tél. 03 80 34 31 53
Contact : Serge ou Robert Groffier

1993 Chambertin Clos de Bèze	EE	90
1991 Chambertin Clos de Bèze	EE	87+
1993 Bonnes Mares	EE	89
1991 Bonnes Mares	EE	88
1993 Chambolle-Musigny Les Amoureuses	E	87+
1991 Chambolle-Musigny Les Amoureuses	E	88
1993 Chambolle-Musigny Les Hauts-Doix	D	86+
1991 Chambolle-Musigny Les Hauts-Doix	D	87
1991 Chambolle-Musigny Les Sentiers	D	84 ?

Robert Groffier est un producteur des plus irréguliers. Ses 1991 sont sensiblement plus riches, plus complets et plus complexes que ses 1989 ou ses 1990. S'il vous est difficile d'imaginer une chose pareille, rappelez-vous que ses 1985, médiocres, ont été suivis de 1986 extraordinaires. Ce vigneron, qui se soucie fort peu de ses rendements, a tout simplement laissé la nature effectuer les vendanges en vert en 1991. Cela, conjugué au fait qu'il a procédé à une mise en bouteille sans filtration préalable, a donné des vins extrêmement prometteurs, qui s'imposent d'ailleurs comme les meilleurs du domaine depuis les 1986.

La robe profonde et sombre et le nez riche et épicé de cerise noire et d'herbes du Chambolle-Musigny Les Hauts-Doix 1991 introduisent un vin mûr et moyennement corsé, admirable de richesse en extrait, qui laisse en bouche une belle impression d'équilibre et de finesse. Doux et d'une grande ampleur aromatique, il sera parfait dans les 5 ou 6 ans.

Impressionnant de couleur, le Chambolle-Musigny Les Sentiers 1991 est profond et riche, mais aussi dur, tannique et fermé. Ce vin est difficile à évaluer, mais je pense que son fruité se fanera avant que ses tannins ne se fondent.

Le Chambolle-Musigny Les Amoureuses 1991 et le Bonnes Mares 1991 ne présentent pas le même inconvénient. Merveilleusement dotés et moyennement corsés, ils sont tous deux très richement extraits, et déploient un généreux fruité mûr de cerise noire mêlé de copieuses notes de chêne neuf grillé et vanillé.

Le premier, doux et savoureux, voluptueux et extrêmement fruité, se dévoile en bouche par paliers. **A boire dans les 6 ou 7 ans.**

Un peu plus profondément coloré, avec davantage de tannins en finale, le Bonnes Mares 1991 est énorme et bien équilibré, et présente un caractère sous-jacent de minéral et de pierre plus prononcé que Les Amoureuses. Déjà prêt, il se maintiendra **8 à 10 ans.**

De tous les 1991 du domaine, c'est le Chambertin Clos de Bèze qui se révèle le plus atténué et le plus réservé. D'une excellente couleur, riche et moyennement corsé, extrêmement précis et hautement extrait, il requiert une garde d'au moins 3 ou 4 ans, et devrait se conserver encore **10 à 12 ans.** Qu'il est rassurant de voir ce producteur proposer des vins d'une telle qualité !

Les 1993 sont également bien réussis. Ainsi, le Chambolle-Musigny Les Hauts-Doix 1993, au fruité doux et à la texture veloutée, révèle une excellente

concentration et un caractère légèrement tannique et très parfumé. Il se bonifiera au terme d'une garde de 1 ou 2 ans, et se conservera bien 10 ans.

Rubis foncé, le Chambolle-Musigny Les Amoureuses 1993 libère un fruité
merveilleusement doux et mûr, ainsi que des arômes intenses généreusement
marqués de notes de chêne neuf et fumé. Ce vin long, moyennement corsé
et légèrement tannique en bouche déploie une finale persistante et épicée. A
maturité : 1999-2008.

Le Bonnes Mares 1993, le plus tannique de toute la gamme, présente des
notes agressives de chêne épicé et vanillé. Moyennement corsé, extraordinaire
de richesse en extrait, il est bien structuré et imprégné d'un caractère de
minéral et de pierre mouillée. Accordez-lui encore 3 ou 4 ans, et dégustez-
le sur les 15 ans qui suivent.

Le Chambertin Clos de Bèze 1993 est de tout premier ordre. D'une resplendissante couleur rubis foncé, il exhale un nez doux et peu évolué d'herbes,
de fruits noirs et rouges, et de pain grillé. Ce vin formidable, très corsé, dense,
concentré et modérément tannique, pourrait encore se bonifier d'ici 2 ou 3 ans.
Son potentiel de garde, de 15 à 18 ans, est exceptionnel pour un vin de ce
domaine. (C'était la première fois que la mise en bouteille se faisait sans
collage ou filtration préalables.)

DOMAINE A. F. GROS (POMMARD)***

La Garelle – 21630 Pommard
Tél. 03 80 24 24 60 – Fax 03 80 24 03 16

1993 Richebourg	EE	90+ ?
1991 Richebourg	EEE	90
1993 Clos de Vougeot Le Grand Maupertuis	E	90
1993 Vosne-Romanée-Villages	D	87
1991 Vosne-Romanée Aux Réas	D	81
1991 Vosne-Romanée Mazières	D	83
1991 Échézeaux	EE	84
1991 Bourgogne Hautes-Côtes de Nuits	C	75

Cette branche de la famille Gros a enregistré des résultats incontestablement
mitigés en 1991. Le Bourgogne Hautes-Côtes de Nuits, le Vosne-Romanée
Mazières, le Vosne-Romanée Aux Réas et même l'Échézeaux (soi-disant issu
de vignes de 70 ans d'âge) révèlent tous le mauvais côté du millésime. Ils
se montrent dépouillés, austères et compacts, avec des tannins excessifs qui
dominent leur maigre fruité.

Le seul vin bien réussi me semble être le superbe Richebourg 1991, avec
sa robe d'un rubis-pourpre profond et son doux nez de framboise sauvage et
de fleurs. Ses arômes riches et concentrés persistent longuement en bouche.
En outre, ce vin illustre bien l'aptitude des bourgognes rouges à être à la
fois légers et élégants, imposants, riches et irrésistibles. A boire dans les
6 ou 7 ans.

Les 1993 sont bien réussis, même si deux des crus présentent un niveau d'acidité extrêmement élevé et des tannins très abondants.

Peu de Vosne-Romanée-Villages sont meilleurs que celui de ce domaine. Le 1993, rubis foncé, exhale un nez doux, épicé et boisé de fruits noirs. Il est riche, souple et velouté en bouche, tout en finesse et en élégance – étonnamment aromatique et présent en bouche pour un vin d'appellation Villages. **A boire dans les 4 ou 5 ans.**

Le Clos de Vougeot Le Grand Maupertuis 1993 est issu d'une parcelle très prisée, située au sommet d'un coteau qui jouxte les Échézeaux. Rubis foncé, il dégage de doux arômes de fruits noirs vanillés, se révèle moyennement corsé et d'une extraordinaire pureté en bouche, où il déploie une finale riche, longue, concentrée et modérément tannique. Il requiert une garde de 3 ou 4 ans, et devrait bien se conserver **12 ou 15 ans.**

Encore moins évolué et tout aussi impressionnant que le vin précédent, le Richebourg 1993, rubis-pourpre foncé, est moyennement corsé, très structuré et extraordinaire de richesse. Il recèle les tannins et l'acidité nécessaires pour se conserver **15 ans.** Un bourgogne que les amateurs apprécieront pour son austérité et son caractère peu évolué.

Note : nombre de gens soutiennent que les divers membres de la famille Gros se répartissent leur production de Richebourg après la mise en bouteille ; pour ma part, après avoir dégusté côte à côte ceux de Jean Gros, de A. F. Gros et de Anne et François Gros, j'ai l'impression qu'ils sont différents – quoi qu'en disent eux-mêmes ces trois producteurs.

DOMAINE ANNE ET FRANÇOIS GROS (VOSNE-ROMANÉE)***

11, rue des Communes – 21700 Vosne-Romanée
Tél. 03 80 61 07 95 – Fax 03 80 61 23 21
Contact : Anne ou François Gros

1991 Vosne-Romanée-Villages	D	85
1991 Clos de Vougeot	E	86
1991 Richebourg	EEE	88+

Le Vosne-Romanée-Villages 1991 de ce domaine est meilleur que celui des autres membres de la famille Gros. Profondément coloré, avec un excellent nez de cerise et de framboise, il est moyennement corsé et doux en bouche. **A boire dans les 2 ou 3 ans.**

Le Clos de Vougeot 1991 est légèrement meilleur que le vin précédent. D'un rubis moyennement foncé, avec un nez élégant et mûr, il présente une finale aux tannins agressifs et mordants, ce qui m'a empêché de lui attribuer une note plus élevée. Celle-ci pourra toutefois être revue à la hausse si les tannins se fondent et si le fruité se maintient. Il serait préférable de déguster ce vin **dès maintenant.**

Le Richebourg 1991 est le plus tannique et le plus maigre des trois Richebourg de la famille Gros. D'une excellente maturité, d'une grande élégance et d'un bel équilibre d'ensemble, il n'a cependant pas la souplesse de ses homologues de chez Jean Gros et A.F. Gros. Bien que tout le monde, y compris la famille Gros, soutienne qu'ils sont identiques, cela ne m'a pas semblé être le cas lorsque je les ai dégustés côte à côte.

DOMAINE JEAN GROS (VOSNE-ROMANÉE)***/****

3, rue des Communes – 21700 Vosne-Romanée
Tél. 03 80 61 04 69 – Fax 03 80 61 22 29
Contact : Jean Gros

1991 Bourgogne	C	65
1991 Bourgogne Hautes-Côtes de Nuits	C	62
1991 Vosne-Romanée-Villages	D	70
1991 Vosne-Romanée Clos des Réas	D	86
1991 Richebourg	EEE	91

Les 1991 du Domaine Jean Gros sont pour la plupart décevants – cela va du Bourgogne générique oxydé au Bourgogne Hautes-Côtes de Nuits aigre, dur et astringent, en passant par le Vosne-Romanée-Villages maigre, acidulé et tannique.

Même l'élégant et mûr Vosne-Romanée Clos des Réas 1991, qui déploie, à la fois au nez et en bouche, des notes de cerise noire modérément marquées de touches de chêne neuf et grillé, pèche par manque de concentration et de profondeur.

En revanche, le Richebourg 1991, censément le même que ceux de A. F. Gros et de Anne et François Gros, se révèle superbe, avec une robe rubis-pourpre foncé qui prélude à un merveilleux nez de cassis, de fleurs et de douces senteurs de chêne neuf et grillé. Moyennement corsé et ample, il est encore riche, velouté et voluptueux en bouche. Un bourgogne rouge séduisant et d'une opulence fabuleuse. **A maturité : jusqu'en 2004.**

DOMAINE ALAIN HUDELOT-NOËLLAT (VOUGEOT)****

21220 Chambolle-Musigny
Tél. 03 80 62 85 15
Contact : Alain Hudelot-Noëllat

1991 Nuits-Saint-Georges Les Murgers	D	88
1991 Chambolle-Musigny Les Charmes	D	90
1991 Vougeot Les Petits Vougeots	D	87
1991 Vosne-Romanée Les Beaumonts	D	87
1991 Vosne-Romanée Les Suchots	D	88
1991 Romanée-Saint-Vivant	EE	87
1991 Richebourg	EE	90

Ce domaine a tout ce qu'il faut pour produire des vins spectaculaires, mais il s'est longtemps montré sous-performant. Cependant, Alain Hudelot semble avoir enfin pris conscience de ce que la compétition féroce régnant sur le marché exige une qualité toujours plus élevée. Ses 1991 sont les meilleurs vins que je connaisse de cette propriété.

De faibles rendements et l'abandon de la filtration préalable à la mise en bouteille ont fait des merveilles : tous les 1991 d'Alain Hudelot ressemblent à des 1990, gras, voluptueux et opulents, et présentent encore un généreux fruité qui les rend savoureux et luxuriants. Je vous les recommande tous, mais certains d'entre eux présentent évidemment davantage de complexité et d'ampleur aromatique.

Puissant, riche et souple, le Nuits-Saint-Georges Les Murgers 1991 exhale un nez énorme et épicé de terre et de fruits noirs. Tout en fruité généreux et dense, il est doté d'un caractère corpulent nullement submergé de notes de chêne neuf. **A boire dans la décennie.**

En revanche, on décèle des touches de boisé dans le Chambolle-Musigny Les Charmes 1991, qui donne une impression d'ensemble de richesse et de maturité exceptionnelles. Merveilleusement équilibré, parfumé et riche, il révèle une faible acidité, et sa finale est douce et somptueuse. **A boire dans les 6 ou 7 ans.**

Le Vougeot Les Petits Vougeots 1991, au nez plaisant de cerise, est moyennement corsé, d'une excellente richesse et d'une belle maturité, avec une finale alcoolique et capiteuse. Cependant, il n'a pas la complexité du Chambolle-Musigny Les Charmes, pas plus que la puissance ou le caractère épicé et de terre du Nuits-Saint-Georges Les Murgers. **A maturité : jusqu'en 2003.**

Les deux premiers crus de Vosne-Romanée sont de très grande qualité.

Le Vosne-Romanée Les Beaumonts 1991, souple et doux, est déjà prêt ; sa faible acidité et son caractère savoureux laissent penser qu'il devrait être consommé dans les 4 ou 5 ans.

Rubis foncé, le beau Vosne-Romanée Les Suchots 1991 exhale un nez plus aromatique de fruits noirs, d'herbes et de chêne doux. Il est plus opulent, plus riche et plus corsé que Les Beaumonts. **A boire dans les 6 ou 7 ans.**

Le grand cru Romanée-Saint-Vivant 1991 est très bon, avec un caractère gras et séduisant, mais sans la complexité que l'on attend d'un tel cru.

Le meilleur de tous est le Richebourg 1991, avec son énorme bouquet de fleurs printanières, de cassis et de framboise sauvage, judicieusement infusé de notes de chêne neuf et épicé. Très corsé et profond, étonnamment doux et accessible, il est savoureux, et doit être consommé dans les 6 ou 7 ans.

LOUIS JADOT (BEAUNE)****/*****

5, rue Samuel-Legay – 21200 Beaune
Tél. 03 80 22 10 57 – Fax 03 80 22 56 03
Contact : Pierre-Henry Gagey

1993 Chapelle-Chambertin	E	89 ?
1991 Chapelle-Chambertin	D	87
1993 Mazoyères-Chambertin	E	90
1993 Chambertin Clos de Bèze	E	88+ ?
1991 Chambertin Clos de Bèze	E	89

1993 Chambertin	E	86 ?
1991 Chambertin	E	86+
1993 Gevrey-Chambertin Clos Saint-Jacques	E	88 ?
1991 Gevrey-Chambertin Clos Saint-Jacques	D	87
1993 Gevrey-Chambertin Estournelles Saint-Jacques	D	89
1991 Gevrey-Chambertin Estournelles Saint-Jacques	D	86
1993 Bonnes Mares	E	90
1991 Bonnes Mares	E	86
1993 Clos Saint-Denis	E	90
1993 Clos de Vougeot	E	87
1991 Clos de Vougeot	D	87
1993 Vosne-Romanée Les Beaux Monts	D	90
1991 Vosne-Romanée Les Beaux Monts	D	86
1993 Vosne-Romanée Les Suchots	D	89+
1991 Vosne-Romanée Les Suchots	D	87
1993 Musigny	EE	92
1991 Musigny	EEE	86
1993 Chambolle-Musigny Les Amoureuses	EE	90
1991 Chambolle-Musigny Les Amoureuses	D	87
1993 Chambolle-Musigny Les Feusselottes	E	89+
1991 Chambolle-Musigny Les Feusselottes	D	87
1993 Nuits-Saint-Georges Aux Boudots	D	87
1991 Nuits-Saint-Georges Aux Boudots	D	86
1993 Corton Pougets	D	88
1993 Volnay Clos de la Barre	D	87
1993 Pommard Les Grands Épenots	D	91
1993 Pommard Clos des Poutures	D	86
1993 Beaune Clos des Ursules	D	90+
1993 Beaune Clos des Couchereaux	C	89
1993 Beaune Les Boucherottes	C	88
1993 Beaune Les Teurons	C	87+
1993 Beaune Les Chouacheux	C	86
1993 Beaune Les Avaux	?	79 ?
1993 Beaune Premier Cru	C	87
1993 Cuvée Roland Rousseau	D	87
1993 Cuvée Guigone de Salins	D	87
1993 Chassagne-Montrachet Morgeot Duc de Magenta	C	86+
1993 Pernand-Vergelesses Clos de la Croix de Pierre	C	86

1991 Romanée-Saint-Vivant	**E**	**90**
1991 Gevrey-Chambertin Lavaux Saint-Jacques	**D**	**87**
1991 Nuits-Saint-Georges Clos des Corvées	**D**	**85+**

Avec une belle profondeur sous-jacente et une structure qui rappellent les bordeaux, le Nuits-Saint-Georges Clos des Corvées 1991 arbore une couleur rubis foncé, et déploie une finale aux tannins rugueux, secs et austères. Consommez-le dans **la décennie** qui suivra une garde de 1 ou 2 ans.

Le Nuits-Saint-Georges Aux Boudots 1991, plus séduisant que le vin précédent, est solide, moyennement corsé et mûr, avec des tannins durs, mais il révèle également un fruité et une profondeur d'excellent niveau, bien marqués par une bonne mâche. **A maturité : jusqu'en 2005.**

Charmeur et profondément coloré, avec un nez floral et herbacé de fruits rouges et de terre, le Chambolle-Musigny Les Feusselottes 1991 est moyennement corsé, plaisant et concentré en bouche, avec le fruité suffisant pour contrebalancer son caractère tannique. La finale est longue et imposante. **A boire dans les 10 ans.**

La couleur rubis profond du Vosne-Romanée Les Beaux Monts 1991 précède un nez serré, mais prometteur, de fruits rouges, d'épices et de vanille. Les tannins que l'on y décèle sont bien étayés par une belle profondeur et une bonne maturité, ainsi que par un caractère moyennement corsé. **A maturité : jusqu'en 2003.**

Le Vosne-Romanée Les Suchots 1991 (l'un des tout meilleurs crus de Vosne-Romanée) est légèrement mieux doté, plus ample, plus doux et plus parfumé que le vin précédent. Riche, expansif et savoureux en bouche, il est d'une qualité équivalente à celle de son aîné, et présente d'ores et déjà plus de complexité que nombre de ses jumeaux. **A maturité : jusqu'en 2005.**

Les premiers crus de Gevrey-Chambertin que propose la maison Louis Jadot sont bien vinifiés et solidement bâtis, avec le caractère compact et tannique propre au millésime. Profondément colorés, ils ont un beau potentiel de longévité. Mais leur fruité ne se desséchera-t-il pas avant que leurs tannins ne se fondent ?

Le Gevrey-Chambertin Estournelles Saint-Jacques 1991 offre un nez plaisant, épicé et charnu, qui évoque la terre et introduit en bouche des arômes moyennement corsés, richement extraits et bien concentrés. Longue et épicée, la finale est marquée par des tannins doux. **A boire dans les 10 ans.**

Le Gevrey-Chambertin Lavaux Saint-Jacques 1991, au fruité plus doux, révèle une richesse charnue, épicée et marquée par la mâche. Bien doté, avec un caractère séduisant et glycériné, il présente une finale ferme et modérément tannique. **A maturité : 1998-2008.**

Alors que ce cru est en général l'un des tout meilleurs de la gamme Jadot, le Gevrey-Chambertin Clos Saint-Jacques 1991 est fermé, maigre et austère, semblable à un bordeaux médiocre. Peut-être l'ai-je dégusté à un moment ingrat de son évolution ? Il a toutefois un aspect bien massif et des arômes mûrs, mais sa finale est dure et ses tannins me semblent excessifs. **A maturité : 1998-2010.**

Issu de rendements extrêmement petits (la grêle avait dévasté Chambolle), le Chambolle-Musigny Les Amoureuses 1991 présente une robe sombre de couleur rubis ouvrant sur un excellent nez de fruits noirs et rouges et de vanille. Savoureux et riche, moyennement corsé et d'une belle texture, il est encore profond et mûr, avec une finale modérément tannique. **A boire dans les 10 ans.**

Vous trouverez parmi les grands crus l'élégant Chapelle-Chambertin 1991, bien coloré, au fruité de cerise noire, qui déploie en bouche des arômes multidimensionnels, ainsi qu'une finale solide et épicée. Les tannins sont présents, mais sans excès. **A maturité : 1998-2008.**

Le Chambertin Clos de Bèze 1991 s'impose comme l'un des meilleurs vins de la maison Jadot. Sa robe très soutenue, d'un rubis profond, introduit un nez serré, mais prometteur, d'herbes rôties, de fruits noirs et de vanille. En bouche, ce vin révèle des arômes persistants, riches, moyennement corsés, concentrés et puissants, et une belle profondeur. La finale est modérément tannique. **A maturité : jusqu'en 2005.**

Moins impressionnant que le cru précédent, le Chambertin 1991 se révèle dur et austère, en raison de son caractère excessivement tannique. Malgré ses arômes plaisants et mûrs de cerise noire, et sa finale épicée et de bonne mâche, il constitue un pari des plus aléatoires.

Les Musigny et Bonnes Mares 1991 présentent le même défaut. Tous deux sont d'une belle couleur rubis sombre, solidement bâtis, moyennement corsés et bien profonds, avec un fruité mûr et épicé, mais l'astringence de leurs tannins me dérange. Si leur fruité ne se dessèche pas, mon appréciation sera simplement provisoire. **A maturité : 2000-2008.**

Le Clos de Vougeot 1991 est le plus complet de tous les grands crus de la gamme. Sa robe rubis profond prélude à un nez puissant de cassis et de pruneau. Moyennement corsé, épicé et dense, bien marqué par la mâche, il manque de complexité, mais se révèle énorme, juteux, ferme et tannique, avec un potentiel de garde de 10 à 15 ans.

C'est au beau Romanée-Saint-Vivant 1991 (produit à hauteur de 50 caisses seulement) que j'ai décerné la meilleure note. Ce vin présente une robe rubis foncé qui introduit un nez de fleurs, de cerise noire et douce, d'épices orientales et d'herbes aromatiques. Riche et ample en bouche, il y déploie une texture voluptueuse, bien étayée par une bonne acidité et d'abondants tannins. Merveilleusement équilibré, il se révèle encore d'une richesse et d'une concentration exceptionnelles. Sa finale est longue, savoureuse et modérément tannique. **A boire dans les 10 à 15 ans, voire au-delà.**

Les 1993 sont généralement réussis, bien que l'on trouve au bas de l'échelle des vins plutôt rugueux et tanniques. Deux d'entre eux, le Pernand-Vergelesses Clos de la Croix de Pierre et le Chassagne-Montrachet Morgeot Duc de Magenta, pourraient éventuellement se révéler austères lorsqu'ils seront à maturité. En effet, le Pernand-Vergelesses est souvent rustique, dur et anguleux, même dans des années de belle maturité ; et le Clos de la Croix de Pierre, moyennement corsé et concentré, avec un fruité bien dense, est dominé par son caractère tannique. Il en est de même pour le savoureux Chassagne-Montrachet Morgeot Duc de Magenta, plus concentré, plus mûr et plus coloré que le vin précédent, dont la finale aux tannins durs laisse deviner qu'il se desséchera peut-être avant d'être à parfaite maturité.

En 1993, la maison Louis Jadot a acheté plusieurs cuvées à la vente aux enchères des Hospices de Beaune. Deux de celles-ci, la Cuvée Guigone de Salins et la Cuvée Roland Rousseau, se distinguent des vins de la maison par leur boisé plus prononcé. Regorgeant d'un fruité doux, de généreux arômes vanillés et de pain grillé, elles se révèlent moyennement corsées et pleines de charme, bien glycérinées et charnues. Vous pourrez déguster ces vins structurés et tanniques d'ici 1 ou 2 ans, et ils se conserveront **12 ans, ou plus.**

Les autres premiers crus de Beaune de la maison Louis Jadot sont généralement d'excellents vins.

D'un rubis moyennement foncé, le Beaune Premier Cru 1993 (issu d'un assemblage de diverses parcelles de premier cru) libère un généreux fruité de cerise douce, et se révèle rond et souple en bouche, avec une finale légèrement tannique. **A boire dans les 10 ans.**

Si j'ai été déçu par le Beaune Les Avaux 1993, j'ai en revanche trouvé le Beaune Les Chouacheux de cette année-là de bonne tenue – mais il serait dommage que ses tannins ne se fondent pas mieux dans l'ensemble. **A maturité : 1999-2006.**

La maison Louis Jadot a décroché la timbale en 1993, avec ses Beaune Les Boucherottes, Beaune Les Teurons, Beaune Clos des Couchereaux et Beaune Clos des Ursules.

Le plus tannique de tous est peut-être le Beaune Les Teurons. D'une resplendissante couleur rubis foncé, il regorge d'un fruité mûr aux notes de cerise, de terre et de boisé. Bien que fermé et dur, il me paraît d'une bonne profondeur. **A maturité : 2000-2007.**

Rubis foncé, le Beaune Les Boucherottes, plus doux et plus opulent que le vin précédent, est moyennement corsé, doux et rond en bouche, où il révèle une bonne structure sous-jacente, un joli fruité, ainsi qu'un caractère glycériné et charnu. **A boire dans les 10 ans.**

Le nez doux et confituré, aux notes épicées de fruits noirs et rouges, du Beaune Clos des Couchereaux 1993 précède en bouche des arômes opulents et voluptueux, tout à fait atypiques pour le millésime, qui rappellent plus un 1989 ou un 1990. Faible en acidité et d'une maturité exceptionnelle, ce vin présente une finale à la fois élégante, gracieuse, soyeuse et charnue. **A boire dans les 10 ans, peut-être au-delà.**

Le Beaune Clos des Ursules est toujours l'un des meilleurs crus de la gamme Jadot. Extraordinaire et très tannique en 1993 (il requiert une garde d'au moins 5 ans), il est encore moyennement corsé, puissant, musclé et d'une concentration superbe. Son fruité profond et épicé, son excellente pureté et sa richesse de belle ampleur achèvent d'en faire un vin qui, sans être aussi flatteur ni aussi gras que le 1989, ni aussi racé que le 1990, est tout de même extrêmement réussi. Son potentiel de garde est de **20 ans environ.**

Parmi les Pommard, vous trouverez le Clos de Poutures, plus boisé que ne le sont généralement les vins de Jadot, assez mûr et épicé, moyennement corsé, très tannique et d'une belle profondeur. **A maturité : 1999-2010.**

L'exceptionnel Pommard Les Grands Épenots 1993 est un grand classique, avec son caractère puissant, très corsé et musclé, son extraordinaire intensité aromatique, ainsi que sa structure, ses tannins et son fruité très généreux. Ce vin pur, d'une belle présence en bouche, s'impose comme l'un des meilleurs Pommard du millésime. **A maturité : 2003-2012.**

Le Volnay Clos de la Barre 1993, de couleur rubis foncé, pourrait très certainement se révéler excellent, avec ses tannins mûrs et bien fondus, son caractère frais, moyennement corsé et de bon ressort, ainsi que sa finale modérément tannique. Accordez-lui une garde de 3 ou 4 ans, et dégustez-le dans **la décennie** qui suivra.

Enfin, le Corton Pougets 1993, le moins connu des meilleurs crus de la maison Jadot, est puissant et terriblement tannique. Malgré un potentiel qui lui permettrait d'être excellent, il ne sera jamais grandiose, ses tannins abondants, conjugués à une acidité très élevée, le rendant austère. Vous dégusterez ce vin au terme d'une garde de 5 ou 6 ans, et croiserez les doigts en espérant que son fruité ne se fanera pas d'ici là.

En Côte de Nuits, les sélections de la maison Jadot sont simplement de qualité moyenne, mais le Nuits-Saint-Georges Aux Boudots 1993 me semble être de bonne tenue. Rubis foncé, assez gras, mûr et modérément tannique, il requiert une garde de 5 ou 6 ans et se conservera bien ensuite **10 à 12 ans.**

Certains des premiers crus de la Côte de Nuits sont mieux équilibrés et ont un fruité plus riche et plus mûr que nombre de grands crus plus onéreux.

J'ai tout spécialement admiré le Chambolle-Musigny Les Feusselottes 1993, étonnamment riche, doux et provocateur, avec ses notes extrêmement aromatiques de fruits, de fleurs et d'épices. Un vin moyennement corsé, gracieux, aux tannins bien fondus, que vous apprécierez dans les **12 à 15 ans** qui suivront une garde de 1 ou 2 ans.

Meilleur que le vin précédent, le Chambolle-Musigny Les Amoureuses 1993 est l'une des plus belles réussites de l'appellation. Impressionnant par sa robe très soutenue, il est extrêmement doux et se révèle profond et moyennement corsé en bouche, où il déploie par paliers une belle concentration, des tannins doux et très mûrs, ainsi qu'une finale longue, admirablement dotée et de bon ressort. Ce vin demande à être attendu encore 2 ou 3 ans, mais se conservera parfaitement **15 à 20 ans.**

Le Musigny est l'un des meilleurs 1993 de la gamme Jadot. D'une concentration spectaculaire, avec un nez extraordinaire et pénétrant de fruits noirs et rouges judicieusement mêlé de notes de chêne grillé, il est moyennement corsé et admirablement structuré en bouche, où il dévoile encore des tannins mûrs qui contribuent à son bel équilibre d'ensemble. Ce vin formidable requiert une garde de 5 à 7 ans, et devrait durer encore **une vingtaine d'années.**

Les deux premiers crus de Vosne-Romanée sont excellents.

Le Vosne-Romanée Les Suchots 1993, plus tannique, présente une robe soutenue et libère de généreux arômes de fruits noirs et rouges. Moyennement corsé et d'une excellente concentration, il demande incontestablement que vous l'attendiez 5 ou 6 ans. **A maturité : 2003-2012.**

Quant au Vosne-Romanée Les Beaux Monts 1993, d'une maturité splendide, il déploie d'éclatants arômes de fruits noirs, et révèle une texture plus souple et plus douce que le vin précédent. Moyennement corsé, avec une finale imposante et puissante, il sera prêt d'ici 4 ou 5 ans, et devrait tenir **environ 15 ans, peut-être plus.**

Parmi les autres grands crus de la Côte de Nuits, vous trouverez le Clos de Vougeot 1993, profondément coloré et très bon, mais monolithique. Moyennement corsé et d'une grande richesse en extrait, il déploie en finale les tannins durs propres au millésime. Conservez ce vin encore 2 ou 3 ans avant de le déguster. Son potentiel de garde est de **20 ans**. Cependant, il pourrait devenir légèrement austère.

Le Clos Saint-Denis et le Bonnes Mares 1993 sont tous deux extraordinaires. Le premier, moyennement corsé et d'une douceur admirable, déborde de généreux arômes de fruits noirs et confiturés, et se révèle doux en milieu de bouche. Bien équilibré, malgré une finale extrêmement tannique, il s'impose, sans être massif, comme un bourgogne élégant et concentré. **A maturité : 2000-2015**.

Plus tannique, mais moins concentré et moins souple que le Chambolle-Musigny Les Amoureuses, le Bonnes Mares 1993 est bien fait, moyennement corsé, et d'une grande douceur. Cependant, il n'est pas aussi impressionnant que dans d'autres millésimes, 1990 notamment. Vous l'apprécierez dans les **15 ans** qui suivront une garde de 4 ou 5 ans.

La maison Jadot, qui possède d'importantes parcelles en Gevrey-Chambertin, s'impose progressivement comme l'un des tout meilleurs producteurs de l'appellation. Tous les Gevrey 1993 ci-après sont tanniques, et les meilleurs d'entre eux affichent une maturité et une douceur qui compensent heureusement leur caractère ferme et structuré.

Vous trouverez, parmi les premiers crus, le Gevrey-Chambertin Estournelles Saint-Jacques 1993, l'un des vins les plus fruités et les plus flatteurs de la gamme. Très doux, avec un nez de café, de fruits rouges et de fumé marqué de notes de terre, il révèle des tannins légers dans une finale moyennement corsée et d'une belle concentration. Déjà prêt, il tiendra néanmoins encore **12 ans, voire plus**.

Le Gevrey-Chambertin Clos Saint-Jacques 1993, qui est généralement l'un des crus que je préfère, se révèle plus austère, plus rugueux et plus tannique que le précédent – il me rappelle certains bordeaux de 1975, aux tannins trop prononcés. Malgré son fruité profond, son avenir semble douteux, compte tenu de son caractère maigre. Qu'en restera-t-il d'ici 10 ou 15 ans ?

Parmi les grands crus, le Chambertin 1993, tout en finesse, manque cependant de concentration, et la petite touche de moisi qu'il révèle me rappelle les problèmes de pourriture qui avaient marqué le millésime 1983. J'ai aimé les composantes de ce vin, mais ses tannins abondants me gênent. **A maturité : 2005-2014.**

Plus profond et plus riche, le Chambertin Clos de Bèze 1993 est lui aussi desservi par un niveau de tannins excessivement élevé. Bien coloré et fruité, il est néanmoins fermé et dur, et manque de grâce. Je me demande s'il s'épanouira un jour pour se montrer agréable et plaisant.

Il vaut mieux, à mon avis, parier sur le Chapelle-Chambertin 1993 et le Mazoyères-Chambertin 1993. Le second, issu de vieilles vignes de 65 ans d'âge, révèle un fruité fabuleusement doté de cassis, mêlé de notes de viande fumée et grillée. Moyennement corsé, souple, gras et même onctueux (une rareté en 1993), il est encore riche et très bien équilibré. **A boire dans les 10 à 12 ans.**

Également séduisant, bien que tannique, le Chapelle-Chambertin 1993 affiche une couleur resplendissante. L'attaque en bouche et les arômes qu'il dégage sont prometteurs, alors que la finale est assez dure et sèche, marquée par une austérité mordante. Accordez à ce vin profond une garde de 2 ou 3 ans, et dégustez-le sur les 12 à 15 ans qui suivront.

DOMAINE ROBERT JAYER-GILLES (MAGNY-LÈS-VILLERS)*****

21700 Magny-lès-Villers
Tél. 03 80 62 91 79 – Fax 03 80 62 99 77
Contact : Robert Jayer

1993 Échézeaux	E	90+
1991 Échézeaux	EE	87
1993 Nuits-Saint-Georges Les Damodes	D	88+
1991 Nuits-Saint-Georges Les Damodes	E	87+
1993 Nuits-Saint-Georges Les Hauts Poirets	D	87
1991 Nuits-Saint-Georges Les Hauts Poirets	D	86
1991 Côte de Nuits	D	83
1991 Hautes-Côtes de Nuits	C	82

Rares sont les vinificateurs de la Côte de Nuits ayant la main aussi sûre que Robert Jayer, mais ses 1991 sont assez décevants, quand on sait ce qu'il a été capable de faire ces dix dernières années.

Son Hautes-Côtes de Nuits 1991 ainsi que son Côte de Nuits 1991 présentent certains défauts propres au millésime – des tannins durs et trop abondants, et un manque de fruité doux et mûr. Tous deux ont une belle couleur, mais ils sont dominés par leurs tannins.

En revanche, le Nuits-Saint-Georges Les Poirets 1991 et le Nuits-Saint-Georges Les Damodes 1991 révèlent un meilleur équilibre et davantage de richesse et de maturité, ce qui leur permet de bien compenser leur caractère tannique. Ces deux vins ne seront à parfaite maturité que d'ici 2 ou 3 ans. Si leur fruité s'affirme en même temps que leurs tannins se fondent, mes notations sembleront peut-être un peu sévères.

L'Échézeaux 1991 est légèrement corsé pour un vin de Robert Jayer. Plus compact et plus austère que les vins précédents, il offre néanmoins un nez plaisant et floral de fruits rouges, et se révèle épicé et modérément concentré en bouche. On distingue dans sa finale des tannins très durs et astringents. A maturité : jusqu'en 2004.

Ces cinq 1991 ne constituent pas des investissements aussi sûrs que les précédents millésimes de ce producteur.

Les 1993 sont, à mon avis, de qualité inégale. Ils révèlent dans l'ensemble une acidité élevée et des tannins rugueux, mais les meilleurs d'entre eux possèdent suffisamment d'un fruité mûr et concentré pour étayer leur structure.

Ainsi, le Nuits-Saint-Georges Les Hauts Poirets 1993, dont la robe rubis-pourpre foncé est impressionnante, offre un nez serré qui libère, au mouvement du verre, des senteurs de fruits noirs très mûrs. L'attaque en bouche est concentrée et moyennement corsée, et l'on décèle ensuite une belle intensité, ainsi que des tannins abondants dans une finale structurée et acidulée. A boire dans les **10 à 15 ans** qui suivront une garde de 5 ou 6 ans.

Le Nuits-Saint-Georges Les Damodes 1993 dégage au nez de fortes bouffées de pierre mouillée et de framboise sauvage écrasée. Débordant d'une acidité de bon ressort et de tannins abondants, il laisse en bouche une impression compacte et sinueuse, malgré ses généreux arômes de fruits noirs et rouges. J'ai particulièrement aimé son caractère bien serré, sa pureté et son côté vibrant. Ce vin sera prêt d'ici 4 ou 5 ans et tiendra **10 à 15 ans**.

L'Échézeaux 1993, très tannique, impressionne par sa robe de couleur rubis foncé. Le nez légèrement intense de framboise et de cerise est mêlé de senteurs de chêne neuf et grillé. Moyennement corsé et vivace, avec une acidité élevée et de bon ressort et le caractère acidulé propre au millésime, ce vin extraordinaire est l'élégance même – il sera particulièrement apprécié des œnologues et des structuralistes... Vous le dégusterez dans les **10 à 12 ans** qui suivront une garde de 4 ou 5 ans.

DOMAINE LAMARCHE (VOSNE-ROMANÉE)***

21700 Vosne-Romanée
Tél. 03 80 61 07 94
Contact : François Lamarche

1991 Bourgogne Passetoutgrain	B	85
1991 Vosne-Romanée Les Charmes	D	81+
1991 Vosne-Romanée Les Malconsorts	D	?
1991 Clos de Vougeot	E	87
1991 Grands Échézeaux	E	86+
1991 Vosne-Romanée La Grande Rue	E	86

Les 1991 ci-dessus sont les vins les plus profondément colorés que je connaisse de ce domaine. J'ai été ravi d'apprendre que François Lamarche avait cessé de filtrer ses vins à compter de ce millésime – il est en effet encourageant de constater que les meilleurs producteurs bourguignons reviennent de plus en plus aux méthodes de vinification traditionnelles – celles qui avaient cours dans les années 50 et 60.

L'excellent Bourgogne Passetoutgrain 1991, au caractère mûr, libère au nez un fruité de cerise, et en bouche des arômes fruités et confiturés, ainsi qu'une finale ronde et faible en acidité. **A boire dans les toutes prochaines années.**

Bien colorés, le Vosne-Romanée Les Charmes 1991 et le Vosne-Romanée Les Malconsorts 1991 sont tanniques, durs, fermes et austères, d'une belle profondeur, mais d'un équilibre douteux, compte tenu de leur niveau élevé de tannins astringents. J'ai préféré les noter sévèrement, plutôt que de leur accorder le bénéfice du doute. Il faut se rappeler que les vins de pinot noir perdent plus rapidement leur fruité que leurs tannins. Les Charmes tiendra **jusqu'en 2000**, et Les Malconsorts **jusqu'en 2004**.

Plus riche et plus énorme, le Clos de Vougeot 1991 exhale de généreux arômes de cerise noire et de cassis. D'une corpulence admirable, bien glycériné et richement extrait, il déploie une finale longue et modérément tannique. Ses tannins sont bien étayés par un profond fruité qui lui confère de l'équilibre. **A maturité : jusqu'en 2008.**

Le Grands Échézeaux 1991, impressionnant de couleur, présente un nez muet et indescriptible. Ses tannins, durs et rugueux, ne permettent pas de juger sa capacité à se développer de manière harmonieuse, et semblent sévères et compacts malgré un fruité sous-jacent. Ce vin, que vous ne dégusterez pas avant la fin de cette décennie, méritera une meilleure note s'il s'étoffe avec le temps. Son potentiel de garde est de **12 à 15 ans.**

D'une excellente couleur, le Vosne-Romanée La Grande Rue 1991 présente un nez merveilleusement complexe de violette, de fruits noirs et rouges, et de chêne neuf et épicé. L'attaque en bouche est bonne, qui révèle un fruité riche et doux, mais des tannins durs et astringents prennent ensuite le dessus et dominent en finale. **A maturité : jusqu'en 2004.**

Je suis impressionné par l'envergure que prend ce domaine – il pourrait, en effet, s'imposer comme l'un des tout meilleurs, compte tenu des fabuleux vignobles qu'il possède.

DOMAINE DOMINIQUE LAURENT (NUITS-SAINT-GEORGES)****/*****

2, rue Jacques-Duret – 21700 Nuits-Saint-Georges
Tél. 03 80 61 31 62 – Fax 03 80 62 32 42
Contact : Dominique Laurent

1993 Charmes-Chambertin	E	94
1992 Charmes-Chambertin	E	90
1993 Chambolle-Musigny Les Amoureuses	E	95
1993 Clos de Vougeot	E	90
1993 Nuits-Saint-Georges Les Cailles	D-E	90+
1993 Nuits-Saint-Georges Les Vaucrains	D-E	96
1993 Nuits-Saint-Georges Richemone	D-E	89+
1993 Nuits-Saint-Georges Les Pruliers	D-E	89+
1993 Chambertin	EEE	96
1993 Chambertin Clos de Bèze	EEE	93+
1993 Mazis-Chambertin	E	94+
1993 Ruchottes-Chambertin	E	94
1993 Gevrey-Chambertin Lavaux Saint-Jacques	E	91+
1993 Gevrey-Chambertin Estournelles Saint-Jacques	D	90+
1993 Gevrey-Chambertin Poissenots	D	90+
1993 Gevrey-Chambertin Combe aux Moines	E	87
1993 Savigny-lès-Beaune Serpentières	D	86
1993 Savigny-lès-Beaune Les Narbantons	D	87
1993 Beaune Premier Cru Vieilles Vignes	D	90

1993 Pommard Les Épenots	E	90
1992 Bonnes Mares	EE	90
1992 Clos de la Roche	E	87

Ancien pâtisser, Dominique Laurent a débuté sa carrière viticole en 1989. Je n'ai pas dégusté ses trois premiers millésimes, mais il semblerait qu'il ait mis dans le mille avec des 1992 absolument fabuleux. Ce producteur achète la production de certains vignerons soigneusement choisis, la vieillit entièrement en fûts neufs et la met en bouteille sans collage ni filtration préalables. Fervent adepte de l'utilisation de levures et de lies – dont il estime qu'elles apportent leur intensité et leur richesse aux vins –, il propose régulièrement des bourgognes de premier ordre, riches et traditionnels, qui suscitent quelques remous dans les cercles viticoles de la région. Je recommande tout particulièrement la visite de ses caves. Les vins qu'il y élève sont généralement issus de très vieilles vignes – dont la plupart sont sous culture biologique ou biodynamique –, à peine sulfités et mis en bouteilles fût par fût. Il arrive qu'il n'y ait que trois ou quatre fûts d'une cuvée ; il est alors possible qu'elle présente des différences d'une bouteille à l'autre.

Les 1992 de Dominique Laurent sont les vins les plus séduisants et les plus somptueux du millésime, et les trois grands crus que j'ai dégustés sont, certes, très chers, mais ont bien plus de complexité, de richesse et de caractère que leurs homologues.

Le Clos de la Roche 1992, de couleur rubis foncé, libère de généreux arômes de fumé, de terre et de gibier légèrement marqués d'une touche d'épices orientales. Bien structuré, il déploie un fruit merveilleusement doux, des tannins modérés et une finale longue. **A boire dans les 5 ou 6 ans.**

Le Bonnes Mares 1992, de couleur rubis moyen, exhale un nez énorme et spectaculaire de cerise noire douce et confiturée, d'herbes aromatiques et de café, mêlé de généreuses senteurs de chêne neuf et grillé. Si son boisé est un peu agressif, ses abondants arômes, juteux et savoureux, de fruits rouges étayent bien son caractère de chêne neuf. Moyennement corsé, satiné et souple en bouche, il déploie une finale douce qui regorge d'alcool capiteux. **A boire dans les 5 ou 6 ans.**

Le Charmes-Chambertin 1992 se révèle formidable dans un millésime considéré généralement comme de qualité médiocre pour les bourgognes rouges. Il présente un nez énorme, riche et doux, de cerise noire et confiturée, bien étayé par des notes massives de fumé, de grillé et de chêne neuf. Doux, concentré et de bonne mâche en bouche, il est très corsé, avec des tannins doux. Un vin savoureux, épais et somptueux. **A boire dans les 6 ou 7 ans.**

Ces trois 1992 sont impressionnants et méritent incontestablement l'attention des véritables amateurs de bourgognes.

Les meilleurs 1993, énormes, intenses et massivement concentrés, demandent une garde de 8 à 10 ans, et nombre d'entre eux, issus de la Côte de Beaune, sont incontestablement dignes d'intérêt.

Rubis foncé et extrêmement concentré, le Pommard Les Épenots 1993 déborde littéralement de fruité, de muscle, de glycérine, de tannins et de corpulence. Ce vin massif et énorme a le caractère charnu et le fruité nécessaires pour bien étayer ses tannins féroces. Son potentiel de garde est de **20 ans environ**, mais il ne sera prêt que d'ici 7 ou 8 ans.

Le Beaune Premier Cru Vieilles Vignes 1993, plus évolué et plus flatteur, exhale un nez spectaculaire de fruits rouges et noirs écrasés, de minéral et d'épices. Ce vin moyennement corsé et modérément tannique, dont le fruité doux accompagne une belle structure et une excellente concentration, sera parfait dans les **12 à 15 ans** qui suivront une garde de 4 ou 5 ans.

Le Savigny-lès-Beaune Les Narbantons 1993, issu de vieilles vignes de 60 ans d'âge, exhale de généreux arômes de fruits rouges et de poivre marqués de notes sous-jacentes de truffe et de terre. Moyennement corsé, bien gras et doux, il déploie une finale longue, épicée et boisée. Il sera prêt d'ici 2 ou 3 ans, et son potentiel de garde est de **12 à 15 ans**, ce qui est étonnamment long pour un Savigny.

D'une belle maturité, le Savigny-lès-Beaune Serpentières 1993 dégage des arômes merveilleusement purs de fruits rouges dans un ensemble musclé et modérément tannique. La structure rigide de ce vin laisse deviner qu'il requiert une garde de 5 ou 6 ans avant d'être prêt. Son potentiel est de **12 à 15 ans**.

En Côte de Nuits, le Gevrey-Chambertin Combe aux Moines 1993 exhale un excellent nez de fumé, d'épices, d'herbes et de fruits rouges. Puissant, tannique et moyennement corsé en bouche, il y révèle une belle richesse, avec une finale longue et extrêmement tannique. Il sera prêt dans 5 ou 6 ans, et se conservera bien dans les **10 à 12 ans** qui suivront.

Les Gevrey-Chambertin Estournelles Saint-Jacques, Poissenots et Lavaux Saint-Jacques, ainsi que les Ruchottes-Chambertin, Mazis-Chambertin et Chambertin, sont tous immensément structurés et extrêmement amples, et demandent que vous vous armiez de patience. Mis en bouteille sans collage ni filtration préalables, ils traduisent parfaitement leur terroir. Ils sont vinifiés et élevés sans manipulations intempestives et sans compromission – à l'exception de la méthode très particulière de Dominique Laurent qui consiste à leur faire faire des allées et venues entre fûts neufs et fûts usagés.

Avec sa robe opaque de couleur pourpre-noir et son nez intensément parfumé aux notes de viande fumée, de réglisse, d'épices orientales et de fruits noirs, le Gevrey-Chambertin Poissenots 1993 se montre très corsé, rustique et d'une intensité presque « sauvage ». Il s'agit d'un bourgogne traditionnel et énorme, qui requiert une garde d'au moins 8 à 10 ans avant d'être prêt ; mais son potentiel de garde est de **20 ans, ou plus**. Stupéfiant !

Le Gevrey-Chambertin Estournelles Saint-Jacques 1993, à la robe opaque de couleur pourpre, présente une admirable richesse en extrait, marquée de notes de chêne neuf et épicé. Il laisse une impression d'intensité envahissante, de corpulence énorme et de tannins gigantesques. Ce monstre de pinot noir ne sera pas prêt avant 5 à 7 ans, et, comme le vin précédent, il se conservera parfaitement **20 ans, voire davantage**.

Issu de vignes de 80 ans d'âge, le Gevrey-Chambertin Lavaux Saint-Jacques 1993 est extrêmement tannique, avec un très beau et très pur fruité de cerise noire et douce. Très corsé et très intense, il promet de durer encore **20 ans, ou plus**, mais ne touchez pas à une seule de vos bouteilles avant 10 ans.

Le Ruchottes-Chambertin 1993, autre vin grandiose, est le plus voluptueux, le plus séduisant et le plus doux des grands crus, et le plus évolué de toute la gamme que propose Dominique Laurent. En bouche, il dévoile par paliers ses généreux arômes de fruits noirs et rouges confiturés, et présente un caractère abondamment glycériné et très corsé, ainsi qu'une finale puissante et modérément tannique. **A boire dans les 20 ans.**

Issu d'un vignoble planté en 1904, le Mazis-Chambertin 1993, à la robe opaque de couleur pourpre, s'impose comme un vin monumental, d'une richesse colossale et d'une extraction prodigieuse. Il a du fruité, des tannins et de la puissance à ne savoir qu'en faire, et il se pourrait qu'il ait besoin de 15 à 20 ans de cave avant d'être prêt. Serait-ce un des rares bourgognes à bien évoluer sur 25 ans sans perdre de son fruité ? Bien que peu évolué et sauvage pour l'instant, il est assurément l'une des grandes vedettes de ce millésime.

De couleur pourpre tirant sur le noir, le Charmes-Chambertin 1993 est lui aussi massivement doté, extrêmement tannique et très corsé, avec un fruité extrêmement pur. Il est encore bien mûr, époustouflant de concentration et de richesse en extrait. Les Charmes-Chambertin sont généralement élaborés dans un style plutôt flatteur et sans détour, mais celui-ci demande à être attendu 8 à 10 ans, avec un potentiel de garde de **25 ans.**

Issu de vignes de 80 ans d'âge, le Chambertin Clos de Bèze 1993 est extrêmement peu évolué et tannique ; il ne sera pas prêt avant 2005, mais tout en lui indique qu'il évoluera de manière remarquable. **A maturité : 2005-2016.**

Le Chambertin 1993 de Dominique Laurent (produit à hauteur de 150 bouteilles seulement) est le meilleur jeune Chambertin que je connaisse avec ceux des Domaines Ponsot et Leroy. Époustouflant de richesse en extrait, il est très corsé, avec un fruité fabuleusement doux et bien doté. Les arômes qu'il dégage enveloppent littéralement le dégustateur, et sa finale, longue, pure, modérément tannique et irrésistible, persiste plus de quarante-cinq secondes. Ce vin pourra être dégusté d'ici 5 à 8 ans, et son potentiel de garde est de **20 à 25 ans.**

Dominique Laurent a également des sources d'approvisionnement fabuleuses à Nuits-Saint-Georges, appellation où il était pourtant difficile de faire des merveilles en 1993.

Discret et profondément coloré, le Nuits-Saint-Georges Les Pruliers 1993 est prometteur, avec ses tannins poussiéreux, sa richesse en extrait absolument énorme et sa finale dure, mais puissante et concentrée. Il requiert une garde de 7 ou 8 ans. **A maturité : 2003-2010.**

Le Nuits-Saint-Georges Richemone 1993 est du même métal : opaque, moyennement corsé, dense, concentré, peu évolué et tannique, il se bonifiera au terme d'une garde de 5 à 10 ans. **A maturité : 2002-2012.**

Le prodigieux Nuits-Saint-Georges Les Vaucrains 1993, issu d'un vignoble planté en 1920, est l'un des tout meilleurs vins de la gamme. Sa robe opaque, de couleur noire, prélude à un doux fruité de framboise, de cerise noire et de groseille mêlé de notes de fumé et de minéral. Très corsé, d'une richesse en extrait absolument magnifique, il est plus doux et plus complet que les autres 1993 ci-dessus. Il sera accessible d'ici 5 ans, et durera bien **25 ans.**

Également exceptionnel, le Nuits-Saint-Georges Les Cailles 1993 s'impose comme un vin de garde massif, qui demande à être attendu au moins 10 ans. Outre un généreux fruité de cerise noire, il révèle des tannins féroces et sauvages. Il a la richesse en extrait, la concentration et le caractère glycériné nécessaires pour contrebalancer sa structure. **A maturité : 2002-2012.**

Quelques autres crus méritent d'être cités. Ainsi, le Clos de Vougeot 1993, généreusement boisé à la fois au nez et en bouche, ne manque pourtant pas d'équilibre, avec son abondant fruité de cerise, son caractère très corsé, et sa finale lourde, tannique et dure. **A boire dans les 20 ans** qui suivront une garde 5 à 10 ans.

Bien évolué et flatteur, le Chambolle-Musigny Les Amoureuses 1993 arbore une robe de couleur rubis tirant sur le noir, et déploie un nez, doux et giboyeux, de grillé et de fruits rouges, marqué de notes de cassis et de minéral. Énorme, épais et onctueux, il dévoile en bouche, par paliers, son caractère mûr et extrêmement bien doté. Il promet de durer **20 ans environ.**

DOMAINE LECHENEAUT (NUITS-SAINT-GEORGES)****/*****

14, rue des Seuillets – 21700 Nuits-Saint-Georges
Tél. 03 80 61 05 96 – Fax 03 80 61 28 31
Contact : Philippe ou Vincent Lecheneaut

1993	Chambolle-Musigny	D	86+
1993	Chambolle-Musigny Premier Cru	D	87 ?
1993	Nuits-Saint-Georges Premier Cru	D	86 ?
1993	Nuits-Saint-Georges Les Damodes	D	88+ ?
1992	Nuits-Saint-Georges Les Damodes	D	92
1991	Nuits-Saint-Georges Les Damodes	D	87
1993	Nuits-Saint-Georges Les Cailles	D	87 ?
1992	Nuits-Saint-Georges Les Cailles	D	91
1991	Nuits-Saint-Georges Les Cailles	D	89+
1993	Clos de la Roche	E	90
1992	Clos de la Roche	E	90+
1991	Clos de la Roche	E	87

Je ne peux revendiquer le mérite d'avoir découvert les vins de Philippe et Vincent Lecheneaut, mais ils comptent certainement au nombre des vedettes de Nuits-Saint-Georges. En effet, ils sont souvent plus grandioses que ceux de certains négociants et viticulteurs plus renommés de ce village.

Contrairement aux vins des producteurs voisins, le Nuits-Saint-Georges Les Damodes 1992 de la propriété, qui se révélait somptueux au fût, est demeuré formidable après la mise en bouteille. Il me rappelle un Richebourg d'Henri Jayer – ce qui n'est pas peu dire. Sa fabuleuse couleur rubis-pourpre foncé prélude à un nez énorme, provocateur et très aromatique de fruits noirs, de fleurs et de chêne grillé. Très corsé et extrêmement riche, savoureux et luxuriant, il déploie une finale longue et succulente, qui déborde littéralement de fruité, de glycérine et d'alcool. **A boire dans les 10 ans.**

Rubis foncé, le Nuits-Saint-Georges Les Cailles 1992 est plus boisé au nez, avec d'abondants arômes de mûre et de cassis. Étonnamment riche et séduisant, il libère un fruité généreux dans un ensemble souple et velouté. Ce vin renversant, généreux et ample, plaira sans doute aux amateurs. **A maturité : jusqu'en 2000.**

Le Clos de la Roche 1992 n'est pas aussi gras, aussi confituré ni aussi voluptueux que les deux premiers crus de Nuits-Saint-Georges, mais il est plus tannique et plus structuré. Rubis foncé, avec un nez de minéral, de terre et de mûre, il est généreusement boisé et extrêmement concentré. Comme tout grand cru digne de ce nom, il peut être dégusté **dès maintenant.** Cependant, il est peu probable qu'il développe le caractère pur, savoureux et luxuriant, presque de surmaturité, des deux Nuits-Saint-Georges précédents.

Le Nuits-Saint-Georges Les Damodes 1991, moyennement corsé, rond et souple, exhale des arômes de fruits rouges. D'une belle concentration, avec un superbe équilibre d'ensemble, il présente un caractère qui laisse penser qu'il sera parfait dans les **5 ou 6 ans.**

Le Nuits-Saint-Georges Les Cailles 1991 se distingue tout particulièrement. Sa robe de couleur rubis foncé introduit un bouquet très aromatique de fruits noirs et rouges, d'herbes et de minéral. Résultat d'une vinification brillante, ce vin riche et concentré, merveilleusement charnu et superbement extrait révèle une fermeté et une structure admirables. **A boire dans les 10 à 12 ans.**

J'ai trouvé que le Clos de la Roche 1991 (le 1990 et le 1992 sont enivrants et magnifiques) était moins impressionnant et plus étroit que les deux premiers crus de Nuits-Saint-Georges. Ai-je raison ou tort ? Sachez en tout cas que je tiens le Clos de la Roche, le Bonnes Mares et le Clos Saint-Denis pour les trois grands crus les plus sous-estimés de Bourgogne. Mais bien que le Clos de la Roche 1991 du Domaine Lecheneaut révèle une belle élégance et un fruité épicé et mûr, il n'a pas la profondeur du Nuits-Saint-Georges Les Cailles de cette propriété. Je serais d'avis que vous le consommiez **dans les 6 ou 7 ans.**

Les 1993 sont bien dotés et profondément colorés. Tous ont été mis en bouteille sans collage ni filtration préalables, après un séjour de dix-huit mois en fût (la plupart étaient neufs). Mais leurs très abondants tannins ainsi que leur niveau d'acidité étonnamment élevé pour leur maturité justifient les points d'interrogation qui accompagnent les notes données.

En effet, nombre de 1993 sont trop tanniques, et n'ont pas la richesse en extrait et la profondeur nécessaire. Ceux du Domaine Lecheneaut sont incontestablement très intenses, mais les amateurs doivent être conscients qu'ils requièrent une garde d'au moins 5 à 10 ans avant d'être prêts, justement à cause de leurs tannins très durs. De plus, les bourgognes sont connus pour perdre leur fruité bien avant que leurs tannins ne se fondent, ce qui explique encore mes points d'interrogation.

Le Chambolle-Musigny 1993, issu de vignes de 50 ans d'âge, est dense, puissant et moyennement corsé, extrêmement peu évolué et tannique. **A boire maintenant.**

Plus doux au nez que le précédent, le Chambolle-Musigny Premier Cru 1993 révèle un doux fruité à l'attaque en bouche, mais sa structure s'impose ensuite, et ce vin moyennement corsé montre en finale une austérité et une rugosité semblables à celles d'un Médoc. Il est incontestablement bien doté, mais on peut se demander si ses tannins se fondront suffisamment pour que ce vin atteigne jamais un certain équilibre. **A boire dans les 5 ou 6 ans seulement.**

Rubis-pourpre foncé, le Nuits-Saint-Georges Premier Cru 1993, issu de l'excellent vignoble des Bousselots et des Damodes, révèle une belle structure, beaucoup de puissance et de muscle, mais aussi un caractère maigre et rugueux rendant impossible toute évaluation. **A maturité : jusqu'en 2000.**

Les Nuits-Saint-Georges Les Cailles et Les Damodes 1993 et le Clos de la Roche 1993 sont plus richement extraits et plus tanniques que les vins précédents. Moyennement corsés et concentrés, ils impressionnent par leur couleur profonde et leur extraction, mais pèchent par leurs tannins durs et rugueux, qui les rendent fermes, anguleux et impénétrables. Je ne dis pas que ceux-ci ne se fondront jamais, mais je me dois d'attirer l'attention des lecteurs sur le fait qu'il s'agit de vins extrêmement tanniques, et qu'il faudra s'armer de patience avant de les apprécier.

Les trois crus ci-dessus résisteront bien à l'épreuve du temps, mais seront-ils un jour amples, riches, doux et complexes ? L'avenir seul le dira ; je leur accorde, pour l'instant, le bénéfice du doute.

DOMAINE PHILIPPE LECLERC (GEVREY-CHAMBERTIN)****/*****

13, rue des Halles – 21220 Gevrey-Chambertin
Tél. 03 80 51 87 56
Contact : Philippe Leclerc

1993 Bourgogne Les Bons Bâtons	C	83
1991 Bourgogne Les Bons Bâtons	C	?
1993 Gevrey-Chambertin Les Platières	D	74 ?
1991 Gevrey-Chambertin Les Platières	D	85 ?
1993 Gevrey-Chambertin Les Champs	D	75
1991 Gevrey-Chambertin Les Champs	D	86
1993 Gevrey-Chambertin Les Champeaux	E	83 ?
1991 Gevrey-Chambertin Les Champeaux	E	88
1993 Chambolle-Musigny Les Babillaires	E	67 ?
1991 Chambolle-Musigny Les Babillaires	E	90
1993 Gevrey-Chambertin Les Cazetiers	E	84 ?
1991 Gevrey-Chambertin Les Cazetiers	E	91
1993 Gevrey-Chambertin Combe aux Moines	EE	83 ?
1991 Gevrey-Chambertin Combe aux Moines	EE	92

Tous ceux qui le rencontrent se rendent immédiatement compte que Philippe Leclerc n'avance pas au même rythme que les autres. Son amour du chêne neuf est légendaire. Si ses vins peuvent paraître excessivement boisés lorsqu'on les déguste au fût ou dans leur prime jeunesse, ils semblent ensuite se fondre harmonieusement – comme en témoigne l'évolution de ses 1979, 1980, 1982 et 1983. Cela étant dit, je préfère avertir le lecteur que les vins de ce producteur sont souvent à la limite de l'excès de chêne neuf.

Les 1991 ci-dessus sont tous des bourgognes rouges immenses, voire massifs, issus de petits rendements et éclatants de fruité. Ils révèlent aussi un boisé quelque peu agressif, trop même dans le cas du Bourgogne Les Bons Bâtons, dont le fruité, certes copieux, est accompagné d'arômes de copeaux de bois.

Le Gevrey-Chambertin Les Platières 1991 exhale des senteurs chocolatées et herbacées de fruits noirs mêlées de généreuses notes de chêne neuf et grillé. Le boisé domine néanmoins, et j'ai peine à croire qu'il puisse se fondre dans l'ensemble. **A maturité : jusqu'en 2005.**

Le Gevrey-Chambertin Les Champs 1991, aux senteurs chocolatées et confiturées de fruits noirs, se révèle onctueux et d'une densité remarquable. Il semble avoir la concentration requise pour masquer les notes de vanille et de grillé qu'il tient de son caractère boisé très prononcé. **A maturité : jusqu'en 2004.**

Le Gevrey-Chambertin Les Champeaux 1991 est extrêmement concentré, avec de généreux arômes marqués par d'abondantes touches de chêne neuf et grillé, des tannins doux et un caractère extrêmement glycériné et alcoolique. Il s'agit d'un vin énorme, puissant, massif et rustique. Il devrait bien évoluer dans les 10 à 15 ans.

Philippe Leclerc possède maintenant une parcelle de vignes de 40 ans d'âge à Chambolle-Musigny. Le Chambolle-Musigny Les Babillaires qu'il y élabore montre qu'il sait prendre ses distances d'avec le bois neuf lorsqu'il travaille dans une appellation surtout connue pour la finesse de ses vins. Le 1991 offre au nez des senteurs de fruits noirs, de fleurs et de minéral subtilement marquées par le chêne neuf. Cela donne un vin formidablement concentré, riche, ample et opulent. **A boire dans les 12 à 15 ans.** Une véritable révélation, ainsi que la meilleure affaire de la gamme proposée par ce producteur.

Le Gevrey-Chambertin Les Cazetiers est toujours puissant, massif et tannique, et le 1991 ne déroge pas à la règle. Terriblement boisé, éclatant de muscle et d'un fruité généreux, il est aussi impressionnant et aussi concentré que son aîné de 1990. **A maturité : 2000-2015.**

Mais c'est le Gevrey-Chambertin Combe aux Moines 1991, issu de vignes de 80 ans d'âge, qui remporte la palme pour ce qui est de la richesse, de la longévité et de la complexité. D'une densité énorme, avec de magnifiques parfums de fruits noirs, de truffe, d'herbes et de gibier fumé, il exprime les sempiternelles touches de bois neuf, mais moins prononcées que celles des autres crus. Très corsé et d'une immense richesse, il dégage en bouche de puissants arômes débordant littéralement de glycérine, de tannins et d'extraction. **A maturité : 2000-2015.**

Les vins de Philippe Leclerc sont, sans aucun doute, sujets à controverses, mais on ne peut qu'admirer leur caractère bourru et très personnel. A en juger par les millésimes précédents, ils se caractérisent par une grande longévité, et leur boisé devient plus subtil et plus raffiné à mesure qu'ils évoluent en bouteille.

En revanche, les 1993, que j'ai dégustés en deux fois, sont les vins les plus décevants produits par cette propriété au cours des quinze dernières années. Dans un millésime plutôt connu pour ses vins très tanniques et à l'acidité très élevée, ceux de Philippe Leclerc sont, au contraire, faibles en acidité (ce qui serait positif en d'autres circonstances), trop boisés, diffus et manquant totalement de précision dans le dessin. Si la plupart d'entre eux révèlent un fruité doux, mais aussi une acidité volatile terriblement élevée, d'autres sont doux, mais excessivement boisés, en équilibre sur une corde raide. Il est difficile de savoir exactement ce qui a pu se passer ; toujours est-il que ces vins sont étranges, trop boisés et tanniques, avec un caractère de surmaturité que l'on ne retrouve pas dans les autres bourgognes de ce millésime. Les Gevrey-Chambertin Les Cazetiers et Combe aux Moines 1993 sont peut-être plus fruités et plus profonds que les autres vins de la gamme, mais il s'agit vraiment d'une année inhabituelle pour Philippe Leclerc.

DOMAINE RENÉ LECLERC (GEVREY-CHAMBERTIN)****

28, route de Dijon – 21220 Gevrey-Chambertin
Tél. 03 80 51 86 33
Contact : René Leclerc

1993 Gevrey-Chambertin Lavaux Saint-Jacques	D	87-90
1991 Gevrey-Chambertin Lavaux Saint-Jacques	D	87
1993 Gevrey-Chambertin Combe aux Moines	D	86 ?-92
1991 Gevrey-Chambertin Combe aux Moines	D	90
1993 Gevrey-Chambertin Clos Prieur	D	87
1991 Gevrey-Chambertin	D	86

René Leclerc produit d'excellents vins, et ses 1991 peuvent parfaitement rivaliser avec ses superbes 1990.

Le Gevrey-Chambertin 1991, profondément coloré, déploie un nez crémeux, doux, animal et de fumé, et se révèle mûr, onctueux et épais en bouche. Bien que manquant de complexité, il s'impose comme un vin de pinot noir énorme, intense et de bonne mâche. **A boire dans les 5 ou 6 ans.**

Extrêmement mûr et richement extrait, le Gevrey-Chambertin Lavaux Saint-Jacques 1991 arbore une robe profonde de couleur pourpre, et présente un nez fumé et chocolaté de cassis. En bouche, il est souple, gras, mûr et savoureux, avec une faible acidité, des tannins doux et un caractère très alcoolique. **A boire dans les 6 ou 7 ans.**

Le superbe Gevrey-Chambertin Combe aux Moines 1991 exhale un nez énorme de prune, de fruits noirs, d'herbes, de minéral et de sauce soja. Profond et ample, il est encore puissant, d'une concentration spectaculaire, avec une faible acidité et un merveilleux fruité sous-jacent, doux et confituré. La finale est modérément tannique. La principale qualité de ce vin au potentiel de garde de 10 à 12 ans est son caractère de pure essence de fruits.

Les 1993, que j'ai dégustés en deux occasions, sont puissants, riches et concentrés, et présentent un potentiel de garde de 10 à 15 ans.

Les notes attribuées aux Gevrey-Chambertin Combe aux Moines et Lavaux Saint-Jacques correspondent, pour la première, à une cuvée normale, et, pour la seconde, à une cuvée spéciale. Cette dernière, à destination des États-Unis, est mise en bouteille plus tôt que la cuvée normale, sans collage ni filtration préalables. Les cuvées spéciales se révèlent plus riches, plus douces et plus charnues en bouche, d'une profondeur, d'une maturité et d'une intensité de meilleure tenue, alors que les cuvées normales, bien réussies pour le millésime, montrent un caractère plus tannique et plus astringent. Tous ces vins requièrent 3 ou 4 ans de garde avant d'être prêts, et se conserveront très bien les 12 à 15 **prochaines années.**

Quant au Chambertin Clos Prieur 1993, il révèle un nez giboyeux, fumé et boisé, aux arômes mûrs de chocolat, de cerise et de mûre. Moyennement corsé et très long en bouche, il est encore intense et doux. **A boire dans les 10 ans.**

DOMAINE FRANÇOIS LEGROS (NUITS-SAINT-GEORGES)***

7, rue François-Mignotte – 21700 Nuits-Saint-Georges
Tél. 03 80 62 36 60 ou 03 80 61 37 83
Contact : François Legros

1991 Nuits-Saint-Georges Les Perrières	D	85
1991 Nuits-Saint-Georges Roncière	D	85
1991 Nuits-Saint-Georges Rue de Chaux	D	79
1991 Nuits-Saint-Georges Les Bousselots	D	78
1991 Morey-Saint-Denis Les Sorbès	D	78
1991 Vougeot Les Cras	D	82
1991 Chambolle-Musigny Les Noirots	D	84
1991 Chambolle-Musigny	D	83
1991 Bourgogne	C	83

Ce jeune producteur plein d'enthousiasme a élaboré des 1991 légers qui se révèlent dans certains cas élégants, mais qui sont le plus souvent durs et rugueux. A l'exception du Nuits-Saint-Georges Roncière et du Nuits-Saint-Georges Les Perrières, qui sont plus riches et plus profonds, les autres vins de la gamme sont tous soit trop légers, soit trop astringents.

Moyennement corsé, épicé et concentré, le Nuits-Saint-Georges Les Perrières 1991 est assez musclé, avec des tannins bien fondus. **A maturité : jusqu'en 2002.**

Le Nuits-Saint-Georges Roncière 1991 est légèrement plus riche, avec des tannins plus abondants, mais bien étayés par une bonne maturité et une belle concentration sous-jacentes. **A maturité : jusqu'en 2003.**

Le Nuits-Saint-Georges Rue de Chaux 1991 est à mon avis trop rugueux et trop anguleux pour son caractère légèrement corsé et sa concentration douteuse. Il en va de même pour le Nuits-Saint-Georges Les Bousselots et le Morey-Saint-Denis Les Sorbès 1991, durs, astringents et dépouillés.

Le Vougeot Les Cras 1991 est doux, rond et mûr, déjà prêt. **A boire dans les 2 ou 3 ans.**

Bien qu'assez élégant, le Chambolle-Musigny Les Noirots 1991 déploie en finale les pires défauts du millésime : il est maigre, court, compact et anguleux, avec des tannins durs.

Les autres vins comprennent un Chambolle-Musigny 1991, léger, bien équilibré, mais unidimensionnel, ainsi qu'un Bourgogne générique 1991, fruité, doux et rond.

DOMAINE LEROY (VOSNE-ROMANÉE)*****

Maison Leroy
Rue du Pont-Boillot – 21190 Auxey-Duresses
Tél. 03 80 21 21 10 – Fax 03 80 21 63 81
Contact : Lalou Bize-Leroy

1993 Chambertin	EEE	99+
1992 Chambertin	?	?
1991 Chambertin	EEE	95+
1993 Musigny	EEE	98+
1992 Musigny	?	?
1991 Musigny	EEE	96+
1993 Clos de la Roche	EEE	100
1992 Clos de la Roche	EEE	94
1991 Clos de la Roche	EEE	95
1993 Richebourg	EEE	100
1992 Richebourg	EEE	91+
1991 Richebourg	EEE	95
1993 Romanée-Saint-Vivant	EEE	100
1992 Romanée-Saint-Vivant	EEE	94+
1991 Romanée-Saint-Vivant	EEE	96
1993 Bonnes Mares	EEE	93+
1993 Latricières-Chambertin	EEE	94+
1992 Latricières-Chambertin	E	90
1991 Latricières-Chambertin	EEE	96
1993 Clos de Vougeot	EEE	98
1992 Clos de Vougeot	EE	90
1991 Clos de Vougeot	EE	92
1993 Gevrey-Chambertin Les Combottes	EEE	92
1992 Gevrey-Chambertin Les Combottes	EE	88
1991 Gevrey-Chambertin Les Combottes	EE	92
1993 Chambolle-Musigny Les Fremières	EE	94
1992 Chambolle-Musigny Les Fremières	E	89
1991 Chambolle-Musigny Les Fremières	E	90
1993 Vosne-Romanée Les Beaux Monts	EEE	96+
1992 Vosne-Romanée Les Beaux Monts	EE	92
1991 Vosne-Romanée Les Beaux Monts	EE	93
1993 Vosne-Romanée Les Brûlées	EEE	99
1992 Vosne-Romanée Les Brûlées	EE	90

1993 Nuits-Saint-Georges Les Boudots	EEE	99
1992 Nuits-Saint-Georges Les Boudots	E	91
1991 Nuits-Saint-Georges Les Boudots	EE	93
1993 Nuits-Saint-Georges Les Vignes Rondes	EEE	96
1992 Nuits-Saint-Georges Les Vignes Rondes	EE	92
1991 Nuits-Saint-Georges Les Vignes Rondes	EE	91
1993 Nuits-Saint-Georges	EE	89
1993 Corton Les Renardes	EEE	92
1992 Corton Les Renardes	EE	93
1993 Pommard Les Vignots	EE	90
1992 Pommard Les Vignots	E	90
1993 Pommard Les Trois Follots	EE	88
1993 Volnay Santenots	EEE	93
1992 Volnay Santenots	D	93
1993 Savigny-lès-Beaune Les Narbantons	E	89
1992 Savigny-lès-Beaune Les Narbantons	D	88+
1992 Chambolle-Musigny Les Charmes	EE	92
1992 Vosne-Romanée Les Genevrières	E	86
1991 Vosne-Romanée Les Genevrières	E	91
1992 Nuits-Saint-Georges Les Lavières	E	86
1991 Nuits-Saint-Georges Les Lavières	E	92
1992 Nuits-Saint-Georges Les Allots	E	87
1991 Nuits-Saint-Georges Les Allots	E	90
1992 Nuits-Saint-Georges Aux Bas de Combe	E	89
1991 Nuits-Saint-Georges Aux Bas de Combe	E	88

Aidée de son talentueux maître de chais, la remarquable Lalou Bize-Leroy a, une fois de plus, produit les meilleurs vins de Bourgogne en 1991. Le Chambertin, le Clos Saint-Denis et le Clos de la Roche du Domaine Ponsot s'imposent certes comme de sérieux rivaux, mais, si l'on considère le nombre de vignobles différents dont s'occupe Lalou Bize-Leroy, ainsi que les réussites extraordinaires qu'elle a enregistrées avec chacun d'entre eux, je ne peux que lui décerner la médaille d'or. Tous ses vins sont spectaculaires, riches, concentrés et irrésisibles, très proches du point de vue qualitatif de ses magnifiques 1990, mais surtout bien moins chers. Ces derniers comptent d'ailleurs au nombre des meilleurs vins de pinot noir qu'il m'ait été donné de goûter.

Lalou Bize-Leroy compare, avec son assurance habituelle, ses 1991 avec les 1959. Les rendements moyens, de l'ordre de 15 hl/ha, allaient en fait de 9 hl/ha, pour les moins forts, à 18 hl/ha, pour les plus élevés. C'est vraiment minuscule, quand on sait que la densité de plantation en Bourgogne tourne autour de 8 000 à 10 000 pieds par hectare.

Le seul reproche que je pourrais adresser aux vins du Domaine Leroy est que, du fait de leur rareté – et, par conséquent, de leurs prix élevés –, peu de gens ont l'occasion de les apprécier. Mais goûter ces vins permet de se rendre compte des sommets que peut atteindre le pinot noir. Lorsque j'ai dégusté les 1991 au fût, je pensais vraiment qu'ils étaient les mieux réussis du millésime, mais, maintenant qu'ils sont en bouteille, je les trouve plus impressionnants encore. Ils sont proposés à des prix bien inférieurs à ceux des 1990 (25 à 30 % de moins), mais les quantités disponibles sont infimes.

Parmi les vins de la Côte de Nuits, le Nuits-Saint-Georges Aux Bas de Combe 1991 se révèle de premier ordre, avec sa robe dense et sombre de couleur rubis et son nez riche et mûr de fruits noirs. Moyennement corsé, il est bien meilleur que nombre de premiers crus. De très petits rendements et une vinification impeccable ont permis d'atteindre un niveau de qualité étonnamment élevé. Ce vin, suffisamment souple pour être dégusté maintenant, devrait parfaitement vieillir sur les 10 à 15 **prochaines années**.

De couleur rubis foncé, avec un doux nez de fruits mûrs, le Nuits-Saint-Georges Les Allots 1991 se révèle moyennement corsé et parfaitement structuré, avec un niveau modéré de tannins et une richesse sous-jacente perceptible en milieu de bouche – laquelle fait souvent défaut aux bourgognes d'aujourd'hui. L'impression d'ensemble est celle d'un vin souple, mûr, concentré et impressionnant, au potentiel de garde de 12 à 15 ans. **A maturité : 2001-2012.**

Les Nuits-Saint-Georges Les Lavières, Les Vignes Rondes et Les Boudots 1991 sont des premiers crus absolument extraordinaires. Dire lequel je préfère serait très difficile, car ils sont tous extrêmement riches, densément colorés, amples, solides et très corsés, et se révèlent encore d'une complexité et d'une richesse superbes.

Toutefois, c'est peut-être le Nuits-Saint-Georges Les Lavières qui allie le plus élégamment puissance et finesse. Il s'agit d'un vin puissant, massif et très concentré, qui constitue la meilleure affaire de toute la gamme que propose le domaine. **A maturité : jusqu'en 2010.**

Le Nuits-Saint-Georges Les Vignes Rondes 1991 s'impose comme le plus luxuriant, le plus sensuel et le plus opulent de ce trio, avec son nez renversant, énorme et exotique aux notes de fumé, de cassis mûr, d'herbes, de minéral et de noix grillée. Faible en acidité, puissant et d'une concentration massive, il est encore voluptueux et époustouflant. **A boire dans les 15 à 18 ans.**

Le Nuits-Saint-Georges Les Boudots 1991 se révèle merveilleusement pur, avec son nez fabuleusement mûr, ample et aromatique de cerise noire et d'autres fruits noirs, comme la prune. Luxuriant et riche, généreux et bien doté, il est moyennement corsé et se dévoile en bouche par paliers, y révélant, outre une faible acidité et des tannins doux, une finale longue de plus de trente secondes. Ce vin peut être dégusté dès maintenant, mais il pourra sans peine durer **une bonne vingtaine d'années**.

Le Domaine Leroy possède également à Vosne-Romanée une parcelle de très vieilles vignes, cadastrée Les Genevrières, qui n'a pas droit au statut de grand cru. Elle donne l'un des meilleurs Vosne-Romanée, de plus haut niveau même que certains grands crus. Avec son nez merveilleusement pur, vivace et de bon ressort, aux notes de fruits noirs, le 1991 se montre mûr, généreux, doux et moyennement corsé en bouche, d'une belle longueur, avec une finale charnue et veloutée. **A boire dans les 10 à 12 ans.**

Plus profond, avec une robe plus soutenue que celle des Genevrières, le Vosne-Romanée Les Beaux Monts 1991 déploie de doux arômes de chocolat, de fruits noirs, d'herbes, de vanille et de grillé, qui introduisent en bouche un vin onctueux et magnifiquement concentré, faible en acidité et généreux, avec une finale aux tannins modérément abondants, mais mûrs. **A maturité : jusqu'en 2010.**

La gamme des superbes premiers crus ne s'arrête pas à Vosne-Romanée. Il y a également le Chambolle-Musigny Les Fremières, à la robe opaque de couleur rubis-pourpre et au nez modérément intense de fruits rouges, de fleurs et de vanille, qui déploie une finale persistante et montre une fabuleuse précision dans le dessin. C'est l'un des 1991 les plus souples et les plus séduisants qui soient. **A boire dans les 12 à 15 ans** – même si Lalou Bize-Leroy considère qu'il s'agit d'un infanticide...

Le Gevrey-Chambertin Les Combottes 1991 est un autre cru extraordinaire, issu d'un magnifique vignoble enclavé entre le Clos de la Roche et le Latricières-Chambertin. Ce cru atteint dans les chais Leroy des sommets inégalés. Outre un nez luxuriant de canard fumé, de viande grillée, de fruits noirs, d'épices et de truffe, il présente un superbe fruité de cerise noire, éclatant de glycérine et de richesse en extrait. Onctueux, remarquablement long, doux et velouté en bouche, ce vin voluptueux ressemble plus à un échantillon non évolué et tiré du fût qu'à un vin fini. **A maturité : jusqu'en 2012.**

Les grands crus du Domaine Leroy font figure de références non seulement du point de vue de leur appellation, mais également parce qu'ils illustrent la puissance aromatique absolument majestueuse que peut afficher le pinot noir. Tous sont aussi spectaculaires que leurs aînés de 1990 – parfois même meilleurs –, mais à des prix inférieurs de 30 %. Ceux qui auront la chance de pouvoir mettre la main sur une bouteille de Richebourg ou de Romanée-Saint-Vivant auront plaisir à déterminer lequel est le meilleur.

Il est difficile de fixer sa préférence, mais je ne connais personne qui produise un Romané-Saint-Vivant comme celui du Domaine Leroy. Le 1991 est la quintessence même du bourgogne, dans le sens où il allie parfaitement la puissance, la richesse en extrait et l'intensité à une élégance, une finesse et une complexité presque irréelles. Très impressionnant en bouche, il ne s'y montre jamais lourd, épais ou fatigant. N'interprétez pas mal mes propos – ce vin est bien doté, énorme et massif ; et conjuguer ainsi toutes ces qualités tient du véritable tour de force. Sa finale est longue de plus d'une minute, et son potentiel de garde est de **20 ans environ.**

Le Richebourg 1991 repose davantage sur sa puissance et son incroyable richesse en extrait. Son nez fabuleusement aromatique de framboise sauvage et de chêne neuf grillé et vanillé jaillit littéralement du verre. En bouche, il se révèle dense, opulent et voluptueux, riche, multidimensionnel et profond. **A boire dans les 10 ans.** Toutefois, je me demande s'il sera aussi complexe et attirera autant l'attention que le Romanée-Saint-Vivant.

Le Clos de Vougeot s'impose comme le 1991 le plus massif, le plus austère et le plus monolitique de toute la gamme. Bien que dense, énorme, trapu, épais, riche et bien doté, il n'a pas la complexité et le caractère sublime des autres crus. **A maturité : 2002-2015.**

Comme le Chambertin, le Musigny 1991 du domaine est une autre référence, et je ne connais aucun producteur qui fasse un vin aussi grandiose dans cette appellation. C'est le plus fermé, le plus tannique et le moins évolué de tous les 1991 de la propriété, mais son fruité d'une belle profondeur lui permet de contrebalancer son caractère tannique. D'une concentration et d'une richesse énormes, ce vin provocateur et élégant ne libère qu'avec réticence des senteurs de cerise noire et de fleurs, et se dévoile en bouche par paliers. Il requiert une garde d'environ 10 ans avant d'être prêt. **A maturité : 2002-2025.**

Le Clos de la Roche 1991, absolument spectaculaire, avec sa robe profonde de couleur rubis-pourpre foncé, explose littéralement de fruité et de complexité. La finale révèle des tannins puissants, mais il n'y a aucune raison de vous inquiéter : vous avez affaire à un vin musclé et riche, d'une concentration superbe, qui déploie, à la fois au nez et en bouche, des arômes de minéral semblables à ceux d'un vin des Graves. D'une somptueuse richesse en extrait et magnifiquement marqué par la mâche, il peut parfaitement rivaliser avec son exceptionnel aîné d'un an. **A maturité : 2000-2020.**

Le Latricières-Chambertin 1991, que j'appelle le Musigny des grands crus de Gevrey, se distingue par un bouquet extraordinairement intense et aromatique. D'une complexité irrésistible, avec un bouquet épicé de doux fruits noirs et de canard fumé, il est très corsé, profond, riche et étonnamment concentré en bouche, et déploie une finale fabuleuse, exotique et opulente. C'est vraiment un vin qu'il m'a été difficile de recracher... Ses abondants tannins sont bien étayés par un généreux fruité, et, bien qu'il soit tentant de vous suggérer de le boire dans les 15 ans, je pense qu'il vaut mieux attendre 2 ou 3 ans, avant de le déguster dans les **20 prochaines années.**

Presque aussi peu évolué que le Musigny, le Chambertin 1991, à la robe opaque, libère, à la fois au nez et en bouche, des arômes spectaculaires, riches et profonds de terre et de cassis rôti. D'une superbe précision dans le dessin, il est très tannique et magnifiquement concentré. **A maturité : 2001-2030.**

Tous ces 1991, produits dans le respect des principes de la culture biodynamique, sont extraordinaires.

Pour le cinquième millésime du Domaine Leroy, Lalou Bize-Leroy a encore élaboré la plus forte proportion de bourgognes grandioses. Bien que ses 1992 n'affichent pas la richesse en extrait et la concentration phénoménales de ses 1990 ou de ses 1991, ils sont très proches des somptueux 1989.

Le Savigny-lès-Beaune Les Narbantons 1992, issu de la Côte de Beaune, constitue la meilleure affaire de la gamme. Avec sa robe soutenue et sombre de couleur rubis, et son nez serré et prometteur d'épices, de cerise noire et de terre, il se révèle moyennement corsé et concentré en bouche. Déjà prêt, il promet d'être meilleur d'ici 1 année, et tiendra parfaitement **15 ans, ou plus.**

Le Pommard Les Vignots 1992 serait de nature à porter ombrage à nombre de Pommard aqueux et mal faits, issus de domaines de premier ordre. C'est en effet un vin énorme, riche, tannique et musclé, avec un caractère très corpulent. Ne touchez pas à vos bouteilles avant 2 ou 3 ans, et dégustez-les dans les **15 à 20 prochaines années.**

Le Volnay Santenots 1992 et le Corton Les Renardes 1992 sont exceptionnels et grandioses.

Ayant dégusté le Volnay Santenots plusieurs fois au fût et deux fois en bouteille, je puis affirmer qu'il est vraiment puissant et massif, extrêmement riche, avec des arômes imposants, mais qu'il est aussi merveilleusement élégant. D'un resplendissant rubis foncé soutenu, il présente au nez des senteurs très intenses et confiturées de cerise noire et douce, infusées de notes florales et de boisé. Extraordinairement intense, il donne l'impression d'un ensemble tout en grâce et en harmonie. Quel tour de force ! Ce vin constitue, en outre, la meilleure affaire de la gamme Leroy. **A maturité : 1998-2015.**

Extrêmement peu évolué et tannique, mais tellement prometteur, le Corton Les Renardes 1992 présente, outre un bouquet énorme et mûr, une robe bien soutenue, ainsi qu'un caractère magnifiquement intense et très corpulent. On décèle dans sa finale, longue de presque une minute, un niveau modéré de tannins. Là encore, attendez une dizaine d'années avant d'ouvrir vos bouteilles – elles devraient bien se conserver sur les **premières décennies du prochain millénaire.**

Parmi les nombreux crus de Nuits-Saint-Georges que propose la maison, vous trouverez le Nuits-Saint-Georges Aux Bas de Combe 1992, l'un des vins les plus doux, les plus opulents et les plus charnus de toute la gamme. Rubis foncé, il offre un nez énorme de terre, de réglisse, de truffe et de cerise noire, et se révèle mûr et moyennement corsé en bouche, avec une finale douce et veloutée. **A boire dans les 15 ans.**

Moins impressionnant que les autres vins Leroy, le Nuits-Saint-Georges Les Allots 1992 dégage un nez herbacé de poivre vert (ce qui est assez rare pour un vin de Lalou Bize-Leroy) mêlé de senteurs de cerise noire. Très corsé et bien mûr, avec une finale longue et modérément tannique, il pourrait mériter une meilleure note si son caractère de minéral arrivait à dominer son côté herbacé. **A maturité : jusqu'en 2006.**

Le Nuits-Saint-Georges Les Lavières 1992 présente un nez de lies au caractère végétal. Longiligne, dense et concentré, il n'est pas des plus réussis.

En revanche, les Nuits-Saint-Georges Les Vignes Rondes et Les Boudots se révèlent formidables, avec de généreux arômes, très concentrés, de fruits noirs et rouges et un caractère opulent, savoureux et extrêmement riche. Le premier, vêtu de rubis-pourpre foncé, exhale un nez doux fabuleusement intense et très aromatique, et se révèle très corsé et superbement concentré, merveilleusement souple, doux, ample et opulent en bouche. Séduisant, mais structuré, il se conservera parfaitement **15 ans, ou plus.**

Autre vin luxuriant : le Nuits-Saint-Georges Les Boudots. Ses doux arômes de grillé et de vanille se conjuguent à de généreuses senteurs de fleurs et de cerise noire confiturée. Merveilleusement pur, il présente encore un caractère très corsé et de bon ressort, et dévoile un fruité grandiose qui tapisse littéralement le palais. La finale est assez tannique, si bien qu'une garde de 1 ou 2 ans s'impose, mais ce vin a un potentiel d'**au moins 20 ans.**

Avec son nez herbacé et poivré, le Vosne-Romanée Les Genevrières 1992 exprime une excellente maturité et une belle richesse. Il est très profond en bouche, avec une finale modérément tannique. **A maturité : jusqu'en 2007.**

Pour ce qui est des deux premiers crus, le Vosne-Romanée Les Brûlées 1992 est plus léger que Les Beaux Monts, mais il est merveilleusement épicé, avec un doux nez de fumé, de cerise noire et de framboise légèrement marqué de touches de chêne neuf et grillé. Extrêmement mûr, il déploie une finale charnue et de bonne mâche. Ce vin précoce est déjà délicieux. **A boire dans les 10 à 15 ans.**

Le Vosne-Romanée Les Beaux Monts 1992 est absolument sensationnel. Son nez renversant de violette, de cassis, de cerise noire et de chêne neuf grillé et fumé annonce un vin bien corsé et d'une belle richesse, qui dévoile en bouche, par paliers, son fruité opulent. Formidable, avec un potentiel de garde de **15 à 20 ans**, il s'affirme comme l'une des plus belles réussites du Domaine Leroy.

Lalou Bize-Leroy fait de mieux en mieux à Chambolle-Musigny, et son Chambolle-Musigny Les Fremières 1992 est excellent. Il arbore un nez élégant aux notes de fleurs, de vanille et de cerise, et se révèle moyennement corsé en bouche, très concentré, souple et velouté, avec une finale plaisante, gracieuse et complexe. **A boire dans les 12 ans.**

Plus concentré, le superbe Chambolle-Musigny Les Charmes 1992 est l'exemple classique d'un Chambolle réussi, conjuguant des arômes riches et harmonieux de fruits noirs et rouges très mûrs avec un caractère élégant et tout en finesse. Souple et très corsé (il ne paraît jamais lourd ni tannique), il est soyeux, et ses tannins sont masqués par sa grande concentration et son extraordinaire richesse. **A boire dans les 2 ans.**

Le Gevrey-Chambertin Les Combottes 1992 est épicé, tannique et bien riche, mais le caractère un peu maigre, rugueux et herbacé qu'il révèle en milieu de bouche et en finale m'a empêché de lui attribuer une note exceptionnelle. Bien que profond, charnu et fumé, il déroute par son aspect végétal. **A maturité : jusqu'en 2007.**

D'un rubis moyennement profond, l'extraordinaire Latricières-Chambertin 1992 se montre étonnamment aromatique, avec un doux nez épicé de fruits noirs et rouges, de terre, de viande fumée et d'herbes. Mûr, séduisant, voluptueux et riche, il est généreusement fruité et très corsé. **A boire dans les 15 ans, ou au-delà.**

Parmi les grands crus que j'ai dégustés, on peut citer le Clos de Vougeot 1992, qui est absolument extraordinaire. Il n'a pas la générosité ni le bouquet irrésistible des autres vins du Domaine Leroy, mais il se révèle riche, monolithique et extrêmement concentré, avec de doux arômes de fruits noirs. Moyennement corsé et d'une grande pureté, il déploie une finale longue, ronde et capiteuse. Son potentiel de garde est de **15 à 20 ans**, mais il n'atteindra jamais les sommets de complexité des autres vins du domaine.

Fabuleux en 1991, le Clos de la Roche est également superbe en 1992. Ce vin, dont le nez doux et épicé de chêne neuf et grillé est mêlé de généreuses notes de fruits noirs, est moyennement corsé et libère après aération des notes florales. Concentré et musclé, il se dévoile en bouche par paliers, se révèle élégant et d'une admirable richesse, et déploie une finale longue de plus d'une minute. Grandiose pour le millésime, il pourra se conserver **20 ans, voire davantage.**

Le Romanée-Saint-Vivant 1992 est un vin qui doit mettre les anciens associés de Lalou Bize-Leroy (le Domaine de la Romanée-Conti) dans tous leurs états. Absolument grandiose, il libère en effet de généreux et riches arômes de fruits noirs et rouges, et se révèle multi-dimensionnel, ample, doux et extrêmement concentré en bouche, où il déploie une finale spectaculaire, longue et puissante. Il s'agit d'un cru d'une profondeur exceptionnelle, très harmonieux et très équilibré, avec des tannins d'un niveau modéré. Gardez-le 1 ou 2 ans, vous pourrez ensuite l'apprécier dans les 20 à 25 ans qui suivront. Les millionnaires, ou plutôt les milliardaires, qui auront la chance de pouvoir comparer les Romanée-Saint-Vivant 1990, 1991 et 1992 du Domaine Leroy avec leurs contemporains du Domaine de la Romanée-Conti comprendront peut-être les raisons pour lesquelles Lalou Bize-Leroy y est *persona non grata*.

Enfin, le Richebourg 1992, souple et sans détour, arbore une belle robe rubis-pourpre foncé, et présente des arômes merveilleusement amples de cerise noire, marqués par la mâche et mêlés de notes florales et de chêne neuf et épicé. Profond et riche, il se dévoile en bouche par paliers, et regorge de pureté et de grâce. **A maturité : 2000-2012.**

Je n'ai pas dégusté le Musigny 1992 et le Chambertin 1992 en bouteille, mais, lorsque je les ai goûtés au fût (ces vins ne sont jamais collés ni filtrés), le premier s'imposait comme le tout meilleur vin de la gamme. D'une concentration sensationnelle, velouté, doux et mûr en bouche, il est un degré au-dessus en matière de finesse. **A maturité : 2001-2015.** Quant au Chambertin, également formidable, il semble moins complexe et moins impressionnant que le Musigny. **A maturité : 2002-2016.**

Mes notes de dégustation sur les 1993 seront assez brèves. En effet, il serait criminel d'essayer de décrire dans le détail des vins pareils : ce sont certainement les bourgognes les plus grandioses qu'il m'ait été donné de déguster. Même la peu modeste Lalou Bize-Leroy reconnaît qu'ils sont peut-être le résultat d'un « accident de la nature ». Quel accident ! En les dégustant, on a l'impression que le millésime 1993 est complètement différent au Domaine Leroy de ce qu'il est dans le reste de l'appellation ; tous les crus sont extraordinairement mûrs, onctueux et opulents, sans tannins durs. Bien sûr, des rendements restreints se traduisent généralement par une vendange à maturité physiologique, puis par des vins concentrés et absolument exquis. Il va sans dire que leur élevage se passe entièrement en fûts neufs, et que la mise en bouteille a lieu sans collage ni filtration préalables. Toutefois, aucun de ces vins ne présente la plus petite touche de boisé, tant leur concentration est grande.

Les commentaires qui suivent ne sont malheureusement que d'un intérêt relatif. En effet, les méthodes de culture biodynamique appliquées au Domaine Leroy ont donné en 1993 des rendements allant de 5 ou 6 hl/ha à 15 hl/ha : les disponibilités sont donc extrêmement restreintes, et les vins sont proposés à de tels prix que seuls les milliardaires peuvent les acheter. Pour exemple, la production de Chambertin, de Musigny et de Romanée-Saint-Vivant était de l'ordre de 75 caisses pour chacun, le Gevrey-Chambertin Les Combottes et le Clos de la Roche n'étaient produits qu'à hauteur de 50 caisses, et on compte 25 caisses de Latricières-Chambertin et 100 caisses de Richebourg.

Parmi les vins de la Côte de Beaune, il y a le Savigny-lès-Beaune Les Narbantons 1993, profondément coloré, doux, riche et moyennement corsé. **A boire dans les 15 à 20 ans.**

Cependant, il est dépassé par l'extraordinaire Volnay Santenots 1993, de couleur pourpre tirant sur le noir, qui déploie un fruité gigantesque. Très corsé, d'une pureté et d'une présence en bouche fabuleuses, il offre des tannins abondants, mais mûrs et doux – comme ceux de tous les autres 1993 du Domaine Leroy. Attendez encore 4 ou 5 ans pour le déguster (si vous résistez jusque-là), il se conservera sur les **25 ans** qui suivront.

Le Pommard Les Trois Follots 1993 est le seul vin de la gamme qui présente des tannins durs. Moyennement corsé et d'une excellente concentration, il est doux à l'attaque en bouche, mais sa finale rugueuse est assez rustique et austère. Néanmoins, ce vin impressionnant devra être dégusté dans les **20 ans** qui suivront une garde de 8 ans environ.

De couleur pourpre tirant sur le noir, le Pommard Les Vignots 1993 est très corsé, monolithique et pas encore formé, mais il est également massif, riche, puissant et musclé. Il requiert une garde de 6 à 8 ans avant d'être prêt, et son potentiel est de **20 ans, voire davantage.**

Avec ses doux arômes de fruits noirs et rouges confiturés marqués de légères notes de vanille (provenant du chêne neuf), le Corton Les Renardes 1993 est profond et dense, extrêmement doux et concentré en bouche, avec une finale très corsée et légèrement tannique. **A maturité : 2000-2025.**

Même le Nuits-Saint-Georges 1993 est stupéfiant : sans être complexe, il est profond, moyennement corsé et souple, tout en concentration et en intensité, avec un potentiel de **15 ans, ou plus.**

Issu de rendements de 6 hl/ha (ce qui est une pure folie du point de vue de la rentabilité), l'époustouflant Nuits-Saint-Georges Les Vignes Rondes 1993 est un vin gigantesque de couleur pourpre-noir, éclatant de doux arômes de fruits noirs mêlés de senteurs d'épices orientales, de café et de réglisse. Extrêmement puissant, dense et très corsé, il est incroyablement concentré et pur. Quel tour de force en matière de vinification ! Il sera au meilleur de sa forme d'ici 4 ou 5 ans, et se conservera bien **20 ans.**

Si le Nuits-Saint-Georges Les Vignes Rondes 1993 est grandiose, que dire du Nuits-Saint-Georges Les Boudots 1993 ? Il s'agit d'un bourgogne fabuleux, incontestablement concentré et d'une extraordinaire précision dans le dessin. Ses tannins, vraisemblablement abondants, sont dissimulés sous une richesse et une maturité presque massives, et ce vin phénoménal, déjà accessible, sera à son apogée à la fin de ce siècle ; il se conservera encore **20 à 25 ans.**

Les deux premiers crus de Vosne-Romanée sont proches de la perfection. Le Vosne-Romanée Les Brûlées 1993 est stupéfiant, tant il est à la fois doux, onctueux, séduisant, opulent, riche et épais, sans jamais paraître lourd ni imposant. Le dégustateur perçoit en bouche des sensations presque irréelles. Il s'agit d'un des crus les plus évolués de toute la gamme. **A boire dans les 20 ans, ou plus.**

Moins exotique et de structure plus classique que Les Brûlées, le Vosne-Romanée Les Beaux Monts 1993 est plus tannique et moins évolué. Il est néanmoins d'une concentration absolument splendide, et se révèle puissant, pur et irrésistible. **A maturité : 2003-2016.**

Parmi les autres premiers crus, vous trouverez le doux et séduisant Chambolle-Musigny Les Fremières 1993, voluptueux, merveilleusement concentré et équilibré, au beau potentiel de garde. **A maturité : 2003-2010.**

Le Gevrey-Chambertin Les Combottes 1993 libère d'abondantes et douces senteurs de fruits noirs et rouges confiturés auxquelles se mêlent des notes épicées et fumées de cannelle. Ce vin énorme, riche et légèrement tannique est une autre merveille du Domaine Leroy. **A maturité : 2003-2015.**

Je ne connais pas de meilleur Clos de Vougeot que celui de Leroy en 1993. C'est exactement ainsi que j'imagine un grandiose bourgogne de 1947 ou de 1949 à 3 ou 4 ans d'âge. Sa richesse, son opulence et son onctuosité sont telles qu'il est difficile de croire que c'est ce même millésime qui a donné tant de vins tanniques et astringents. Ses généreux arômes de fruits noirs et rouges sont bien étayés par une bonne acidité et un caractère modérément tannique. Massif, très corsé et étonnamment concentré, c'est une véritable référence pour l'appellation. **A boire dans les 25 ans.**

Le Latricières-Chambertin 1993, autre trésor de la gamme Leroy, est d'une finesse et d'une élégance extrêmes. Très soyeux, avec des parfums explosifs d'épices, de fruits noirs et rouges, de terre et d'herbes, il se révèle très complet, velouté et... tellement séduisant ! Je considère ce vin exquis comme le Musigny de Chambertin. **A boire dans les 20 ans.**

Le Bonnes Mares 1993 est, exactement comme on pouvait s'y attendre, un géant qui sommeille, massif et musclé, avec un caractère de minéral conjugué à des arômes extrêmement concentrés de fruits noirs et rouges. Très corsé et épicé, il requiert une garde de 6 ou 7 ans et s'imposera comme un monument ces **25 à 30 prochaines années.**

Les heureux élus qui pourront mettre la main sur quelques bouteilles de Romanée-Saint-Vivant 1993 goûteront la quintessence du pinot noir. Avec sa robe opaque de couleur pourpre-noir, ce vin exhale des parfums intenses et capiteux d'épices orientales, de cassis doux et de cerise noire confiturée, mêlés de subtiles notes de boisé et de fumé. Curieusement, il n'est que moyennement corsé, mais il se révèle si remarquablement riche, ample, concentré et savoureux en bouche que le dégustateur a l'impression de plonger dans un cratère rempli de duvet d'oie. Il était déjà très accessible lorsque je l'ai dégusté en juin 1995, mais sa concentration et sa longueur incroyables devraient lui permettre de durer **25 ans, si ce n'est davantage.** Il s'agit incontestablement d'un des Romanée-Saint-Vivant les plus grandioses que je connaisse. Une belle leçon de ce que devrait toujours offrir la Bourgogne.

Il en va de même pour le Richebourg 1993, qui est aussi le meilleur que je connaisse. Remarquablement doux et profondément concentré, il libère des senteurs irrésistibles, et se révèle tellement gras, mûr et intense qu'il en est époustouflant. Son équilibre et sa précision extraordinaires le rendent proche de la perfection, sa complexité et son fruité masquant bien son caractère tannique, qu'on ne décèle aucunement derrière une intensité de pur nectar. Il tiendra **25 ans, ou plus.**

Semblable au Richebourg et au Romanée-Saint-Vivant par sa douceur, son opulence et son onctuosité, le Clos de la Roche 1993 est néanmoins davantage dominé par un caractère de minéral, qu'il tient de son terroir rocheux. Cela se traduit par des notes de pierre, de cannelle et d'épices. Ce vin, massivement doté, présente également un niveau de tannins plus élevé que les deux crus précédents, mais il s'agit encore d'un véritable tour de force en matière de vinification. **A maturité : 2006-2020.**

Le fabuleux Musigny 1993 et le tout aussi fantastique Chambertin 1993 ont des caractères similaires, mais diffèrent par leur structure et leur profil aromatique.

Le Musigny 1993 était à un stade flatteur de son développement lorsque je l'ai dégusté en juin 1995. Il exhale un nez explosif, qui agresse littéralement l'odorat avec un déploiement de senteurs florales et de fruits noirs et rouges. Sa douceur et son opulence sont des plus séduisantes. Bien qu'il soit terriblement concentré et très corsé, il est aussi d'une fabuleuse précision dans le dessin et ne paraît jamais lourd ni fatigant. Il vaudra son pesant d'or d'ici une dizaine d'années. **A maturité : 2010-2025.**

Le Chambertin 1993 (issu d'une des appellations les plus sous-performantes de Bourgogne) est un vin unique, élaboré sans compromission, dont les arômes magiques, dotés de manière extraordinaire, évoquent des mets fabuleux, inédits et d'une sensualité sans frein. **A maturité : 2006-2020.** Les Chambertin me déçoivent souvent à cause de leur manque de concentration et de leur maigreur, et m'exaspèrent parce qu'ils véhiculent une image prestigieuse et parfaitement injustifiée. Mais il n'en va pas ainsi avec celui du Domaine Leroy. Quel vin époustouflant !

DOMAINE GEORGES LIGNIER (MOREY-SAINT-DENIS)***

Grande-Rue – 21220 Morey-Saint-Denis
Tél. 03 80 34 32 55
Contact : Georges Lignier

1993 Bonnes Mares	EE	88+
1991 Bonnes Mares	EE	82
1993 Clos de la Roche	E	87+
1991 Clos de la Roche	E	83
1993 Clos Saint-Denis	E	87
1991 Clos Saint-Denis	E	82
1991 Gevrey-Chambertin	D	82
1991 Chambolle-Musigny	D	77
1991 Charmes-Chambertin	E	86
1991 Morey-Saint-Denis Clos des Ormes	D	81
1991 Morey-Saint-Denis	D	72

Le Domaine Georges Lignier pourrait être l'un des plus prometteurs de la Côte de Nuits. Je suis heureux de pouvoir annoncer que son importateur américain a enfin réussi à le convaincre de ne plus filtrer ses vins à compter du millésime 1991.

Bien qu'issus de rendements restreints (15 à 30 hl/ha), les 1991 sont, à mon avis, inintéressants. Tous sont légers, et certains d'entre eux, tels le Morey-

Saint-Denis, le Morey-Saint-Denis Clos des Ormes et le Clos Saint-Denis sont compacts, durs et légèrement corsés, excessivement tanniques, manquant de profondeur et de fruité. Même le Clos de la Roche, pourtant agréable, présente une finale étonnamment courte. Quant au Bonnes Mares, il est maigre et aqueux. De plus, la couleur rubis clair de tous ces vins est parfaitement révélatrice de leur manque d'intensité et de richesse en extrait.

Seul le Charmes-Chambertin 1991 offre en milieu de bouche un fruité mûr et souple. Il a la concentration suffisante pour contrebalancer son caractère tannique. **A maturité : jusqu'en 2004.**

Tous les 1991 avaient été mis en bouteille un mois avant que je ne les déguste. Il est donc possible qu'ils s'améliorent un peu. Toutefois, il ne me semble pas qu'il s'agisse d'une année où Georges Lignier se soit surpassé.

Le Clos Saint-Denis 1993, au doux nez de boisé et de fumé, est moyennement corsé et très concentré, d'une pureté et d'un équilibre fort plaisants. Cependant, son fruité s'amenuise en fin de bouche, et les tannins durs propres au millésime prennent le dessus avec agressivité. Vous dégusterez ce vin sur les **10 à 12 ans** qui suivront une garde de 1 ou 2 ans.

Avec ses senteurs généreusement boisées de fruits rouges herbacés et fumés, le Clos de la Roche 1993 se révèle, comme le cru précédent, impressionnant à l'attaque en bouche. Bien glycériné et moyennement corsé, il offre un beau fruité de pinot noir, mais ses tannins durs et sa structure prennent ensuite le relais. J'espère vivement qu'une garde de 2 ou 3 ans lui permettra de s'arrondir, mais je n'en suis pas sûr.

Le Bonnes Mares 1993, le plus riche et plus explosif de ce trio, est moyennement corsé, avec une acidité élevée. Épicé, acidulé, tannique et généreusement boisé, il montre une belle concentration et suffisamment de nuances de fruité pour justifier que les amateurs fortunés lui accordent quelque intérêt. **A maturité : jusqu'en 2004.**

DOMAINE HUBERT LIGNIER (MOREY-SAINT-DENIS)*****

45, Grande-Rue – 21220 Morey-Saint-Denis
Tél. 03 80 34 31 79 – Fax 03 80 51 80 97
Contact : Hubert Lignier

1993 Clos de la Roche	EE	99
1991 Clos de la Roche	EE	96
1993 Charmes-Chambertin	EE	97
1991 Charmes-Chambertin	EE	92
1993 Gevrey-Chambertin Les Combottes	E	95
1991 Gevrey-Chambertin Les Combottes	D	91
1993 Chambolle-Musigny Les Baudes	E	93
1993 Morey-Saint-Denis Premier Cru Vieilles Vignes	D	92
1993 Morey-Saint-Denis Les Chaffots	D	91
1993 Gevrey-Chambertin	D	88

1993 Morey-Saint-Denis	D	89
1991 Morey-Saint-Denis	D	87
1993 Chambolle-Musigny	C	88
1993 Bourgogne	B	87
1991 Bourgogne	C	86
1991 Chambolle-Musigny Premier Cru Vieilles Vignes	D	90

Hubert Lignier s'impose comme l'une des grandes vedettes de la Bourgogne. Ses 1991 stupéfiants – meilleurs, même, que ses 1990, pourtant surprenants – ont tous été mis en bouteille sans collage ni filtration préalables.

Bien mûr et élégant, le Bourgogne 1991 présente au nez d'abondantes senteurs d'épices et de cerise noire, et libère en bouche des arômes ronds et généreux, ainsi qu'une finale douce. **A boire d'ici 1 ou 2 ans.**

Le Morey-Saint-Denis 1991 ressemble à son aîné d'un an, avec son nez doux et très parfumé, et les arômes souples, ronds et faibles en acidité qu'il libère en bouche. Il s'agit d'un vin riche et complet, au fruité extrêmement abondant. **A boire dans les 6 ou 7 ans.**

Le Chambolle-Musigny 1991 est aussi merveilleusement souple et solide, avec un copieux fruité de cerise noire. Opulent, long, profond et généreux en bouche, il promet de durer **encore 4 ou 5 ans**, mais il se révèle déjà délicieux à la dégustation.

Le Chambolle-Musigny Premier Cru Vieilles Vignes 1991 de ce domaine est absolument sensationnel. De formidables arômes de fruits noirs, de chêne neuf et grillé, et de minéral introduisent en bouche un vin moyennement corsé, merveilleusement concentré et précis, aux tannins doux. Somptueux et voluptueux en bouche, il y présente un fruité confituré extraordinaire, joliment étayé par les tannins qu'il faut et par des touches de chêne neuf. **A maturité : jusqu'en 2002.**

Aussi stupéfiant que son aîné d'un an, le Charmes-Chambertin 1991 est, comme les autres vins d'Hubert Lignier, d'un rubis-pourpre très dense, avec un nez énorme et très aromatique de fruits noirs, de chêne neuf et de fleurs. Très corsé, profond, onctueux et riche en bouche, il y déploie une concentration extraordinaire, ainsi qu'une finale longue et savoureuse. Sa richesse remarquable lui permet de bien dissimuler son haut niveau de tannins. **A maturité : jusqu'en 2007.**

Le Gevrey-Chambertin Les Combottes 1991 est également grandiose, avec son bouquet exotique de fruits noirs et rouges confiturés mêlé de senteurs d'épices orientales, d'herbes aromatiques et de chêne neuf. Savoureux et concentré, il est plaisant et tout en rondeur. **A boire dans les 8 ans.**

Encore plus concentré et plus puissant que le 1990, le remarquable Clos de la Roche 1991 arbore une robe opaque et un nez prometteur, mais pas encore structuré, de minéral, de fruits noirs et de chêne neuf et grillé. Extrêmement tannique, il est aussi très doux, d'une concentration magnifique et d'une belle précision. La longueur et le caractère onctueux, épais et riche que l'on perçoit en milieu de bouche sont la marque de rendements très restreints et de vieilles vignes. C'est l'une des plus belles réussites de ce millésime. **A maturité : jusqu'en 2012.**

Les 1993 d'Hubert Lignier comptent, avec ceux des Domaines Leroy, Ponsot, Maurice et Claude Dugat, et Dominique Laurent, au nombre des succès de l'année. De manière totalement atypique pour le millésime, ils se révèlent extrêmement concentrés, puissants, riches et doux, bien structurés, mais sans les tannins qui desservent tant certains de leurs contemporains. Leur fruité richement extrait et crémeux témoigne d'une vendange très mûre et de rendements restreints. Si les vins de la plupart des producteurs sont souvent maigres, inintéressants et de qualité tout juste moyenne, il n'en va pas de même avec ceux d'Hubert Lignier.

Pour preuve, son Bourgogne 1993, absolument splendide, moyennement corsé, souple, fabuleusement pur et mûr, qui déborde littéralement d'arômes de fruits noirs et rouges. **A boire dans les 3 ou 4 ans.**

Les Chambolle-Musigny, Morey-Saint-Denis et Gevrey-Chambertin 1993 sont parmi les meilleurs vins d'appellation Villages que je connaisse.

Le premier est un vin classique, élégant, joli, policé et suave, aux notes de fleurs et de fruits rouges. Moyennement corsé, il fait preuve d'un fruité et d'un équilibre fabuleux. **A boire dans les 5 ou 6 ans.**

Plus plein et plus complet que le précédent, avec des notes de minéral plus prononcées, le Morey-Saint-Denis 1993 offre au nez de généreux arômes de terre, de fruits noirs et d'épices. Il est encore bien corpulent, tannique et structuré. **A boire dans les 10 ans.**

Le Gevrey-Chambertin 1993 a le caractère charnu, aux notes de terre, de fumé et de cannelle, caractéristique de l'appellation. Plus concentré que la plupart de ses homologues, il sera parfait dans les **5 ou 6 ans.**

Les deux premiers crus de Morey-Saint-Denis sont superbes.

Rubis-pourpre foncé et richement extrait, le Morey-Saint-Denis Les Chaffots 1993 se bonifiera certainement au terme d'une garde de 3 à 5 ans. Il est assez tannique, comme nombre de vins de ce millésime, mais son fruité doux, sa richesse et sa mâche lui confèrent l'équilibre nécessaire. Ce vin complexe est du niveau d'un grand cru. **A boire dans les 12 à 15 ans.**

Également rubis-pourpre foncé, le Morey-Saint-Denis Premier Cru Vieilles Vignes 1993 est encore plus structuré et plus richement extrait que le vin précédent. Extrêmement fruité, équilibré et long, il se révèle encore puissant, musclé et énorme, et devrait atteindre la pointe de sa maturité en 1998. Il tiendra 10 ans de plus.

Le Chambolle-Musigny Les Baudes 1993 m'a époustouflé, avec son nez explosif de minéral, de fruits noirs et rouges, de chêne neuf et de fumé. Ce bourgogne classique, riche, racé et élégant, que vous pouvez consommer dès maintenant, sera meilleur d'ici 2 ou 3 ans, et se conservera parfaitement pendant **10 ans, ou plus.**

Également superbe, le Gevrey-Chambertin Les Combottes 1993 se révèle complexe, riche, plein et opulent. Très épicé et très parfumé, il déborde littéralement d'arômes, et ses tannins sont suffisamment bien fondus dans l'ensemble pour lui donner de la précision dans le dessin. **A boire dans les 10 à 12 ans.**

Les deux grands crus de la propriété sont les vedettes du millésime. Fabuleusement réussis dans une année généralement moyenne et irrégulière, ils sont étonnants de concentration, présentant un fruité et une richesse en extrait d'une incroyable intensité. Très profondément colorés, ils en imposent par leur élégance et leur grâce.

Le Charmes-Chambertin 1993, le moins structuré et le moins corpulent des deux, est néanmoins riche et puissant. Attendez-le encore 2 ou 3 ans, son potentiel est de **15 ans environ.**

Le stupéfiant Clos de la Roche 1993 est aussi remarquablement intense que celui du Domaine Leroy. Extrêmement parfumé et très corsé, il a la structure et la puissance suffisantes pour durer **15 ans, ou davantage.**

Les 1993 d'Hubert Lignier pourraient éventuellement ressembler, par leur puissance et leur longévité, aux 1969 de la Côte de Nuits. Ne les manquez pas, si jamais vous avez la chance d'en trouver.

DOMAINE MANIÈRE-NOIROT (VOSNE-ROMANÉE)***

Rue de la Grand-Velle – 21700 Vosne-Romanée
Tél. 03 80 61 01 26
Contact : Marc Manière-Noirot

1993 Vosne-Romanée Les Suchots	D	86
1991 Vosne-Romanée Les Suchots	D	86
1993 Nuits-Saint-Georges Les Boudots	D	89
1991 Nuits-Saint-Georges Les Boudots	D	86
1991 Nuits-Saint-Georges Les Damodes	D	86
1991 Échézeaux	D	84

Les 1991 de cette propriété sont de bonne tenue.

Tannique, le Vosne-Romanée Les Suchots 1991 se révèle bien fruité et très profond, avec d'excellentes touches de bois neuf. Il peut sembler austère et musclé de prime abord, mais j'ai apprécié ses différentes qualités, notamment son bon niveau de maturité et son caractère profond. Vous le dégusterez dans les **6 ou 7 ans** qui suivront quelques années de garde en cave.

Les Nuits-Saint-Georges Les Boudots et Les Damodes 1991 sont tous deux plus doux que Les Suchots, avec de généreux arômes de chêne neuf et grillé, un fruité riche et mûr, ainsi qu'une finale longue. Le premier est légèrement plus élégant, tandis que le second exprime davantage de puissance et de richesse en extrait. Moyennement corsés et modérément concentrés, ils seront bons ou très bons dans les **6 ou 7 ans** qui viennent.

Tous les 1991 ci-dessus sont plus étoffés, plus riches et plus complexes que l'Échézeaux 1991, discret et léger. D'un rubis moyennement foncé, il libère d'agréables senteurs de fleurs et de fraises, et se révèle en bouche fruité et sans détour, avec une finale courte. **A boire dans les 3 ou 4 ans.**

Les deux 1993, issus de vieilles vignes, sont puissants, riches et profondément colorés. Mis en bouteille sans collage ni filtration préalables, ils se révèlent rustiques, tanniques, extrêmement concentrés et de bonne mâche. Ils vieilliront parfaitement dans les **12 à 15 ans.** Je pourrais même leur attribuer de meilleures notes au terme d'un vieillissement supplémentaire de 3 à 5 ans.

DOMAINE MARQUIS D'ANGERVILLE (VOLNAY)****

21190 Meursault
Tél. 03 80 21 61 75 – Fax 03 80 21 65 07
Contact : Jacques d'Angerville

1993 Volnay Champans	D	89+
1993 Volnay Clos des Ducs	D	90

Voici deux excellents, voire superbes 1993, qui semblent avoir apprivoisé les tannins du millésime et qui possèdent la concentration et la maturité faisant défaut à la plupart de leurs homologues.

Le Volnay Champans 1993, le moins évolué des deux, arbore une robe très soutenue de couleur rubis-pourpre foncé, et se montre moyennement corsé et d'une excellente longueur en bouche, avec une belle acidité et des arômes de fruits rouges, riches, concentrés et de bon ressort. Il sera prêt d'ici 7 à 10 ans et se conservera **environ 20 ans.**

Le Volnay Clos des Ducs 1993, rubis-pourpre foncé, est doux à l'attaque en bouche, où il déploie par paliers des arômes de cerise noire. Moyennement corsé et plein de caractère, il est très fin et très racé, et offre une finale où les tannins et les notes de boisé sont joliment fondus dans l'ensemble. A **maturité : 2002-2015.**

DOMAINE MAUME (GEVREY-CHAMBERTIN)***/****

56, route de Beaune – 21220 Gevrey-Chambertin
Tél. 03 80 34 33 14 – Fax 03 80 34 16 82
Contact : Bernard Maume

1991 Gevrey-Chambertin	D	83
1991 Gevrey-Chambertin Lavaux Saint-Jacques	D	80 ?
1991 Gevrey-Chambertin En Pallud	D	84 ?
1991 Gevrey-Chambertin Premier Cru	D	78 ?
1991 Mazis-Chambertin	E	86 ?

Mes fidèles lecteurs savent que je suis très friand des vins du Domaine Maume, lesquels sont rustiques, extrêmement concentrés, puissants et de longue garde. Issus de jeunes vignes, vinifiés de la manière la moins interventionniste possible et mis en bouteille sans collage ni filtration préalables, ils vieillissent parfaitement. Le Domaine Maume est l'une des rares propriétés de Bourgogne dont les rouges de 1982 arrivent tout juste à la pointe de leur maturité (les autres sont déjà sur le déclin) et peuvent prétendre au titre de réussites du millésime.

Cela étant dit, les 1991 du Domaine Maume ont des tannins féroces, et j'en viens à me demander, en dégustant chacun de ces vins, où ils cachent leur fruité. Extrêmement colorés, énormes et décapants, ils m'évoquent un vieillard de forte carrure, mais sans muscles. Tous sont terriblement durs et rugueux, et je ne leur trouve pas le fruité suffisant pour étayer leur caractère tannique. Mais j'aimerais bien me tromper.

Si vous êtes amateur des vins de ce domaine et que vous souhaitiez prendre un pari risqué, achetez le Mazis-Chambertin 1991. C'est, à mon avis, le plus profond, mais ses tannins qui tapissent le palais pourraient constituer un sérieux inconvénient. Aucun des 1991 ci-dessus ne sera à maturité avant 6 à 8 ans, au moins.

DOMAINE JEAN MÉO-CAMUZET (VOSNE-ROMANÉE)*****

11, rue des Grands-Crus – 21700 Vosne-Romanée
Tél. et fax 03 80 61 11 05
Contact : Jean Méo

1993 Vosne-Romanée Les Chaumes	E	87
1993 Nuits-Saint-Georges Aux Murgers	E	86 ?
1992 Nuits-Saint-Georges Aux Murgers	E	87
1991 Nuits-Saint-Georges Aux Murgers	E	90
1993 Nuits-Saint-Georges Les Boudots	E	90
1992 Nuits-Saint-Georges Les Boudots	?	?
1991 Nuits-Saint-Georges Les Boudots	E	88
1993 Corton	E	90
1993 Clos de Vougeot	EE	87 ?
1991 Clos de Vougeot	E	88
1993 Vosne-Romanée Les Brûlées	EE	91
1992 Vosne-Romanée Les Brûlées	E	88
1991 Vosne-Romanée Les Brûlées	E	92
1993 Vosne-Romanée Cros Parantoux	EE	90
1992 Vosne-Romanée Cros Parantoux	E	89
1991 Vosne-Romanée Cros Parantoux	E	91
1993 Richebourg	EEE	90
1992 Richebourg	EEE	87
1991 Richebourg	EEE	90
1991 Bourgogne	C	82
1991 Vosne-Romanée-Villages	D	86
1991 Nuits-Saint-Georges	D	86
1991 Corton Clos Rognet	E	89
1991 Vosne-Romanée Les Chaumes	D	85

Ce domaine extraordinaire s'impose toujours comme l'une des étoiles de la Bourgogne, produisant des vins riches et souples, d'une pureté remarquable et d'une qualité sans cesse grandissante depuis le millésime 1988. L'influence du grand Henri Jayer sur le jeune Jean Méo et sur son assistant Christian Faurois ne doit pas être sous-estimée, et cette jeune équipe semble bien décidée à faire des vins exceptionnels. On ne filtre plus depuis 1988, et nombre de cuvées sont mises en bouteille sans collage préalable depuis 1991.

Les 1993 sont incontestablement réussis. Les deux crus les plus légers et les moins concentrés sont le Vosne-Romanée Les Chaumes 1993 et le Nuits-Saint-Georges Aux Murgers 1993.

Issu des plus jeunes vignes du domaine, le Vosne-Romanée Les Chaumes 1993 se révèle très bon, mais n'a pas la complexité et la profondeur des autres cuvées. Il libère, à la fois au nez et en bouche, de généreux arômes de fruits noirs et déploie une finale assez tannique. Accordez-lui encore 3 ou 4 ans ; il se conservera bien **10 à 12 ans**.

Rubis-pourpre foncé, le Nuits-Saint-Georges Aux Murgers 1993 pourrait se révéler trop austère. Fermé au nez, il est dur, tannique et moyennement corsé en bouche, avec une finale compacte. C'est un bon vin, mais il est desservi par des tannins décidément envahissants. **A maturité : 2000-2006.**

Le très beau Nuits-Saint-Georges Les Boudots 1993, de couleur rubis foncé, dégage au nez de généreux arômes de fruits noirs, et se révèle en bouche très corsé, intensément aromatique, bien structuré, très persistant et d'une excellente maturité. Attendez-le 2 ou 3 ans, il se conservera parfaitement les **15 prochaines années**.

Le Corton 1993, au nez confituré de cerise noire, est assez opulent, avec une structure solide et tannique. Très charnu, il libère un bon fruité qui lui donne de l'équilibre et déploie une finale persistante. Un vin impressionnant ! **A maturité : 2000-2015.**

Le Clos de Vougeot 1993 est, pour une raison que j'ignore, le plus léger de tous les Méo-Camuzet du millésime. Sa robe rubis plutôt foncé précède un vin unidimensionnel, mais bien mûr et moyennement corsé, qui déploie une finale légèrement tannique. A boire dans les **5 ou 6 ans** qui suivront une garde de 2 à 4 ans.

Les deux premiers crus de Vosne-Romanée sont extraordinaires.

Issu de rendements de 30 hl/ha, le Vosne-Romanée Les Brûlées 1993, rubis foncé, offre un doux nez de fruits noirs joliment conjugué à des notes de chêne neuf fumé et grillé. Moyennement corsé et modérément tannique, il requiert une garde de 3 ou 4 ans. **A boire dans les 10 ans.** Ce vin présente bien ce caractère de fumé qui justifie très probablement son nom.

Plus tannique et moins charmeur que Les Brûlées, le Vosne-Romanée Cros Parantoux 1993 est aussi plus concentré et plus masculin, extrêmement musclé, corpulent et puissant. Il dégage au nez de généreux arômes de fruits noirs, et la finale est serrée et ferme. Ce vin requiert une garde d'au moins 4 ou 5 ans et devrait ensuite se conserver **15 ans**.

Enfin, il y a le Richebourg, profondément coloré, au doux nez de cassis, de fumé et de vanille, qui se révèle moyennement corsé et très fermé en bouche. Intense et d'une excellente maturité, il présente une finale longue, douce et riche, quoique légèrement tannique. Vous l'apprécierez dans les **15 ans** qui suivront une garde de 5 ou 6 ans.

Les rendements en 1992 furent assez bas (de l'ordre de 25 à 30 hl/ha), ce qui a donné des vins de bonne tenue qui ont été mis en bouteille sans filtration.

Le meilleur de tous est probablement le Nuits-Saint-Georges Aux Murgers 1992, issu de vignes de 30 ans d'âge, dont la robe rubis foncé introduit un nez énorme et épicé de chêne neuf et fumé, de fruits noirs et d'herbes. Épais, doux, rond et généreux en bouche, il n'est pas anguleux et présente, outre un fruité riche aux copieuses notes de fumé, une finale longue et savoureuse. **A boire dans les 3 ou 4 ans.**

Le Nuits-Saint-Georges Les Boudots 1992, issu de vignes de 50 ans d'âge, est également un excellent vin, mais la seule bouteille que j'aie dégustée était incontestablement défectueuse et présentait des notes de moisi.

Libérant un nez fumé et rôti d'herbes, de fruits noirs et de chêne neuf et grillé, le Vosne-Romanée Les Brûlées 1992 se montre doux, rond et crémeux en bouche, avec un merveilleux fruité mûr, et une finale séduisante et soyeuse. **A boire d'ici 4 ou 5 ans.**

Plus riche et plus structuré, le Vosne-Romanée Cros Parantoux 1992 révèle davantage de fruité et de maturité. Son potentiel de garde est de **5 ou 6 ans,** mais peu d'amateurs sauront résister à son beau déploiement de charme et de séduction.

Bien que légèrement corsé, le Richebourg 1992 exhale un parfum très aromatique de fruits noirs, de chêne et de fleurs. Il est rond et moyennement corsé, joliment doux et gracieux. **A boire dans les 3 ou 4 ans.**

Le Bourgogne 1991 est léger, fruité et doux – en un mot, plaisant. **A boire dans les 2 ou 3 ans.**

Quant au délicieux Vosne-Romanée-Villages 1991, au merveilleux fruité, doux et pur, de cerise noire, joliment marqué de notes boisées, il se révèle moyennement corsé, mûr et souple en bouche, avec une finale longue et savoureuse. **A boire dans les 4 ou 5 ans.**

Également séduisant, le Nuits-Saint-Georges 1991 présente un nez marqué par des arômes bien particuliers de terre, de truffe et de champignon. La finale révèle des tannins fermes. Dégustez ce vin aux parfums imposants **d'ici 4 ou 5 ans.**

Vous trouverez, parmi les premiers crus, des vins délicieux. Le plus léger de tous est le Vosne-Romanée Les Chaumes. D'un rubis moyennement foncé, il libère des senteurs modérées de cerise, d'herbe et de grillé. La concentration d'ensemble est plutôt bonne que spectaculaire, et la finale, modérément tannique, épicée et compacte, laisse penser que ce vin devrait être dégusté **dans sa jeunesse,** avant que son fruité ne se fane.

La robe rubis foncé du Nuits-Saint-Georges Les Boudots 1991 précède un nez parfumé aux notes de fruits noirs et rouges, de fumé, d'herbes et de grillé. Moyennement corsé, riche, rond et savoureux en bouche, ce vin révèle une faible acidité et des tannins modérément doux. **A boire dans les 6 ou 7 ans.**

Le Nuits-Saint-Georges Aux Murgers 1991, bien meilleur que l'extraordinaire 1990, est stupéfiant, avec sa robe profonde et très soutenue de couleur rubis-pourpre et son nez aromatique et très parfumé de fruits noirs, d'herbe, de réglisse et de fleurs. Moyennement corsé, riche, doux et d'une belle ampleur aromatique, il est bien structuré. Ce bourgogne exceptionnel est un autre exemple de cru se révélant meilleur en 1991 qu'en 1990. **A maturité : jusqu'en 2006.**

Ce domaine réussit de manière spectaculaire avec ses deux premiers crus de Vosne-Romanée. Et, si le Vosne-Romanée Les Brûlées (issu de rendements de 15 à 20 hl/ha) et le Vosne-Romanée Cros Parantoux (semblable à un Richebourg) sont premiers crus en nom et en prix, ils sont bien de la qualité d'un grand cru. Si vous êtes amateur de bourgogne, vous vous devez de les acheter dans le millésime 1991.

Issu des plus vieilles vignes de la propriété, le Vosne-Romanée Les Brûlées 1991 arbore une robe superbe, très soutenue, de couleur rubis-pourpre, et exhale un nez fabuleux et étonnamment aromatique de fruits noirs, de viande fumée, d'herbes et de chêne neuf et grillé. Profond et voluptueux en bouche, il est aussi très corsé et d'une richesse surprenante, très glycériné, avec des tannins doux et souples en finale. Dégustez ce bourgogne rouge explosif et savoureux dans **les 10 ans.**

La robe profonde, de couleur rubis-pourpre, du Vosne-Romanée Cros Parantoux introduit un vin plus tannique et plus structuré que Les Brûlées, mais plus fermé du point de vue aromatique. Riche et plein, d'une concentration exceptionnelle, il déploie une finale mûre, longue et modérément tannique. A **maturité : jusqu'en 2008.**

Vous trouverez parmi les grands crus que produit ce domaine un Corton Clos Rognet 1991 doux, mûr et moyennement corsé, avec un excellent fruité de cerise confiturée et des tannins doux. Bien que très réussi pour un 1991 de la Côte de Beaune, il n'a pas la profondeur des Côte de Nuits que propose la propriété. A **boire dans les 6 ou 7 ans.**

D'un rubis assez foncé, avec un doux nez de framboise et de groseille, le Clos de Vougeot 1991 se révèle moyennement corsé, plus élégant que puissant ou concentré. Il sera préférable de le déguster **avant 7 ou 8 ans d'âge.** Il est, chose curieuse pour un grand cru, moins complexe et moins complet que le Nuits-Saint-Georges Aux Murgers ou les Vosne-Romanée Les Brûlées et Cros Parantoux.

Enfin, le Richebourg 1991 est tout en souplesse soyeuse, avec des parfums extrêmement doux aux notes de fruits noirs, de chêne neuf et grillé, d'herbes rôties et de fleurs. Moyennement corsé et fabuleusement concentré, ce vin élégant déploie une finale formidable, explosive, longue et veloutée. A **boire dans les 7 ou 8 ans.**

DOMAINE ALAIN MICHELOT (NUITS-SAINT-GEORGES)***

7, rue Camille-Rodier – 21700 Nuits-Saint-Georges
Tél. 03 80 61 14 46 – Fax 03 80 61 35 08
Contact : Alain Michelot

1991 Nuits-Saint-Georges Les Chaignots	D	85
1991 Nuits-Saint-Georges Les Vaucrains	E	85
1991 Nuits-Saint-Georges Les Saint-Georges	E	79
1991 Nuits-Saint-Georges Les Porets Saint-Georges	E	83
1991 Nuits-Saint-Georges Les Cailles	D	82
1991 Nuits-Saint-Georges	D	75

Ce domaine pourrait être l'un des plus extraordinaires de Bourgogne, si l'on y respectait des rendements plus tenus ; cependant, ce n'était pas le problème en 1991, année de petite récolte. En outre, la filtration et le collage que l'on y pratique systématiquement dépouillent considérablement les vins au moment de la mise en bouteille, alors que ceux-ci sont merveilleux au fût. On voit ainsi comment la matière première la plus remarquable peut être endommagée par de tels procédés. Mais, aussi longtemps que les amateurs anglais et européens continueront d'acheter les vins d'Alain Michelot sur sa réputation et sur celle des beaux vignobles qu'il possède, il y a peu de chances pour que celui-ci change sa manière de faire.

Tous les vins ci-dessus sont nés avec un potentiel exceptionnel, mais ils sont maintenant légèrement corsés, extrêmement brillants (en termes de couleur et de pureté) et modérément concentrés, avec un peu de fruité mûr et un bouquet étrange et muet.

Le Nuits-Saint-Georges Les Chaignots 1991 est le meilleur de la série, avec ses arômes doux et complexes et sa souplesse merveilleuse et moyennement corsée. **A maturité : jusqu'en 2000.**

Plus profond que le précédent et bien riche, le Nuits-Saint-Georges Les Vaucrains 1991 est également plus épicé et marqué par un caractère de terre. **A maturité : jusqu'en 2000.**

Quant au Nuits-Saint-Georges Les Saint-Georges 1991, il est dur, maigre, dépouillé, rugueux et tannique.

Vêtu de rubis léger, le Nuits-Saint-Georges Les Porets Saint-Georges 1991 est léger et peu profond, avec une finale creuse. **A maturité : jusqu'en 1999.**

Il en va de même pour le Nuits-Saint-Georges Les Cailles 1991 et le Nuits-Saint-Georges 1991, décevants et dépouillés. Mais les consommateurs qui sont prêts à accepter ce niveau de médiocrité n'ont que ce qu'ils méritent.

DOMAINE MONGEARD-MUGNERET (VOSNE-ROMANÉE)****/*****

14, rue de la Fontaine – 21700 Vosne-Romanée
Tél. 03 80 61 11 95 – Fax 03 80 62 35 75
Contact : Jean Mongeard

1993 Grands Échézeaux	EE	90+
1991 Grands Échézeaux	E	92
1993 Richebourg	EEE	88
1991 Richebourg	EE	93
1993 Clos de Vougeot	EE	85 ?
1991 Clos de Vougeot	D	92
1993 Échézeaux Vieilles Vignes	EE	86
1991 Échézeaux Vieilles Vignes	E	90
1993 Échézeaux	E	86
1991 Nuits-Saint-Georges Les Boudots	D	89
1991 Vosne-Romanée Les Orveaux	D	89

1991 Vosne-Romanée-Villages	D	86
1991 Fixin	C	85
1991 Bourgogne Hautes-Côtes de Nuits	B	84
1991 Bourgogne	B	83

Le Domaine Mongeard-Mugneret, qui est l'un de mes préférés, a extrêmement bien réussi en 1991, avec des vins d'une qualité bien supérieure à celle de ses 1989 ou 1990. Pourquoi ? Tout simplement parce que, cette année-là, la vendange a été naturellement restreinte (moins de 30 hl/ha), mais aussi parce que le fils Mugneret a pu convaincre son père de revenir à des méthodes de vinification traditionnelles et d'abandonner collage et filtration. Cela donne des vins plus amples et plus riches en milieu de bouche, aux parfums doux et séduisants, non dissipés par un collage ou une filtration excessifs.

On trouve parmi les crus de moindre prestige quelques vins plaisants, au nombre desquels figurent un Bourgogne 1991 solide, élégant, mûr et souple, et un Bourgogne Hautes-Côtes de Nuits 1991 goûteux, souple et velouté. Même le Fixin 1991 n'a pas le caractère dur et rugueux qui dessert nombre de vins de cette appellation. De couleur rubis foncé, avec un nez rond et mûr aux arômes de fruits rouges, il présente une finale douce et juteuse. Tous trois doivent être consommés **d'ici 2 ou 3 ans.**

Il est difficile de trouver un bon Vosne-Romanée-Villages 1991, mais celui du Domaine Mongeard-Mugneret est excellent. Il offre un nez doux et ample de fruit mûr et de grillé qui introduit en bouche un vin moyennement corsé, délicieusement mûr et satiné, d'une belle concentration, avec une finale savoureuse. **A boire dans les 3 ou 4 ans.**

Les deux premiers crus de cette propriété, le Vosne-Romanée Les Orveaux 1991 et le Nuits-Saint-Georges Les Boudots 1991, pourraient se voir attribuer une meilleure note au terme d'un vieillissement supplémentaire en bouteille. Ils sont profondément colorés, avec une robe soutenue, un bouquet doux et parfumé, et un caractère moyennement corsé et opulent, voluptueux et riche. Le Vosne-Romanée Les Orveaux, plus concentré et plus soyeux, est davantage marqué par des notes de cassis, tandis que le Nuits-Saint-Georges Les Boudots présente des arômes de réglisse, de fenouil et de fruits noirs qui accompagnent son caractère savoureux. Consommez ces vins bien équilibrés dans les **10 ans.**

L'Échézeaux Vieilles Vignes 1991, aux notes de chêne neuf et grillé, présente de généreuses et riches senteurs de cassis et de cerise noire. Merveilleusement pur et imposant en milieu de bouche, il est souple, riche, mais pas anguleux. Cet Échézeaux, l'un des meilleurs du millésime, peut être dégusté dès maintenant ou dans les **12 ans** qui viennent.

Le Clos de Vougeot 1991 arbore une robe soutenue et profonde de couleur rubis-pourpre foncé. Somptueux, il libère un fruité riche et ample, doux et confituré. Son nez magnifique, mais pas encore formé, déploie des arômes de fruits noirs et rouges, de vanille et d'épices. Ample et musclé en bouche, avec une richesse en extrait et une finale longue, il est suffisamment doux pour être dégusté maintenant. Toutefois, il s'améliorera dans les 4 ou 5 ans et se conservera **12 à 15 ans.**

Les deux vins vedettes du domaine témoignent bien de la réussite enregistrée dans ce millésime. En effet, le Grands Échézeaux 1991 et le Richebourg 1991 sont formidables et s'imposent incontestablement comme les meilleurs vins produits ici ces dernières années.

Le Grands Échézeaux 1991, au nez surprenant de fruits noirs, de fleurs, de chêne neuf et de minéral, est ample, voluptueux et merveilleusement riche en bouche, bien pur et d'une belle précision dans le dessin. Ce grand cru luxuriant et très corsé se révélera stupéfiant au cours des 10 à 12 **prochaines années.**

Tout aussi sublime, mais légèrement plus doux et plus gras que le vin précédent, le Richebourg 1991 est onctueux, épais et riche. Il déborde de généreux arômes de fruits noirs, qu'il dévoile en bouche par paliers. Son équilibre, sa puissance et son caractère alcoolique lui permettront de bien se conserver **10 à 12 ans** encore.

Parmi les meilleurs 1993 de ce producteur, vous trouverez l'Échézeaux, dont la robe d'un rubis assez foncé introduit un nez de framboise. Moyennement corsé et très boisé, il est modérément concentré, élégant et fumé, avec une finale compacte aux tannins fermes. Dégustez-le au terme d'une garde de 1 ou 2 ans, et croisez les doigts pour que son fruité tienne jusque-là. Son potentiel de garde est de **10 ans environ.**

L'Échézeaux Vieilles Vignes 1993, plus complexe, offre un nez pénétrant de cerise, de framboise sauvage, de fumé et de vanille. Très tannique, doté d'une acidité élevée, il est bien charnu, richement extrait et mûr, et présente une finale compacte. Il pourrait se révéler légèrement austère, mais il est tout de même très bon. **A maturité : 1998-2004.**

Maigre, acide et sinueux, le Clos de Vougeot 1993 est serré et rugueux. Le nez révèle un fruité mûr et épicé qui laisse ensuite place, en bouche, à des arômes musclés et puissants, marqués par des tannins rugueux et durs, totalement dépouillés de charme, de caractère charnu et savoureux.

Les mieux réussis sont incontestablement le Richebourg 1993 et le Grands Échézeaux 1993.

Le Richebourg 1993, rubis moyennement foncé, déploie un nez complexe de fleurs, de fruits noirs et rouges, infusé de belles notes de boisé. Moyennement corsé, mais très richement extrait, il affiche une acidité et un niveau de tannins très élevés qui m'ont empêché de lui donner une meilleure note. Espérons qu'il s'étoffera d'ici 2 ou 3 ans en milieu de bouche et en finale. Si tel est le cas, ce sera un vin extraordinaire, au potentiel de garde de **12 ans environ.**

Le Grands Échézeaux 1993 est le pari le plus sûr. Avec sa robe opaque de couleur rubis foncé et son acidité élevée, il est moyennement corsé et superbe de concentration, développant des tannins bien fondus et une finale douce, riche et longue, extrêmement fruitée et glycérinée, apte à contrer son caractère tannique. Ce vin impressionnant, ample et ferme doit être conservé encore 2 à 4 ans. **A boire dans les 10 à 15 ans.**

· DOMAINE ALBERT MOROT (BEAUNE)****

Château de la Creusotte – 21200 Beaune
Tél. 03 80 22 35 39 – Fax 03 80 22 47 50
Contact : Françoise Choppin

1993 Beaune Les Marconnets	C	85 ?
1993 Beaune Les Teurons	C	87+ ?
1992 Beaune Les Teurons	C	90+
1993 Beaune Les Toussaints	C	87+
1992 Beaune Les Toussaints	C	88
1993 Beaune Les Bressandes	C	87
1992 Beaune Les Bressandes	C	91
1993 Beaune Les Cent Vignes	C	87
1992 Beaune Les Cent Vignes	C	91
1993 Savigny Vergelesses Clos la Bataillère	C	86
1992 Savigny Vergelesses Clos la Bataillère	C	89

Des vins comme ceux de Françoise Choppin, qui sont de très grande qualité et à des prix raisonnables, sont de nature à vous redonner confiance dans les bourgognes.

Pour la première fois en 1992, Françoise Choppin a effectué des vendanges en vert très sévères dans les vignobles, de même qu'elle a augmenté jusqu'à 60 % la proportion de chêne neuf utilisé en vinification. En outre, et cela est le plus important, elle a pris la décision d'abandonner tout procédé de collage ou de filtration, si bien que les crus expriment merveilleusement les beaux vignobles dont ils sont issus. Ainsi, les 1992 sont les meilleurs vins que je connaisse de cette propriété (ils sont même meilleurs que les 1990), et je doute qu'ils demeurent longtemps en rayon chez les revendeurs ou chez les détaillants. Tous ont un potentiel de garde de 10 à 15 ans. Leurs arômes sont les plus riches et les plus complets que je connaisse de la Côte de Beaune.

Les néophytes s'initieront avec le quasi exceptionnel Savigny Vergelesses Clos la Bataillère 1992. D'une profonde couleur rubis foncé, il exhale un nez superbe, énorme et épicé, de cerise noire et de grillé. Riche, doux et ample en bouche, il se distingue aussi par sa finesse, qui accompagne bien sa longueur et sa souplesse absolument merveilleuses. Il peut être bu maintenant, et son potentiel de garde est de **10 ans, voire davantage.** Il s'agit d'une affaire exceptionnelle – peut-être même du vin de pinot noir le plus intéressant du marché.

Le succulent Beaune Les Cent Vignes 1992 est tout en charme et en souplesse. Ses arômes de grillé, de vanille et de cerise noire confiturée, mêlés de senteurs florales, jaillissent littéralement du verre. Superbement fruité et d'une belle texture, ce vin est concentré et merveilleusement pur, et tapisse le palais. Bien qu'il soit suffisamment doux pour être dégusté maintenant, il vieillira bien sur **10 à 15 ans.** Ce Beaune premier cru est formidable !

Le Beaune Les Toussaints 1992 est l'un des vins les plus fermés de cette série. Le nez ne libère qu'avec réticence des arômes doux et épicés de terre et de fruits noirs. La bouche révèle une excellente douceur, ainsi qu'une finale austère, aux tannins plus rugueux que ceux du précédent. On remarque également son caractère massif et riche. Attendez-le encore 1 ou 2 ans, il tiendra **15 à 20 ans.**

Le Beaune Les Bressandes 1992 est un vin renversant, que vous dégusterez dans les **10 à 12 ans**. Sa robe très soutenue, de couleur rubis-pourpre, introduit un bouquet doux et aromatique de fruits noirs et rouges, de vanille, de fumé, d'herbes et de fleurs. Ample et très corsé, il déploie en bouche des notes de cerise noire et de framboise sauvage, et persiste près d'une minute en finale. Ce Beaune surprenant, aux arômes imposants, est bien structuré et précoce.

Enfin, le Beaune Les Teurons s'impose comme le plus tannique et le plus concentré de tous les 1992 du Domaine Morot. Il requiert 3 ou 4 ans de garde avant d'être prêt, et il peut durer **20 ans**, ce qui est étonnamment long, de nos jours, pour un bourgogne. Sa robe soutenue, de couleur rubis foncé, introduit un nez épicé de cerise noire et de terre. Il déploie un fruité massif, une acidité de bon aloi, des tannins modérément abondants, ainsi qu'une finale fabuleusement longue.

Ces 1992 absolument formidables sont bien les meilleurs vins que je connaisse du Domaine Morot.

Quant aux très bons 1993, que vous pourrez vous procurer à des prix tout à fait raisonnables, ils requièrent tous une garde de 3 à 6 ans avant d'être prêts. Ce sont des vins à la robe très soutenue, corpulents et richement extraits, qui affichent les légendaires tannins durs propres au millésime.

A la fois puissant et profond, le Savigny Vergelesses Clos la Bataillère 1993 constitue la meilleure affaire de la gamme.

Les Beaune Les Cent Vignes et Les Bressandes 1993 sont les crus les plus souples et les plus évolués. Purs et vivaces, ils libèrent un généreux fruité de cerise mûre et se révèlent moyennement corsés, avec une acidité de bon ressort. Ils pourront être dégustés d'ici 4 ou 5 ans, et dureront **15 ans, ou plus**.

Plus ambitieux, le Beaune Les Toussaints 1993 s'impose comme un vin de garde sérieux, ample, puissant et musclé, qui requiert 5 ou 6 ans de cave avant d'être prêt ; il tiendra bien jusqu'en **2010**. Le Beaune Les Teurons 1993 est concentré, épicé et dur. **A maturité : 2002-2012**. Ces vins ont un caractère suffisamment charnu pour étayer leur structure.

L'avenir du Beaune Les Marconnets 1993, sévère, austère et dur, me semble plus compromis, et je crains qu'il ne se dessèche d'ici 5 ou 6 ans. Son potentiel de garde est de **20 ans environ**, mais sera-t-il jamais plaisant à la dégustation ?

DOMAINE DENIS MORTET (GEVREY-CHAMBERTIN)***

22, rue de l'Église – 21220 Gevrey-Chambertin
Tél. 03 80 34 10 05 – Fax 03 80 58 51 32
Contact : Denis Mortet

1993 Gevrey-Chambertin Au Vellé	D	85
1993 Gevrey-Chambertin Lavaux Saint-Jacques	D	87
1991 Chambertin	EE	84
1991 Clos de Vougeot	E	82
1991 Gevrey-Chambertin Les Champeaux	D	88
1991 Chambolle-Musigny Aux Beaux Bruns	D	87

1991 Gevrey-Chambertin Clos Prieur	D	86
1991 Gevrey-Chambertin	D	84
1991 Bourgogne	C	85

Denis Mortet améliore constamment la qualité de ses vins. A l'exception de ses grands crus, ses 1991 se révèlent d'une élégance merveilleuse, souples et savoureux, bien purs et très équilibrés.

Le plaisant Bourgogne 1991 est moyennement corsé, avec un fruité mûr et des tannins doux. **A boire maintenant.**

Le Gevrey-Chambertin 1991 est léger et présente un bouquet aux senteurs charnues de fruits rouges. La finale est courte. **A boire maintenant.**

Parmi les meilleurs vins, vous trouverez le Gevrey-Chambertin Clos Prieur 1991, aux arômes de violette, de framboise, d'épices et de vanille. Moyennement corsé, d'une belle maturité et très harmonieux, il présente une finale douce. **A boire dans les 5 ou 6 ans.**

Le Chambolle-Musigny Aux Beaux Bruns 1991 est un vin racé et gracieux, au fruité mûr et souple. Modérément intense et d'une belle maturité en bouche, il présente une finale vive et moyennement corsée. **A boire dans les 4 ou 5 ans.**

Le Gevrey-Chambertin Les Champeaux est le plus doux, le plus riche et le plus concentré de tous les 1991 du domaine. Son excellente couleur rubis profond introduit un merveilleux bouquet floral et de fruits noirs et rouges aux subtiles notes de chêne neuf. Il est long, mûr, savoureux, élégant et très aromatique. **A boire dans les 6 ans.**

Les deux grands crus, le Clos de Vougeot et le Chambertin, ne sont pas aussi impressionnants en 1991 que le laisseraient supposer leur prix et leur pedigree. Le Clos de Vougeot, doux et légèrement corsé, est court en fin de bouche. Quant au Chambertin, il est moyennement corsé, compact et court, malgré un nez épicé de cuir et de fruits rouges. Une fois de plus, le Chambertin ne se montre pas à la hauteur de sa réputation.

Je n'ai pas eu l'occasion de déguster le Chambertin 1993 ni le Clos de Vougeot 1993 de ce domaine. Le Gevrey-Chambertin Au Vellé et le Gevrey-Chambertin Lavaux Saint-Jacques de cette même année sont profondément colorés, moyennement corsés et généreusement boisés. Ils expriment un caractère bien structuré et tannique, ainsi qu'un excellent fruité concentré. Toutefois, leur niveau extrêmement élevé de tannins rend leur avenir incertain. Le Gevrey-Chambertin Lavaux Saint-Jacques 1993, plus étoffé et plus mûr, déploie une finale plus longue, et requiert une garde de 3 à 5 ans avant d'être prêt.

Le Gevrey-Chambertin Au Vellé 1993, plus évolué et moins complexe, est bien réussi pour un vin d'appellation Villages. **A boire dans les 6 ou 7 ans.**

Sachant que ce producteur utilise maintenant davantage de bois neuf et que ses vins sont très richement extraits, il serait intéressant de voir sa performance dans un millésime moins difficile.

DOMAINE MUGNERET-GIBOURG (VOSNE-ROMANÉE)****

5, rue des Communes – 21700 Vosne-Romanée
Tél. 03 80 61 01 57 – Fax 03 80 61 33 08
Contact : Marie-Christine Teillaud-Mugneret
ou Marie-Andrée Nauleau-Mugneret

1991 Bourgogne	C	86
1991 Vosne-Romanée	D	79
1991 Nuits-Saint-Georges Les Chaignots	D	87
1991 Échézeaux	EE	90
1991 Clos de Vougeot	E	88

Ce domaine semble avoir produit des 1991 de meilleur niveau que ses 1990. Plus profondément colorés, ils présentent encore un fruité plus concentré et plus richement extrait, très probablement grâce à des rendements minuscules.

Comme le savent les initiés, cette propriété propose régulièrement un excellent Bourgogne générique. La belle robe rubis profond du 1991 prélude à des arômes d'épices, de vanille et de cerise mûre. Ce vin se montre riche et moyennement corsé en bouche, où il présente une texture admirable et une finale douce. **A boire dans les 3 ou 4 ans.**

J'ai trouvé le Vosne-Romanée 1991 maigre, dépouillé et dur.

En revanche, le Nuits-Saint-Georges Les Chaignots 1991 dégage un excellent nez de terre, de truffe et de fruits noirs poivrés. Doux, long et bien doté, riche et concentré, il est suffisamment tannique pour se conserver **10 ans.** Ce vin pourrait être renoté à la hausse s'il développait davantage de complexité.

Rubis foncé, l'Échézeaux 1991, superbement réussi, déploie un nez épicé de girofle, de cerise, de vanille et d'herbes aromatiques. Merveilleusement riche, souple et moyennement corsé en bouche, il y montre une concentration et une précision d'excellent aloi. La finale, épicée, est modérément tannique et douce. Il sera à son meilleur niveau d'ici quelques années et promet de se conserver pendant **au moins une décennie.**

Monolithique, mais impressionnant, le Clos de Vougeot 1991, trapu, charnu, riche et très corsé, libère de généreux arômes de fruits noirs et doux. Il n'est pas d'une grande complexité, mais son excellente profondeur et sa finale moyennement corsée, modérément tannique et épicée laissent penser qu'il présente un potentiel de garde de **10 à 15 ans.**

DOMAINE JACQUES-FRÉDÉRIC MUGNIER –
CHÂTEAU DE CHAMBOLLE-MUSIGNY (CHAMBOLLE-MUSIGNY)****

Château de Chambolle-Musigny – 21220 Chambolle-Musigny
Tél. 03 80 62 85 39 – Fax 03 80 62 87 36
Contact : Jacques-Frédéric Mugnier

1991 Chambolle-Musigny	D	77
1991 Chambolle-Musigny Les Fuées	E	81
1991 Chambolle-Musigny Les Amoureuses	E	82

1991 Musigny	EE	81
1991 Bonnes Mares	EE	85

Cette maison peut donner des bourgognes rouges extrêmement séduisants et souples, aux généreux arômes de chêne et au fruité doux et mûr. Mais ses 1991 sont étonnamment légers, presque aqueux.

Ainsi, le Chambolle-Musigny 1991 est plaisant, mais maigre, tandis que le Chambolle-Musigny Les Fuées 1991 est tout aussi agréable, mais légèrement corsé et doux. Il faudra les déguster **assez rapidement.**

Le Chambolle-Musigny Les Amoureuses 1991 présente, malheureusement, les mêmes défauts que les précédents, tout comme le Musigny, qui est pourtant un grand cru des plus grandioses. Tous deux manquent en effet de concentration, de couleur, et même de consistance en finale. Quant à la finesse et aux arômes, où sont-ils ?

Le seul cru ayant la concentration voulue et la maturité suffisante pour se révéler agréable est le Bonnes Mares 1991, mais il doit être consommé dans les 2 ou 3 ans.

PHILIPPE NADDEF (COUCHEY)***/****

21160 Couchey
Tél. 03 80 51 45 99
Contact : Philippe Naddef

1991 Marsannay	C	72
1991 Fixin	C	80
1991 Gevrey-Chambertin	D	82
1991 Gevrey-Chambertin Les Champeaux	D	84
1991 Gevrey-Chambertin Les Cazetiers	D	85
1991 Mazis-Chambertin	E	86

Ce jeune producteur talentueux a élaboré des 1991 de bonne tenue, mais généralement inintéressants. Dans les appellations de moindre prestige, le Marsannay, le Fixin et le Gevrey-Chambertin doivent être consommés d'ici 1 ou 2 ans, tandis que le Gevrey-Chambertin Les Champeaux sera bu dans les 4 ou 5 ans.

Les deux seuls vins qui soient remarquablement fruités et équilibrés sont le Gevrey-Chambertin Les Cazetiers, ainsi que le Mazis-Chambertin 1991.

Le Gevrey-Chambertin Les Cazetiers 1991, dont l'excellente couleur ouvre sur de généreuses notes de chêne neuf et grillé, est profond et d'une belle maturité. Moyennement corsé, doux et souple en bouche, il n'a fort heureusement pas les tannins acerbes qui desservent tant Les Champeaux, le Fixin et le Marsannay. **A boire dans les 4 ou 5 ans.**

Le Mazis-Chambertin 1991, plus léger que de coutume, révèle néanmoins une admirable couleur rubis foncé, des notes épicées de chêne neuf et grillé, et, en bouche, des arômes veloutés, souples, mûrs et modérément concentrés. **A boire dans les 5 ou 6 ans.**

DOMAINE PONSOT (MOREY-SAINT-DENIS)*****

17-21, rue de la Montagne – BP 11 – 21220 Morey-Saint-Denis
Tél. 03 80 34 32 46 – Fax 03 80 58 51 70
Contact : Jean-Marie ou Laurent Ponsot

1993 Clos de la Roche Vieilles Vignes	EEE	99+
1991 Clos de la Roche Vieilles Vignes	EE	95
1993 Clos Saint-Denis	EEE	96+
1993 Chambertin	EEE	96
1991 Chambertin	EE	94
1993 Griotte-Chambertin	EEE	93
1993 Latricières-Chambertin	EEE	92
1991 Latricières-Chambertin	EE	90
1993 Chapelle-Chambertin	EEE	91
1991 Chapelle-Chambertin	EE	88
1993 Morey-Saint-Denis Cuvée des Alouettes	E	92
1993 Chambolle-Musigny Les Charmes	E	91
1991 Chambolle-Musigny Les Charmes	E	89
1993 Gevrey-Chambertin Cuvée de l'Abeille	D	87
1991 Gevrey-Chambertin Cuvée de l'Abeille	D	86
1993 Morey-Saint-Denis Cuvée des Grives	D	85
1991 Morey-Saint-Denis Cuvée des Grives	D	86
1991 Clos Saint-Denis Vieilles Vignes	EE	95

Alors que le Domaine Ponsot est des plus irréguliers, il a produit, avec le Domaine Leroy, des 1991 extraordinaires. Il avait donné des 1990 assez époustouflants, mais on peut affirmer, sans prendre trop de risques, que Laurent Ponsot et son père ont élaboré l'année suivante des vins qui sont aussi riches et aussi profonds que leurs aînés. Leurs rendements étaient en fait extrêmement tenus, et seul le Domaine Leroy en affichait d'aussi restreints – de l'ordre de 16 hl/ha, sachant que la densité de plantation en Bourgogne avoisine les 8 000 à 10 000 pieds par hectare. Dans les grands crus (comme Chambertin, Clos Saint-Denis et Clos de la Roche), les rendements étaient encore plus petits (9 à 13 hl/ha) et portaient sur des vignes extrêmement vieilles. On n'utilise pas de bois neuf au Domaine Ponsot. La mise en bouteille se fait sans collage, sans filtration ni sulfitage préalables, et un peu de nitrogène seulement protège les vins lorsqu'ils passent du fût à la bouteille.

Les vins des appellations de moindre prestige – tels le Morey-Saint-Denis Cuvée des Grives 1991 ou le Gevrey-Chambertin Cuvée de l'Abeille 1991 – sont délicieusement souples, ronds et fruités. D'un rubis moyennement foncé, ils dégagent des bouquets très aromatiques, et se montrent doux, ronds et opulents en bouche, d'une excellente maturité et d'un faible niveau d'acidité. **A boire dans les 4 ou 5 ans.**

L'extraordinaire Chambolle-Musigny Les Charmes 1991 exhale un nez énorme de framboise et de fleurs. Splendide, riche et moyennement corsé, ce vin brillant affiche une élégance et une richesse exceptionnelles. **A boire dans les 10 ans.**

Le Chapelle-Chambertin et le Latricières-Chambertin 1991 sont opulents, merveilleusement concentrés et parfumés, marqués par un généreux fruité doux. Souples et veloutés, longs et merveilleux en milieu de bouche, ils montrent une richesse extraordinaire qui explose en finale. Leur faible acidité et leurs tannins doux font qu'ils sont déjà prêts, mais ils promettent de se conserver **10 ans** encore.

Le Griotte-Chambertin 1991, séduisant, harmonieux et flamboyant, vous fera tourner la tête. Rubis foncé, il libère un généreux fruité de cerise noire. Son caractère bien glycériné le rend onctueux et de bonne mâche. La finale est splendide, riche et fabuleusement longue. **A maturité : 1999-2010.**

Quel que soit le nombre de vins que je dois déguster, ou aussi longues que puissent paraître les journées de travail dans des caves moites et sombres, il m'est difficile de recracher des vins tels que les Chambertin, Clos Saint-Denis et Clos de la Roche de Ponsot.

Le Chambertin 1991 de ce domaine est l'un des rares qui justifient le prix et la réputation mythique de ce cru. Ce vin grandiose, à la robe rubis foncé, déploie de splendides parfums de viande fumée, de fruits noirs et rouges confiturés et d'épices orientales. En bouche, il dévoile par paliers son abondant fruité, succulent, juteux et souple, qui déborde littéralement de glycérine, de tannins doux et d'un taux élevé d'alcool. Ce Chambertin sensuel et luxuriant durera **10 à 15 ans, au moins.**

Si irrésistible que soit le Chambertin 1991, le Clos Saint-Denis Vieilles Vignes (issu de vignes de 60 ans d'âge et de rendements de 15 hl/ha) et le Clos de la Roche Vieilles Vignes (issu de vignes de 55 ans d'âge et de rendements de 15 hl/ha) de la même année s'imposent comme des vins époustouflants, capables de rivaliser avec presque tout ce qui a été produit en Bourgogne ces dernières décennies.

Le Clos Saint-Denis Vieilles Vignes 1991, à la robe très soutenue de couleur rubis-pourpre, exhale un nez énorme de cassis, de fumé et de minéral absolument renversant. On décèle dans ce vin une texture onctueuse et une richesse phénoménale, bien étayées par des tannins d'un niveau modéré et une acidité relativement faible. D'un équilibre impeccable et d'une précision étonnante, énorme et très richement extrait, il sera parfait dans les **15 ans** qui viennent. Il me rappelle le grandiose Clos de la Roche Vieilles Vignes 1980 de ce domaine, mais en plus concentré.

Le Clos de la Roche Vieilles Vignes 1991 offre un nez étonnamment doux, éclatant d'arômes de framboise et de cerise noire écrasée marqués de notes sous-jacentes de terre et de truffe. Fabuleusement riche, dense et très corsé, ce vin spectaculaire, faible en acidité et multidimensionnel, déploie une finale puissante et massive. Déjà prêt, il devrait vieillir sans problème dans les **15 à 20 prochaines années.** Bravo à la famille Ponsot pour ces vins, qui comptent au nombre des bourgognes rouges les plus grandioses que je connaisse !

Les 1993 sont spectaculaires, aussi stupéfiants que les prodigieux 1990, mais les rendements étaient malheureusement minuscules, de l'ordre de 20 hl/ha. Pour exemple, les rendements du Clos Saint-Denis ont été de 8 hl/ha, ceux du Clos de la Roche de 18 hl/ha, ceux du Griotte-Chambertin de 23 hl/ha.

Autant dire que les commentaires qui suivent n'ont qu'un intérêt théorique, ces crus n'étant que très difficilement accessibles.

Le Morey-Saint-Denis Cuvée des Grives 1993 est moyennement corsé et succulent en bouche, avec un fruité doux aux notes de terre et une finale aux tannins fermes. **A boire dans les 10 ans.**

Gras et savoureux, le Gevrey-Chambertin Cuvée de l'Abeille 1993 affiche la légendaire douceur de ce cru et libère de généreux arômes de terre, de fumé et de fruits rouges et mûrs. La finale révèle des tannins fermes. **A boire dans les 10 à 12 ans.**

D'une maturité étonnante pour un 1993, le Chambolle-Musigny Les Charmes affiche une opulence fabuleuse. Sa texture veloutée et charnue ne se rencontre pas souvent dans les vins de ce millésime. La finale persiste pendant plus d'une minute. Ce vin extraordinairement riche, complexe et aromatique est éclatant de fruité, et révèle des tannins abondants, bien étayés par une grande richesse en extrait. Vous l'apprécierez dans les **20 ans** qui suivront une garde en cave de 2 ou 3 ans.

La production du Clos de la Roche – issue de vignes de moins de... 19 ans d'âge ! – a été déclassée en 1993 ; elle porte l'étiquette de Morey-Saint-Denis Cuvée des Alouettes. Avec son nez énorme et complexe de terre, de fumé, de cerise confiturée et d'herbes, ce vin extraordinaire rivalise sans peine avec nombre de ses contemporains. A la fois très corsé, riche, dense, concentré et ample, il devrait parfaitement vieillir sur les **15 ans, ou davantage.**

Plus élégant, doté d'un généreux et doux fruité de cerise noire mêlé de notes d'épices et de minéral, le Chapelle-Chambertin 1993 se révèle intense et velouté, d'une grande richesse, et présente une finale souple. Son potentiel de garde est de **15 ans, ou plus.**

Les arômes explosifs du Latricières-Chambertin 1993 libèrent des notes de cannelle, de viande fumée, et de cerises rouge et noire extrêmement mûres. Exotique et moyennement corsé, onctueux, épais et riche en bouche, ce vin merveilleusement concentré est suffisamment tannique pour résister à l'épreuve du temps ces **20 prochaines années.** C'est la dernière année que le Domaine Ponsot produit ce cru, son métayage sur ce vignoble touchant à sa fin.

Issu des rendements les plus élevés (23 hl/ha), le Griotte-Chambertin 1993 est riche, doux, opulent, gras et de bonne mâche. Débordant d'arômes et de caractère, il sera parfait dans les **12 à 15 ans.**

Parmi les cuvées prestige de toute petite production, vous trouverez le fabuleux Chambertin 1993. Issu d'un grand cru dont les vins ne sont pas toujours à la hauteur de leur réputation, il est extrêmement riche, et offre de profonds arômes de viande fumée, d'herbes, de sous-bois et de fruits rouges. Bien doté et très corsé, il est ample en bouche. Un vin spectaculaire, au potentiel de garde de **20 ans, voire plus.** Son doux fruité et sa maturité rappellent davantage un 1990, et ses tannins sont bien masqués par sa belle richesse en extrait.

Le Clos Saint-Denis 1993, produit à hauteur de 400 bouteilles seulement, est issu d'un vignoble qui a été arraché et replanté en 1996. Avec 1994 et 1995, il s'agit donc d'un des derniers millésimes de ce cru produit par le Domaine Ponsot. Ce vin fabuleusement concentré libère d'intenses arômes de vieilles vignes et révèle une douceur sous-jacente, ainsi qu'un caractère très corsé et impeccablement équilibré. Il déborde littéralement d'un fruité charnu et mûr de pinot noir. Conservez-le 4 ou 5 ans avant de le déguster dans les **20 années** qui suivront.

Le Clos de la Roche Vieilles Vignes 1993 pourrait se révéler extraordinaire. Il ne sera prêt que dans 6 ou 7 ans, et présente une longévité de **25 à 35 ans**, ce qui est inhabituel pour un bourgogne. D'une richesse inégalée, il est fabuleux, irrésistible, profond... Les mots manquent pour décrire un tel vin. Prenez le 1990, concentrez-le, et vous aurez le 1993. Il n'est peut-être pas très rentable de produire des vins en aussi petites quantités, mais c'est de grand art qu'il s'agit ici. Je regrette simplement que si peu de gens aient l'occasion de déguster de pareilles merveilles.

Alors que je crois dur comme fer que les vins de pinot noir issus de petits rendements et très concentrés doivent impérativement être élevés dans le chêne neuf, il n'y a dans les caves du Domaine Ponsot aucun fût neuf... L'exception qui confirme la règle ?

DOMAINE JACQUES PRIEUR (MEURSAULT)***/****

6, rue des Santenots – 21190 Meursault
Tél. 03 80 21 23 85 – Fax 03 80 21 29 19
Contact : Martin Prieur

1991 Musigny	EE	87
1991 Clos de Vougeot	E	86

Pour ceux qui ne le connaissent pas encore, le Domaine Jacques Prieur produit des vins d'une qualité sans cesse grandissante et mérite qu'on lui accorde davantage d'attention.

Issu de vignobles de la Côte de Nuits, le Musigny 1991 est doux, riche, savoureux et d'une belle ampleur aromatique. Bien que manquant de concentration et de complexité, il se révélera mûr, délicieux et très parfumé dans les **6 ou 7 prochaines années.**

Également issu de la Côte de Nuits, le Clos de Vougeot 1991, avec sa couleur rubis foncé et ses senteurs épicées de vanille et de chêne neuf, se révèle rond et séduisant dans un ensemble moyennement corsé et accessible. **A boire dans les 5 ou 6 ans.**

DOMAINE PRINCE FLORENT DE MÉRODE (LADOIX-SERRIGNY)****

Rue du Château – 21550 Ladoix-Serrigny
Tél. 03 80 26 40 80 – Fax 03 80 26 49 37
Contact : Prince Florent de Mérode

1992 Ladoix Les Chaillots	C	86
1992 Pommard Clos de la Platière	D	86+ ?
1992 Corton Les Maréchaudes	D	86
1992 Corton Les Renardes	D	87

1992 Corton Les Bressandes	D	88
1992 Corton Clos du Roi	D	88

Le Domaine Prince Florent de Mérode est revenu depuis le millésime 1989 aux standards de qualité qui ont fait sa réputation dans les années 50 et 60. Les vins sont maintenant mis en bouteille sans collage ni filtration préalables, ce qui les rend plus doux, plus riches et plus crémeux, avec davantage d'intensité aromatique et un meilleur potentiel de garde.

Alors que, au fût, les très fruités 1992 étaient légers, mais ni puissants ni tanniques, ils sont désormais, en bouteille, délicieux, très certainement parce que la mise s'est faite sans filtration.

Les amateurs qui se plaignent de ne pouvoir trouver un bon bourgogne à moins de 100 F seront enchantés du Ladoix Les Chaillots 1992. Ce vin plaisant et moyennement corsé est doux et mûr, avec des arômes de fruits rouges tout en grâce et en élégance. Souple, il libère un fruité mûr et de généreuses notes de cerise noire et de terre. **A boire dans les 3 ou 4 ans.**

Le Pommard Clos de la Platière 1992 offre un doux nez de bourgogne, aux arômes amples, mais élégants, mûrs et épicés, marqués de notes de cerise noire et de chêne neuf et grillé. La finale libère des tannins légers ou modérés. Ce vin pourrait s'améliorer dans l'année qui vient. **A boire dans les 4 ou 5 ans.**

Le domaine propose quatre Corton différents.

Le Corton Les Maréchaudes, le moins concentré de tous, présente, en 1992, des notes un peu trop boisées, mais offre un bouquet sensuel de cerise noire et confiturée, de fumé et de vanille. Moyennement corsé, mûr et de bonne mâche, il est imposant à l'attaque en bouche, mais se délite rapidement en finale, ce qui est d'ailleurs une caractéristique du millésime. Même si la finale est plus courte que je ne le souhaiterais, ce vin précoce est séduisant. **A boire dans les 4 ou 5 ans.**

Les autres Corton sont légèrement plus profonds et plus longs en bouche que le précédent.

Ainsi, le Corton Les Renardes 1992 arbore une robe plus sombre et plus soutenue, de couleur rubis, et exhale un séduisant nez de chêne doux, de cerise noire confiturée et de fleurs. Faible en acidité, il se révèle doux, gras, voluptueux et de bonne mâche en milieu et en fin de bouche. Un bourgogne délicieux et plaisant ! **A boire dans les 4 ou 5 ans.**

Les Corton Les Bressandes et Clos du Roi 1992 sont plus riches que Les Renardes. Outre leur robe sombre d'un rubis profond, ces vins libèrent de généreux arômes de fumé et de chêne neuf et grillé, bien étayés par de copieuses notes, pures et mûres, de cerise noire. Le Corton Les Bressandes est plus alcoolique, plus glycériné et plus gras, dans un ensemble moyennement corsé et d'une belle ampleur aromatique. **A boire maintenant.** Quant au Corton Clos du Roi, il est plus structuré et plus précis dans le dessin, et promet de bien évoluer, voire de s'améliorer, dans les 8 à 10 **prochaines années.**

Les traits marquants de tous les 1992 de ce domaine sont les suivants : un caractère naturel en bouche, un nez net de fruits noirs et rouges, et une texture savoureuse et veloutée. Ce sont des vins séduisants et délicieux, qui plus est proposés à des prix raisonnables.

ARMELLE ET BERNARD RION (VOSNE-ROMANÉE)***

21700 Vosne-Romanée
Tél. 03 80 61 05 31
Contact : Armelle ou Bernard Rion

1991 Vosne-Romanée	D	79
1991 Nuits-Saint-Georges Les Lavières	D	82
1991 Nuits-Saint-Georges Aux Murgers	D	84
1991 Chambolle-Musigny Les Échézeaux	D	84

Les 1991 d'Armelle et de Bernard Rion sont corrects et bien faits, mais inintéressants.

Le Vosne-Romanée 1991, plaisant et compact, et le Nuits-Saint-Georges Les Lavières 1991 libèrent un fruité épicé de cerise. Ils se révèlent moyennement corsés et affichent le caractère austère propre au millésime. **A boire dans les 3 ou 4 ans.**

Plus puissant et plus long en bouche que les deux vins précédents, le Nuits-Saint-Georges Aux Murgers 1991 est également plus tannique, avec davantage d'ampleur aromatique. Il faudra le consommer **dans sa jeunesse**, avant que son fruité ne se dessèche et qu'il ne soit dominé par son caractère tannique.

Le Chambolle-Musigny Les Échézeaux est le plus profondément coloré et le plus dense de tous les 1991. Il est encore plus étoffé et plus concentré que les autres vins de la gamme, plus ample et plus long en bouche, mais sa finale présente des tannins durs. Je ne parierai pas quant à la manière dont il évoluera.

DOMAINE DANIEL RION (NUITS-SAINT-GEORGES)****

21700 Prémeaux-Prissey
Tél. 03 80 62 31 10 – Fax 03 80 61 13 41
Contact : Patrice Rion

1991 Nuits-Saint-Georges Les Vignes Rondes	E	87
1991 Nuits-Saint-Georges Les Lavières	D	85
1991 Nuits-Saint-Georges Clos des Argillières	E	85
1991 Nuits-Saint-Georges Les Hauts Pruliers	E	75
1991 Vosne-Romanée	D	81
1991 Vosne-Romanée Les Beaux Monts	E	86
1991 Vosne-Romanée Les Chaumes	E	85
1991 Chambolle-Musigny Les Beaux Bruns	E	87
1991 Chambolle-Musigny Les Charmes	E	87
1991 Clos de Vougeot	EE	87

Daniel Rion produit des bourgognes rouges « modernes » qui comptent au nombre des plus élégants de la Côte de Nuits. Ses 1991, quoique n'étant pas aussi réussis que ses 1990, sont au moins bons, ou très bons.

Cette propriété produit quatre premiers crus à Nuits-Saint-Georges. Celui que je préfère est le Nuits-Saint-Georges Les Vignes Rondes, savoureux et séduisant, riche et concentré, profondément coloré et d'une belle ampleur aromatique. C'est le plus profond, le plus intense et le mieux équilibré des quatre. **A maturité : jusqu'en 2002.**

Le Nuits-Saint-Georges Les Lavières 1991 est le plus maigre, le plus tannique et le plus douteux de la série. S'il présente au nez quelques arômes fruités de prune mûre et de terre, ses tannins durs s'inscrivent dans un ensemble rustique et maigre, ce qui me fait penser qu'il se desséchera avant que ses tannins ne se fondent.

Moyennement corsé, avec une structure ferme, le Nuits-Saint-Georges Clos des Argillières est bien coloré, profond et mûr, mais unidimensionnel. Il en va de même pour le Nuits-Saint-Georges Les Hauts Pruliers 1991, doux, moyennement corsé et rond, modérément concentré, avec des arômes parfumés et de terre. **A boire dans les 5 ou 6 ans.**

Ce producteur propose également trois crus de Vosne-Romanée.

Le Vosne-Romanée 1991 est tannique, épicé, maigre et juste assez concentré, et présente une finale dure et herbacée.

Le Vosne-Romanée Les Beaux Monts 1991 exhale des senteurs de fruits rouges et mûrs, et de chêne neuf et épicé. Moyennement corsé, d'une belle longueur et d'une excellente richesse, il méritera une meilleure note si ses tannins se fondent, comme je pense que ce sera le cas. **A maturité : jusqu'en 2002.**

Le plus léger et le plus souple du trio, le Vosne-Romanée Les Chaumes 1991, donne des signes de dilution en milieu de bouche et en finale. **A boire dans les toutes prochaines années.**

Les trois meilleurs 1991 de Daniel Rion sont ses deux premiers crus de Chambolle-Musigny et son Clos de Vougeot.

Arborant une robe impressionnante, très soutenue, de couleur rubis-pourpre foncé, les Chambolle-Musigny Les Beaux Bruns et Les Charmes 1991 offrent un nez très aromatique et épicé de cassis et de fleurs. En bouche, ils se révèlent moyennement corsés et concentrés, merveilleusement élégants et précis, avec une finale longue et modérément tannique. Leur fruité est riche et d'une douceur admirable, et leurs tannins sont doux – non pas astringents ou verts. **A boire dans les 10 ans.**

Le Clos de Vougeot 1991 libère un nez plus épicé de chêne neuf et un généreux fruité de groseille mûre. Profond et riche en bouche, il y déploie une finale moyennement corsée et longue. **A boire dans les 6 ou 7 ans.**

ANTONIN RODET (MERCUREY)***/****

Grande-Rue – 71640 Mercurey
Tél. 03 85 45 22 22 – Fax 03 85 45 25 49
Contact : Bertrand Devillard

| 1990 Bourgogne Vieilles Vignes | A 86 |

Ce vin sérieux, généreusement doté et complexe, qui pourrait aisément être confondu avec un premier cru de la Côte-d'Or, constitue une excellente affaire.

Sa couleur rubis foncé prélude à des arômes merveilleusement purs et riches de cerise noire marqués par des touches épicées et vanillées. Moyennement corsé et d'une excellente maturité, ce bourgogne classique et racé peut être dégusté dès maintenant ou conservé 1 ou 2 ans. Compte tenu du nombre de bourgognes chers et décevants que l'on rencontre, celui-ci est vraiment une aubaine, à moins de 50 F la bouteille.

DOMAINE DE LA ROMANÉE-CONTI (VOSNE-ROMANÉE)*****

21700 Vosne-Romanée
Tél. 03 80 61 04 57 – Fax 03 80 61 05 72
Contact : Aubert de Villaine ou Henry-Frédéric Roch

1993 Échézeaux	EE	88+
1992 Échézeaux	EE	78
1991 Échézeaux	EE	92
1993 Grands Échézeaux	EEE	90+
1992 Grands Échézeaux	EEE	82
1991 Grands Échézeaux	EEE	93
1993 Romanée-Saint-Vivant	EEE	87
1992 Romanée-Saint-Vivant	EEE	78
1991 Romanée-Saint-Vivant	EEE	88
1993 Richebourg	EEE	90
1992 Richebourg	EEE	78
1991 Richebourg	EEE	89
1993 La Tâche	EEE	90+
1992 La Tâche	EEE	78
1991 La Tâche	EEE	93
1993 La Romanée-Conti	EEE	91+ ?
1992 La Romanée-Conti	EEE	86+
1991 La Romanée-Conti	EEE	91+

D'une grande longévité, les 1993 du Domaine de la Romanée-Conti sont dotés du caractère austère, rugueux et tannique inhérent au millésime. Ils ne seront certainement pas flatteurs dans leur jeunesse, et la plupart d'entre eux requièrent une garde de 6 à 10 ans avant d'être prêts.

Rubis moyennement foncé, l'Échézeaux 1993 présente un nez ouvert et très aromatique de fruits noirs et rouges mêlé de notes de chêne neuf fumé et épicé. D'une excellente concentration, très puissant et moyennement corsé, il déploie une finale fermée, compacte et nette, où l'on décèle d'abondants tannins fermes. Vous le dégusterez dans les 12 à 15 ans qui suivront une garde de 5 ou 6 ans.

Plus plein, plus doux et plus concentré, le Grands Échézeaux 1993 resplendit d'une belle couleur rubis foncé, et libère de plaisants arômes de fruits noirs et rouges, et de pain grillé. Suit un vin moyennement corsé et concentré, d'une belle précision dans le dessin, avec un caractère ferme et une finale modérément tannique. Son potentiel de garde est de **15 ans environ**, mais vous pourrez commencer à l'apprécier d'ici 4 ou 5 ans.

Je ne suis jamais particulièrement enthousiasmé par le Romanée-Saint-Vivant. Le 1993 développe, bien entendu, les légendaires arômes de ce cru, et exhale des notes de terre, de cannelle, d'herbes et de cerise noire marquées d'un fort caractère de minéral et de végétal. Légèrement rustique et très tannique, il a un côté rugueux et compact qui laisse penser qu'il requiert une garde de 8 ou 9 ans. Ce vin moyennement corsé, qui traduit fidèlement son terroir, pourrait se conserver **20 ans**, mais je ne suis pas certain qu'il subsiste alors beaucoup de fruité derrière ses tannins sauvages.

Rubis foncé, le Richebourg 1993 dégage un nez flatteur aux doux arômes de fruits noirs et rouges confiturés. La structure est trapue, et l'attaque en bouche douce. Suit un vin mûr, moyennement corsé et modérément tannique, épicé et bien vinifié, qui requiert une garde de 6 à 8 ans avant d'être prêt. Il promet de bien évoluer dans les **15 à 20 prochaines années.**

En 1993, La Tâche révèle, comme à son habitude, la robe la plus soutenue, et présente un nez serré, mais prometteur, de fumé et de gibier, mêlé de notes de fruits rouges et noirs, de minéral et de vanille – ces dernières provenant du chêne neuf. Moyennement corsé, il offre en bouche des arômes doux et concentrés de fruits rouges, et se révèle tannique, épicé et peu évolué. Il a la richesse en extrait nécessaire pour bien évoluer sur une longue période. Vous dégusterez ce beau vin dans les **12 à 15 ans** qui suivront une garde de 7 à 10 ans.

Le Romanée-Conti 1993 est peu évolué, avec des tannins durs. Excellent, voire extraordinaire, en bouche, il présente un caractère presque impénétrable. Alors que ce cru est généralement très intensément parfumé, le 1993 est fermé et serré, ne révèle que peu d'arômes et se montre moyennement corsé, avec des tannins énormes. Il ne sera pas prêt avant 8 à 10 ans et se conservera aisément **25 à 30 ans**, mais il est bien trop rugueux pour que l'on puisse prédire son évolution. La note que je lui ai attribuée tient compte à la fois du contenu de la bouteille, du vignoble et de sa réputation.

Les 1992 du domaine sont les vins les moins impressionnants qui soient de cette prestigieuse propriété. Tous sont très légers, avec un caractère herbacé et de poivre vert, et des arômes de fruits noirs. Ils se révèlent creux en bouche, comme s'ils manquaient de concentration ou de richesse en extrait pour étayer leur structure.

Rubis clair, l'Échézeaux 1992 présente des arômes herbacés et se révèle légèrement corsé, avec une finale aux tannins marquants. A **maturité : jusqu'en 2004.**

Plus poivré et plus végétal, avec un nez vert et épicé, le Grands Échézeaux 1992 est moyennement corsé et assez fruité, mais avec des tannins durs et astringents. A **maturité : jusqu'en 2006.**

Maigre et poussiéreux, le Romanée-Saint-Vivant 1992 est trop épicé, avec des notes de terre. Il est moyennement corsé et manque de concentration. A **maturité : jusqu'en 2004.**

Le Richebourg 1992, léger et peu structuré, manque d'équilibre, ses tannins et son acidité étant excessifs au regard de son fruité. Les arômes verts, végétaux et poivrés qu'il dégage sont gênants. A **maturité : jusqu'en 2004.**

La Tâche et le Romanée-Conti sont plus étoffés. La Tâche est le plus musclé et le plus charnu, mais il manque de fruité pour meubler sa structure. Avec ses arômes épicés et herbacés de cuir, le Romanée-Conti présente un caractère austère et sec, d'abondants tannins et peu de fruité. Ces deux vins se révéleront incontestablement plaisants du point de vue aromatique, mais ils sont dépouillés et privés de charme. Je les ai dégustés au fût et deux fois en bouteille, et leur ai, à chacune de ces occasions, attribué des notes similaires. La Tâche tiendra **jusqu'en 2006**, et le Romanée-Conti **jusqu'en 2008**.

Comme ceux de beaucoup d'autres propriétés de Bourgogne, les 1991 du Domaine de la Romanée-Conti sont issus de rendements extrêmement restreints – moins de 20 à 26 hl/ha pour le Grands Échézeaux. Ils sont indéniablement réussis, et devraient bien vieillir.

L'Échézeaux est en général le vin le plus léger du domaine. Rubis foncé, avec un nez serré, mais prometteur, de chêne fumé et de riches fruits noirs et rouges, le 1991 se révèle modérément tannique en finale. Il est moins évolué et plus dense que d'habitude. **A maturité : jusqu'en 2008.**

Les amateurs savent parfaitement que l'exceptionnel Grands Échézeaux constitue la meilleure affaire que propose le domaine. En effet, le Grands Échézeaux 1991 s'impose, avec La Tâche, comme le vin le plus complexe et le plus riche de la gamme. Mais, **d'ici 20 ans**, le Romanée-Conti déploiera certainement ses parfums magiques, encore inégalés en Bourgogne.

D'un rubis-pourpre foncé, et doté d'un généreux et fabuleux fruité de cassis doux et confituré marqué de touches de chêne neuf grillé et fumé, le Grands Échézeaux 1991 se révèle complexe, puissant, riche, moyennement corsé et d'une concentration exceptionnelle. **A maturité : 1998-2012.**

J'ai trouvé que le Romanée-Saint-Vivant 1993 était le cru le plus doux et le plus léger de la gamme, avec ses arômes bien particuliers de girofle, de cannelle, de fruits noirs et de terre. Moyennement corsé, souple, et légèrement tannique, il peut être dégusté dès maintenant ou dans les **12 à 15 ans**.

Dominé par des senteurs de vanille douce et de chêne neuf et grillé mêlées d'arômes de cassis, le Richebourg 1991 est moyennement corsé et d'une excellente richesse en bouche, où il présente une finale modérément tannique. Comme les autres vins du domaine, il s'étoffera certainement avec le temps. **A maturité : 1998-2012.**

Aussi irrésistible que de coutume, La Tâche 1991 s'impose comme le plus profondément coloré de toute la série. Son nez luxuriant – un nez de conte de fées –, aux notes de viande fumée, de fruits noirs et confiturés et d'épices orientales, introduit un vin ample et très corsé, débordant littéralement d'un fruité riche et doux, qui se révèle, malgré son flamboiement, structuré et tannique. Attendez-le encore 1 ou 2 ans, son potentiel de garde est de **20 ans** environ.

Profondément coloré, mais avec une robe moins soutenue que celle de La Tâche ou du Grands Échézeaux, le Romanée-Conti 1991 est peu évolué et moyennement corsé en bouche, et s'impose comme le 1991 le plus fermé et le plus impénétrable du domaine. Il ne fait aucun doute que son caractère racé prendra le dessus avec le temps, mais, pour l'instant, je me dois d'attribuer une meilleure note à La Tâche et au Grands Échézeaux.

DOMAINE ROSSIGNOL-TRAPET (GEVREY-CHAMBERTIN)***

Rue de la Petite-Issue – 21220 Gevrey-Chambertin
Tél. 03 80 51 87 26 – Fax 03 80 34 31 63
Contact : David Rossignol-Trapet

1993 Chambertin Vieilles Vignes	EE	88
1993 Latricières-Chambertin	E	86
1991 Latricières-Chambertin	EE	85
1993 Chapelle-Chambertin	E	86
1991 Chapelle-Chambertin	EE	85
1991 Chambertin	EE	79
1991 Gevrey-Chambertin Petite Chapelle	D	77
1991 Gevrey-Chambertin	D	73

Ce domaine, pourtant à la tête de beaux vignobles, ne produit que des vins de qualité médiocre.

Le Gevrey-Chambertin, avec son nez aux notes de papier-filtre, ne peut être apprécié que par un fabricant de boîtes en carton. En outre, il se révèle délavé en bouche, avec une finale courte et aigre.

Le Gevrey-Chambertin Petite Chapelle 1991 reflète tous les défauts du millésime : étroit et maigre, il est également compact, dur et tannique.

Fort heureusement, le Chapelle-Chambertin 1991 est assez élégant, avec de modestes arômes de fruits rouges et doux mêlés de notes de noix grillée et de chêne neuf et épicé. Il est moyennement corsé, épicé et plaisant, mais réservé. **A boire dans les 3 ou 4 ans.**

Semblable au vin précédent (qu'en est-il du terroir ?), avec les mêmes notes de chêne neuf et épicé, les mêmes élégants arômes, vanillés et rôtis, de fruits rouges, le Latricières-Chambertin 1991 présente une acidité de bon ressort, et sa finale est courte, moyennement corsée, mais plaisante. **A boire dans les 4 ou 5 ans.**

Léger, insipide et inintéressant, le Chambertin 1991 est une insulte à l'intelligence du consommateur. J'ai à l'esprit plus d'une douzaine de bourgognes génériques bien meilleurs que ce vin creux et délavé. Quelle mascarade !

En 1993, les trois crus les mieux réussis du domaine sont le Chapelle-Chambertin, le Latricières-Chambertin et le Chambertin Vieilles Vignes.

Modérément doté, plaisant et moyennement corsé, le Chapelle-Chambertin 1993 est ferme et mûr. **A boire dans les 7 ou 8 ans.**

J'ai également apprécié le Latricières-Chambertin 1993, plus boisé, mais longiligne, aux arômes de terre et de fumé. Doté d'une belle et brillante robe rubis foncé, il révèle une excellente richesse en bouche, où il déploie une acidité élevée, de très abondants tannins, des arômes bien fruités, nets et de bon ressort, ainsi qu'une finale acidulée. **A maturité : jusqu'en 2005.**

Le Chambertin Vieilles Vignes 1993, produit à hauteur de 50 caisses seulement, est issu d'un vignoble planté en 1919. Les rendements sont de 20 hl/ha. D'une resplendissante couleur rubis foncé, ce vin offre un nez de fumé, de terre et de fruits rouges et doux. Moyennement corsé et bon à l'attaque en bouche, il révèle une excellente maturité et un caractère glycériné, mais affiche également l'austérité, l'acidité et le niveau de tannins élevé propres au millésime. Laissez-lui 2 ou 3 ans, il se conservera bien pendant **12 ans**. Il est très bon, plutôt qu'exceptionnel – comme il est de règle dans cette appellation terriblement surestimée.

DOMAINE JOSEPH ROTY (GEVREY-CHAMBERTIN)****/*****

24, rue du Maréchal-de-Lattre-de-Tassigny – 21220 Gevrey-Chambertin
Tél. 03 80 34 38 97
Contact : Joseph Roty

1993 **Marsannay Les Ouzeloy**	C	85
1993 **Gevrey-Chambertin La Brunelle**	D	86
1993 **Gevrey-Chambertin Champs Chenys**	D	86
1993 **Gevrey-Chambertin Clos Prieur**	D	87
1993 **Gevrey-Chambertin Les Fontenys**	E	87
1993 **Mazis-Chambertin**	EE	88
1993 **Griotte-Chambertin**	EE	87+ ?
1993 **Charmes-Chambertin Très Vieilles Vignes**	EE	89+

Joseph Roty a bien réussi ses 1993 – qui ne présentent ni les tannins durs ni le caractère creux que l'on retrouve dans tant de vins de ce millésime –, moins bons toutefois que ses 1990 et ses 1985. Bien concentrés, moins profondément colorés qu'on n'aurait pu le supposer, ils sont richement extraits, intensément parfumés et impressionnants, sans avoir le caractère grandiose des millésimes précédents.

Plaisant, fruité et moyennement corsé, le Marsannay Les Ouzeloy 1993 doit être dégusté dans les **4 ou 5 ans**. On y décèle les arômes de fruits rouges et le caractère giboyeux et fumé caractéristiques de cette propriété, ainsi qu'une finale nette et vive.

Les Gevrey-Chambertin sont bien réussis.

Rubis clair, bien épicé et moyennement corsé, le Gevrey-Chambertin La Brunelle 1993 sera parfait dans les **toutes prochaines années**.

Plus intense et bien épicé, le Gevrey-Chambertin Champs Chenys 1993 arbore une robe rubis moyennement foncé et une finale modérément tannique. **A boire dans les 4 ou 5 ans**.

Le Gevrey-Chambertin Clos Prieur 1993 s'impose comme le plus riche, le plus profondément coloré, le plus structuré et le plus intense de ce trio. Moyennement corsé et tannique, il promet de bien évoluer dans les **5 ou 6 ans**.

Plus complexe, avec un nez charnu de fumé et d'herbes rôties, le Gevrey-Chambertin Les Fontenys 1993 libère en bouche de riches arômes de fruits rouges. Moyennement corsé et modérément tannique, avec une acidité de bon ressort, il présente un potentiel de garde de **7 ou 8 ans**.

Les trois grands crus ne sont pas aussi colorés qu'ils devraient l'être.

D'un rubis assez clair, le Mazis-Chambertin 1993 offre un nez sensuel et épicé de viande fumée, de vanille et de fruits rouges et mûrs. Moyennement corsé et bien concentré, il est encore modérément tannique et devra être consommé avant d'avoir atteint **10 ans d'âge**. Ni puissant ni massif, il est élégant, bien fait et séduisant.

Rubis moyennement foncé, le Griotte-Chambertin 1993 se révèle curieusement plus tannique que le Mazis-Chambertin. Bien que fermé, dur et serré, il devrait s'épanouir au terme d'une garde de 3 ou 4 ans et se conserver sur les **5 ou 6 ans** qui suivront.

C'est le Charmes-Chambertin Très Vieilles Vignes 1993 qui s'impose comme la plus belle réussite de toute la gamme – il pourrait même se révéler extraordinaire d'ici 2 ou 3 ans. D'un rubis plutôt foncé, il offre un nez énorme et riche de fumé et de fruits rouges vanillés, et se montre moyennement corsé et richement extrait, bien concentré et modérément tannique en bouche. Vif, il déploie une finale longue, épicée et assez tannique. Son fruité est amplement suffisant pour bien étayer sa structure. Vous le consommerez dans les **10 à 12 ans** qui suivront une garde en cave de 4 ou 5 ans.

DOMAINE GEORGES ET CHRISTOPHE ROUMIER (CHAMBOLLE-MUSIGNY)****

Rue de Vergy – 21220 Chambolle-Musigny
Tél. 03 80 62 86 37 – Fax 03 80 62 83 55
Contact : Christophe Roumier

1993 Bonnes Mares	E	87+ ?
1993 Chambolle-Musigny Les Cras	D	85
1991 Musigny	EE	86
1991 Bonnes Mares	E	86
1991 Ruchottes-Chambertin	E	86+
1991 Clos de Vougeot	D	85
1991 Chambolle-Musigny Les Amoureuses	D	77
1991 Morey-Saint-Denis	D	86
1991 Chambolle-Musigny	D	81

Ce domaine, l'un des meilleurs de Bourgogne, est une référence dans nombre de millésimes, mais il n'a pas aussi bien réussi en 1991 que les autres bons producteurs de la Côte de Nuits.

Les rendements étaient pourtant généralement minuscules, allant de 8-10 hl/ha à 16-20 hl/ha pour les grands crus. Si les vins sont bien colorés, ils sont également durs et n'ont pas l'intensité de fruité requise pour contrer leurs abondants tannins. Ce problème d'équilibre dessert d'ailleurs beaucoup de 1991, et je sais d'expérience que leur fruité se desséchera bien avant que leurs tannins ne se fondent.

Profondément coloré, avec un nez fermé de terre et d'épices, le Chambolle-Musigny 1991 est moyennement corsé et modérément concentré en bouche, où il présente des tannins fermes et durs. **A maturité : jusqu'en 2001.**

Le Morey-Saint-Denis 1991 libère un bouquet plus expressif d'épices, de terre, de fruits rouges, d'herbes aromatiques et de viande. Moyennement corsé et puissant, il déploie une finale extrêmement tannique. Bien que doté d'un fruité plus intense que les autres vins de la gamme, il reste dominé par son caractère tannique. **A maturité : jusqu'en 2001.**

Rubis moyennement foncé, avec un nez fermé, le Chambolle-Musigny Les Amoureuses 1991 est trop dur, rugueux et tannique. Ses tannins astringents et verts sont en effet très gênants, et il semblerait que l'utilisation de six blancs d'œufs par fût pour les coller et les adoucir n'ait pas été couronnée de succès, ce vin demeurant terriblement dur. Mais les amateurs souhaitent peut-être prendre les paris...

D'une resplendissante couleur rubis, avec un nez peu expressif de cassis, d'épices, d'herbes et de vanille, le Clos de Vougeot 1991 est avant tout tannique, bien structuré, mais compact et austère. Son potentiel de garde est de **10 ans environ.**

Rubis foncé, le Ruchottes-Chambertin 1991 présente le caractère charnu, épicé et animal du pinot noir. D'une belle richesse, très puissant et très concentré, il déploie en finale des tannins abondants, moins astringents et moins secs que ceux des autres vins de la gamme. On peut penser que ce Ruchottes-Chambertin évoluera avec grâce dans les **10 à 12 ans.**

Enfin, le Bonnes Mares 1991 et le Musigny 1991 sont tous deux bien colorés, avec de vagues senteurs de cerise mûre. Toutefois, ils sont dominés par leur caractère férocement tannique et rugueux, ce qui m'a empêché de leur attribuer une meilleure note.

Pour résumer, on dira que les 1991 du Domaine Georges et Christophe Roumier sont tous bien ou très bien colorés, avec des nez mûrs mais atténués, mais qu'ils sont également dominés par leur caractère tannique. Si vous pensez que les tannins de ces vins se fondront avant que leur fruité ne se fane, vous les apprécierez certainement plus que moi.

Quant aux 1993, ils sont d'une qualité mitigée. Tous présentent le caractère dur et rugueux propre au millésime, mais le Chambolle-Musigny Les Cras, moyennement corsé, est bien réussi, avec son doux fruité et sa finale mûre. **A maturité : 2002-2003.**

Le Bonnes Mares, qui est généralement l'une des vedettes de la Bourgogne, est très bon, mais pas sensationnel en 1993. Rubis foncé, il exhale un nez serré et très réticent aux notes de terre mouillée, de fruits rouges, d'herbes et de minéral. Dur, rugueux, mais concentré en bouche, ce vin austère a un potentiel de garde de **15 ans,** et vous pourrez le déguster d'ici 5 à 6 ans. Cependant, je doute fort qu'il se montre jamais plaisant et voluptueux.

DOMAINE ARMAND ROUSSEAU (GEVREY-CHAMBERTIN)****

1, rue de l'Aumônerie – 21220 Gevrey-Chambertin
Tél. 03 80 34 30 55 – Fax 03 80 58 50 25
Contact : Charles Rousseau

1993 Chambertin	EEE	88+ ?
1991 Chambertin	EE	96
1993 Chambertin Clos de Bèze	EEE	90+
1991 Chambertin Clos de Bèze	EE	94

1993 Gevrey-Chambertin Clos Saint-Jacques	E	90
1991 Gevrey-Chambertin Clos Saint-Jacques	EE	90
1993 Ruchottes-Chambertin Clos des Ruchottes	E	86
1993 Clos de la Roche	E	86+ ?
1991 Clos de la Roche	E	85 ?
1993 Mazis-Chambertin	E	87
1991 Mazis-Chambertin	E	88
1993 Charmes-Chambertin	E	86
1991 Charmes-Chambertin	E	88
1991 Clos des Ruchottes-Chambertin	E	90
1991 Gevrey-Chambertin Les Cazetières	D	86+
1991 Gevrey-Chambertin-Villages	D	86

Le Domaine Armand Rousseau, véritable référence en Bourgogne, a produit des 1991 qui me semblent encore plus riches et plus profonds que ses 1990. Issus de rendements de moitié inférieurs à la normale, ils seront certainement difficiles à trouver sur le marché.

Cette propriété réussit généralement fort bien avec ses trois meilleures cuvées (le Gevrey-Chambertin Clos Saint-Jacques, le Chambertin Clos de Bèze et le Chambertin), mais les vins des appellations de moindre prestige manquent souvent de concentration et d'intensité. Ce n'est pas le cas en 1991.

En effet, même le Gevrey-Chambertin-Villages arbore une robe profonde et soutenue de couleur rubis foncé, ainsi qu'un nez énorme, épicé et charnu de fruits noirs. Mûr et moyennement corsé en bouche, il y déploie une excellente richesse, et se révèle d'une précision et d'une longueur admirables. Il sera agréable pendant encore **au moins une décennie**.

Le Gevrey-Chambertin Les Cazetières 1991 évoluera certainement bien, mais il est pour l'instant à peine meilleur que le vin précédent. Plutôt fermé en raison de son caractère tannique et peu évolué, presque impénétrable, il présente un côté glycériné sous-jacent et une belle longueur, mais demeure dur et rugueux. Ma notation peut paraître sévère pour le moment.

Le Charmes-Chambertin 1991 est le meilleur que ce producteur ait élaboré au cours de ces quinze dernières années. Sa robe profonde et soutenue de couleur rubis-pourpre prélude à un nez fabuleux, splendide et mûr de fumé, de cerise noire et rôtie, d'herbes et de graisse animale. Long, savoureux et riche en bouche, il déploie une finale aux tannins doux. Dégustez ce vin concentré et de bonne mâche dans les **10 ans**.

Plus tannique que le vin précédent, le Mazis-Chambertin 1991 est néanmoins bien étayé par un fruité qui prend le pas sur son caractère tannique. D'un rubis-pourpre profond, il se révèle riche, généreux et de bonne mâche en bouche, et déploie en finale des arômes mûrs et doux de cassis. Ce Mazis-Chambertin d'une excellente maturité est raffiné et apprivoisé, et ses tannins laissent penser qu'il a encore besoin de 1 ou 2 ans de cave avant d'être prêt – il se conservera **15 ans**.

De tous les 1991, le Clos de la Roche est le plus dur et le plus difficile à évaluer. Incontestablement puissant et corpulent, il est également fermé, avec des tannins astringents. Pour l'instant, je lui accorde le bénéfice du doute, mais il faudrait le goûter périodiquement dans les 2 ou 3 prochaines années.

J'adore le Clos des Ruchottes-Chambertin 1991 de cette propriété. Le 1991 de ce cru est plus riche et plus aromatique que son aîné d'un an. De couleur rubis-pourpre foncé, il présente un bouquet aux notes de viande fumée, de fruits noirs et rouges, d'herbes et de chêne grillé qui jaillit littéralement du verre. En bouche, il se révèle riche, très corsé, d'une concentration et d'une précision absolument exceptionnelles. Un bourgogne rouge bien fait, bien structuré et pur. **A maturité : 1998-2008.**

La robe impressionnante, très soutenue, de couleur rubis-pourpre foncé du Gevrey-Chambertin Clos Saint-Jacques 1991 prélude à un bouquet serré, mais prometteur, de cassis, de chêne neuf et de fleurs. Concentré et riche, moyennement corsé, extrêmement tannique et puissant, mais peu évolué, ce vin requiert une garde d'au moins 4 ou 5 ans avant d'être prêt. Son potentiel est de **15 ans, ou plus.**

Comme on pouvait s'y attendre, les deux meilleurs 1991 de la propriété sont le Chambertin Clos de Bèze (issu de rendements de 22 hl/ha) et le Chambertin.

Pourpre-noir, le Chambertin Clos de Bèze 1991 offre au nez un fastueux déploiement de senteurs de framboise et de cerise noire mêlées de notes de minéral, de fleurs et de chêne neuf et grillé. D'une intensité et d'une richesse absolument superbes, il est aussi très corsé, avec une texture généreuse et magnifique. Sa finale modérément tannique déborde littéralement d'un fruité mûr et doux. **A maturité : jusqu'en 2015.**

Presque noir, le Chambertin s'impose comme le plus coloré des 1991 de Bourgogne après le Musigny Vieilles Vignes du Domaine Comte Georges de Vogüé. Son bouquet, qui déborde d'un fruité riche et doux de framboise, est marqué de notes de chêne neuf, grillé et fumé, avec un caractère de crayon semblable à celui d'un Mouton-Rothschild. Remarquablement concentré et long en bouche, c'est la quintessence même du Chambertin. Il ridiculise les autres vins issus de ce vignoble, qui sont souvent aqueux, insipides et proposés à plus de 500 F la bouteille. Ne touchez pas à ce Chambertin encore jeune et peu évolué, mais extrêmement riche, avant la fin de ce siècle. **A maturité : 2000-2020.**

Bien réussis, les 1993 sont plus doux que je ne le pensais, dans un millésime connu pour ses vins durs et tanniques.

Souple et doux, le Charmes-Chambertin 1993 est moyennement corsé et velouté en bouche, d'une bonne, plutôt que d'une excellente, concentration. Sans être de la stature d'un grand cru, il sera agréable dans les **6 ou 7 ans.**

Le Mazis-Chambertin 1993 est lui aussi étonnamment doux pour le millésime. D'un rubis assez foncé, il exhale un nez d'épices et de fruits rouges mêlé de notes de terre, et déploie une finale comprimée, légèrement tannique et moyennement corsée. Vous le dégusterez dans **la décennie** qui suivra une garde de 1 ou 2 ans.

Le Clos de la Roche 1993 est l'un des rares vins de la gamme à présenter les marques du millésime – à savoir des tannins durs, rugueux et astringents, ainsi qu'un niveau d'acidité très élevé. D'un caractère plutôt rustique, il est doté d'un beau fruité de cerise, et se révèle moyennement corsé, puissant et musclé. **A maturité : 1998-2008.**

Le Ruchottes-Chambertin Clos des Ruchottes 1993 arbore curieusement une robe rubis légèrement foncé, et exhale un doux nez de fruits noirs et rouges confiturés. Moyennement corsé, avec un charme et un fruité délicats et sous-jacents, il est plus léger et plus accessible que le Clos de la Roche ou le Mazis-Chambertin, et ne révèle aucune astringence. Devrait-il être plus étoffé ? **A maturité : 2001-2007.**

Le Gevrey-Chambertin Clos Saint-Jacques et le Chambertin Clos de Bèze 1993 témoignent d'une nette amélioration dans la qualité de ces crus.

Le Gevrey-Chambertin Clos Saint-Jacques 1993, plus profondément coloré, plus richement extrait et plus aromatique que de coutume, se révèle opulent, d'une ample richesse et légèrement marqué de touches de chêne neuf et grillé. Il déploie également les légendaires tannins du millésime. Riche et bien fait, moyennement corsé et concentré, il se bonifiera au terme d'une garde de 2 à 4 ans et se conservera parfaitement les **15 prochaines années.** Incontestablement une belle réussite pour un 1993 !

Le Chambertin Clos de Bèze 1993, qui est également une réussite renversante, arbore une robe rubis-pourpre foncé – la plus soutenue de toute la gamme –, qui précède un nez serré, mais prometteur, de fruits noirs confiturés, de fleurs et d'épices. Suit un vin extrêmement riche et très corsé (ce qui est plutôt rare pour un 1993), aux tannins abondants, qui affiche un caractère intense, charnu et plus que suffisamment glycériné pour contrebalancer sa structure. Ample et doté de manière impressionnante, il demande à être attendu 5 à 7 ans ; son potentiel de garde est de **20 ans, au moins.**

Le Chambertin 1993, qui s'impose généralement comme l'égal du Chambertin Clos de Bèze, exhale un nez plaisant aux notes de fumé et de fruits noirs et rouges. L'attaque en bouche révèle un doux fruité, mais les tannins envahissent bien vite le palais, et la finale est plus compacte, moins corpulente et moins intense que je ne l'aurais pensé. Ce vin est certainement très bon, voire excellent, mais il n'enthousiasmera pas les amateurs de bourgognes. Il gagnera très certainement au terme d'un vieillissement en bouteille de 2 ou 3 ans. Son potentiel de garde est de **12 ans, ou plus.**

DOMAINE CHRISTIAN SÉRAFIN (GEVREY-CHAMBERTIN)****/*****

7, place du Château – 21220 Gevrey-Chambertin
Tél. 03 80 34 35 40 – Fax 03 80 58 50 66
Contact : Christian Sérafin

1993 Charmes-Chambertin	E	90+
1992 Charmes-Chambertin	D	92
1991 Charmes-Chambertin	E	85
1993 Gevrey-Chambertin Les Cazetiers	D	89+
1992 Gevrey-Chambertin Les Cazetiers	D	90+
1991 Gevrey-Chambertin Les Cazetiers	D	85+

1993 Gevrey-Chambertin Le Fonteny	D	89
1992 Gevrey-Chambertin Le Fonteny	D	88
1991 Gevrey-Chambertin Le Fonteny	D	83
1993 Gevrey-Chambertin Vieilles Vignes	D	87
1992 Gevrey-Chambertin Vieilles Vignes	D	86
1991 Gevrey-Chambertin Vieilles Vignes	D	82
1991 Gevrey-Chambertin Les Corbeaux	D	82

Je suis un grand admirateur de Christian Sérafin, qui est, comme chacun le sait, l'un des meilleurs vinificateurs de Gevrey-Chambertin. Cela étant dit, je pense que ses 1991 m'ont été présentés alors qu'ils étaient à un stade ingrat de leur évolution, car les notes ci-dessus sont les plus sévères que j'aie jamais attribuées à sa production.

Les rendements à la propriété furent certainement très restreints en 1991, mais les traits communs à tous les vins de ce millésime sont leur caractère austère et maigre, leurs tannins durs et astringents, ainsi que l'aspect fermé et l'étroitesse dont ils témoignent en bouche. Je les ai dégustés juste après la mise, et certains se révélaient très fermés soit du fait de leur passage du fût à la bouteille, soit en raison de leur haut niveau de sulfitage. En tout cas, pour des raisons que j'ignore, ils étaient loin d'être impressionnants. Le Gevrey-Chambertin Les Cazetiers et le Charmes-Chambertin 1991 étaient tous deux plus étoffés. Mais, bien que structurés, ils m'ont semblé compacts, austères, sans le doux fruité que l'on serait en droit d'attendre des vins de ce producteur. Ils seront tous à nouveau dégustés dans un futur proche.

Le Gevrey-Chambertin Vieilles Vignes 1992 est un vin joli et délicat, bien coloré, au nez séduisant et herbacé de fruits rouges. Moyennement corsé et compact en bouche, il se révèle mûr et épicé. **A boire dans les 5 ou 6 ans.**

Plus riche, plus long et plus doux que le vin précédent, le Gevrey-Chambertin Le Fonteny 1992 a également une excellente structure. Issu d'un vignoble qui jouxte deux des grands crus de Gevrey (Mazis-Chambertin et Ruchottes-Chambertin), il est moyennement corsé et épicé, d'une excellente maturité et d'une belle concentration. La finale est douce, sans détour et modérément tannique. Il sera à son meilleur niveau d'ici 1 an et devrait durer encore **12 ans** environ.

Christian Sérafin produit aussi l'un des meilleurs Gevrey-Chambertin Les Cazetiers, et son 1992 a bien la qualité d'un grand cru. Rubis foncé, avec un époustouflant bouquet de fruits noirs, d'herbes, de terre et de chêne neuf et grillé, il se révèle riche et moyennement corsé, bien tannique et très structuré, d'une concentration et d'une longueur extraordinaires. **A maturité : 1998-2008.**

Le Charmes-Chambertin 1992 est étonnamment musclé, dense et concentré pour ce cru. Sa robe très soutenue, de couleur rubis-pourpre, prélude à des arômes intenses, doux et fruités, qui se déploient dans un ensemble très corsé, mûr, bien structuré et capiteux. Ce formidable Côte de Nuits a un potentiel de **15 ans, ou plus.**

Les 1993, issus de rendements d'environ 32 hl/ha, ont tous été mis en bouteille sans collage ni filtration préalables. Ils sont purs, riches, bien structurés et équilibrés.

Exhalant des arômes doux et mûrs de fruits noirs et rouges, de terre mouillée et d'épices, le Gevrey-Chambertin Vieilles Vignes 1993 présente une belle attaque en bouche, et se révèle moyennement corsé et d'une belle maturité. La finale, légèrement austère, est modérément tannique et dotée de manière impressionnante. **A maturité : jusqu'en 2005.**

Plus puissant, plus doux et moyennement corsé, le Gevrey-Chambertin Le Fonteny libère un généreux fruité, des tannins fermes, ainsi qu'une finale épicée et structurée. Il demande, en raison de son caractère tannique, que vous l'attendiez encore 3 ou 4 ans, mais il devrait bien se conserver dans **les 15 prochaines années.**

Je pense que le Gevrey-Chambertin Les Cazetiers 1993 est meilleur que le vin précédent, mais il était très fermé lorsque je l'ai dégusté, et je me dois de le décrire tel qu'il se montrait. Sa robe profonde, de couleur rubis-pourpre, témoigne d'une belle extraction ; elle précède un nez réticent et peu évolué. Suit un vin moyennement corsé et extrêmement tannique en bouche, d'une richesse en extrait et d'une maturité admirables, avec une finale austère et serrée. **A maturité : 2003-2015.**

D'une resplendissante couleur rubis foncé, le Charmes-Chambertin 1993 présente un nez très retenu aux notes de pinot noir très mûr et de chêne neuf. Riche et moyennement corsé, il est encore bien doté et bien structuré, mais n'a que peu de charme pour l'instant. Cependant, vu ses qualités, ce n'est qu'une question de patience. Attendez encore 4 ou 5 ans pour le déguster, il se conservera bien les **12 à 15 prochaines années.**

DOMAINE BERNARD SERVEAU (MOREY-SAINT-DENIS)***/****

37, Grande-Rue – 21220 Morey-Saint-Denis
Tél. 03 80 34 33 07
Contact : Bernard Serveau

1991 Bourgogne	C	82
1991 Morey-Saint-Denis Les Sorbés	D	83
1991 Nuits-Saint-Georges Les Chaînes Carteaux	D	77
1991 Chambolle-Musigny Les Amoureuses	D	74
1991 Chambolle-Musigny Les Sentiers	D	86
1991 Chambolle-Musigny Les Chabiots	D	86

On connaît Bernard Serveau surtout pour ses vins de pinot noir légers, délicats et tout en dentelle. Ses 1991 sont à peine bons dans le bas de gamme. En revanche, ils se révèlent très bons en haut de l'échelle, notamment les deux premiers crus de Chambolle-Musigny.

De couleur rubis, le Bourgogne 1991 est d'une belle maturité, sans détour et agréable. **A boire dans les toutes prochaines années.**

Le Morey-Saint-Denis Les Sorbés 1991, d'un rubis assez foncé, présente un nez de terre, de sous-bois humide et de groseille. Moyennement corsé et modérément concentré en bouche, il déploie en finale des tannins fermes et durs. Il gagnera au terme d'une garde en cave de 1 an environ. **A maturité : jusqu'en 2001.**

Étonnamment tannique, dur et serré, le Nuits-Saint-Georges Les Chaînes Carteaux se révèle encore austère et maigre, avec un fruité qui ne me semble pas de taille à contrebalancer son caractère astringent.

Le Chambolle-Musigny Les Amoureuses, qui s'impose régulièrement comme la meilleure affaire de la gamme, est en 1991 décevant et d'une légèreté inhabituelle, même si l'on tient compte du style délicat qu'affectionne son auteur. Ce vin présente encore des tannins durs et une finale compacte, courte et maigre. Il lui manque tout simplement le fruité et la profondeur nécessaires pour contrecarrer son côté rugueux.

Les Chambolle-Musigny Les Sentiers et Les Chabiots 1991 sont bien réussis, arborant une robe resplendissante de couleur rubis assez foncé, et présentant des arômes doux, mûrs et très parfumés. Le premier est plus épicé, tandis que le second est marqué par un fruit doux et confituré, et par des notes plus prononcées de vanille. Moyennement corsés et bien équilibrés, modérément tanniques et d'une concentration admirable, ils donnent une belle impression d'ensemble, toute de grâce et d'élégance. Bien qu'ils soient déjà prêts, ils se conserveront sans peine encore **une décennie.**

DOMAINE JEAN TARDY (VOSNE-ROMANÉE)***

3, ruelle de l'Église – 21220 Morey-Saint-Denis
Tél. 03 80 34 35 28 ou 03 80 61 11 86
Contact : Jean Tardy

1991 Clos de Vougeot	E	74
1991 Chambolle-Musigny Les Athets	D	83
1991 Nuits-Saint-Georges Aux Bas de Combe	D	78
1991 Nuits-Saint-Georges Les Boudots	E	84
1991 Vosne-Romanée Les Chaumes	D	80

Tous les 1991 ci-dessus sont légèrement aromatiques, moyennement corsés et tanniques. J'en attendais davantage de profondeur et d'intensité, compte tenu des performances passées de ce producteur. Le Clos de Vougeot 1991, austère et tannique, est décevant. Quant aux autres vins de la gamme, ils sont plus ou moins dotés d'un léger fruité de cerise et d'arômes de chêne neuf, et manquent de profondeur.

CHÂTEAU DE LA TOUR (VOUGEOT)****

Clos de Vougeot – 21640 Vougeot
Tél. 03 80 62 86 13 – Fax 03 80 62 82 72
Contact : François Labet

1993 Clos de Vougeot Vieilles Vignes	EE	86
1991 Clos de Vougeot Vieilles Vignes	EE	89+
1991 Clos de Vougeot	E	87

Cette propriété donne des vins extraordinaires depuis la fin des années 80, et ses 1991 sont bien réussis.

Le cru que l'on rencontre le plus souvent est le Clos de Vougeot. Rubis-pourpre foncé, le 1991 libère un nez énorme et doux de chêne neuf et grillé, de cassis et d'épices. Moyennement corsé et riche, il est encore faible en acidité. Admirablement mûr, charnu et presque onctueux en bouche, il présente une finale alcoolique, douce, capiteuse et modérément tannique. Déjà prêt, il se bonifiera au terme d'une garde de 1 an environ, et devrait se conserver **8 à 10 ans.**

Le Clos de Vougeot Vieilles Vignes 1991 (dont les disponibilités sont très limitées) est d'un style similaire, bien souligné par des notes de chêne neuf. Toutefois, il est plus généreusement doté, avec davantage de fruité confituré que le vin précédent. Issu des plus vieilles vignes de la propriété, il est long, extrêmement concentré, épais et riche en bouche, débordant de gras et d'inten-sité. La finale, longue et modérément tannique, regorge d'alcool, de tannins doux et de glycérine, le tout étant bien marqué par la mâche. Ce vin méritera une note extraordinaire après 2 ans de vieillissement en bouteille ; son potentiel de garde est de **10 à 15 ans.**

Le Clos de Vougeot Vieilles Vignes 1993, légèrement trop boisé, est moyen-nement corsé, mûr et modérément concentré, avec un bon fruité de cerise noire. Doté d'un niveau d'acidité élevé, il déploie une finale très tannique, et se révèle plus riche et plus doux que la cuvée générique (laquelle ne figure pas dans cet ouvrage à cause de son caractère trop boisé et de sa finale dure, rugueuse et creuse). **A maturité : 2003-2008.**

DOMAINE LOUIS TRAPET (GEVREY-CHAMBERTIN)**

53, route de Beaune – 21220 Gevrey-Chambertin
Tél. 03 80 34 30 40 – Fax 03 80 51 86 34
Contact : Jean-Louis Trapet

1993 Latricières-Chambertin	E	90
1991 Latricières-Chambertin	E	85
1993 Chambertin	EE	88+
1991 Chambertin	EE	82
1993 Chapelle-Chambertin	E	91
1991 Chapelle-Chambertin	E	83
1993 Gevrey-Chambertin Petite Chapelle	D	89
1991 Gevrey-Chambertin Petite Chapelle	D	81
1993 Gevrey-Chambertin Vieilles Vignes	D	87
1991 Gevrey-Chambertin	D	74

J'entretiens toujours l'espoir que Jean-Louis Trapet, fils de Jean Trapet, remettra ce domaine sur les rails, mais ses 1991 sont inintéressants.

Bien coloré (comme d'ailleurs tous les 1991 de la Côte de Nuits), le Gevrey-Chambertin 1991 déçoit par ses tannins excessifs, durs et rugueux, et par son caractère creux.

Plus aromatique, le Gevrey-Chambertin Petite Chapelle 1991 libère un fruité herbacé et de cerise, avec des notes plus prononcées de chêne neuf et fumé que le vin précédent, mais il présente des tannins durs et astringents. Sa bonne profondeur n'est pas suffisante pour contrebalancer son aspect tannique. **A maturité : jusqu'en 2003.**

Le Chapelle-Chambertin 1991 est également trop tannique, creux, compact et court. Ses plaisants arômes de sous-bois et de gibier ne peuvent faire échec à son caractère rugueux et à ses tannins durs.

Le Latricières-Chambertin 1991 est le meilleur vin que propose le domaine. Assez longiligne, mais d'une couleur plus soutenue et plus foncée que le Chapelle-Chambertin, il libère de plaisantes et douces notes de fruits rouges rôtis et fumés. Épicé, mûr et moyennement corsé, il déploie d'abondants tannins que son doux fruité et sa profondeur parviennent à contrer − contrairement à ce que l'on constate pour les autres 1991 de la propriété. **A maturité : jusqu'en 2005.**

Rien dans le Chambertin 1991 n'est de nature à vous enthousiasmer. Ce vin se desséchera certainement d'ici 7 ou 8 ans, son fruité étant totalement submergé par un flux de tannins durs, astringents et abrasifs. Moyennement corsé, il manque de concentration et se révèle relativement creux.

En revanche, les 1993 de ce domaine sont les vins les mieux réussis depuis les grandioses 1969. Les commentaires ci-dessous se rapportent aux cuvées non collées et non filtrées, spécialement mises en bouteille pour Patrick Lesec (Paris). Toutefois, j'ai appris que Jean-Louis Trapet avait pris la décision de ne plus coller ni filtrer sa production à compter du millésime 1995.

Rubis-grenat foncé, le Gevrey-Chambertin Vieilles Vignes 1993 libère de puissants arômes de fumé, de viande et d'épices. Moyennement corsé, doux et rond en bouche, il y présente une excellente richesse en extrait, ainsi qu'une finale modérément longue. Il est plus souple que la majorité de ses contemporains. **A boire dans les 7 ou 8 ans.**

Rubis-grenat foncé également, le Gevrey-Chambertin Petite Chapelle 1993 exhale des arômes naissants, mais complexes, de fruits rouges confiturés, d'épices et de vanille. D'une remarquable richesse, il se révèle moyennement corsé, avec une ampleur et une souplesse qui ont cruellement fait défaut aux vins de ce domaine au cours des vingt dernières années. Une réussite presque extraordinaire ! **A boire dans les 10 à 12 ans.**

L'exceptionnel Chapelle-Chambertin 1993 est d'une grande délicatesse, avec son nez de grillé, de café, d'herbes et de fruits rouges confiturés. Moyennement corsé, il présente des tannins mûrs et doux, ainsi qu'un généreux fruité qu'il déploie par paliers. On décèle dans sa finale veloutée des tannins et un boisé bien fondus. **A maturité : jusqu'en 2003.**

Le Chambertin 1993 est le seul vin de la gamme à se montrer excessivement tannique et peu évolué. D'une couleur rubis modérément foncé, il exhale un nez épicé et énorme, mais fermé, et se révèle moyennement corsé et d'une belle profondeur en bouche. Laissez-lui 5 ou 6 ans, il se conservera sur les **12 à 15 prochaines années.**

Le Latricières-Chambertin 1993 exhale un nez d'herbes rôties, de cannelle, de café et de cerise noire qui jaillit littéralement du verre. Savoureux et moyennement corsé, il témoigne d'une richesse en extrait et d'une maturité admirables. Ses tannins et son acidité sont bien fondus dans l'ensemble. Quoique déjà prêt, il devrait évoluer avec grâce sur les **12 prochaines années**. Bravo à Jean-Louis Trapet pour la renaissance de cette propriété !

DOMAINE TRUCHOT-MARTIN (MOREY-SAINT-DENIS)****

43, Grande-Rue – 21220 Morey-Saint-Denis
Tél. 03 80 34 32 63 – Fax 03 80 34 15 16
Contact : Jacky Truchot-Martin

1993 Charmes-Chambertin Vieilles Vignes	E	90
1992 Charmes-Chambertin Vieilles Vignes	E	91
1993 Morey-Saint-Denis Clos Sorbès	D	87+
1993 Chambolle-Musigny Les Sentiers	D	87
1992 Gevrey-Chambertin Les Combottes	D	87
1991 Morey-Saint-Denis Les Blanchards	D	87
1991 Bourgogne	C	86

Le Domaine Truchot-Martin produit des bourgognes rouges séduisants, mais qui déçoivent souvent par leur robe assez légère. Cependant, j'attire l'attention des lecteurs sur le fait que la couleur n'est pas aussi significative pour des vins de pinot noir qu'elle l'est pour ceux de cabernet sauvignon ou de syrah.

Prenez, par exemple, le Bourgogne 1991 de cette propriété. Il arbore une robe légèrement rosée, mais ses merveilleux et riches arômes de fraise confiturée et de fleurs jaillissent littéralement du verre. Ce vin souple, au fruité mûr, déploie une finale ronde, généreuse et douce. Il est également fragile, si bien que vous le dégusterez **dans l'année**.

De couleur rubis assez clair, le Morey-Saint-Denis Les Blanchards 1991 offre un nez de doux arômes de fruits rouges, et se révèle moyennement corsé et concentré en bouche, avec des tannins légers. **A boire dans les 2 à 4 ans.**

Issu de vignes de 55 ans d'âge, le Gevrey-Chambertin Les Combottes 1992, d'un rubis-pourpre plus foncé, exhale un nez très mûr de fruits noirs et rouges. Séduisant et moyennement corsé en bouche, il déploie un fruité de cerise noire marqué par la mâche ainsi qu'une finale savoureuse d'un faible niveau d'acidité. **A boire dans les 3 ou 4 ans.**

Le Charmes-Chambertin Vieilles Vignes 1992 est un superbe exemple de ce cru, généralement connu pour son caractère élégant et plein de finesse. Issu de vignes de 73 ans d'âge et entièrement vieilli en fûts neufs, ce vin exhale un nez fabuleusement luxuriant de fruits noirs et rouges, de fleurs et de chêne neuf grillé et fumé. Riche, mais en même temps velouté, souple et doux en bouche, il est irrésistible. Ce bourgogne rouge flamboyant, savoureux, juteux et bien doté sera au meilleur de sa forme dans les **4 prochaines années**. Tous ces vins sont mis en bouteille sans filtration ni collage préalables.

Les 1993 de la propriété sont tous admirables. Bien mûrs, souples et structurés, ils libèrent un fruité doux. Fort heureusement, ils n'ont pas l'acidité élevée ni les tannins astringents qui desservent tant de vins de ce millésime.

D'un rubis assez foncé, avec un doux nez de fleurs et de fruits rouges, le Chambolle-Musigny Les Sentiers 1993 est long, charnu et moyennement corsé en bouche. Il y révèle une excellente concentration et déploie une finale souple et de bonne mâche. Ce vin séduisant (une rareté dans ce millésime) peut être dégusté dès maintenant ou dans les 7 **prochaines années.**

Le Morey-Saint-Denis Clos Sorbès est le plus profondément coloré des trois 1993. Plus ferme que ses contemporains, il se révèle moyennement corsé, d'une excellente richesse et d'une belle profondeur, et présente un nez complexe de fruits rouges, d'herbes et de fumé. **A boire dans les 10 ans** qui suivront une garde de 1 ou 2 ans.

Issu de vignes de 64 ans d'âge, le Charmes-Chambertin Vieilles Vignes 1993, d'un rubis légèrement foncé, libère des arômes fabuleusement mûrs de cerise noire et de cassis, conjugués à de plaisantes notes de vanille douce (provenant du chêne neuf). Ce grand classique, somptueux et ample, est tout en finesse, charme et complexité. **A boire dans les 8 à 10 ans.**

Le Gevrey-Chambertin Les Combottes et le Clos de la Roche n'étaient pas mis en bouteille au moment de la dégustation.

DOMAINE COMTE GEORGES DE VOGÜÉ (CHAMBOLLE-MUSIGNY)*****

Rue Sainte-Barbe — 21220 Chambolle-Musigny
Tél. 03 80 62 86 25 — Fax 03 80 62 82 38
Contact : Jean-Luc Pépin

1993 Chambolle-Musigny Les Amoureuses	E	87
1991 Chambolle-Musigny Les Amoureuses	E	90
1993 Bonnes Mares	EE	87+ ?
1991 Bonnes Mares	EE	91+
1993 Musigny Vieilles Vignes	EE	90
1991 Musigny Vieilles Vignes	EE	93+
1991 Chambolle-Musigny	D	87

Les quatre 1991 du Domaine Comte Georges de Vogüé sont impressionnants dans l'absolu, et arborent les robes les plus profondément colorées de tous les 1991 de Bourgogne. Ils sont, en fait, d'un rubis-pourpre très soutenu qui rappelle davantage des échantillons de fût de cabernet sauvignon et de syrah.

Vinifiés un peu dans le style des bordeaux, ils sont tanniques et exceptionnellement bien structurés, et débordent de muscle et d'arômes. Seraient-ce les bourgognes rouges les plus élégants et les plus racés ? Seul le temps le dira, car tous requièrent au moins 4 ou 5 ans de garde en cave.

Il est difficile de trouver un Chambolle-Musigny plus impressionnant que le 1991 de ce domaine, du moins pour l'instant. Il arbore une robe très soutenue de couleur pourpre, qui introduit un nez réticent, mais prometteur, aux notes de cassis, de vanille, de minéral et de fleurs. Un vin tannique, musclé, énorme et massif. **A maturité : jusqu'en 2010.**

Presque noir, le Chambolle-Musigny Les Amoureuses 1991 déploie un caractère extrêmement fruité, glycériné et corpulent, bien étayé par de très abondants tannins. Ceux-ci vous paraîtront peut-être un peu excessifs, jusqu'à ce que vous constatiez le fruité doux, riche et concentré qui les accompagne. **A maturité : 2000-2015.**

Le Bonne Mares 1991 arbore cette même couleur pourpre très soutenue tirant sur le noir. Son fruité énorme, dense et concentré est bien étayé par sa structure, ses tannins et une belle acidité. Net, il est impressionnant de richesse et de plénitude. **A maturité : 2000-2015.**

Les collectionneurs fortunés devraient comparer les Musigny Vieilles Vignes 1990 et 1991 du Domaine Comte Georges de Vogüé, afin de déterminer lequel est le meilleur. Le 1991 arbore une robe magnifique, très soutenue et dense, de couleur rubis-pourpre foncé. Le nez énorme, mais non encore structuré, de framboise, de cassis, de vanille et de minéral donne une idée de la puissance aromatique de ce vin. Il se révèle par ailleurs ample, incontestablement bien doté, puissant, riche, concentré, merveilleusement net et pur, avec une austérité et une structure semblables à celles d'un Médoc. Il sera intéressant de suivre son évolution dans les 15 à 20 prochaines années, mais ne touchez à aucune de vos bouteilles avant la fin de ce siècle, elles devraient révéler une longévité étonnante pour des bourgognes actuels. Très impressionnant !

En revanche, les 1993 sont peu évolués, austères et structurés, et les optimistes les tiendront pour réussis si leur fruité ne se dessèche pas avant que leurs tannins ne se fondent.

Le Musigny Vieilles Vignes 1993 est le mieux réussi des trois crus. Semblable à un bordeaux par sa structure et son austérité, il est profondément coloré, riche et moyennement corsé, avec des tannins abondants. Il montre encore une pureté admirable et de la mesure en bouche. La note qui figure ci-dessus est celle qu'il méritera s'il se développe de manière parfaitement harmonieuse, ce qui n'arrivera certainement pas avant 2005. Ce vin est capable de durer **une vingtaine d'années**, à condition toutefois que son fruité ne se fane pas.

L'impressionnante robe rubis foncé du Bonnes Mares 1993 prélude à un bouquet serré et retenu. Ce vin se révèle moyennement corsé, compact et concentré en bouche, où il déploie d'abondants tannins durs et astringents. Je ne parierai pas sur lui, en raison de son niveau élevé de tannins, mais ce vin de pinot noir bien fait et prometteur demande à être attendu encore 5 ou 6 ans.

Le Chambolle-Musigny Les Amoureuses 1993 présente la même robe plaisante, de couleur rubis-pourpre foncé, que ses deux jumeaux, et offre, comme eux, un nez serré, mais prometteur, de cerise noire très pure et de framboise, joliment infusé de subtiles notes de chêne neuf et grillé. Bien structuré, d'une belle précision, à la fois dans les arômes et dans le dessin, il est admirablement racé, pur, élégant et gracieux. J'espère que son fruité tiendra et que ses tannins se fondront dans l'ensemble. Accordez-lui une garde de 2 ou 3 ans. **A maturité : 2000-2008.**

Les bourgognes blancs

AMIOT-BONFILS (CHASSAGNE-MONTRACHET)****

Rue du Grand-Puits – 21190 Chassagne-Montrachet
Tél. 03 80 21 38 62 – Fax 03 80 21 90 80
Contact : Guy Amiot

1992 Bourgogne Blanc Chardonnay	C	87
1992 Chassagne-Montrachet Clos Saint-Jean	E	92
1992 Chassagne-Montrachet Les Vergers	E	90
1992 Chassagne-Montrachet Les Caillerets	E	93
1992 Puligny-Montrachet Les Demoiselles	E	93
1992 Bourgogne	C	92
1992 Le Montrachet	EEE	98

La maison Amiot-Bonfils atteint depuis 1989 des sommets de qualité, et a produit cette année-là des vins d'excellente, sinon d'étonnante, tenue. Ses 1990 sont de très haut niveau, et ses 1992 tout simplement sensationnels.

Le plaisant Bourgogne Blanc Chardonnay 1992 est moyennement corsé, ample, fruité et mûr. **A boire d'ici 1 ou 2 ans.**

Des trois Chassagne-Montrachet premiers crus que produit le domaine, c'est le Chassagne-Montrachet Les Vergers 1992 qui se révèle le plus serré et le moins évolué. Bien que doté d'un niveau d'acidité plus élevé, il partage avec ses deux homologues la même puissance, la même richesse et la même intensité. Ce vin que vous attendez encore un peu se conservera aisément sur les **7 à 10 prochaines années.** Il est impressionnant de richesse, mais moins flatteur ou spectaculaire que le Clos Saint-Jean 1992 ou Les Caillerets 1992.

Le Chassagne-Montrachet Clos Saint-Jean 1992 est plus élégant, avec des arômes de fruits tropicaux marqués de notes de minéral. Très corsé et faible en acidité, il est irrésistible en bouche, où il se dévoile par paliers. Il sera à la pointe de sa maturité d'ici 1 an environ, et se conservera bien les **10 prochaines années.**

Tout dans le Chassagne-Montrachet Les Caillerets 1992 est exceptionnel, depuis les parfums de fumé, de chêne neuf et grillé, de melon et d'ananas confit qu'il déploie au nez jusqu'aux arômes amples et généreux, explosifs et richement extraits qu'il présente en bouche. Ce bourgogne blanc est profond, très corsé, majestueux et merveilleusement précis. **A maturité : jusqu'en 2003.**

Le Puligny-Montrachet Les Demoiselles 1992 ainsi que le Montrachet 1992 ont été mis en bouteille sans filtration préalable, opération concevable seulement si les fermentations malolactiques sont bien achevées et si le vin ne contient plus de sucre résiduel. On peut constater que le nombre de producteurs bourguignons qui reviennent à ces techniques de vinification ancestrales augmente. En procédant ainsi, ils ne privent pas le vin des caractères essentiels du terroir.

L'exquis Puligny-Montrachet Les Demoiselles 1992 n'a pas l'onctuosité du Chassagne-Montrachet Les Caillerets ou du Chassagne-Montrachet Clos Saint-Jean, mais il allie une extraordinaire finesse et une puissance considérable. Ce vin offre un superbe et profond bouquet d'orange, de noix de coco, de fleurs, de citron et de minéral. Il est harmonieux, d'un équilibre impeccable et d'une exquise richesse. **A maturité : jusqu'en 2003.**

L'époustouflant Bourgogne 1992 révèle une faible acidité, une longueur et une précision dans le dessin absolument magnifiques. **A boire maintenant.**

Le Montrachet 1992 de ce domaine est, quant à lui, un sérieux prétendant au titre de réussite du millésime pour l'appellation. Mis en bouteille sans filtration préalable, il est plus flatteur et plus ouvert que nombre de jeunes Montrachet. Il développe une puissance, une richesse, une onctuosité et une longueur des plus extraordinaires, libérant des senteurs de miel, de galette de blé, de pommier en fleurs et de minéral qui préludent à une bouche exceptionnellement profonde et précise. Ce vin est gigantesque, mais bien équilibré. **A boire dans les 15 ans, ou plus.**

AUVIGUE-BURRIER-REVEL (POUILLY)****

Maison Auvigue – Le Moulin du Pont – 71850 Charnay-lès-Mâcon
Tél. 03 85 34 17 36 – Fax 03 85 34 75 88
Contact : Jean-Pierre Auvigue

1992 Pouilly-Fuissé Vieilles Vignes	C	88

Cette cuvée prestige de Pouilly-Fuissé – non collée, non filtrée et fermentée en fût – est issue de vieilles vignes et de rendements restreints. Outre un bouquet intense et riche de pomme mûre et de fleurs, ce vin très corsé révèle une remarquable pureté et une belle richesse, et laisse en bouche une sensation fraîche et acidulée. Il est plaisant et multidimensionnel. **A boire dans l'année.**

BALLOT-MILLOT ET FILS (MEURSAULT)***

21190 Meursault
Tél. 03 80 21 22 13
Contact : Raymond Ballot-Millot

1992 Meursault Les Genevrières	D	75
1991 Meursault	D	78

Aucun de ces deux vins ne s'est montré sous un jour favorable. En effet, ils sont étrangement légers, avec une acidité élevée. Est-ce parce qu'ils sont issus de rendements trop importants ? Je pense qu'ils valent mieux que ne le suggèrent les notes ci-dessus, mais je ne les ai pas trouvés profonds, en dépit de mes efforts.

DANIEL BARRAUD (POUILLY-FUISSÉ)****

Les Nambrets – 71960 Vergisson
Tél. 03 85 35 84 25 – Fax 03 85 35 86 98
Contact : Daniel ou Martine Barraud

1994 Mâcon-Vergisson La Roche (réserve non filtrée)	C	90
1993 Pouilly-Fuissé Vieilles Vignes	D	90
1992 Pouilly-Fuissé Vieilles Vignes	D	89
1991 Pouilly-Fuissé Vieilles Vignes	D	90
1993 Pouilly-Fuissé La Roche	D	90
1992 Pouilly-Fuissé La Roche	D	87
1993 Pouilly-Fuissé La Verchère	C	90
1992 Pouilly-Fuissé La Verchère	D	86
1993 Saint-Véran	B	87

Étoile montante du Mâconnais, Daniel Barraud fait partie de cette jeune génération résolument tournée vers la qualité, et il a décidé, à ce titre, de mettre tous ses vins blancs en bouteille sans filtration préalable à compter du millésime 1992.

Le Pouilly-Fuissé Vieilles Vignes 1991, actuellement merveilleux à la dégustation, est d'une superbe richesse en extrait et exhale un excellent nez de beurre, de noix grillée et de miel. Joliment étoffé et faible en acidité, il déploie une finale sensuelle, riche et intense. **A boire d'ici 1 ou 2 ans.**

Vif et généreusement doté, le Pouilly-Fuissé La Verchère 1992 révèle une grande précision dans son dessin grâce à sa bonne acidité sous-jacente. Il libère un fruité riche et crémeux de pomme mûre. **A boire dans les 3 ou 4 ans.**

Le Pouilly-Fuissé La Roche 1992 est légèrement plus long et plus riche, mais moins évolué. D'une pureté impressionnante et bien structuré, il est déjà prêt et présente un potentiel de **3 ou 4 ans.**

Énorme et étonnamment profond, le Pouilly-Fuissé Vieilles Vignes 1992 offre un nez crémeux de miel et de pomme, et se révèle riche et moyennement corsé en bouche, où il déploie de judicieuses notes de chêne neuf et grillé. Il a une bonne acidité, ainsi qu'une finale bien dotée. **A boire dans les 3 à 5 ans.**

Les amateurs se rendront compte, en dégustant les bourgognes blancs de 1993 (notamment les grands crus de la Côte-d'Or) qu'il s'agit d'un millésime de médiocre facture, avec des vins étonnamment creux et terriblement acides. Toutefois, les meilleurs producteurs ne doivent pas être condamnés sur des appréciations aussi générales.

Ainsi, le Saint-Véran 1993 de cette propriété, d'un excellent rapport qualité/prix, est bien doté, et déploie un remarquable nez fruité et d'agrumes. Moyennement corsé et faible en acidité, il présente une finale vive et fraîche. **A boire d'ici 1 ou 2 ans.**

Quant aux trois cuvées de Pouilly-Fuissé 1993, elles sont tout simplement extraordinaires. Très corsé, le Pouilly-Fuissé La Verchère est aussi très fruité, très pur et merveilleusement mûr, avec un caractère multidimensionnel. Plus réservé et plus serré, le Pouilly-Fuissé La Roche offre une finale plus longue que le vin précédent, et je pense qu'il est également plus intense. Comme on pouvait s'y attendre, c'est le Pouilly-Fuissé Vieilles Vignes 1993 qui se révèle le plus concentré, davantage marqué par un caractère de miel et de vieilles vignes. Cette cuvée prestige, élaborée à partir des meilleures pièces issues des deux crus de Pouilly-Fuissé, est le vin le plus serré et le plus prometteur des trois. Tous devront être dégustés avant **4 ou 5 ans d'âge.**

Extrêmement fruité et puissant, le Mâcon-Vergisson La Roche 1994 (non filtré) présente un caractère de pierre, et déploie en bouche de généreux arômes crémeux et de citron. Très corsé, riche et élégant, il démontre parfaitement que le Mâconnais produit aujourd'hui quelques-uns des tout meilleurs vins blancs du monde. **A boire dans les 2 ou 3 ans.**

DOMAINE BESSIN (CHABLIS)****

3, rue de la Planchotte – 89800 Chablis
Tél. 03 86 42 46 77 – Fax 03 86 42 85 30
Contact : Jean-Claude Bessin

1993 Chablis	B	86
1992 Chablis	C	88
1993 Chablis Fourchaume	C	88
1992 Chablis Fourchaume	C	90
1993 Chablis Valmur	D	90+
1992 Chablis Valmur	D	92
1992 Chablis Montmains	C	90

Il est merveilleux de constater que des Chablis peuvent atteindre un tel niveau de qualité. Même la cuvée générique 1992 est excellente. En effet, ce Chablis 1992 réunit tous les attributs que l'on souhaiterait trouver dans ce type de vin : une acidité de bon ressort, un fruité vif, merveilleusement métallique et dominé par des notes de minéral et une finale longue, acidulée et savoureuse. **A boire dans l'année.**

Superbement fruité et mûr, le Chablis Fourchaume (premier cru) 1992 est moyennement corsé et extraordinairement concentré, avec un caractère sous-jacent aux notes de minéral et de silex. **A boire dans les 3 ou 4 ans.**

Le formidable Chablis Valmur (grand cru) 1992 est du même métal, alliant une opulence exceptionnelle, un caractère concentré et riche, et de profondes notes de poudre à canon, de terre et de pierre, lesquelles distinguent si bien les Chablis des autres crus de la Côte-d'Or méridionale. **A boire dans les 4 ou 5 ans.**

Extrêmement mûr et mielleux, l'impressionnant Chablis Montmains 1992 se révèle très corsé et d'une puissance admirable. Il est aussi musclé et concentré, avec un généreux fruité de chardonnay, aux notes de minéral. **A boire dans les 2 ou 3 ans.**

Il est rassurant de pouvoir apprécier des vins d'une si grande qualité, élaborés dans le respect de leur terroir, et qui, de surcroît, ne sont fort heureusement pas trop boisés.

Les 1993 m'ont aussi beaucoup impressionné. Avec son nez de minéral, la cuvée générique du Chablis 1993 se révèle moyennement corsée, présentant un fruité vif et une finale racée et bien équilibrée. **A boire dans les 2 ou 3 ans.**

Le Chablis Fourchaume 1993 exhale un nez élégant de citron et de fruits tropicaux. Moyennement corsé, riche et très aromatique, il révèle une texture et une finale d'une excellente tenue. **A boire dans les 2 ou 3 ans.**

Tout en étant le moins évolué des trois 1993, le Chablis Valmur est extrêmement aromatique et corpulent, très glycériné, alcoolique et puissant dès l'attaque en bouche. Son potentiel de garde est de **4 ou 5 ans.**

DOMAINE BILLAUD-SIMON (CHABLIS)***/****

1, quai de Reugny – BP 46 – 89800 Chablis
Tél. 03 86 42 10 33 – Fax 03 86 42 48 77
Contact : Bernard Billaud

1992 Chablis Montée de Tonnerre	D	89
1992 Chablis Mont de Milieu	D	90
1992 Chablis Mont de Milieu Vieilles Vignes	D	92
1992 Chablis Les Clos	D	90

Voici des 1992 absolument formidables. Le Chablis Montée de Tonnerre, fermenté en fût, déploie un merveilleux et vif fruité de chardonnay mêlé de senteurs de minéral et de pommier en fleurs. Ce vin, d'une richesse et d'une pureté absolument superbes, se révèle bien doté, moyennement corsé et d'une excellente facture en bouche. Il incarne le Chablis à son meilleur niveau. **A boire dans les 4 à 6 ans.**

Le Chablis Mont de Milieu 1992, aux arômes d'agrumes et d'ananas, est un vin pur et vif, dont le fruité généreux, mûr, rafraîchissant et vivace recèle des parfums intenses. **A boire dans les 6 ou 7 ans.**

On devine que le Chablis Mont de Milieu Vieilles Vignes 1992 a été élevé en fûts neufs, grâce aux notes vanillées que l'on perçoit dans son nez doux et ample. Merveilleusement mûr, il tire sa douceur des faibles rendements dont il est issu et non pas d'un éventuel taux de sucre résiduel. Sa finale, longue et très corsée, est merveilleuse. **A boire dans les 6 ou 7 ans.**

Le Chablis Les Clos 1992, très musclé et corsé, révèle des notes très prononcées de terre et de minéral, et se montre d'une belle maturité, puissant et profond. C'est le moins évolué de tous les 1992 du domaine. **A maturité : jusqu'en 2000.**

DOMAINE PIERRE BITOUZET (SAVIGNY-LÈS-BEAUNE)****

Rue de Cîteaux – 21420 Savigny-lès-Beaune
Tél. 03 80 21 53 26
Contact : Pierre Bitouzet

1992 Savigny-lès-Beaune Les Goudelettes	D	87
1992 Corton-Charlemagne	E	89

Le Savigny-lès-Beaune Les Goudelettes 1992 de Pierre Bitouzet est l'une des révélations du millésime. En outre, il constitue une excellente affaire parmi les bourgognes blancs de haut niveau. Avec des notes vanillées de chêne grillé, il est riche et moyennement corsé en bouche. Dégustez ce vin – curieusement énorme, trapu et spectaculaire pour un Savigny – **d'ici 2 ou 3 ans.**

Riche et moyennement corsé, le Corton-Charlemagne 1992 est plus doux que d'habitude. Bien corpulent, il présente une finale souple et ronde. **A boire d'ici 5 ou 6 ans.**

DOMAINE BITOUZET-PRIEUR (VOLNAY)***

Village – 21190 Volnay
Tél. 03 80 21 62 13 – Fax 03 80 21 63 39
Contact : Vincent Bitouzet-Prieur

1992 Meursault Les Corbins	D	85
1992 Meursault Clos du Cromin	D	88
1992 Meursault Les Santenots	D	88
1992 Meursault Les Perrières	D	87+

Si les vins de ce domaine évoluent lentement dans leur jeunesse, ils se révèlent ensuite de bonne garde. Les 1992, plutôt serrés, avec une acidité de bon ressort, présentent un fruité élégant, mûr et riche.

De tous les vins de ce millésime, c'est le Meursault Les Corbins qui est le plus léger et le plus délicat, les plus riches étant le Meursault Clos du Cromin et le Meursault Les Santenots.

Le Meursault Clos du Cromin 1992, au nez plaisant et minéral, de noisette et de fruits tropicaux, se révèle moyennement corsé et d'une belle précision en bouche. Il déploie une finale longue, riche et de bon ressort.

Davantage marqué par un caractère épicé et de terre, le Meursault Les Santenots 1992 donne en bouche une sensation lourde, dense et concentrée, ainsi qu'une belle acidité sous-jacente.

Issu des vignes les plus jeunes, le Meursault Les Perrières 1992 – le moins évolué de tous les crus – affiche l'acidité la plus élevée. Il se révèle un peu dépouillé, mais il a un généreux fruité sous-jacent, une belle corpulence et beaucoup de caractère.

Tous ces vins gagneront au terme d'une garde de 1 ou 2 ans, et devraient se conserver **6 ou 7 ans.**

DOMAINE HENRI BOILLOT (POMMARD)***

Rue Mareau – 21630 Pommard
Tél. 03 80 22 71 29
Contact : Jean-Marc Boillot

1992 Meursault Les Genevrières	E	87
1992 Puligny-Montrachet	D	84
1992 Puligny-Montrachet Clos de la Mouchère	E	85
1992 Puligny-Montrachet Les Pucelles	E	85

Jean-Marc Boillot est un adepte des vendanges plutôt précoces. En effet, il recherche avant tout des vins vifs, élégants et fruités, si bien que ceux qui figurent ci-dessus ne présentent pas la même profondeur et la même intensité que la majorité de leurs contemporains. Ce sont néanmoins des bourgognes blancs racés et légèrement corsés, d'une pureté et d'une fraîcheur d'un excellent niveau. Des quatre crus, c'est le Meursault Les Genevrières qui se révèle le plus riche, mais tous devront être dégustés **d'ici 3 ou 4 ans.**

JEAN-MARC BOILLOT (POMMARD)****

La Pommardière – 21630 Pommard
Tél. 03 80 22 71 29 – Fax 03 80 24 98 07
Contact : Jean-Marc Boillot

1994 Rully-Grésigny	B	87
1994 Puligny-Montrachet	C	85
1992 Puligny-Montrachet	D	85
1994 Puligny-Montrachet Les Folatières	D	90
1994 Puligny-Montrachet Clavoillon	D	90
1994 Puligny-Montrachet Les Caillerets	E	88+
1994 Puligny-Montrachet Les Champs Canets	E	94
1994 Puligny-Montrachet Les Pucelles	E	89
1994 Puligny-Montrachet Les Combettes	?	93
1992 Puligny-Montrachet Les Combettes	E	91
1994 Bâtard-Montrachet	EE	92+
1992 Bâtard-Montrachet	EE	93
1994 Chevalier-Montrachet	EE	94
1992 Puligny-Montrachet La Truffière	D	89
1992 Puligny-Montrachet Les Referts	D	88

Le domaine de Jean-Marc Boillot est maintenant un grand favori des amateurs de bourgognes blancs, surtout depuis qu'il a repris le contrôle des vignobles qu'il avait autrefois loués au Domaine Étienne Sauzet. Les 10 ha de vignobles sont également répartis entre pinot noir et chardonnay, et il possède de très belles parcelles à Puligny-Montrachet. Il y produit des bourgognes blancs classiques, fabuleusement purs et précis, avec une belle acidité. Ses 1992 et ses 1994 sont, à ce jour, les meilleurs vins de la propriété.

Le Puligny-Montrachet 1992 exhale de généreuses senteurs de fruits tropicaux (ananas et mandarine), et déploie en bouche des arômes moyennement corsés, riches et doux, ainsi qu'une finale mûre, longue et bien pure. **A boire dans les 2 ans.**

Avec son nez minéral et floral de chèvrefeuille, le Puligny-Montrachet Les Referts 1992 est riche, moyennement corsé et charnu, avec une faible acidité et une finale très alcoolique et très fruitée. **A boire dans les 2 ans.**

Le superbe et bien doté Puligny-Montrachet Les Champs Canets 1992 regorge d'un bouquet extrêmement fruité qui jaillit littéralement du verre, libérant des arômes mûrs de cerise, d'orange et de miel. Opulent et puissant en bouche, il y révèle une bonne acidité, qui lui confère de la précision dans le dessin, et dévoile son généreux fruité par couches. **A boire dans les 3 ou 4 ans.**

Le Puligny-Montrachet La Truffière 1992 semble fait du même métal, avec son nez marqué de notes de miel et son caractère moyennement corsé, richement fruité, doux et faiblement acide. La finale de ce bourgogne luxuriant est puissamment alcoolique et d'une belle extraction. **A boire dans les 3 ou 4 ans.**

Le Puligny-Montrachet Les Combettes 1992 s'adresse en priorité aux hédonistes. Il offre un nez énorme et spectaculaire de noix caramélisée, de melon confit, de pomme, d'orange et de chêne neuf. Onctueux, il est aussi gras, mûr et extrêmement concentré, et déploie une finale longue et explosive. Il faudra le boire **d'ici 4 ans**, compte tenu de sa faible acidité.

Quant au Bâtard-Montrachet 1992 du domaine, il présente un nez énorme de fruits confits, et déploie une finale longue, extrêmement glycérinée et alcoolique, mais merveilleusement riche. Son potentiel de garde est de **3 ou 4 ans**.

Les néophytes se tourneront vers l'impressionnant Rully-Grésigny 1994, qui est proposé à un prix raisonnable. Séduisant, avec un nez crémeux de fumé et de minéral, il est moyennement corsé et bien épicé, élégant et discret. Ce vin racé et savoureux sera parfait dans les **2 ou 3 ans**.

Moins impressionnant et moins intense que le Rully-Grésigny, le Puligny-Montrachet 1994 est vif, métallique, légèrement corsé et frais, mais acidulé. **A maturité : jusqu'en 2000.**

Les premiers crus sont tous superbes, à l'exception du Caillerets, plutôt serré et fermé.

Le Puligny-Montrachet Les Folatières 1994 offre un nez aux arômes de citron, d'agrumes et de chèvrefeuille, avec des notes de mandarine qui lui apportent davantage de complexité. Ce vin rêche, délicieux et très corsé dévoile déjà toutes ses qualités. **A boire dans les 3 ou 4 ans.**

Le Puligny-Montrachet Clavoillon 1994 est l'un des meilleurs que je connaisse. Avec son nez métallique, de fumé et de minéral, marqué de notes de bois épicé, d'agrumes mûrs et de pomme, il se révèle vif, pur et d'une belle précision dans le dessin. Il est moyennement corsé, racé, mais aromatique. **A boire dans les 6 ou 7 ans.**

Le Puligny-Montrachet Les Caillerets 1994 est, comme je l'ai déjà signalé, le moins distingué de tous les premiers crus. Puissant et très corsé, il est terne du point de vue aromatique, serré et fermé en bouche. Ce vin a certes la matière première requise, mais il ne montre pas suffisamment de précision dans les arômes et dans le dessin. **A maturité : jusqu'en 2003.**

Fabuleux d'équilibre, le sensationnel Puligny-Montrachet Les Champs Canets 1994 dégage au nez des senteurs de fumé, de citron, d'orange et de noisette. Extrêmement riche et presque onctueux en bouche, ce bourgogne époustouflant montre une acidité de bon niveau, ainsi qu'une finale très corsée, longue de 35 à 45 secondes. **A boire dans 6 ou 7 ans.**

L'élégant et presque extraordinaire Puligny-Montrachet Les Pucelles 1994 est frais et vif, avec un nez floral et de minéral. Moyennement corsé et bien profond, il promet de bien se conserver les **3 à 5 prochaines années.**

Le Puligny-Montrachet Les Combettes est un autre vin savoureux. Il a le caractère gras, crémeux, explosif et mielleux des Meursault de premier ordre. Tout à la fois puissant, flamboyant, très corsé et spectaculaire, il s'impose comme un bourgogne luxuriant. **A boire dans les 5 ans.**

Les deux grands crus sont stupéfiants, mais sont vendus à des prix extrêmement élevés.

Le Bâtard-Montrachet 1994, au nez de pêche et de pop-corn vanillé, est serré, mais impressionne par sa concentration en bouche. Très corsé, avec une acidité de bon ressort, il révèle un caractère jeune et peu évolué. Son potentiel de garde est de **10 à 12 ans**, mais il requiert une garde de 1 ou 2 ans en bouteille avant d'être prêt.

Énorme et peu évolué, le Chevalier-Montrachet 1994, de couleur jaune paille clair, est très serré au nez, si bien qu'il ne donne aucun avant-goût des arômes extraordinairement riches, fabuleusement équilibrés, épais et juteux qui déferlent sur le palais. La finale, massive et puissante, regorge littéralement de richesse en extrait et de glycérine. Accordez-lui encore 2 ou 3 ans, et savourez-le sur les **10 à 15 prochaines années.**

DOMAINE ANDRÉ BONHOMME (VIRÉ)****

Cidex 2108 – 71260 Viré
Tél. 03 85 33 11 86 – Fax 03 85 33 93 51
Contact : Pascal ou André Bonhomme

1994 Mâcon-Viré Vieilles Vignes	D	90
1994 Mâcon-Viré Cuvée Spéciale	C	87
1992 Mâcon-Viré Cuvée Spéciale	C	89

Les consommateurs avisés seraient inspirés de rechercher les meilleurs Mâcon notamment parmi ceux de Jean Thévenet (Domaine de la Bongran et Émilian Gillet), d'Olivier Merlin (Domaine du Vieux Saint-Surlin), de Jean-Marie Guffens-Heynen et, bien sûr, de la superstar André Bonhomme. Je sais bien que ces vins n'ont pas le caractère massif d'un Bâtard-Montrachet de Louis Latour ou d'un Corton-Charlemagne de Jean-François Coche-Dury, mais ils sont absolument renversants et vous pouvez les acheter à moins de 100 F la bouteille. En outre, ils peuvent rivaliser avec tous les vins de la Côte-d'Or, à l'exception des plus grands.

Le Mâcon-Viré Cuvée Spéciale 1992 d'André Bonhomme est un vin explosif et riche, mûr et fruité, qui, bien qu'ayant été au cinquième ou au quart vieilli en fûts neufs, ne révèle aucun caractère boisé dans son fruité opulent et mielleux. Merveilleusement pur, exubérant et de bon ressort, il se boit bien trop facilement pour son niveau d'alcool très élevé. **A boire dans les 2 ou 3 ans.**

Le Mâcon-Viré Cuvée Spéciale 1994 regorge d'arômes mûrs et mielleux de pomme et de minéral, légèrement marqués de notes de pelure d'orange et de citron. Moyennement corsé et pur, d'une belle précision à la fois dans les arômes et dans le dessin, il est délicieux, frais, vif et sans détour. **A boire dans les 2 ou 3 ans.**

L'exceptionnel Mâcon-Viré Vieilles Vignes 1994, issu de vignes de 80 ans d'âge, est encore jeune et peu évolué, comme en témoigne sa palette aromatique qui commence tout juste à s'épanouir, pour révéler des senteurs de fleurs, de citron et de fruits confits. Ce vin dévale littéralement le palais, et y déploie par paliers son beau fruité mûr, sans la moindre trace de boisé. Il est à la fois riche, plein, exceptionnellement pur et long en bouche. **A maturité : jusqu'en 2003.** Il vous reste simplement à le déguster, en vous rappelant qu'il est issu d'une région viticole de moindre prestige...

DOMAINE BOUCHARD PÈRE ET FILS (BEAUNE)***

Château de Beaune – 21200 Beaune
Tél. 03 80 24 80 24 – Fax 03 80 24 97 56
Contact : Annick Adjemian

1992 Bourgogne Chardonnay La Vignée	C	86
1992 Meursault	D	83
1992 Beaune Clos Saint-Landry	D	87
1992 Meursault Les Genevrières	D	88
1992 Meursault Blagny Sous le Dos d'Ane	D	88
1992 Puligny-Montrachet Les Chalumeaux	D	86
1992 Puligny-Montrachet Les Champs Gains	E	85
1992 Puligny-Montrachet Les Folatières	E	87
1992 Puligny-Montrachet Les Pucelles	E	86
1992 Corton-Charlemagne	EE	87
1992 Bâtard-Montrachet	E	90
1992 Chevalier-Montrachet	EE	90+
1992 Le Montrachet	EEE	94

La famille Bouchard a radicalement changé ses méthodes de vinification. Depuis 1989, les vins blancs qu'elle produit sont tous vinifiés en fût (dont 15 % sont neufs), et complètent leur fermentation malolactique. Issus de rendements plus restreints, ils restent sur lies plus longtemps, et ne subissent plus force collage ou filtration. Tout cela donne maintenant les meilleurs vins blancs que la maison ait produits au cours de ces vingt dernières années.

La qualité générale des 1992 va du bon au très bon.

L'excellent Bourgogne Chardonnay La Vignée 1992, bien souple et au fruité mûr, est plaisant.

Bien que moins fruité, l'élégant Meursault 1992 est bien fait et se montre vif dans un ensemble discret.

Le Beaune Clos Saint-Landry 1992 offre un nez riche aux senteurs de chèvrefeuille, et déploie en bouche de merveilleux arômes crémeux et de pomme mûre, une belle acidité, ainsi qu'une finale bien dotée et moyennement corsée.

Plus gras, sans être envahissant, le Meursault Les Genevrières 1992 se révèle d'une excellente maturité. Avec une belle acidité, il allie admirablement puissance et finesse. La finale est longue, riche et moyennement corsée.

Le Meursault Blagny Sous le Dos d'Ane 1992 est de style similaire, merveilleusement doux et mûr, avec un caractère multidimensionnel. Très glycériné, il est bien étayé par une acidité d'un bon niveau.

Bien que moyennement corsé, doux, mûr et élégant, le Puligny-Montrachet Les Chalumeaux 1992 n'a pas l'intensité et la profondeur aromatique des deux Meursault. Si le Puligny-Montrachet Les Champs Gains est bien vinifié, il n'en demeure pas moins très réservé, terriblement policé et subtil. Toutefois, il est bien fruité et équilibré.

D'un meilleur niveau, le Puligny-Montrachet Les Folatières est riche, mûr et moyennement corsé. Il déploie un fruité bien profond et une finale vive.

Le Puligny-Montrachet Les Pucelles 1992 est d'un style intermédiaire entre Les Champs Gains, discret et réservé, et Les Folatières, plus extraverti, plus gras et plus riche.

Tous ces premiers crus, ainsi que le Bourgogne Chardonnay et le Meursault-Villages, devront être consommés les **5 ou 6 prochaines années.**

Parmi les grands crus, la maison Bouchard propose un Corton-Charlemagne 1992 doux, mûr et moyennement corsé, qui, bien que très aromatique, n'a pas la profondeur et l'intensité qu'on attendrait d'un grand cru. Le Bâtard-Montrachet 1992 ou le Chevalier-Montrachet 1992 ne peuvent, quant à eux, en aucun cas essuyer un tel reproche.

Le Bâtard-Montrachet 1992, qui n'a malheureusement été produit qu'à hauteur de 35 caisses, se révèle riche, profond, onctueux et d'une excellente pureté. Il déploie en bouche un superbe fruité richement extrait, ainsi que des arômes très corsés. **A boire dans les 10 ans.**

Dense, fermé et peu évolué, le Chevalier-Montrachet 1992 requiert un vieillissement d'au moins 2 ou 3 ans, mais devrait se conserver **environ 10 ans.**

Quant au Montrachet 1992, il s'impose comme le meilleur qu'ait produit la maison dans ces vingt dernières années. Grâce à des vendanges en vert qui ont réduit les rendements, ce vin se révèle bien doté, très corsé, superbe et intense, avec des notes sous-jacentes de minéral et de silex. Il offre un fruité d'une magnifique richesse et se montre voluptueux, avec une belle acidité en bouche, et une finale puissante et massive. **A maturité : jusqu'en 2010.**

DOMAINE MICHEL BOUZEREAU (MEURSAULT)***

3, rue de la Planche-Meunière – 21190 Meursault
Tél. 03 80 21 20 74 – Fax 03 80 21 66 41
Contact : Michel Bouzereau

1992 Bourgogne Chardonnay	C	85
1992 Meursault Les Genevrières	D	88
1992 Puligny-Montrachet Les Champs Gains	D	88

Comme en attestent les trois 1992 que j'ai pu déguster, ce domaine me semble avoir accompli d'immenses progrès.

Le Bourgogne Chardonnay 1992 est solide, trapu, moyennement corsé et charnu. **A boire maintenant.**

Le Meursault Les Genevrières 1992 est merveilleusement élégant, riche et moyennement corsé. Il se révèle ample, souple et de bonne mâche. Dense et très corsé, le Puligny-Montrachet Les Champs Gains 1992 déploie un nez boisé, crémeux et de miel. Tous deux présentent une acidité et une concentration de bon aloi, et ils se conserveront sans problème (s'ils ne s'améliorent pas) dans les 4 à 6 ans.

DOMAINE BOYER-MARTENOT (MEURSAULT)****

17, rue Mazoray – 21190 Meursault
Tél. 03 80 21 26 25 – Fax 03 80 21 65 62
Contact : Yves Boyer

1994 Meursault Les Perrières Réserve Cuvée Unique	E	91
1994 Meursault Les Charmes Réserve Cuvée Unique	E	90
1994 Meursault Les Narvaux Réserve Cuvée Unique	E	87
1994 Meursault L'Ormeau Réserve Cuvée Unique	D	89
1991 Meursault Les Perrières	E	82
1991 Meursault Les Narvaux	D	85
1991 Meursault L'Ormeau	D	87

Les vins de ce domaine ne m'impressionnaient pas particulièrement, mais ils sont maintenant issus de rendements plus restreints, mis en bouteille sans filtration préalable et vinifiés dans une plus forte proportion de fûts neufs (celle-ci a été augmentée au tiers).

Le Meursault L'Ormeau, le meilleur des trois crus en 1991, est aussi le moins cher de tous. Issu de raisins récoltés avant les pluies diluviennes qui ont arrosé ce millésime, il est énorme et riche, et exhale un nez de grillé et d'ananas mûr. Moyennement corsé et d'une impressionnante richesse, il déploie un fruité crémeux, et une finale longue, vive et d'une belle précision. **A boire dans les 2 ou 3 ans.**

Plus léger, le Meursault Les Narvaux 1991 est élégant, mûr et plaisant. Quant au Meursault Les Perrières 1991, réservé et serré, il révèle un bouquet prometteur, mais manque d'étoffe et de richesse en milieu de bouche et dans sa finale. **A boire d'ici 2 ou 3 ans.**

Parmi les 1994, je préfère le Meursault L'Ormeau Réserve Cuvée Unique au Meursault Les Narvaux.

Le Meursault L'Ormeau Réserve Cuvée Unique, issu de vignes de 80 ans d'âge, offre un nez crémeux de fumé et de noisette. Richement fruité, doux, ample et de bonne mâche en bouche, il présente une finale dense, bien dotée et d'une belle élégance. **A boire dans les 6 ou 7 ans.**

En revanche, le Meursault Les Narvaux Réserve Cuvée Unique 1994 est plus maigre, plus fermé et plus muet.

Issu de vignes de 50 à 60 ans d'âge, le Meursault Les Charmes Réserve Cuvée Unique 1994 exhale des arômes pénétrants, marqués de senteurs généreuses et crémeuses aux notes de pop-corn, de fumé et de grillé. Très corsé, d'une concentration et d'une pureté extraordinaires, il s'impose comme un bourgogne riche et naturel. **A boire dans les 6 ou 7 ans.**

Le Meursault Les Perrières Réserve Cuvée Unique 1994 est, exactement comme on pouvait s'y attendre, moins évolué, marqué de notes plus prononcées de pierre et de minéral que le cru précédent. Très corsé et d'une impressionnante richesse, il est épais, juteux et savoureux en milieu de bouche, et se bonifiera certainement au terme d'une garde de 1 ou 2 ans. Son potentiel est de **10 ans.**

DOMAINE LOUIS CARILLON (PULIGNY-MONTRACHET)***

21190 Puligny-Montrachet
Tél. 03 80 21 30 34 – Fax 03 80 21 90 02
Contact : Louis Carillon

1994 Puligny-Montrachet	D	87
1994 Puligny-Montrachet Les Champs Canets	D	90
1992 Puligny-Montrachet Les Champs Canets	D	90
1994 Puligny-Montrachet Les Perrières	D	85
1992 Puligny-Montrachet Les Perrières	D	91
1992 Bienvenues-Bâtard-Montrachet	EE	91

Jacques et François Carillon ont élaboré en 1992 les meilleurs vins que je connaisse de cette propriété. Bien que j'aie pu constater une amélioration constante de la qualité dans le milieu de la décennie 1980, ces vins sont nettement supérieurs à tout ce qui a pu être fait au domaine au cours de ces vingt dernières années.

Le Puligny-Montrachet 1992 est absolument renversant, avec ses parfums merveilleusement doux de miel, qui introduisent en bouche un vin onctueux, épais et moyennement corsé, débordant de fruité. Son acidité est suffisante pour lui donner du ressort et une bonne précision dans le dessin. **A boire d'ici 2 ou 3 ans.**

Les autres crus sont tous extraordinaires. Ne manquez surtout pas le Puligny-Montrachet Les Champs Canets 1992, crémeux, aromatique, richement fruité, moyennement corsé et doux. Vous dégusterez ce vin de chardonnay séduisant et riche dans les **2 ou 3 prochaines années.**

Si vous préférez un vin plus structuré, avec un bouquet métallique et de silex, aux notes de minéral plus prononcées, tournez-vous vers le Puligny-Montrachet Les Perrières 1992. Également plus fin et plus précis que Les Champs Canets, il est riche, très corsé et profond, et déploie en bouche ses généreux arômes par paliers. Ce vin superbe pourrait aisément passer pour un grand cru. **A boire dans les 7 ou 8 ans.**

Je suis rarement transporté par les Bienvenues-Bâtard-Montrachet ; souvent grands crus pour ce qui est du prix, ils ne peuvent que très rarement se poser en rivaux d'un Bâtard-Montrachet ou d'un Chevalier-Montrachet. Toutefois, le Bienvenues-Bâtard-Montrachet 1992 du Domaine Louis Carillon me semble un vrai de vrai, avec son nez énorme de noix de coco, de marmelade d'orange, de chêne neuf doux et grillé et de beurre. Ce vin peu évolué et d'un équilibre exceptionnel est riche, très corsé et d'une précision fabuleuse. Son excellente acidité est bien fondue, pour le millésime. Déjà prêt, il se bonifiera au terme d'une garde de 1 ou 2 ans, et promet de se conserver **environ 10 ans.**

Les 1994 sont généralement d'un bon niveau.

Le plaisant Puligny-Montrachet 1994, plein de finesse et moyennement corsé, déploie, à la fois au nez et en bouche, des arômes frais et crémeux de pop-corn. Il révèle une acidité fraîche et doit être consommé les **toutes prochaines années.**

L'extraordinaire Puligny-Montrachet Les Champs Canets 1994, au nez mûr de pêche, de miel et de tarte au citron meringuée, est moyennement corsé, avec une belle texture serrée. Assez léger en bouche, mais intense, il offre une finale longue et sèche. **A maturité : jusqu'en 2003.**

Le Puligny-Montrachet Les Perrières 1994 exhale de vagues senteurs de minéral et de pelure d'orange. Plutôt terne comparé au cru précédent, il déploie en bouche de généreuses notes de minéral et une acidité très élevée. Serré, presque semblable à un Chablis, il a probablement souffert d'avoir été dégusté aux côtés du Champs Canets. **A maturité : jusqu'en 2007.**

CHARTRON ET TRÉBUCHET (PULIGNY-MONTRACHET)***

Domaine Chartron – 13, Grande-Rue – 21190 Puligny-Montrachet
Tél. 03 80 21 32 85 – Fax 03 80 21 36 35
Contact : Jean-Michel Chartron ou Louis Trébuchet

1992 Saint-Aubin La Chatenière	C	87
1992 Saint-Romain	C	86
1992 Pouilly-Fuissé	C	81
1992 Pernand-Vergelesses	C	82
1992 Meursault	C	77
1992 Chassagne-Montrachet Morgeot	D	84
1992 Puligny-Montrachet	D	86
1992 Puligny-Montrachet Clos des Pucelles	D	?
1992 Puligny-Montrachet Clos du Cailleret	D	86

Le Saint-Aubin La Chatenière se distingue régulièrement parmi les vins que propose le domaine. Ainsi, en 1992, il se révèle bien meilleur que nombre d'autres vins de négoce, généralement assez inintéressants.

Cette année-là, La Chatenière n'est pas seulement une excellente affaire, il est aussi merveilleusement riche et moyennement corsé, éclatant d'un fruité aux notes de pomme, de minéral et de miel. De bonne mâche en bouche, il déploie une finale longue. **A boire d'ici 1 ou 2 ans.**

Le Saint-Romain 1992 est lui aussi intéressant sous l'angle du rapport quali-té/prix. Moyennement corsé et d'un excellent caractère, il offre un nez de pierre et de minéral, et révèle un fruité mûr. **A boire d'ici 1 ou 2 ans.**

Parmi les autres vins que propose la maison, on trouve un Pouilly-Fuissé 1992, léger et dilué, un Pernand-Vergelesses 1992 sans détour et trapu, un Meursault 1992 court, aqueux et d'une maigreur inexcusable, ainsi qu'un Chassagne-Montrachet Morgeot dilué.

En revanche, j'ai bien aimé le Puligny-Montrachet 1992, correctement vinifié, mûr, riche et crémeux. **A maturité : jusqu'en 2003.** Toutefois, je suis sûr que la bouteille de Clos des Pucelles que j'ai dégustée, oxydée et imbuvable, était défectueuse, si bien que je réserve mon jugement sur ce vin.

Le Puligny-Montrachet Clos du Cailleret 1992 est bon, mais il aurait du être superbe, si l'on en juge par l'excellente performance des voisins de Jean-Michel Chartron dans ce millésime. **A maturité : jusqu'en 2003.**

Pour terminer sur une note positive, je dirai que les prix de ces 1992 sont les plus bas que je connaisse de cette maison.

CHAVY-CHOUET (PULIGNY-MONTRACHET)***

8, place des Marronniers – 21190 Puligny-Montrachet
Tél. 03 80 21 31 39 – Fax 03 80 26 33 09
Contact : Jean-Pierre Nié

1992 Bourgogne Blanc	C	81
1992 Puligny-Montrachet Les Ensegnières	D	87
1992 Meursault Les Narvaux Vieilles Vignes	D	86
1992 Meursault Les Casse Tête Vieilles Vignes	D	86
1992 Meursault Les Grands Charrons Vieilles Vignes	D	88

Tous les 1992 de ce domaine, fermentés en fûts neufs, sont bien faits mais inintéressants. Hubert Chavy commence maintenant à réduire ses rendements et utilise davantage de bois neuf.

Bien que court, le Bourgogne Blanc 1992 est léger, vif, moyennement corsé et plaisant. **A boire maintenant.**

Le Puligny-Montrachet Les Ensegnières 1992, aux douces senteurs de vanille et de fumé, se révèle mûr, rond et généreux en bouche, avec une faible acidité et une finale charnue, capiteuse et alcoolique. **A boire dans les 2 ou 3 ans.**

Avec sa bonne acidité sous-jacente et son nez modérément intense de crème et de noix, le Meursault Les Narvaux Vieilles Vignes 1992 se révèle moyennement corsé, bien mûr et d'une belle précision, mais moyennement long en bouche. **A boire dans les 2 ou 3 ans.**

Le Meursault Les Casse Tête Vieilles Vignes 1992 est d'une belle richesse, avec une acidité élevée. Il se révèle moyennement corsé, et offre un nez crémeux et grillé, et une finale plus courte que je ne l'aurais pensé. **A boire maintenant.**

Cependant, c'est le Meursault Les Grands Charrons Vieilles Vignes qui s'impose comme le meilleur 1992 du domaine, avec son nez plaisant, crémeux et doux de pomme caramélisée, de chêne neuf fumé et grillé. Ce vin riche, mûr et moyennement corsé a encore un fruité merveilleusement extrait, une belle acidité, ainsi qu'une finale épicée et longue. **A boire dans les 3 ou 4 ans.**

DOMAINE JEAN-FRANÇOIS COCHE-DURY (MEURSAULT)*****

9, rue Charles-Giraud – 21190 Meursault
Tél. 03 80 21 24 12 – Fax 03 80 21 67 65
Contact : Jean-François Coche-Dury

1992 Corton-Charlemagne	EEE	95
1991 Corton-Charlemagne	EEE	90
1992 Meursault Les Perrières	E	92
1991 Meursault Les Perrières	E	90
1992 Meursault Rougeot	E	91
1991 Meursault Rougeot	E	89
1992 Meursault Les Chevalières	E	88
1992 Meursault Les Narvaux	E	87
1992 Meursault Les Vireuils	E	88
1992 Meursault Les Luchets	E	88
1992 Bourgogne Blanc	C	87
1991 Meursault	D	86

Jean-François Coche-Dury s'impose toujours comme l'un des meilleurs vinificateurs. J'ai encore peine à croire, ses débuts remontant à 1976, qu'il a plus de vingt ans d'expérience. Il a produit toute une série de vins absolument époustouflants, mais en si petites quantités qu'ils sont extrêmement difficiles à trouver.

Cet homme extrêmement sensé est de ceux qui pensent que la qualité du vin se fait à 90 % dans le vignoble, et c'est précisément là qu'il aime se trouver, si bien que vous le verrez toujours souriant quand il prend congé d'un visiteur.

Les 1991 sont, à quelques exceptions près, excellents, bien que Jean-François Coche-Dury reconnaisse avoir débuté ses vendanges un peu trop tardivement. Très gras et mûr, son Meursault 1991 déploie les merveilleux arômes de minéral, de fumé, de noix et de fruit crémeux, si caractéristiques des vins de la propriété. Compte tenu de sa faible acidité, il faudra le consommer dans les **toutes prochaines années**.

Profond et riche, le Meursault Rougeot 1991 se révèle doux et crémeux en milieu de bouche ; il y libère des arômes riches, persistants, faiblement acides, onctueux et épais. Ce vin fragile devra être consommé assez rapidement, **d'ici 1 ou 2 ans**.

L'exceptionnel Meursault Les Perrières 1991, trop souple au goût de son auteur, offre au nez un contrepoint de notes de caramel mêlé d'arômes de vanille, de noix fumée et de noix de coco. Sensuel et moyennement corsé, il déploie un fruité juteux, riche et savoureux. Précoce, il doit être dégusté dans les **2 ou 3 prochaines années**.

Le Corton-Charlemagne 1991, gras, opulent et très corsé, est d'une intensité remarquable, avec une faible acidité et un caractère généreusement fruité et glycériné. **A maturité : jusqu'en 2003**. Si le producteur se plaint de ce qu'ils n'ont pas la structure et l'acidité voulues pour se conserver longtemps, ces 1991 n'en sont pas moins luxuriants et riches.

Les rendements en 1992 étaient plus élevés que ne l'aurait souhaité Jean-François Coche-Dury.

Les amateurs désireux de réaliser une bonne affaire trouveront dans la gamme de ce vigneron un Bourgogne Blanc 1992. Présentant un nez plaisant de minéral et de fleurs, ce vin est mûr et moyennement corsé. **A boire dans les 2 ou 3 ans.**

Pour la première fois, les Meursault seront en 1992 présentés chacun sous leur nom de cru, et ne seront pas assemblés en une seule cuvée de Meursault-Villages. On dénombre six cuvées différentes, les plus légères étant les Meursault Les Luchets et Les Vireuils. Ces vins sont moyennement corsés, riches et racés, et libèrent de fabuleux arômes de fruits tropicaux, de chêne neuf épicé et de noix. Le Meursault Les Luchets est de plus grande classe, plus élégant et plus aérien, tandis que le Meursault Les Vireuils est plus profond et puissant, onctueux et épais. Ils tiendront bien **jusqu'en 2002.**

Le Meursault Les Narvaux offre un contraste intéressant avec le Meursault Les Chevalières et le Meursault Rougeot. Élégant et longiligne suivant les critères de la propriété, Les Narvaux 1992 a un niveau d'acidité plus élevé que les deux autres, et déploie une finale vive et moyennement corsée. Il s'agit d'un des vins les plus réservés et les plus discrets que je connaisse de Coche-Dury. **A maturité : jusqu'en 2002.**

Les Chevalières 1992 et Rougeot 1992 sont, quant à eux, puissants, spectaculaires et flamboyants, et regorgent d'un fruité de miel et de noisette. Ils sont très corsés, onctueux, épais et riches. Faiblement acides, ils révèlent à la fois une grande puissance, un fruité généreux et un caractère extrêmement alcoolique et glycériné. Le Rougeot obtient une note légèrement supérieure parce qu'il est plus ample et plus long. Ils tiendront bien **jusqu'en 2004.**

Le monde entier devra se disputer 350 caisses de Meursault Les Perrières 1992, mais la lutte en vaudra la chandelle. En effet, ce vin offre un irrésistible bouquet de fleurs, d'acier, de minéral et de pomme mûre caramélisée. Il présente en bouche des arômes luxuriants, longs, très corsés, riches et multidimensionnels, marqués par la mâche. Sa faible acidité laisse penser que sa durée de vie est de **5 ou 6 ans.** Quel vin magnifique !

Le Corton-Charlemagne 1992 exhale un nez énorme et épicé aux senteurs vanillées, de beurre, de noix de coco et de fruits tropicaux. Il déploie en bouche des arômes étonnamment riches et onctueux, et très persistants. Bien que doté de suffisamment de glycérine, de richesse en extrait et d'alcool pour satisfaire les plus exigeants hédonistes, il est plus doux que ses homologues de 1989 et 1990.

COLIN-DELEGER (CHASSAGNE-MONTRACHET)*****

3, impasse des Crêts – 21190 Chassagne-Montrachet
Tél. 03 80 21 32 72 – Fax 03 80 21 32 94
Contact : Michel Colin-Deleger

1992 Saint-Aubin Les Combes	C	88
1992 Chassagne-Montrachet Clos Devant	D	87
1992 Chassagne-Montrachet Maltroie	D	90
1992 Chassagne-Montrachet Morgeot	D	90

1992 Chassagne-Montrachet Les Chevenottes	D	93
1992 Chassagne-Montrachet Remilly	D	90+
1992 Chassagne-Montrachet Les Vergers	D	90+
1992 Puligny-Montrachet Les Demoiselles	E	92+
1992 Chassagne-Montrachet Les Chaumées Clos Saint-Abdon	D	93
1992 Chevalier-Montrachet	EE	94

Colin-Deleger, qui s'impose maintenant comme l'une des grandes vedettes du bourgogne blanc, s'est surpassé en 1989 et a ensuite produit d'excellents 1990, suivis de 1991 d'un bon niveau et d'une qualité supérieure à la moyenne. La gamme des 1992 comprend les plus belles réussites que je lui connaisse à ce jour, et je pense que les véritables amateurs se doivent d'en acheter.

A mon avis, il est difficile de trouver meilleur Saint-Aubin que Les Combes 1992. Cet excellent vin, à la richesse admirable et faible en acidité, déploie un nez énorme de minéral, de pommier en fleurs et d'orange, et présente en bouche des arômes capiteux, riches et puissants. **A boire d'ici 1 ou 2 ans.**

Bien que moins précis, le Chassagne-Montrachet Clos Devant 1992 est riche, rond, souple et moyennement corsé. Il se révélera somptueux, à condition toutefois que vous le dégustiez dans les **toutes prochaines années.**

La concentration, la distinction et la complexité qui caractérisent les 1992 de ce producteur montent d'un cran avec le Chassagne-Montrachet Maltroie. Un bouquet plaisant de chêne neuf, d'épices et d'ananas mûr, mêlé de senteurs florales, précède un vin profond, moyennement corsé, riche et d'une impressionnante pureté. **A boire dans les 4 ou 5 ans.**

Le Chassagne-Montrachet Morgeot 1992, au bouquet irrésistible de fruits mûrs et de pierre mouillée, est plus discret et plus structuré que le précédent, mais il est moyennement corsé, bien serré, élégant, puissant et très bien doté. Accordez-lui quelques mois de vieillissement en bouteille, et dégustez-le dans les **6 ou 7 ans** qui suivront.

Si vous recherchez un vin riche, généreux et d'une superbe précision dans un ensemble spectaculaire, tournez-vous vers le Chassagne-Montrachet Les Chevenottes 1992. Il rappelle un grand cru, avec son bouquet énorme et multidimensionnel de fruits confits, de noix de coco, d'orange et de fumé. Mûr et moyennement corsé, il déploie un fruité luxuriant et richement extrait, ainsi qu'une finale longue et immensément dotée. **A boire dans les 5 ou 6 ans.**

Plus serré et très corsé, avec un curieux nez floral de cerise et de pomme caramélisée, le Chassagne-Montrachet Remilly 1992 allie admirablement élégance et puissance. Il a aussi une meilleure acidité, mais il est moins puissant que le vin précédent. **A boire maintenant.**

Le Chassagne-Montrachet Les Vergers compte au nombre des 1992 les plus serrés et les moins évolués. Avec une bonne acidité et un nez qui ne se révèle qu'au mouvement du verre, il est riche, très corsé et bien proportionné en bouche. Vous le dégusterez d'ici un an, mais il devrait bien se maintenir **jusqu'à la fin de ce siècle.**

D'une belle structure et d'une étonnante richesse, le Puligny-Montrachet Les Demoiselles 1992 libère un bouquet prometteur de fruits confits, de fleurs et de chêne neuf et fumé. Long en bouche mais d'une belle précision, il est ample et explosif. **A maturité : jusqu'en 2002.**

Le Chassagne-Montrachet Les Chaumées Clos Saint-Abdon 1992 semble peu évolué, mais quel fruité intense, onctueux et riche ! Subtil à l'extrême, il déploie beaucoup de fruité, de glycérine et d'alcool (plus de 14° d'alcool naturel). Il m'était difficile de me défaire de sa finale capiteuse, très glycérinée, aux superbes arômes crémeux de fruits tropicaux. **A boire dans les 10 ans.**

Le phénoménal Chevalier-Montrachet 1992, élaboré à hauteur de 75 caisses seulement, méritera très certainement une note plus élevée (entre 95 et 100) d'ici 2 ou 3 ans, quand il sera à pleine maturité. Son nez épais, crémeux et puissant, d'une intensité massive présente des senteurs de miel, de fleurs et de fruits tropicaux, bien étayées par des notes de chêne neuf et épicé. Extrêmement fruité, il déborde d'arômes de pomme, d'orange et de beurre. Ce vin énorme est à son meilleur niveau d'ores et déjà. **A boire dans les 10 ans.**

Avec ses bourgognes blancs, Colin-Deleger est vraiment l'une des vedettes du millésime 1992.

DOMAINE DES COMTES LAFON (MEURSAULT)*****

Clos de la Barre – 21190 Meursault
Tél. 03 80 21 22 17 – Fax 03 80 21 61 64
Contact : Dominique ou Anne Lafon

1992 Meursault	D	86
1991 Meursault	D	87
1992 Meursault Les Désirées	E	89
1991 Meursault Les Désirées	E	89
1992 Meursault Clos de la Barre	E	90
1991 Meursault Clos de la Barre	E	91
1992 Meursault Les Charmes	E	92
1991 Meursault Les Charmes	E	93
1992 Meursault Les Genevrières	E	94
1991 Meursault Les Genevrières	E	89
1992 Meursault Les Perrières	E	92
1991 Meursault Les Perrières	E	93
1992 Le Montrachet	EEE	96
1991 Le Montrachet	EEE	92 ?

Bien que mûrs, riches et précoces, les 1992 n'auront vraisemblablement pas le potentiel de garde des superbes 1989 ou des excellents 1990. Leur auteur les juge d'une qualité semblable à celle des 1982 (qui étaient probablement les réussites du millésime), mais en plus intenses et d'une plus grande pureté.

Moyennement corsé, le Meursault 1992 libère de plaisants arômes, mûrs et mielleux, ainsi qu'une finale longue. **A maturité : jusqu'en 2005.**

Plus légèrement corsé, le Meursault Les Désirées 1992 est élégant et tout en finesse. **A maturité : jusqu'en 2006.** On passe à un niveau supérieur de concentration et d'intensité avec le Meursault Clos de la Barre 1992, qui révèle, à la fois au nez et en bouche, des arômes de fleurs, de miel et de noix. **A maturité : jusqu'en 2008.**

Le Meursault Les Charmes 1992 montre, quant à lui, un fruité plus doux et davantage d'élégance, sans toutefois révéler l'imposante intensité et la richesse en extrait que l'on trouve dans des millésimes comme 1989.

Parmi les premiers crus, c'est l'exquis et fabuleux Meursault Les Genevrières qui remporte la palme. Ce vin énorme, extraordinairement riche et d'une longueur magnifique, présente des arômes amples et intenses, et révèle une précision hors du commun. Très corsé et époustouflant, il devrait se montrer fabuleux.

Assez serré et moins évolué, avec un nez métallique et de minéral, le Meursault Les Perrières 1992 déploie une superbe longueur en bouche, où il libère des arômes mûrs, longs et puissants, bien étayés par une acidité de bon ressort. Ce vin sera le plus lent à évoluer de toute la gamme. **A maturité : 2000-2020.**

Le domaine a également produit 100 caisses d'un Montrachet 1992, qui se posera en sérieux rival de ceux des Domaines Leflaive et Ramonet, et de la maison Amiot-Bonfils. Ce vin d'une richesse fabuleuse laisse en bouche une impression énorme et massive. Très élégant et d'une grande précision dans les arômes, il révèle un équilibre impeccable et doit impérativement être dégusté pour qu'on puisse y croire. Il requiert bien 10 à 15 ans de garde, compte tenu de son ampleur et de sa grande concentration, mais son potentiel est de **25 à 30 ans.**

Les 1991 du Domaine des Comtes Lafon s'imposent comme les réussites du millésime. Dominique Lafon avoue très modestement avoir pris quelques risques inconsidérés en attendant que les pluies s'achèvent pour vendanger, assez tardivement, des baies non diluées. Mais cela a donné des vins splendides et riches, très corsés et d'une étonnante intensité. Issus de rendements de l'ordre de 25 hl/ha (comparez avec les 55 à 70 hl/ha couramment pratiqués par les autres propriétés), ils sont aussi exceptionnels que les 1990, et supérieurs aux 1986, 1987 et 1988.

Ainsi, le Meursault 1991 est riche, rond, profond et fruité. **A maturité : jusqu'en 2004.**

Le Meursault Les Désirées 1991, non filtré et non collé, est, quant à lui, extrêmement riche et opulent. Ce vin s'impose d'ailleurs comme le plus fruité et le plus ouvert de toute la gamme, et présente, dans ce millésime, une richesse en extrait et une complexité que je ne lui connaissais pas. Bien que long et très corsé, il sera l'un des crus de Meursault de moindre longévité. **A maturité : jusqu'en 2005.**

Trois des quatre crus de Meursault sont extraordinaires.

Le superbe Meursault Clos de la Barre 1991, aussi irrésistible que son aîné de 1989, a été mis en bouteille sans collage ou filtration préalables, si bien qu'il ne faudra pas être étonné d'y trouver du dépôt d'ici quelque temps. Ce vin offre un nez absolument magnifique de minéral, de pomme crémeuse et de fleurs printanières. Mielleux, riche et très profond, il est encore faible en acidité, d'un équilibre et d'une profondeur sensationnels, et se dévoile en bouche par paliers. **A boire dans les 10 à 15 ans.**

Le Meursault Les Genevrières 1991, plutôt fermé, ne présente pas la puissance, la maturité ou la complexité que l'on retrouve dans les autres crus de Meursault du domaine. Toutefois, il m'a impressionné avec son nez de citronnier et de pommier en fleurs, ses arômes riches et moyennement corsés, et son acidité de bon ressort (qualité rare pour le millésime). J'ai l'intention de goûter à nouveau ce vin très prochainement pour vérifier s'il se montre plus ouvert. **A maturité : jusqu'en 2007.**

Également peu évolué, le Meursault Les Perrières 1991 demande à être attendu, mais il présente déjà un nez extraordinairement riche de minéral, aux notes de terre, d'ardoise et de silex, que l'on associe fréquemment à certains Sauvignon de Pouilly-Fumé. Dense, admirablement concentré et riche, il déploie une finale phénoménale et longue. **A boire dans les 15 ans ou plus.**

Le Montrachet 1991 est difficile à évaluer. Plus profondément coloré que les Meursault, il présente, outre des senteurs d'abricot et d'orange très mûre, des notes de minéral et de miel. Très corsé, avec un niveau d'acidité élevé, il est massif, mais peu structuré, magnifique, mais très particulier. Extrêmement impressionnant, il suscitera néanmoins des controverses. En ce qui me concerne, je ne toucherai pas à une seule bouteille de ce vin avant 4 ou 5 ans, il se conservera aisément encore **20 à 25 ans.**

COLLECTION ALAIN CORCIA (BEAUNE)***

Prestige des grands vins de France – 7, rue de Verottes – 21200 Beaune
Tél. 03 80 24 93 72 – Fax 03 80 22 71 46
Contact : Alain Corcia

1992 Bourgogne Blanc	B	86
1992 Mâcon-Villages Vieilles Vignes	B	86
1992 Saint-Véran Vieilles Vignes	B	86
1992 Pouilly-Fuissé Vieilles Vignes	C	85
1992 Mâcon-Clessé	B	82
1992 Pouilly-Fuissé	B	77
1992 Saint-Véran Domaine Jobert	B	79

Certaines sélections d'Alain Corcia sont d'un excellent rapport qualité/prix. Vous trouverez, au titre des meilleures affaires : un Bourgogne Blanc 1992, riche, moyennement corsé et sensuel ; un Mâcon-Villages Vieilles Vignes 1992, moyennement corsé et concentré ; un Saint-Véran Vieilles Vignes 1992, fruité, aux arômes crémeux de pomme caramélisée ; ainsi qu'un Pouilly-Fuissé Vieilles Vignes 1992, boisé, riche et mûr. Tous ces vins sont souples, avec une faible acidité et un fruité sans détour. **A boire dans l'année.**

Les autres sélections vont du bon au juste supérieur à la moyenne.

Bien qu'ils ne soient pas énumérés ici, j'ai eu l'occasion de déguster les vins d'Alain Corcia issus du Domaine Pinson de Chassagne-Montrachet, ainsi que ceux du Domaine Jean-Paul Gauffroy de Meursault. Ils sont, eux aussi, d'une qualité tout juste supérieure à la moyenne.

DOMAINE JEAN DAUVISSAT (CHABLIS)****

3, rue de Chichée – 89800 Chablis
Tél. 03 86 42 14 62 – Fax 03 86 42 45 54
Contact : Jean Dauvissat

1994 Chablis Les Vaillons Vieilles Vignes	D	92+
1993 Chablis Les Vaillons Vieilles Vignes	D	89
1992 Chablis Les Vaillons Vieilles Vignes	D	91
1994 Chablis Les Preuses	E	92
1993 Chablis Les Preuses	E	90
1992 Chablis Les Preuses	D	92
1994 Chablis Les Vaillons	C	90
1993 Chablis Les Vaillons	D	88
1992 Chablis Les Vaillons	D	90
1993 Chablis Séchet	D	85
1992 Chablis Les Montmains	D	88
1992 Chablis	C	86

Voici toute une série de Chablis exceptionnels du Domaine Jean Dauvissat. Même le Chablis générique 1992 se révèle d'une belle maturité et merveilleusement précis, avec un généreux fruité, joliment vif et net.

Les autres vins sont très complexes, d'une concentration superbe et d'une précision exquise.

Le Chablis Les Vaillons 1992 présente un nez fascinant de minéral et de silex, et un merveilleux fruité mûr. Riche et moyennement corsé, il est élégant, puissant, merveilleusement concentré, avec des arômes fruités admirablement purs. **A boire dans les 5 ou 6 ans.**

Avec son nez intense de pierre à fusil et de terre, mêlé de notes de chêne neuf vanillé et grillé, le Chablis Les Montmains 1992 est riche, mûr et moyennement corsé en bouche. **A boire dans les 5 ou 6 ans.**

Le Chablis Les Vaillons Vieilles Vignes 1992 offre un fabuleux nez de citron, de pommier en fleurs et de minéral. Très corsé et d'une superbe richesse en extrait, il a une acidité de bon ressort, laquelle apporte généralement aux vins amples netteté et précision dans le dessin. Ce Chablis est multidimensionnel, riche et profond. **A boire dans les 6 ou 7 ans.**

Avec un fruité fabuleux et un nez plus mûr de fruits tropicaux, le Chablis Les Preuses 1992 est un autre tour de force en matière de vinification. Riche, mielleux et très corsé en bouche, il est étonnamment puissant pour un Chablis. Il révèle un fruité riche, onctueux et épais ainsi qu'un caractère « macho » qui en font un vin absolument formidable. **A boire dans les 5 ans.**

Les 1993 de la propriété sont incontestablement réussis dans un millésime difficile en Chablis.

Avec un niveau d'acidité très élevé, et un bon caractère de métal, de minéral, de citron et d'agrumes mûrs, le Chablis Séchet 1993 est moyennement corsé, et déploie une finale nette et vive. **A boire dans les 2 ou 3 ans.**

Moyennement corsé et d'une excellente maturité, le Chablis Les Vaillons 1993 affiche le niveau d'acidité élevé caractéristique du millésime, qu'il conjugue à un caractère métallique et de minéral. Étonnamment long, vif et d'une belle précision en fin de bouche, il s'impose comme un Chablis richement extrait. **A boire dans les 3 à 5 ans.**

D'un jaune paille plus soutenu que le vin précédent, le Chablis Les Vaillons Vieilles Vignes 1993 déploie aussi des arômes plus intenses et plus richement extraits de minéral, marqués d'amples notes vanillées, lesquelles témoignent d'une vendange extrêmement mûre. Il s'agit d'un grand classique, riche, moyennement corsé et pur, capable d'une longévité de **5 à 7 ans.**

Le Chablis Les Preuses 1993 est plus riche, plus ample et plus mûr que les trois crus précédents. Tout à la fois plus corsé, plus puissant, plus glycériné et plus intense, il révèle une plus faible acidité, ainsi que des arômes exotiques et de fruits tropicaux. Ce vignoble atteint, du fait de sa situation sur les coteaux de Chablis, une maturité plus avancée que les autres, et il a donné, en 1993, un vin absolument superbe dans un millésime médiocre, ce qui témoigne du talent de vinificateur de Jean Dauvissat. **A boire dans les 5 à 7 ans.**

Légèrement doré, le Chablis Les Vaillons 1994 présente un nez vif et frais de métal, de pomme et de beurre. Il est moyennement corsé et riche en bouche, où il exprime une belle acidité sous-jacente, ainsi qu'une excellente concentration. La finale est serrée, mais prometteuse. Ce vin impressionnant commence tout juste à s'épanouir. **A maturité : jusqu'en 2002.**

Plus riche et plus puissant, le Chablis Les Preuses 1994 a un niveau d'acidité plus élevé et davantage de profondeur et de richesse que le vin précédent. Il explose littéralement en arrière-bouche, où il libère des arômes concentrés et crémeux de fruits tropicaux, mêlés de notes de pierre mouillée. Ce vin, très corsé et d'une belle précision dans le dessin, a une carrure impressionnante. Son potentiel de garde est de **5 à 7 ans.**

Quant au Chablis Les Vaillons Vieilles Vignes 1994, il arbore une couleur dorée moyennement foncée, qui précède un nez de miel, rappelant la pourriture noble et un fruité riche et très mûr. Suit un vin extrêmement concentré et glycériné, richement extrait, très corsé, puissant et métallique, au potentiel de **10 à 12 ans.** Bien que vieilli en fûts neufs, il ne présente pas la plus petite touche de boisé.

DOMAINE RENÉ ET VINCENT DAUVISSAT (CHABLIS) *****

8, rue Émile-Zola – 89800 Chablis

Tél. 03 86 42 11 58 – Fax 03 86 42 85 32

Contact : René ou Vincent Dauvissat

1992 Chablis	C	88
1992 Chablis Séchet	D	88
1992 Chablis Vaillons	D	88

1992 Chablis La Forêt	D	88
1992 Chablis Les Preuses	D	91
1992 Chablis Les Clos	D	91

Il n'y a pas de secrets de fabrique au Domaine René et Vincent Dauvissat : des techniques de viticulture impeccables, associées à des rendements modestes, ainsi qu'à l'utilisation de fûts de chêne neuf pour les fermentations et le vieillissement, donnent des vins riches, sensuels et épicés. Les 1992 semblent ici aussi intéressants que les 1989 et 1986.

Le Chablis 1992 est une affaire extraordinaire. Ce vin charnu déploie un excellent nez de vanille et de pomme caramélisée, et se montre long, riche et gras en bouche. **A boire dans l'année.**

Fruité et savoureux, le Chablis Séchet 1992 est plutôt massif et élégant. Son généreux fruité mûr, crémeux et faible en acidité laisse en bouche une impression énorme et charnue. **A boire dans l'année.**

Plus typiquement Chablis avec son aspect charmeur et sa complexité aromatique, le Chablis Vaillons 1992 présente de puissantes senteurs de pierre mouillée et de métal froid, mêlées de notes d'ananas mûr et de pomme. Doux en bouche grâce à sa maturité et à sa belle richesse, ce vin est moyennement corsé, délicieux et plaisant. **A boire dans les 2 ans.**

Plus structuré, avec une meilleure acidité que les autres premiers crus, le Chablis La Forêt 1992 libère un fruité riche dans un ensemble moyennement corsé. Il a une acidité de bon ressort (ce qui est rare pour le millésime), et révèle des parfums admirables, ainsi qu'une finale longue, puissante et concentrée. Son potentiel de garde est de **4 ou 5 ans.**

Le Chablis Les Preuses 1992 est le cru le plus puissant de toute cette gamme, avec son nez de pomme mûre, de minéral et de fruits confits. Multidimensionnel et d'une richesse en extrait absolument fabuleuse, il est aussi très corsé, imposant et aromatique, avec une bonne acidité et une finale énorme. Les puristes le trouveront peut-être trop envahissant pour le qualifier de classique, mais il s'agit incontestablement d'un vin impressionnant. **A maturité : jusqu'en 2002.**

Si vous souhaitez davantage de précision dans les arômes et dans le dessin, et un peu moins de puissance – sans pour autant sacrifier au caractère opulent, charnu et de bonne mâche si caractéristique de ce millésime –, tournez-vous vers le Chablis Les Clos 1992. Bien que faible en acidité, il est long et riche, et déploie une finale explosive. Ce vin présente encore un bouquet pénétrant de minéral qu'il conjugue à des arômes d'agrumes, de pomme et d'orange. Très corsé, il est plus structuré que tous les autres grands crus de ce domaine. **A boire dans les 6 ou 7 ans.**

JOSEPH DROUHIN (BEAUNE)**

7, rue d'Enfer – 21200 Beaune
Tél. 03 80 24 68 88 – Fax 03 80 22 43 14
Contact : Robert Drouhin

1992 Rully	C	86
1992 Chablis Valdon	C	87
1992 Chablis Vaudésir	C	86
1992 Chassagne-Montrachet	C	86
1992 Chassagne-Montrachet Marquis de Laguiche	D	87
1992 Meursault	D	81
1992 Puligny-Montrachet	D	86
1992 Puligny-Montrachet Les Folatières	D	88
1992 Beaune Clos des Mouches	E	90
1992 Montrachet Marquis de Laguiche	EEE	87

Les 1992 de la maison Joseph Drouhin ressemblent fort aux excellents 1989. Gras, mûrs et savoureux, ils seront parfaits d'ici peu, grâce à leur faible acidité et à leur caractère ouvert et charnu.

Les amateurs désireux de réaliser une bonne affaire devraient rechercher l'excellent Rully 1992, d'une belle corpulence, long, riche et fruité.

Vif et élégant, le Chablis Valdon 1992 se révèle moyennement corsé, bien profond, frais et acidulé. Il constitue également une excellente affaire. Je l'ai préféré au Chablis Vaudésir 1992, subtil, mais moins intense, discret et réservé.

Le Chassagne-Montrachet 1992 est gras, mûr et rond, avec un plaisant fruité d'orange et une finale très alcoolique et très glycérinée. **A boire dans les 4 ou 5 ans.**

Plus crémeux, plus riche et plus ample en bouche, avec une faible acidité, le Chassagne-Montrachet Marquis de Laguiche 1992 déploie des arômes gras, longs et bien dotés. **A boire dans les 4 ou 5 ans.**

Vif, légèrement corsé et insipide, le Meursault 1992 manque de profondeur et de précision. En revanche, le Puligny-Montrachet 1992 est goûteux, élégant et moyennement corsé ; il doit être bu **maintenant.**

Presque extraordinaire, avec un nez crémeux, épicé et riche, le Puligny-Montrachet Les Folatières 1992 est très corsé et étonnamment puissant pour un vin blanc de la maison Joseph Drouhin. La finale, onctueuse et riche, se dévoile par paliers. Je pourrais éventuellement attribuer à ce vin une meilleure note au terme d'un certain vieillissement en bouteille – son potentiel de garde est de **4 ou 5 ans.**

Le Beaune Clos des Mouches 1992 est également bien réussi dans les très grandes années. En 1992, c'est un vin riche et complexe, au fruité crémeux, marqué de notes florales et minérales. Moyennement corsé et d'une excellente maturité, il présente une finale longue et généreuse. **A boire dans les 4 à 6 ans.**

L'excellent Montrachet Marquis de Laguiche 1992, aux arômes de chêne grillé, se révèle moyennement corsé, bien profond et bien équilibré, avec une finale faible en acidité. **A boire dans les 4 à 6 ans.**

DRUID (MOREY-SAINT-DENIS)***

Domaine Dujac – 7, rue de la Bussière – 21220 Morey-Saint-Denis
Tél. 03 80 34 32 58 – Fax 03 80 51 89 76
Contact : Jacques Seysses

1991 Meursault Les Clous	D	86
1991 Meursault Limozin	D	87
1991 Puligny-Montrachet	D	86
1991 Morey-Saint-Denis	D	85 ·

Les vins de Druid sont élaborés par Jacques Seysses du Domaine Dujac. Les mieux réussis à ce jour sont les 1989 et les 1990, mais les 1991 se révèlent d'un très bon niveau. Ce sont des vins mûrs, riches et souples. **A boire dans les 2 ou 3 ans.**

Le plaisant Meursault Les Clous 1991, d'une belle maturité et bien profond, offre un nez énorme et épicé de chêne. Il est solidement charpenté et suffisamment charnu pour étoffer sa structure.

Plus profond, avec un nez de noisette, de chêne et de miel, le Meursault Limozin 1991 est moyennement corsé, avec une bonne acidité et une longue finale.

Mûr, moyennement corsé et élégant, le Puligny-Montrachet 1991 déploie un fruité vif et une finale gracieuse.

Le Morey-Saint-Denis 1991, moyennement corsé, est plus rugueux et plus dur, avec une bonne acidité et un caractère de terre plus prononcé.

DOMAINE MARCEL DUPLESSIS (CHABLIS)****

5, quai de Reugny – 89800 Chablis
Tél. 03 86 42 10 35 – Fax 03 86 42 11 11
Contact : Gérard Duplessis

1990 Chablis Montée du Tonnerre	C	89
1990 Chablis Les Clos	D	92+

Ces deux 1990 ne sont disponibles sur le marché que depuis dix-huit mois, Gérard Duplessis étant probablement le dernier viticulteur de Chablis à effectuer ses mises en bouteille.

Le Chablis Montée du Tonnerre 1990, qui se révélera peut-être extraordinaire au terme d'un vieillissement supplémentaire de six mois en bouteille, est capable d'une longévité de **10 ans, voire davantage.** Exemple classique d'un Chablis non boisé, il offre un fruité superbe, et se montre d'une précision admirable, très pur et mûr, avec de généreux arômes riches, profonds et fruités. Bien que moyennement corsé et d'une extraordinaire profondeur, ce vin est encore jeune et peu évolué, et ne peut en aucun cas rivaliser avec la richesse explosive, la grande précision et le fruité extrêmement profond que recèle le Chablis Les Clos 1990.

Le Chablis Les Clos 1990, produit à hauteur de 125 caisses seulement, est puissant et massif, et requiert une garde de 2 ou 3 ans avant d'être prêt. Ceux d'entre vous qui ont eu la chance de pouvoir acheter quelques exemplaires des

Clos 1989 ont pu apprécier la concentration spectaculaire qui est celle des vins de Gérard Duplessis. Toutefois, les 1989 sont plus évolués que les 1990. Les amateurs de Chablis classiques et traditionnels, issus de petits rendements et manipulés délicatement en cours d'élevage, se feront un devoir d'acquérir ce 1990, au potentiel de garde de 10 ans environ.

DOMAINE J. A. FERRET (POUILLY-FUISSÉ)*****

Domaine Ferret-Lorton – Le Plan – 71960 Pouilly-Fuissé
Tél. 03 85 35 61 56 – Fax 03 85 35 62 74
Contact : Colette Ferret

1994 Pouilly-Fuissé Cuvée Réservée Les Scelés	C	88
1993 Pouilly-Fuissé Cuvée Réservée Les Scelés	C	90
1994 Pouilly-Fuissé Cuvée Réservée Les Vernays	D	90
1993 Pouilly-Fuissé Cuvée Réservée Les Vernays	C	92
1994 Pouilly-Fuissé Tête de Cru Les Clos	D	92
1993 Pouilly-Fuissé Tête de Cru Les Clos	D	91+
1994 Pouilly-Fuissé Hors Classe Tournant de Pouilly	D	94
1993 Pouilly-Fuissé Tête de Cru Les Perrières	D	91
1993 Pouilly-Fuissé Hors Classe Les Menestrières	D	90
1992 Pouilly-Fuissé Tête de Cru Les Pelloux	D	90
1992 Pouilly-Fuissé Les Reiss Hors Classe	D	92
1992 Pouilly-Fuissé Les Perrières	D	92
1992 Pouilly-Fuissé Les Clos	D	93
1992 Pouilly-Fuissé Les Menestrières	D	93
1990 Pouilly-Fuissé Les Menestrières	D	92
1990 Pouilly-Fuissé Tournant de Pouilly	D	92

La nouvelle du décès de Mme Jeanne Ferret est l'une des plus tristes qui me soient parvenues ces derniers temps. Cette femme, à la forte personnalité, était remarquablement active à plus de 80 ans, et elle a élaboré quelques-uns des plus merveilleux bourgognes blancs qui soient. Heureusement, sa fille Colette a maintenant repris les rênes, et semble vouloir gérer le domaine avec le même enthousiasme et les mêmes standards de qualité que sa mère.

Colette Ferret a fait ses débuts en 1992, et ses vins peuvent aisément rivaliser avec les meilleurs crus de la Côte-d'Or. Il en est de même des 1990 de la propriété. En effet, les Pouilly-Fuissé issus du Domaine J. A. Ferret, comme ceux de M. Vincent du Château Fuissé (rival, mais ami), sont les plus chers de toute l'appellation. Mais on obtient pour environ 150 F la bouteille un vin de qualité équivalente à celle de certains grands crus qui valent deux ou trois fois plus cher. Tous les vignobles du Domaine J. A. Ferret sont situés sur les coteaux pentus qui jouxtent le village de Pouilly, et non pas sur les communes avoisinantes – Vergisson, Fuissé, Chaintré ou Solutré. Mme Ferret soutenait mordicus que le véritable Pouilly-Fuissé ne pouvait être issu que de Pouilly. Nombre de personnes n'adhèrent pas à cet avis, et l'on trouve quelques vignerons extraordinaires – dont le Belge Jean-Marie Guffens-Heynen – qui sont les exceptions qui confirment la règle.

Le Pouilly-Fuissé Cuvée Réservée Les Scelés 1994 déborde d'arômes très mûrs de fruits tropicaux et de miel, marqués de senteurs de cerise. Il se révèle très corsé, admirablement puissant, glycériné et faible en acidité. Ce vin blanc est sec et bien épais. **A boire dans les 5 à 8 ans.**

Avec la même robe jaune paille légèrement foncé que le vin précédent, le Pouilly-Fuissé Cuvée Réservée Les Vernays 1994 est plus minéral et moyennement corsé, avec une acidité de très bon ressort. Ce vin d'une intensité superbe déploie encore une finale tout à la fois explosive, ample, riche, mielleuse, longue et crémeuse. **A maturité : jusqu'en 2005.**

Le Pouilly-Fuissé Tête de Cru Les Clos 1994 et le Pouilly-Fuissé Hors Classe Tournant de Pouilly 1994 ont été mis en bouteille plus tard que les deux précédents.

Le Pouilly-Fuissé Tête de Cru Les Clos 1994 est dominé, à la fois au nez et en bouche, par un fruité de chardonnay riche, frais et pur, mêlé de notes de pierre mouillée et de minéral. Très corsé, avec des arômes sous-jacents de vieilles vignes, il se révèle d'une maturité et d'une richesse exceptionnelles, et présente un caractère métallique, de pierre et de minéral dans un ensemble puissant, mais structuré. **A boire dans les 10 ans.**

Très ample et intensément concentré, le Pouilly-Fuissé Hors Classe Tournant de Pouilly 1994 est extrêmement puissant et persistant en bouche. Il présente un intense caractère de minéral sous-jacent, qui apporte de la précision à son fruité énorme, très glycériné et richement extrait. Bien qu'encore jeune, ce vin pourrait passer pour le Meursault Perrières de Pouilly-Fuissé. **A boire dans les 10 ans.**

Ayant dégusté nombre de bourgognes blancs 1993 très décevants, j'ai une petite idée des rendements très restreints et de la maturité qui ont contribué à la réussite des 1993, extrêmement intenses, du Domaine J. A. Ferret.

Le Pouilly-Fuissé Cuvée Réservée Les Scelés 1993, d'une richesse corsée, exhale un nez de miel, de minéral, d'abricot et de mandarine mûre. Extrêmement fruité et pur, il déploie une finale longue et intense, puissante et sèche. **A boire dans les 5 ou 6 ans.**

Le Pouilly-Fuissé Cuvée Réservée Les Vernays 1993 est, quant à lui, plus concentré, avec un caractère de pierre, de minéral et de terre plus prononcé que le vin précédent. Il exhale un nez pur et vif de cerise mûre, d'orange, de minéral et de fleurs, et se révèle tout à la fois onctueux, capiteux, alcoolique, mûr et très corsé. Il ressemble davantage à un 1992 qu'à un 1993 ! **A maturité : jusqu'en 2003.**

Absolument stupéfiant, le Pouilly-Fuissé Tête de Cru Les Perrières 1993 offre au nez de généreuses senteurs, crémeuses et intenses, de chèvrefeuille, légèrement marquées par le botrytis. Ce vin fabuleusement intense et onctueux persiste en bouche avec des arômes épais, riches et alcooliques. Il se révélera énorme dans les **5 ou 6 ans.**

Moins exotique, plus mesuré et plus discret que le vin précédent, le Pouilly-Fuissé Tête de Cru Les Clos 1993 peut éventuellement être qualifié de plus « classique », en raison de son caractère plus élégant et plus subtil. Très corsé, concentré et alcoolique, il sera peut-être de plus longue garde que Les Perrières, mais tous deux seront parfaits dans les 5 ou 6 ans.

Enfin, le Pouilly-Fuissé Hors Classe Les Menestrières 1993 libère, à la manière d'un vin rouge, d'intenses arômes de cerise, conjuguées à un fruité riche et confituré de chardonnay crémeux et mielleux. Il est encore marqué de subtiles notes de minéral et de métal mouillé, et déploie une finale dense, onctueuse, épaisse, énorme et très alcoolique. **A boire dans les 5 ou 6 ans.**

Le Pouilly-Fuissé Tête de Cru Les Pelloux 1992 offre un fruité grandiose, ainsi que ce caractère onctueux, épais et mielleux si typique du millésime. Il est d'une richesse superbe, avec une finale très corsée et alcoolique, bien marquée par la mâche. **A boire dans les 5 à 7 ans.**

Plus racé encore, le Pouilly-Fuissé Les Reiss Hors Classe 1992 s'impose comme un vin complexe et d'une grande richesse, au fruité de groseille et de cerise mêlé de touches de mandarine très mûre, ainsi que de fortes notes de minéral. Très corsé et puissant, il est capable d'une longévité de 10 à 15 ans, voire davantage.

Exactement comme le faisait sa mère, Colette Ferret entend utiliser la dénomination « Hors Classe » pour les crus qu'elle considère comme les meilleurs de la propriété. De même, la mention « Tête de Cru » ne s'applique qu'aux meilleures sélections d'un vignoble donné. Cependant, mon expérience me prouve que s'il n'existe pas de grande différence de qualité entre ces crus, ceux qui portent la mention « Hors Classe » se révèlent, en règle générale, légèrement plus gras et plus riches. Mais tous les vins ici sont d'un grand caractère et d'une belle qualité.

Fabuleux, riche et très corsé, le Pouilly-Fuissé Les Perrières 1992 déborde littéralement d'un fruité généreux. D'une structure et d'une intensité absolument massives, il déploie une finale opulente et étonnamment longue. **A boire dans les 10 ans.**

Merveilleusement bâti, énorme et riche, le Pouilly-Fuissé Les Clos 1992 est encore musclé et concentré, avec un fruité au caractère minéral sous-jacent. **A boire dans les 10 ans.**

Le cru le plus concentré de ce trio est probablement le Pouilly-Fuissé Les Menestrières 1992 : il rappelle un Tokay Pinot-Gris de vendanges tardives de Zind-Humbrecht, avec son incroyable bouquet crémeux de cire et de noix grillée, ainsi que son caractère onctueux et extrêmement concentré. Ce vin monstrueux, spectaculaire, luxuriant et voluptueux titre vraisemblablement près de 14,5° d'alcool naturel, mais sa bonne acidité lui confère une merveilleuse pureté et un bel équilibre d'ensemble. Son potentiel de garde est de 10 à 15 ans. N'oubliez surtout pas de vous procurer de ces vins, déjà disponibles sur le marché.

Le Pouilly-Fuissé Tournant de Pouilly 1990 est un vin sensationnel qui titre presque 14° d'alcool naturel. Sa légère couleur or introduit un nez stupéfiant aux arômes d'ananas, de miel, de pêche et de pomme. Il se révèle hautement extrait, épais, riche et onctueux en bouche, et déploie une finale étonnamment longue et explosive. Il est encore jeune et d'un équilibre extraordinaire pour sa richesse et son caractère massif. **A boire dans les 5 à 10 ans.**

Avec son bouquet de cerise, d'abricots et de noisette fumée, et ses riches senteurs d'ananas et de pomme, le Pouilly-Fuissé Les Menestrières 1990 se révèle très corsé, mais bien équilibré par une acidité de bon ressort. Il est énorme, profond et généreusement doté. **A boire dans les 10 ans.**

DOMAINE FONTAINE-GAGNARD (CHASSAGNE-MONTRACHET)****

19, route de Santenay – 21190 Chassagne-Montrachet
Tél. 03 80 21 35 50 – Fax 03 80 21 90 78
Contact : Richard Fontaine

1992 Chassagne-Montrachet	D	87
1992 Chassagne-Montrachet Morgeot	D	90
1992 Chassagne-Montrachet La Maltroie	D	90
1992 Chassagne-Montrachet Les Chevenottes	D	90
1992 Chassagne-Montrachet La Grande Montagne	D	88
1992 Chassagne-Montrachet Les Caillerets	D	91
1992 Chassagne-Montrachet Les Vergers	D	90
1992 Criots-Bâtard-Montrachet	E	89
1992 Bâtard-Montrachet	EE	93

En matière de noms, l'univers des domaines bourguignons est pour le moins confus. Ainsi, vous en trouverez plusieurs qui incluent le patronyme « Gagnard » (par exemple, Gagnard-Delagrange ou Blaine-Gagnard). Le Domaine Fontaine-Gagnard, géré par Richard Fontaine, est le meilleur de tous ceux qui portent le nom Gagnard. Cette propriété a d'ailleurs donné des bourgognes blancs absolument renversants en 1992.

Moyennement corsé, mûr et mielleux, le Chassagne-Montrachet 1992 révèle un excellent fruité, ainsi qu'une finale longue et riche. **A boire dans les 2 ou 3 ans.**

Plus riche encore, le Chassagne-Montrachet Morgeot 1992 exhale de généreux arômes de vanille, de miel et de pomme. Merveilleusement gras, il déploie une finale très corsée, marquée par une acidité métallique. **A boire dans les 5 ou 6 ans.**

Le Chassagne-Montrachet Maltroie 1992 se révèle encore plus ostentatoire, avec un nez capiteux et enivrant de cerise, d'orange, de pomme et de beurre. Il est faible en acidité, alcoolique et gras. **A boire dans les 2 ou 3 ans.**

Extraordinairement profond et merveilleusement précis, le Chassagne-Montrachet Les Chevenottes 1992 est riche, très corsé, fabuleusement bâti et proportionné. Il présente une bonne acidité et une finale longue et intense. Bien que plus fermé que les autres crus, il pourrait se révéler aussi profond que le Bâtard-Montrachet 1992 de la propriété. **A maturité : jusqu'en 2002.**

Comme les autres premiers crus que produit ce domaine, le riche Chassagne-Montrachet La Grande Montagne 1992 est un vin riche et presque huileux, mais il n'a pas la complexité et la précision dans les arômes qu'affichent ses jumeaux. Bien doté, voluptueux et alcoolique, c'est un vin que je vous recommande de déguster les **toutes prochaines années**, s'il ne se décide pas à présenter davantage de structure.

Énorme, crémeux et épicé, le superbe Chassagne-Montrachet Les Caillerets 1992 exhale un nez de pomme cuite et de cannelle, et se révèle profond, riche et mielleux en bouche. Très corsé et admirablement structuré, il déborde de gras, de glycérine et d'alcool. **A boire dans les 6 ou 7 ans.**

D'un style similaire, le Chassagne-Montrachet Les Vergers 1992 offre un nez plus ample de citron et de métal. Très corsé, il montre une superbe richesse en extrait et une excellente intensité en finale. **A maturité : jusqu'en 2002.**

J'ai été surpris que le Criots-Bâtard-Montrachet 1992 de ce domaine ne se montre pas à la hauteur des autres meilleurs crus de Chassagne que l'on y produit. Bien qu'excellent, ce vin est monolithique, très corsé, dense et trapu, et manque d'expression.

Quant au Bâtard-Montrachet 1992, absolument renversant et éclatant d'un généreux fruité, il révèle un nez énorme et massif aux senteurs de pommier en fleurs, de chèvrefeuille et de pêche crémeuse. Profond, très corsé et de bonne mâche, il est encore puissant, avec une faible acidité. **A boire dans les 8 à 10 ans.**

DOMAINE MICHEL GAUNOUX (POMMARD)***

Rue Notre-Dame – 21630 Pommard
Tél. 03 80 22 18 52 – Fax 03 80 22 74 30
Contact : Mme Gaunoux

1992 Meursault Goutte d'Or	D	86
1992 Meursault Les Perrières	D	88

Cette propriété, plus connue pour ses vins rouges, propose néanmoins deux vins blancs vifs, élégants et racés, d'une belle corpulence, au généreux fruité riche et mûr, marqué de délicates notes de bois neuf. **A boire dans les 2 ou 3 ans.**

DOMAINE HENRI GERMAIN (MEURSAULT)***

4, rue des Forges – 21190 Meursault
Tél. 03 80 21 22 04 – Fax 03 80 21 67 82
Contact : Henri Germain

1991 Chassagne-Montrachet Morgeot	D	86
1991 Meursault	D	86
1991 Meursault Les Charmes	D	86
1991 Meursault Limozin	D	86

Il est intéressant de constater que tous ces vins, pourtant très différents les uns des autres, ont obtenu des notes identiques. Ils sont plaisants et réussis pour le millésime, et révèlent un caractère élégant et légèrement corsé, ainsi qu'une maturité, une fraîcheur et une pureté de bon aloi. L'utilisation de bois neuf pour l'élevage est infime, et les vins sont vifs et accessibles. Ils devront tous être consommés **d'ici 1 ou 2 ans.**

MAISON JEAN GERMAIN (MEURSAULT)***

11, rue Maréchal-de-Lattre-de-Tassigny – 21190 Meursault
Tél. 03 80 21 63 67 – Fax 03 80 21 64 66
Contact : Jean Germain

1992 Mâcon-Clessé Chardonnay	B	85
1992 Bourgogne Chardonnay	B	83
1992 Meursault Bouchères	D	86
1992 Meursault Goutte d'Or	D	85
1992 Saint-Aubin Premier Cru	C	86
1992 Puligny-Montrachet Les Champs Gains	D	87

Ce producteur élabore des bourgognes blancs vifs, racés et savoureux, au caractère moyennement corsé et élégant.

Il est difficile de trouver meilleure affaire que le Mâcon-Clessé Chardonnay 1992 que propose la maison : légèrement corsé, avec une acidité de bon ressort et de plaisants arômes de pomme. **A boire dans l'année.**

Plus léger, le Bourgogne Chardonnay 1992 est bien vinifié et agréable, tout comme le Meursault Bouchères 1992. Le Meursault Goutte d'Or 1992 n'est ni très riche ni très intense – cela tient probablement aux rendements trop élevés et au fait que ce producteur recherche surtout un style délicat. **A boire dans les 3 ou 4 ans.**

Plus riches et plus ouverts, le Saint-Aubin Premier Cru 1992 et le Puligny-Montrachet Les Champs Gains 1992 sont moyennement corsés et très parfumés. Ils devront être dégustés **d'ici 2 ou 3 ans,** compte tenu de leur concentration moyenne et de leur faible acidité.

DOMAINE VINCENT GIRARDIN (SANTENAY)****

4, route de Chassagne-Montrachet – 21590 Santenay
Tél. 03 80 20 64 29 – Fax 03 80 20 64 88
Contact : Vincent ou Véronique Girardin

1994 Santenay Le Saint-Jean	C	89
1994 Meursault Les Narvaux	D	91
1994 Meursault Les Genevrières	D	85
1994 Chassagne-Montrachet Morgeot Vieilles Vignes	E	90
1994 Chassagne-Montrachet Clos des Truffières	D	88
1994 Chassagne-Montrachet Les Caillerets	D	87
1994 Puligny-Montrachet Les Caillerets	E	90
1994 Puligny-Montrachet Les Pucelles	E	90
1994 Puligny-Montrachet Les Perrières	E	89

Les bourgognes sont terriblement chers et souvent décevants, non seulement en termes de qualité, mais aussi sous le rapport qualité/prix. Toutefois, les crus ci-dessus constituent un petit peloton de vins délicieux, gratifiants et proposés à des prix raisonnables. Vincent Girardin semble avoir réalisé en

1994 la meilleure performance de toute sa carrière, avec des vins explosifs, boisés et fumés.

Le Santenay Le Saint-Jean 1994 est tout spécialement réussi : d'une finesse admirable, il déploie des arômes crémeux de boisé et de cerise, et se révèle doux et charnu en bouche, avec une belle finale, marquée par la mâche. **A boire maintenant.**

Plus riche encore, le Meursault Les Narvaux 1994 déploie un nez crémeux de fumé, de noix grillée et d'ananas confit, ainsi que des notes de boisé bien fondues dans l'ensemble. Intense, moyennement corsé et concentré en bouche, il offre une finale nette, fraîche et vivace. Cependant, il devra être consommé **assez rapidement,** à cause de son caractère précoce et de sa faible acidité.

Curieusement, le Meursault Les Genevrières 1994 est moins impressionnant que le cru précédent, alors qu'il est plus cher et issu d'un meilleur terroir. Rond et savoureux, il est encore simple et fruité, et n'a pas l'intensité des Narvaux. **A maturité : jusqu'en 2002.**

Des trois premiers crus de Chassagne-Montrachet, c'est le Morgeot Vieilles Vignes 1994 qui me semble le mieux réussi, tout en étant le moins cher. Avec son nez puissant, doux et mûr, au boisé bien fondu, il déploie en bouche des arômes onctueux, profonds, savoureux et crémeux, qui évoquent le miel, le pop-corn et la tarte au citron. Riche et faiblement acide, il s'impose comme un bourgogne ample et savoureux. **A boire dans les 2 ou 3 ans.**

Bien que gras, crémeux, mûr, d'une corpulence et d'une richesse d'une excellente tenue, le Chassagne-Montrachet Clos des Truffières 1994 n'a pas le caractère flamboyant du Morgeot Vieilles Vignes. **A boire dans les 2 ou 3 ans.**

Quant au Chassagne-Montrachet Les Caillerets, il est aussi gras, crémeux et précoce. **A boire dans les 2 ou 3 ans.**

Les trois premiers crus de Puligny-Montrachet sont également extraordinaires.

Fabuleusement mûr, moyennement corsé et intense, le Puligny-Montrachet Les Caillerets 1994 présente de généreuses et riches senteurs d'ananas et de poire confite, mêlées de notes de fumé et de terre. Il est doux et savoureux. **A boire dans les 4 ou 5 ans.**

Doux, riche et intense, le Puligny-Montrachet Les Pucelles 1994 se dévoile en bouche avec ampleur et par paliers, avec une faible acidité. **A boire très prochainement.**

Moins impressionnant, mais flatteur, l'élégant Puligny-Montrachet Les Perrières 1994 se révèle délicieux et déjà accessible, avec ses généreux et doux arômes crémeux de fruits confits. Faible en acidité, il est tout à la fois rond, mûr et savoureux, et présente une finale nette. **A maturité : jusqu'en 2001.**

CHÂTEAU DE LA GREFFIÈRE (MÂCON)****

71960 La Roche-Vineuse
Tél. 03 85 37 79 11 – Fax 03 85 36 62 88
Contact : Vincent Grézard

1994 Mâcon La Roche-Vineuse Vieilles Vignes	A	87
1992 Mâcon La Roche-Vineuse Vieilles Vignes	A	87

Le Mâcon La Roche-Vineuse Vieilles Vignes 1994, ouvert et très corsé, est d'une belle intensité, et déploie un délicieux et merveilleux fruité de chardonnay, aux notes d'agrumes. Il est bien équilibré, avec une finale vive, pure et rafraîchissante. **A boire d'ici 1 ou 2 ans.**

Absolument renversant, le Mâcon La Roche-Vineuse Vieilles Vignes 1992 est issu à 80 % de vignes de 50 ans d'âge et à 20 % de vignes de 30 ans d'âge. Puissant et très corsé, il présente en bouche, outre des arômes opulents et longs, une richesse intense et une vivacité superbe. Une toute petite partie de ce vin a été élevée en fûts neufs, mais son charme réside surtout dans son fruité crémeux et de miel, vif, concentré et riche, contenu dans un ensemble intensément parfumé. **A boire maintenant.**

THIERRY GUÉRIN (MÂCON)****

Au Sabotier – 71960 Vergisson
Tél. 03 85 35 84 06
Contact : Thierry Guérin

1992 Pouilly-Fuissé La Roche	C	86
1992 Pouilly-Fuissé La Roche Vieilles Vignes	C	88
1992 Pouilly-Fuissé Clos de France	C	90

Thierry Guérin est l'une des étoiles montantes du Mâconnais, et ses 1992 sont absolument fabuleux.

Bien que ne présentant pas la complexité des autres vins de la propriété, le Pouilly-Fuissé La Roche 1992 est opulent, profond et très corsé, avec un fruité riche. **A boire d'ici 2 ou 3 ans.**

On décèle dans le bouquet de pomme caramélisée et de fleurs printanières du Pouilly-Fuissé La Roche Vieilles Vignes 1992 des notes de chêne neuf et grillé. Ce vin très corsé et concentré présente une finale imposante et longue, ainsi qu'une faible acidité. **A boire dans les 3 ou 4 ans.**

Le voluptueux Pouilly-Fuissé Clos de France 1992, dont le nez énorme de fruits crémeux et de chèvrefeuille est mêlé de subtiles touches de chêne neuf et grillé, se révèle ample et dense en bouche, où il déploie un généreux fruité doux. Sa concentration et son ampleur sont celles d'un grand cru. Quelle superbe réussite ! **A boire d'ici 5 ou 6 ans.**

DOMAINE GUFFENS-HEYNEN (MÂCON)****

En France – 71960 Vergisson
Tél. 03 85 35 84 22 – Fax 03 85 35 82 72
Contact : Jean-Marie Guffens-Heynen

1992 Mâcon Pierreclos en Chavigne Vieilles Vignes	C	90
1991 Mâcon Pierreclos en Chavigne Vieilles Vignes	C	87
1992 Pouilly-Fuissé La Roche	D	93
1991 Pouilly-Fuissé La Roche	D	88
1992 Pouilly-Fuissé-Clos des Petits Clous	E	92+

On trouve dans le Mâconnais une bonne demi-douzaine de propriétés dont les vins rivalisent aisément avec certains grands crus ou premiers crus de la Côte-d'Or, voire les surpassent. La propriété de Jean-Marie Guffens-Heynen en fait partie.

Son Mâcon Pierreclos en Chavigne Vieilles Vignes 1991 présente un nez frais de minéral et de pomme. Il est moyennement corsé et d'une excellente fraîcheur, et déploie une finale longue et acidulée. **A boire d'ici 1 ou 2 ans.**

Plus profond, le Pouilly-Fuissé La Roche 1991 exhale un nez provocateur de pierre mouillée, et libère en bouche des arômes moyennement corsés et riches, aux notes de pomme. **A boire dans les 2 ou 3 ans.**

Les faibles rendements que tient Jean-Marie Guffens-Heynen, conjugués au caractère plus riche et plus mûr propre au millésime 1992, ont donné des vins fabuleux.

Les amateurs trouveront certainement le Mâcon Pierreclos en Chavigne Vieilles Vignes 1992 absolument formidable. Riche et sensuel, il se révèle profond et très corsé en bouche, où il se dévoile par paliers. Ce Mâcon renversant est d'un équilibre exceptionnel et d'une complexité admirable. **A boire dans les 4 ou 5 ans.**

Le spectaculaire Pouilly-Fuissé La Roche 1992 offre un nez énorme de minéral, d'orange et de pomme caramélisée. Profond, riche et très corsé en bouche, il y révèle une intensité formidable, ainsi qu'une structure merveilleuse. Ce vin stupéfiant et d'une belle précision est encore peu évolué, mais il promet de bien se développer sur les **6 ou 7 années.**

Le Pouilly-Fuissé-Clos des Petits Clous 1992, produit à hauteur de 60 caisses seulement, ne présente qu'un intérêt relatif, compte tenu de sa rareté. Peu évolué et majestueux, il offre au nez d'intenses arômes de pomme mûre et de pierre mouillée. Il se révèle riche, profond, épicé et d'une texture serrée en bouche. Il requiert une garde de 2 ou 3 ans avant d'être prêt et, si j'en crois mon expérience des millésimes précédents, son potentiel de garde est de **10 à 12 ans.**

LOUIS JADOT (BEAUNE)****

5, rue Samuel-Legay – 21200 Beaune
Tél. 03 80 22 10 57 – Fax 03 80 22 56 03
Contact : Pierre-Henry Gagey

1992 Bourgogne Blanc	B	85
1992 Pouilly-Fuissé Cuvée Spéciale	C	87
1992 Auxey-Duresses Duc de Magenta	C	86
1992 Pernand-Vergelesses	C	85
1992 Savigny-lès-Beaune	C	77
1992 Saint-Aubin	C	82
1992 Meursault	C	83
1992 Chassagne-Montrachet	C	84

1992 Puligny-Montrachet	D	86
1992 Chassagne-Montrachet Morgeot Duc de Magenta	D	87
1992 Meursault Les Charmes	D	86
1992 Meursault Les Perrières	E	90+
1992 Puligny-Montrachet Les Champs Gains	E	87
1992 Puligny-Montrachet Les Referts	E	88
1992 Puligny-Montrachet Clos de la Garenne	E	87
1992 Puligny-Montrachet Les Caillerets	E	87
1992 Puligny-Montrachet Les Folatières	E	90
1992 Beaune Les Grèves	D	89
1992 Bienvenues-Bâtard-Montrachet	EE	90
1992 Bâtard-Montrachet	EE	91
1992 Chevalier-Montrachet Les Demoiselles	EE	91+
1992 Corton-Charlemagne	EE	89
1992 Le Montrachet	EEE	93

La famille Gagey ne cache nullement qu'elle considère ses bourgognes blancs de 1985, 1986 et 1989 nettement plus riches et plus complexes que ses 1992. Ceux-ci sont certes bien réussis, mais je ne peux que me rallier à leur opinion lorsque je les compare aux millésimes précédents.

Dans les années réputées pour leur faible acidité, comme 1992, les fermentations malolactiques ne sont faites que partiellement, afin que les vins conservent un certain niveau d'acidité naturelle. Ce procédé se révèle souvent efficace, et c'est ainsi que la maison Louis Jadot a produit nombre de bourgognes blancs au très grand potentiel de garde.

Le Bourgogne Blanc est toujours pour les néophytes une excellente introduction au style de la maison. Net et pur, avec un plaisant et subtil fruité crémeux aux notes de pomme, il révèle une bonne acidité et un caractère merveilleusement frais et moyennement corsé en bouche. **A boire d'ici 2 ou 3 ans.**

Le Pouilly-Fuissé Cuvée Spéciale 1992 arbore une robe légèrement dorée, qui introduit un excellent bouquet de pomme caramélisée, ainsi qu'un délicieux fruité, riche et moyennement corsé. **A boire dans les 6 ou 7 ans.**

Le nez métallique et de minéral de l'Auxey-Duresses Duc de Magenta 1992 introduit en bouche un vin moyennement corsé et acidulé, merveilleusement fruité, tout en élégance et en finesse, à la finale rafraîchissante. Son potentiel de garde est de **3 à 5 ans.**

Bien que manquant de complexité, le Pernand-Vergelesses 1992, gras et monolithique, libère un fruité trapu de chardonnay.

Composé à 60 % de pinot blanc et à 40 % de chardonnay, le Savigny-lès-Beaune 1992 est acide, maigre et austère. **A boire assez rapidement.**

Sans détour, le Saint-Aubin 1992 est bien fruité et plus doux. **A boire assez rapidement.**

Le Meursault 1992 et le Chassagne-Montrachet 1992 sont corrects, bien faits et légers. Ils révèlent un bon fruité mûr, mais manquent un peu de complexité. Le Puligny-Montrachet 1992, aux notes métalliques et de minéral, a davantage de caractère.

Parmi les premiers crus, la maison Louis Jadot propose un Chassagne-Montrachet Morgeot Duc de Magenta 1992, à l'excellent nez crémeux de pop-corn, de pomme mûre et de fleurs. Riche, ce vin moyennement corsé donne une belle impression d'ensemble, toute de grâce et de caractère. **A boire dans les 6 ou 7 ans.**

Le Meursault Les Charmes 1992 recèle un fruité riche et crémeux de noisette. Il se révèle doux, gras et bien dense en bouche, avec une finale trapue et alcoolique. **A boire dans les 2 ou 3 ans.**

Plus puissant, le Meursault Les Perrières 1992 est davantage marqué par les arômes métalliques et de minéral qu'il tire de son vignoble pierreux. Il est aussi d'une belle longueur et d'une précision admirable. **A maturité : jusqu'en 2010.**

Les cinq premiers crus de Puligny-Montrachet que propose la maison sont tous impressionnants.

Le plus discret et le plus élégant est le Puligny-Montrachet Les Champs Gains 1992. Il est moyennement corsé et très frais, avec un merveilleux fruité de minéral et une acidité de bon ressort. **A boire avant 8 ans d'âge.**

Plus étoffé et plus intense, le Puligny-Montrachet Les Referts 1992 exhale un nez plus puissant d'orange, de minéral, de métal et de beurre. Moyennement corsé, il déploie une finale longue et riche. **A boire avant 8 ans d'âge.**

Le Puligny-Montrachet Clos de la Garenne est mûr et riche, d'une grande élégance malgré son intensité. **A boire avant 8 ans d'âge.**

De couleur plus soutenue, le Puligny-Montrachet Les Caillerets 1992 a une bonne acidité, et déploie, à la fois au nez et en bouche, des arômes crémeux et de pomme caramélisée. Sa finale est plus ample, plus riche et plus alcoolique que celle des vins précédents. **A boire avant 8 ans d'âge.**

Le meilleur de tous est probablement le Puligny-Montrachet Les Folatières 1992, avec son nez fabuleux et renversant de chèvrefeuille, d'orange et de pomme crémeuse. Moyennement corsé et très concentré, il présente une bonne acidité, ainsi qu'une finale longue et riche. Son potentiel de garde est de **10 ans au moins.**

Le Beaune Les Grèves 1992 est le meilleur vin que je connaisse de ce vignoble, plutôt connu pour ses rouges. Étonnant d'intensité et de maturité, il exhale un nez crémeux de terre et de citron. Moyennement corsé, il a une acidité de bon ressort qui étaye bien sa finale riche et capiteuse. **A boire dans les 6 ou 7 ans.**

Parmi les impressionnants grands crus, vous trouverez l'excellent Bienve-nues-Bâtard-Montrachet 1992, riche et très corsé, ainsi que le Bâtard-Montra-chet 1992, dense et élégant, avec un nez de miel et de noisette, au fruité plus riche et plus onctueux que le premier. **A maturité : 1999-2007.**

Le Chevalier-Montrachet Les Demoiselles 1992, l'une des spécialités de la maison, issu de vignes plantées en 1955, se révèle le moins évolué de toute la gamme. Bien qu'il soit complètement fermé, on devine son acidité élevée et son caractère riche, très corsé, intense et puissant. Bien qu'il impressionne déjà par sa longueur et son côté massif, il ne sera pas à maturité avant 6 ou

7 ans, et devrait bien se conserver les **20 prochaines années** – ce qui est un potentiel extrêmement important pour un 1992.

Le Corton-Charlemagne 1992 n'est pas aussi impressionnant que je l'aurais pensé. Néanmoins, c'est un excellent vin, au nez énorme, mûr et épicé de vanille. Bien que moyennement corsé, riche et d'une belle maturité, il manque de longueur en fin de bouche. **A maturité : 2000-2006.**

Avec ses énormes arômes de minéral, de cerise, d'orange et de chèvrefeuille, le Montrachet 1992 est très corsé, mûr et long en bouche, où il présente une excellente acidité, ainsi qu'une finale au caractère riche et très massif. Ce vin à la texture serrée sera à son meilleur niveau dans les 5 ou 6 ans, et se maintiendra sur les **15 années** qui suivront.

DOMAINE PATRICK JAVILLIER (MEURSAULT)****/*****

7, impasse des Acacias – 21190 Meursault
Tél. 03 80 21 27 87 – Fax 03 80 21 29 39
Contact : Patrick Javillier

1992 Meursault Les Narvaux	D	91
1991 Meursault Les Narvaux	D	90
1992 Meursault Les Casse Tête	D	90
1991 Meursault Les Casse Tête	D	90
1992 Meursault Les Clous	D	89
1991 Meursault Les Clous	D	87
1991 Bourgogne Cuvée des Forgets	D	87

La famille Javillier s'est longtemps contentée de vendre sa vendange et ses moûts à des maisons de négoce aussi importantes que Chartron et Trébuchet ou Drouhin. Mais après s'être familiarisé avec les vins de producteurs aussi talentueux que Jean-Marie Guffens-Heynen ou Jean-François Coche-Dury, Patrick Javillier a complètement bouleversé les méthodes de vinification appliquées au domaine. Ainsi, les lecteurs qui dégusteraient côte à côte les vins aqueux, insipides et stériles qu'il produisait par le passé et ses 1991 et 1992 seraient sans doute extrêmement surpris. Contrairement à ce que j'écrivais dans mon ouvrage sur les vins de Bourgogne, les vins sont maintenant issus de rendements tenus, entièrement fermentés en fûts neufs et élevés sur lies. Et emboîtant le pas à Jean-François Coche-Dury et au Domaine des Comtes Lafon, Patrick Javillier procède désormais à la mise en bouteille sans filtration préalable.

Le Bourgogne générique Cuvée des Forgets 1991 est un vin riche et moyennement corsé, aux notes de chêne neuf joliment infusées. Il se révèle énorme, crémeux et mielleux en bouche. **A boire dans les toutes prochaines années.**

Les Meursault 1991 sont tous extrêmement riches, bien profonds et subtilement boisés, avec un caractère doux et une faible acidité. Dans le cas des Casse Tête et des Narvaux, vous décèlerez aussi une finale profonde et concentrée. Ce sont des vins superbes ! Leur fruité de chardonnay doux, mielleux et marqué par la mâche laisse deviner qu'ils sont issus de rendements restreints et d'une vinification très peu interventionniste. **A boire d'ici 1 ou 2 ans.**

Moins évolués du point de vue aromatique, les 1992 pourraient être notés à la hausse au terme d'un certain vieillissement en bouteille. Ils sont bien profonds, admirablement nets et purs, avec une bonne acidité et une finale somptueusement riche et bien équilibrée.

Le plus évolué et le plus précoce de tous est probablement le Meursault Les Clous 1992. Bien équilibré, il offre un fruité onctueux et doux, et un nez de miel et de noix.

Le Meursault Les Casse Tête 1992 et le Meursault Les Narvaux 1992 sont plus riches, mais le premier révèle davantage de précision et d'élégance, merveilleusement conjuguées à une puissance et une intensité considérables. **A boire dans les 3 ou 4 ans.**

Le très classique Meursault Les Narvaux 1992 exhale, quant à lui, un nez de noix grillée et de fruits tropicaux confits, ainsi que de plaisantes notes vanillées. Ce vin superbe est riche, épais et très corsé. **A boire dans les 3 ou 4 ans.**

DOMAINE FRANÇOIS JOBARD (MEURSAULT)****

2, rue de Leignon – 21190 Meursault
Tél. 03 80 21 21 26 – Fax 03 80 21 26 44
Contact : François Jobard

1992 Meursault	D	86
1992 Meursault Blagny	D	86
1992 Meursault Le Poruzot	D	86
1992 Meursault Les Genevrières	D	87+

Les amateurs des vins de François Jobard savent qu'ils ressemblent à leur auteur : maigres et austères, il leur faut du temps pour exprimer leur personnalité. Cela étant dit, je pense que les 1992 de ce domaine sont inhabituellement légers et sévères, et n'ont pas la richesse des 1989 ou des excellents 1990.

Le Meursault 1992, aux séduisantes senteurs florales et de minéral, se révèle moyennement corsé, avec une acidité de bon ressort.

D'un style similaire, l'élégant Meursault Blagny 1992, moyennement corsé, laisse en bouche une impression de froideur métallique.

Atypiquement peu évolué, le Meursault Le Poruzot 1992 est austère, avec un niveau d'acidité très élevé, mais son caractère assez massif laisse à penser qu'il est en fait meilleur qu'il ne l'était lorsque je l'ai dégusté.

Le cru le plus impressionnant de cette série de 1992 est probablement le Meursault Les Genevrières. Bien que sévère et serré, il se révèle le plus riche, avec de séduisantes senteurs de citron et de pomme, mêlées à des notes de pierre mouillée. Racé mais discret, il devrait être de longue garde pour un vin de ce millésime.

DOMAINE MICHEL JUILLOT (MERCUREY)***/****

Grande-Rue – BP 10 – 71640 Mercurey
Tél. 03 85 45 27 27 – Fax 03 85 45 25 52
Contact : Michel Juillot

1992 Bourgogne Blanc	B	85
1992 Mercurey Blanc	C	79
1992 Mercurey Les Champs Martin	D	87
1992 Corton-Charlemagne	EE	87

Les 1992 du Domaine Michel Juillot sont doux, mûrs et moyennement corsés, mais ne me semblent pas aussi réussis que les 1989 et 1990, puissants et massifs.

Le Bourgogne Blanc 1992 est doux et mûr. **A boire maintenant.**

Légèrement corsé, le Mercurey Blanc 1992 révèle une maturité plaisante et une finale abrupte. **A boire maintenant.**

Au nombre des vins les plus intéressants que propose le domaine, on citera l'excellent Mercurey Les Champs Martin 1992. C'est un bourgogne blanc moyennement corsé, opulent, riche et mielleux, révélant une belle profondeur et une finale douce. **A boire d'ici 2 ou 3 ans.** On citera aussi le Corton-Charlemagne 1992, certes très bon, mais moins puissant et moins concentré que je ne l'espérais. On décèle dans ce vin des arômes de chêne neuf épicé, des notes très mûres d'ananas confit et de pomme crémeuse, ainsi qu'une finale marquée par des touches de chêne. **A boire d'ici 3 ou 4 ans.**

DOMAINE HENRI LAFARGE (MÂCON)****

Domaine de la Combe – Le Bourg – 71250 Bray
Tél. 03 85 50 02 18 – Fax 03 85 50 05 37
Contact : Henri Lafarge

1992 Mâcon Bray	B	88

Je suis de plus en plus impressionné par les standards de qualité qu'affichent les meilleures propriétés du Mâconnais. Le Mâcon Bray 1992 de ce domaine est un vin gras, somptueux et riche, bien marqué par la mâche et débordant d'un fruité d'ananas confit et de pomme crémeuse. Moyennement corsé et d'une extrême précision, ce vin plein et délicieux présente une finale généreusement dotée et massive, alcoolique et capiteuse. **A boire maintenant.**

DOMAINE LALEURE-PIOT (PERNAND-VERGELESSES)***/****

21420 Pernand-Vergelesses
Tél. 03 80 21 52 37 – Fax 03 80 21 59 48
Contact : Jean-Marie Laleure

1992 Pernand-Vergelesses Premier Cru	D	86
1992 Corton-Charlemagne	EE	92

Voici deux excellentes réussites de ce domaine. Le Pernand-Vergelesses Premier Cru 1992, merveilleusement riche et mûr, est moyennement corsé, et n'a pas le caractère de terre et le niveau d'acidité très élevé qui desservent souvent les vins de cette appellation. **A boire d'ici 3 à 5 ans.**

Sensationnel et élégant, le Corton-Charlemagne 1992 est immensément riche et concentré, d'un équilibre impeccable, avec un bouquet épicé de pomme mûre, de cannelle et d'orange. Moyennement corsé, il offre une superbe richesse en extrait, et son assez haut niveau d'acidité donne à penser qu'il peut être conservé **environ 6 ou 7 ans.**

LOUIS LATOUR (BEAUNE)****

18, rue des Tonneliers – 21200 Beaune
Tél. 03 80 24 81 00 – Fax 03 80 22 36 21
Contact : Denis Fetzmann

1992 Chardonnay de l'Ardèche	A	85
1992 Mâcon-Lugny Les Genièvres	B	87
1992 Saint-Véran	C	86
1992 Pouilly-Fuissé	C	86
1992 Meursault	C	87
1991 Meursault	C	85
1991 Meursault Château de Blagny	D	86
1992 Puligny-Montrachet	D	77
1991 Puligny-Montrachet	D	74
1992 Chassagne-Montrachet	C	86
1991 Chassagne-Montrachet	C	78
1992 Beaune Blanc	D	86
1992 Chassagne-Montrachet Premier Cru	D	87
1992 Meursault Les Perrières	D	87
1992 Meursault Les Genevrières	D	86
1992 Puligny-Montrachet Premier Cru	D	86
1992 Puligny-Montrachet Les Folatières	D	88
1992 Puligny-Montrachet Les Referts	D	91
1992 Corton-Charlemagne	EE	93
1991 Corton-Charlemagne	EE	89
1992 Bâtard-Montrachet	EE	92
1992 Chevalier-Montrachet	EE	89+
1992 Le Montrachet	EEE	88+
1991 Montagny Premier Cru	C	87

Fondée en 1797, cette célèbre maison de négoce est également propriétaire de vignobles et a produit d'excellents 1992. Ses grands crus et ses premiers crus vieillissent pendant 1 an en fûts neufs, et restent sur lies assez longtemps, mais sans bâtonnage.

L'une des meilleures affaires que propose la maison Louis Latour est un Chardonnay de l'Ardèche. Vif, élégant, savoureux et moyennement corsé, le 1992 révèle une pureté et une maturité d'excellent aloi. **A boire d'ici 1 an.**

Le Mâcon-Lugny Les Genièvres constitue l'un des meilleurs rapports qualité/-prix de toute la gamme. Riche, moyennement corsé et d'une étonnante intensité pour un vin de cette appellation, il offre un généreux fruité crémeux de miel, et le 1992, en particulier, s'impose comme une réussite de premier ordre, que vous apprécierez de préférence avant qu'il n'ait atteint 3 ans d'âge.

J'ai également apprécié le Saint-Véran 1992, bien qu'il ne possède pas la profondeur ou le caractère gras et charnu du vin précédent. **A boire maintenant.**

Savoureux, élégant et mûr, le Pouilly-Fuissé 1992 est bien corpulent, avec une finale alcoolique. **A boire maintenant.**

Quant au Meursault 1992, légèrement plus riche et plus plein, il offre des arômes plus prononcés de noisette et se révèle très alcoolique, avec une faible acidité. **A boire d'ici 2 ou 3 ans.**

Le Puligny-Montrachet 1992, léger et maigre, est dépassé par le Chassagne-Montrachet 1992, trapu, charnu et bien fait. **A boire maintenant.**

Peu de vins blancs de la Côte de Beaune sont proposés par la maison Louis Latour. Le Beaune Blanc 1992 est moyennement corsé, d'une excellente maturité et faible en acidité. Il présente un fruité floral et de chèvrefeuille, ainsi qu'une finale charnue et capiteuse. **A boire dans les 3 ou 4 ans.**

Presque entièrement issu de l'excellent vignoble des Chevenottes, le Chassagne-Montrachet Premier Cru 1992 se montre crémeux et fumé, riche et moyennement corsé en bouche. **A maturité : jusqu'en 2002.**

Discret, mais puissant, le Meursault Les Perrières 1992, au caractère de métal, de minéral et de pierre, promet une longévité de **6 ou 7 ans.** D'une excellente concentration et moyennement corsé, il a un niveau d'acidité plus élevé que la plupart de ses jumeaux. Le Meursault Les Genevrières est au contraire plus maigre, avec des arômes crémeux de noisette accompagnés de notes épicées et de chêne neuf et grillé.

Parmi les trois crus de Puligny-Montrachet, le Puligny-Montrachet Premier Cru 1992 est élégant, savoureux, gratifiant, plaisant et sans détour. **A boire maintenant.**

Le Puligny-Montrachet Les Folatières 1992 offre un nez très ample de beurre, de minéral et de chêne grillé, marqué de senteurs florales. Il allie une excellente richesse à une grande profondeur et à une belle corpulence. **A boire dans les 4 à 6 ans.**

Le superbe Puligny-Montrachet Les Referts 1992 exhale un nez de boisé, de lard et de fumé, mêlé d'arômes doux et parfumés aux notes mielleuses de pomme, de melon et d'orange. Extrêmement riche et intense, il est encore très corpulent, très glycériné et très riche en extrait, avec une finale longue et généreusement dotée. Toutefois, son faible niveau d'acidité donne à penser qu'il devra être consommé assez rapidement, **avant 5 ou 6 ans d'âge.**

Le formidable Corton-Charlemagne 1992, le cru le plus puissant, le plus riche et le plus profond de toute la gamme, est un sérieux rival des grandioses 1990, 1989 et 1986. On décèle au nez de généreuses notes de fumé, de chêne neuf et grillé, ainsi que de puissantes senteurs de pêche, de melon, d'orange et de pomme crémeuse. En bouche, il libère des arômes profonds, massifs et spectaculaires, ainsi qu'une finale persistante, étayée par une acidité de bon ressort. Le potentiel de garde de ce vin est de **10 à 15 ans.**

Riche et plein, le Bâtard-Montrachet 1992 est également monolithique, mais extrêmement musclé, puissant et très alcoolique. Richement extrait, onctueux et savoureux, il déborde littéralement de fruité, de glycérine, d'alcool et de corpulence, et se révèle très amplement structuré. **A boire dans les 10 ans.**

Fermé et d'une texture très serrée, le Chevalier-Montrachet 1992 arbore un nez épicé de chêne neuf. Bien que massif et d'une bonne longueur en bouche, il demeure peu évolué, mais devrait se conserver les **10 prochaines années.**

Le Montrachet 1992 est d'une impressionnante richesse et bien équilibré, mais il requiert une garde de 2 ou 3 ans, et, sans être l'une des vedettes du millésime, il devrait se maintenir **plus d'une décennie.**

Je n'ai dégusté que six bourgognes blancs de la maison Louis Latour. L'excellent Montagny Premier Cru 1991 constitue une excellente affaire, compte tenu de la faible réputation du millésime. **A boire maintenant.** Plaisant et élégant, le Meursault 1991 présente un peu de fruité mûr.

Le Chassagne-Montrachet 1991, ainsi que le maigre Puligny-Montrachet 1991, sont tous deux dilués, mais le Meursault Château de Blagny 1991 est mûr, riche, intense et moyennement corsé, avec un fruité crémeux de noisette, une finale douce et une faible acidité. **A boire dans l'année.**

Le Corton-Charlemagne 1991, le meilleur que je connaisse de la maison Louis Latour, n'a ni la puissance ni l'intensité des 1992, 1990, 1989, mais il est complexe, musclé, riche, moyennement corsé, bien intense et profond, avec une faible acidité. Il s'agit d'une excellente réussite pour le millésime. **A boire dans les 4 ou 5 ans.**

DOMAINE LEFLAIVE (PULIGNY-MONTRACHET)*****

Place du Monument – 21190 Puligny-Montrachet
Tél. 03 80 21 30 13 – Fax 03 80 21 39 57
Contact : Anne-Claude Leflaive

1992 Bourgogne Blanc	C	89
1992 Puligny-Montrachet	C	89
1992 Puligny-Montrachet Clavoillon	E	92
1992 Puligny-Montrachet Les Folatières	E	93
1992 Puligny-Montrachet Les Combettes	E	94
1992 Puligny-Montrachet Les Pucelles	E	96
1992 Bienvenues-Bâtard-Montrachet	EE	94
1992 Bâtard-Montrachet	EE	97
1992 Chevalier-Montrachet	EEE	97
1992 Le Montrachet	EEE	99

Le Domaine Leflaive compte à son actif nombre de millésimes fort réussis, depuis plusieurs années – 1979, 1985, 1986 et 1989 sont ceux qui viennent immédiatement à l'esprit –, mais les 1992 s'imposent comme les meilleurs vins jeunes que cette propriété ait donnés. Issus de rendements de l'ordre de 45 hl/ha (bien plus restreints que ceux de ces dernières années), ils sont surtout réputés pour leur pureté et leur élégance, mais ces 1992 affichent en outre une richesse et une intensité toutes particulières.

Même le Bourgogne Blanc se révèle fabuleux. Son merveilleux nez crémeux, métallique et de minéral prélude à des arômes vifs et moyennement corsés, et à une finale longue et imposante. **A boire dans les 2 ou 3 ans.**

Le Puligny-Montrachet 1992, aux profondes senteurs crémeuses de pomme et de citron, se révèle moyennement corsé, extrêmement fruité et fin, avec une richesse mielleuse et une acidité de bon ressort. **A boire dans les 5 ou 6 ans.**

Je ne me souviens pas de meilleur Puligny-Montrachet Clavoillon du Domaine Leflaive que ce 1992, aux arômes vibrants et merveilleusement précis d'orange, de pomme et de pierre mouillée. Étonnamment corsé, soyeux et marqué par la mâche, il déborde d'intensité et de richesse en extrait. **A boire dans les 10 ans.**

Le Domaine Leflaive possède également une petite parcelle de Folatières, et le 1992 qui en est issu est tout simplement merveilleux, avec son nez de chèvrefeuille et les admirables arômes, riches et crémeux, qu'il déploie en bouche. Il est bien doté, moyennement corsé, d'une intensité superbe et d'une belle précision. **A boire dans les 10 ans.**

Les amateurs du domaine savent que le Puligny-Montrachet Les Combettes constitue une excellente affaire. Ce vignoble, qui jouxte celui des Charmes, absolument grandiose en Meursault, offre autant un caractère de Meursault que de Puligny-Montrachet. Son formidable nez de noisette grillée, de beurre, de métal et de fleurs est époustouflant, et les arômes énormes, onctueux et épais, marqués par la mâche qu'il dévoile en bouche révèlent une richesse en extrait absolument magnifique. En outre, il a l'acidité nécessaire pour lui conférer de la précision, malgré ses qualités imposantes. Sa finale est généreusement dotée, longue et ample. Il est probablement le plus riche et le plus voluptueux de toute la gamme. **A boire dans les 10 ans.**

Le Puligny-Montrachet Les Pucelles 1992 est l'exemple classique de l'alliance de la finesse et de la puissance. Plus riche et plus onctueux que d'habitude, il est d'une netteté et d'une précision dans le dessin absolument fabuleuses. Il exhale un grandiose bouquet d'orange et de mandarine, mêlé de notes de vanille, de grillé, de pop-corn soufflé et crémeux, et de pomme. Il est encore d'une concentration sensationnelle et se dévoile en bouche par paliers, avec des arômes bien étayés par une acidité de bon ressort. Quel vin magnifique ! **A boire maintenant.**

Le dense Bienvenues-Bâtard-Montrachet 1992 dégage des senteurs de cerise, d'orange et de pomme, et libère en bouche, outre des arômes puissants, épais et riches, une excellente acidité et une finale longue, bien dotée et alcoolique. **A boire dans les 6 ou 7 ans.**

Les milliardaires prendront plaisir à déterminer lequel, du Bâtard-Montrachet ou du Chevalier-Montrachet, est le meilleur. Le Bâtard 1992 est le plus évolué et le plus précoce, le Chevalier 1992 me semblant davantage sur la réserve. Toutefois, tous deux ont une belle texture, des arômes amples, très corsés et extrêmement concentrés, qui déploient des senteurs de miel, d'orange, de noix grillée et de pomme. Ils sont encore d'une superbe richesse en extrait, avec une finale longue. Le Bâtard-Montrachet 1992 est plus marqué, à la fois au nez et en bouche, par des notes de minéral, et se révèle plus ouvert, tandis que le Chevalier-Montrachet 1992 explose littéralement en fin de bouche, et paraît de plus longue garde. **A maturité : 2002-2012.**

Le Montrachet 1992 (le premier millésime du Domaine Leflaive était le 1991) se pose en sérieux prétendant au titre de réussite du millésime. Produit à hauteur de 25 caisses seulement, il est la quintessence même du chardonnay, fabuleusement riche et hautement extrait, débordant d'arômes, mais toujours merveilleusement précis dans le dessin. Un monstre que vous dégusterez les **15 prochaines années, voire davantage.**

OLIVIER LEFLAIVE FRÈRES (PULIGNY-MONTRACHET)***/****

Place du Monument – 21190 Montrachet
Tél. 03 80 21 37 65 – Fax 03 80 21 33 94
Contact : Olivier Leflaive ou Frank Grucx

1992 Bourgogne Les Sétilles	B	86
1992 Montagny Premier Cru	C	86
1992 Rully Premier Cru	C	86
1992 Mercurey Blanc	C	86
1992 Saint-Aubin En Remilly	C	86
1992 Puligny-Montrachet	D	86
1992 Chassagne-Montrachet	D	85
1992 Meursault	D	82
1992 Meursault Poruzot	D	88
1992 Meursault Les Perrières	D	89
1992 Puligny-Montrachet Les Champs Gains	D	87
1992 Puligny-Montrachet Les Folatières	D	88
1992 Corton-Charlemagne	E	90
1992 Bienvenues-Bâtard-Montrachet	EE	90
1992 Bâtard-Montrachet	EEE	91
1992 Criots-Bâtard-Montrachet	EE	93
1992 Chevalier-Montrachet	EE	92
1992 Le Montrachet	EEE	90

Assisté du talentueux Frank Grucx, Olivier Leflaive a considérablement amélioré ses méthodes de vinification et a produit, depuis 1989, des vins d'une qualité sans cesse grandissante. La plupart des 1990 ont été mis en bouteille sans filtration préalable, et la maison Olivier Leflaive, qui cumulait trois bons millésimes, semble dorénavant devoir être prise très au sérieux.

Le plaisant Bourgogne Les Sétilles 1992, issu d'un vignoble qui jouxte Puligny-Montrachet, révèle une acidité de bon ressort, ainsi qu'un fruité charnu, savoureux et mûr de citron et de pomme. D'une belle précision dans le dessin, il déploie une finale puissante. **A boire d'ici 3 ou 4 ans.**

Le Montagny Premier Cru 1992 déploie un nez plaisant aux senteurs de fleurs, de minéral et de citron. Moyennement corsé et élégant en bouche, il y révèle une bonne acidité, ainsi qu'une finale bien grasse. **A boire d'ici 2 ou 3 ans.**

Le Rully Premier Cru 1992, avec sa belle acidité de bon ressort, offre un nez métallique, aux notes de terre plus prononcées que le vin précédent. Moyennement corsé et d'une excellente maturité, il est bien équilibré en bouche, et y déploie une finale agréable.

J'ai également apprécié le Mercurey blanc 1992 pour ses arômes métalliques, d'herbes et de pomme acidulée, son fruité mûr et sa belle finale.

Le Saint-Aubin En Remilly 1992, le Puligny-Montrachet 1992 et le Chassagne-Montrachet 1992 sont des bourgognes blancs de moindre renommée, mais bien faits. Avec une acidité de bon ressort, ils sont élégants, modérément intenses en bouche et bien précis. **A boire dans les 2 ou 3 ans.**

Le Meursault 1992 me semble moins intense que les autres vins de la gamme. En effet, ce vin trapu et sans détour révèle une certaine dilution, contrairement au Meursault Poruzot 1992 ou au Meursault Les Perrières 1992.

Le Meursault Poruzot 1992 exhale un nez mûr, de miel, de pomme et de beurre, et se révèle savoureux, moyennement corsé en bouche, d'une excellente profondeur et d'une belle précision, avec une finale riche et capiteuse. **A boire dans les 3 ou 4 ans.**

Le Meursault Les Perrières exhale, quant à lui, un nez de conte de fées, vif, minéral et métallique, aux riches arômes de miel, de pomme et de mandarine. Moyennement corsé, il révèle une acidité admirable. **A boire dans les 3 ou 4 ans.**

Le Puligny-Montrachet Les Champs Gains 1992, crémeux et d'une élégance exceptionnelle, déploie un nez plaisant et floral, une belle acidité, ainsi qu'une finale moyennement corsée. **A maturité : jusqu'en 2000.** Il est plus subtil et plus discret que le Puligny-Montrachet Les Folatières 1992 qui est plus énorme, plus épais et plus riche, avec un nez de miel, de pomme et d'agrumes. D'une excellente richesse et d'une belle précision, le Puligny-Montrachet Les Folatières 1992 déploie une finale longue, bien glycérinée, très alcoolique et fruitée, avec une bonne acidité. **A maturité : jusqu'en 2004.**

Parmi les grands crus, le Corton-Charlemagne 1992 arbore un nez énorme et mûr d'ananas et de minéral, un fruité fabuleusement long et riche, ainsi qu'une finale serrée, très corsée et musclée. Son potentiel de garde est de **10 ans environ.**

Plus développé, le Bienvenues-Bâtard-Montrachet 1992 est épais, crémeux, onctueux, gras et riche. **A boire dans les 6 ans.**

Outre sa robe légèrement dorée, le Bâtard-Montrachet 1992 présente un nez énorme de miel, de pomme et de beurre. Riche et mûr en bouche, il est encore faible en acidité, avec une finale longue et capiteuse, qui déborde littéralement de fruité, d'alcool et de glycérine. **A boire dans les 5 ou 6 ans.**

Le Criots-Bâtard-Montrachet 1992 est également impressionnant, avec son bouquet d'orange et de cerise très mûres, de pop-corn soufflé et crémeux, mêlé de doux arômes de chêne neuf, grillé et fumé. Riche et très corsé, ce vin superbe, épais, riche et lourd, qui se dévoile en bouche par paliers, a encore l'acidité voulue pour lui conférer de la fraîcheur. **A boire dans les 7 ou 8 ans.**

Le Chevalier-Montrachet 1992 se révèle épais et de bonne mâche, avec des arômes très concentrés, une acidité admirable et des touches de chêne neuf bien fondues. Peu évolué, mais plus que son homologue du Domaine Leflaive, il est amplement structuré, long et impressionnant. **A boire dans les 10 à 12 ans.**

Bien que moins profond que le Criots-Bâtard-Montrachet 1992 ou le Chevalier-Montrachet 1992, le Montrachet 1992 se révèle extraordinaire, avec son nez de minéral, d'orange et de chèvrefeuille, son caractère moyennement corsé et très serré, ainsi que son acidité de bon ressort. **A maturité : 2000-2005.** Toutefois, il est éclipsé par la richesse, la puissance et la complexité qui se dégagent du Bâtard-Montrachet, du Criots-Bâtard-Montrachet, du Chevalier-Montrachet et du Corton-Charlemagne de l'année.

LEROY ET DOMAINE D'AUVENAY (VOSNE-ROMANÉE)*****

Maison Leroy – Rue du Pont-Boillot – 21190 Auxey-Duresses
Tél. 03 80 21 21 10 – Fax 03 80 21 63 81
Contact : Lalou Bize-Leroy

1991 **Auxey-Duresses**	**D**	**87**
1990 **Auxey-Duresses**	**D**	**86**
1991 **Meursault Les Narvaux**	**E**	**92**
1990 **Meursault Les Narvaux**	**E**	**88**
1991 **Puligny-Montrachet Les Folatières**	**EE**	**92+**
1990 **Puligny-Montrachet Les Folatières**	**EE**	**90**
1991 **Corton-Charlemagne**	**?**	**90+**
1990 **Corton-Charlemagne**	**?**	**91**

Les bourgognes blancs 1991 de Lalou Bize-Leroy, absolument extraordinaires, sont issus de rendements de 9 hl/ha, et titrent 13,5° d'alcool naturel. Ils seront probablement de plus grande longévité que tous leurs congénères.

Même l'Auxey-Duresses 1991 déploie une puissance hors du commun pour un vin de cette appellation. Légèrement plus riche que son aîné d'un an, il est d'une excellente précision dans le dessin, déployant au nez d'énormes senteurs florales et de chèvrefeuille, et en bouche des arômes riches, moyennement corsés et élégants. **A boire dans les 10 ans.**

Le Meursault Les Narvaux 1991 me rappelle un nectar de chardonnay, avec son nez extraordinairement intense de noisette grillée, de pomme confite et d'orange, lequel introduit en bouche un vin onctueux, complexe, puissant, d'une très grande extraction et d'un équilibre exquis. Dans une dégustation à l'aveugle, il serait facile de le confondre avec un remarquable bourgogne d'un grand millésime, tel 1989 ou 1986.

Le Puligny-Montrachet Les Folatières 1991 est également impressionnant, mais Lalou Bize-Leroy aura certainement le sentiment que je l'ai sous-estimé, car elle le tient pour le vin blanc le plus grandiose qu'elle ait élaboré depuis son Meursault Les Perrières 1969. Ce Puligny-Montrachet Les Folatières 1991 est incroyablement riche et onctueux, d'une admirable précision dans les arômes et dans le dessin, avec un nez énorme et floral de beurre, de pomme mûre et de mandarine. Il persiste longuement en bouche et présente un niveau d'acidité relativement bas, mais suffisant, qui lui confère du ressort et un bel équilibre. Il s'agit d'un des rares bourgognes blancs 1991 qui ne doivent pas être consommés d'ici 3 ou 4 ans : dégustez-le plutôt dans les **20 ans** qui suivront.

Le Corton-Charlemagne 1991, au potentiel de **25 à 30 ans**, ne sera prêt que dans 10 ans. Énorme et massif, très dense, avec un bouquet très réticent, il se révèle peu évolué, mais il a un admirable caractère puissant et dense. Ce vin ne devrait être acheté que par ceux qui ont des caves bien fraîches et beaucoup de patience.

Bien qu'aucun des 1990 ne présente le niveau de concentration des 1991, ils s'imposent comme d'excellents vins.

Le très riche Auxey-Duresses 1990 exhale un nez fruité, floral et crémeux, marqué de notes de boisé. **A boire dans les 5 ou 6 ans.**

Plus léger que le 1989 et bien moins concentré que le 1991, le Meursault Les Narvaux 1990 révèle, à la fois au nez et en bouche, davantage de notes de minéral dans un ensemble moyennement corsé et élégant.

Le Puligny-Montrachet Les Folatières 1990 affiche ce même caractère élégant, mûr et racé. Avec un excellent fruité, il révèle une belle précision dans le dessin et une finale longue. Je le tiens pour le plus concentré de tous les 1990 que propose le Domaine d'Auvenay, à l'exception du Corton-Charlemagne 1990. **A maturité : 2000-2009.**

Spectaculaire, trapu et boisé, le Corton-Charlemagne 1990 déborde littéralement de fruité, de glycérine et de ce qui semble être des tannins. Long, dense et mûr, il requiert une garde de 10 ans, et se conservera les **25 prochaines années.**

Les amateurs des bourgognes blancs extrêmement concentrés et de grande garde qu'élabore Lalou Bize-Leroy se réjouiront d'apprendre qu'elle vient d'acquérir une parcelle de vignes en Chevalier-Montrachet et en Criots-Bâtard-Montrachet. On peut donc imaginer la majesté de ces vins placés sous la talentueuse houlette de Lalou.

CHÂTEAU DE LEYNES (SAINT-VÉRAN)****

Domaine de Leynes – 71570 Leynes
Tél. 03 85 35 11 59 – Fax 03 85 35 13 94
Contact : Jean Bernard

| 1992 Saint-Véran Vieilles Vignes | B 87 |

Je tiens le Saint-Véran pour le bourgogne blanc le plus sous-estimé qui soit. Profond, mielleux et onctueux, mais frais et vivace, le 1992 déborde d'un généreux fruité. **A boire dans les 3 ou 4 ans.**

CHÂTEAU DE LA MALTROYE (CHASSAGNE-MONTRACHET)***

16, rue Murée – 21190 Chassagne-Montrachet
Tél. 03 80 21 32 45 – Fax 03 80 21 34 54
Contact : Jean-Pierre Cournut

1992 Santenay La Comme	D	86
1992 Chassagne-Montrachet Clos du Château de la Maltroye	D	87
1992 Bâtard-Montrachet	E	93

Une nouvelle génération a maintenant pris le relais au Château de la Maltroye. Les vins, qui y étaient autrefois terriblement sulfités, le sont moins désormais, et il semblerait que le potentiel de cette propriété soit enfin exploité de manière optimale.

L'excellent Santenay La Comme 1992 s'impose comme un vin mûr, savoureux et assez corsé, débordant d'arômes de minéral et de terre, ainsi que d'un fruité charnu. Faible en acidité et précoce, il doit être consommé d'ici 1 ou 2 ans.

Plus riche et plus plein, le Chassagne-Montrachet 1992 présente des notes de chêne neuf et épicé, et se révèle moyennement corsé, profond et charnu en bouche, où il déploie une finale douce et riche. **A boire assez rapidement.**

Le fabuleux Bâtard-Montrachet 1992 exhale un nez énorme de fleurs printanières, de chèvrefeuille, de beurre fondu et de grillé. D'une richesse en extrait absolument stupéfiante, onctueux, charnu et faiblement acide, il libère des arômes d'une concentration superbe, et toutes ces qualités se fondent en un vin de chardonnay énorme, massif et formidable. **A boire dans les 5 ou 6 ans.**

JEAN MANCIAT (MÂCON)***

557, chemin des Gérards-Le-Vigny – 71850 Charnay-lès-Mâcon
Tél. 03 85 34 35 50 – Fax 03 85 34 38 82
Contact : Jean Manciat

1993 Mâcon-Villages Franlieu	B	87
1992 Mâcon-Villages Franlieu	B	86
1992 Mâcon-Villages Vieilles Vignes	B	86

Jean Manciat a produit deux très bons Mâcon-Villages en 1992. Tous deux exhalent des senteurs fraîches de fleurs printanières, d'agrumes et de pomme, et révèlent en bouche des arômes riches et moyennement corsés, avec une bonne acidité. La cuvée Vieilles Vignes 1992 et la cuvée Franlieu 1992 ne présentent pas, à mon avis, de différence du point de vue de la concentration, et offrent une bonne intensité et une belle pureté. **A boire d'ici 1 ou 2 ans.**

Le Mâcon-Villages Franlieu 1993 est un joli vin moyennement corsé, aux notes florales et au délicieux fruité vif et acidulé de beurre et de pomme. D'une belle pureté et d'une excellente précision dans le dessin, il dévoile une finale sèche. **A boire d'ici 1 ou 2 ans.**

DOMAINE JOSEPH MATROT (MEURSAULT)***

12, rue Martray – 21190 Meursault
Tél. 03 80 21 20 13 – Fax 03 80 21 29 64
Contact : Thierry Matrot

1992 Bourgogne Blanc Chardonnay	B	85
1992 Meursault	B	86
1992 Meursault Les Chevaliers	D	83
1992 Meursault Blagny	D	85
1992 Meursault Les Charmes	D	88
1992 Puligny-Montrachet Les Chalumeaux	D	86

Les vins de ce domaine sont généralement austères et maigres, mais ils peuvent, dans des millésimes mûrs, épais et juteux, comme 1992, se révéler plus charnus, avec un charme plus évolué.

Vous trouverez ici un Bourgogne Blanc Chardonnay 1992 des plus plaisants : élégant et moyennement corsé, avec un fruité vif et métallique, il est d'une excellente fraîcheur. **A boire maintenant.**

Discret et subtil, le Meursault 1992 est rafraîchissant et plaisant. Quant au Meursault Les Chevaliers 1992, il est monolithique, mais agréable dans un ensemble sans détour. Vif et élégant, le Meursault Blagny 1992 est plus riche et complet que le vin précédent. Mais le meilleur vin des quatre Meursault 1992 est probablement le Meursault Les Charmes. Riche, il arbore une robe légèrement dorée et un nez énorme et épicé de chêne et de noix fumée. Onctueux et gras en bouche, il est encore moyennement corsé, avec une finale longue, faiblement acide, puissante et alcoolique. **A boire dans les 5 ou 6 ans.**

Le Puligny-Montrachet Les Chalumeaux 1992 est également monolithique et carré, offrant un fruité trapu, qui manque de finesse et d'élégance. Il sera néanmoins excellent dans les **3 ou 4 prochaines années.**

DOMAINE LOUIS MICHEL (CHABLIS)****

9, boulevard de Ferrières – 89800 Chablis
Tél. 03 86 42 10 24 – Fax 03 86 42 17 47
Contact : Jean-Luc Michel

1994 Chablis Montée de Tonnerre	C	91
1992 Chablis Montée de Tonnerre	C	89
1994 Chablis Montmains	C	90
1992 Chablis Montmains	C	89
1994 Chablis Grenouilles	E	93
1992 Chablis Grenouilles	D	89
1994 Chablis Les Clos	D	91
1992 Chablis Les Clos	D	90
1994 Chablis Vaudésir	D	90
1992 Chablis Vaudésir	D	90

1992 Chablis Les Vaillons	C 90
1992 Chablis	C 86

Les Chablis de Jean-Luc Michel sont fermentés en cuves inox, et se révèlent d'une précision et d'une pureté absolument extraordinaires. Je les admire, comme j'adore ceux de Dauvissat et de Raveneau qui sont fermentés en fût. Les 1992, austères et purs, aux copieux arômes fruités et minéral, sont les plus belles réussites de ce producteur au cours de ces dernières années.

Le Chablis 1992 est vif et frais. Il a un merveilleux fruité de minéral et de pomme, ainsi qu'une finale mûre et étonnamment riche. **A boire d'ici 1 ou 2 ans.**

Très classique, le Chablis Montmains 1992 offre un nez métallique et de pierre mouillée. Il se révèle moyennement corsé, merveilleusement pur et équilibré, et d'une très belle précision dans le dessin. Énorme, élégant et frais, il dévoile un fruité mûr et riche. **A boire dans les 4 ou 5 ans.**

Avec une plus faible acidité et un caractère opulent, riche et multidimensionnel, le superbe Chablis 1992 doit être dégusté les **3 ou 4 prochaines années.**

L'excellent et massif Chablis Montée de Tonnerre 1992 est souple et plus gras que les autres vins de la gamme, mais il est également moins précis. **A boire d'ici 2 ou 3 ans.**

Arborant un superbe bouquet de fleurs printanières, de citron, de pomme cuite et de minéral, le Chablis Vaudésir 1992 se révèle très corsé et bien doté, d'une pureté superbe, avec une faible acidité. **A boire dans les 4 à 6 ans.**

Plus puissant que les autres 1992 de la propriété, le Chablis Grenouilles 1992 dégage un nez intense et pénétrant de fruits confits, de pierre mouillée et de fleurs. Riche et plein, il présente encore un luxuriant fruité de chardonnay et une faible acidité. **A boire dans les 2 ou 3 ans.**

Avec ses formidables senteurs de miel, de fleurs printanières, de beurre et de métal qui jaillissent littéralement du verre, le grandiose Chablis Les Clos 1992 se révèle mûr, rond, très corsé et éclatant de fruité. Il déploie une excellente pureté, ainsi qu'une finale puissante et massive. **A boire dans les 3 ou 4 ans.**

Parmi les 1994, vous trouverez un Chablis Vaudésir, puissant, riche et très corsé, au nez de tarte au citron. Étonnant de fraîcheur et de précision dans le dessin, il déploie une finale longue et sèche. Il est encore serré, mais promet de bien se conserver les **6 ou 7 prochaines années.**

Le Chablis Les Clos 1994 était merveilleux lorsque je l'ai dégusté. Son nez renversant de pêche blanche et fraîche et d'agrumes est bien étayé par de fortes senteurs de minéral, ainsi que par un caractère métallique très prononcé. Frais et très corsé, étonnant de netteté, il est puissant et intense, avec un potentiel de garde de **10 ans environ.**

Le Chablis Grenouilles 1994 montre parfaitement que certains vins peuvent être fabuleux sans pour autant avoir été élevés en fûts neufs. Avec un nez puissant de minéral, de pêche, de chèvrefeuille et de pierre concassée, il se révèle très alcoolique, d'une corpulence énorme et d'une concentration étonnante, avec un caractère multidimensionnel. Ce Chablis est assurément l'un des plus grandioses qu'il m'ait été donné de déguster ces dernières années. **A boire dans les 10 à 15 ans.**

Avec son beau nez de pomme crémeuse et de minéral légèrement mielleux, le Chablis Montmains 1994 révèle en bouche un caractère moyennement corsé et élégant, ainsi qu'un équilibre fabuleux. Ce vin est vif et extrêmement précis, avec des notes de pierre. **A boire dans les 5 ou 6 ans.**

Le Chablis Montée de Tonnerre 1994 est, au contraire, fermé et d'une richesse explosive. Il se révèle ample et de bonne mâche en milieu de bouche. Exceptionnel, avec des arômes qui évoquent la marmelade d'orange mêlée de notes d'ardoise, il est extrêmement pur, et déploie, outre une acidité de bon ressort, une finale longue de plus de quarante secondes. Dense et serré, il ne se dévoilera pas avant 1 an, mais devrait durer **10 ans, ou plus.**

DOMAINE PIERRE MILLOT-BATTAULT (MEURSAULT)***

21190 Meursault
Tél. 03 80 21 21 38 – Fax 03 80 21 66 43
Contact : Pierre Millot-Battault

1992 Meursault	D	75
1992 Meursault Les Charmes	D	85

Les 1992 de cette propriété sont plaisants, légers et agréables, et le Meursault Les Charmes 1992 révèle un caractère plus léger et plus délicat.

DOMAINE BERNARD MOREY (CHASSAGNE-MONTRACHET)****

3, hameau de Morgeot – 21190 Chassagne
Tél. 03 80 21 32 13 – Fax 03 80 21 39 72
Contact : Bernard Morey

1994 Saint-Aubin Charmois	B	87
1994 Chassagne-Montrachet Vieilles Vignes	C	89
1992 Chassagne-Montrachet Vieilles Vignes	D	87
1994 Chassagne-Montrachet Morgeot	D	93
1992 Chassagne-Montrachet Morgeot	D	90
1994 Chassagne-Montrachet Les Embrazées	D	92
1992 Chassagne-Montrachet Les Embrazées	D	90
1994 Puligny-Montrachet La Truffière	E	94
1992 Bourgogne Blanc Chardonnay	B	85
1992 Saint-Aubin Les Charmots	C	87
1992 Chassagne-Montrachet Les Baudines	D	87
1992 Chassagne-Montrachet Les Caillerets	D	92
1992 Bâtard-Montrachet	EE	90

Bernard Morey, l'un de mes producteurs préférés, joues rouges et coupe des années 50, ne produit que des vins savoureux, juteux et sans détour, qui se révèlent particulièrement agréables les 5 à 7 premières années de leur vie.

Il n'est donc pas surprenant qu'il ait mis dans le mille en 1992. Tous les 1992 ci-dessus avaient tout juste été mis en bouteille lorsque je les ai dégustés, mais ils étaient quand même extrêmement impressionnants.

Le Bourgogne Blanc Chardonnay 1992 est mûr, savoureux, ample et fruité. **A boire maintenant.**

Légèrement meilleur et plus élégant, le Saint-Aubin Les Charmots 1992 ne sacrifie en rien au caractère gras et charnu propre au millésime. Il révèle une excellente richesse et un nez énorme, floral et crémeux. Moyennement corsé, il déploie encore une finale longue, goûteuse et capiteuse. **A boire dans les 2 ou 3 ans.**

Gras, onctueux et de bonne mâche, le Chassagne-Montrachet 1992 présente une finale généreusement fruitée et très alcoolique. Ce bourgogne blanc riche et sans détour ne conviendra pas aux timides, et se révélera somptueux dans les 2 ou 3 prochaines années.

Le Chassagne-Montrachet Les Baudines 1992 exhale un plaisant bouquet de pomme crémeuse, ainsi que des senteurs florales, marquées de notes de chêne neuf grillé et fumé. Riche et moyennement corsé, moins alcoolique et plus subtil que le vin précédent, il est élégant et vif en fin de bouche. **A maturité : jusqu'en 2003.**

Absolument explosif, le Chassagne-Montrachet Les Embrazées 1992 exhale un nez énorme d'orange confite, de noix, de miel et de pop-corn crémeux. Faible en acidité, ce vin épais, onctueux, riche, extrêmement séduisant et luxuriant déborde littéralement de fruité, de glycérine et d'alcool. **A boire dans les 3 ou 4 ans.**

Le Chassagne-Montrachet Les Caillerets 1992 a le caractère flamboyant et spectaculaire, ainsi que la richesse capiteuse des Embrazées, mais il est encore plus impressionnant de richesse en extrait, sans parler de sa finale fabuleusement longue. Ce vin offre un fruité de chardonnay énorme et extrêmement massif, enveloppé de notes de chêne neuf et fumé. Bien qu'il soit plus structuré que le vin précédent, je pense qu'il devra être consommé les 3 à 5 prochaines **années.**

Ceux qui recherchent davantage de subtilité et de précision se tourneront vers le Chassagne-Montrachet Morgeot 1992. Son nez riche et crémeux, floral et de minéral introduit en bouche un vin moyennement corsé, avec un niveau d'acidité plus élevé que les autres vins de la propriété. Avec sa finale très alcoolique, très puissante et très glycérinée, il est plus structuré que les autres 1992 ci-dessus, sans pour autant être de plus longue garde.

Moins évolué, le Bâtard-Montrachet 1992 révèle une richesse gigantesque, ainsi qu'une texture puissante, très corsée, épaisse et marquée par la mâche. Extrêmement fruité, il est ample et monolithique. L'attrait de ce vin d'une stature et d'une puissance immenses réside plus dans son fruité juteux, dense et concentré que dans son aspect élégant. **A maturité : jusqu'en 2000.**

Élégant et savoureux, le Saint-Aubin Charmois 1994 se révèle moyennement corsé et bien profond, avec un caractère métallique et de minéral, marqué de notes de pop-corn crémeux. **A boire d'ici 1 ou 2 ans.**

Presque extraordinaire, le Chassagne-Montrachet Vieilles Vignes 1994 est tout à la fois très corsé, mielleux, épais, juteux et éclatant de fruité, avec une excellente pureté et une faible acidité. **A boire dans les 2 ou 3 ans.**

Les quatre premiers crus de Bernard Morey sont tous extraordinaires.

Plus ouvert que les autres vins issus de ce vignoble et surtout connus pour leur caractère métallique et structuré, le Chassagne-Montrachet Morgeot 1994 déploie une exquise longueur en bouche, et dévoile un nez énorme et crémeux de minéral. Dense, très corsé et puissant, il déborde littéralement de fruité et de glycérine. **A boire dans les 6 ou 7 ans.**

S'il est un vin de la gamme qui requiert une certaine garde avant d'être dégusté, c'est bien le Chassagne-Montrachet Les Embrazées 1994, le plus exotique et le plus fumé de tous les premiers crus. D'aucuns le qualifieraient presque de « putassier », mais il est en fait luxuriant, flamboyant et ostentatoire à l'extrême, révélant en bouche un fruité épais, juteux et mûr de chardonnay. Il libère de jolies touches de chêne grillé, qui rehaussent parfaitement ce fastueux déploiement d'arômes. Ce vin ne convient surtout pas à ceux qui préfèrent des bourgognes discrets et sur la réserve. Son potentiel est de **5 ou 6 ans.**

Le Puligny-Montrachet La Truffière 1994 offre lui aussi un nez renversant, aux notes de chèvrefeuille, de cerise, de fumé, de vanille et de minéral. Fabuleusement fruité, avec des arômes de miel, de pêche et d'abricot, il déploie encore une finale puissante, éclatante de glycérine et de fruité. Ce premier cru, absolument fabuleux, ressemble davantage à un Bâtard-Montrachet.

MARC MOREY (CHASSAGNE-MONTRACHET)****

21190 Chassagne-Montrachet
Tél. 03 80 21 30 11 – Fax 03 80 21 90 20
Contact : Marc Morey

1994 Chassagne-Montrachet Les Chenevottes	D	90
1994 Chassagne-Montrachet Les Vergers	E	91
1994 Chassagne-Montrachet Les Virondots	D	89
1994 Puligny-Montrachet Les Pucelles	E	91

Marc Morey est l'un des meilleurs producteurs de Chassagne-Montrachet.

Le Chassagne-Montrachet Les Chenevottes 1994, riche et multidimensionnel, épais et juteux, déborde littéralement d'un fruité de mandarine et d'agrumes aux notes de miel. Moyennement corsé et d'une superbe pureté, il déploie une faible acidité, ainsi qu'une finale concentrée et charnue. Ce vin déjà accessible promet d'être encore meilleur les **2 à 5 prochaines années.**

Le Chassagne-Montrachet Les Vergers (l'un des crus de Chassagne que je préfère) révèle un nez de miel, marqué par le botrytis. Extrêmement fruité et très corsé, il est d'une excellente pureté, avec une faible acidité et une finale capiteuse et alcoolique. **A boire dans les 5 ou 6 ans.**

Plus minéral et moins évolué, le Chassagne-Montrachet Les Virondots 1994 déploie le même fruité doux, crémeux et de bonne mâche que le cru précédent, tout en étant plus élégant et moins puissant, avec une acidité plus élevée. Il tient de son terroir un incontestable caractère de pierre mouillée et de métal. **A boire dans les 5 ou 6 ans.**

Enfin, le Puligny-Montrachet Les Pucelles 1994 dégage un nez dense et mielleux de cocktail de fruits, marqué de notes vanillées. Très corsé et extraordinairement pur, il déploie une finale tout à la fois crémeuse, longue, alcoolique et de bonne mâche. **A boire dans les 5 ou 6 ans.**

DOMAINE PIERRE MOREY (MEURSAULT)***

9, rue des Comtes-Lafon – 21190 Meursault
Tél. 03 80 21 21 03 – Fax 03 80 21 66 38
Contact : Pierre Morey

1991 Bourgogne Aligoté	B	84
1991 Bourgogne Chardonnay	C	84
1991 Meursault Les Tessons	D	78
1991 Meursault Les Narvaux	D	83
1991 Meursault Les Charmes	D	84
1991 Meursault Les Genevrières	D	84
1991 Meursault Les Perrières	E	82
1991 Bâtard-Montrachet	D	85

Pierre Morey est capable de produire des vins extraordinaires, mais ses 1991 révèlent tous un caractère dilué qu'ils doivent aux pluies diluviennes qui ont compromis le millésime. Deux des vins les moins chers méritent qu'on leur accorde une attention particulière : l'excellent Bourgogne Aligoté 1991, vif, léger et élégant, et le Chardonnay 1991, aux mêmes qualités. **Les deux sont à boire dans l'année.**

Le Meursault Les Tessons 1991 est maigre, acidulé et unidimensionnel. Le Meursault Les Narvaux 1991 est élégant et moyennement corsé, mais court en bouche. Le Meursault Les Charmes est plus riche et plus mûr, mais de petite ampleur et abrupt. Le Meursault Les Genevrières, à l'acidité de bon ressort, présente une finale sans détour et agréable. Le Bâtard-Montrachet me semble le plus ambitieux de tous : il est discret, subtil et assez élégant, mais dominé par des notes de chêne neuf. Tous ces vins sont **à boire dans les toutes prochaines années.**

Je n'ai malheureusement pas pu déguster les 1992 de Pierre Morey, ce qui est dommage, nombre de mes amis de Bourgogne les considérant très réussis.

DOMAINE MICHEL NIELLON (CHASSAGNE-MONTRACHET)*****

21190 Chassagne-Montrachet
Tél. 03 80 21 30 95 – Fax 03 80 21 91 93
Contact : Michel Niellon

1992 Chassagne-Montrachet	D	88
1991 Chassagne-Montrachet	D	87
1992 Chassagne-Montrachet Les Champs Gains	D	91
1991 Chassagne-Montrachet Les Champs Gains	D	87
1992 Chassagne-Montrachet Clos Saint-Jean	D	93

1992 Chassagne-Montrachet La Maltroie	D	89
1991 Chassagne-Montrachet La Maltroie	D	89
1992 Chassagne-Montrachet Les Vergers	D	90+
1991 Chassagne-Montrachet Les Vergers	D	90
1992 Chevalier-Montrachet	EEE	90+
1991 Chevalier-Montrachet	EEE	91
1992 Bâtard-Montrachet	EE	93
1991 Bâtard-Montrachet	EE	93

Michel Niellon compte au nombre des six meilleurs producteurs de bourgognes blancs, et ceux qu'il produit sur son minuscule domaine de 5 ha sont régulièrement brillants, souvent même fabuleux. Ses vins figurent en tête de mes achats personnels, quand il s'agit de vins luxuriants et complexes. Ses 1991 et 1992 sont absolument formidables.

Les 1992 avaient été mis en bouteille un mois avant que je ne les déguste. Bien que leur auteur les ait jugés trop éteints à ce moment-là, j'ai été époustouflé par la majorité d'entre eux. Les rendements restreints que l'on tient sur la propriété se reflètent bien dans les vins, qui révèlent, même dans des années légères, le caractère superbe, onctueux, riche et de bonne mâche propre au chardonnay.

Les 1992 sont tous des vins gras, mûrs et concentrés. Je pense qu'il serait difficile de trouver meilleur Chassagne-Montrachet 1992 que celui-ci : trapu, mûr et très corsé, il est opulent et éclatant de fruité, avec une bonne acidité qui étaye bien toutes ces qualités. **A boire dans les 3 ou 4 ans.**

Le Chassagne-Montrachet Les Champs Gains 1992 est également richement extrait, et déploie des arômes généreux et variés de fruits tropicaux, conjugués à des senteurs de beurre et de chêne neuf et grillé. Ce vin puissant et luxuriant, d'une fascinante richesse, est l'essence même du chardonnay. **A boire dans les 6 ou 7 ans.**

Le sensationnel Chassagne-Montrachet Clos Saint-Jean 1992 est plus gras, plus riche et plus long que le vin précédent, et se révèle, à la fois au nez et en bouche, plus irrésistible encore. D'une richesse fabuleuse, incroyablement glycériné et fruité, il est sensuel et alcoolique, et s'impose comme un bourgogne blanc luxuriant, massif et puissant. **A boire dans les 5 ou 6 ans.**

Bien que réservé, légèrement moins gras et moins onctueux que les autres 1992 de la propriété, le Chassagne-Montrachet La Maltroie est voluptueux, extrêmement riche, profond et très corsé, et doit être dégusté avant **10 ans d'âge.**

Le Chassagne-Montrachet Les Vergers et le Chevalier-Montrachet sont les vins les plus serrés de la série des 1992.

Les Vergers est souvent de la qualité d'un grand cru, et révèle, dans le millésime 1992, le niveau d'acidité le plus élevé et la structure la plus ferme de tous les vins du domaine. Ample, avec un fruité sous-jacent mûr, onctueux et doux, il est peu évolué et serré, et requiert une garde de 1 ou 2 ans avant d'être dégusté dans les **10 prochaines années.**

Le Chevalier-Montrachet 1992 présente des qualités similaires, mais, bien qu'il soit le vin le plus cher de la propriété, il n'a pas toujours l'intensité de certains des premiers crus que l'on y élabore et n'est jamais aussi riche que le Bâtard-Montrachet. Cependant, il est extraordinaire et élégant. **A maturité : 1999-2012.**

Si vous avez l'argent nécessaire et les relations qui vont avec, le vin que vous devriez acheter est le Bâtard-Montrachet du Domaine Michel Niellon, issu de vignes plantées en 1927. Il est généralement des plus grandioses, et le 1992 ne fait pas exception à la règle. Ce vin, au nez énorme, présente en bouche un fruité massivement extrait de chardonnay, où se mêlent toutes sortes d'arômes, allant des senteurs d'orange, de pomme et de noix de coco à des notes de miel et de cookies crémeux. Énorme et extrêmement riche, il est absolument magnifique, et supportera bien une garde de **10 à 15 ans.**

Les 1991 de Michel Niellon sont assez particuliers. Leur auteur clame d'ailleurs haut et fort que la plupart de ses vignobles, de très faibles rendements (25 hl/ha), ont été vendangés bien avant l'arrivée des pluies.

Le Chassagne-Montrachet 1991, merveilleux, gras et riche, éclatant de glycérine et d'alcool, présente une faible acidité et une finale riche. **A boire dans les 2 ou 3 ans.**

Le Chassagne-Montrachet Les Champs Gains 1991, issu des plus jeunes vignes de la propriété, déploie un merveilleux nez de miel et de pommier en fleurs. Il se révèle mûr et moyennement corsé en bouche, avec une texture juteuse et savoureuse, ainsi qu'une finale douce et souple. **A boire dans les 3 ou 4 ans.**

Le Chassagne-Montrachet La Maltroie 1991 (qui est malheureusement entièrement vendu en Angleterre et au Japon) exhale un nez étonnant de fleurs printanières, de melon, de miel et de pomme. Extrêmement riche, il dévoile une faible acidité et un caractère puissant et massif, gras et sans détour. **A boire dans les 2 ou 3 ans.**

Superbement fruité, onctueux, épais et très corsé en bouche, le Chassagne-Montrachet Les Vergers 1991 (issu de rendements de 22 hl/ha) est encore faible en acidité et merveilleusement mûr, d'une longueur magnifique en finale. Ce vin luxuriant libère un fruité complexe et riche de chardonnay. **A boire dans les 4 ou 5 ans.**

Produit à hauteur de 100 caisses seulement, le Chevalier-Montrachet 1991 me semble plus riche, plus profond et plus alcoolique que son cadet d'un an. Avec son généreux fruité doux, d'une épaisseur fabuleuse, presque huileuse, c'est un très beau vin de chardonnay. **A boire d'ici 4 ou 5 ans.**

Bien que superbes, les 1991 du Domaine Michel Niellon ne seront pas de longue garde, compte tenu de leur faible acidité. Le meilleur de tous est, comme on pouvait s'y attendre, le Bâtard-Montrachet (produit à hauteur de 100 caisses seulement). En effet, il s'impose comme le vin le plus gras et le plus riche, avec la finale la plus longue. Ample et très alcoolique, il exhale des parfums sensationnels, et déborde de richesse en extrait. **A boire dans les 6 ou 7 ans.**

DOMAINE P. M. NINOT-CELLIER-MEIX-GUILLAUME (RULLY)***

71150 Rully
Tél. 03 85 87 07 79
Contact : Pierre-Marie Ninot

1991 Rully-Grésigny	C	88

Vous trouverez les vins de Ninot dans nombre de restaurants français cotés deux ou trois étoiles au Michelin. Fermenté aux deux tiers en fût, le Rully-Grésigny 1991 s'impose incontestablement comme l'un des meilleurs Rully que je connaisse. Tous ceux qui ont lu mon ouvrage sur les vins de Bourgogne savent que le Rully est une appellation de la Côte Chalonnaise, où les producteurs se dépassent, en proposant des bourgognes blancs fabuleux à des prix raisonnables. Riche, profond et concentré, le Rully-Grésigny 1991 a un fruité superbe, et déborde littéralement d'arômes marqués d'une touche de menthe qui lui apporte davantage de complexité. La finale est longue, acidulée, merveilleusement nette et précise. **A boire dans les 2 ou 3 ans.**

DOMAINE PAUL PERNOT (PULIGNY-MONTRACHET)***

21190 Puligny-Montrachet
Tél. 03 80 21 32 35
Contact : Paul Pernot

1992 Bourgogne Chardonnay Champerrier	C	82
1992 Puligny-Montrachet	C	82
1992 Puligny-Montrachet Les Folatières	D	87
1992 Puligny-Montrachet Les Pucelles	D	86
1992 Bienvenues-Bâtard-Montrachet	E	87
1992 Bâtard-Montrachet	EE	89
1991 Puligny-Montrachet Les Folatières	D	87

Ce producteur peut élaborer des bourgognes des plus grandioses, mais sa soudaine renommée (à laquelle j'ai d'ailleurs malheureusement contribué par des commentaires extrêmement élogieux dans mon ouvrage sur les vins de Bourgogne) semble avoir des répercussions assez négatives. Outre des rendements qui sont maintenant trop élevés, Paul Pernot, qui est déjà fort peu enclin à prendre des risques, a ouvert le parapluie et a vendangé bien trop tôt en 1992. Cela donne des vins moins réussis que ses 1990 ou 1991 et comptant au nombre des plus acides du millésime.

Le Bourgogne Chardonnay Champerrier 1992 est sans détour, vif et acidulé, tandis que le Puligny-Montrachet 1992 se révèle léger, mais plaisant, avec un niveau d'acidité élevé.

Le Puligny-Montrachet Les Folatières 1992 et le Puligny-Montrachet Les Pucelles 1992 sont bien faits et élégants, avec un niveau d'acidité élevé, un fruité agréable et un caractère plaisant et sans détour. Bien que séduisants et bien vinifiés, ils sont décevants pour le millésime et pour le producteur.

Plus énorme et plus riche, le Bienvenues-Bâtard-Montrachet 1992 déploie des arômes fruités et épicés, mais une acidité trop importante et gênante.

Le seul vin qui se distinguerait éventuellement du lot serait le Bâtard-Montrachet 1992. Plus mûr et plus profond que les autres vins de ce domaine, il est très corsé, avec une acidité de bon ressort et un bon fruité riche et charnu. **A maturité : jusqu'en 2006.**

Paul Pernot est sorti de l'anonymat pour jouir d'un succès bien mérité après des années de dur labeur, mais ses 1992 ne sont pas impressionnants. Cependant, si vous recherchez chez ce producteur un vin de premier ordre, tournez-vous vers son superbe Puligny-Montrachet Les Folatières 1991, lequel a été largement ignoré, compte tenu de la mauvaise réputation du millésime. Ce vin est opulent, riche et très corsé, plus concentré que tous les 1992 de cette propriété, mais il doit être dégusté assez rapidement – **d'ici 2 ou 3 ans** –, à cause de sa faible acidité.

HENRI PERRUSSET (MÂCON)***

Le Clos – 71700 Farges-lès-Mâcon
Tél. et fax – 03 85 40 51 88

1992 Mâcon Farges	C	86
1992 Mâcon Farges-Fûts de Chêne	C	84

Le Mâcon Farges 1992, non vieilli en fûts de chêne, a été mis en bouteille sans filtration préalable. Il révèle un bon nez floral et fruité, et libère en bouche des arômes moyennement corsés, d'une excellente pureté et d'une belle précision, ainsi qu'une finale riche et moyennement corsée. **A boire d'ici 1 ou 2 ans.**

Le Mâcon Farges-Fûts de Chêne 1992, vieilli comme l'indique son nom en fûts de chêne, est charnu et mûr, mais plus épais et moins frais que le vin précédent. **A boire maintenant.**

Ces deux vins sont bons, mais la cuvée non boisée est peut-être plus facile à déguster en accompagnement de mets.

DOMAINE HENRI PRUDHON ET FILS (SAINT-AUBIN)***

21190 Saint-Aubin
Tél. 03 80 21 36 70 – Fax 03 80 21 91 55
Contact : Gérard Prudhon

1992 Saint-Aubin-Villages	C	82
1992 Saint-Aubin Les Perrières	C	86
1992 Chassagne-Montrachet Les Chevenottes	D	90

Henri Prudhon est l'une des vedettes de son village de Saint-Aubin.

Le Saint-Aubin-Villages 1992 est agréable, vif et de bon ressort. **A boire d'ici 1 ou 2 ans.**

Le Saint-Aubin Les Perrières 1992 est plus intéressant, parce que plus riche, plus concentré et plus parfumé que le précédent. **A boire maintenant.**

Le Chassagne-Montrachet Les Chevenottes, mis en bouteille sans filtration préalable, s'impose comme un vin de chardonnay somptueux, au nez énorme et renversant de lard, de pop-corn crémeux et de pommier en fleurs. Tout à la fois moyennement corsé, riche, profond, multidimensionnel et marqué par la mâche, il se révélera stupéfiant sur les **4 ou 5 prochaines années.**

DOMAINE RAMONET (CHASSAGNE-MONTRACHET)*****

4, place des Noyers – 21190 Chassagne-Montrachet
Tél. 03 80 21 30 88 – Fax 03 80 21 35 65
Contact : Jean-Noël Ramonet

1992 Bourgogne Aligoté	B	86
1992 Chassagne-Montrachet Morgeot	D	87
1992 Chassagne-Montrachet Les Boudriottes	D	87
1992 Chassagne-Montrachet Les Chaumées	D	90
1992 Chassagne-Montrachet Les Caillerets	E	92
1991 Chassagne-Montrachet Les Caillerets	E	87
1992 Chassagne-Montrachet Les Ruchottes	E	93
1991 Chassagne-Montrachet Les Ruchottes	E	89
1991 Chassagne-Montrachet Les Vergers	E	86
1992 Bienvenues-Bâtard-Montrachet	EEE	90
1991 Bienvenues-Bâtard-Montrachet	EEE	89
1992 Bâtard-Montrachet	EEE	93
1991 Bâtard-Montrachet	EEE	90+
1992 Le Montrachet	EEE	96
1991 Le Montrachet	EEE	90+
1991 Saint-Aubin Le Charmois	C	84

Il est de bon ton, compte tenu de la réputation mythique du Domaine Ramonet, de dire que ses vins ne sont plus ce qu'ils étaient. Ne vous fiez pas à ces rumeurs. Cette propriété produit tout au contraire quelques-uns des meilleurs vins de chardonnay qui soient au monde. Si certains producteurs font des vins superbes depuis peu (Amiot-Bonfils ou Colin-Deleger), alors que d'autres (Michel Niellon) produisent depuis toujours des vins aussi profonds que ceux de Ramonet, le nom de ce dernier conserve une magie bien spécifique. Le seul reproche que l'on pourrait adresser aux vins de la fin des années 80 et du début des années 90 serait leur niveau d'acidité très élevé, mais le domaine nie farouchement la pratique de quelque procédé d'acidification que ce soit. Les 1992 de Ramonet sont excellents, et ses très bons 1991 méritent l'attention des acheteurs les plus sérieux.

L'excellent Bourgogne Aligoté de la maison permet de se familiariser avec le style de bourgogne blanc qu'elle produit. Le 1992, d'un caractère mûr, offre des senteurs de pêche mûre, et se révèle rond et riche en bouche, avec une finale bien dotée. **A boire d'ici 1 ou 2 ans.**

Le domaine produit cinq premiers crus blancs à Chassagne-Montrachet.

Le Chassagne-Montrachet Morgeot 1992, le plus léger et le plus maigre de tous, a un caractère très prononcé de minéral. C'est le vin le plus intellectuellement séduisant de toute cette série, mais c'est aussi le moins opulent. **A maturité : jusqu'en 2002.**

Le Chassagne-Montrachet Les Boudriottes 1992, issu d'un vignoble où l'on produit généralement des rouges, est rond, mûr et très accessible. Il ne durera pas, mais il est savoureux.

Doux, gras et opulent, le Chassagne-Montrachet Les Chaumées 1992 exhale de profondes senteurs de noix et de miel, d'ananas et de pomme. Moyennement corsé, il montre une bonne acidité. Il doit être consommé **avant 10 ans d'âge.**

Très corsé, puissant et intense, le Chassagne-Montrachet Les Caillerets 1992 offre un nez de fumé, de terre et de fruits tropicaux, et déploie une finale marquée par une acidité de bon ressort. Il est très ample et d'une qualité proche de celle d'un grand cru. **A maturité : 2000-2009.**

Le Chassagne-Montrachet Les Ruchottes (que les Ramonet appellent « le petit Montrachet ») est le cru à acheter. Généralement puissant et alcoolique, extrêmement fruité et structuré, il est d'une intensité et d'une densité absolument remarquables. Le 1992 est tout cela, et révèle de surcroît un fabuleux fruité, ainsi qu'une finale explosive, longue et vive. Il requiert une garde de 2 ou 3 ans, et devrait se conserver **12 à 15 ans.**

Le Bienvenues-Bâtard-Montrachet 1992, à la texture extrêmement serrée, présente un niveau d'acidité tellement élevé qu'on se demande s'il n'aurait pas subi quelques ajustements. Mûr, acidulé et énorme, il requiert une garde de 2 ou 3 ans, et devrait tenir **10 à 15 ans.**

Plus riche que le cru précédent, le Bâtard-Montrachet 1992 affiche une acidité de bon ressort, qui n'est pas encore fondue, mais qui tapisse le palais. Généreusement doté, profond et moyennement corsé, il exhale des arômes crémeux de fruits tropicaux, mêlés de senteurs de fumé, de terre et de vanille. Il se bonifiera au terme d'une garde de 3 ou 4 ans, et se maintiendra **12 à 15 ans.**

Deux des quatre fûts de Montrachet seraient déclassés, aux dires de Ramonet. Ne seriez-vous pas heureux d'être le récipiendaire de quelques bouteilles de ce vin ? Les deux fûts qui seront mis en bouteille sous l'appellation Montrachet sont issus de vignes vieilles de 70 ans d'âge. Le Montrachet 1992 est un vin fabuleusement riche, très corsé et massif, qui regorge de fruité, de senteurs métalliques, comme d'habitude. **A boire dans les 15 à 20 ans.**

Les 1991 du Domaine Ramonet sont vifs, longilignes, élégants et d'une texture serrée, mais ils sont curieusement marqués par un niveau d'acidité très élevé, alors qu'ils sont issus d'un millésime plutôt connu pour sa faible acidité.

Avec un niveau d'acidité moins élevé que le 1992, mais aussi bien fait, le Chassagne-Montrachet 1991 se révèle légèrement corsé et doté d'un fruité mûr, et dévoile au nez d'intéressantes notes de menthe. **A maturité : jusqu'en 2003.**

Le plaisant Saint-Aubin Le Charmois 1991 est élégant, vif, fruité et moyennement corsé. **A boire maintenant.**

L'austère Chassagne-Montrachet Morgeot 1991, serré, dur et peu évolué, a un niveau d'acidité élevé, mais il pourrait se bonifier au terme d'un vieillissement de 1 ou 2 ans en bouteille.

Le Chassagne-Montrachet Les Vergers 1991, peu massif, d'une bonne maturité et moyennement corsé, présente un plaisant fruité crémeux aux notes de pop-corn dans un ensemble compact.

Le niveau de qualité s'améliore considérablement avec le Chassagne-Montrachet Les Caillerets 1991. Ce vin exhale des senteurs merveilleusement mûres et riches de fruits tropicaux, mêlées de généreuses notes de chêne neuf grillé et fumé. Très corsé, riche et dense, il est aussi concentré et puissant, avec une bonne acidité. **A boire dans les 10 ans.**

Très fermé, le Chassagne-Montrachet Les Ruchottes est étonnamment structuré pour le millésime. Sa puissance, son admirable richesse et sa belle profondeur impressionnent. Contrairement aux autres excellents 1991, il demande à être attendu encore 1 ou 2 ans, et devrait se conserver **jusqu'en 2010.**

L'élégant et discret Bienvenues-Bâtard-Montrachet 1991 est mûr, vif, acide, très aromatique et long en bouche. Merveilleusement pur, avec un bouquet fascinant, métallique et de pommier en fleurs, il a une acidité qui fait ombrage à son charme et à son caractère gras. **A maturité : jusqu'en 2003.**

Les deux meilleurs vins de la gamme sont le Bâtard-Montrachet 1991 et Le Montrachet 1991.

Bien que fermé, le Bâtard-Montrachet 1991 libère des arômes légèrement corsés de miel, de beurre, de pomme douce et fumée. Moyennement corsé, profond et d'une belle précision, il requiert une garde de 3 ou 4 ans, et devrait se conserver **plus d'une dizaine d'années.**

Assez massif et bien profond, le Montrachet 1991 offre un merveilleux bouquet de pomme cuite, de fleurs printanières et de miel, qui introduit en bouche un vin moyennement corsé, au généreux fruité riche et mûr. **A boire dans les 10 à 12 ans.**

Évoquant ses Montrachet préférés, Jean-Noël Ramonet m'a fait déguster le 1978 de la propriété, que d'ailleurs je ne connaissais pas. Profondément doré, ce vin se révèle extrêmement austère et peu évolué, et semble capable de durer encore 15 à 20 ans. Sa structure et son potentiel de garde impressionnent plus que son fruité profond ou son caractère voluptueux. Les Montrachet 1990 et 1983 sont les préférés de leur auteur, qui pense que le 1982 devrait être consommé maintenant (je le pense aussi). Il estime que le 1982 et le 1989 sont meilleurs que le 1986, mais je ne partage pas son avis sur ce point.

REMOISSENET PÈRE ET FILS (BEAUNE)****

20, rue Eugène-Spuller – 21200 Beaune
Tél. 03 80 22 21 59 – Fax 03 80 24 18 40
Contact : Roland Remoissenet

1992 Bourgogne Blanc Posanges	B	84
1992 Meursault	C	84
1992 Puligny-Montrachet	D	85
1992 Meursault Les Charmes	D	87
1992 Meursault Les Genevrières	D	87
1992 Puligny-Montrachet Les Folatières	D	89

1992 Puligny-Montrachet Les Combettes	D	90
1992 Bienvenues-Bâtard-Montrachet	E	90
1992 Bâtard-Montrachet	E	90
1992 Corton-Charlemagne Jubilée de Diamant	D	91
1992 Le Montrachet Baron Thénard	EEE	89

La maison Remoissenet Père et Fils est réputée, à juste raison, pour ses bourgognes blancs. On y observe une certaine tendance à bloquer les fermentations malolactiques, à ne pas conserver les vins sur lies et à les soutirer relativement souvent, ainsi qu'à les mettre en bouteille après une filtration vigoureuse. Néanmoins, on retrouve dans la bouteille une belle matière, aussi peut-on se demander ce qu'elle offrirait si les vins étaient moins manipulés.

Les 1992 se caractérisent tous par un fruité mûr, une pureté remarquable et un niveau d'acidité plus élevé que la plupart de leurs jumeaux (cela est dû au fait que les fermentations malolactiques ne sont pas allées à leur terme). Les vins génériques – y compris le Bourgogne Blanc Posanges, le Meursault et le Puligny-Montrachet – sont tous plaisants, bien faits et sans détour, mais peut-être un peu légers pour le millésime.

Le Meursault Les Charmes 1992 et le Meursault Les Genevrières 1992 sont des vins discrets et réservés, avec un fruité vif et un niveau d'acidité modérément élevé. Admirablement purs et très élégants, ils se dégusteront parfaitement les **10 prochaines années**.

On passe à une qualité supérieure avec le Puligny-Montrachet Les Folatières 1992. Profond, savoureux et moyennement corsé, il regorge de fruité, exhale un merveilleux nez de fleurs, de minéral et de miel, et révèle une excellente longueur en bouche. A maturité : **jusqu'en 2002**.

Plus dense, plus mûr et plus plein, le Puligny-Montrachet Les Combettes 1992 offre un nez de fumé et de noisette crémeuse. Il est riche et long, et durera **environ 10 ans**.

Parmi les grands crus, vous trouverez le Bienvenues-Bâtard-Montrachet 1992, extrêmement riche, dense et corpulent, marqué de jolies touches de chêne neuf et grillé, et libérant une finale au fruité capiteux, mûr, alcoolique et concentré. A boire dans les **10 à 12 ans**.

Plus riche, le Bâtard-Montrachet 1992 est onctueux et dense, avec une belle acidité. Puissant et imposant en bouche, il y déploie une finale d'une longueur époustouflante. A maturité : **jusqu'en 2005**.

Le Corton-Charlemagne Jubilée de Diamant 1992 s'impose comme le meilleur vin de la gamme dans ce millésime. Il exhale un nez complexe, aux arômes d'orange, de minéral, de fumé et de pomme crémeuse, qui introduit un vin très corsé, avec une concentration superbe et une acidité de bon ressort. **A maturité : jusqu'en 2007**.

Le Montrachet Baron Thénard 1992 est impressionnant, mais timide et discret lorsqu'on le compare au Corton-Charlemagne et au Bâtard-Montrachet de la maison. Ses qualités lui permettront de tenir **10 à 15 ans, ou plus**.

DOMAINE DE ROALLY (MÂCON)***

Le Buc – 71260 Viré
Tél. 03 85 33 10 31 – Fax 03 85 33 12 54
Contact : Henri Goyard

1993 Mâcon-Viré (André Goyard)	C	87
1992 Mâcon-Viré	B	89

Le Mâcon-Viré 1993 est dense, crémeux, moyennement corsé, et doté d'un fruité généreux et délicieux. Il donne une impression d'ensemble toute de grâce et d'élégance, et je lui trouve même un caractère de minéral et de terroir, ce qui est peu commun pour un vin du Mâconnais. Vif et racé, il demande à être dégusté **dans l'année.**

Le Mâcon-Viré 1992, extrêmement sérieux et moyennement corsé, regorge d'un fruité concentré. Ce vin de chardonnay riche et bien équilibré doit être consommé les **3 ou 4 prochaines années.**

DOMAINE ROBERT-DENOGENT (MÂCON)****

71960 Fuissé
Tél. 03 85 35 65 39 – Fax 03 85 35 66 69
Contact : Jean-Jacques Robert

1992 Mâcon-Villages Clos des Bertillonnes	C	86
1992 Pouilly-Fuissé La Croix Vieilles Vignes	D	88
1992 Pouilly-Fuissé Les Reisses Vieilles Vignes	D	89

Voici une propriété fort respectable du Mâconnais dont les rendements n'ont pas dépassé 30 hl/ha dans un millésime aussi abondant que 1992.

Le plaisant Mâcon-Villages Clos des Bertillonnes 1992 offre un nez pur et floral. En bouche, il libère des arômes vifs, acidulés, élégants et moyennement corsés. La finale est vive et de bon ressort. **A boire maintenant.**

Le Pouilly-Fuissé La Croix Vieilles Vignes 1992 exhale un nez énorme et crémeux d'abricot et de miel. En bouche, il se révèle riche, profond, gras et débordant de richesse en extrait, avec une finale charnue, généreusement glycérinée et mûre. **A boire d'ici 1 ou 2 ans.**

Issu d'un des meilleurs vignobles de Pouilly-Fuissé, Les Reisses Vieilles Vignes 1992 est aussi riche que le vin précédent, mais il est plus corpulent et plus aromatique, avec un caractère plaisant de minéral. Bien structuré et d'une belle précision dans le dessin, il est extrêmement profond et multidimensionnel. **A boire dans les 2 ou 3 ans.**

DOMAINE MAURICE ROLLIN ET FILS (PERNAND-VERGELESSES)**

21420 Pernand-Vergelesses
Tél. 03 80 21 50 35
Contact : Rémi Rollin

1992 Pernand-Vergelesses	C	84
1992 Corton-Charlemagne	E	90

Si le Pernand-Vergelesses 1992 de Maurice Rollin se révèle trapu, vif et sans détour, son Corton-Charlemagne 1992, issu de rendements de 40 hl/ha, est, en revanche, le meilleur que je connaisse de ce producteur. Avec un merveilleux fruité onctueux et doux, il est généreusement doté et a une acidité suffisante pour lui permettre de durer encore 10 ans.

DOMAINE DE LA ROMANÉE-CONTI (VOSNE-ROMANÉE)*****

21700 Vosne-Romanée
Tél. 03 80 61 04 57 – Fax 03 80 61 05 72
Contact : Aubert de Villaine ou Henry-Frédéric Roch

1991 Le Montrachet	EEE	90
1990 Le Montrachet	EEE	92

Ne trouvant pas son Montrachet 1992 satisfaisant, le Domaine de la Romanée-Conti a pris la décision de ne pas le mettre en bouteille, mais les millionnaires devraient être ravis de la qualité des 1990 et 1991.

Issu de rendements de l'ordre de 32 hl/ha, Le Montrachet 1991 est gras et onctueux, mais il n'a ni la puissance ni la profondeur des 1990, 1989 et 1986. Souple et précoce à cause de son faible niveau d'acidité, il doit être dégusté les 10 prochaines années.

Très opulent, Le Montrachet 1990 exhale un nez de conte de fées aux arômes de noix de coco, de pomme crémeuse et de chêne neuf grillé et fumé. Merveilleusement profond et riche, avec une acidité modérée, il devrait s'imposer comme un Montrachet sensationnel, au potentiel de garde de 15 à 20 ans. Toutefois, les amateurs devront tenir compte du fait que je l'ai trouvé oxydé en deux occasions, dont une concernant la dégustation d'un magnum qui avait été conservé dans des conditions impeccables.

Note : j'ai eu la chance récemment de pouvoir déguster tous les Montrachet du Domaine de la Romanée-Conti de 1979 à 1989. Les 1986, 1983, 1979 et 1989 étaient tous absolument spectaculaires, et je pense que le 1989 peut s'imposer comme un nouveau 1986. Le 1989 est d'une puissance et d'une intensité phénoménales, et j'ai bien apprécié les 1989 et 1985, bien que ce dernier se révèle peu évolué et monolithique, avec une acidité élevée. Il serait intéressant de voir s'il acquiert de la complexité en se développant. Si vous êtes millionnaire et si vous vous sentez obligé de déguster les chardonnay les plus irrésistibles du monde, n'hésitez pas à acheter ceux-là.

DOMAINE GUY ROULOT (MEURSAULT)****

1, rue Charles-Giraud – 21190 Meursault
Tél. 03 80 21 21 65 – Fax 03 80 21 64 36
Contact : Guy Roulot

1992 Bourgogne Blanc	C	84
1992 Meursault Les Vireuils	D	85
1992 Meursault Les Meix Chavaux	D	86

1992 Meursault Les Tillets	D	87
1992 Meursault Les Luchets	D	86
1992 Meursault Les Tessons	D	87
1992 Meursault Les Charmes	D	88
1991 Meursault Les Charmes	D	88
1992 Meursault Les Perrières	D	89

Le Domaine Guy Roulot donne des vins élégants, et le jeune Roulot estime que son meilleur millésime récent est le 1990, suivi du 1992. Cependant, comme en témoignent les notes ci-dessus, ses 1991 sont également bien réussis, et ses 1992, bien que plus légers que ceux de ses concurrents, sont très gracieux. Ils venaient tout juste d'être mis en bouteille lorsque je les ai dégustés, si bien qu'ils étaient peut-être un peu atténués.

Dégustez le Bourgogne Blanc 1992, vif, léger, rafraîchissant et fruité, **dans l'année**.

Les crus de Meursault, tel Les Vireuils 1992, sont légers et floraux, moyennement corsés, bien équilibrés et frais. Le Meursault Les Meix Chavaux 1992, plus riche et plus mûr que Les Vireuils, est plus ample en bouche, mais tous deux doivent être consommés **d'ici 4 ou 5 ans**.

Bien mûr, avec une acidité de bon ressort, le Meursault Les Tillets 1992 offre, à la fois au nez et en bouche, des arômes complexes de noix, de citron et de pomme. Il est bien équilibré, admirable de richesse et de profondeur. **A maturité : jusqu'en 2001.**

Le Meursault Les Luchets 1992 est rond, généreux et plaisant, malgré son nez un peu trop ostentatoire, aux doux arômes de pêche et de noix. **A maturité : jusqu'en 2001.**

Les trois meilleurs Meursault du Domaine Guy Roulot sont généralement Les Tessons, Les Charmes et Les Perrières. Guy Roulot adore Les Tessons dont l'étiquette porte la mention « Clos de Mon Plaisir ». Grand classique de l'appellation, ce vin est toujours opulent et moyennement corsé. En 1992, il est élégant et discret, révèle une richesse crémeuse aux notes de pomme, et témoigne d'une belle profondeur et d'un excellent équilibre. Comme tous les Meursault que produit cette propriété, il sera au meilleur de sa forme les **4 à 6 prochaines années.**

Le Meursault Les Charmes 1992 est le plus gras, le plus riche et le plus puissant de ce trio. Un nez de miel, de noix, de pomme et de beurre prélude à un caractère moyennement corsé, une bonne acidité et une belle finale. Son potentiel de garde est de **5 à 6 ans.**

Le Meursault Les Perrières 1992 exhale un nez exquis, métallique et de minéral, conjugué à des arômes de pommier en fleurs. Moyennement corsé, avec un fruité mûr, il est très riche et très long en bouche, étayé par une acidité de bon ressort. **A maturité : jusqu'en 2001.**

Étonnamment intense, le Meursault Les Charmes 1991 exhale de délicates senteurs d'orange et de miel, et se montre riche, gras et savoureux en bouche. **A boire d'ici 1 ou 2 ans.**

CHÂTEAU DE LA SAULE (MONTAGNY)****

71390 Montagny-lès-Buxy
Tél. 03 85 92 11 83 – Fax 03 85 92 08 12
Contact : Alain Roy

1992 Montagny Les Burnins	C	87

Cette propriété est une de mes préférées de Montagny, et son 1992, bien bâti, révèle un doux fruité aux notes de cerise et de pomme. Moyennement corsé et pur, il déploie une finale riche. **A boire dans l'année.**

DOMAINE ÉTIENNE SAUZET (PULIGNY-MONTRACHET)****/*****

11, rue de Poiseul – 21190 Puligny-Montrachet
Tél. 03 80 21 32 10 – Fax 03 80 21 90 89
Contact : Gérard Boudot

1994 Chassagne-Montrachet	D	86
1994 Puligny-Montrachet	D	87
1994 Puligny-Montrachet A Garenne	E	88
1994 Puligny-Montrachet Les Perrières	E	90
1994 Puligny-Montrachet Les Referts	E	91
1994 Puligny-Montrachet Les Folatières	E	91
1994 Puligny-Montrachet Les Champs Canets	E	?
1994 Puligny-Montrachet Les Combettes	E	93
1994 Bâtard-Montrachet	EE	90+
1994 Montrachet	EEE	94+

Cette propriété de 8 ha, admirablement gérée par Gérard Boudot, fait partie du peloton de tête des meilleurs producteurs de bourgognes blancs. Ses 1994 sont d'une excellente tenue, comme en témoignent leurs notes.

Jaune paille clair, le Chassagne-Montrachet 1994 libère au nez de plaisants arômes de fruits mûrs et de caramel. Savoureux, moyennement corsé, bien profond et pur, il est très bon pour un vin de sa catégorie. **A boire dans les 2 à 4 ans.**

L'excellent Puligny-Montrachet 1994 est presque extraordinaire, ce qui est particulièrement rare pour un simple vin d'appellation Villages. Son nez plaisant d'agrumes, de pelure d'orange et de chèvrefeuille introduit en bouche un vin moyennement corsé, au fruité mûr et crémeux, qui a aussi une acidité de bon ressort, ainsi qu'une finale longue et rafraîchissante. **A boire dans les 2 à 4 ans.**

Entièrement issu de vendanges achetées à d'autres producteurs, le Puligny-Montrachet A Garenne 1994 se révèle moyennement corsé, doux, sensuel, élégant et frais. Précoce et faiblement acide, vous le dégusterez **dans l'année.**

Jaune paille assez clair, l'extraordinaire Puligny-Montrachet Les Perrières 1994 exhale un nez riche, crémeux, épicé et vanillé, de pomme mûre et de miel. Exceptionnel de pureté et de précision dans le dessin, il est encore subtilement boisé, avec une finale longue, exquise et bien découpée. Un bourgogne merveilleux, au potentiel de garde de 5 ou 6 ans.

Avec des arômes plus prononcés de terroir et de minéral, le Puligny-Montrachet Les Referts 1994 est mûr, riche et moyennement corsé. D'une pureté, d'une longueur et d'une concentration exceptionnelles, il libère, à la fois au nez et en bouche, de plaisantes notes de beurre, de fumé, de vanille, de minéral et d'agrumes mûrs. **A boire dans les 5 à 8 ans.**

Plus structuré, le Puligny-Montrachet Les Folatières 1994 a des arômes crémeux de chèvrefeuille, rehaussés par des senteurs qui évoquent la groseille et la cerise rouge. Profond, richement fruité et ample, il déborde de glycérine, et présente en bouche un caractère charnu et de bonne mâche. Tout comme le cru précédent, il devra être dégusté assez rapidement, dans les 5 à 7 **ans.**

Curieusement, le Puligny-Montrachet Les Champs Canets 1994 était muet et monochromatique lorsque je l'ai dégusté. Doux, rond, mûr et bien fruité, il a le potentiel pour décrocher une note aux alentours de 87-89, mais il ne sera vraisemblablement jamais extraordinaire.

Le Puligny-Montrachet Les Combettes 1994 est un bourgogne blanc absolument enthousiasmant, avec ses senteurs de miel, d'agrumes et de soufflé au citron, ainsi que les arômes puissants, concentrés et mielleux qu'il développe en bouche. D'une pureté superbe, avec une finale explosive, il est fabuleux et déjà accessible, mais capable d'une longévité de **6 à 7 ans.**

Formidablement concentré, mais encore fermé, le Bâtard-Montrachet 1994 exhale un dense fruité de cerise et de chèvrefeuille, joliment infusé de notes de boisé. Très corsé, et d'une belle longueur en bouche, il se bonifiera au terme d'une garde de 1 à 3 ans, et durera parfaitement encore **une décennie.**

Le Montrachet 1994, entièrement issu de vendanges achetées au Domaine Baron Thénard, dégage de fantastiques arômes mûrs et crémeux, de minéral fluide et de pierre. Son caractère ample et énorme commence tout juste à se développer, et accompagne une finale puissante et massive. Ce vin bien doté et bien structuré, absolument époustouflant, devrait être à la pointe de sa maturité d'ici 5 à 7 ans, et bien se conserver sur **la décennie.**

DOMAINE SAVARY (CHABLIS)****

4, chemin des Hâtes – 89800 Maligny
Tél. 03 86 47 42 09 – Fax 03 86 47 55 80
Contact : Olivier Savary

1992 Chablis Vieilles Vignes	C 90

Il ne me semble pas, autant que je m'en souvienne, avoir jamais attribué une note aussi élevée à une cuvée générique de Chablis. Fermentée pour moitié en fût et pour l'autre en cuve inox, elle est extraordinaire de précision, bien dessinée et bien concentrée, d'une richesse et d'un caractère absolument superbes. C'est ainsi que devraient être les grands Chablis, mais cela n'arrive jamais, la grande majorité des producteurs les voulant d'un style musclé et à l'image des grands ou des premiers crus de la Côte-d'Or. Ce Chablis 1992 est d'une puissance et d'une intensité aromatique exceptionnelles, mais il est également vif, léger et frais, ce qui en fait un vin délicieux, à siroter. **A boire dans les toutes prochaines années.**

DOMAINE SÈVE (POUILLY)***

Le Bourg – 71960 Solutré-Pouilly
Tél. 03 85 35 80 19 – Fax 03 85 35 80 58
Contact : Sylvie ou Jean-Pierre Sève

1991 Pouilly-Fuissé	C	87

Cette minuscule propriété de Pouilly produit d'excellents vins, principalement issus de vieilles vignes.

Le Pouilly-Fuissé 1991 présente un remarquable nez de pomme et de miel. Il se révèle riche et moyennement corsé en bouche, où il déploie un fruité sous-jacent qui laisse deviner les vieilles vignes. Ce vin merveilleusement pur et bien fait offre une finale longue, mûre et savoureuse, avec une acidité bien fondue. **A boire dans les 2 ou 3 ans.**

DOMAINE TALMARD (UCHIZY)****

Rue des Fossés – 71700 Uchizy
Tél. 03 85 40 53 18 – Fax 03 85 40 53 52
Contact : Philibert Talmard

1992 Mâcon-Chardonnay	A	87

Paul et Philibert Talmard, propriétaires de ce domaine, y ont produit un excellent Mâcon-Chardonnay 1992, riche et moyennement corsé, aux généreux arômes de fruits tropicaux. Très pur, d'une belle précision dans les arômes et dans le dessin, il est délicieux et d'un excellent rapport qualité/prix. **A boire maintenant.**

DOMAINE JEAN THÉVENET – DOMAINE DE LA BONGRAN (MÂCON)*****

Quintaine – Cidex 654 – 71260 Clessé
Tél. 03 85 36 94 03 – Fax 03 85 36 99 25
Contact : Jean Thévenet

1993 Mâcon-Clessé Cuvée Tradition	C	87
1990 Mâcon-Clessé Cuvée Tradition	C	90
1989 Mâcon-Clessé Cuvée Tradition	C	91
1993 Mâcon-Viré Émilian Gillet	C	87
1992 Mâcon-Viré Émilian Gillet	C	90
1992 Mâcon-Clessé	C	92

Le Mâconnais est une région viticole peu connue, qui offre néanmoins nombre de vins pouvant parfaitement rivaliser avec leurs homologues plus prestigieux et plus chers de la Côte-d'Or. Jean Thévenet est, à mon sens, le meilleur producteur du Mâconnais, et la clé de son succès n'est un secret pour personne. En effet, il respecte sur sa propriété des rendements extrêmement tenus, ne vendange qu'à maturité physiologique et pratique une vinification la moins interventionniste possible. Cela donne à son Mâcon-Clessé et à son Mâcon-

Viré Émilian Gillet une intensité et une opulence qui ressemblent davantage à celles d'un grand Meursault ou d'un Chassagne-Montrachet qu'à un autre vin de Mâcon. Lorsque je me suis aventuré à dire à Jean Thévenet que ses vins se révélaient grandioses jusqu'à 5 ou 6 ans d'âge, il m'a fait, pour toute réponse, déguster quelques vieux millésimes qui m'ont littéralement époustouflé. Ainsi, le 1962 et le 1971 étaient encore remarquables en 1993, et ce producteur a récemment enregistré une belle série de réussites avec des 1988, 1989 et 1990 absolument formidables, des 1991 très bons et des 1992 assez exceptionnels.

Le Mâcon-Clessé Cuvée Tradition 1993 (Domaine de la Bongran) n'est pas aussi flamboyant, concentré ou extraordinaire que ses aînés de 1992, 1990, 1989 ou 1988, mais il est encore jeune, et je le soupçonne de ne pas déployer tout son potentiel. Son nez vif, mielleux et mûr, aux notes de minéral, de citron et d'agrumes commence tout juste à s'épanouir, et il se révèle moyennement corsé en bouche, avec une excellente concentration et une bonne acidité sous-jacente. Jean Thévenet attend pour récolter que les baies soient atteintes de botrytis, ce qui confère aux vins qui en sont issus un caractère plus visqueux et plus mielleux.

Sans être aussi puissant ou riche que les 1992, 1990 et 1989, le Mâcon-Viré Émilian Gillet 1993 est généreux et pur, et déploie, à la fois au nez et en bouche, des senteurs de minéral et de poire. Moyennement corsé, avec une excellente richesse et une bonne acidité sous-jacente, il présente, malgré sa jeunesse, davantage de profondeur que nombre de premiers et de grands crus plus chers de la Côte-d'Or. Il est tout en finesse et en élégance, mais requiert une aération d'une dizaine de minutes dans le verre pour révéler toutes ses qualités. **A boire maintenant.**

Légèrement doré, le Mâcon-Clessé 1992 exhale des parfums extraordinaires, mielleux et crémeux, de fleurs et de pomme, accompagnés de senteurs sous-jacentes de minéral. Ce vin très corsé déploie en bouche, par paliers, un fruité extrêmement concentré, riche et très glycériné de chardonnay, bien marqué par la mâche. Ce bourgogne blanc est splendide, complexe et profond. **A boire dans les 10 ans ou plus.** Si vous avez le sentiment que le prix demandé pour cette bouteille est trop élevé (110 F), songez simplement à ce que vous coûterait un grand cru de bourgogne de qualité équivalente.

Plus léger, le Mâcon-Viré Émilian Gillet est davantage marqué par le côté floral et citronné du chardonnay. Il révèle en bouche des arômes moyennement corsés et acidulés de minéral, bien étayés par une belle acidité sous-jacente. Il évoluera avec grâce sur les **3 ou 4 prochaines années**, mais n'a pas le potentiel de garde du Mâcon-Clessé du Domaine de la Bongran.

Le Mâcon-Clessé Cuvée Tradition 1989 présente un nez énorme de noix fumée, d'ananas et de pomme. Il se révèle très corsé en bouche, d'une richesse et d'une précision grandioses, avec une superbe acidité. La finale est d'une intensité et d'une longueur époustouflantes. Impressionnant. **A maturité : jusqu'en 2000.**

Le Mâcon-Clessé Cuvée Tradition 1990 est d'un style similaire, mais il est moins gras et recèle une acidité de meilleur ressort, si bien qu'il est plus imposant et légèrement plus élégant. **A maturité : jusqu'en 2004.**

JEAN-CLAUDE THÉVENET (MÂCON)****

Au Bourg – 71960 Pierreclos
Tél. 03 85 35 72 21 – Fax 03 85 35 72 03
Contact : Jean-Claude Thévenet

NM Blanc de Blancs Chardonnay Brut	B	90
1995 Mâcon-Pierreclos	A	89
1993 Mâcon-Pierreclos	B	86
1994 Saint-Véran Clos de l'Ermitage Vieilles Vignes	C	89+
1993 Saint-Véran Clos de l'Ermitage Vieilles Vignes	C	88
1992 Saint-Véran Clos de l'Ermitage Vieilles Vignes	C	90

Jean-Claude Thévenet est l'une des étoiles montantes du Mâconnais. Ses vins, capables de rivaliser avec les meilleurs bourgognes blancs des appellations les plus prestigieuses de la Côte-d'Or, sont de plus proposés à des prix extrêmement raisonnables.

Le délicieux et rafraîchissant Blanc de Blancs Chardonnay Brut non millésimé est mûr, net et expressif. De plaisantes notes mielleuses ajoutent encore à sa richesse, et il donne une fabuleuse impression de fraîcheur et de légèreté dans un ensemble légèrement corsé et délicat. **A boire dans les toutes prochaines années.**

Plutôt fermé au nez, le Mâcon-Pierreclos 1995 s'épanouit en bouche pour révéler de généreux arômes exotiques de fruits tropicaux. Moyennement corsé, net et d'une excellente fraîcheur, il offre une finale puissante, sèche et vive. Ce vin encore jeune et peu évolué gagnera au terme d'un vieillissement supplémentaire en bouteille.

Le Saint-Véran Clos de l'Ermitage Vieilles Vignes 1994 est un curieux, mais délicieux mélange. Ce vin vif et très pur, avec une bonne acidité, a un fruité riche et mûr marqué d'un intense caractère de minéral. La finale est moyennement corsée, longue et fraîche. Cette appellation recèle de très nombreux trésors pour les véritables amateurs de bourgognes blancs. Ses vins sont d'ailleurs proposés à des prix bien inférieurs à ceux des grands crus de la Côte-d'Or. Ce Saint-Véran, qui n'a pas été élevé en fûts de chêne, présente un fruité intense, pur et net, fabuleuse expression du chardonnay. **A boire dans les prochaines années.**

Plus mûr et plus intense que nombre de bourgognes blancs de la Côte-d'Or, le Mâcon-Pierreclos 1993 offre un nez de mandarine et de pomme crémeuse qui introduit en bouche un vin rond, moyennement corsé, bien concentré et pur, avec une acidité sous-jacente de bon ressort. Il est délicieux, généreusement doté et sans détour. **A boire dans les 2 ou 3 ans.**

Le Saint-Véran Clos de l'Ermitage Vieilles Vignes 1993 aurait pu être extraordinaire, s'il n'avait pas été marqué par des notes de chêne neuf et grillé un peu trop agressives. J'espère que ce caractère boisé se fondra après quelque temps de vieillissement en bouteille. Néanmoins, ce vin est sensuel et d'une pureté admirable, et regorge d'un fruité gras, riche et mielleux. **A boire dans les 2 ou 3 ans.**

Issu de vignes de 65 ans d'âge, le Saint-Véran Clos de l'Ermitage Vieilles Vignes 1992 déborde d'un fruité d'ananas, de pomme et de miel. Exubérant, riche et moyennement corsé, il exprime avec noblesse les sommets que peut atteindre le chardonnay lorsqu'il est traité avec soin et issu de tout petits rendements. Il s'agit encore d'une excellente affaire, si bien que vous ne devriez pas hésiter à en acheter une grande quantité.

LAURENT TRIBUT (CHABLIS)**

15, rue Poinchy – Poinchy – 89800 Chablis
Tél. 03 86 42 46 22 – Fax 03 86 42 48 23
Contact : Laurent Tribut

1992 Chablis	C	82
1992 Chablis Beauroy	D	84

Le Chablis 1992 et le Chablis Beauroy 1992 sont sans détour, fruités, plaisants, ronds et nets. Le Chablis 1992, agréable et légèrement corsé, est parfait **maintenant**. Le Chablis Beauroy 1992 est unidimensionnel et bien profond, avec un nez de fruits tropicaux.

DOMAINE VALETTE (MÂCON)****

Le Clos Reyssier – 71570 Chaintré
Tél. 03 85 35 62 97 – Fax 03 85 35 68 02
Contact : Gérard Valette

1994 Mâcon Chaintré Vieilles Vignes	A	91
1993 Mâcon Chaintré Vieilles Vignes	A	90
1992 Mâcon Chaintré Vieilles Vignes	A	88
1994 Pouilly-Fuissé Clos Reyssie Vieilles Vignes	D	96
1993 Pouilly-Fuissé Clos Reyssie Vieilles Vignes	D	87
1994 Pouilly-Fuissé Tradition	D	94
1993 Pouilly-Fuissé Clos de Monsieur Noly	D	93
1993 Pouilly-Fuissé Clos Reyssie	C	92
1993 Pouilly Vinzelles Vieilles Vignes	C	91

L'extraordinaire Mâcon Chaintré Vieilles Vignes 1992, produit à hauteur de 823 caisses seulement, est issu de vignes de 40 à 50 ans d'âge et fermenté à 15 % en fûts neufs. D'un impressionnant caractère et très concentré, il offre un nez irrésistible, doux et mûr, de minéral et de fruit crémeux qui introduit en bouche un vin riche, mûr, ample, moyennement corsé, merveilleusement équilibré et imposant. **A boire dans l'année.**

Le Mâcon Chaintré Vieilles Vignes 1993 rappelle les vins, superbes et d'une belle précision, de Jean-Marie Guffens-Heynen. Très fruité, avec une acidité fraîche et sous-jacente, il est aussi très corsé, extraordinaire de pureté, de ressort et de richesse en extrait. Une belle réussite ! **A boire dans les 3 ou 4 ans.**

Les trois Pouilly-Fuissé sont également excellents.

Issu de vignes de 50 ans d'âge, le Pouilly Vinzelles Vieilles Vignes offre un nez étonnamment floral qui regorge de senteurs fruitées et d'agrumes. Extrêmement pur et d'une intensité aromatique absolument superbe, il déploie une finale énorme et persistante, d'une belle élégance d'ensemble, malgré sa puissance et son caractère très richement extrait. Une excellente affaire, au potentiel de garde de **3 ou 4 ans.**

Le spectaculaire Pouilly-Fuissé Clos Reyssie 1993, issu des coteaux qui surplombent le village de Chaintré, a un fruité explosif, et se révèle très corsé, magnifiquement pur et intense, d'une richesse absolument remarquable. Comme dans les deux vins précédents, son fruité est riche et d'une belle précision, aux notes de minéral, et n'est aucunement alourdi par des touches de boisé. Ce Clos Reyssie devrait bien vieillir les **5 à 7 prochaines années,** mais qui saurait y résister jusque-là ?

Le Pouilly-Fuissé Clos Reyssie Vieilles Vignes 1993, racé et moyennement corsé, est d'une belle profondeur et d'une belle maturité, avec un fruité de chardonnay, marqué de touches de chêne neuf et d'une minéralité sous-jacente. **A boire dans les 2 ans.**

Produit à hauteur de 200 caisses seulement, le Pouilly-Fuissé Clos de Monsieur Noly 1993 exhale un nez opulent aux généreux arômes mielleux et de fruits tropicaux. Spectaculaire, étonnant de richesse et de longueur, il révèle en milieu de bouche un caractère fabuleux, ainsi qu'un fruité concentré, qu'on s'attendrait plus à trouver dans un grand Bâtard-Montrachet de Sauzet ou de Ramonet. Son potentiel de garde est de **4 ou 5 ans.**

Absolument extraordinaire en 1994, le Mâcon Chaintré Vieilles Vignes offre un nez mielleux et légèrement boisé, d'orange, de mandarine et de minéral. Merveilleusement pur et dense en bouche, il y révèle des arômes très corsés, crémeux et riches. Un véritable tour de force !

Proche d'un Bâtard-Montrachet, le Pouilly-Fuissé Tradition 1994 (produit à hauteur de 300 caisses par an), très corsé et admirablement dense, étonne par sa pureté et sa richesse mielleuse. On décèle sous une explosion de fruité, de glycérine et d'alcool un caractère très prononcé de minéral. Les arômes persistent en bouche pendant près d'une minute une fois le vin craché (ou avalé !). Il s'agit d'un Pouilly-Fuissé vraiment stupéfiant ! **A boire dans les 6 ou 7 ans.**

L'autre trésor du Domaine Valette est le Pouilly-Fuissé Clos Reyssie Vieilles Vignes 1994 (production annuelle de 160 caisses seulement). Vous tiendrez ce vin pour le Montrachet du Mâconnais. Tout en ayant l'ample richesse des autres vins du domaine, il présente une belle élégance d'ensemble et davantage de ce caractère de pierre et de minéral fluide que l'on retrouve dans les Montrachet ou les Meursault Perrières. Le potentiel de garde de ce bourgogne blanc fabuleux est de **10 ans environ.**

VERGET (MÂCON)*****

En France – 71960 Vergisson
Tél. 03 85 35 84 22 – Fax 03 85 35 82 72
Contact : Jean-Marie Guffens-Heynen

1993	Mâcon-Villages	B	86
1993	Saint-Véran	B	87
1992	Saint-Véran	B	89
1991	Saint-Véran	B	87
1992	Bâtard-Montrachet	EE	97
1992	Le Montrachet	EEE	94
1991	Le Montrachet	EEE	92
1992	Chevalier-Montrachet	EE	93
1992	Puligny-Montrachet Les Enseignières	D	93
1991	Puligny-Montrachet Les Enseignières	D	90
1992	Puligny-Montrachet Les Pucelles	D	92
1992	Chassagne-Montrachet La Romanée	D	92
1992	Chassagne-Montrachet Morgeot	D	90
1991	Chassagne-Montrachet Morgeot	D	89
1992	Meursault Les Poruzot	D	94
1992	Meursault Les Genevrières	D	94
1992	Meursault Les Narvaux	D	90
1992	Chassagne-Montrachet Les Champs Gains	D	89
1992	Puligny-Montrachet Sous le Puits	D	87
1992	Saint-Aubin Premier Cru	C	84
1992	Pouilly-Fuissé	C	89
1992	Mâcon-Villages Tête de Cuvée	B	87
1991	Pouilly-Fuissé	C	87

Dans mon ouvrage sur les vins de Bourgogne, édité en 1990, j'ai cité Jean-Marie Guffens-Heynen, l'exubérant producteur belge du Mâconnais, en disant que ses vins étaient brillantissimes et d'une qualité absolument superbe. Ces qualificatifs s'appliquaient à sa production issue d'un vignoble qu'il possède à côté du village de Vergisson. Mais Jean-Marie Guffens-Heynen a entrepris depuis lors une affaire de négoce : plutôt que d'acquérir des moûts, il achète des raisins et travaille en étroite collaboration avec les producteurs qui lui ont vendu leur vendange. Il les pousse à respecter des rendements restreints et à ne récolter qu'à maturité physiologique. Comme en témoignent les notes ci-dessus, nous avons affaire à l'un des tout meilleurs vinificateurs de France, et la qualité de ses vins dans des années difficiles pourrait faire rougir plus d'un nom célèbre. Quant à ses 1992, ils sont tout simplement extraordinaires.

Nombre d'amateurs croient encore, à tort, qu'il faut impérativement investir une somme importante pour obtenir l'un des meilleurs grands crus de la Côte-d'Or. Mais une bonne demi-douzaine de producteurs du Mâconnais produisent régulièrement des vins de la qualité d'un grand cru ou d'un premier cru, qu'ils proposent à un cinquième ou un sixième du prix d'un Bâtard-Montrachet, d'un Bienvenues-Bâtard-Montrachet ou d'un Chevalier-Montrachet. Y a-t-il quel-qu'un qui m'écoute ? Les amateurs ont-ils dégusté les vins de chardonnay de

Jean Thévenet du Domaine de la Bongran, du Domaine J. A. Ferret, du Domaine André Bonhomme, du Château Fuissé, du Domaine du Vieux Saint-Surlin ou le Clos de l'Ermitage de Jean-Claude Thévenet ? Ces vins sont d'une qualité stupéfiante et ne valent que 75 à 100 F la bouteille.

Les Mâcon-Villages, Saint-Véran et Pouilly-Fuissé représentent la moitié de la production de Verget, et peuvent se révéler superbes. Les deux premiers, proposés à des prix extrêmement raisonnables, sont parfaitement aptes pour rivaliser avec les vins des producteurs précédemment cités.

Les caractéristiques les plus remarquables des vins de Guffens-Heynen sont leur pureté, leur richesse et leur précision extraordinaires. Les auteurs utilisent souvent ces termes, mais je ne connais pas d'autre producteur que Guffens-Heynen qui obtienne une telle précision dans les arômes et dans le dessin, sans rien perdre de la richesse et de l'intensité du chardonnay. Tous ces vins sont mis en bouteille avec le moins de manipulations possible, et certaines cuvées sont soit légèrement collées, mais pas filtrées, soit pas collées, mais très légèrement filtrées.

Les 1991 de Jean-Marie Guffens-Heynen sont extrêmement réussis.

Le Saint-Véran 1991, avec une belle acidité de bon ressort, offre un superbe nez de citron, de minéral et de pomme crémeuse, et se révèle vif et moyennement corsé en bouche, où il fait encore preuve d'un bel équilibre et d'une finale merveilleusement fraîche. **A boire d'ici 2 ou 3 ans.**

Le Pouilly-Fuissé 1991, d'un équilibre impeccable, riche et moyennement corsé, présente une acidité plus élevée que la plupart de ses jumeaux. D'une profondeur et d'une maturité d'un excellent niveau, il doit être consommé dans les **2 ou 3 prochaines années.**

Parmi les vins de la Côte-d'Or, vous trouverez le Puligny-Montrachet Les Enseignières 1991, de couleur légèrement dorée, avec un nez superbe et extrêmement précis de melon confit et de pomme, marqué de senteurs florales. Il s'agit d'un Puligny-Montrachet classique, riche et moyennement corsé, à la finale longue, vive et acidulée. **A boire dans les 4 ou 5 ans.**

Le Chassagne-Montrachet Morgeot 1991 a la même fraîcheur que le vin précédent, mais il a également une structure fabuleuse, une pureté vivace, des senteurs longues et bien dotées de pomme crémeuse, ainsi que de riches arômes aux notes métalliques. **A boire dans les 2 ou 3 ans.**

Le seul autre 1991 que j'ai pu déguster (les autres cuvées étaient d'ores et déjà vendues) était Le Montrachet. Ce vin est énorme, dense et riche, au bouquet de vanille, de fumé et de lard, très corsé et généreusement doté, qui déborde littéralement de glycérine et d'intensité. **A boire dans les 10 à 15 ans.**

Les excellentes sélections Verget 1992 du Mâconnais sont supérieures à nombre de grands crus et de premiers crus de la Côte-d'Or.

Classique, mûr et bien doté, avec un nez de fleurs printanières et de pomme crémeuse, le Mâcon-Villages Tête de Cuvée 1992 affiche en bouche une belle richesse en extrait, un caractère moyennement corsé, une bonne acidité sous-jacente et une finale d'une belle précision. Il devrait se conserver **3 ou 4 ans,** ce qui est étonnamment long pour un Mâcon.

Outre son fruité superbe et son nez énorme, savoureux, mielleux et crémeux, le Saint-Véran 1992 présente en bouche un caractère intense, mûr et moyennement corsé, marqué par une acidité de bon ressort. Il y laisse une impression à la fois de puissance et de finesse. Il est complexe et merveilleusement proportionné. **A boire dans les 3 ou 4 ans.**

Le Pouilly-Fuissé 1992, au fruité riche et crémeux d'abricot, présente, au nez et en bouche, un caractère sous-jacent de minéral. Avec une finale et une profondeur d'un excellent niveau, il est plus corsé que le Saint-Véran, mais sans le même fruité et sans détour. Il sera encore à son meilleur niveau dans les **3 ou 4 prochaines années.**

Les premiers crus de Verget sont magnifiques. Le Saint-Aubin 1992, le plus léger de tous, est vivace et élégant, mais il n'a pas la richesse et la complexité des autres vins. **A boire maintenant.**

Le Puligny-Montrachet Sous le Puits 1992 présente un nez de Chablis, aux arômes de minéral et de pierre à fusil. Moyennement corsé et d'une belle maturité, il est racé et gracieux. **A boire dans les 6 ou 7 ans.**

On passe à une qualité supérieure avec le Chassagne-Montrachet Les Champs Gains 1992. Puissant, mais gracieux et racé, avec un nez intense de pomme crémeuse et d'abricot, il est d'une belle concentration, et présente une maturité admirable, une acidité sous-jacente et de bon ressort, ainsi qu'une finale longue. **A boire dans les 6 ou 7 ans.**

L'extraordinaire Meursault Les Narvaux 1992 est un bourgogne savoureux et luxuriant, fabuleusement précis et net. Il est concentré, avec un fruité généreux et une belle acidité. **A boire dans les 4 ou 5 ans.**

Encore plus profond que le précédent, le Meursault Les Genevrières 1992 révèle un nez énorme de noisette crémeuse, de pomme et de silex. Très corsé et fabuleusement concentré en bouche, avec une belle acidité et une finale puissante et massive, il déploie un caractère de minéral assez indéfinissable. Son potentiel de garde est de **10 ans environ.**

Le spectaculaire Meursault Les Poruzot 1992, issu de rendements inférieurs à 25 ou 30 hl/ha, est merveilleux de richesse, de densité et de longueur. Son nez de fumé, de miel, de noisette, de fleurs et de fruits crémeux précède des arômes très corsés et très riches, ainsi qu'une fraîcheur et une vivacité fabuleuses. La finale est imposante. Un Meursault stupéfiant qu'il faut boire pour y croire. **A maturité : jusqu'en 2000.**

Mais les bonnes nouvelles ne s'arrêtent pas avec les Meursault. Il y a également le Chassagne-Montrachet Morgeot 1992, merveilleusement fait, au nez floral de pierre et de minéral, qui est plus en subtilité qu'en puissance ou en muscle. Moyennement corsé, il déploie un généreux fruité, riche et intense, ainsi qu'une longue finale. Il durera encore **au moins 10 ans.**

Le Chassagne-Montrachet La Romanée 1992 se révèle plus flamboyant, avec un nez spectaculaire et crémeux de miel, de chêne et de fumé, et des arômes savoureux, riches, épais et très glycérinés, qui jaillissent littéralement du verre. Malgré son ampleur et son intensité, il est extrêmement précis grâce à sa bonne acidité. **A boire dans les 6 ou 7 ans.**

Il y a également deux premiers crus de Puligny-Montrachet. Le Puligny Montrachet Les Pucelles 1992, élégant et racé, est moyennement corsé, avec un nez subtil aux notes florales. **A maturité : jusqu'en 2000.** Le Puligny-Montrachet Les Enseignières 1992 est plutôt spectaculaire, riche, très corsé, profond, intense et massif. **A maturité : jusqu'en 2002.** Si vous préférez discrétion et finesse, achetez plutôt le premier, le second étant tout en luxuriance.

Parmi les trois grands crus, vous trouverez le superbe Chevalier-Montrachet 1992, peu évolué, moyennement corsé, puissant et intense, qui sera parfait dans les **12 à 15 ans**, qui suivront une garde de 1 ou 2 ans.

Le Montrachet 1992 est également superbe, avec un fruité riche qu'il déploie par paliers, et un nez irrésistible, de minéral et de pierre mouillée, conjugué à de généreux arômes fruités de chêne neuf, grillé et fumé. Dégustez ce vin très corsé et riche sur les 12 à 15 ans qui viennent. Il est intéressant de savoir qu'il s'agit d'un des rares vins que Jean-Marie Guffens-Heynen a produits à partir de moûts et non de raisins achetés. Je ne dévoilerai pas le nom du négociant auprès duquel il a effectué cet achat, mais il est curieux de constater que le Montrachet de Verget se révèle bien meilleur que le vin de ce négociant. Pourquoi ? Tout simplement parce que le négociant a fait arrêter les fermentations malolactiques, n'élève pas ses vins sur lies, les colle trois fois de suite et finit par les filtrer avant la mise en bouteille. En revanche, Jean-Marie Guffens-Heynen a demandé que les lies lui soient fournies, les a réintégrées aux vins qui ont, par la suite, complété leur fermentation malolactique. Il ne les a collés qu'une fois, et les a ensuite filtrés très légèrement, dans le seul but de les débarrasser des éventuelles particules de fruit qui auraient été en suspension.

Ce Montrachet est grandiose, mais il ne s'agit pas du meilleur vin qu'ait fait Jean-Marie Guffens-Heynen. Les initiés devraient plutôt rechercher le Bâtard-Montrachet 1992, extrêmement puissant (il titre 14,5° d'alcool naturel), dense, très riche et très persistant en bouche. Extrêmement corpulent et d'une grande puissance aromatique, il déploie une finale longue de plus de 1 minute. **A maturité : jusqu'en 2005.** Je me dois de le noter au même niveau que les fabuleux Bâtard-Montrachet de Michel Niellon. Quel véritable tour de force en matière de vinification !

Les deux vins les moins chers que propose la maison sont les excellents Mâcon-Villages et Saint-Véran. En 1993, ils présentent un fruité merveilleusement pur, aux notes d'agrumes, de minéral et de pomme. Moyennement corsés et extrêmement précis, ils sont très longs et mûrs en bouche. Le Saint-Véran 1993, plus corpulent, a un caractère plus mielleux, mais il s'agit de deux vins délicieux, frais et vivaces qui se dégusteront bien les **toutes prochaines années**.

Les vins ci-dessus portent la griffe d'un génie. Je pense que leur très haut niveau de qualité secouera nombre de viticulteurs bourguignons qui se sont longtemps reposés sur leur réputation. Ils montrent bien les sommets que l'on peut atteindre lorsqu'on ne sacrifie à aucun compromis, et les amateurs devraient être reconnaissants de cela à Jean-Marie Guffens-Heynen. Bravo !

DOMAINE DES VIEILLES PIERRES (MÂCON)****

Les Nambrets – 71960 Vergisson
Tél. 03 85 35 85 69 – Fax 03 85 35 86 26
Contact : Jean-Jacques Litaud

1994 Pouilly-Fuissé Les Crays Vieilles Vignes Domaine des Vieilles Pierres	C	86
1994 Pouilly-Fuissé La Roche Vieilles Vignes Domaine des Vieilles Pierres	C	87

1994 Saint-Véran Domaine des Vieilles Pierres	B	85
1994 Mâcon-Vergisson	B	85
1993 Mâcon-Vergisson	B	86
1992 Mâcon-Vergisson	B	87

Voici un excellent Mâcon 1992 de Jean-Jacques Litaud. Moyennement corsé et charnu, ce Mâcon-Vergisson révèle un généreux fruité frais, aux notes de minéral et d'agrumes. D'une corpulence admirable et d'une étonnante profondeur, il déploie une finale longue et savoureuse. Un vin délicieux à consommer **dans l'année**.

Le Mâcon-Vergisson 1993 propose un généreux fruité de chardonnay, vif et plaisant, dans un ensemble sans détour et exubérant, nullement marqué par des notes de boisé. **A boire dans l'année**.

Les quatre cuvées de 1994 sont bien vinifiées, mais Jean-Jacques Litaud a tendance à utiliser trop de bois neuf pour l'élevage de ses vins. Le charme des vins du Mâconnais réside précisément dans leur fruité vif, et celui-ci se révèle encore plus extraordinaire lorsqu'ils sont très mûrs et vieillis en milieu neutre.

Le Mâcon-Vergisson 1994 et le Saint-Véran 1994 sont moyennement massifs, mais le second me semble plus boisé. Leur potentiel de garde est de **1 ou 2 ans**.

Avec ses généreux arômes de fruits tropicaux, le Pouilly-Fuissé La Roche Vieilles Vignes Domaine des Vieilles Pierres 1994 a plus de caractère, et se révèle plus équilibré que ses trois homologues. Il est bien riche et d'une belle longueur en bouche, avec un caractère de pierre qu'il doit à son terroir. **A boire dans les 3 ou 4 ans**.

Le Pouilly-Fuissé Les Crays Vieilles Vignes Domaine des Vieilles Pierres 1994 aurait été meilleur s'il n'avait été dominé par son caractère boisé. Les notes de chêne neuf qu'il présente sont, en effet, gênantes, malgré son ampleur et son côté généreusement doté. Ceux qui aiment les arômes boisés et épicés apprécieront plus ce vin que moi.

DOMAINE DU VIEUX SAINT-SURLIN (MÂCON)*****

71960 La Roche-Vineuse
Tél. 03 85 36 62 09 – Fax 03 85 36 66 45
Contact : Olivier ou Corinne Merlin

1994 Bourgogne Vieilles Vignes	B	87
1994 Mâcon La Roche-Vineuse Vieilles Vignes	C	90
1993 Mâcon La Roche Vieilles Vignes	B	88
1993 Mâcon La Roche-Vineuse	B	87
1992 Mâcon La Roche-Vineuse Vieilles Vignes	C	90

Olivier Merlin est l'un des tout jeunes meilleurs producteurs du Mâconnais, et son Mâcon La Roche-Vineuse Vieilles Vignes 1992 constitue une affaire phénoménale. Avec son généreux fruité riche et mielleux, d'orange et de pomme, il est fabuleusement riche et moyennement corsé en bouche, avec une finale longue et acidulée. Issu de vignes de 50 à 60 ans d'âge, il s'impose comme un vin de chardonnay sensationnel. **A boire dans les 2 ou 3 ans.** Il mérite d'être acheté en grandes quantités – ne manquez pas l'occasion.

Le Mâcon La Roche-Vineuse 1993 dévoile le fruité vif, riche et de bon ressort, sans notes de bois neuf, que l'on retrouve dans les Mâcon de premier ordre. Ses arômes floraux, de pomme et d'orange, ainsi que sa pureté, son excellente précision et sa finale vive, sont exactement ce que l'on attend d'un tel vin. Vous le dégusterez dans les **toutes prochaines années**, en accompagnement de fruits de mer ou de viandes blanches.

Le Mâcon La Roche Vieilles Vignes 1993 a le même caractère fruité, et se révèle plus mûr, plus profond et plus corpulent, avec davantage d'arômes de chêne neuf, grillé et fumé, dans son bouquet très parfumé. Plus énorme et plus alcoolique que le vin précédent, il devrait durer encore 2 ou 3 ans.

Le Mâcon La Roche-Vineuse Vieilles Vignes 1994 (malheureusement produit à hauteur de 400 caisses seulement) est d'une maturité fabuleuse avec un fruité doux et mûr. Éclatant de fruité, il se dévoile en bouche par paliers, et présente une finale crémeuse et mielleuse, avec une acidité de bon ressort. Je ne serais pas surpris d'apprendre que ses arômes sont légèrement marqués par le botrytis, ce qui ajoute à sa complexité. Vous dégusterez ce vin ample, qui tapisse le palais, dans les 3 **ou** 4 **ans.**

Le Bourgogne Vieilles Vignes 1994, proposé à un prix très raisonnable, présente de généreuses senteurs mûres et rondes de cerise noire. Souple et étonnamment profond en bouche, il libère un doux fruité sous-jacent de pinot noir. **A boire dans les 2 ou 3 ans.** Quelle excellente affaire !

CHAMPAGNE

Il n'y a pas si longtemps encore, le champagne n'était pas cher, grâce notamment à une série de fortes vendanges de bonne qualité et aux prix compétitifs pratiqués par les importateurs, les grossistes et les détaillants. Le marché était alors à l'avantage des amateurs. Cependant, compte tenu d'une vendange médiocre en 1984, et d'une autre de haute qualité, mais de faible quantité, en 1985, les prix grimpèrent en flèche (avec des augmentations de 30 à 75 %) pour atteindre des sommets dans le courant des années 90. La récession et la mauvaise tenue des produits de luxe sur le marché international, conjuguées à une série de récoltes abondantes, amenèrent ensuite nombre de maisons de champagne à diminuer leurs prix, à l'exception de ceux de leurs cuvées prestige. Néanmoins, le champagne demeure un produit de luxe relativement cher.

Présentation

TYPES DE VIN

Située à environ 145 km au nord-est de Paris, la Champagne produit uniquement du vin pétillant (environ 200 millions de bouteilles chaque année) composé de chardonnay, de pinot noir et de pinot meunier. Les champagnes appelés « blancs de blancs » sont exclusivement issus de chardonnay, tandis que les « blancs de noirs » contiennent une proportion de cépages rouges. Quant aux « crémants », ils sont légèrement moins effervescents que les champagnes classiques.

CÉPAGES

Chardonnay Curieusement, 25 % seulement de la superficie totale des vignobles champenois sont complantés en chardonnay.

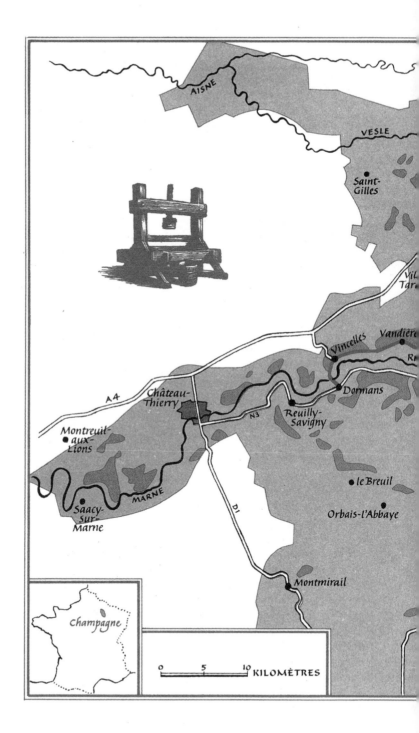

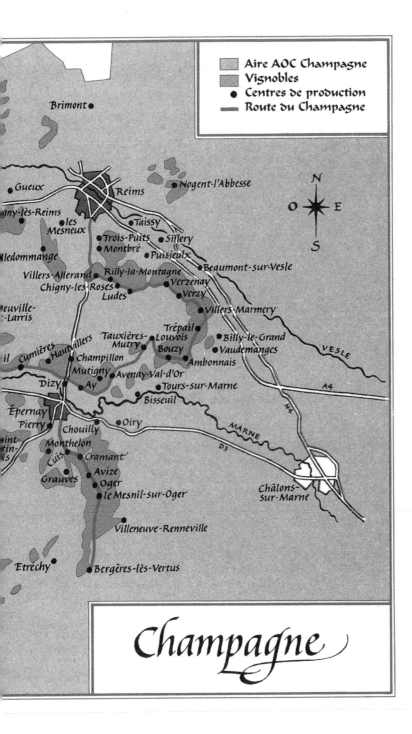

Aire AOC Champagne
Vignobles
• Centres de production
— Route du Champagne

Brimont •

Gueux •
gny-lès-Reims
• les
Mesneux
lledommange
Villers-Allerand •
Chigny-les-Roses •
Ludes •
euville-
-Larris
il • Cumières • Hautvillers
Champillon
Mutigny • Avenay-Val-d'Or
Dizy • Ay •
Épernay •
Pierry •
int-
tin-
s
Monthelon
Cuis •
Grauves •
Étrechy •

Reims

Nogent-l'Abbesse •

Taissy •
Trois-Puits • Sillery
Montbré • Puisieulx •
Rilly-la-Montagne • Beaumont-sur-Vesle •
Verzenay •
Verzy •
Villers-Marmery •
Trépail •
Tauxières- Louvois • Billy-le-Grand
Mutry Bouzy • Vaudemanges •
Ambonnais •
Tours-sur-Marne •
Bisseuil
Chouilly • Oiry •
Cramant •
Avize •
Oger •
le Mesnil-sur-Oger •
Villeneuve-Renneville
Bergères-lès-Vertus •

VESLE

A4

N4

MARNE

D3

Châlons-
Sur-Marne

N O E S

Champagne

Pinot meunier   C'est le cépage principal – il représente 40 % de l'appellation.

Pinot noir   Il occupe 35 % de la superficie totale.

ARÔMES

La majorité des gens consomment le champagne jeune, souvent presque immédiatement après l'avoir acheté. Cependant, certains connaisseurs feront remarquer que les champagnes millésimés de grande qualité ne devraient être dégustés qu'à 10 ans d'âge au moins. Les champagnes non millésimés doivent, selon la législation française, être vieillis au moins 1 an en bouteille avant d'être mis sur le marché ; toutefois, la plupart des meilleurs producteurs ont commencé tout juste en 1995-1996 à commercialiser leurs 1988, 1989 et 1990. En effet, le champagne ne doit pas seulement être frais, mais aussi offrir des arômes de pain complet grillé et beurré, de pomme mûre et de biscuit frais. Lorsque ce breuvage est mal élaboré, il se montre aigre et vert, avec des notes de moisi, et, s'il a souffert d'une mauvaise conservation, il est alors mou et dépourvu de fruité. Le blanc de blancs est en général plus délicat, plus léger et plus fin que les champagnes à forte proportion de pinot noir et de pinot meunier, qui sont les deux cépages rouges utilisés dans l'appellation.

POTENTIEL DE GARDE

Lorsqu'il est issu de maisons aussi prestigieuses que Krug, Bollinger et Pol Roger, le champagne peut parfaitement se conserver 25 à 30 ans. Il perd alors de son pétillant tout en acquérant du gras et une richesse crémeuse, semblable à celle d'un grand bourgogne blanc. Ainsi, les Dom Pérignon 1947, 1964, 1969 et 1971 de Moët et Chandon se révélaient fabuleux en 1994, tout comme les Krug 1947, 1961, 1962, 1964 et 1971. Les Bollinger 1966, 1969 et 1975 RD étaient également exquis cette année-là, et il en allait de même en 1992 pour les Pol Roger 1928 et 1929. Ces exemples montrent parfaitement que le champagne peut vieillir de belle manière, encore faut-il tenir compte du fait que chaque maison cultive son propre style, lequel conditionne le potentiel de garde de ce vin. La liste ci-dessous donne l'aptitude à la garde de certaines des marques les plus connues que l'on trouve sur le marché.

LISTE

1975 Bollinger RD – 1996-2002
1979 Bollinger RD – 1996-2001
1982 Bollinger RD – 1996-2006
1985 Bollinger Grande Année – 1996-2010
1982 Bollinger Vieilles Vignes – 2002-2017
1985 Bollinger Vieilles Vignes – 2002-2022
1985 Gosset Grand Millésime – 1996-2004

1979 Krug – 1996-2011
1981 Krug – 1996-2011
1982 Krug – 2002-2027
1985 Krug – 2002-2027
1982 Krug Clos du Mesnil – 1996-2008
1985 Laurent Perrier Grand Siècle – 1996-2006
1982 Dom Pérignon – 1996-2006
1985 Dom Pérignon – 1996-2008
1988 Dom Pérignon – 1996-2011
1982 Pol Roger Blanc de Chardonnay – 1996-2004
1985 Pol Roger Brut – 1996-2008
1979 Pol Roger Cuvée Winston Churchill – 1996-2004
1982 Pol Roger Cuvée Winston Churchill – 1996-2016
1985 Pol Roger Cuvée Winston Churchill – 1996-2011
1985 Louis Roederer Cristal – 1996-2004
1986 Louis Roederer Cristal – 1996-2002
1988 Louis Roederer Cristal – 1996-2006
1982 Salon – 1996-2011
1985 Taittinger Comtes de Champagne – 1996-2011
1988 Taittinger Comtes de Champagne – 1996-2011
1985 Veuve Clicquot La Grande Dame – 2002-2017
1988 Veuve Clicquot La Grande Dame – 1996-2006

QUALITÉ DES VINS

Le champagne français est, incontestablement, le vin pétillant le plus grandiose qui soit. En dépit d'investissements financiers absolument colossaux engagés ailleurs, principalement en Californie, aucune autre région viticole au monde ne peut prétendre l'égaler, du moins en termes de qualité. Cependant, les énormes bénéfices financiers réalisés par nombre de grandes maisons ont, à mon avis, conduit à une baisse importante de la qualité. En effet, c'est l'appétit pécuniaire de certains producteurs qui les a amenés à élever presque toutes les années à la dignité d'année de millésime. S'il n'y a eu que quatre vendanges millésimées dans les années 50 (1952, 1953, 1955 et 1959) et cinq dans les années 60 (1961, 1962, 1964, 1966 et 1969), la tendance a ensuite été à la hausse : on en compte huit dans les années 70 (à l'exception de 1972 et de 1977) et huit également dans les années 80 (à l'exception de 1984 et de 1987). Beaucoup de maisons auraient donc intérêt à relever leurs critères d'attribution du millésime.

En outre, la qualité des cuvées de brut non millésimées a également baissé. Alors que ces vins ne devraient être commercialisés qu'à maturité, ils se révèlent souvent excessivement verts et acides, et indiquent que non seulement les producteurs ne respectent plus les mêmes standards de qualité que par le passé, mais qu'ils cherchent aussi à diffuser leurs produits le plus rapidement possible. Malheureusement, il n'y a pas de véritable substitut au champagne français, vin distingué et complexe par excellence. Certes, on trouve quelques succédanés à prix nettement moins élevés, notamment les crémants d'Alsace et de Bourgogne, ou les vins pétillants de la vallée de la Loire, de Californie, d'Espagne ou d'Italie. Mais, à part quelques exceptions, aucun de ces breuvages à bulles n'arrive à la cheville du champagne français.

CE QU'IL FAUT SAVOIR

Il faut d'abord que vous dégustiez suffisamment de champagnes pour mieux cerner le style que vous préférez. En outre, il convient de respecter les règles indiquées ci-dessous :

1 - Les cuvées prestige sont en général proposées à des prix excessivement élevés, les maisons de champagne jouant sur l'illusion que, dans l'esprit du consommateur, un prix élevé est synonyme de qualité, ce qui est généralement faux. De plus, les meilleures maisons se livrent aujourd'hui à une compétition effrénée pour produire la bouteille la plus spectaculaire, la plus tapageuse et la plus onéreuse. Or, c'est souvent le consommateur qui fait les frais de ces excentricités, payant entre 100 et 150 F de trop pour une bouteille soufflée à la main et une étiquette sophistiquée.

2 - N'achetez votre champagne que chez un détaillant qui ait un gros débit et qui ne fasse pas de stocks. En effet, ce vin fragile et délicat est, plus que tout autre, sensible aux mauvaises conditions de stockage et à la luminosité. Les bouteilles ayant traîné de 6 à 12 mois sur les rayonnages sont souvent dans un piètre état. Si le champagne que vous venez tout juste d'acheter vous semble mou et peu pétillant, de couleur or-jaune soutenu, c'est qu'il est trop vieux ou qu'il a souffert d'une mauvaise conservation.

3 - N'hésitez pas à essayer les meilleurs champagnes non millésimés que je recommande. Les plus fins d'entre eux égalent presque les cuvées prestige, tout en valant quatre ou cinq fois moins cher.

4 - Désormais, de plus en plus de petites maisons produisent des champagnes de très bonne qualité qu'il serait intéressant de rechercher. Je recommande particulièrement les producteurs suivants : Baptiste-Pertois, Paul Bara, Bonnaire, Cattier, Delamotte, Drappier, Duval-Leroy, Égly-Ouriet, Michel Gonet, Lancelot-Royer, Guy Larmandier, J. Lassalle, Legras, Mailly, Serge Mathieu, Joseph Perrier, ainsi que Ployez-Jacquemart, Alain Robert et Tarlant.

5 - Les indications techniques qui figurent sur l'étiquette recèlent souvent de précieuses informations. Le champagne brut est généralement sec, mais il peut, d'après la législation en vigueur, contenir jusqu'à 0,2 % de sucre ajouté (c'est ce que l'on appelle le « dosage »), tandis qu'un champagne extra-sec peut en contenir entre 1,2 et 2 %. A la dégustation, ce dernier se révélera sec également, mais il semblera plus rond et plus fruité que le brut. Les termes « extra-brut », « ultra-brut », « brut absolu » ou « dosage zéro » indiquent que le champagne n'a subi aucune adjonction de sucre et qu'il est totalement sec. Ce genre de vin est impressionnant, mais austère et maigre.

6 - Voici quelques indications sur les différents formats disponibles en champagne :

nabuchodonosor = 20 bouteilles ; balthazar : 16 bouteilles ; salmanazar : 12 bouteilles ; mathusalem : 8 bouteilles ; réhoboam : 6 bouteilles ; jéroboam : 4 bouteilles ; magnum : 2 bouteilles ; bouteille : 75 cl ; demi-bouteille : 37,5 cl ; quart de bouteille : 20 cl.

STRATÉGIE D'ACHAT

Les prix de certaines cuvées non millésimées, voire de certains champagnes millésimés, ont légèrement baissé, mais ceux des cuvées prestige demeurent extrêmement élevés. Les 1982 comme les 1985 étaient absolument merveilleux, mais ne sont plus disponibles sur le marché. Les millésimes 1986 et 1988, actuellement commercialisés, sont de très bonne tenue, et 1989 semble prometteur. Cependant, les meilleurs champagnes de cette année-là sont pour la plupart diffusés à l'heure actuelle. 1985 demeure le millésime de choix que les amateurs se doivent de posséder. N'oubliez pas qu'il est intéressant de rechercher certains petits producteurs qui proposent de bons champagnes à des prix très raisonnables.

MILLÉSIMES RÉCENTS

1994 Des conditions climatiques très difficiles (la période du 20 août au 1er septembre a été particulièrement pluvieuse) ont donné une très petite vendange de qualité moyenne. Il est donc fort probable que les prix augmenteront de manière significative.

1993 Ne restera pas dans les mémoires, avec une vendange très abondante et de qualité très moyenne.

1992 La vendange était abondante, mais de haute qualité, la Champagne ayant cette année-là échappé au mauvais temps qui a sévi sur tout le sud du pays. Si la qualité se révèle d'aussi bon niveau et la récolte aussi importante qu'on l'a annoncé sur le moment, les prix devraient rester stables, et l'on peut s'en réjouir. Il s'agit peut-être d'une année de millésime.

1991 Année difficile, avec une très petite récolte, dont il est peu probable qu'elle soit millésimée, sauf par les producteurs les plus cupides. Elle peut rivaliser avec 1984 et 1987 pour le titre du millésime le plus désastreux de ces quinze dernières années en Champagne.

1990 Avec une récolte énorme et très mûre, 1990 dispose de tous les atouts pour donner le meilleur champagne depuis 1985. Les vins sont pleins, riches et aromatiques, mais doivent être consommés rapidement en raison de leur faible niveau d'acidité. Compte tenu du volume produit et de la qualité, les cours devraient demeurer stables.

1989 Vendange abondante et de haute qualité, avec des vins assez proches des champagnes 1982, épanouis, riches et onctueux.

1988 Malgré une vendange réduite, il s'agit incontestablement d'une année à millésime ; les vins seront néanmoins plus maigres, plus austères et plus acides que les très flamboyants 1989 et 1990.

1987   L'année la plus désastreuse de la décennie ; certainement pas une année de millésime.

1986   Année de millésime, abondante, avec des vins doux, mûrs et fruités.

1985   Grâce à une vendange suffisamment abondante et d'excellente maturité, 1985 s'impose comme la meilleure année de la décennie avec 1982.

1984   Une année pourrie, ce qui n'empêche pas que l'on trouve quelques champagnes millésimés sur le marché. Y aurait-il autre chose de pourri dans la région ?

1983   Récolte très importante et de bonne qualité. Les vins n'auront certes pas l'opulence ni la richesse crémeuse des 1982, mais ils n'en sont pas très loin. La plupart d'entre eux ayant évolué relativement rapidement, ils sont actuellement délicieux et doivent être bus.

1982   Millésime grandiose, avec des vins mûrs, riches, crémeux et intenses. S'il fallait leur adresser un reproche, ce serait d'être très précoces et plus faibles en acidité que la normale, car ils évoluent rapidement. Or il serait vraiment dommage de manquer l'expérience de ces vins merveilleusement ronds, mûrs et très aromatiques.

1981   Les 1981 sont plutôt maigres et austères ; cependant, plusieurs maisons de champagne ont produit des cuvées millésimées.

VIEUX MILLÉSIMES

1980 est médiocre, 1979 est excellent, 1978 tire sur sa fin et 1976, qui était remarquable, est maintenant sur le déclin. Les 1975 sont encore superbes, comme le sont les 1971, 1969 et 1964 qui auront été bien conservés. Lorsque vous achetez du champagne, qu'il ait 3 ou 20 ans d'âge, renseignez-vous sur la manière dont il a été traité. En effet, il s'agit du vin le plus fragile qui soit, et il pâtit plus que d'autres des mauvaises conditions de conservation.

LES MEILLEURS PRODUCTEURS DE CHAMPAGNE

***** EXCEPTIONNEL

Bollinger (très corsé)

Égly-Ouriet (très corsé)

Gosset (très corsé)

Henriot (très corsé)

Krug (très corsé)

J. Lassalle (légèrement corsé)

Laurent Perrier
   (moyennement corsé)

Pol Roger (moyennement corsé)

Alain Robert (très corsé)

Louis Roederer (très corsé)

Salon (moyennement corsé)

Taittinger (légèrement corsé)

Veuve Clicquot (très corsé)

**** *EXCELLENT*

Baptiste-Pertois
(légèrement corsé)
Paul Bara (très corsé)
Billecart-Salmon
(légèrement corsé)
Bonnaire (légèrement corsé)
De Castellane (légèrement corsé)
Cattier (légèrement corsé)
Charbaut (légèrement corsé)
Delamotte (moyennement corsé)
Diebolt-Vallois
(moyennement corsé)
Drappier (moyennement corsé)
depuis 1985
Alfred Gratien (très corsé)
Grimonnet (moyennement corsé)
Heidsieck Monopole
(moyennement corsé)
Jacquart (moyennement corsé)
Jacquesson (légèrement corsé)
Lancelot-Royer
(moyennement corsé)

Guy Larmandier (très corsé)
Lechère (légèrement corsé)
R. et L. Legras
(légèrement corsé)
Mailly (moyennement corsé)
Serge Mathieu
(moyennement corsé)
Moët et Chandon (moyennement
corsé)****/*****
Bruno Paillard
(légèrement corsé)
Joseph Perrier
(moyennement corsé)
Perrier-Jouët (légèrement corsé)
Ployez-Jacquemart
(moyennement corsé)
Dom Ruinart (légèrement corsé)
Jacques Selosse
(légèrement corsé)
Taillevent
(moyennement corsé)
Tarlant****/*****

*** *BON*

Ayala (moyennement corsé)
Barancourt (très corsé)
Bricout (légèrement corsé)
Canard-Duchêne
(moyennement corsé)
Deutz (moyennement corsé)
Duval-Leroy
(moyennement corsé)
H. Germain (légèrement corsé)
Michel Gonet
(moyennement corsé)
Georges Goulet
(moyennement corsé)

Charles Heidsieck
(moyennement corsé)
Lanson (légèrement corsé)
Launois Père
(légèrement corsé)
Mercier (moyennement corsé)
Mumm (moyennement corsé)
Philipponnat
(moyennement corsé)
Piper-Heidsieck
(légèrement corsé)
Pommery et Greno
(légèrement corsé)

** *MOYEN*

Beaumet-Chaurey
(légèrement corsé)
Besserat de Bellefon
(légèrement corsé)
Boizel (légèrement corsé)

Nicolas Feuillatte
(légèrement corsé)
Goldschmidt-Rothschild
(légèrement corsé)
Jestin (légèrement corsé)

Oudinot (moyennement corsé)
Rapeneau (moyennement corsé)

Alfred Rothschild
  (légèrement corsé)
Marie Stuart (légèrement corsé)

LES MEILLEURS PRODUCTEURS DE CHAMPAGNE NON MILLÉSIMÉ

Billecart-Salmon
Bollinger Cuvée Spéciale
Cattier
Charbaut
Delamotte
Drappier Maurice Chevalier
Gosset Grande Réserve
Krug

Guy Larmandier
Lechère Orient-Express
Bruno Paillard Première Cuvée
Perrier-Jouët
Ployez-Jacquemart
Pol Roger
Louis Roederer Brut Premier
Veuve Clicquot Étiquette jaune

LES MEILLEURS CHAMPAGNES ROSÉS

Billecart-Salmon
Bollinger Cuvée Spéciale
Cattier
Charbaut
Delamotte
Drappier Maurice Chevalier
Gosset Grande Réserve
Krug

Guy Larmandier
Lechère Orient-Express
Bruno Paillard Première Cuvée
Perrier-Jouët
Ployez-Jacquemart
Pol Roger
Louis Roederer Brut Premier
Veuve Clicquot Étiquette jaune

LES MEILLEURS PRODUCTEURS DE BLANC DE BLANCS (100 % CHARDONNAY)

Ayala 1988
Baptiste-Pertois Cuvée Réservée
  non millésimée
Charbaut non millésimé
Delamotte 1985, 1988
Jacquart 1988
Jacquart Cuvée Spéciale
Jacquesson 1990
Krug Clos du Mesnil 1983, 1985

J. Lassalle 1985
R. et L. Legras
Bruno Paillard
Joseph Perrier
  Cuvée Royale
Pol Roger Blanc de Chardonnay
  1985, 1986, 1988
Salon 1982, 1983
Taittinger Comtes de Champagne

LES MEILLEURES CUVÉES PRESTIGE

Bollinger RD 1975, 1982
Bollinger Grande Année
  1985, 1988
Bollinger Vieilles Vignes 1985
Cattier Clos du Moulin 1985

Drappier Grande Sendrée 1985
Heidsieck Monopole
  Diamant Bleu 1985, 1988
Henriot Cuvée
  des Enchanteleurs 1985

Krug 1982, 1985
Lassalle Cuvée Angeline 1985
Laurent Perrier Grand Siècle
  1985, 1988
Moët et Chandon Dom Pérignon
  1982, 1985, 1988
Mumm René Lalou 1985
Joseph Perrier
  Cuvée Joséphine 1985

Pol Roger Cuvée Winston Churchill
  1985, 1988
Louis Roederer Cristal
  1985, 1988
Jacques Selosse non millésimé
Taittinger Comtes
  de Champagne 1985, 1988
Veuve Clicquot La Grande Dame
  1985, 1988

LANGUEDOC
ET
ROUSSILLON

De toutes les régions viticoles françaises, aucune n'a accompli autant de progrès que le Languedoc-Roussillon. Cette vaste région très ensoleillée, limitée par la vallée du Rhône, la Méditerranée, le Massif central et les Pyrénées, produit plus de la moitié du vin de table français. Autrefois connue pour ses vins à peine buvables, acides, épais et alcooliques, élaborés par des caves coopératives plus soucieuses de quantité que de qualité, elle a radicalement changé d'orientation depuis le milieu des années 80. Certains importateurs américains désireux d'innover et à la recherche d'excellentes affaires sous forme de délicieux vins rouges, blancs ou rosés s'y précipitent.

S'étendant sur environ 350 000 ha, la région produit annuellement un océan de 310 millions de caisses : le choix est donc très vaste. Les meilleurs vignobles sont en général situés à flanc de coteau, et leurs sols lourds permettent un parfait écoulement des eaux. A l'exception de la Corse, le Languedoc est la région viticole la plus torride de France, et, si des pluies torrentielles y sont fréquentes l'été, le niveau des précipitations reste faible. En outre, exactement comme dans la partie méridionale de la vallée du Rhône, les vents de l'intérieur et de la Méditerranée balaient la région. Le climat est donc idéal pour la culture d'une vigne saine avec un minimum de fongicides, d'herbicides et d'insecticides.

Les progrès effectués sont à porter au crédit de deux innovations majeures. Il s'agit d'abord des cuves en acier inoxydable à température contrôlée : nécessaires dans cette région chaude, elles permettent en effet d'obtenir des vins plus fruités et dotés d'une plus grande pureté aromatique. Mieux encore, nombre de cépages locaux – tels le carignan, le cinsault et le terret noir pour les vins rouges et rosés, la clairette, l'ugni blanc, le picpoul et le maccabeu pour les vins blancs – ont été délaissés au profit d'autres, plus nobles et plus renommés, comme la syrah, le mourvèdre, le cabernet sauvignon, le merlot et le grenache.

Les cépages de vins blancs principalement utilisés sont le chardonnay, le sauvignon blanc et le chenin blanc. Depuis le milieu des années 80, des milliers d'hectares ont été complantés de ces variétés de vigne.

Dans cette vaste région, qui s'étend du sud-ouest d'Avignon, à la limite des appellations Tavel et Châteauneuf-du-Pape, jusqu'à la frontière espagnole, on dénombre plus de 20 aires de production viticole. Celles-ci offrent une large gamme de vins blancs secs, rosés et rouges, ainsi que les célèbres vins doux naturels, qui sont des vins de dessert légèrement fortifiés. La plupart des vins ne bénéficient du label d'appellation contrôlée que depuis peu, alors que d'autres sont seulement VDQS, ou simples vins de pays. C'est d'ailleurs parmi ces derniers que l'on trouve quelques-uns des meilleurs vins de la contrée.

VUE GÉNÉRALE DES PRINCIPALES APPELLATIONS

Costières de Nîmes   Cette zone, délimitée en appellation contrôlée en 1986, produit des vins blancs, rouges et rosés. Ses vignobles sont situés sur un plateau et sur des pentes de cailloux roulés, dans le delta du Rhône. Le rouge représente 75 % de la production totale, le rosé 20 % et le blanc 5 %. Les deux meilleurs domaines sont, incontestablement, les Châteaux de la Tuilerie et du Campuget, mais le Domaine Saint-Louis-la-Perdrix et le Château Belle-Coste sont aussi très intéressants. Les vins rouges doivent contenir au moins 50 % de carignan. Les autres cépages rouges autorisés sont le cinsault, la counoise, le grenache, le mourvèdre, la syrah et le terret noir, ainsi que deux variétés confidentielles, l'aspirant noir et l'œillade. La clairette et le grenache blanc sont les principaux cépages blancs utilisés, mais on trouve aussi un peu de picpoul, de roussanne, de terret blanc, d'ugni blanc, de malvoisie, de marsanne et de maccabeu.

Coteaux du Languedoc   Cette vaste région, délimitée en appellation contrôlée en 1985, est bordée au nord par Nîmes et au sud par Narbonne, et s'étend sur trois départements, l'Aude, le Gard et l'Hérault. Ses vins portent sur leur étiquette la simple mention « Coteaux du Languedoc » accompagnée parfois du nom du village dont ils sont issus. Deux des meilleurs villages, élevés au rang d'appellation en 1982, sont Saint-Chinian et Faugères. Les cépages sont sensiblement les mêmes qu'en Costières de Nîmes ; toutefois les meilleures propriétés utilisent davantage de syrah, de mourvèdre, de grenache et de counoise pour l'élaboration de leurs vins rouges, au détriment du carignan et du cinsault. Les meilleurs vins de Faugères sont généralement issus des domaines Haut-Fabrègues et Gilbert Alquier, alors que ceux de Saint-Chinian proviennent des domaines des Jougla et Cazal-Viel. Le vin le plus grandiose de toute l'appellation, le plus cher aussi, est celui du Prieuré de Saint-Jean de Bébian. Ce dernier est, avec celui du Mas de Daumas-Gassac (vin de pays), la référence de toute la région Languedoc-Roussillon.

Minervois   Le Minervois a peut-être le plus grand potentiel de toutes les appellations du Languedoc-Roussillon. Si les producteurs n'ont pas toujours été à la hauteur dans le passé, il serait injuste de ne pas signaler les immenses progrès accomplis. Cette vaste région d'environ 5 000 ha, bordée à l'ouest par Carcassonne et à l'est par Saint-Chinian, produisait déjà du vin à l'époque de la Gaule romaine, mais elle ne s'est jamais vraiment relevée de la crise du phylloxéra qui dévasta le vignoble français à la fin du XIXᵉ siècle. Les vignes, dont les meilleures sont situées sur des sols calcaires, sur des pentes douces exposées au sud et abritées des vents du nord, subissent un microclimat, le plus chaud de la région. Si l'on y produit essentiellement du vin rouge, il est relativement courant de trouver également de petites quantités d'un rosé très goûteux. Quant aux vins blancs, ils représentent moins de 2 % de la production totale. On peut citer parmi les meilleures propriétés de l'appellation les Châteaux de Paraza et de Gourgazaud, et les domaines de Daniel Domergue, la Tour Saint-Martin et Sainte-Eulalie.

Corbières Située au sud du Minervois, sur la côte, la région des Corbières bénéficie du statut d'appellation contrôlée depuis peu. Elle s'enorgueillit d'être l'aire de production la plus vaste du Languedoc-Roussillon, avec plus de 23 000 ha de vignes en culture. Les vins rouges, qui représentent 90 % de la production totale, sont principalement issus de carignan, mais les domaines les plus sérieux ont tendance à employer davantage de syrah et de mourvèdre. Les meilleures propriétés de la région sont l'excellent Château Les Palais, les Châteaux Étang des Colombes et La Baronne, et les Domaines Saint-Paul et de Villemajou ; on citera également, au titre des bons vins, ceux de Guy Chevalier, vinifiés à la Cave coopérative Les Vignerons d'Octaviana.

Fitou Délimitée en 1948, elle est la plus ancienne des appellations contrôlées du Languedoc-Roussillon. Bordée au nord par Corbières, elle est composée de deux régions distinctes, dont l'une comprend, à proximité de la côte, des vignobles de plaine aux sols graveleux sur fond calcaire. De l'avis des connaisseurs, aucun vin de haute qualité ne pourra jamais y être produit. Plus loin dans les terres, on trouve sur des coteaux pentus et bien drainés aux sols silico-calcaires les meilleures vignes, qui donnent les vins les plus mûrs, les plus gras et les plus fruités de la région. Les cépages autorisés sont les mêmes que dans les autres aires viticoles du Languedoc, et c'est le carignan qui est le plus utilisé. Cependant, les meilleurs producteurs font un usage accru de syrah, de mourvèdre et de grenache. On trouve également un peu de vin rosé à Fitou, mais je n'ai pas connaissance que l'on y produise du blanc (je pense d'ailleurs que la législation en vigueur ne le permettrait pas).

Côtes du Roussillon et Côtes du Roussillon-Villages Autour de Perpignan, dernier bastion français avant la frontière espagnole, se trouvent les vignobles du Roussillon, qui s'étendent de la côte méditerranéenne vers l'intérieur des terres. Cette région, qui produit du vin depuis le VIIᵉ siècle av. J.-C., présente un potentiel énorme, non seulement pour ce qui est des vins rouges et secs, mais également pour des vins doux et fortifiés, souvent excellents dans cette terre de soleil battue par les vents. Les meilleurs vignobles, qui ont droit à l'appellation Côtes du Roussillon ou Côtes du Roussillon-Villages, sont disposés à flanc de coteau et en arc de cercle face à la Méditerranée. Avec un sous-sol calcaire et granitique, ils bénéficient d'un été extraordinairement chaud, les pluies étant exclusivement dues à des orages. Je suis, pour ma part, toujours surpris par le prix très raisonnable de ces vins, alors qu'il faut un travail considérable pour cultiver les vignobles en terrasses de ce terroir. De petites quantités de vin blanc sont produites à partir de cépages confidentiels, comme le malvoisie et le maccabeu. Quant aux vins rouges, issus de l'omniprésent carignan, ainsi que de grenache, de mourvèdre et de syrah, ils sont très corsés, relativement riches, énormes, charnus et poivrés. Malgré leur douceur et leur caractère souple dans leur jeunesse, beaucoup peuvent être conservés pendant plus d'une décennie. On trouve les meilleurs Côtes du Roussillon et Côtes du Roussillon-Villages dans les domaines Pierre d'Aspres, Cazes Frères, Château de Jau, Sarda-Malet, Salvat et Saint-Luc. Il existe également plusieurs caves coopératives, que je n'ai jamais visitées, mais nombre d'entre elles se sont distinguées, notamment celle de Maury.

Collioure   Cette appellation, la plus petite de la région pour les vins rouges, se trouve au sud des Côtes du Roussillon. Ses vignobles en terrasses se situent pour la plupart sur les pentes qui dominent la Côte Vermeille, et les vins rouges sont principalement issus d'un mélange de grenache, de carignan, de mourvèdre, de syrah et de cinsault. Les rendements sont habituellement restreints dans cette aire de production, et les vins relativement riches et pleins. Les meilleurs Collioure proviennent du Domaine du Mas Blanc du Dr Parcé, très connu aussi pour ses fabuleux vins fortifiés de Banyuls, semblables à des Porto. On trouve généralement deux cuvées de Collioure, l'une appelée Les Piloums et l'autre Cosprons Levants. La production de Thierry Parcé du Domaine de la Rectorie et celle du Cellier des Templiers sont dignes d'intérêt.

Vins doux naturels   La région offre toute une variété de vins doux fortifiés, qui comptent parmi les plus intéressants sous le rapport qualité/prix en Europe. Les plus célèbres sont ceux de Banyuls (sur la côte au sud de Perpignan) et de Maury (sur les coteaux au nord de Perpignan). La législation en vigueur veut que les riches vins fortifiés de ces deux appellations contiennent au minimum 50 % de grenache, et les Banyuls qui prétendent au titre de grand cru doivent en contenir 75 %.

On produit également des vins doux en appellation de Muscat : il s'agit des Rivesaltes, Lunel, Frontignan, ainsi que des Mireval et Saint-Jean-de-Minervois, deux aires de production plus réduites. Les régions de Muscat de Frontignan et de Muscat de Mireval sont tout près de l'Hérault, tandis que la région de Muscat de Lunel se situe à l'est de Nîmes, dans la partie nord du Languedoc-Roussillon.

Les vins les plus renommés de ce périmètre sont les grandioses Banyuls du Dr Parcé, en passe d'entrer dans la légende. Ils sont capables de vieillir sur une très longue période, et leurs prix sont vraiment remarquables (nettement inférieurs à celui des Porto millésimés et vieillis).

Présentation

TYPES DE VIN

Les appellations, les vins, les domaines et les terroirs du Languedoc-Roussillon sont assez mal connus des amateurs, et cela explique les prix intéressants. Cette région offre une palette de vins particulièrement impressionnante, depuis de très bons pétillants, comme la Blanquette de Limoux, jusqu'aux Banyuls – équivalents français des Porto millésimés, en passant par les Muscat, merveilleusement doux et aromatiques, comme celui de Frontignan, et les nombreux vins rouges doux et fruités, les meilleurs provenant du Minervois, de Faugères, des Côtes du Roussillon, des Costières du Gard et des Corbières. Les vins blancs, à l'exception des Muscat, ne sont pas une spécialité de la région.

CÉPAGES

Le **grenache**, le **carignan**, le **cinsault**, le **mourvèdre** et la **syrah** sont les principaux cépages rouges de cette région torride, mais on y trouve de plus en plus de **cabernet sauvignon** et de **merlot**.

Quant aux vins blancs, ils sont pour la plupart issus de **chardonnay**, de **sauvignon blanc** et de **chenin blanc** ; cependant, les cépages traditionnels de la région, rustiques et rudes – tels l'**ugni blanc**, le **picpoul** et le **maccabeu** – sont également utilisés, de même que la **marsanne** et la **roussanne**, deux variétés de meilleure qualité.

ARÔMES

Jusqu'à la fin des années 80, les vins de cette région méridionale et chaude péchaient non par manque de maturité, mais au contraire parce que issus de raisins trop mûrs. Aujourd'hui, l'avènement d'une nouvelle génération de vinificateurs enthousiastes et bien équipés, et l'utilisation de cuves thermorégulées en acier inoxydable permettent la production de vins merveilleusement évolués, parfumés et fruités, vendus à prix fort raisonnables. En outre, les producteurs apportent une plus grande attention à la date des vendanges, afin de ramasser le raisin à maturité optimale. On trouve une grande diversité dans le style des vins : certains sont robustes, avec un potentiel de garde sérieux, d'autres, issus de macération carbonique, sont fruités et destinés à être consommés rapidement. Les meilleurs producteurs proposent des cuvées prestige, vieillies en fûts de chêne neuf et demeurant pour l'instant à des prix abordables. Nombre d'entre elles sont de véritables réussites, alors que d'autres sont par trop boisées.

POTENTIEL DE GARDE

Les vins rouges du Mas de Daumas-Gassac, du Prieuré Saint-Jean de Bébian et de certains autres grands producteurs peuvent évoluer de belle manière sur 10 à 15 ans. Les plus aptes à une longue garde sont les Banyuls. Semblables à des Porto, ils peuvent se conserver pendant une bonne trentaine d'années lorsqu'ils sont élaborés par des vinificateurs aussi talentueux que le Dr Parcé. Les autres vins rouges doivent être consommés dans les 5 à 7 ans qui suivent le millésime, et les vins blancs plus rapidement.

QUALITÉ DES VINS

Longtemps médiocre, la qualité des vins du Languedoc-Roussillon s'est nettement améliorée ces dernières années, et les consommateurs ont compris qu'ils pouvaient trouver dans cette région des produits de bonne tenue à des prix raisonnables.

CE QU'IL FAUT SAVOIR

La plupart des consommateurs, ainsi que nombre de professionnels, ne sont pas capables de citer plus de deux ou trois producteurs de vins du Languedoc-Roussillon. Cependant, il faut faire l'effort de connaître les meilleurs si vous souhaitez réaliser de bonnes affaires.

STRATÉGIE D'ACHAT

A l'exception des vins du Dr Parcé, du Mas de Daumas-Gassac et du Prieuré de Saint-Jean de Bébian (capables de durer 10 ans), ainsi que de quelques cuvées prestige, n'achetez aucun millésime antérieur à 1990. Pour les autres producteurs, 1994, 1991 et 1990 peuvent être considérés comme des millésimes de choix.

DES VINS PÉTILLANTS INTÉRESSANTS

La Blanquette de Limoux est probablement l'un des meilleurs vins blancs pétillants de France, l'un des moins connus aussi. Cette appellation cachée du Languedoc-Roussillon, située au nord de la frontière espagnole, produit le vin mousseux le plus ancien du pays, puisqu'on le faisait déjà un siècle avant qu'un moine, du nom de Dom Pérignon, ne découvre le champagne.

Principalement issue de chardonnay, de chenin blanc et de mauzac, la Blanquette de Limoux atteint une qualité souvent proche de celle des meilleurs champagnes non millésimés pour un prix trois fois inférieur. Les meilleures Blanquette de Limoux sont le Saint-Hilaire Blanc de Blancs, celle de la maison Guinot, et les deux meilleurs vins de la coopérative Aimery, la Cuvée Aldéric et la Cuvée Sieur d'Arques.

LES PLUS GRANDS VINS DU MONDE POUR ACCOMPAGNER LE CHOCOLAT

Les Banyuls de vendanges tardives élaborés par le Dr Parcé au Domaine du Mas Blanc sont des vins absolument uniques au monde. Son Banyuls « Sec », issu de grenache, très corsé et d'une richesse explosive, doit être bu, entre amis, quand souffle le vent d'automne ou quand l'hiver blanchit les toits. Son Collioure, autre vin rouge et sec, merveilleusement vinifié et complexe, est composé à 40 % de syrah, à 40 % de mourvèdre et à 20 % de grenache. Il faut aussi goûter son célèbre Banyuls, semblable à un Porto, issu de grenache très mûr. Ce vin complexe et luxuriant est le seul qui, à ma connaissance, accompagne bien le chocolat. Spectaculaire, titrant 16 à 18°, il est capable d'évoluer 20 à 25 ans. Le Dr Parcé élabore également une Cuvée Vieilles Vignes qui est encore plus époustouflante. Compte tenu de la qualité de ces vins, les prix pratiqués sont intéressants.

Le Domaine Mas Amiel de l'appellation Maury (très peu connue) offre aussi un extraordinaire vin luxuriant qui peut parfaitement accompagner le chocolat. Proche du Porto, il est d'une qualité sensationnelle pour un prix remarquablement bas. A ne pas manquer.

MERVEILLEUX MUSCAT

Si vous êtes à la recherche d'un vin doux, mûr, mielleux et aromatique, à prix raisonnable, qui puisse bien accompagner fruits frais ou tartes aux fruits, tournez-vous sans hésiter vers le Muscat de Frontignan du Château de la Peyrade ou le Muscat de Lunel du Clos Bellevue (les prix tournent autour de 75 F). Très entêtants, ils déploient toute la séduction, tout le charme et toute la puissance dont est capable cette appellation. Le Domaine Cazes Frères propose, quant à lui, un splendide Muscat de Rivesaltes à environ 100 F.

MILLÉSIMES RÉCENTS

Cette région est en permanence baignée de soleil et de chaleur. Les millésimes s'y montrent très réguliers, et la qualité des vins dépend surtout de l'existence ou non d'un matériel moderne permettant de contrôler les températures au moment des vinifications. Parmi les meilleurs millésimes récents, on peut citer 1994 et 1991 (qui a connu ici l'une des plus grandes réussites de tout le pays), ainsi que 1990 et 1989 ; 1992 et 1993 présentent certaines irrégularités, compte tenu des pluies qui sont tombées au moment des vendanges, mais les cépages blancs ont été dans leur grande majorité récoltés avant le déluge. Ces précipitations ont été très localisées : si certains vignobles ont été inondés, d'autres ont été épargnés. L'importance du millésime est moindre dans une région comme le Languedoc-Roussillon, la maturation de la vendange ne constituant jamais un problème. Depuis 1987, chaque année marque une nette amélioration de la qualité d'ensemble.

LES MEILLEURS PRODUCTEURS DU LANGUEDOC-ROUSSILLON

***** EXCEPTIONNEL

Aucun

**** EXCELLENT

Domaine L'Aiguelière-Montpeyrous
(Coteaux du Languedoc)
Gilbert Alquier Cuvée
Les Bastides (Faugères)
Domaine d'Aupilhac (VDP)
Château La Baronne (Corbières)
Château Bastide-Durand (Corbières)
Domaine Bois Monsieur
(Coteaux du Languedoc)
Château de Calage
(Coteaux du Languedoc)
Château du Campuget
Cuvée Prestige
(Costières de Nîmes)
Domaine Capion (VDP)
Domaine Capion Merlot (VDP)
Château de Casenove
(Côtes du Roussillon)
Les Chemins de Bassac
Pierre Élie (VDP)
Domaine La Colombette (VDP)
Daniel Domergue
(Minervois)****/*****
Château Donjon
Cuvée Prestige (Minervois)
Château des Estanilles
(Faugères)
Château des Estanilles
Cuvée Syrah (Faugères)
Château Hélène
Cuvée Hélène de Troie (VDP)
Domaine de l'Hortus (Coteaux
du Languedoc)****/*****
Château des Lanes (Corbières)
Domaine Maris (Minervois)
Domaine Mas Amiel (Maury)

Mas des Bressades
Cabernet Sauvignon
(Costières de Nîmes)
Mas des Bressades Syrah
(Costières de Nîmes)
Mas de Daumas-Gassac
(Hérault)****/*****
Mas Jullien Les Cailloutis
(Coteaux du Languedoc)
Mas Jullien Les Dedierre
(Coteaux du Languedoc)
Château d'Oupia
Cuvée des Barons (Minervois)
Château Les Palais (Corbières)
Château Les Palais
Cuvée Randolin (Corbières)
Château de Paraza
Cuvée Spéciale (Minervois)
Domaine du Mas Blanc
du Dr Parcé
(Banyuls)****/*****
Domaine Peyre Rose
Clos des Sistes (Coteaux
du Languedoc)****/*****
Domaine Peyre Rose
Clos Syrah (Coteaux
du Languedoc)****/*****
Château Routas Infernet
(Coteaux Varois)
Château Routas Truffière
(Coteaux Varois)
Prieuré de Saint-Jean
de Bébian (Coteaux
du Languedoc)****/*****
Catherine de Saint-Juery
(Coteaux du Languedoc)

Château La Sauvageonne (Coteaux
du Languedoc)****/*****
Château Le Thou (VDP d'Oc)

Domaine La Tour Boisée
Cuvée Marie-Claude
(Minervois)

*** BON

Abbaye de Valmagne
(Coteaux du Languedoc)
Gilbert Alquier (Faugères)
Domaine de l'Arjolle
(Côtes de Thongue)
Pierre d'Aspres
(Côtes du Roussillon)
Domaine des Astruc (VDP)
Château Belle-Coste (VDP)
Château de Blomac
Cuvée Tradition (Minervois)
Château du Campuget
(Costières de Nîmes)
Domaine Capion Syrah (Hérault)
Château Capitoul
(Coteaux du Languedoc)
Cazal-Viel (Saint-Chinian)
Cazal-Viel Cuvée Georges A. Aoust
(Saint-Chinian)
Domaine Cazes Frères
(Côtes du Roussillon)
Cellier des Templiers (VDP)
Guy Chevalier La Coste (Corbières)
Guy Chevalier La Coste
Cabernet/Syrah (VDP)
Guy Chevalier L'Église
Grenache Noir (Corbières)
Guy Chevalier Le Texas
Syrah (Corbières)
Domaine Dona Baissas
(Côtes du Roussillon)
Château Étang des Colombes
Cuvée du Bicentenaire
(Corbières)
Château Fabas
Cuvée Alexandre (Minervois)
Domaine des Gautier (Fitou)
Château de Gourgazaud (Minervois)
Domaine de Gournier (VDP)
Château Haut-Fabrègues
(Faugères)***/****

Le Jaja de Jau (VDP)
Les Jamelles (VDP)
Château de Jau
(Côtes du Roussillon)
Domaine Lalande (VDP d'Oc)
Laville-Bertrou (Minervois)
Château de Luc (Corbières)
Mas de Bressades (VDP)
Mas Champart
(Coteaux du Languedoc)
Mas Jullien Les Vignes Oubliées
(Coteaux du Languedoc)
Mas de Ray Cuvée Caladoc
(Bouches-du-Rhône)
Mas de Ray Cuvée Camargue
(Bouches-du-Rhône)
Château Maurel Fonsalade
(Saint-Chinian)
Domaine La Noble (VDP)
Château d'Oupia (Minervois)
Château Les Palais (Corbières)
Domaine du Mas Blanc
du Dr Parcé Collioure
Les Piloums (Banyuls)
Domaine du Mas Blanc
du Dr Parcé Collioure
Cosprons Levants (Banyuls)
Thierry Parcé (Collioure)
Château de Pena
Côtes du Roussillon-Villages
(Côtes du Roussillon)
Château de la Peyrade
(Muscat de Frontignan)
Domaine Piccinini (Minervois)
Domaine de Pilou (Fitou)
Domaine de Pomarèdes
Merlot (VDP)
Château La Roque
(Coteaux du Languedoc)
Château Rouquette-sur-Mer
(Coteaux du Languedoc)

Château Routas Agrippa
  (Coteaux Varois)***/****
Château Routas Traditionnel
  (Coteaux Varois)
Domaine du Sacré-Cœur
  (Saint-Chinian)
Domaine Saint-Paul
  (Corbières)
Domaine Salvat
  (Côtes du Roussillon)

Sarda-Malet Carte Noire
  (Côtes du Roussillon)
Tour Saint-Martin (Minervois)
Domaine Sainte-Eulalie (Minervois)
Château de la Tuilerie
  (Costières de Nîmes)
Bernard-Claude Vidal (Faugères)
Les Vignerons d'Octaviana Grand
  Chariot (Corbières)
Domaine de Villemajon (Corbières)

** *MOYEN*

Domaine des Bories (Corbières)
Domaine du Bosc (Hérault)
Domaine du Boscaute (Hérault)
Château de Cabriac (Corbières)
Domaine de Capion (Hérault)
Domaine de Coujan (VDP)
Château L'Espigne (Fitou)
Château Étang des Colombes
  Cuvée Tradition (Corbières)
Domaine de Fontsainte (Corbières)
Château Grézan (Faugères)
Château Hélène (VDP)
Domaine des Jougla
  Cuvée Tradition (Saint-Chinian)
Domaine des Jougla
  Cuvée Étiquette blanche
  (Saint-Chinian)
Château de Lascaux
  (Coteaux du Languedoc)
Domaine de la Lecugne (Minervois)
Domaine de Mayranne (Minervois)
Château Milhau-Lacugue
  (Saint-Chinian)

Château La Mission Le Vignon
  (Côtes du Roussillon)
Caves de Mont Tauch (Fitou)
Domaine de Montmarin
  (Côtes de Thongue)
Château de Nouvelles (Fitou)
Château de Paraza (Minervois)
Cuvée Claude Parmentier (Fitou)
Château de Pech Redon
  (Coteaux du Languedoc)
Domaine Perrière
  Les Amandiers (Corbières)
Armand de Villeneuve
  (Côtes du Roussillon)
Château de Queribus (Corbières)
Domaine de la Rectorie (Banyuls)
Domaine de la Roque
  (Coteaux du Languedoc)
Château de Roquecourbe
  (Minervois)
Saint-André (Hérault)
Château Saint-Auriol (Corbières)
Château Saint-Laurent (Corbières)

VALLÉE DE LA LOIRE
ET
CENTRE

Présentation

Les amateurs de vins connaissent peut-être davantage la vallée de la Loire pour ses châteaux que pour ses vins, et cela est dommage, car cette région en produit d'absolument remarquables. S'étirant sur un tiers de la longueur du cours sinueux de ce large fleuve, elle offre une diversité de cépages plus importante encore que les deux plus prestigieuses régions que sont le Bordelais et la Bourgogne.

La vallée de la Loire est en effet une aire viticole assez complexe, avec 60 appellations et zones délimitées pour la production de vins délimités de qualité supérieure (VDQS). La production de vins blancs, qui y est de loin la plus importante, est à base de trois principaux cépages blancs. Le sauvignon blanc s'exprime le mieux à Sancerre et à Pouilly-Fumé, alors que le chenin blanc atteint des sommets en Vouvray, Savennières, Bonnezeaux, Coteaux du Layon et Quarts de Chaume, où il donne des blancs secs, doux et pétillants. Enfin, il y a le muscadet, dont le véritable nom est melon de Bourgogne. En Touraine et en Anjou ainsi qu'à Bourgueil, Chinon et Saint-Nicolas-de-Bourgueil, le gamay, le cabernet franc et le cabernet sauvignon donnent des vins rouges légers, francs, fruités et herbacés. Les rosés, bien que de qualité extrêmement irrégulière, peuvent être délicieux. Ils proviennent pour la plupart de Sancerre, de Chinon, d'Anjou et de Reuilly.

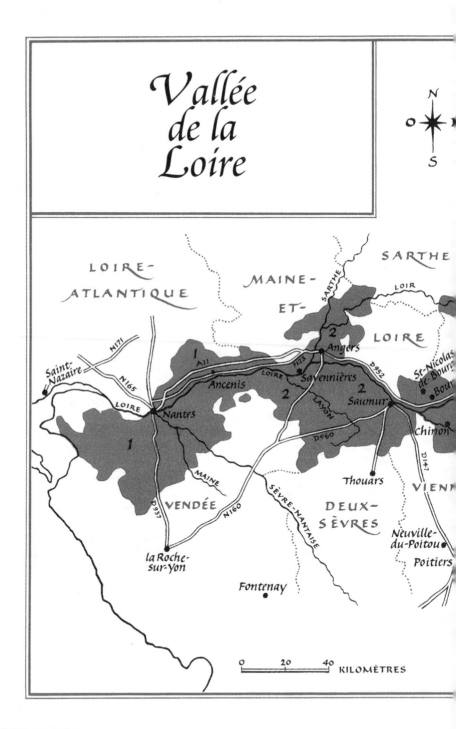

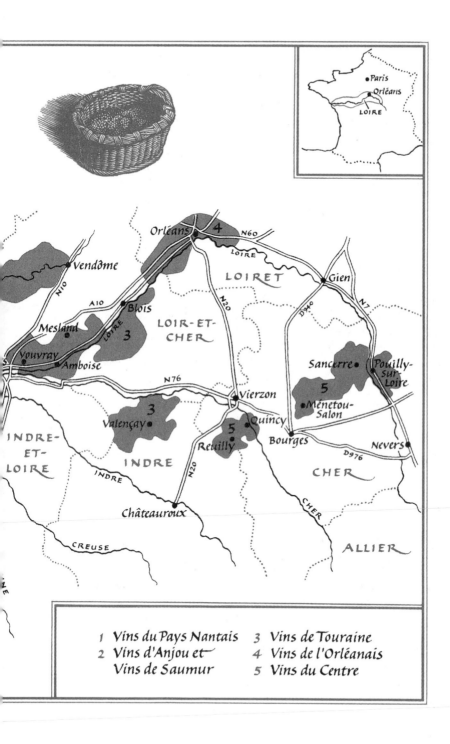

1 Vins du Pays Nantais   3 Vins de Touraine
2 Vins d'Anjou et   4 Vins de l'Orléanais
   Vins de Saumur   5 Vins du Centre

CÉPAGES

Le chenin blanc, le sauvignon blanc, le muscadet et le gros-plant sont les quatre principaux cépages utilisés dans la région, mais on trouve également du chardonnay, notamment dans les aires de production de VDQS en Haut-Poitou. Pour les vins rouges, les vignobles classés en VDQS utilisent le gamay et le pinot noir, mais la plupart des meilleures appellations sont presque entièrement complantées en cabernet sauvignon et en cabernet franc.

LES APPELLATIONS ET LES VDQS

Anjou L'Anjou est plutôt connu pour ses vins rosés, dont la gamme s'étend du sec au moyennement doux. Cependant, depuis le milieu des années 80, ceux qui étaient à l'affût de bonnes affaires ont accordé davantage d'attention aux vins rouges de la région. Issus de cabernet sauvignon, de cabernet franc et de gamay, ils sont en effet peu chers, légèrement corsés et fruités. Les vins de gamay en particulier (ce cépage se porte particulièrement bien en Anjou) sont très richement fruités, alors que ceux de cabernet, que certains apprécient beaucoup, sont trop végétaux pour mon goût.

Lorsque les vins blancs de chenin blanc, de chardonnay et de sauvignon blanc sont vinifiés selon les méthodes modernes, ils se révèlent légers, fruités et très aromatiques, et sont en général très appréciés des consommateurs. On trouve également un vin pétillant appelé « Mousseux d'Anjou » dont la qualité première est le prix relativement peu élevé.

LES MEILLEURS PRODUCTEURS D'ANJOU

Ackerman-Laurance (vins
   mousseux)**
Colombier**
Château de Chamboureau**

Fougeraies**
Clos de Goulaine**
Richou**
Château des Rochettes**

Bonnezeaux Seul le chenin blanc est utilisé à Bonnezeaux. Il y donne des vins dont la richesse, la complexité et le potentiel de garde sont absolument prodigieux, et qui illustrent bien les sommets que peut atteindre ce cépage. Fabuleusement riches et doux, ils peuvent se conserver pendant des décennies. Ce grand cru, qui est en fait enclavé dans les Coteaux du Layon, a produit des vins d'une richesse phénoménale en 1989 et en 1990. Dans les millésimes récents, 1991, 1992 et 1993 présentaient quelques difficultés, mais 1994 devrait se révéler assez bon.

LES MEILLEURS PRODUCTEURS DE BONNEZEAUX

Domaine de la Croix des Loges (Christian Bonnin)****
Château de Fesles (cette propriété mériterait un classement particulier)****
Domaine du Petit Val**/***

Bourgueil J'ai souvent remarqué que le Bourgueil était l'un des vins préférés des Parisiens. Fruité, offrant à la fois au nez et en bouche des arômes de framboise, il doit être consommé avant 5 ou 6 ans d'âge. Cependant, sauf quand la vendange atteint un stade de maturité assez exceptionnel comme en 1989 et en 1990, il se montre terriblement végétal. Le millésime 1994 semble s'imposer comme le meilleur depuis 1990.

LES MEILLEURS PRODUCTEURS DE BOURGUEIL

Caslot-Galbrun***	Lamé-Delille-Boucard***
Christophe Chasle***	Domaine des Mailloches****
Pierre-Jacques Druet****	Domaine des Ouches****
Domaine des Forges***/****	

Cabernet d'Anjou Si le nom évoque plutôt les rouges, il s'agit en fait d'un rosé, généralement herbacé et douceâtre. Je ne l'apprécie guère, mais, si vous souhaitez vous jeter à l'eau, essayez les vins des producteurs ci-dessous.

LES MEILLEURS PRODUCTEURS DE CABERNET D'ANJOU

Bertrand**	Poupard**
Château de Tigné**	Verdier**

Châteaumeillant Située à proximité de Sancerre, cette région peu connue ne bénéficie pas du statut d'appellation, mais de celui d'aire de VDQS. On y cultive du gamay et un peu de pinot noir. Les seuls vins de ce terroir reculé qu'il m'ait été donné de goûter étaient très peu chers, mais pitoyables et aqueux, comme des beaujolais dilués.

Cheverny Non loin des châteaux de Chambord et de Blois se trouve Cheverny. Cette partie de la vallée de la Loire n'a pas droit au statut d'appellation, mais seulement à celui d'aire de production de VDQS. Le sauvignon blanc et le gamay sont les cépages qui s'y expriment le mieux, et on y fait également des vins blancs secs et acides, issus d'une variété confidentielle appelée le romorantin. Ils sont généralement peu chers mais seuls quelques-uns sont intéressants. Les meilleurs millésimes récents sont 1994 et 1990 ; toutefois, préférez les premiers, car ces vins vieillissent très rapidement.

LES MEILLEURS PRODUCTEURS DE CHEVERNY

Domaine de la Gaudronnière (Dorléans-Ferrand)****	Domaine Gendrier***
	Domaine de Veilloux***

Chinon C'est à Chinon que l'on trouve les meilleurs vins rouges de la vallée de la Loire. Issus de cabernet franc, ils présentent dans les années de bonne maturité, comme 1990, un abondant fruité d'herbes et de framboise. Dans les autres millésimes, ils sont terriblement acides et végétaux. Je ne suis pas particulièrement amateur des vins de Chinon, mais cela ne m'empêche pas d'en admirer les meilleurs producteurs. Nombre d'entre eux respectent la règle de l'intervention minimale en matière de vinification et produisent des vins artisanaux qui méritent d'être dégustés. Le meilleur millésime récent est 1990, suivi de 1989 et de 1992.

LES MEILLEURS PRODUCTEURS DE CHINON

Baudry***
Couly-Dutheil***
Duret***
Château de la Grille***

Charles Joguet (incontestablement
  le meilleur)****/*****
Olga Raffault****
Domaine de la Roche-Honneur**
Domaine du Roncée***

Côte Roannaise La Côte Roannaise, aire de VDQS, est plus proche de Lyon que des châteaux de la Loire. Le gamay y règne, cependant on y trouve également un peu de pinot noir. Ces vins, qui peuvent rivaliser avec les beaujolais, sont fort peu bus hors de France, mais ceux des producteurs ci-dessous sont dignes d'attention.

LES MEILLEURS PRODUCTEURS DE CÔTE ROANNAISE

Chargros**
Lapandéry**/***

Chaucesse**/***
Domaine du Pavillon
  (Maurice Lutz)***

Coteaux d'Ancenis Cette obscure région viticole, située non loin de celle du Muscadet, est complantée en cabernet franc, en gamay et en gros-plant. Je n'ai jamais goûté ses vins et je n'en ai même jamais vu une bouteille.

Coteaux de l'Aubance A proximité des Coteaux du Layon se trouve cette appellation pleine d'avenir, où le chenin blanc fait des merveilles et donne des vins blancs doux qui constituent une fort bonne affaire, compte tenu de leur faible notoriété. Ces vins peuvent être conservés pendant des décennies.

LES MEILLEURS PRODUCTEURS DE COTEAUX DE l'AUBANCE

Bablut***
Balland-Chapuis***
Domaine de Haute-Perche
  (Papin)***

Domaine Didier Richou
  (notamment la Cuvée
  Les Trois Demoiselles)****
Château des Rochettes
  (Chauvin)****

Coteaux du Giennois Cette région, située au nord de Sancerre, pourrait produire des vins d'un excellent rapport qualité/prix, mais, à l'heure actuelle, ils sont pour la plupart inintéressants. Le meilleur producteur est Balland-Chapuis***.

Coteaux du Layon C'est l'une des appellations les plus renommées de la vallée de la Loire. Elle produit des vins doux et luxuriants, issus de chenin blanc attaqué par cette même pourriture noble qui a fait la réputation des Sélections de grains nobles d'Alsace, ainsi que celle des Barsac et des Sauternes dans le Bordelais. Les millésimes 1989 et 1990, absolument spectaculaires et considérés comme les plus grandioses depuis 1959 et 1947, ont fait prendre conscience aux amateurs qu'il y avait là des vins de grande qualité et à des prix tout à fait raisonnables. Il faut également savoir que certaines étiquettes portent la mention « Coteaux du Layon-Villages », les autorités ayant accordé à sept villages de l'appellation le droit d'y faire figurer leur nom. Les meilleurs de ces vins sont parfaits à l'apéritif, pour leur fruité opulent marqué par des arômes de pêche et d'abricot, mais je pense qu'il vaut mieux les déguster seuls, après le repas. Les meilleurs millésimes sont 1989 et 1990, et, si tant est que vous puissiez encore en dénicher des bouteilles, 1986 et 1983.

LES MEILLEURS PRODUCTEURS DE COTEAUX DU LAYON

Alfred Bidet***
Domaine de Brizé****
Domaine Cady-Valette***
Clos de Sainte-Catherine (Baumard)*****
Jean-Louis Foucher***
Domaine Gaudard***
Guimonière***/****
Domaine des Hauts Perrays***/****
Pascal Jolivet***/****
Domaine des Maurières (Fernand Moron)****
Château Montenault (Clos de la Hersé)****
La Motte (André Sorin)***

Moulin-Touchais (ce producteur propose encore à la vente toute une série de vieux millésimes, remontant jusqu'aux années 40)***
Domaine Ogereau***
Château de Passavant (Jean David)***
Château des Rochettes****
Domaine de la Pierre Blanche (Vincent Lecointre)***
Domaine de la Pierre Saint-Maurille***
La Soucherie (Pierre-Yves Tijou)****
Domaine de Villeneuve***

Coteaux du Vendômois Cette région VDQS, située au nord de Tours, produit des vins rouges souffreteux, issus de pinot noir, de gamay et d'un cépage incongru appelé le pineau d'Aunis, ainsi que des vins blancs maigres à base de chardonnay et de chenin blanc. Elle ne présente aucun intérêt.

Côtes d'Auvergne Cette aire de production de VDQS produit des vins rouges issus de gamay, légers et insipides, aux arômes de fraise et de cerise. On en trouve aussi quelques-uns à base de pinot noir, le meilleur producteur étant Michel Bellard***, qui fait également un rosé vif et très parfumé.

Crémant de Loire C'est la meilleure appellation de la vallée de la Loire pour les vins pétillants, blancs et rosés. Si les importateurs américains se décidaient à les faire venir outre-Atlantique dans de bonnes conditions, les amateurs auraient la possibilité de découvrir ces vins goûteux et légers, généralement peu onéreux. La plupart ne sont pas millésimés, si bien qu'il est important de n'acheter que des bouteilles qui n'ont pas traîné, ce qu'il est impossible de savoir avant d'avoir fait sauter le bouchon. Le Crémant de Loire doit être consommé avant d'avoir atteint 2 ans d'âge.

LES MEILLEURS PRODUCTEURS DE CRÉMANT DE LOIRE

Ackerman-Laurance***   Gratien et Meyer***
Domaine Gabillière***

Gros-Plant du Pays Nantais Ce n'est qu'une région de VDQS entièrement complantée du cépage blanc le plus terne et le plus désagréable au monde, le grosplant, encore appelé en France picpoul ou folle blanche. Généralement utilisé dans les assemblages pour étayer d'autres cépages plus riches et moins acides, le grosplant peut, lorsqu'il n'est pas mûr, décaper vos dents par son acidité et sa verdeur. Malgré son prix extrêmement bas, il vaut mieux s'en tenir éloigné. Certains des producteurs les plus importants de la région (tels Métaireau et Sauvion) commencent tout juste à maîtriser sa terrible acidité, mais il est préférable de dépenser quelques francs de plus pour un Muscadet. A moins, bien sûr, que vous ne soyez masochiste dans l'âme...

Haut-Poitou Cette région de VDQS est dominée par l'énorme cave coopérative de Neuville. Ainsi, n'importe qui peut se porter acquéreur d'une cuvée et la frapper d'une étiquette « Le Haut-Poitou de Monsieur Dupont ». Cependant, les vins blancs, comme ceux issus de sauvignon blanc et de chardonnay, sont légers, frais et floraux, ce qui est assez étonnant quand on considère leur prix. En revanche, les vins rouges de cabernet sauvignon, de cabernet franc et de gamay sont infâmes, verts, caustiques aux lèvres, sans beaucoup d'arômes, très acides et végétaux. La cave coopérative est, à ma connaissance, le seul producteur de la région.

Jasnières Située au nord de Tours, l'appellation Jasnières offre sur 19 ha des vins blancs très secs d'excellente qualité. Ils ne sont pas faciles à trouver, mais, si l'occasion se présente, dégustez-en et appréciez leur délicatesse – et leur rareté.

LES MEILLEURS PRODUCTEURS DE JASNIÈRES

Gaston Cartereau****   Domaine de la Chanière****
J.-B. Pinon***

Menetou-Salon Cette petite appellation (une centaine d'hectares) offre d'excellents vins blancs, issus de sauvignon blanc, des rosés légèrement corsés, herbacés et épicés, ainsi que des vins rouges de pinot noir. Les meilleurs vins à acheter sont à mon avis les Sauvignon, pour leur nez piquant et herbacé de terre et de groseille, ainsi que pour les notes, vives et riches, d'herbes aromatiques qu'ils déploient en bouche. Le meilleur millésime récent est 1990, suivi de 1982 et de 1989.

LES MEILLEURS PRODUCTEURS DE MENETOU-SALON

Domaine de Chatenoy***
Domaine Chavet****
  (nombreux sont ceux qui tiennent
  les rosés secs issus de pinot noir
  de ce domaine pour les meilleurs
  de France)

Cuvée Pierre Alexandre****
Marc Lebrun***
Henri Pellé***/****

Montlouis Cette appellation, que l'on considère souvent comme la petite sœur de celle, voisine et plus célèbre, de Vouvray, produit toute une gamme d'excellents vins pétillants et issus de chenin blanc, qui va du totalement sec au mielleux, doux et même poisseux. On trouve également des vins blancs, du sec au moyennement doux. Ces vins sont moins chers que les Vouvray, et ceux des meilleurs producteurs sont généralement de bonne qualité.

LES MEILLEURS PRODUCTEURS DE MONTLOUIS

Domaine Berger***
Domaine Délétang*****
Domaine de l'Entre-Cœurs***

Domaine de Labarre***
Claude Levasseur***/****
Pierre Mignot***

Muscadet Cette vaste région viticole est surtout connue pour ses vins frais et peu chers, qui doivent être consommés dans les quelques années qui suivent la vendange. On trouve bien sûr du Muscadet générique, mais celui de Sèvre-et-Maine, élevé sur lie par les meilleurs producteurs, est encore plus agréable. Ce vin, qui se distingue par sa fraîcheur et sa vivacité, se marie parfaitement avec les fruits de mer. L'appellation présente des Muscadet de diverses qualités : insipides, creux et plats ou débordants de caractère. Les lecteurs pourront trouver les meilleurs producteurs dans la liste qui suit. Dans les millésimes récents, les 1994 et 1990 se distinguent, mais les derniers cités ne sont plus tout à fait sûrs, le Muscadet n'étant au meilleur de sa forme que dans les 2 ou 3 ans qui suivent le millésime.

LES MEILLEURS PRODUCTEURS DE MUSCADET

**** EXCELLENT

Michel Bahuaud
Domaine de la Borne
André-Michel Brégeon
Château de Chasseloir
Chéreau-Carré
Joseph Drouard
Domaine du Fief Guérin
Marquis de Goulaine
Domaine Les Hautes Noëlles
Château de la Mercredière

Louis Métaireau
Domaine de la Mortaine
Domaine des Mortiers-Gobin
Château La Noë
Domaine de La Quilla
Sauvion Cardinal Richard
Sauvion Château du Cléray
Domaine des Sensonnières
Domaine de la Vrillonnière

*** *BON*

Serge Batard
Domaine de la Botinière
Château de la Bretesche
La Chambaudière
Domaine des Dorices
Domaine de la Févrie
Le Fief du Breil
Domaine de la Fruitière

Domaine de la Grange
Domaine de la Guitonnière
Domaine des Herbauges
Domaine de l'Hyvernière
Château de la Jannière
Château L'Oiselinière
Château de la Ragotière
Sauvion (autres cuvées)

Pouilly-Fumé Cette appellation est connue dans le monde entier pour ses vins blancs intenses, moyennement corsés ou corsés, aux riches parfums de pierre à fusil (certains disent de fumé), de terre, d'herbes et de melon, qui comptent incontestablement parmi les vins de sauvignon les plus intéressants. Ils présentent toutefois l'inconvénient d'être assez chers, et l'on peut se demander si une grande bouteille de cette appellation vaut réellement 200 F. Il faut en effet savoir que la plupart des vignerons produisent plusieurs cuvées, les cuvées prestige atteignant parfois 125 à 200 F la bouteille, ce qui est à mon avis excessif. Dans les meilleurs millésimes récents, on trouve les excellents 1989, qu'il faut boire maintenant, les spectaculaires 1990, qui devraient se conserver jusqu'à la fin de ce siècle, ainsi que les 1992. La liste qui suit regroupe les meilleurs producteurs. A propos, le Pouilly-Fumé accompagne très bien le fromage de chèvre.

LES MEILLEURS PRODUCTEURS DE POUILLY-FUMÉ

***** *EXCEPTIONNEL*

Domaine Cailbourdin
J.-C. Chatelain
Didier Dagueneau
   (Clos des Chailloux)
Didier Dagueneau (Cuvée Silex)

Serge Dagueneau
Château du Nozet-Ladoucette
   (Baron de L. Pouilly-Fumé)
Michel Redde (Cuvée Majorum)

**** *EXCELLENT*

Marc Deschamps
Masson-Blondelet

Didier Pabiot
Château de Tracy

*** *BON*

Henri Beurdin (Reuilly)
Gérard Cordier (Reuilly)
Henri Pellé (Menetou)
Raymond Pipet (Quincy)

Michel Redde
Guy Saget
Jean Teiller (Menetou-Salon)

Pouilly-sur-Loire Cette appellation intéressante se voue au chasselas, un cépage assez mal considéré, mais qui peut donner des vins fruités et doux quand les rendements sont restreints. Les vins de cette région, peu onéreux, doivent être consommés dans l'année qui suit la vendange.

Quarts de Chaume   Cette appellation d'environ 40 ha, entièrement plantée de chenin blanc, offre l'un des plus grands vins liquoreux français, lequel est aussi l'un des moins connus. Vif et peu évolué, presque impénétrable dans sa jeunesse, ce vin révèle en s'épanouissant de splendides et riches arômes de miel, d'abricot et de pêche, fabuleusement longs en bouche. Il compte incontestablement parmi les meilleurs vins liquoreux de la planète, et les initiés ont toujours essayé d'en garder le secret. C'est à la pourriture noble, qui attaque souvent le chenin blanc planté sur les coteaux de l'appellation, qu'il doit son superbe bouquet. Les rendements, limités à 22 hl/ha, sont les plus bas de France. Contrairement aux Barsac et aux Sauternes, les Quarts de Chaume ne sont pas vieillis en fûts neufs. Le cépage s'exprime alors pleinement dans toute sa vivacité, sans être dénaturé par le chêne. Le seul reproche que l'on puisse adresser à ce vin est d'être produit en petites quantités.

LES MEILLEURS PRODUCTEURS DE QUARTS DE CHAUME

Domaine des Baumard*****
Domaine Bellerive****
Domaine Écharderie***/****
Domaine du Petit-Métris***/****

Domaine de la Roche-
   Moreau***/****
Domaine Suronde****

Quincy   Située tout près de Bourges, Quincy est une autre appellation vouée au sauvignon blanc. Ce cépage y exprime à l'extrême son caractère herbacé, certains diraient même végétal. Dans les années où la maturité n'est pas parfaite, les vins déploient d'épouvantables arômes d'asperge, mais, dans les excellents millésimes, comme 1990, ceux-ci sont atténués. Les Quincy sont des vins très secs, qui peuvent se conserver 5 ou 6 ans.

LES MEILLEURS PRODUCTEURS DE QUINCY

Domaine Jérôme de la Chaise***
Claude Houssier
   (Domaine du Pressoir)***
Domaine Jaumier***

Domaine Mardon***
Raymond Pipet***
Alain Thirot-Duc de Berry
   (vin de coopérative)***

Saint-Nicolas-de-Bourgueil   Si je devais désigner mon appellation de vins rouges préférée de la vallée de la Loire, ce serait celle-ci, qui est au demeurant charmante à visiter. Les vins, prêts dès leur diffusion, sont légers, avec d'intenses arômes de framboise et de groseille, et une texture souple, douce et ronde. Très en vogue à Paris, ils voient leur prix augmenter régulièrement, alors qu'il ne devrait pas dépasser 50 F la bouteille. Les rouges sont principalement issus de cabernet franc et de cabernet sauvignon. De petites quantités de rosé sont également produites.

LES MEILLEURS PRODUCTEURS
DE SAINT-NICOLAS-DE-BOURGUEIL

Max Cognard***   Domaine des Ouches***
J.-P. Mabileau***   Joël Taluau***

Sancerre Sancerre est, avec Vouvray, l'appellation la plus connue de la vallée de la Loire. Très en vogue depuis plus de deux décennies, ses vins sont surtout appréciés pour leur acidité de bon ressort et leur fruité, riche et acidulé, de sauvignon. On trouve aussi quelques rouges, très décevants, à base de pinot noir, qui ont également droit à la dénomination Sancerre. Cette belle réussite s'explique par les nombreux producteurs de haut niveau que compte la région, et le seul reproche que l'on puisse adresser à ce vin est son prix relativement élevé. C'est au calcaire et au silex des coteaux pentus des meilleurs villages – Bué, Chavignon et Verdigny – que les Sancerre doivent leurs subtils arômes de terre et de pierre à fusil, que l'on retrouve dans les meilleurs crus. La liste ci-dessous montre bien que les bons producteurs ne manquent pas dans l'appellation. Les meilleurs millésimes récents sont 1990, 1989 et 1982. Les vins blancs de Sancerre, ainsi que les rosés (produits en très petites quantités), doivent être consommés dans les 2 ou 3 ans qui suivent la vendange, même si certains d'entre eux peuvent être de plus longue garde. Quant aux rouges, ils peuvent tenir 4 ou 5 ans.

LES MEILLEURS PRODUCTEURS DE SANCERRE

***** EXCEPTIONNEL

Bailly-Reverdy   Château du Nozet-Ladoucette
Paul Cotat   (Comte Lafond)
  (ses trois cuvées)   André Vatan

**** EXCELLENT

Lucien Crochet   Hippolyte Reverdy
Jean Delaporte   Jean Reverdy
Gitton Père et Fils   (Domaine des Villots)
Paul Millerioux   Jean-Max Roger
Domaine La Moussière   Claude Thomas
  Cuvée Edmond   Lucien Thomas
André Neveu   Domaine Vacheron

*** BON

Pierre Archambault   Château de Maimbray
Bernard Balland   Domaine La Moussière
Henri Bourgeois   (autres cuvées)
Clos de la Poussie (Cordier)   Roger Neveu
Pascal Jolivet   Domaine du Nozay

Saumur Cette appellation produit à la fois des vins rouges, rosés et blancs. Il existe également deux sous-appellations : Saumur-Champigny, qui produit des vins rouges que certains qualifient de frais et bons, mais ce n'est pas mon avis ; et Saumur Mousseux, sous-estimée, qui donne des vins pétillants, frais, vifs et peu chers. Les consommateurs désireux de faire de bonnes affaires devraient s'intéresser à cette appellation, notamment aux cuvées pétillantes des producteurs ci-dessous. Le Château du Hureau produit également de délicieux vins blancs issus de chenin blanc, ainsi que des rouges de bon niveau.

LES MEILLEURS PRODUCTEURS DE SAUMUR

Ackerman-Laurance**/***   Langlois et Château***
Bouvet-Ladubay**/***   De Neuville***
Gratien et Meyer**/***

Savennières Savennières, que l'on nomme le Montrachet de la vallée de la Loire, produit sur environ 60 ha des vins blancs secs, à base de chenin blanc, capables de vieillir 15 à 20 ans. Dotés d'une richesse, d'une intensité et d'une complexité telles qu'il faut en boire pour y croire, ils sont issus de rendements limités à 30 hl/ha et titrent environ 12° d'alcool naturel. Ces vins fabuleusement bien dotés, aux merveilleux arômes de miel, développent un énorme bouquet de minéral et de fleurs après 7 ou 8 années de garde. Ils sont relativement fermés et vifs dans leur prime jeunesse, mais si vous recherchez un grand vin blanc sec capable de survivre à la plupart des Chardonnay, tournez-vous vers les Savennières. Les meilleurs millésimes récents sont 1990 (un des trois plus grands de la période d'après-guerre), 1989 et 1983.

LES MEILLEURS PRODUCTEURS DE SAVENNIÈRES

***** EXCEPTIONNEL

Domaine des Baumard   Clos de la Coulée de Serrant
  (Clos du Papillon)   (Nicolas Joly)
Domaine des Baumard   Domaine du Closel
  (Trie Spéciale)   (Clos du Papillon)

**** EXCELLENT

Domaine des Baumard   Domaine Laffourcade
  (cuvée générique)   Roche aux Moines
Domaine des Baumard   (Pierre et Yves Soulez)
  (Clos de Saint-Yves)   Roche aux Moines
Château de Chamboureau   Clos de la Bergerie
  (Yves Soulez)   (Pierre et Yves Soulez)
Château d'Épiré   La Soucherie (Pierre-Yves Tijou)
       Clos des Perrières

*** *BON*

Château de la Bizolière   Château de Plaisance
Clos de Coulaine (F. Roussier)

Touraine   Cette appellation couvre une surface considérable, si bien qu'il est important, pour s'y repérer, de connaître le nom des meilleurs producteurs, les vins étant de qualités très diverses. En effet, le sauvignon blanc et le chenin blanc donnent des vins qui peuvent être soit très ordinaires, soit délicieusement fruités et vibrants. La gamme des rouges va du terriblement végétal au richement fruité et aromatique. Tous les Touraine, qu'ils soient rouges ou blancs, doivent en principe être bus 1 ou 2 ans après la vendange. Le meilleur millésime de ces dernières années est 1990, suivi de 1992.

LES MEILLEURS PRODUCTEURS DE TOURAINE

Domaine de la Charmoise****   Domaine des Corbillières***
Domaine de la Charmoise   Domaine Délétang*****
   M. de Marionet*****

Vouvray   Vouvray dispute à Sancerre la vedette de la vallée de la Loire. Contrairement à Sancerre, cette appellation ne produit ni rouges ni rosés, mais exclusivement des vins blancs issus de chenin blanc. La région, située à l'est de Tours, peut donner des vins terriblement acides – par exemple ceux qui proviennent de sols argilo-calcaires. D'une superficie très étendue (plus de 1 500 ha), elle offre des vins pétillants goûteux, merveilleusement vifs, délicieux et très secs, ainsi que des vins doux mielleux qui comptent parmi les plus spectaculaires. Les vins doux, portant la mention « moelleux » sur l'étiquette, sont touchés par la pourriture noble et peuvent se conserver quarante à cinquante ans. Le millésime 1990 est l'un des plus grandioses vins doux de Vouvray depuis 1959 ou 1947, et 1989 semble assez proche du second. Les amateurs devraient se hâter d'en faire provision. La liste ci-dessous recense les meilleurs producteurs, mais nombre d'entre eux méritent une mention spéciale, notamment Gaston Huet, qui produit sur ses trois vignobles (Le Haut-Lieu, Le Mont et Le Clos du Bourg) des vins doux absolument stupéfiants. Philippe Foreau, qui s'impose également dans l'échappée de tête de l'appellation, réussit bien sur son Clos Naudin, et, comme beaucoup d'autres vignerons de la région, il y produit plusieurs cuvées. En 1989 et 1990, il a atteint des niveaux de qualité absolument extraordinaires. Le Domaine Bourillon-Dorléans est une autre étoile qui se distingue par ses cuvées de moelleux somptueusement riches, appelées Moelleux et Coulée d'Or.

LES MEILLEURS PRODUCTEURS DE VOUVRAY

***** *EXCEPTIONNEL*

Domaine Bourillon-Dorléans   Gaston Huet
Philippe Foreau Clos Naudin

**** *EXCELLENT*

Domaine de la Charmoise   Château Moncontour

*** *BON*

Marc Brédif   D. Moyer
Jean-Pierre Freslier   Prince Poniatowski
Sylvain Gaudron   Le Clos Baudouin
J.-M. Monmousseau

VINS BLANCS SECS

Muscadet sur lie   Un Muscadet sur lie classique est légèrement corsé, acidulé, sec et frais, avec de délicats arômes de pierre et une acidité très rafraîchissante.

Savennières   Un bon Savennières se distingue par un bouquet de citron et de pierre ; il est moyennement corsé, sec et austère en bouche, avec de profonds arômes floraux.

Vouvray   Sec, très floral et fruité, le Vouvray est bien équilibré, grâce à une bonne acidité. C'est un excellent vin d'apéritif.

Sancerre   Ce vin vif, intense et très aromatique est dominé par d'imposantes senteurs d'herbes aromatiques, d'herbes fraîchement coupées, de pierre mouillée et de groseille.

Pouilly-Fumé   Très proche du Sancerre par son caractère aromatique, le Pouilly-Fumé est cependant plus complet, plus opulent et plus alcoolique en bouche.

VINS ROUGES SECS

Bourgueil   Les Bourgueil sont surtout appréciés pour leur texture légère, douce et compacte, ainsi que pour leurs arômes herbacés de fraise et de cerise.

Chinon   Le fruité de cerise et les arômes herbacés, et assez agressifs, du Chinon jeune se fondent souvent, avec le temps, en un bouquet de bois de cèdre et de groseille.

Touraine   La plupart des Touraine sont légers, doux et fruités, dominés par un bouquet herbacé ou végétal.

VINS BLANCS LIQUOREUX

Vouvray   Des arômes crémeux et très mûrs de fruits tropicaux, de miel et de fleurs caractérisent le Vouvray. Sa belle acidité lui confère du ressort et une bonne précision dans le dessin.

Coteaux du Layon, Quarts de Chaume, Bonnezeaux   Ces vins manquent en général de distinction dans leur jeunesse, mais, dans les millésimes grandioses, ils acquièrent au vieillissement un généreux fruité riche, mûr et luxuriant. Ce sont probablement les liquoreux les plus sous-estimés au monde.

POTENTIEL DE GARDE
Vins blancs secs
Muscadet : 1 à 3 ans
Pouilly-Fumé : 3 à 5 ans
Sancerre : 3 à 5 ans
Savennières : 3 à 12 ans
Vouvray : 2 à 6 ans
Vins rouges
Bourgueil : 3 à 7 ans
Chinon : 3 à 10 ans
Touraine : 3 à 6 ans
Vins blancs liquoreux
Bonnezeaux : 5 à 20 ans
Coteaux du Layon : 5 à 20 ans
Quarts de Chaume : 5 à 20 ans
Vouvray : 10 à 30 ans

QUALITÉ DES VINS
De médiocre à superbe. Avec ses milliers de producteurs, la vallée de la Loire est un véritable champ de mines pour le consommateur qui n'en connaîtrait pas les meilleurs. Ceux-ci sont recensés dans les listes ci-dessus. Il est judicieux d'éviter tout ce qui est étiqueté « Rosé d'Anjou ».

CE QU'IL FAUT SAVOIR
Ne vous perdez pas dans la multitude des appellations et dans les différents types de vin produits. Essayez de vous souvenir du nom des meilleurs producteurs, ce qui vous permettra de vous déplacer plus facilement dans les méandres de la vallée de la Loire viticole.

STRATÉGIE D'ACHAT
Si vous trouvez encore les grandioses 1989 et 1990 dans les appellations Vouvray, Savennières, Bonnezeaux, Coteaux du Layon et Quarts de Chaume, n'hésitez pas à en acheter. Les connaisseurs savent, en effet, que 1990 est l'une des plus grandes années d'après-guerre pour les Savennières et les vins liquoreux de la région. 1991 est un millésime décevant, et 1992, très abondant, de qualité très moyenne. 1993 est une bonne année et 1994, bien qu'irrégulière, incontestablement la meilleure des quatre dernières, lesquelles ont toutes été compromises par les pluies, surtout pour le Sauvignon sec. Si vous souhaitez déguster des vins plus légers, recherchez les Muscadet de 1994 ou de 1993, mais évitez les millésimes antérieurs.

MILLÉSIMES RÉCENTS

1994 Alors qu'un été caniculaire et orageux avait laissé espérer une répétition de 1989 et de 1990, trois semaines de pluies ininterrompues en septembre ont compromis le millésime, qui, autrement, aurait peut-être été grandiose. Les meilleurs producteurs qui ont laissé sur pied les raisins attaqués par la pourriture ont néanmoins fait d'excellents vins blancs secs, mais cette sélection sévère a donné des productions très restreintes. Il faut donc s'attendre à des hausses de prix en conséquence. Le cépage qui a le mieux réussi cette année-là est le sauvignon blanc, et, de tous les cépages rouges, c'est le gamay qui a le moins souffert des précipitations. Les premiers 1994 diffusés (et que j'ai dégustés) se révèlent étonnamment riches, très corsés, avec une faible acidité. Les résultats en chenin blanc sont plus mitigés.

1993 Autre millésime compromis par les pluies, 1993 offre néanmoins de bons et de très bons vins blancs. Les rouges sont de qualité moyenne, et les liquoreux très irréguliers. Les Sauvignon secs se révèlent vifs et moyennement corsés, avec des arômes plus plaisants que ceux des 1992, doux et plutôt diffus, ou que ceux des 1991, maigres et acides. Tout bien considéré, il s'agit d'une année bien plus réussie que ne le laissait présager le mois de septembre déplorable, frais et pluvieux qui a précédé les vendanges.

1992 La vallée de la Loire ayant échappé au mauvais temps qui, cette année-là, sévissait sur toute la partie sud du pays, la vendange fut énorme. Les rendements, toutes appellations confondues, ont été très élevés, et les viticulteurs ont pu récolter des raisins relativement mûrs qui ont fait un bon millésime. Mais seuls ceux qui avaient respecté de petits rendements firent des vins de bonne tenue. Ce millésime offre des vins bien évolués, plaisants, fruités et doux, qui doivent être bus maintenant. Les appellations qui ont le mieux réussi sont Muscadet, Sancerre et Pouilly-Fumé pour les vins blancs, et Chinon pour les vins rouges.

1991 Ce millésime, très difficile pour la région, a donné des vins maigres, relativement acides et légèrement corsés, manquant de maturité et de richesse aromatique. Certes, on trouve quelques réussites, mais, dans l'ensemble, une petite vendange conjuguée à un manque de maturité a donné des vins dépourvus à la fois de fruité et de charme.

1990 Il s'agit de l'un des plus grands millésimes de tous les temps pour l'ensemble des appellations de la vallée de la Loire, en particulier pour les liquoreux et les grands vins blancs secs de Savennières, Pouilly-Fumé et Sancerre. Les 1990 déploient une richesse et une intensité absolument époustouflantes. Ceux qui auront la chance et les moyens d'acheter les meilleures cuvées des vins doux de Bonnezeaux, Coteaux du Layon, Quarts de Chaume et Vouvray, ou encore certains Savennières secs, fabuleusement corsés et extraordinairement riches, rempliront leur cave de trésors qui dureront 25 à 30 ans, si ce n'est plus. La majorité des Muscadet auraient dû être consommés depuis début 1993, mais les meilleures cuvées de Sancerre sec et de Pouilly-Fumé ont pu tenir (si elles ont été bien conservées) jusqu'en 1996.

Les vins rouges sont aussi étonnamment bons (je ne les approche, en général, qu'avec prudence en raison de leur caractère trop végétal) : ils sont en effet moins végétaux que d'habitude, compte tenu de la sécheresse et de leur très grande maturité, et ils libèrent de généreux arômes de fruits noirs et rouges.

1989 Assez proche du 1990, mais avec des rendements plus élevés et moins de botrytis dans les vignobles. Les 1989 sont excellents, souvent superbes, en Vouvray, Quarts de Chaume, Coteaux du Layon et Bonnezeaux, ainsi qu'en Savennières. Les vins plus secs de Sancerre, Pouilly-Fumé, Touraine et Muscadet devraient avoir été consommés à l'heure actuelle, car ils présentaient une très faible acidité.

1988 Bon millésime, sans plus, qui a donné des vins classiques et plaisants, merveilleusement typiques de leur région ou de leur appellation. Ces vins n'ont cependant pas le bouquet énorme, la richesse ou la profondeur des meilleurs 1989 ou 1990.

1987 Année médiocre ou faible.

VIEUX MILLÉSIMES

Les vins de dessert, luxuriants et riches, des Coteaux du Layon, de Bonnezeaux, de Quarts de Chaume et de Vouvray sont spectaculaires dans les millésimes suivants : 1983, 1976, 1971, 1962, 1959, 1949 et 1947. Ils sont encore proposés à des prix raisonnables et constituent incontestablement les meilleures affaires que l'on puisse réaliser dans cette catégorie de vins. S'il n'est pas toujours aisé de mettre la main sur ces vieux millésimes, les consommateurs en tireront les leçons en faisant provision de 1989 et de 1990.

Les Savennières, secs et très corsés, sont de tous les grands vins blancs les plus intéressants sous le rapport qualité/prix. Les vieux millésimes dignes d'intérêt sont 1986, 1985, 1978, 1976, 1971, 1969, 1962 et 1959. Ceux que l'on trouve parfois dans les ventes aux enchères valent bien le prix qui est demandé.

Les Vouvray 1959 et 1962 de Gaston Huet sont encore superbes. Bien peu de gens, en fin de compte, se sont aperçus de la beauté de ces vins. Pour les vins rouges, il faut se tourner vers les meilleures cuvées de Charles Joguet, issues de ses vignobles de Chinon : non filtrées et aussi riches qu'on peut l'être près de la Loire, elles ont un potentiel de garde de 10 à 15 ans, voire plus. Ainsi, ses 1978 viennent tout juste d'atteindre la pointe de leur maturité. Si vous aimez les rouges herbacés, au goût de rafle, vous apprécierez les Chinon d'Olga Raffault et de Pierre-Jacques Druet, qui se bonifient sur 10 à 12 ans et plus.

PROVENCE
ET CORSE

S'il est tentant de considérer la Provence comme le bastion des milliardaires et des célébrités, il faut également se rappeler qu'il s'agit d'une vaste région viticole qui compte au moins 2600 ans d'histoire. Depuis longtemps, les touristes sont séduits par ces rosés aromatiques et délicieusement désaltérants qui se marient si bien avec la cuisine locale. Aujourd'hui, la Provence s'impose avec des vins passionnants et très divers, non seulement des rosés d'une excellente qualité, mais aussi quelques rouges des plus prometteurs et des blancs qui ne sont pas à dédaigner. Elle demeure malheureusement ignorée de nombre d'amateurs.

Cette vaste région compte sept aires de production viticole, et la meilleure manière de bien les appréhender est de connaître la personnalité propre de chacune, ainsi que les meilleures propriétés que l'on peut y trouver. Bien que la Provence bénéficie d'un climat presque idéal pour la culture de la vigne, tous les millésimes ne se valent pas. En ce qui concerne les vins blancs et rosés, qui doivent être bus dans leur jeunesse, seuls les 1993 et 1994 sont encore dignes d'intérêt. Pour les vins rouges, 1990, 1989 et 1985 sont exceptionnels, suivis de 1983 et de 1982. En règle générale, les meilleurs vins rouges des millésimes cités sont capables de vieillir sur une dizaine d'années.

Je décris brièvement ci-dessous les caractéristiques des sept grandes zones de production, et je donne la liste des meilleurs vins. Leurs prix sont relativement intéressants, surtout quand on les compare, à qualité égale, à ceux des bordeaux et des bourgognes.

Pour ce qui est des vins de Corse, on en trouvera les meilleurs producteurs cités pages 844 et 845.

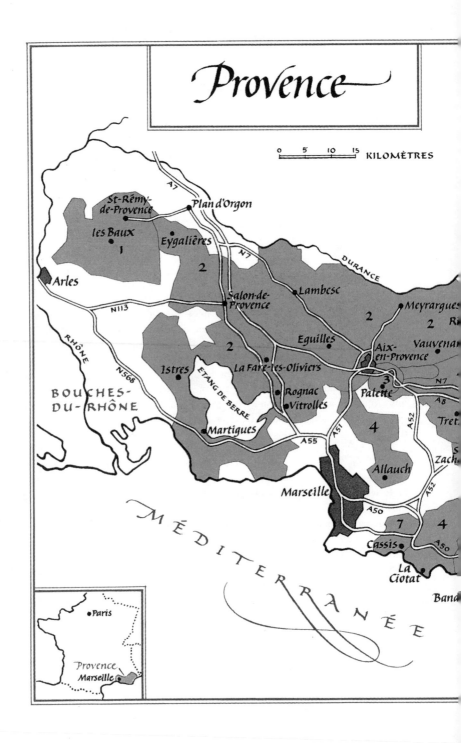

Provence

0   5   10   15 KILOMÈTRES

St-Rémy-
de-Provence
les Baux
1
Eygalières
2
Arles
Plan d'Orgon
N7
DURANCE
Salon-de-
Provence
Lambesc
N113
Meyrargues
2
Ri
RHÔNE
N568
2
Eguilles
Vauvenan
Aix-
en-Provence
N7
Istres
La Fare-les-Oliviers
3
Palette
A8
BOUCHES-
DU-RHÔNE
ÉTANG DE BERRE
Rognac
Vitrolles
A52
Tret.
4
Martigues
A55
A51
Allauch
Zach.
Marseille
A50
7   4
Cassis
La
Ciotat
Band
MÉDITERRANÉE

Paris

Provence
Marseille

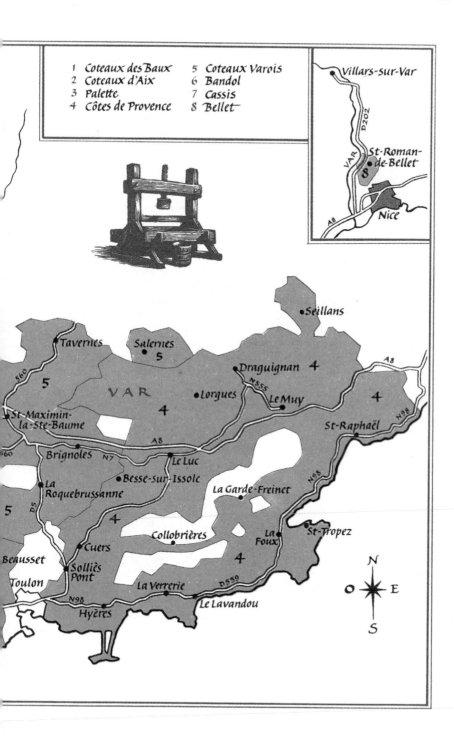

1 Coteaux des Baux
2 Coteaux d'Aix
3 Palette
4 Côtes de Provence
5 Coteaux Varois
6 Bandol
7 Cassis
8 Bellet

Villars-sur-Var

D202

VAR

St-Roman-de-Bellet

8

A8

Nice

Seillans

Tavernes

Salernes
5

Draguignan 4

A8

560

5

VAR

4

Lorgues

N555

Le Muy

4

N98

St-Raphaël

St-Maximin-
la-Ste-Baume

A8

560

Brignoles N7

Le Luc

Besse-sur-Issole

N98

La Garde-Freinet

La
Roquebrussanne

D5

5

4

Collobrières

La
Foux

St-Tropez

Cuers

Beausset

Solliès
Pont

4

Toulon

La Verrerie

D559

N

N98

Hyères

Le Lavandou

O   E

S

Bandol   On dit souvent de Bandol qu'elle est l'appellation la plus favorisée de France. Elle l'est sans aucun doute pour ce qui est du paysage, ses vignobles s'étalant sur des coteaux qui offrent une vue imprenable sur la Grande Bleue. Elle produit à la fois des vins rouges, rosés et blancs, mais elle est surtout connue pour ses rosés, que beaucoup considèrent comme les meilleurs du pays, et pour ses rouges intenses, tanniques et de longue garde, absolument uniques en France en ce qu'ils contiennent 50 % au moins de mourvèdre, cépage peu répandu. Ceux qui doutent encore de la qualité du mourvèdre devraient goûter les cuvées Mourvèdre Vieilles Vignes 1989 et 1990 du Château Pradeaux : ce sont des vins d'une stature monumentale. Les prix sont depuis toujours relativement élevés, parce que les touristes de passage achètent beaucoup auprès des producteurs.

Parmi ces derniers, les connaisseurs sont à peu près d'accord pour estimer que les meilleurs sont les Châteaux Romassan, de Pibarnon, Vannières et Pradeaux, les Domaines Tempier et d'Ott, le Moulin des Costes et le Mas de la Rouvière. La plupart d'entre eux produisent également du vin blanc, mais je ne saurais le recommander trop chaudement car je le trouve trop terne et trop lourd. Cependant, les vins rouges, ainsi que les rosés, frais et racés, méritent d'être découverts. La bouteille de rosé coûte entre 75 et 100 F, celle de rouge 100 à 150 F environ. J'ai eu la chance de pouvoir déguster des rouges de Bandol qui avaient 15 à 20 ans d'âge : ces vins semblent atteindre la pointe de leur maturité 6 à 10 ans après la mise en bouteille. Cette appellation, aux normes des plus strictes, produit les rouges les plus connus et au potentiel de garde le plus grand de toute la Provence.

Bellet   Comme toutes les appellations de Provence, celle de Bellet, minuscule (environ 40 ha) et enfouie dans les collines qui dominent la ville de Nice, produit des vins rouges, blancs et rosés. Dans cette région riche d'histoire, la culture de la vigne était déjà pratiquée par les Phéniciens en 500 av. J.-C. Cependant, à moins de séjourner assez longtemps dans le coin, on a peu de chance de mettre la main sur une bouteille de Bellet. En effet, la presque totalité de cette faible production est écoulée sur place, dans les restaurants.

Les producteurs sont peu nombreux. Le meilleur est sans aucun doute le Château de Crémat, propriété de la famille Bagnis, splendide domaine de 23 ha qui produit environ 6 000 caisses de vin. C'est aussi le seul de la Provence à proposer un vin blanc de haute qualité, et les connaisseurs estiment que ses rouges et ses rosés sont les plus remarquables de la Riviera. Les meilleurs millésimes récents sont 1994, 1990, 1989 et 1988, mais j'ai dégusté les rouges de ce domaine jusqu'au millésime 1978, et ceux-ci ne montrent aucun signe de déclin. Malheureusement, ces vins demeurent confidentiels, et leurs prix me semblent excessifs.

Cassis   Au fond de sa baie bien isolée et dominée par de hautes falaises calcaires, Cassis et l'un des plus charmants villages de pêcheurs de la région. Les hordes de touristes qui s'y précipitent consomment la plus grande partie de la production locale dans les bistrots du port, après avoir dégusté l'incontournable soupe de poissons. Bien que cette appellation produise des vins rouges et rosés, c'est surtout par ses blancs qu'elle est connue. Les rouges sont en général inintéressants et lourds, et les rosés, s'ils peuvent être bons, n'arrivent pas à la cheville de leurs voisins de Bandol. Issus de cépages confidentiels, tels l'ugni blanc, la clairette et le bourboulenc, les vins blancs sont épicés et charnus, et, s'ils peuvent paraître de prime abord peu passionnants, ils acquièrent une personnalité originale en accompagnement de la cuisine locale, par exemple servis avec un riche plat de poisson bien relevé. Les meilleurs vins blancs de Cassis proviennent du Clos Sainte-Magdelaine, de La Ferme Blanche et du Domaine du Bagnol, mais les prix auxquels ils sont proposés n'en font pas de bonnes affaires. Ces vins au caractère très spécifique doivent, je le répète, être bus avec des mets méditerranéens pour s'exprimer pleinement.

Coteaux d'Aix-en-Provence Cette gigantesque région viticole, qui s'étend, pour l'essentiel, au nord et à l'ouest d'Aix-en-Provence, compte de nombreux petits domaines produisant des vins acceptables, mais trop chers, qu'il faut boire dans les 7 ou 8 ans suivant le millésime. Cependant, on trouve là deux des meilleurs producteurs de vins rouges de Provence, le Domaine de Trévallon et le Château Vignelaure, plus connu. Leurs vins, issus de l'assemblage de deux grands cépages, le cabernet sauvignon et la syrah, sont capables de vieillir 15 à 20 ans, et, si plusieurs autres vignerons se sont efforcé d'en faire de semblables, peu d'entre eux ont vraiment réussi.

Le Domaine de Trévallon appartient à Éloi Durrbach. Cet homme à la séduction rugueuse a sculpté son vignoble dans ce paysage hostile et presque lunaire, à proximité de la cité médiévale des Baux. Son premier millésime, le 1978, a été suivi d'autres très réussis, avec des vins extrêmement riches et intenses, au bouquet extraordinairement complexe, très concentrés et de très longue garde. Au nombre des succès les plus récents, on trouve les 1990, fabuleusement dotés, au fruité généreux et concentré de cassis et de mûre mêlé de senteurs de thym sauvage.

On n'est pas surpris d'apprendre que Durrbach a fait son apprentissage au Château Vignelaure, autre propriété très connue de l'appellation. Les vins de Vignelaure, quoique moins massifs et moins étonnants que ceux de Trévallon, sont des exemples parfaits de vins provençaux à leur plus haut niveau. Les meilleurs millésimes récents sont le 1990, le 1989 et le 1985.

Compte tenu de leurs prix très raisonnables, les vins de Vignelaure et de Trévallon sont tous d'un excellent rapport qualité/prix.

Côtes du Luberon Presque tous les vins des Côtes du Luberon sont issus de caves coopératives. Située au nord de la Provence, non loin des villages d'Apt et de Pertuis, cette appellation a un potentiel énorme. Le meilleur domaine est sans aucun doute le Château de Mille, dirigé avec un soin jaloux par Conrad Pinatel. Cependant, le plus récent, le Château Val-Joanis (domaine de près de 200 ha, à proximité de Pertuis, créé en 1978 sur un investissement de 30 millions de francs) est également très prometteur. Géré par la famille Chancel, qui croit dur comme fer que les Côtes du Luberon produiront à terme des vins de grande qualité, il donne actuellement un bon blanc frais, un rosé délicieux et aromatique et un rouge qui s'améliore constamment. Leurs prix très raisonnables en font d'excellentes affaires.

Côtes de Provence Les Côtes de Provence, qui s'étendent sur 20 000 ha, constituent l'appellation la plus vaste et la plus renommée de Provence. Elle est surtout connue pour son océan de vins rosés secs et très aromatiques que les touristes avalent à grands traits pour étancher leur soif. On trouve d'excellents producteurs dans cette appellation, mais les meilleurs sont le Domaine d'Ott, dont les vins sont disponibles dans la quasi-totalité des restaurants de la région, les Domaines Gavoty, Richeaume et Saint-André de Figuière. Tous produisent des rosés extraordinaires, à l'exception du Domaine Richeaume, qui se spécialise davantage dans les vins rouges. Ceux-ci, intenses, riches et complexes, ne sont surpassés que par ceux du Domaine de Trévallon et du Château Vignelaure. Les vins du Domaine d'Ott sont relativement chers, compte tenu de leur notoriété, mais je n'ai jamais entendu quiconque se plaindre de la qualité de leurs superbes rosés, ni de celle de leurs rouges, relativement sous-estimés. Le Domaine Saint-André de Figuière offre, quant à lui, l'un des meilleurs vins blancs de l'appellation. Les prix sont en général assez élevés. Cette appellation donne également des rouges délicieusement souples, qu'il faut vraiment déguster. Et, s'il vous arrive de trouver quelques bouteilles de vin de Richeaume élaboré par un Allemand du nom de Henning Hoesch, possédé par le feu sacré, vous boirez l'un des meilleurs rouges de Provence qui soient pour une somme modique. Sérieux, bien coloré et débordant d'un fruité généreux, il est puissant et tannique, laissant penser qu'il pourra se conserver sur une dizaine d'années – il faut dire qu'il est issu d'un mélange de cabernet sauvignon et de syrah, parfois additionné d'un peu de grenache.

Palette Cette appellation minuscule, située à l'est d'Aix-en-Provence, ne compte en fait qu'une seule propriété sérieuse : le Château Simone. Sous la houlette de René Rougier, ses 15 ha donnent des rouges étonnamment complexes et de longue garde, des rosés de style ancien bien marqués par le chêne, ainsi que des blancs très corsés et musclés que l'on croirait originaires de la vallée du Rhône septentrionale. Les vins du Château Simone sont très abordables et vieillissent bien ; c'est sans doute ce qui explique qu'ils soient très appréciés des amateurs.

Présentation

TYPES DE VIN

On produit en Provence de grandes quantités de rosés très secs, vifs et aromatiques, ainsi que des vins blancs plutôt neutres mais charnus. Quant aux rouges, leur qualité s'améliore constamment.

CÉPAGES

Les vins rouges sont traditionnellement à base de **grenache**, de **carignan**, de **syrah**, de **mourvèdre** et de **cinsault**. Cependant, on a récemment planté beaucoup de **cabernet sauvignon** en Côtes de Provence et en Coteaux d'Aix-en-Provence. Les vins rouges les plus intéressants sont ceux qui contiennent une forte proportion de syrah, de mourvèdre ou de cabernet sauvignon. Quant aux vins blancs, ils sont principalement issus d'**ugni blanc**, de **clairette**, de **marsanne**, de **bourboulenc** et, dans une moindre mesure, de **sémillon**, de **sauvignon blanc** et de **chardonnay**.

ARÔMES

Ils sont très divers à cause des différents microclimats et des nombreux cépages utilisés. Les vins rouges, dans leur majorité, présentent un bouquet très vif de fruits rouges, plus intense en Coteaux des Baux. Les Bandol sont dominés par des senteurs d'écorce, de cuir et de groseille, tandis que les vins blancs, qui semblent neutres et grossiers, se révèlent lorsqu'ils accompagnent la cuisine provençale.

POTENTIEL DE GARDE

Vins rosés : 1 à 3 ans.

Vins blancs : 1 à 3 ans, à l'exception de ceux du Château Simone, lesquels peuvent durer 5 à 10 ans.

Vins rouges : 5 à 12 ans, souvent davantage pour les Bandol et certains vins très spécifiques, comme ceux du Domaine de Trévallon, qui peuvent se conserver sur une quinzaine d'années, voire plus.

QUALITÉ DES VINS

La qualité s'est beaucoup améliorée, et elle est, dans l'ensemble, au-dessus de la moyenne. Cependant, il convient de consommer les vins blancs et rosés avant qu'ils n'aient atteint 3 ans d'âge.

CE QU'IL FAUT SAVOIR

Pour acheter dans de bonnes conditions, familiarisez-vous avec la spécificité des vins de chaque appellation et avec le nom des meilleurs producteurs.

STRATÉGIE D'ACHAT

1989 et 1990 sont des millésimes de choix. 1991 1992 et 1993 sont de qualité irrégulière (sauf pour les rosés). 1994 semble être une année très difficile, en particulier pour les Bandol.

LES MEILLEURS PRODUCTEURS DE PROVENCE ET DE CORSE

***** EXCEPTIONNEL

Jean-Noël Luigi Clos Nicrosi (Corse)
Château Pradeaux (Bandol)
Château Pradeaux Mourvèdre
  Vieilles Vignes (Bandol)
Domaine Tempier
  La Migoua (Bandol)
Domaine Tempier
  La Tourtine (Bandol)

Domaine Tempier
  Cabasseau (Bandol)
Domaine Tempier
  Cuvée Spéciale (Bandol)
Domaine de Trévallon
  (Coteaux d'Aix-Les Baux)

**** EXCELLENT

Domaine Canorgue
  (Côtes du Luberon)
Domaine Champaga
  (Côtes du Ventoux)
Château de Crémat (Bellet)
Commanderie de Bargemone
  (Côtes de Provence)
Commanderie de Peyrassol
  (Côtes de Provence)
Domaine de Féraud
  (Côtes de Provence)
Domaine Le Gallantin (Bandol)
Domaine de la Garnaude
  Cuvée Santane
  (Côtes de Provence)
Domaine Gavoty
  (Côtes de Provence)
Domaine Hauvette
  (Coteaux d'Aix-Les Baux)
Domaine de l'Hermitage (Bandol)
Mas de la Dame
  (Coteaux d'Aix-en-Provence)
Mas de Gourgonnier
  (Coteaux d'Aix-en-Provence)

Mas de la Rouvière (Bandol)
Château de Mille
  (Côtes du Luberon)
Moulin des Costes (Bandol)
Domaine d'Ott – toutes cuvées
  (Bandol et Côtes de Provence)
Château de Pibarnon (Bandol)
Domaine Richeaume
  (Côtes de Provence)
Domaine de Rimauresq
  (Côtes de Provence)
Château Romassan (Bandol)***/****
Domaine Saint-André de Figuière
  (Côtes de Provence)
Domaine Saint-Jean de Villecroze
  (Coteaux Varois)
Domaine Tempier Rosé (Bandol)
Château Val-Joanis
  (Côtes du Luberon)
Château Val-Joanis Cuvée
  Les Griottes (Côtes du Luberon)
Château Vannières (Bandol)
La Vieille Ferme
  (Côtes du Luberon)

*** BON

Domaine du Bagnol (Cassis)
Château Barbeyrolles
  (Côtes de Provence)
Château Bas
  (Coteaux d'Aix-en-Provence)

La Bastide Blanche (Bandol)
Domaine de Beaupré
  (Coteaux d'Aix-en-Provence)
Domaine La Bernarde
  (Côtes de Provence)

Domaine Caguelouf (Bandol)
Château de Calissanne
  (Coteaux d'Aix-en-Provence)
Castel Roubine
  (Côtes de Provence)
Cave coopérative d'Aléria
  Réserve du Président (Corse)
Clos Capitoro (Corse)
Clos Sainte-Magdelaine (Cassis)
Domaine de Curebréasse
  (Côtes de Provence)
La Ferme Blanche (Cassis)
Château Ferry-Lacombe
  (Côtes de Provence)
Domaine Fiumicicoli (Corse)
Château de Fonscolombe
  (Coteaux d'Aix-en-Provence)
Domaine de Fontenille
  (Côtes du Luberon)***/****
Domaine Frégate (Bandol)
Hervé Goudard
  (Côtes de Provence)
Château de l'Isolette
  (Côtes du Luberon)
Domaine de Lafran-Veyrolles
  (Bandol)
Domaine La Laidière (Bandol)
Domaine Leccia (Corse)
Domaine du Loou
  (Coteaux Varois)
Château Maravenne
  (Côtes de Provence)

Mas de Cadenet
  (Côtes de Provence)
Mas Sainte-Berthe
  (Coteaux d'Aix-en-Provence)
Domaine de la Noblesse (Bandol)
Domaine Orenga de Gaffory (Corse)
Domaine de Paradis
  (Coteaux d'Aix-en-Provence)
Domaine Péraldi (Corse)
Château de Rasque
  (Côtes de Provence)
Domaine Ray-Jane (Bandol)
Château Réal-Martin
  (Côtes de Provence)
Château Saint-Estève
  (Côtes de Provence)
Château Saint-Jean Cuvée Natacha
  (Côtes de Provence)
Château Sainte-Anne (Bandol)
Château Sainte-Roseline
  (Côtes de Provence)
Domaine des Salettes (Bandol)
Domaine de la Sanglière
  (Côtes de Provence)
Château Simone (Palette)
Domaine de Terrebrune (Bandol)
Domaine de Torraccia (Corse)
Toussaint Luigi-Muscatella (Corse)
Domaine de la Vallongue
  (Coteaux d'Aix-Les Baux)
Château Vignelaure
  (Coteaux d'Aix-en-Provence)

SUD-OUEST

Bien que proche du Bordelais, le Sud-Ouest viticole demeure relativement peu connu. Certaines appellations, comme Madiran, Bergerac, Cahors et Monbazillac, ont bien quelque renommée, mais combien d'amateurs peuvent citer le nom d'un producteur, bon ou mauvais, des Côtes du Frontonnais, de Gaillac, de Pacherenc du Vic Bilh, des Côtes de Duras ou de Pécharmant ? Les meilleurs Cahors, Madiran et Pécharmant sont des vins sérieux, d'un rouge profond et soutenu, tandis que les Bergerac et les Côtes du Frontonnais de haut niveau sont plus légers et généreusement fruités. Monbazillac et Jurançon offrent d'excellents blancs liquoreux, et on trouve en Côtes de Gascogne nombre de vins blancs secs très intéressants sous le rapport qualité/prix.

CÉPAGES

Outre des variétés aussi connues que le **cabernet sauvignon**, le **merlot** et la **syrah**, cette vaste région viticole abrite de nombreux autres cépages, souvent mystérieux pour l'amateur – par exemple le **tannat** à Madiran, le **mauzac** et la **négrette** dans les Côtes du Frontonnais. Les vins blancs de Pacherenc du Vic Bilh et de Jurançon sont issus de cépages aussi rares que le gros **manseng**, le petit manseng, le **courbu** et l'**arrufiat**.

ARÔMES

Les vins rouges de Bergerac sont légers et fruités, tandis que ceux de Madiran et de Cahors sont plutôt denses, sombres, riches et souvent très tanniques. Les Côtes de Buzet, les Côtes de Duras et les Côtes du Frontonnais donnent des rouges – généralement issus de macération carbonique – relativement légers, doux et fruités. Quant aux meilleurs vins blancs, ils sont vifs, légers et acidulés. Enfin, on trouve des Monbazillac et des Jurançon étonnamment riches et doux, proches des Sauternes.

POTENTIEL DE GARDE
Bergerac : 2 à 5 ans
Cahors : 4 à 12 ans
Côtes de Buzet : 1 à 5 ans
Côtes de Duras : 1 à 4 ans
Gaillac : 1 à 4 ans
Jurançon : 3 à 8 ans
Madiran : 6 à 15 ans
Monbazillac : 3 à 8 ans
Pécharmant : 3 à 10 ans

QUALITÉ DES VINS

Malgré certaines améliorations, la qualité est assez irrégulière. En outre, la plupart des vins se vendant à très bas prix, les producteurs se montrent peu motivés. Les vins cités ci-après sont bons ou excellents.

DES VINS BLANCS TRÈS INTÉRESSANTS

Dans la région d'Armagnac, les Côtes de Gascogne donnent des vins blancs secs vifs, fruités et délicieusement légers, qui n'ont droit ni au statut d'appellation ni à celui de VDQS. Issus de cépages comme l'ugni blanc, le colombard, le gros manseng et le sauvignon, ils présentent une acidité nerveuse, sont très aromatiques, avec un bouquet fruité de citron, et dotés d'un caractère acidulé, vif et légèrement corsé en bouche. Ces vins, qui sont des réussites sans précédent, sont tous proposés à des prix relativement bas et doivent normalement être consommés dans l'année qui suit leur diffusion. Les amateurs de vins fruités et légers s'adresseront de préférence aux Domaines de Pouy, de Pomès, de Tariquet, de Rieux, de la Tuilerie, Varet, Lasalle, de Joy, de Puits et de Puts pour leurs vins agréables en bouche... et pour le porte-monnaie.

LES VINS DOUX LES MOINS CONNUS ET LES PLUS RARES DE FRANCE

Les amateurs aventureux en quête de liquoreux fascinants connus seulement des initiés devraient porter leur choix sur les remarquables vins du Domaine Guirouilh, du Clos Uroulat, du Domaine Cauhapé et du Cru Lamouroux. Dans les bonnes années, comme en 1989 et 1990, leur potentiel de garde est de 15 à 20 ans. Proches des meilleurs Barsac et Sauternes, mais avec un caractère de noix grillée plus prononcé, ils sont proposés à prix modérés, eu égard à leur qualité.

CE QU'IL FAUT SAVOIR

Retenez exclusivement le nom des deux ou trois meilleurs domaines pour chaque appellation.

STRATÉGIE D'ACHAT

Ces vins seront appréciés des amateurs curieux et perspicaces qui souhaitent découvrir des arômes nouveaux, tout en ménageant leurs finances. Pour ce qui est des vins blancs, il vaut mieux se cantonner aux millésimes récents comme 1994 et 1995. En revanche, pour les vins rouges, en particulier pour les Madiran et les Cahors, on peut remonter au début des années 80, sous réserve toutefois qu'il s'agisse de bouteilles ayant été conservées dans de bonnes conditions. Le meilleur millésime récent pour ces vins est 1990 (exceptionnel), suivi de 1989 (très bon), 1988 (bon) et 1986 (très bon). 1991, 1992 et 1993 sont de qualité moyenne, et 1994 devrait se révéler la meilleure de ces quatre années.

LES MEILLEURS PRODUCTEURS
DU SUD-OUEST
VINS ROUGES

***** EXCEPTIONNEL

Château Lagrezette (Cahors)
Château Montus (Madiran)

Domaine Pichard Cuvée Vigneau (Madiran)

**** EXCELLENT

Château d'Aydie-Laplace (Madiran)
Domaine de l'Antenet (Cahors)
Domaine de Barréjat (Madiran)
Domaine Bibian (Madiran)
Domaine Bouscassé (Madiran)

Château Champerel (Pécharmant)
Clos La Coutale (Cahors)
Clos de Gamot (Cahors)
Domaine Pichard (Madiran)
Clos de Triguedina
    Prince Phoebus (Cahors)

*** BON

Château Bélingard (Bergerac)
Château de Cayrou (Cahors)
Château de Chambert (Cahors)
Clos de Triguedina (Cahors)
Château Court-les-Mûts (Bergerac)
Domaine Jean Cros (Gaillac)
Domaine de Durand
    (Côtes de Duras)
Domaine du Haut-Pécharmant
    (Pécharmant)
Domaine de Haute-Serre (Cahors)
Château de la Jaubertie (Bergerac)
Château Michel de Montague
    (Bergerac)
Château de Padère (Buzet)

Château de Panisseau (Bergerac)
Château Le Passelys (Cahors)
Château Pech de Jammes (Cahors)
Château du Perron (Madiran)
Château de Peyros (Cahors)
Château Pineraie (Cahors)
Château Poulvère (Bergerac)
Château Saint-Didier-Parnac
    (Cahors)
Domaine des Savarines
    (Cahors)***/****
Château Thénac (Cahors)
Domaine Theulet et Marsalet
    (Bergerac)
Château de Tiregand (Pécharmant)

** MOYEN

Domaine de Bovila (Cahors)
Château La Borderie (Bergerac)
Château Le Caillou (Bergerac)
Domaine Constant (Bergerac)**/***
Les Côtes d'Olt (Cahors)

Duron (Cahors)
Château Le Fagé (Bergerac)
Domaine de Paillas (Cahors)
Château Peyrat (Cahors)
Domaine de Quattre (Cahors)

VINS BLANCS SECS

**** EXCELLENT

Château de Bachen (Tursan)
Château Court-les-Mûts (Bergerac)
Château Grinou (Bergerac)
Château de la Jaubertie (Bergerac)

Château de Panisseau (Bergerac)
Château Tiregard Les Galinux
  (Bergerac)

*** BON

Château Bélingard
  (Bergerac)
Château Haut-Peygonthier
  (Bergerac)
Domaine de Joy
  (Côtes de Gascogne)
Domaine Lasalle
  (Côtes de Gascogne)
Domaine de Pomès
  (Côtes de Gascogne)
Domaine de Pouy
  (Côtes de Gascogne)

Domaine de Puits
  (Côtes de Gascogne)
Domaine de Puts
  (Côtes de Gascogne)
Domaine de Rieux
  (Côtes de Gascogne)
Domaine Tariquet
  (Côtes de Gascogne)
Domaine de la Tuilerie
  (Côtes de Gascogne)
Domaine Varet
  (Côtes de Gascogne)

VINS BLANCS LIQUOREUX

***** EXCEPTIONNEL

Domaine Cauhapé Cuvée Quintessence (Jurançon)

**** EXCELLENT

Domaine Cauhapé (Jurançon)
Clos Guirouilh Cuvée
  Petit Cuyalaa (Jurançon)

Cru Lamouroux (Jurançon)
Clos Uroulat (Jurançon)

*** *BON*

Domaine Bellegarde
  Sélection de Petit Manseng
  (Jurançon)

Château Le Fagé (Monbazillac)
Château du Treuil-de-Nailhac
  (Monbazillac)

** *MOYEN*

Domaine Bru-Baché (Jurançon)
Henri Burgue (Jurançon)

Clos Lapeyre (Jurançon)
Château Rousse (Jurançon)

VALLÉE DU RHÔNE

TYPES DE VIN

On distingue en fait deux parties dans la vallée du Rhône. Dans la zone septentrionale, des appellations aussi prestigieuses que Côte-Rôtie, Hermitage et Cornas donnent des vins riches, très corsés et de longue garde, issus du noble cépage qu'est la syrah, et on élabore à Condrieu de faibles quantités d'un vin blanc délicieux et très aromatique. La région de l'Hermitage donne également du blanc, et Crozes-Hermitage et Saint-Joseph produisent tous deux des vins blancs et rouges très bons, mais pas exceptionnels. La partie méridionale, au climat méditerranéen, produit principalement des vins très corsés, capiteux et robustes, mais on y trouve aussi des vins rosés, très aromatiques mais sous-estimés, ainsi que des blancs qui se révèlent de meilleure qualité au fil des années.

CÉPAGES

Voici la liste des principaux cépages cultivés en vallée du Rhône, pour les rouges et pour les blancs.

CÉPAGES ROUGES

Cinsault Les producteurs utilisent très peu le cinsault. Ce cépage précoce, d'un bon rendement, donne des vins très fruités, et compense le caractère alcoolique du grenache et les tannins de la syrah et du mourvèdre. Il semblerait cependant qu'il ait perdu du terrain au profit de ces deux derniers cépages, malgré ses qualités, même s'il demeure un précieux élément d'assemblage pour les vins de la vallée du Rhône méridionale.

Counoise On cultive peu ce cépage dans la partie sud de la vallée du Rhône à cause de son caractère capricieux. Je l'ai cependant goûté isolément au Château de Beaucastel, à Châteauneuf-du-Pape, où la famille Perrin le remet à l'honneur. Je lui ai trouvé beaucoup de finesse, avec un caractère richement fruité, ainsi qu'un parfum complexe de viande fumée, de fleurs et de fruits rouges. Les Perrin estiment la counoise aussi intéressante que le mourvèdre, associée à d'autres cépages.

Grenache Cépage typique des climats chauds, le grenache est, pour le meilleur ou le pire, dominant dans la partie méridionale de la vallée du Rhône. Selon les rendements, les vins qui en sont issus peuvent être alcooliques, peu équilibrés et rugueux, ou riches, majestueux, somptueux et de longue garde. Lorsque le grenache est taillé court et cultivé avec peu d'engrais, il peut être remarquable, et le Château Rayas à Châteauneuf illustre magnifiquement les sommets qu'il peut atteindre. A son meilleur niveau, ce cépage offre des arômes de kirsch, de cassis, de poivre, de réglisse et de cacahuète grillée.

Mourvèdre Si tout le monde s'accorde sur les vertus du mourvèdre, peu de vignerons, en revanche, s'aventurent à le cultiver. Il se développe bien dans l'appellation Bandol, mais, à Châteauneuf-du-Pape, seul le Château de Beaucastel l'inclut de manière significative dans son assemblage final (presque un tiers). Très coloré et superbement structuré, il apporte des arômes complexes de bois et de cuir fin, et résiste bien à l'oxydation. Cependant, il mûrit très tardivement et, contrairement aux autres cépages, ne vaut rien tant qu'il n'est pas à parfaite maturité. Les producteurs lui reprochent en effet de ne donner que peu de couleur et beaucoup d'acidité. Étant donné son caractère très capricieux, il est peu probable que ce cépage soit davantage cultivé dans l'avenir, si ce n'est par des viticulteurs passionnés ou aventureux. Il offre des arômes de cuir, de truffe, de champignon frais et d'écorce absolument féeriques.

Muscardin Plus courant que le terret noir, le muscardin confère au vin une grande richesse aromatique, ainsi qu'un caractère puissant et très alcoolique. Le Château de Beaucastel le cultive, mais seul l'excellent Domaine de Chante-Perdrix de Châteauneuf l'utilise de manière significative, avec plus de 20 % de ce cépage dans son assemblage final.

Syrah Cépage unique de la partie septentrionale de la vallée du Rhône, la syrah joue un rôle secondaire dans la zone méridionale. Il est cependant incontestable qu'elle apporte au grenache, relativement souple et charnu, la structure, la charpente et les tannins qui lui manquent. Certains producteurs pensent qu'elle mûrit trop vite sous le climat plus chaud du Sud, mais elle est, à mon avis, très bénéfique pour les vins de cette région. De plus en plus de domaines produisent actuellement des vins issus uniquement de syrah, qui révèlent un excellent potentiel. Les Cuvées Syrah du Château Fonsalette et du Domaine Gramenon, qui se distinguent particulièrement, peuvent parfaitement évoluer sur 15 à 25 ans et déploient des arômes de fruits rouges, de café, de goudron fumé et de bois de noyer.

Terret noir On rencontre fort peu de ce cépage dans le sud de la vallée du Rhône, où il est pourtant autorisé. Il apporte au vin une certaine acidité, et atténue la puissance du grenache et de la syrah. Mais les meilleures propriétés ne le cultivent plus.

Vaccarèse C'est également à Beaucastel que j'ai pu goûter ce cépage isolément, car les Perrin le vinifient à part. Bien qu'il ne soit pas aussi puissant ni aussi profond que la syrah, ni aussi alcoolique que le grenache, il possède son caractère propre et offre des arômes de poivre, de goudron chaud, de tabac et de réglisse.

CÉPAGES BLANCS

Bourboulenc Le bourboulenc donne du corps au vin. Les connaisseurs locaux disent qu'il exhale un parfum de rose, mais je ne m'en suis pour ma part jamais aperçu.

Clairette Jusqu'à la mise au point des méthodes et du matériel permettant de minimiser les risques d'oxydation, les vins issus de clairette étaient lourds et alcooliques, souvent d'une couleur jaune très soutenue, avec un caractère épais et pesant. Les techniques modernes permettent d'obtenir des vins doux, floraux et fruités, qui doivent être consommés jeunes. Le merveilleux Châteauneuf-du-Pape Blanc du Domaine du Vieux Télégraphe compte 35 % de ce cépage dans son assemblage.

Grenache blanc Le grenache blanc donne des vins merveilleusement fruités et très alcooliques, mais faibles en acidité. Lorsque les fermentations se déroulent à basse température et que les malolactiques sont interrompues, il produit un vin délicieux et très agréable à boire sur le court terme. L'exquis Châteauneuf-du-Pape Blanc d'Henri Brunier (Domaine du Vieux Télégraphe) comporte 25 % de grenache blanc, et les frères Gonnet utilisent ce cépage à 50 % dans leur Font de Michelle. Les vins de ce type déploient le parfum floral du narcisse et rappellent un peu les Condrieu.

Marsanne Dans la partie méridionale de la vallée du Rhône, la marsanne donne des vins assez costauds qui appellent le mélange avec d'autres cépages. Jancis Robinson dit souvent qu'elle a « comme un parfum de colle qui est loin d'être désagréable ».

Picardin Ce cépage est tombé en disgrâce, peut-être parce que les producteurs estimaient qu'il n'apportait rien aux assemblages. En effet, il présente un caractère assez neutre.

Picpoul A vrai dire, je ne sais pas à quoi ressemble le picpoul. Je n'ai jamais pu en déguster isolément, et la majorité des vins n'en contient pas une proportion suffisante pour donner une idée de son caractère propre.

Roussanne La roussanne a pendant des siècles été l'âme de l'Hermitage blanc dans le nord de la vallée du Rhône, mais elle a reculé au profit de la marsanne à cause de ses petits rendements et de sa sensibilité aux maladies. Elle revient maintenant à l'honneur dans les appellations méridionales et déploie plus de caractère que nombre d'autres cépages blancs, offrant des arômes de miel, de café, de fleurs et de noix, et produisant des vins de longue garde, ce qui est assez rare pour un vin blanc de la région. Ainsi, le célèbre Château de Beaucastel de Châteauneuf-du-Pape produit, à base de 80 % de roussanne, le vin blanc le plus apte à la longue garde de toute l'appellation, et il propose également, depuis 1986, un vin exclusivement issu de vieilles vignes de roussanne qui se révèle souvent très profond.

Viognier   Ce cépage donne un vin blanc unique et grandiose, à Condrieu et à Château Grillet, dans le nord de la vallée du Rhône. Il est plutôt rare dans la partie méridionale, mais les plantations expérimentales donnent des résultats très encourageants, comme au Domaine de Sainte-Anne, à Saint-Gervais, et au Domaine de Saint-Estève, à Uchaux, où l'on produit un excellent viognier. Le Château de Beaucastel l'utilise depuis 1991 dans son Coudoulet blanc, mais, malheureusement, ce cépage n'est pas autorisé en appellation Châteauneuf-du-Pape, alors qu'il pourrait grandement améliorer certains vins de village, par trop neutres. Le viognier est aussi de plus en plus fréquemment utilisé pour l'élaboration des Côtes-du-Rhône blancs, ce qui explique qu'ils soient de meilleure qualité.

APPELLATIONS

VALLÉE DU RHÔNE SEPTENTRIONALE

Condrieu   Ce vin blanc exotique, souvent puissamment parfumé et faible en acidité, doit être dégusté jeune, mais il déploie de superbes arômes de pêche, d'abricot et de miel, et présente une finale exubérante et opulente.

Cornas   Une robe rubis foncé et impénétrable, des tannins rugueux et même sauvages quand le vin est jeune, une structure massive et du dépôt dans la bouteille, telles sont les caractéristiques de ce vin qui semble tout droit sorti du siècle dernier. Les Cornas sont au nombre des vins les plus robustes et les plus virils qui soient, avec de puissants arômes de cassis et de framboise qui se muent, avec le temps, en un bouquet de châtaigne, de truffe, de réglisse et de cassis. Un des plus grands rouges qui soient, et des plus sous-estimés.

Côte-Rôtie   Immenses, charnus, riches et parfumés, avec des arômes de fumé, les vins de la Côte-Rôtie sont sensationnels. Très corsés, ils regorgent d'un fruité de cassis, souvent mêlé de senteurs de lard grillé. Ces vins, qui comptent parmi les plus grands de France, peuvent affronter une garde de 25 ans s'ils sont conservés dans de bonnes conditions.

Crozes-Hermitage   Bien que cette appellation soit à proximité de celle, plus célèbre, de l'Hermitage, les vins rouges qui en sont issus sont doux, épicés, fruités, trapus et végétaux, plutôt unidimensionnels et manquant de distinction. Les blancs sont parfois plaisants, mais souvent médiocres et trop acides.

Hermitage   A son meilleur niveau, l'Hermitage est un vin riche, visqueux, très corsé et tannique, qui rappelle un Porto et qui semble fait pour durer une éternité. Il se caractérise par des senteurs intenses, presque piquantes (très relevées), de poivre et de cassis, parfois mêlées d'arômes d'herbes provençales. Les vins blancs de l'appellation sont souvent neutres, mais les mieux réussis offrent un bouquet d'herbes, de minéral, de noix, de fleur d'acacia, de pêche, avec des notes de pierre et d'ardoise mouillée.

Saint-Joseph Il s'agit de l'appellation la plus sous-estimée de la vallée du Rhône septentrionale, pour les rouges comme pour les blancs. Ses vins fruités et juteux doivent en général être bus jeunes.

Saint-Péray Cette appellation, très peu connue, produit de faibles quantités de vins blancs tranquilles et mousseux qui se révèlent souvent ternes, lourds et diffus – en fait, sans intérêt.

VALLÉE DU RHÔNE MÉRIDIONALE

Châteauneuf-du-Pape Le style des Châteauneuf-du-Pape est loin d'être homogène. Lorsqu'ils sont faits de manière à ressembler à des Beaujolais, ils ont des arômes doux, fruités et confiturés, et doivent alors être consommés relativement jeunes. Mais lorsqu'ils sont vinifiés dans le respect des traditions, ils se montrent riches et très corsés, d'une couleur dense et profonde, et peuvent être conservés au moins 15 à 20 ans. Ils sont souvent caractérisés par des arômes de cuir, de fenouil, de réglisse, de truffe noire, de poivre, de noix muscade et de viande fumée. Les vins élaborés suivant ces deux méthodes et ensuite assemblés libèrent généralement des senteurs de noix grillée et de cerise très mûre, lorsqu'ils contiennent une forte proportion de grenache. Quant aux blancs de l'appellation, ils sont neutres et inintéressants, les mieux réussis exhalant tout de même un bouquet de fleurs et de fruits tropicaux. Ils doivent cependant être consommés relativement jeunes.

Côtes-du-Rhône Les meilleurs Côtes-du-Rhône sont des vins sans détour, mais délicieux, friands et vifs, aux arômes de poivre, de mûre et de framboise, avec de la souplesse et du corps. Il faut les boire dans les 5 ou 6 ans qui suivent leur diffusion.

Gigondas Les Gigondas sont des vins robustes, consistants, corsés, riches et généreux, au bouquet entêtant et aux arômes souples, riches et épicés en bouche. On trouve aussi de faibles quantités d'un vin rosé sous-évalué ; les amateurs de raretés pourront se laisser tenter.

Muscat de Beaumes-de-Venise Ce vin alcoolique et liquoreux est extraordinairement parfumé et exotique, avec des senteurs de pêche, d'abricot, de noix de coco et de letchi. Buvez-le quand il est jeune pour l'apprécier pleinement.

Tavel Le minuscule village de Tavel se situe à 12 km à l'est de Châteauneuf-du-Pape, dans un environnement aride, en pleine garrigue. Seul le rosé y a droit de cité ; c'est d'ailleurs la seule appellation de France où il ne soit pas permis de produire d'autres types de vin – rouge ou blanc. Les neuf cépages qui y sont cultivés, notamment le grenache et le cinsault, donnent des rosés généralement secs, austères et très corsés, extrêmement aromatiques

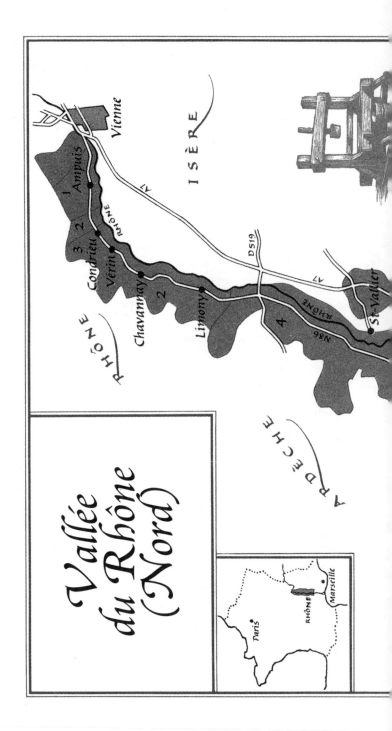

Vallée du Rhône (Nord)

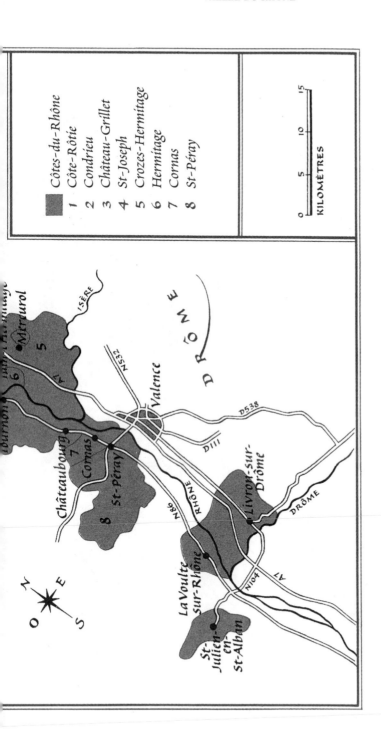

Côtes-du-Rhône
1 Côte-Rôtie
2 Condrieu
3 Château-Grillet
4 St-Joseph
5 Crozes-Hermitage
6 Hermitage
7 Cornas
8 St-Péray

KILOMÈTRES
0 5 10 15

Mercurol
ISÈRE
DRÔME
N532
Valence
D538
DIII
Châteaubourg
Cornas
7
8
St-Péray
Tournon
N86
RHÔNE
Livron-sur-Drôme
DRÔME
La Voulte-sur-Rhône
N104
A7
St-Julien-en-St-Alban
N
O E
S

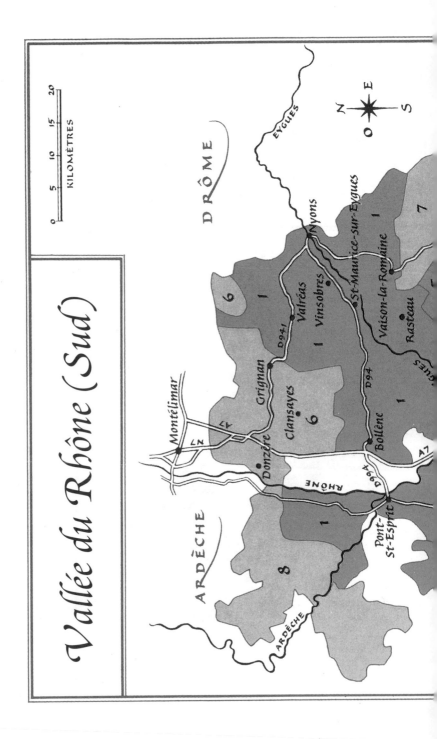

Vallée du Rhône (Sud)

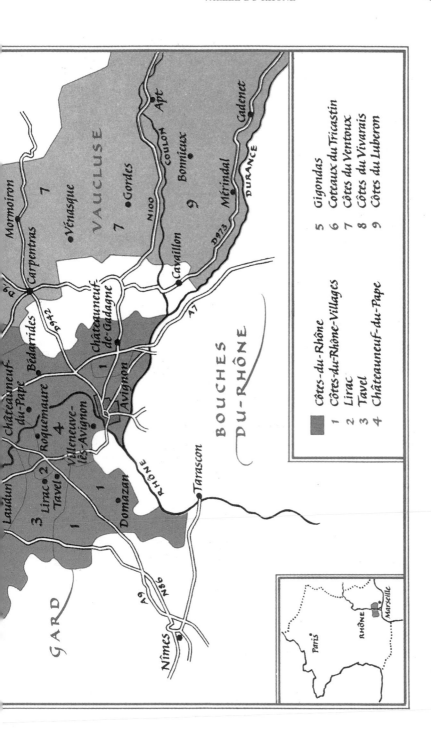

GARD

Nîmes
Tarascon
Domazan
Laudun
3
Lirac 2
Tavel
1
Roquemaure
4
Villeneuve-lès-Avignon
Châteauneuf-du-Pape
Bédarrides
Avignon
1
Châteauneuf-de-Gadagne
Carpentras
Vénasque
Mormoiron
7
VAUCLUSE
Gordes
7
Cavaillon
Bonnieux
9
Mérindal
Cadenet
Apt
COULON
N100
DURANCE
D973
RHÔNE
N86
A9
A7
D942
D976

BOUCHES-DU-RHÔNE

Paris
RHÔNE
Marseille

	Côtes-du-Rhône		5	Gigondas
1	Côtes-du-Rhône-Villages		6	Coteaux du Tricastin
2	Lirac		7	Côtes du Ventoux
3	Tavel		8	Côtes du Vivarais
4	Châteauneuf-du-Pape		9	Côtes du Luberon

et intenses, mais, malheureusement, leur niveau de qualité varie de façon considérable. Les vins d'antan, traditionnels, cèdent progressivement la place à des vins plus légers, qui non seulement n'achèvent pas leurs fermentations malolactiques, mais sont encore mis en bouteille relativement tôt, avec une filtration stérile. Aujourd'hui, dans leur grande majorité, les Tavel ne diffèrent guère des bons rosés d'autres régions. Cependant, lorsqu'ils portent l'étiquette des meilleurs producteurs (Châteaux d'Aquéria et de Tringuevedel, Guigal, Domaines Corne-Loup, Méjean-Taulier, Canto-Perdrix, de la Forcardière, de la Genestrière, de la Mordorée, de Roc-Épine), ils s'imposent comme des rosés peut-être un peu chers, mais toujours savoureux et dignes d'intérêt.

POTENTIEL DE GARDE

Vallée du Rhône septentrionale
Condrieu : 2 à 5 ans
Cornas : 5 à 15 ans
Côte-Rôtie : 5 à 25 ans
Crozes-Hermitage : 3 à 8 ans
Hermitage rouge : 5 à 30 ans
Hermitage blanc : 3 à 15 ans
Saint-Joseph : 3 à 8 ans

Vallée du Rhône méridionale
Châteauneuf-du-Pape rouge :
   5 à 20 ans
Châteauneuf-du-Pape blanc :
   1 ou 2 ans
Côtes-du-Rhône : 4 à 8 ans
Gigondas : 5 à 12 ans
Muscat de Beaumes-de-Venise :
   1 à 3 ans
Tavel : 1 ou 2 ans

QUALITÉ DES VINS

Dans les appellations du nord de la vallée du Rhône, en Côte-Rôtie, Hermitage, Condrieu et Cornas, la vinification est en règle générale de très haut niveau, mais elle est plus irrégulière dans les autres. Dans la zone sud, l'appellation Châteauneuf offre le meilleur comme le pire, et c'est en Gigondas que les vinificateurs sont les meilleurs.

CE QU'IL FAUT SAVOIR

VALLÉE DU RHÔNE SEPTENTRIONALE

Vue générale de Côte-Rôtie

Vins produits :   rouges seulement.
Cépages autorisés :   syrah et un peu de viognier
                             (jusqu'à 20 % dans les assemblages).
Surface en vigne :   160 ha.
Qualité générale :   exceptionnelle. Les rouges comptent
                             parmi les meilleurs du monde.
Potentiel de garde :   5 à 30 ans.

Caractère général des vins :   des vins sensationnels, riches et charnus, corsés et très aromatiques, marqués de notes de fumé.

Meilleurs millésimes récents :   1991, 1989, 1988, 1985, 1983, 1978, 1976.

Fourchette de prix :   125-275 F, sauf pour les grands crus de Guigal, qui sont aux environs de 750 F... si vous avez la chance d'en trouver.

LES MEILLEURS PRODUCTEURS DE CÔTE-RÔTIE

***** EXCEPTIONNEL

Chapoutier La Mordorée
Clusel-Roch Les Grandes Places
Marius Gentaz-Dervieux[1]
Guigal La Landonne
Guigal La Mouline
Guigal La Turque
Jean-Paul et Jean-Luc Jamet

René Rostaing Côte Blonde
René Rostaing (Côte Brune)
    La Landonne
René Rostaing (Côte Brune)
    La Viaillère (depuis 1991)
L. de Vallouit Les Roziers
Vidal-Fleury La Châtillonne

**** EXCELLENT

Gilles Barge
Pierre Barge
Bernard Burgaud
Chapoutier
    Côtes Blonde et Brune
Clusel-Roch (autres cuvées)
Henri Gallet****/*****
Vincent Gasse****/*****

Jean-Michel Gérin
    Les Grandes Places
Guigal Côtes Brune et Blonde
Michel Ogier
René Rostaing (cuvée générique)
Lyliane Saugère
L. de Vallouit Vagonier
Vidal-Fleury
    Côtes Blonde et Brune

*** BON

Guy et Frédéric Bernard
Domaine de Bonserine
Émile Champet
Joël Champet La Viaillère
Chapoutier (cuvée générique)
Clusel-Roch (cuvée générique)

Delas Frères
    Les Seigneurs de Maugiron
Albert Dervieux-Thaize[2]
Georges Duboeuf
    Domaine Ile Rousse
Pierre Gaillard

---

1. Marius Gentaz a pris sa retraite juste après le millésime 1992. C'est désormais René Rostaing qui s'occupe de cette propriété.

2. Albert Dervieux-Thaize a pris sa retraite en 1991, et ses vignobles sont maintenant cultivés par René Rostaing (5 étoiles).

Jean-Michel Gérin
   Champin Le Seigneur

Paul Jaboulet Aîné Les Jumelles
Robert Jasmin

Vue générale de Condrieu

Vins produits :	blancs seulement.
Cépage autorisé :	viognier.
Surface en vigne :	environ 80 ha, plus les 3,8 ha de Château Grillet.
Qualité générale :	exceptionnelle, les Condrieu étant au nombre des vins les plus rares du monde.
Potentiel de garde :	1 à 4 ans.
Caractère général des vins :	exotiques et puissamment marqués par des arômes de fruits tropicaux mêlés de notes florales, ces vins très riches et faibles en acidité doivent être consommés relativement rapidement.
Meilleurs millésimes récents :	1994, 1993, 1991, 1990 (seulement pour les Vendanges tardives), 1989 (ils sont peut-être déjà sur le déclin).
Fourchette de prix :	150-300 F.

LES MEILLEURS PRODUCTEURS DE CONDRIEU

***** *EXCEPTIONNEL*

Yves Cuilleron Les Chaillets
   Vieilles Vignes
Yves Cuilleron Les Éguets
   Vendanges Tardives
Pierre Dumazet
Guigal
Domaine de Monteillet

André Perret
   Coteau du Chéry
Philippe Pichon
Georges Vernay
   Les Chaillets de l'Enfer
Georges Vernay
   Coteaux du Vernon

**** *EXCELLENT*

Gilles Barge
Christophe et Patrick Bonnefond
Chapoutier
Jean-Louis Chave
Delas Frères

Robert Niero
Christophe Pichon
Hervé Richard
Georges Vernay (cuvée générique)
François Villard

*** *BON*

Domaine du Chêne - Marc
   et Dominique Rouvière
Louis Chèze***/****

Domaine Farjon
Pierre Gaillard
Jean-Michel Gérin

Château Grillet[1]
Paul Jaboulet Aîné
Niero-Pinchon

Patrice Porte
Du Rozay
Vidal-Fleury

Vue générale d'Hermitage

Vins produits :	blancs et rouges.
Cépages autorisés :	syrah pour les rouges, essentiellement marsanne et un peu de roussanne pour les blancs.
Surface en vigne :	135 ha.
Qualité générale :	exceptionnelle pour les rouges, bonne à excellente pour les blancs.
Potentiel de garde :	rouges – 5 à 25 ans ; blancs – 3 à 15 ans.
Caractère général des vins :	riches et visqueux, les vins rouges sont aussi très corsés, tanniques et trapus, semblables à des Porto. Quant aux blancs, très corsés, ils exhalent des arômes uniques d'herbes, de minéral et de pêche.
Meilleurs millésimes récents :	1991, 1990, 1989, 1978, 1972, 1970, 1966, 1961, 1959.
Fourchette de prix :	165-375 F.

LES MEILLEURS PRODUCTEURS D'HERMITAGE ROUGE

***** EXCEPTIONNEL

Chapoutier Le Pavillon
Jean-Louis Chave
  Cuvée Cathelin

Bernard Faurie
Paul Jaboulet Aîné La Chapelle
Domaine Henri Sorrel Le Gréal

**** EXCELLENT

Albert Belle
Chapoutier La Sizeranne
  (depuis 1989)
Delas Frères Les Bessards
Ferraton Père et Fils
  Cuvée des Miaux

Lyliane Saugère
Domaine Henri Sorrel
  (cuvée générique)
L. de Vallouit Greffières

1. Avant 1979*****, depuis 1979***. Bien qu'étant une appellation à part entière, Château Grillet est souvent considéré comme faisant partie des Condrieu. Exactement comme dans cette dernière appellation, le seul cépage autorisé est le viognier.

*** *BON*

Dard et Ribo
Delas Frères
  Cuvée Marquise de la Tourette
Desmeure
Jules Fayolle et Fils

Alain Graillot
Jean-Louis Grippat
Domaine Henri Sorrel
Vidal-Fleury

LES MEILLEURS PRODUCTEURS D'HERMITAGE BLANC

***** *EXCEPTIONNEL*

Chapoutier Cuvée de l'Orée

Jean-Louis Chave

**** *EXCELLENT*

Paul Jaboulet Aîné Chevalier
  de Stérimberg (depuis 1989)
Jean-Louis Grippat

Guigal
Domaine Henri Sorrel
  Les Roucoules

Vue générale de Crozes-Hermitage

Vins produits :   blancs et rouges.
Cépages autorisés :   marsanne et roussanne pour les blancs, syrah pour les rouges.
Surface en vigne :   1 150 ha.
Qualité générale :   médiocre à très bonne.
Potentiel de garde :   rouges – 3 à 10 ans ; blancs – 1 à 4 ans.
Caractère général des vins :   les rouges sont de qualité extrêmement variable. Quant aux blancs, charnus, trapus et robustes, ils manquent de distinction.
Meilleurs millésimes récents :   1991, 1990, 1989, 1988, 1985, 1978.
Fourchette de prix :   100-125 F.

LES MEILLEURS PRODUCTEURS DE CROZES-HERMITAGE

***** *EXCEPTIONNEL*

Albert Belle Cuvée Louis Belle
Alain Graillot La Guiraude

Paul Jaboulet Aîné Thalabert

**** *EXCELLENT*

Albert Belle
Alain Graillot (cuvée générique)
Paul Jaboulet Aîné

Domaine du Pavillon-Mercurol
L. de Vallouit Larnage

*** BON

Chapoutier Les Meysonniers
Curson – Étienne Pochon
Dard et Ribo

Delas Frères
  Cuvée Marquise de la Tourette
Ferraton Père et Fils

Vue générale de Saint-Joseph

Vins produits :	rouges et blancs.
Cépages autorisés :	marsanne et roussanne pour les blancs, syrah pour les rouges.
Surface en vigne :	640 ha.
Qualité générale :	moyenne à très bonne.
Potentiel de garde :	les vins rouges tiennent en général 1 à 6 ans, mais les cuvées prestige ou vieilles vignes peuvent se garder plus d'une décennie. Les vins blancs ont un potentiel de garde de 1 à 5 ans.
Caractère général des vins :	les Saint-Joseph rouges sont les vins les plus légers, les plus fruités et les plus féminins de la vallée du Rhône septentrionale. Les blancs sont très aromatiques et charnus, avec des senteurs d'abricot et de poire.
Meilleurs millésimes récents :	1991, 1990, 1989, 1988, 1985, 1983, 1978.
Fourchette de prix :	60-100 F.

LES MEILLEURS PRODUCTEURS DE SAINT-JOSEPH

***** EXCEPTIONNEL

Jean-Louis Chave
Domaine du Chêne –
  Marc et Dominique Rouvière
  Cuvée Anaïs
Yves Cuilleron Cuvée Prestige
Domaine de Gachon –
  Pascal Perrier

Jean-Louis Grippat
  Vignes de l'Hospice
Paul Jaboulet Aîné
  Le Grand Pompée
Domaine de Monteillet
André Perret Les Grisières
L. de Vallouit Les Anges

**** EXCELLENT

Chapoutier Deschants
Domaine du Chêne –
  Marc et Dominique Rouvière

Bernard Faurie
Domaine de Fauterie
Alain Graillot

André Perret (cuvée générique)
Pascal Perrier

Hervé Richard
Raymond Trollat

*** *BON*

Louis Chèze ***/****
Yves Cuilleron
Pierre Coursodon
Dard et Ribo

Pierre Gaillard
Jean-Louis Grippat
  (cuvée générique)
Saint-Désirat Cave coopérative

Vue générale de Cornas

Vins produits :   rouges uniquement.
Cépage autorisé :   syrah.
Surface en vigne :   environ 100 ha.
Qualité générale :   bonne à exceptionnelle.
Potentiel de garde :   5 à 15 ans.
Caractère général des vins : de couleur rubis tirant sur le noir, les Cornas
                                   sont très corsés, tanniques, virils, robustes
                                   et très puissamment aromatiques.
Meilleurs millésimes récents : 1991, 1990, 1988, 1985, 1983, 1979, 1978,
                                   1976, 1972.
Fourchette de prix :   125-150 F.

LES MEILLEURS PRODUCTEURS DE CORNAS

***** *EXCEPTIONNEL*

Auguste Clape
Jean-Luc Colombo Les Ruchets

Noël Verset
Alain Voge Vieilles Vignes

**** *EXCELLENT*

Thierry Allemand
Chapoutier
Laurent et Dominique Courbis
  Domaine des Royes
Dumien-Serrette

Paul Jaboulet Aîné –
  Domaine Saint-Pierre
Marcel Juge Cuvée C
Jacques Lemencier
Robert Michel Le Geynale
Alain Voge

*** *BON*

René Balthazar
Guy de Barjac
Jean-Luc Colombo

Laurent et Dominique Courbis
  (cuvée générique)
Delas Frères Chante-Perdrix

Paul Jaboulet Aîné
Marcel Juge (cuvée générique)
Jean Lionnet

Robert Michel (cuvée générique)
Jean-Louis Thiers
Alain Voge Cuvée Barriques

VALLÉE DU RHÔNE MÉRIDIONALE

Vue générale des Côtes-du-Rhône et des Côtes-du-Rhône-Villages

Vins produits :	rouges, blancs et rosés.
Cépages autorisés :	principalement grenache, mais aussi syrah, mourvèdre et cinsault. La plupart des blancs sont à base de grenache blanc et de clairette, mais le viognier est très prometteur.
Surface en vigne :	46 550 ha.
Qualité générale :	très diverse, allant du médiocre au splendide.
Potentiel de garde :	si les vins doivent en grande majorité être consommés dans les 4 ans suivant le millésime, certains, tels Coudoulet et Fonsalette, peuvent se bonifier sur une période de 15 ans.
Caractère général des vins :	de styles extrêmement divers, les Côtes-du-Rhône peuvent être légers et fruités, ou très corsés, tanniques et concentrés.
Meilleurs millésimes récents :	1994, 1990, 1989, 1988.
Fourchette de prix :	30-100 F.

LES MEILLEURS PRODUCTEURS DE CÔTES-DU-RHÔNE ET DE CÔTES-DU-RHÔNE-VILLAGES

***** EXCEPTIONNEL

Domaine des Amouriers
Coudoulet de Beaucastel
Daniel Brusset
  Les Hauts de Montmirail
Domaine Gramenon
  Cuvée Ceps Centenaires
Château Rayas Fonsalette
  Cuvée Syrah

Domaine Gramenon
  Cuvée Laurentides
Domaine de la Guicharde
Jean-Marie Lombard
Domaine de l'Oratoire Saint-Martin
Château Rayas Fonsalette
Château des Tours

**** EXCELLENT

Domaine de l'Amandier
Domaine de l'Ameillaud

Domaine des Anges
Domaine Les Aussellons

Domaine de la Bécassone
La Borie
Domaine André Brunel
Domaine de Cabasse
De la Canorgue
Cave Jaume
Clos de la Mûre
Domaine Le Couroulu
Georges Dubœuf
   Domaine des Aires Vieilles
Georges Dubœuf
   Domaine des Moulins
Domaine de l'Espigouette
Domaine de Fenouillet
Domaine Gramenon
Domaine du Grand Moulas
Château du Grand Prébois
Domaine des Grands Devers
Guigal
Paul Jaboulet Aîné Parallèle 45
Domaine Mitan
Domaine des Moulins

Domaine Pelaquié
Domaine de Piaugier
   Sablet Les Briguières
Domaine de Piaugier
   Sablet Montmartel
Plan Dei
Domaine de la Présidente
Rabasse-Charavin
Domaine de la Reméjeanne
Domaine Richard
Saint-Estève
Domaine Saint-Gayan
Château Saint-Maurice
Domaine Santa Duc
Domaine La Soumade
Domaine Sainte-Anne
Domaine Saint-Apollinaire
Domaine des Treilles
Le Val des Rois
Vidal-Fleury
La Vieille Ferme Étiquette Or
Domaine du Vieux Chêne
   (différentes cuvées)

*** BON

D'Aigueville
Paul Autard
La Berthète
Romain Bouchard
Auguste Clape
Daniel Combe
Château de Domazan
Estagnol
Domaine de Font-Sane
   Côtes du Ventoux
Domaine Saint-Michel
Domaine Saint-Pierre
Château du Trignon

Domaine Les Goubert
Malijay
Domaine de la Millière
Domaine Mireille et Vincent
Domaine de Mont-Redon
Domaine de la
   Mordorée****/*****
Domaine Mousset
Niero-Pinchon Sainte-Agathe
Château Pesquie
Domaine de Verquière
La Vieille Ferme (autres cuvées)

Vue générale de Châteauneuf-du-Pape

Vins produits :   les vins rouges représentent 97 %
de la production totale de l'appellation,
et les vins blancs 3 %.

Cépages autorisés :   il y en a treize, et même quatorze
si l'on compte le clone blanc du grenache.
En fait, les cépages les plus couramment

utilisés pour les rouges sont le grenache,
la syrah, le mourvèdre et le cinsault.
Les blancs sont en principe à base
de grenache blanc et de clairette.

Surface en vigne :	3 320 ha.
Qualité générale :	elle va d'inférieure à la moyenne à exceptionnelle pour les rouges. Les Châteauneuf-du-Pape offrent une grande diversité de styles et des niveaux de qualité très différents. Les blancs sont, à quelques exceptions près, assez médiocres.
Potentiel de garde :	rouges – 5 à 20 ans ; blancs – 1 à 2 ans (à l'exception de Rayas et de Beaucastel).
Caractère général des vins :	d'une grande diversité de styles et de niveaux de qualité, les rouges peuvent être corsés, riches, ronds, alcooliques et de longue garde, ou tendres et fruités comme des beaujolais. A leur meilleur niveau, les vins blancs sont floraux, fruités et nets, mais ils sont souvent âcres, creux et sans intérêt.
Meilleurs millésimes récents :	1990, 1989, 1988, 1985, 1981, 1979, 1978, 1970, 1967.
Fourchette de prix :	80-125 F, à l'exception de certaines cuvées prestige qui peuvent atteindre 250-375 F.

LES MEILLEURS PRODUCTEURS DE CHÂTEAUNEUF-DU-PAPE

***** EXCEPTIONNEL

Château de Beaucastel
Château de Beaucastel
  Cuvée Hommage
  à Jacques Perrin
Domaine de Beaurenard Boisrenard
Henri Bonneau
  Réserve des Célestins
Domaine Le Bosquet des Papes
  Cuvée Chantemerle
Lucien et André Brunel
  Les Cailloux
  Cuvée Centenaire
Chapoutier Barbe Rac
Clos du Mont-Olivet
  La Cuvée du Papet
Clos des Papes

Domaine Font de Michelle
  Cuvée Étienne Gonnet
Château de la Gardine
  Cuvée des Générations
Domaine de la Janasse
  Cuvée Vieilles Vignes
Domaine du Marcoux
  Vieilles Vignes
Domaine du Pégau
  Cuvée Réservée
Château Rayas
Domaine Roger Sabon
  Cuvée Prestige
Le Vieux Donjon
Domaine du Vieux Télégraphe

**** *EXCELLENT*

Pierre André
Paul Autard
Paul Autard
  Cuvée La Côte Ronde
Lucien Barrot
Domaine de Beaurenard
Henri Bonneau
  Cuvée Marie Beurrier
Domaine Le Bosquet des Papes
Lucien et André Brunel
  Les Cailloux
Château Cabrières
  Cuvée Prestige
Domaine Chante-Cigale
  (uniquement les cuvées
  non filtrées)
Domaine de Chante-Perdrix
Chapoutier La Bernardine
  (depuis 1989)
Domaine de la Charbonnière
Domaine Gérard Charvin
Domaine Les Clefs d'Or
Clos du Caillou
Clos du Mont-Olivet
Cuvée du Belvédère
Cuvée du Vatican
Rémy Diffonty
Domaine Durieu
  Cuvée Lucile Avril
Eddie Féraud
Domaine Font de Michelle
Château de La Gardine
Domaine Grand Jean

Guigal
Domaine Haut des Terres Blanches
Paul Jaboulet Aîné Les Cèdres
  (avant 1970 et après 1988)
Pierre Jacumin
  Cuvée de Boisdauphin
Domaine de la Janasse
  Cuvée Chaupoins
Domaine du Marcoux
  (cuvée générique)
Domaine de Montpertuis
  Cuvée Tradition
Moulin-Tacussel
Domaine de Nalys
Château de la Nerthe
Château de la Nerthe
  Cuvée des Cadettes (j'attribuerais
  5 étoiles à ce domaine s'il
  cessait de filtrer ses vins)
Domaine Pontifical – François Laget
Château Rayas Pignan
Domaine de la Présidente
Domaine de la Roquette
Domaine Roger Sabon
  Cuvée Réservée
Domaine Saint-Benoît
Domaine Saint-Laurent
Domaine de Saint-Siffrein
Domaine des Sénéchaux
Château Simian
Domaine de la Solitude
  (depuis 1990)
Domaine de la Vieille Julienne

*** *BON*

Jean Avril
Domaine Juliette Avril
Michel Bernard
Domaine Berthet Rayne
Domaine Bois de Boursan
Domaine de Bois Dauphin
Domaine Bouvachon Bovine
Château Cabrières
  Cuvée Tradition
Caves Perges

Caves Saint-Pierre
Domaine des Chanssaud
Domaine Chantadu
Domaine Chante-Cigale
  (cuvée générique)
Clos Bimard
Clos du Calvaire
Clos des Pontifes
Clos du Roi
Clos Saint-Jean

Clos Saint-Michel
Jean Comte de Lauze
La Crau des Papes
Edmond Duclaux
Domaine Durieu
  (cuvée générique)
Des Fines Roches
La Font du Loup
Château Fortia
Domaine Lou Fréjau
Domaine du Galet des Papes
Domaine Les Gallimardes
Domaine du Grand Tinel
Domaine du Grand Veneur
Domaine de la Janasse
  (cuvée générique)
Domaine Mathieu
Domaine de la Millière
Domaine de Montpertuis
  Cuvée Classique
Domaine de Mont-Redon

Domaine de la Mordorée
Domaine de Palestor
Domaine Pape Grégoire
Père Anselme
Domaine du Père Caboche
Domaine du Père Pape
  Clos du Calvaire
Domaine Roger Perrin
Domaine de la Pinède
Domaine des Relagnes
  Cuvée Vigneronne
Domaine Riché
Domaine Roger Sabon
  (cuvée générique)
Domaine de la Souco-Papale
Domaine Terre Ferme
Domaine Jean Trintignant
Domaine Raymond Usseglio
Vaudieu
Vidal-Fleury
Domaine du Vieux Lazaret

Vue générale de Gigondas

Vins produits :	essentiellement rouges et rosés en petites quantités.
Cépages autorisés :	principalement grenache, mais aussi syrah, mourvèdre et cinsault.
Surface en vigne :	1 185 ha.
Qualité générale :	moyenne à exceptionnelle.
Potentiel de garde :	5 à 15 ans.
Caractère général des vins :	robustes, pulpeux et corsés, les vins rouges sont aromatiques et de bonne mâche. A son meilleur niveau, le rosé, rare et sous-évalué, est frais et vibrant.
Meilleurs millésimes récents :	1990, 1989, 1985, 1979, 1978.
Fourchette de prix :	75-125 F.

LES MEILLEURS PRODUCTEURS DE GIGONDAS

***** EXCEPTIONNEL

Daniel Brusset –
  Les Hauts de Montmirail
Domaine de Cayron
Domaine Santa Duc Cuvée Prestige
  des Hautes Garrigues

Domaine de Font-Sane
  Cuvée Spéciale Fût Neuf
Domaine Saint-Gayan

**** *EXCELLENT*

Edmonde Burle
Domaine Le Clos des Cazaux
Domaine de Font-Sane
  (cuvée générique)
Domaine Les Goubert
  Cuvée Florence
Domaine du Gour de Chaulé
Guigal
Paul Jaboulet Aîné
  (avant 1978 et après 1989)

Domaine de Longue-Toque
Moulin de la Gardette
Domaine du Pesquier
Domaine de Piaugier
Domaine Raspail-Ay
Château Redoitier
Domaine Santa Duc
  (cuvée générique)
Domaine du Terme

*** *BON*

Pierre Amadieu –
  Domaine Romane-Machotte
La Bastide Saint-Vincent
Domaine des Bosquets
Domaine de la Bouissière
Cave coopérative de Gigondas
Clos du Joncuas
Domaine de la Daysse
Domaine des Espiers
Domaine de la Fourmone –
  Roger Combe
Domaine Les Goubert
  (cuvée générique)

Domaine Grand Romane
Domaine du Grapillon d'Or
Domaine de Joncuas
Domaine de la Mavette
Montmirail Cuvée Beauchamps
Domaine du Montvac
L'Oustau Fauquet
Domaine Les Pallières
Château Raspail – Gabriel Meffre
Domaine Les Teyssonnières
Domaine des Tourelles
Château du Trignon

Vue générale du Muscat de Beaumes-de-Venise

Vin produit :   vin doux naturel.
Cépage autorisé :   muscat.
Surface en vigne :   235 ha.
Qualité générale :   très bonne à exceptionnelle.
Potentiel de garde :   1 à 4 ans.
Caractère général des vins : liquoreux, exubérants, riches
                       et intensément parfumés.

Meilleurs millésimes récents : 1994, 1993, 1991, 1990.
Fourchette de prix :   75-125 F.

LES MEILLEURS PRODUCTEURS DE MUSCAT DE BEAUMES-DE-VENISE

***** EXCEPTIONNEL

Chapoutier
Domaine de Beaumalric
Domaine de Coyeux

Domaine de Durban
Paul Jaboulet Aîné
Vidal-Fleury

**** EXCELLENT

Domaine Castaud-Martin

Domaine Saint-Sauveur

*** BON

Cave coopérative de Beaumes-de-Venise

Vue générale de Vacqueyras

Vins produits :	essentiellement des vins rouges et rosés secs en petites quantités.
Cépages autorisés :	principalement grenache.
Surface en vigne :	1 740 ha.
Qualité générale :	bonne, va en s'améliorant.
Potentiel de garde :	3 à 8 ans.
Caractère général des vins :	très proches des Gigondas, les Vacqueyras sont poivrés, de bonne mâche et parfois rustiques, mais toujours très corsés et capiteux.
Meilleurs millésimes récents :	1990, 1989, 1988.
Fourchette de prix :	50-75 F.

LES MEILLEURS PRODUCTEURS DE VACQUEYRAS

***** EXCEPTIONNEL

Domaine des Amouriers

Château des Tours

**** EXCELLENT

Domaine Le Clos des Cazaux
Domaine Le Couroulu
Domaine de la Fourmone –
  Roger Combe
Domaine de la Garrigue

Montmirail Deux Frères
Domaine de Montvac
Domaine Le Sang des Cailloux
Vidal-Fleury

*** *BON*

Domaine de la Garrigue
Paul Jaboulet Aîné
Domaine de la Jaufrette

Domaine des Lambertins
Domaine de la Monardière
Château des Roques
Le Vieux Clocher

STRATÉGIE D'ACHAT

1995 est incontestablement, pour la vallée du Rhône, le meilleur millésime depuis 1989 et 1990, et les amateurs avisés feraient bien d'en avoir en cave. Si l'on trouve quelques belles réussites en 1994 et 1996, aucune de ces années n'offre des vins aussi réguliers, à haut niveau, que 1995.

Plus loin, les 1992 et 1993 de la partie méridionale se révèlent médiocres, tandis que ceux de la partie septentrionale sont d'une qualité inférieure à la moyenne. Ceux d'entre vous qui auraient la chance de « rencontrer » des 1991 issus des appellations de la zone Nord feraient bien de la saisir au vol, car il s'agit, pour cette région, d'un millésime de tout premier ordre. Il n'en va pas de même pour la partie Sud, qui a enregistré un véritable désastre cette année-là. Enfin, les 1989 et 1990 sont grandioses, tant dans la partie septentrionale que dans la zone méridionale de la vallée du Rhône − mais les rares disponibilités dans ces millésimes sont évidemment hors de prix.

MILLÉSIMES RÉCENTS

Après les excellents 1988, les extraordinaires 1989 et les très grandioses 1990, les amoureux de la vallée du Rhône n'ont pas été très gâtés par une série de millésimes difficiles. Les 1991, exceptionnels en Côte-Rôtie (probablement encore meilleurs que les 1990) et très bons ou excellents en Hermitage et Crozes-Hermitage, où l'on trouve quelques cuvées de très haut niveau, sont en revanche extrêmement décevants dans la partie méridionale, avec des vins qui ne déploient ni charme, ni grâce, ni profondeur. La qualité générale des 1992 fut grandement compromise par les pluies, mais j'ai été surpris par le nombre de vins séveux et accessibles qu'offrent les appellations Châteauneuf-du-Pape, Hermitage et Côte-Rôtie. Quant aux Côtes-du-Rhône, Gigondas et Vacqueyras, ils témoignent bien du déluge qui s'est abattu sur ces aires de production cette année-là. 1993 s'est révélé désastreux pour la vallée du Rhône septentrionale, mais quelques producteurs, tels Chave et Chapoutier, ont étonnamment bien réussi. Il faut cependant souligner que les échecs l'emportent largement sur les succès, en étant au moins cinq fois plus nombreux. Dans la partie méridionale, les 1993 sont irréguliers, mais d'assez bon niveau. Les vins les plus séduisants sont bien colorés et fruités, mais aussi assez austères et tanniques, les meilleurs d'entre eux étant de qualité supérieure à la moyenne. Le millésime est à son meilleur niveau à Châteauneuf.

1994 s'impose, pour les deux zones de la vallée du Rhône, comme la meilleure année depuis 1990 − en attendant 1995. Cependant, les vins qui sont maintenant en bouteille donnent à penser que le millésime sera moins régulier à haut niveau que je ne l'avais d'abord pronostiqué. Dans l'ensemble, il s'agit incontestablement d'une très bonne année, avec quelques vins exceptionnels, en particulier certains Châteauneuf, Hermitage, Côte-Rôtie, Cornas et Condrieu. Les vins sont bien évolués et souples, les mieux réussis présentant un fruité bien mûr, une belle corpulence et une belle acidité, et promettant d'être prêts relativement rapidement.

1995 s'est imposé dès le départ comme une année très prometteuse. On peut largement la considérer comme une répétition de 1994, avec un été torride (moins chaud, cependant, qu'en 1994) et un début septembre porteur d'espérances – à condition toutefois que le temps restât au beau fixe. Malheureusement, il y eut par deux fois un orage au même endroit, et, exactement comme l'année d'avant, à la date près, la région subit deux semaines de pluies torrentielles (entre le 7 et le 20 septembre). Mais là s'arrêtent les similitudes. Si, en 1994, les vendangeurs précoces avaient mieux réussi car le raisin était à un stade de maturité relativement avancé au moment des pluies, il n'en fut pas de même en 1995, le processus de maturation ayant deux semaines de retard par rapport à l'année précédente. L'eau n'arrangeant rien, il fallut surtout attendre pour récolter. De plus, les pluies, moins importantes qu'en 1994, s'arrêtèrent dans le courant de la troisième semaine de septembre, et furent suivies d'une longue période de beau temps sec et venteux. Les producteurs qui vendangèrent tard purent ainsi récolter des baies très mûres et très saines qui, curieusement, affichaient un taux d'acidité relativement élevé compte tenu de la maturité physiologique du raisin. Le millésime 1995 peut être qualifié d'exceptionnel dans la vallée du Rhône méridionale, mais il n'offre pas la même profondeur que 1989 ou 1990.

1995 : spécificités de chaque appellation

Châteauneuf-du-Pape Avec ses vieilles vignes et son terroir extraordinaire, cette appellation présente un potentiel incroyable, et ses 1995 sont de meilleur niveau encore que ses 1994. Plus riches et plus concentrés (les rendements étaient plus faibles), ils présentent une structure étonnante à cause de leur acidité élevée. C'est le cas également pour les mourvèdre, grenache et syrah vendangés tardivement. A Châteauneuf-du-Pape, 1995 se présente comme un millésime exceptionnel, que je placerai juste en deçà des 1990 et des 1989. Supérieur aux 1983, 1985 et 1988, sans compter les 1992, 1993 et 1994, il est à mes yeux de qualité égale à celle des 1981, mais de style différent. Depuis vingt ans que je déguste régulièrement en vallée du Rhône, je n'ai encore jamais connu un millésime comme celui-là. Les vins ont une structure qui rappelle celle des 1978 et des 1989, mais je suis convaincu qu'ils ne possèdent aucunement leur incroyable profondeur. Ils n'ont pas non plus la puissance, l'opulence et l'ampleur majestueuse des 1990, mais se pourrait-il qu'il s'agisse d'un mélange hypothétique des 1988 et des 1989 ? Dans l'ensemble, 1995 est une année très régulière à haut niveau en Châteauneuf-du-Pape, avec le plus grand nombre de vins extraordinaires depuis 1990. Ces derniers seront de longue garde (entre 10 et 20 ans), si l'on se fie à leur structure.

Gigondas   Gigondas a souffert, plus que toute autre appellation de la vallée du Rhône méridionale, de la série d'années difficiles qui ont suivi les grandioses 1989 et 1990. En effet, 1991 est tout juste de niveau moyen, 1992 a été compromis par les inondations, 1993 est très irrégulier, et, alors que 1994 s'annonçait prometteur, les vins se montrent maintenant, pour des raisons qui m'échappent, maigres et austères. Cependant, il se pourrait bien que Gigondas tienne sa revanche en 1995, en étant l'appellation qui réussit le mieux de toute la partie sud du pays. Même les vignerons et les négociants dont les vins sont en principe plutôt légers ont élaboré des 1995 de couleur noir-pourpre, au fruité exceptionnellement mûr, bien structurés, d'une belle acidité et superbement concentrés. La plupart des producteurs de Gigondas élèvent trop longtemps leurs vins en vieux fûts moisis, car ils ne les mettent en bouteille qu'au fur et à mesure des ventes. Ce n'est certes pas la meilleure manière de cultiver une qualité régulière et de haut niveau, mais c'est ainsi que les choses se passent, et, à moins qu'il n'y ait soudain une énorme demande pour les Gigondas, il y a de fortes probabilités pour que de telles pratiques perdurent. En effet, rares sont les producteurs qui ont les moyens d'acheter suffisamment de bouteilles pour loger toute leur récolte en une seule fois, et nombre d'entre eux n'auraient même pas la place de les conserver. La qualité de la matière première est néanmoins superbe en 1995, et j'espère que la plupart des meilleurs vignerons procéderont à la mise en bouteille dans les 12 à 18 mois suivant les vendanges.

Côtes-du-Rhône et Côtes-du-Rhône-Villages   Les Côtes-du-Rhône et les Côtes-du-Rhône-Villages déploient en 1995 un potentiel extrêmement élevé. La vendange des régions plus fraîches de la partie septentrionale (Valréas et Vinsobres) n'était pas toujours à maturité physiologique, mais j'ai dégusté dans la partie méridionale (dans les régions torrides du Gard et du Vaucluse) suffisamment de vins de premier ordre pour pouvoir affirmer qu'il s'agit là du meilleur millésime depuis 1990. Cependant, les amateurs doivent se montrer prudents : nombre de Côtes-du-Rhône, issus de raisins qui n'étaient pas parfaitement mûrs, présentent une acidité très élevée.

Côte-Rôtie   A leur meilleur niveau, les vins de producteurs comme Guigal, Chapoutier et Rostaing sont exceptionnels et s'imposent comme les meilleurs depuis les 1991. René Rostaing estime pour sa part que ses 1995 sont tout simplement les meilleurs vins qu'il ait jamais faits, alors que Marcel Guigal trouve les siens très proches des 1985, mais avec plus de précision dans le dessin et un taux d'acidité plus élevé. Michel Chapoutier décrète quant à lui que sa Mordorée est encore plus grandiose en 1995 qu'en 1991. Cependant, hormis ces exceptions qui sont de véritables bijoux, les vins sont bons, mais rarement passionnants. Pourquoi ? Parce que trop de producteurs ont réitéré leur démarche de 1994 en vendangeant juste après les pluies des baies qui étaient trop acides et pas encore à maturité physiologique. En effet, les pluies de 1994 ont duré pendant tout le mois de septembre, si bien qu'il était nécessaire de vendanger rapidement avant que la récolte ne pourrisse. En revanche, en 1995, les précipitations qui pouvaient sembler inquiétantes de prime abord se sont arrêtées vers le 20 septembre et ont été suivies d'une longue période de beau temps. Les producteurs qui ont vendangé tard ont donc pu récolter des baies parfaitement mûres et d'une bonne acidité, contrairement à ceux qui l'ont fait trop tôt.

Hermitage Les Hermitage blancs 1995 sont plus structurés, moins flatteurs et plus élégants que leurs aînés d'un an, mais ils n'en ont pas la puissance. Les meilleures cuvées de rouge sont en revanche de plus haut niveau qu'en 1994 : ainsi, la maison Jaboulet a produit sa meilleure Chapelle depuis 1990, et les Chave proposeront, après un excellent 1994, un prodigieux 1995, notamment une Cuvée Cathelin de très haut niveau. Et, comme on pouvait s'y attendre, les vins de Michel Chapoutier sont spectaculaires. Cependant, à l'exception de ces vins de référence, les Hermitage rouges sont excellents ou extraordinaires, d'un niveau légèrement supérieur à leurs homologues de l'année précédente, et bien sûr, aux 1992 et 1993.

Condrieu Si les Condrieu 1995 de Guigal sont fabuleux, tout comme ceux d'Alain Perret et d'une poignée d'autres vignerons, on en trouve aussi plusieurs qui sont verts, trop acides et qui ne présentent pas la même maturité physiologique que leurs aînés d'un an. Il s'agit pour l'appellation d'un millésime de qualité moyenne ou au-dessus de la moyenne, avec quelques réussites.

Cornas Dans cette appellation, les 1994 sont plus réguliers à haut niveau que les 1995. Ces derniers, profondément colorés, avec des taux d'acidité relativement élevés, ne possèdent en aucun cas la richesse ou le caractère charnu que l'on s'attend à trouver dans les meilleurs Cornas, ce qui les dessert grandement. Certains producteurs, comme Clape, Colombo et Jaboulet (sur le nouveau domaine) ont cependant fait des 1995 étonnants.

Saint-Joseph et Crozes-Hermitage Il est toujours difficile de porter un jugement global sur ces deux appellations, en raison de la diversité de leurs terroirs et des talents inégaux de leurs producteurs. En règle générale, si la gamme des 1994 va de l'excellent au médiocre, les 1995 se révèlent plus colorés et mieux structurés, sont plus purs, plus mûrs et, de ce fait, plus intéressants... du moins pour ce qui est des rouges. Les vins blancs sont en effet acides, maigres et verts. Il faut donc se cantonner aux meilleurs producteurs, qui offrent de bons vins dans les deux millésimes.

1994-1983 : vue d'ensemble

1994 Il s'agit, pour la partie septentrionale de la vallée du Rhône, d'une des années difficiles du début de la décennie 90. Un été caniculaire laissait présager une répétition de 1989 et de 1990, mais, lorsque les pluies se sont abattues sur la région, la presque totalité de la récolte était encore sur pied. Les producteurs qui ont tenu de petits rendements sont cependant satisfaits de la qualité, et considèrent que les Côte-Rôtie, Hermitage et Cornas sont de meilleur niveau qu'en 1992 et 1993, et probablement de qualité égale à 1991 et 1985. Les Cornas, en particulier, sont plus charnus, plus gras, plus flatteurs et plus accessibles que leurs aînés d'un an, avec davantage de caractère.

Dans la partie méridionale, en revanche, une grosse proportion de la récolte était déjà rentrée lorsque les pluies sont arrivées. Les premières dégustations donnent à penser que les Châteauneuf-du-Pape, Gigondas et certains Côtes-du-Rhône-Villages s'imposeront comme les vins les plus riches et les plus complets depuis les 1990. Les quantités disponibles étant restreintes, il est fort probable que les prix augmenteront en conséquence si le millésime est aussi bon qu'on l'a dit.

1993 Il s'agit d'un millésime à la fois irrégulier et déroutant. Les échecs se trouvent principalement en Côte-Rôtie et en Hermitage. En effet, les pluies et une très forte humidité ont favorisé le développement de la pourriture et du mildiou dans les vignobles de la partie septentrionale de la vallée du Rhône, compromettant irrémédiablement une vendange qui aurait pu être de très grande qualité. Cependant, on note dans ce contexte désastreux un fait qui prend une importance historique : Michel Chapoutier, qui croit dur comme fer aux principes de la biodynamie et suscite ainsi chez ses collègues une grande controverse, a produit, dans cette année pourrie, des vins extraordinaires qui témoignent bien, à son sens, des vertus incontestables de ses méthodes de culture.

Les Cornas 1993 sont bien colorés, mais trop acides. Ces vins seront peut-être de longue garde, mais sans charme aucun, comprimés et compacts, si bien que je doute qu'ils soient du goût des amateurs.

En revanche, 1993 est une bonne année pour les vins de la partie méridionale, tout simplement parce que entre la moitié et les trois quarts de la récolte avaient été rentrés avant l'arrivée des pluies. Ce qui illustre bien les différences de microclimat existant entre les deux parties de cette zone viticole, sans parler de la diversité des terroirs et des cépages. Alors que, dans le secteur nord, 1993 peut prétendre au titre de la pire année depuis 1977, 1975 et 1984, il s'agit en revanche, dans le secteur sud, d'un millésime qui peut rivaliser avec 1988, ou même avec 1985.

Comme le démontrent mes notes de dégustation, on trouve nombre de vins superbes dans les millésimes 1992, 1993 et 1994. La sélection est toujours d'une importance capitale, mais les vins de la vallée du Rhône, les rouges en particulier, demeurent les grands vins les plus méconnus de France. Et si les grandioses Côte-Rôtie et Hermitage, de production restreinte, sont rares et chers, les Châteauneuf, Gigondas, Vacqueyras et meilleurs Côtes-du-Rhône sont d'un fabuleux rapport qualité/prix.

1992 Cette année est en règle générale de qualité médiocre, avec des échecs retentissants dans les Côtes-du-Rhône-Villages et des Gigondas de niveau inférieur à la moyenne. Cependant, les Châteauneuf, bien que plus légers et nettement moins concentrés qu'en 1989 et 1990, sont étonnamment bons.

Pour la partie septentrionale, il s'agit d'un millésime moyen, mais les meilleurs producteurs ont élaboré des vins merveilleusement bons, mûrs et doux, qu'il faudra consommer rapidement. Ceux de Chapoutier, en particulier, sont fabuleux.

1991 Merveilleusement réussis dans ce millésime exceptionnel, les Côte-Rôtie sont d'une qualité bien supérieure et plus régulière, à haut niveau, qu'en 1990. Les vins des autres appellations du nord de la vallée du Rhône sont incontestablement très bons, les meilleurs d'entre eux étant les Cornas, Hermitage, Saint-Joseph et Crozes-Hermitage.

En revanche, la partie méridionale ayant été littéralement inondée par des pluies torrentielles, on peut considérer que les Gigondas et les Châteauneuf-du-Pape sont dans l'ensemble douteux, bien que l'on trouve parmi eux quelques vins de bonne tenue.

1990 Il s'agit vraiment d'un millésime exceptionnel pour toute la vallée du Rhône. Dans la partie sud de la région, l'été torride et sec a donné des raisins archimûrs, bourrés de sucre. A leur meilleur niveau, les vins sont profondément colorés et incroyablement puissants, avec des tannins très abondants, mais doux, et un taux d'alcool de 14-15°, voire plus. Ils présentent un caractère plus rôti et plus extrême que les 1989, plus classiques, mais ils sont somptueux et regorgent d'un fruité concentré. Cette année, incontestablement grandiose pour les Châteauneuf, est excellente pour les Gigondas et de premier ordre pour la plupart des Côtes-du-Rhône-Villages. Bien que plus alcooliques que leurs aînés d'un an, les Châteauneuf et Gigondas rouges de 1990 évolueront probablement plus rapidement, compte tenu de leur plus faible acidité, de leur opulence et de leur caractère précoce. Cependant, les meilleures cuvées de Châteauneuf se conserveront aisément 15 à 20 ans.

Les amoureux d'Hermitage et de Crozes-Hermitage devraient réagir, et vite ! Le millésime 1990 s'impose en effet comme meilleur encore que le grandiose 1978, Gérard Chave, Michel Chapoutier et Gérard Jaboulet le considérant même comme le plus extraordinaire pour ces appellations depuis 1961. Ces vins massifs, presque noirs de robe, sont d'une incroyable richesse en extrait. Très tanniques, ils sont charnus et doux en bouche. La Chapelle de Jaboulet, l'Hermitage de Chave ainsi que Le Pavillon de Chapoutier atteindront vraisemblablement la perfection, à condition toutefois que ceux qui auront la chance et les moyens de les acheter puissent attendre qu'ils arrivent à maturité – d'ici 15 ans. Même les Crozes-Hermitage sont très concentrés, et ceux d'Alain Graillot et de Paul Jaboulet Aîné, en particulier, sont passionnants.

En Côte-Rôtie, on trouve à boire et à manger, les meilleures cuvées de Chapoutier, de Guigal et de quelques autres étant excellentes et parfois extraordinaires, alors que les autres vins sont simplement au-dessus de la moyenne. Les Saint-Joseph et les Cornas sont au moins bons.

1989 Il s'agit incontestablement d'un grand millésime pour Châteauneuf-du-Pape – à mon avis le meilleur depuis 1978, auquel, d'ailleurs, on songe immédiatement à le comparer. Un temps sec et chaud a produit de petites baies, aux tannins plus perceptibles qu'en 1990. Cependant, on constate à l'analyse que les deux millésimes sont également tanniques, mais que les 1989 sont plus structurés et d'un caractère plus classique. Compte tenu de la maturité absolument étonnante et des rendements raisonnables, les Châteauneuf 1989 sont presque aussi puissants que leurs cadets d'un an. D'un faible niveau d'acidité, d'une richesse en extrait absolument spectaculaire, ils sont très corsés et se révéleront de très longue garde. Certains préfèrent les 1989, d'autres les 1990 : ce n'est qu'une question de goût, car ces deux millésimes sont époustouflants ; il faut déguster les vins proposés par un domaine dans les deux années pour faire son choix dans chaque cas particulier.

Pour l'appellation Gigondas, 1989 est un millésime très homogène – le meilleur depuis 1978. Quant aux amateurs de Côtes-du-Rhône, ils ne manqueront pas cette belle occasion de remplir leur cave avec deux millésimes sensationnels.

Dans la partie nord de la vallée du Rhône, les vins sont moins massifs, plus souples et plus opulents. Les vins les mieux réussis sont les Côte-Rôtie et les Hermitage, les moins bons les Cornas. Alors que les producteurs de Côte-Rôtie criaient victoire après les vendanges, seules les meilleures cuvées de Guigal et quelques autres vins possèdent, en fin de compte, la concentration et la tenue attendues. Ces Côte-Rôtie, pour délicieux qu'ils soient, avec leur potentiel de garde de 10 à 15 ans, méritent malgré tout d'être qualifiés d'excellents plutôt que d'exceptionnels. Pour l'Hermitage, on peut considérer qu'il s'agit d'un grand millésime, si ce n'est que celui qui l'a suivi, le 1990, lui fait de l'ombre et modifie la donne. Les meilleures cuvées sont riches et très corsées, avec un potentiel de garde de 20 ans ou plus. Plutôt doux, ces vins sont moins massifs en bouche que les 1990. En ce qui concerne Cornas, le millésime est un peu inégal. Chaleur et sécheresse ont posé quelques problèmes à la majeure partie des vignobles de l'appellation. Quant aux Crozes-Hermitage, ils ont connu une année excellente, comme les Hermitage.

1988 Ce millésime peut être qualifié de très bon pour tous les vins de la partie méridionale de la vallée du Rhône, mais il a quelque peu pâti de la réputation des 1989 et des 1990 qui l'ont suivi. Les 1988 n'ont pas l'ampleur, la force ni le caractère alcoolique et spectaculaire des 1989 ou des 1990, mais ils sont très corsés, classiques et plus acides, avec des tannins légèrement plus verts. Ces vins devraient vieillir de belle manière, mais ils n'atteindront jamais les sommets de luxuriance et de complexité des meilleurs 1989 ou 1990.

Dans le nord de la région, il s'agit, pour les Côte-Rôtie, d'une année superbe, qui égale 1985, 1983 et 1978, avec des vins qui sont même meilleurs que les 1989, les 1990 et les 1991. Très concentrés, d'une grande richesse en extrait, ils sont fermes et promettent de se conserver longtemps. Les Hermitage sont au moins excellents, parfois superbes (par exemple, Le Gréal de Sorrel, La Chapelle de Jaboulet et l'Hermitage de Chave). Les vins de Cornas sont de bon niveau, tout comme ceux de Crozes-Hermitage et de Saint-Joseph.

1987 Alors qu'il s'agit d'une année médiocre pour la partie méridionale de la vallée du Rhône, l'appellation Côte-Rôtie, dans la zone septentrionale, est celle qui a le mieux réussi de toute la région, avec des vins qui se sont révélés délicieux, riches, concentrés et veloutés. Presque tous les producteurs ont fait de bons vins. Ceux-ci sont parfaits à l'heure actuelle et devraient tenir encore 5 ou 6 ans. En Hermitage, les vins sont moins amples, mais il est patent qu'ils sont issus d'une vendange bien mûre. En effet, ils ne déploient aucunement ce terrible caractère herbacé et végétal typique des années fraîches, pluvieuses et médiocres. Chave, Guigal et Sorrel ont tous trois produit d'excellents 1987, à boire dans les 6 ou 7 ans qui viennent.

1986 Ce millésime est très inégal, avec des vins d'ampleur moyenne. Environ 20 % de la vendange étaient encore sur pied lorsque des pluies torrentielles ont ravagé la région pendant deux semaines à compter du 12 octobre. Cependant, les producteurs qui ont vendangé relativement tôt ont très bien réussi, en particulier dans la zone méridionale, où les vins sont de bonne qualité, parfois exceptionnels. La production fut moindre qu'en 1985, année très abondante et très généreuse, mais les sélections qui suivirent les importantes précipitations du mois d'octobre ne furent vraisemblablement pas aussi sévères qu'elles auraient dû l'être – ce qui explique les grandes variations de qualité entre les crus. Les 1986 sont plus fermes, plus tanniques, moins gras et moins évolués que les 1985, et les meilleurs Châteauneuf et Gigondas ont un potentiel de garde assez exceptionnel.

Marcel Guigal s'impose comme la star de la partie septentrionale, avec des cuvées de haute volée. Compte tenu des fortes pluies et des risques de pourriture inévitables, cette performance mérite l'admiration. La Chapelle de Jaboulet se révèle aussi étonnamment bon, bien que d'ampleur réduite. Mais, malgré ces quelques réussites, ce millésime doit être approché avec prudence.

1985 Les différentes dégustations que j'ai pu faire confirment que les vins de la partie nord de la vallée du Rhône sont excellents, et ceux de la partie méridionale très bons. C'est une grande année pour les Côte-Rôtie. Les vins sont très colorés, relativement riches, mais pas particulièrement tanniques. Ils donnent dans l'ensemble une impression de belle maturité, de richesse en extrait, de précocité et de grande opulence. Les Côte-Rôtie et les Châteauneuf 1985 sont meilleurs que les 1983, et, dans les autres appellations, les vins sont certainement meilleurs qu'en 1982, 1981 et 1980. Les vins blancs, puissants et riches, devraient déjà avoir été consommés.

1984 Ce millésime relativement médiocre a donné des vins peu ou moyennement corsés, sans grande complexité, qui se boiront bien dans les quelques années à venir. On trouve quelques Châteauneuf et Gigondas qui sont étonnamment bons, comme le sont d'ailleurs tous les vins blancs de la région.

1983 D'excellente qualité dans la vallée du Rhône septentrionale, le millésime 1983 est très bon, mais inégal, dans la partie méridionale. Un été chaud et sec a donné une maturité superbe aux raisins, qui regorgeaient de sucre et de tannins durs, avec une énorme richesse aromatique. En Hermitage, Crozes-Hermitage et Saint-Joseph, les vins sont incontestablement les meilleurs depuis les 1978, mais ils ne sont pas aussi massifs que ces derniers ni aussi fruités que les 1985. A plus de 15 ans d'âge, la plupart des 1983 de la partie nord de la vallée du Rhône sont encore terriblement austères et tanniques, tandis que ceux de la zone méridionale sont déjà bien évolués.

PLUS BELLES RÉUSSITES 1988-1991

1990 Thierry Allemand Cornas (93)
1990 Pierre André Châteauneuf-du-Pape (88)
1990 Domaine des Anges Clos de la Tour (89)
1989 Domaine des Anges Clos de la Tour (87)
1990 Paul Autard Châteauneuf-du-Pape (87)
1990 Paul Autard Châteauneuf-du-Pape Cuvée La Côte Ronde (91)
1991 Gilles Barge Côte-Rôtie (87-89)
1990 Lucien Barrot Châteauneuf-du-Pape (89)
1990 La Bastide Saint-Vincent Vacqueyras (87)
1990 Château de Beaucastel Châteauneuf-du-Pape (94)

1990 Château de Beaucastel Châteauneuf-du-Pape (blanc) (88)
1990 Château de Beaucastel Châteauneuf-du-Pape
Roussane Vieilles Vignes (blanc) (90)
1990 Château de Beaucastel Coudoulet (88)
1990 Château de Beaucastel Châteauneuf-du-Pape
Hommage à Jacques Perrin (99+)
1989 Château de Beaucastel Châteauneuf-du-Pape
Hommage à Jacques Perrin (100)
1990 Domaine de Beaurenard Châteauneuf-du-Pape (90)
1990 Domaine de Beaurenard Châteauneuf-du-Pape Boisrenard (96)
1990 Domaine de Beaurenard Côtes-du-Rhône (87)
1990 Albert Belle Crozes-Hermitage Cuvée Louis Belle (90)
1990 Albert Belle Hermitage (91)
1991 Domaine de Bois Dauphin Châteauneuf-du-Pape
Clos des Pontifes (blanc) (87)
1990 Domaine de Bois Dauphin Châteauneuf-du-Pape
Clos des Pontifes (88)
1990 Henri Bonneau Châteauneuf-du-Pape Réserve des Célestins (100)
1989 Henri Bonneau Châteauneuf-du-Pape Réserve des Célestins (98)
1988 Henri Bonneau Châteauneuf-du-Pape Réserve des Célestins (95)
1989 Henri Bonneau Châteauneuf-du-Pape Cuvée Marie Beurrier (89)
1990 Domaine Le Bosquet des Papes Châteauneuf-du-Pape (92)
1990 Domaine Le Bosquet des Papes Châteauneuf-du-Pape
Cuvée Chantemerle (96)
1990 Roman Bouchard Côtes-du-Rhône-Villages Valréas (87)
1990 Lucien et André Brunel – Les Cailloux
Châteauneuf-du-Pape Les Cailloux (91)
1990 Lucien et André Brunel – Les Cailloux
Châteauneuf-du-Pape Cuvée Centenaire (96)
1990 Daniel Brusset – Les Hauts de Montmirail
Gigondas Les Hauts de Montmirail (93)
1990 Bernard Burgaud Côte-Rôtie (89+)
1989 Edmonde Burle Gigondas Les Pallieroudas (93)
1990 Château Cabrières Châteauneuf-du-Pape Cuvée Prestige (90)
1990 Domaine de Cayron Gigondas (89+)
1989 Domaine de Cayron Gigondas (90)
1990 Chante-Cigale Châteauneuf-du-Pape (78-90 ?)
1990 Chapoutier Châteauneuf-du-Pape Barbe Rac (95)
1990 Chapoutier Châteauneuf-du-Pape La Bernardine (89)
1990 Chapoutier Condrieu (blanc) (88)
1990 Chapoutier Cornas (87)
1990 Chapoutier Côte-Rôtie Brune et Blonde (89)
1990 Chapoutier Côte-Rôtie La Mordorée (94)
1990 Chapoutier Crozes-Hermitage Les Meysonniers (88)
1991 Chapoutier Hermitage Chante-Alouette (blanc) (90)
1990 Chapoutier Ermitage Le Pavillon (100)
1989 Chapoutier Ermitage Le Pavillon (100)
1990 Domaine de la Charbonnière Châteauneuf-du-Pape (87)

1990 Domaine Gérard Charvin Châteauneuf-du-Pape (92)
1990 Jean-Louis Chave Hermitage (rouge) (98+)
1991 Jean-Louis Chave Hermitage (blanc) (90)
1990 Jean-Louis Chave Hermitage (blanc) (92)
1990 Jean-Louis Chave Hermitage Cuvée Cathelin (rouge) (99+)
1990 Jean-Louis Chave Saint-Joseph (rouge) (89)
1991 Domaine du Chêne – Marc et Dominique Rouvière Condrieu (88)
1991 Domaine du Chêne – Marc et Dominique Rouvière Condrieu
     Château de Virieu (88)
1990 Domaine du Chêne – Marc et Dominique Rouvière Condrieu
     Julien Vendanges Tardives (92)
1990 Domaine du Chêne – Marc et Dominique Rouvière Saint-Joseph (87)
1990 Domaine du Chêne – Marc et Dominique Rouvière Saint-Joseph
     Anaïs (88)
1990 Auguste Clape Cornas (91)
1990 Domaine Les Clefs d'Or Châteauneuf-du-Pape (88)
1990 Clos du Caillou Châteauneuf-du-Pape (91)
1990 Clos des Cazaux Gigondas Cuvée de la Tour Sarrazine (87)
1990 Clos des Cazaux Vacqueyras Saint-Roche (87)
1990 Clos des Cazaux Vacqueyras Templiers (89)
1990 Clos du Mont-Olivet Châteauneuf-du-Pape (90)
1990 Clos du Mont-Olivet Châteauneuf-du-Pape Cuvée du Papet (94)
1989 Clos du Mont-Olivet Châteauneuf-du-Pape Cuvée du Papet (94)
1990 Clos de la Mûre Côtes-du-Rhône (88)
1990 Clos des Papes Châteauneuf-du-Pape (92)
1989 Clusel-Roch Côte-Rôtie (90)
1988 Clusel-Roch Côte-Rôtie (92)
1991 Jean-Luc Colombo Cornas Les Ruchets (88)
1990 Roger Combe Gigondas L'Oustau Fauquet (87)
1989 Roger Combe Gigondas L'Oustau Fauquet (88)
1991 Yves Cuilleron Condrieu (89)
1991 Yves Cuilleron Condrieu Vieilles Vignes (92)
1990 Georges Dubœuf Côtes-du-Rhône Domaine des Moulins (87)
1990 Domaine Durieu Châteauneuf-du-Pape (87)
1990 Domaine Durieu Châteauneuf-du-Pape Cuvée Lucile Avril (88+)
1990 Domaine de l'Espigouette Côtes-du-Rhône Plan de Dieu (87)
1990 Domaine de Fauterie Saint-Joseph (87)
1990 Eddie Féraud Châteauneuf-du-Pape Cuvée Réservée (90)
1990 Fonsalette Côtes-du-Rhône (92)
1990 Fonsalette Côtes-du-Rhône Cuvée Syrah (94)
1990 La Font du Loup Châteauneuf-du-Pape (89)
1990 Font de Michelle Châteauneuf-du-Pape (89+)
1990 Font de Michelle Châteauneuf-du-Pape Cuvée Étienne Gonnet (92)
1990 Domaine de Font-Sane Gigondas (87)
1990 Domaine de la Fourmone – Roger Combe Vacqueyras
     Maître de Chai (88)
1990 Domaine Lou Fréjau Châteauneuf-du-Pape (87)
1990 Château de la Gardine Châteauneuf-du-Pape (88)

1990 Château de la Gardine Châteauneuf-du-Pape
    Cuvée des Générations (93+)
1991 Gentaz-Dervieux Côte-Rôtie Côte Brune (90)
1990 Gentaz-Dervieux Côte-Rôtie Côte Brune (89)
1990 Robert Girard – Cuvée du Belvédère Châteauneuf-du-Pape (88)
1990 Les Goubert Gigondas Cuvée Florence (87)
1990 Domaine du Gour de Chaulé Gigondas (88)
1989 Domaine du Gour de Chaulé Gigondas (88)
1990 Alain Graillot Crozes-Hermitage (92)
1990 Alain Graillot Crozes-Hermitage La Guiraude (94)
1990 Alain Graillot Hermitage (89)
1990 Alain Graillot Saint-Joseph (89)
1990 Domaine Gramenon Côtes-du-Rhône (88)
1990 Domaine Gramenon Côtes-du-Rhône Cuvée Laurentides (92)
1989 Domaine Gramenon Côtes-du-Rhône Cuvée Laurentides (92)
1990 Grand Jean Châteauneuf-du-Pape (90)
1989 Grand Moulas Côtes-du-Rhône-Villages (87)
1990 Domaine Grand Romane Gigondas (89)
1990 Domaine du Grand Veneur Châteauneuf-du-Pape (87)
1989 Grands Devers Cotes-du-Rhône Enclave des Papes (90)
1989 Grands Devers Syrah (91)
1990 Jean-Louis Grippat Hermitage (88)
1990 Jean-Louis Grippat Hermitage (blanc) (89)
1990 Jean-Louis Grippat Saint-Joseph Vignes de l'Hospices (rouge) (90)
1990 Domaine de la Guicharde Côtes-du-Rhône Les Genests (90)
1989 Guigal Châteauneuf-du-Pape (88)
1989 Guigal Côte-Rôtie Brune et Blonde (90)
1988 Guigal Côte-Rôtie La Landonne (100)
1988 Guigal Côte-Rôtie La Mouline (100)
1988 Guigal Côte-Rôtie La Turque (100)
1990 Guigal Côtes-du-Rhône (88)
1989 Guigal Côtes-du-Rhône (88)
1989 Guigal Hermitage (90)
1990 Guigal Hermitage (blanc) (89)
1990 Domaine Haut des Terres Blanches Châteauneuf-du-Pape (88)
1990 Paul Jaboulet Aîné Châteauneuf-du-Pape (89)
1991 Paul Jaboulet Aîné Cornas (87)
1990 Paul Jaboulet Aîné Côtes-du-Rhône-Villages (87)
1990 Paul Jaboulet Aîné Crozes-Hermitage Les Jalets (87)
1990 Paul Jaboulet Aîné Crozes-Hermitage La Mule Blanche (blanc) (87)
1990 Paul Jaboulet Aîné Crozes-Hermitage Thalabert (92)
1990 Paul Jaboulet Aîné Gigondas (90)
1990 Paul Jaboulet Aîné Hermitage La Chapelle (99+)
1989 Paul Jaboulet Aîné Hermitage La Chapelle (95)
1991 Paul Jaboulet Aîné Hermitage Chevalier de Stérimberg (blanc) (89)
1990 Paul Jaboulet Aîné Hermitage Chevalier de Stérimberg (blanc) (93)
1990 Paul Jaboulet Aîné Saint-Joseph Le Grand Pompée (89)
1990 Paul Jaboulet Aîné Vacqueyras (87)

1990 Pierre Jacumin Cuvée de Boisdauphin Châteauneuf-du-Pape (88+)
1990 Joseph Jamet Côte-Rôtie Côte Brune (89)
1990 Domaine de la Janasse Châteauneuf-du-Pape Cuvée Chaupoins (92)
1990 Domaine de la Janasse Châteauneuf-du-Pape
      Cuvée Vieilles Vignes (92)
1990 Domaine du Marcoux Châteauneuf-du-Pape (91)
1990 Domaine du Marcoux Châteauneuf-du-Pape Vieilles Vignes (97)
1989 Mas de Rey Caladoc Bouches-du-Rhône (85)
1989 Mas de Rey Cuvée Camargue (87)
1990 Mathieu Châteauneuf-du-Pape (87)
1990 Domaine de Montpertuis Châteauneuf-du-Pape Cuvée Tradition (88)
1990 Montmirail Gigondas Beauchamp (89)
1989 Montmirail Vacqueyras Deux Frères (87)
1990 Moulin de la Gardette Gigondas (88)
1990 Moulin-Tacussel Châteauneuf-du-Pape (87)
1991 Niero-Pinchon Condrieu (87)
1990 Niero-Pinchon Côtes-du-Rhône Sainte-Agathe (87)
1990 Château de la Nerthe Châteauneuf-du-Pape Cuvée des Cadettes (89)
1990 Michel Ogier Côte-Rôtie Côte Blonde (87)
1990 Pavillon-Mercurol Crozes-Hermitage (88)
1990 Domaine du Pégau Châteauneuf-du-Pape Cuvée Réservée (96)
1990 Père Pape Châteauneuf-du-Pape Clos du Calvaire (87)
1991 André Perret Condrieu Coteau du Chéry (89)
1990 André Perret Condrieu Vendanges Tardives (94)
1990 André Perret Saint-Joseph (87)
1990 André Perret Saint-Joseph Les Grisières (88)
1990 Pascal Perrier Saint-Joseph (88)
1990 Domaine Roger Perrin Châteauneuf-du-Pape (88)
1990 Domaine du Pesquier Gigondas (90)
1989 Domaine de Piaugier Côtes-du-Rhône Sablet Les Briguières (87)
1990 Domaine de Piaugier Gigondas (87)
1990 Pignan Châteauneuf-du-Pape (94)
1989 Pignan Châteauneuf-du-Pape (90)
1990 Domaine de la Pinède Châteauneuf-du-Pape (87)
1990 Domaine Pontifical – François Laget Châteauneuf-du-Pape (87)
1990 Pourra Gigongas (87+)
1990 Domaine de la Présidente – Max Aubert Cairanne Goutillonnage (88)
1990 Domaine de la Présidente – Max Aubert Châteauneuf-du-Pape (87)
1990 Domaine Raspail-Ay Gigondas (90)
1990 Château Rayas Châteauneuf-du-Pape (99)
1990 Château Rayas Châteauneuf-du-Pape (blanc) (91)
1990 Château Rayas Côtes-du-Rhône Fonsalette (92)
1990 Château Rayas Côtes-du-Rhône Fonsalette Cuvée Syrah (94)
1990 Château Redoitier Gigondas (87)
1990 Domaine de la Roquette Châteauneuf-du-Pape (88)
1991 René Rostaing Condrieu (blanc) (92)
1991 René Rostaing Côte-Rôtie (87-88)
1990 René Rostaing Côte-Rôtie (87)

1990 René Rostaing Cote-Rôtie Côte Blonde (93)

1990 René Rostaing Côte-Rotie La Landonne (91)

1991 Rozay Condrieu (88)

1990 Domaine Roger Sabon Châteauneuf-du-Pape
Cuvée Prestige (90)

1990 Domaine Saint-Benoît Châteauneuf-du-Pape
Cuvée de Grande Garde (91)

1989 Domaine Saint-Gayan Gigondas (91)

1988 Domaine Saint-Gayan Gigondas (89)

1989 Domaine Santa Duc Côtes-du-Rhône (87)

1990 Domaine Santa Duc Gigondas (89)

1990 Domaine Santa Duc Gigondas
Cuvée des Hautes Garrigues (92)

1990 Domaine de la Solitude Châteauneuf-du-Pape (90)

1990 Henri Sorrel Hermitage (88)

1990 Henri Sorrel Hermitage Le Gréal (95+)

1989 Henri Sorrel Hermitage Le Gréal (95+)

1991 Henri Sorrel Hermitage Les Roucoules (blanc) (88)

1990 Henri Sorrel Hermitage Les Roucoules (blanc) (90)

1991 Jean-Michel Sorrel Hermitage (87)

1990 Jean-Michel Sorrel Hermitage Le Vignon (87 ?)

1990 La Souco-Papale Châteauneuf-du-Pape (87+)

1989 Soumade Côtes-du-Rhône-Villages Rasteau Prestige (89)

1990 Château des Tours Côtes-du-Rhône (88)

1990 Château des Tours Vacqueyras (90)

1990 Château des Tours Vin de Pays du Vaucluse (87)

1990 Raymond Usseglio Châteauneuf-du-Pape (88)

1990 L. de Vallouit Châteauneuf-du-Pape (88)

1990 L. de Vallouit Côte-Rôtie Les Roziers (92)

1989 L. de Vallouit Côte-Rôtie Les Roziers (89)

1988 L. de Vallouit Côte-Rotie Les Roziers (93)

1990 L. de Vallouit Côte-Rôtie Vagonier (89)

1991 L. de Vallouit Hermitage (blanc) (89)

1989 L. de Vallouit Hermitage Les Greffières (90)

1989 L. de Vallouit Saint-Joseph Les Anges (87)

1990 Cuvée du Vatican Châteauneuf-du-Pape (87)

1990 Vaudieu Châteauneuf-du-Pape (87)

1990 Georges Vernay Condrieu Coteaux du Vernon (blanc) (88)

1989 Vidal-Fleury Côte-Rôtie La Châtillonne Côte Blonde (90)

1989 Vidal-Fleury Saint-Joseph (87)

1990 Domaine de la Vieille Julienne
Châteauneuf-du-Pape (89+)

1990 Le Vieux Donjon Châteauneuf-du-Pape (92)

1990 Domaine du Vieux Télégraphe
Châteauneuf-du-Pape (89)

1990 Alain Voge Cornas Cuvée Barriques (87)

1989 Alain Voge Cornas Vieilles Vignes (90)

1989 Vollonnières Côtes-du-Rhône (86)

MEILLEURS VIEUX MILLÉSIMES

Pour la vallée du Rhône septentrionale : 1978, 1972 (Hermitage), 1970, 1966, 1961, 1959.

Pour la vallée du Rhône méridionale : 1981, 1979, 1978, 1970, 1967, 1961, 1957.

COMMENTAIRES DE DÉGUSTATION

THIERRY ALLEMAND****

Route Nationale 86 – 07130 Cornas
Tél. et fax 04 75 81 06 50
Contact : Thierry Allemand

1995 Cornas Les Chaillots	C	85-87+
1995 Cornas Reynard	C	87-90
1994 Cornas Les Chaillots	C	91
1994 Cornas Reynard	C	89
1993 Cornas Reynard	C	86
1992 Cornas Reynard	C	87

Thierry Allemand s'affirme depuis quelques années comme l'un des meilleurs vignerons de son appellation. Ses 1995 révèlent à mon avis une meilleure acidité et une meilleure structure que ses 1994, mais je pense que les œnologues les qualifieraient plutôt de plus stables et de plus classiques. Cette année-là, les deux cuvées de Cornas arborent une robe rubis-pourpre et déploient de doux arômes de cassis mêlés de notes de violette et de terre pour le Reynard. Il s'agit de vins moyennement corsés, vifs et acidulés, qui rappellent tous deux ceux du Nouveau Monde par leur acidité. Plus puissante et plus concentrée, la cuvée Reynard est aussi plus longue en bouche ; elle se bonifiera au terme d'une garde de 3 ou 4 ans et se conservera sur les **15 années suivantes,** tandis que la cuvée Les Chaillots se dégustera dans les **12 ans suivant le millésime,** et de préférence après un vieillissement de 2 ou 3 ans.

Superbe, avec sa robe opaque de couleur pourpre tirant sur le noir, la cuvée Les Chaillots 1994 déploie un nez pur et doux de cassis, d'herbes, de minéral et de viande grillée. Très corsé, merveilleusement précis et riche, ce vin très ample et faible en acidité se boira bien dans sa jeunesse, mais se conservera pendant encore une quinzaine d'années. Le Reynard 1994 présente un fruité sous-jacent riche et intense. D'une couleur rubis foncé confinant au noir, il est merveilleusement pur et mûr, déployant une finale longue, sensuelle, glycérinée, onctueuse, avec une faible acidité.

Thierry Allemand a également superbement réussi en 1992 et 1993, deux millésimes pourtant difficiles car compromis par les pluies. De couleur rubis-pourpre foncé, son 1993 arbore la robe la plus profonde et la plus soutenue du millésime. Le nez met en évidence une douceur et une maturité absolument superbes, que l'on retrouve en bouche dans des arômes de cerise noire, de réglisse et de terre. La finale moyennement corsée et épicée révèle des tannins doux. Ce Cornas 1993 sera prêt relativement jeune, mais sa douceur et sa concentration, qui justifient qu'on lui accorde une attention particulière, lui permettront de se conserver **environ 10 ans**. Le 1992 est également l'un des vins les plus concentrés de l'appellation. Tout de rubis-pourpre vêtu, il dégage un nez herbacé de réglisse et de cassis, et révèle une excellente maturité. Moyennement corsé et d'une bonne longueur en bouche, il montre un bel équilibre d'ensemble. A consommer avant qu'il n'ait atteint **7 à 10 ans d'âge**.

DOMAINE DES AMOURIERS*****

Les Garrigues – 84190 Vacqueyras
Tél. 04 90 65 83 22 – Fax 04 90 65 84 13
Contact : Patrick Gras

1995 Côtes-du-Rhône	A	84-85
1992 Côtes-du-Rhône	A	85
1995 Vacqueyras Cuvée Genestre	A	87-89
1995 Vacqueyras Cuvée Hautes Terrasses	?	89-90
1995 Vacqueyras Cuvée Signature	A	86-87
1995 Vin de Pays	A	84
1994 Vacqueyras	B	87
1993 Vacqueyras	B	88
1990 Vacqueyras	B	87

Composé de grenache, de carignan de 50 ans d'âge, de cinsault, de merlot et de syrah issus de jeunes vignes, le Vin de Pays 1995, légèrement acidulé, déploie, à la fois au nez et en bouche, des arômes de cerise et de framboise. Il révèle un beau fruité et une acidité de bon ressort, et se conservera bien pendant encore **plusieurs années**.

Goûteux, élégant et richement fruité, le Côtes-du-Rhône 1995 (composé à 85 % de grenache) affiche une acidité de bon ressort, est moyennement corsé et bien mûr, dans un ensemble net, frais et vivace. **A boire dans les 2 ou 3 ans.** D'une belle couleur, le Côtes-du-Rhône 1992 regorge d'arômes de fruits noirs, épicés et poivrés, et se montre charnu et de bonne mâche en bouche. Vous le consommerez **ces toutes prochaines années**.

Cette petite propriété produit également des Vacqueyras formidables. Plus intensément coloré que le Côtes-du-Rhône de la même année, plus puissant et plus riche également, le Vacqueyras Cuvée Signature 1995 (composé à 85 % de grenache de 40 ans d'âge, à 5 % de syrah de 25 ans d'âge et à 10 % de cinsault) exhale un nez dense de chocolat, d'herbes et de cerise noire. Frais, pur et élégant, il sera à son meilleur niveau **d'ici 4 ou 5 ans**. La Cuvée Genestre 1995 (composée à 40 % de syrah et à 60 % de grenache) et celle des Hautes Terrasses de la même année (100 % de syrah, production limitée de 225 caisses) sont toutes deux des réussites du domaine. Débordant d'un généreux fruité de cassis noir marqué par des notes de cerise, d'herbes et de terre, la Cuvée Genestre est moyennement corsée et d'une remarquable précision dans le dessin, avec une finale longue, épicée et poivrée. **A boire dans les 3 ou 4 ans.** Avec sa robe opaque de couleur noir-pourpre, la Cuvée Hautes Terrasses 1995 libère de généreux arômes de cassis confituré conjugués à des senteurs de thym, de réglisse et d'épices. Très corsée, puissante et concentrée, elle révèle une faible acidité et déploie ses arômes en bouche par paliers. Ce merveilleux vin de syrah, qui rappelle celui du Château de Fonsalette, serait presque l'Hermitage de Vacqueyras. **Il tiendra 10 à 15 ans, voire plus.**

Le Vacqueyras 1994 (composé à 60 % de grenache, à 20 % de mourvèdre et à 20 % de syrah) arbore une couleur rubis profond et déploie un nez énorme et massif de poivre, de cerise noire et d'herbes de Provence. Moyennement corsé, mûr et épicé en bouche, il est d'une belle souplesse, avec une finale riche et douce. Il sera parfait dans les **3 ou 4 ans** qui viennent.

Les Vacqueyras 1993 et 1990 (composés à 60 % de grenache, à 30 % de mourvèdre et à 10 % de syrah) sont tous deux d'un excellent rapport qualité/prix. Très corsés, de bonne mâche et exubérants, ils ont un caractère poivré et fruité. Le 1993 est plus fruité et moins alcoolique que le 1990, plus puissant, qui déploie des senteurs rustiques et animales et un généreux fruité de poivre, de cerise noire et de terre. Ces deux vins se boiront bien dans les **4 ou 5 ans** qui viennent.

DOMAINE PIERRE ANDRÉ★★★★

Faubourg Saint-Georges – 84350 Courthézon
Tél. 04 90 70 73 25 ou 04 90 70 81 14 – Fax 04 90 70 75 73
Contact : Jacqueline André

1994 Châteauneuf-du-Pape	?	89

Je n'ai malheureusement pas pu déguster le Châteauneuf-du-Pape 1995 de Pierre André, mais son 1994 est incontestablement impressionnant pour le millésime. Arborant une couleur grenat très foncé, il déploie des arômes mûrs, doux et capiteux, d'herbes, de cerise, d'épices et de poivre. Merveilleusement fruité, très corsé et très alcoolique, il est gras, riche et extraordinairement extrait. Ce Châteauneuf exubérant est déjà délicieux, mais il devrait parfaitement se conserver pendant encore **une dizaine d'années.**

DOMAINE DES ANGES★★★★

Quartier Notre-Dame-des-Anges – 84570 Mormoiron
Tél. 04 90 61 88 78 – Fax 04 90 61 98 05

1990 Clos de la Tour Cuvée Spéciale	C	88
1990 Côtes du Ventoux	A	85

Entièrement composé de syrah et vieilli en fûts de chêne, le Clos de la Tour Cuvée Spéciale 1990 est profondément coloré et très riche, avec des arômes d'une grande ampleur et beaucoup de caractère. Vous dégusterez ce vin bien doté, moyennement corsé et velouté dans les **7 ou 8 ans**.

Le Côtes du Ventoux 1990, parfaitement représentatif des vins de la région, offre au nez des arômes de fumé mêlés à des senteurs de fruits noirs (prune et cassis), et se montre souple et moyennement corsé en bouche, tout en rondeur, avec une finale goûteuse. **A boire dans les 2 ou 3 ans.**

PAUL AUTARD***/****

Route de Châteauneuf – 84350 Courthézon
Tél. 04 90 70 73 15 – Fax 04 90 70 29 59
Contact : Jean-Paul ou Joachim Autard

1995 Châteauneuf-du-Pape Cuvée La Côte Ronde	D	89
1994 Châteauneuf-du-Pape Cuvée La Côte Ronde	D	86
1994 Châteauneuf-du-Pape	C	90

Jean-Paul et Joachim Autard produisent toujours d'excellents Châteauneuf-du-Pape.

La Cuvée La Côte Ronde 1995 est dense, mais ne donne aucun signe de vieillissement en fûts de chêne neuf. En effet, très corsée, mûre et prometteuse, elle révèle une structure impressionnante, mais en même temps très peu évoluée, comme si elle venait d'achever sa fermentation malolactique. Sa personnalité est encore très étouffée, et je pense qu'elle possède en fait plus de qualités que ne le reflètent mes commentaires.

Avec son nez de cuir fin et neuf, de poivre, de cerise et de groseille marqué par des notes de chêne neuf et épicé, le Châteauneuf-du-Pape 1994 se montre moyennement corsé et quelque peu monolithique, mais il est solidement charpenté et devrait tenir **7 ou 8 ans** encore. La Cuvée La Côte Ronde de la même année libère de douces senteurs de pain grillé et de cerise noire et confiturée. Ce vin très concentré, bien structuré et d'une excellente pureté, déploie une finale longue, profonde et concentrée. Admirablement gras et fruité, il révèle une impressionnante richesse en extrait, et ses tannins sont doux. Vous le dégusterez dans les **10 à 12 ans** suivant une garde de 2 ou 3 ans.

RENÉ BALTHAZAR***

Rue Basse – 07130 Cornas
Tél. 04 75 40 47 32
Contact : René Balthazar

1995 Cornas	C	85-87
1994 Cornas	C	89
1993 Cornas	C	73
1992 Cornas	C	86

Élégant, bien vinifié et d'une couleur rubis-pourpre très soutenu, le 1995 est souple et doux, avec une acidité moins élevée que nombre d'autres vins de cette appellation. Fin et racé, il se boira bien sur les **6 ou 7 prochaines années.**

Avec un fruité plus riche et plus profond, le 1994 déborde d'arômes de cassis et présente des notes séduisantes, crémeuses et épicées, de chêne. Très corsé, rond et généreusement doté, il révèle une faible acidité et une excellente longueur en bouche. Vous dégusterez ce Cornas extraordinaire dans le courant des 10 à 12 prochaines années.

Rubis moyennement foncé, avec un nez végétal et poussiéreux, le Cornas 1993 se révèle délavé, dur et creux en bouche. La finale, maigre, avec tannins mordants, est à la limite de l'astringence.

Bien qu'il soit réussi pour le millésime, le 1992 est moins puissant que d'habitude. D'un rubis profond, avec un nez très évolué de poivre et d'épices, ainsi qu'un fruité charnu marqué par la mâche, il est étonnamment long et mûr. A boire dans les 4 à 6 ans.

CAVES GUY DE BARJAC***

32, Grande-Rue – 07130 Cornas
Tél. 04 75 40 32 03
Contact : Guy de Barjac

1993 Cornas	C	86
1992 Cornas	C	?

Barjac est toujours le dernier à vendanger à Cornas, mais le sort ne lui a pas été favorable en 1993, quand des pluies diluviennes se sont abattues sur la partie septentrionale de la vallée du Rhône, entre le 25 septembre et le 1er octobre. Ses 1993 sont néanmoins légèrement corsés, flatteurs, ronds et bien faits. D'un faible niveau d'acidité, avec un superbe fruité et une texture veloutée, ils pourront être consommés dans les 3 ou 4 ans.

Grande déception que le 1992, avec ses arômes de pourriture et de végétation en pleine décomposition. Je réserve mon appréciation jusqu'à ce que je puisse en déguster une autre bouteille.

LUCIEN BARROT****

Chemin du Clos – 84230 Châteauneuf-du-Pape
Tél. 04 90 83 70 90 – Fax 04 90 83 51 89
Contact : Lucien Barrot

1995 Châteauneuf-du-Pape	C	88-90
1994 Châteauneuf-du-Pape	C	88
1993 Châteauneuf-du-Pape	C	86
1992 Châteauneuf-du-Pape	C	86

Bien évolué, le Châteauneuf-du-Pape 1994 arbore une robe profonde, de couleur rubis-pourpre, et exhale un nez d'épices orientales et de cassis confituré. Moyennement corsé, riche et puissant, il est étonnamment élégant et bien équilibré, avec un caractère gras et évolué qui rappelle le 1988. A boire dès maintenant et dans les 7 ou 8 années à venir.

La robe du 1995, de couleur rubis foncé, est davantage marquée par des ombres pourpres, tandis que son fruité est plus doux que celui du 1994. Plus gras, plus alcoolique et plus tannique, il est également plus puissant, plus ample et plus énorme, bien structuré, avec quelques touches de vanille et de grillé (exactement comme s'il avait été élevé en fûts neufs). Ce vin au potentiel de garde de **10 à 15 ans** sera néanmoins prêt dès sa diffusion, cette année. Il s'agit d'une réussite extraordinaire de la part de cet excellent producteur de Châteauneuf qui demeure sous-estimé, et dont les vins sont encore proposés à des prix très raisonnables compte tenu de leur qualité.

Amateur de longue date des Châteauneuf de Barrot, plutôt énormes et parfois massifs, j'ai été surpris par ses 1992 et 1993, accessibles, doux et moyennement corsés. Certes de bonne qualité, ils n'ont cependant pas l'intensité qui les caractérisent dans des millésimes comme 1989, 1988, 1985, 1981 et 1979. Avec ses doux arômes de charbon et de viande fumée mêlés de notes de cerise noire et mûre, le 1993 est gras, ample et moyennement corsé. A maturité parfaite, il déploie une finale douce et capiteuse. **A boire d'ici 4 ou 5 ans.** De style similaire, avec des senteurs de cerise, le 1992 est extrêmement gras, très alcoolique, faible en acidité, se montrant accessible et charnu. A boire dans les 5 ans.

LA BASTIDE SAINT-VINCENT***

Route de Vaison-la-Romaine – 84150 Violes
Tél. 04 90 70 94 13 – Fax 04 90 70 96 13
Contact : Brigitte ou Guy Daniel

1995 Gigondas	A	85-87
1994 Gigondas	A	87

De couleur pourpre foncé, le Gigondas 1995 semblait avoir tout juste terminé sa fermentation malolactique lorsque je l'ai dégusté, et il se pourrait bien qu'il se révèle meilleur que ne l'indiquent mes notes de dégustation. Le nez n'offre qu'avec réticence ses notes de framboise sauvage et de cerise, et l'on décèle en bouche un fruité mûr et doux, ainsi qu'un léger goût de réduit. La finale est jeune et peu évoluée. Je soupçonne ce vin d'avoir en fait un plus grand potentiel qu'il n'en a l'air, mais il est difficile de juger correctement juste après les malolactiques, et, pour l'instant, son aîné d'un an lui ravit la vedette.

Ainsi, le 1994 arbore une robe prune foncée et déploie des arômes mûrs, doux et confiturés d'herbes, de poivre et de cerise noire. Délicieux et bien évolué, il est mûr et puissant, avec une texture charnue et de la mâche. **A boire dans les 4 ou 5 ans.**

CHÂTEAU DE BEAUCASTEL*****

Chemin de Beaucastel – 84350 Courthézon
Tél. 04 90 70 41 00 – Fax 04 90 70 41 19
Contact : Jean-Pierre ou François Perrin

1995 Châteauneuf-du-Pape – Beaucastel Rouge	D	92-94
1994 Châteauneuf-du-Pape – Beaucastel Rouge	D	93
1993 Châteauneuf-du-Pape – Beaucastel Rouge	D	92

1992	Châteauneuf-du-Pape – Beaucastel Rouge	D	90
1991	Châteauneuf-du-Pape – Beaucastel Rouge	D	76
1995	Châteauneuf-du-Pape Hommage à Jacques Perrin	E	95-96
1994	Châteauneuf-du-Pape Hommage à Jacques Perrin	E	94-96
1995	Châteauneuf-du-Pape Blanc	D	90-91
1994	Châteauneuf-du-Pape Blanc	D	93
1993	Châteauneuf-du-Pape Blanc	D	90
1992	Châteauneuf-du-Pape Blanc	D	89
1995	Châteauneuf-du-Pape Roussanne Vieilles Vignes	E	95-96
1994	Châteauneuf-du-Pape Roussanne Vieilles Vignes	E	96
1993	Châteauneuf-du-Pape Roussanne Vieilles Vignes	E	93
1992	Châteauneuf-du-Pape Roussanne Vieilles Vignes	E	91
1994	Coudoulet de Beaucastel Rouge	C	90-92
1993	Coudoulet de Beaucastel Rouge	C	87
1992	Coudoulet de Beaucastel Rouge	C	86
1994	Coudoulet de Beaucastel Blanc	C	89
1993	Coudoulet de Beaucastel Blanc	C	88
1992	Coudoulet de Beaucastel Blanc	C	87

Le Château de Beaucastel a connu deux millésimes exceptionnels en 1994 et 1995. En 1994, les vendanges y débutèrent relativement tôt, le 31 août. En 1995, il était important de laisser passer les deux semaines d'averses intermittentes du mois de septembre (entre le 7 et le 19) et de récolter bien plus tard. L'efficacité de cette ligne de conduite se mesure à chaque fois que l'on goûte, en les comparant, les réussites et les médiocrités de ces deux années. Ceux qui ont vendangé tôt en 1994 ont connu le plus de succès, tout comme ceux qui l'ont fait relativement tard l'année suivante.

Les vins rouges de Beaucastel ont tendance à se refermer après la mise en bouteille, leur fort pourcentage de mourvèdre prenant alors le dessus sur le caractère propre du vin pendant 6 à 10 ans. Ainsi, le Châteauneuf-du-Pape 1993, tellement flatteur juste après la mise, s'est maintenant replié sur lui-même, et les paris sont ouverts quant au moment où il s'épanouira à nouveau pour se montrer dans toute sa splendeur. Les 1994 et 1995 sont issus de raisins plus mûrs que les 1993, mais ne soyez pas surpris de les trouver plus structurés au moment de leur diffusion.

Pour ce qui est des vins blancs, le processus de vinification a encore été affiné, et l'on utilise maintenant au domaine quelques vieux fûts aux côtés des neufs. Cela donne des vins de plus en plus délicieux, comme c'est le cas, par exemple, pour la somptueuse cuvée Roussanne Vieilles Vignes. Le Châteauneuf-du-Pape Blanc 1995, composé à 80 % de roussanne, à 15 % de grenache blanc et à 5 % d'autres cépages blancs, est vieilli à 25 % en fûts de chêne. Riche, dense et opulent, il déploie de généreux arômes de fruits confits. Très corsé, il montre également une belle richesse marquée par des senteurs de miel et de pétale de rose, avec des touches de grillé et d'épices.

Dégustez ce vin épais, délicieux et long en bouche ces **toutes prochaines années**, avant qu'il ne se referme. Plus riche et plus mielleux que son cadet d'un an, le 1994 est très corsé et intense, présentant un abondant fruité de miel et de cerise. Ce vin structuré et dense est incontestablement une réussite brillante, au potentiel de garde de 10 à 15 ans, si ce n'est plus. Composé à 80 % de roussanne, le 1993 est gras, onctueux et très corsé, et déploie son fruité aux notes de miel par couches successives. Il s'agit d'un vin blanc sec et massif qui sera parfait en accompagnement de mets provençaux. Quant à l'excellent 1992, il exhale un bouquet floral et mielleux, et se montre moyennement corsé, ferme et de bonne mâche en bouche. **A boire dans les 10 à 15 ans.**

La Cuvée Prestige Roussanne Vieilles Vignes (celles-ci ont 50 ans d'âge) n'est produite qu'en quantités restreintes (500 caisses). Le 1995 a la stature d'un Montrachet et une texture qui peut rivaliser avec celle des plus grands bourgognes blancs. Étonnamment concentré et faible en acidité, il révèle une épaisseur énorme et déploie une finale onctueuse marquée par la mâche. Un vin ample, concentré et costaud – il faut le boire pour y croire. La première de cette cuvée fut le 1986, et mon expérience montre que, avec le temps, ce vin s'arrondit en acquérant davantage de précision dans le dessin. **A maturité : 1998-2012.** Issus de rendements inférieurs à 30 hl/ha, le 1994 et le 1993 sont tous deux très réussis, et ceux qui seront suffisamment chanceux pour mettre la main sur une bouteille de chacun de ces millésimes prendront plaisir à déterminer lequel est le meilleur. En effet, le 1994 est lui aussi sensationnel, peut-être même plus aromatique et plus onctueux que son cadet d'un an. Le nez offre des arômes de miel, de rose, de pain grillé et de fleurs blanches, qui introduisent en bouche un vin exceptionnellement corsé, riche, pur et épais. Merveilleusement flamboyant maintenant, il se refermera incontestablement et paraîtra plus structuré après un séjour de 1 ou 2 ans en bouteille. Quant au 1993, avec son nez énorme de cerise, de rose et de fruits tropicaux, il se montre superbement riche et concentré. Moyennement corsé, il déploie une merveilleuse acidité qui lui donne un certain ressort. Cette rareté est indiscutablement le meilleur vin blanc sec de la partie méridionale de la vallée du Rhône. Bien que semblable à son aîné d'un an, le 1992 déploie un nez plus marqué par des arômes exotiques, de miel, de noix grillée et de fleurs. Intense, très corsé et fabuleusement concentré en bouche, il déploie une finale longue, riche et pure. Ces vins sont en général merveilleux dans les 2 ou 3 ans qui suivent la mise en bouteille, mais ils ont ensuite tendance à se refermer. Les Perrin estiment leur longévité à **15 à 20 ans, voire plus.**

La qualité du Coudoulet Blanc s'améliore constamment. Ce vin est en général composé de 10 % de clairette et de parts égales de viognier, de marsanne et de bourboulenc. Le 1994, gras, onctueux et riche, est dominé par le viognier. Il se montre charnu, voyant, presque ostentatoire tant il regorge de fruité. Dans une dégustation à l'aveugle, on pourrait incontestablement le confondre avec un Condrieu, compte tenu de ses arômes de miel, d'abricot et de pêche, et de sa finale extrêmement longue, très corsée et concentrée. Vous dégusterez ce vin impressionnant **dans l'année.** Riche, moyennement corsé, juteux et aromatique, le Coudoulet Blanc 1993 est d'une fraîcheur, d'une pureté et d'un équilibre merveilleux. Vous le consommerez **dans l'année**. Moins aromatique, le Coudoulet Blanc 1992 est d'une grande richesse, avec un caractère moyennement corsé et trapu, marqué par la mâche. Lui aussi devra être consommé **rapidement**.

Pour ce qui est du Coudoulet Rouge, les millésimes 1993 et 1994 sont tous deux formidablement réussis, et ce dernier me semble même être le meilleur qu'il m'ait été donné de déguster. En effet, ce vin à la robe opaque de couleur pourpre présente un nez énorme et très parfumé aux notes de cassis et de cerise noire confiturés mêlées à des senteurs de réglisse et de poivre fraîchement moulu. Opulent, onctueux, débordant de glycérine et de richesse en extrait, il est ample, expansif et puissant. Il devrait durer **au moins 20 ans**. Le Coudoulet Rouge 1993 exhale un nez pur de poivre et de framboise sauvage, et se montre moyennement corsé, faible en acidité et d'une très grande richesse en bouche, avec des tannins doux. **A boire dans les 10 ans**. Enfin, le 1992, plus austère et plus tannique que le vin précédent, se révèle bien structuré, avec de généreux arômes mûrs de fruits noirs et de cuir, et une finale épicée et ferme. **A boire dans les 7 à 10 ans**.

Le Châteauneuf-du-Pape 1994 est d'un rubis-pourpre tirant sur le noir et révèle un fruité doux et expansif, marqué par la mâche. De tous les vins de l'appellation, c'est celui qui contient la plus forte proportion de mourvèdre (40 %) et la plus faible de grenache (30 %). Il rappelle le 1985 en plus concentré et ressemble, par son caractère et son ampleur, au prodigieux 1989. Le Châteauneuf-du-Pape 1993, si délicieux dans sa jeunesse, s'est maintenant totalement refermé, se montrant presque muet, mais je ne pense pas que le 1994 se replie autant sur lui-même. Doux, riche, épais, avec de la mâche, ce 1993 très corsé déploie un nez absolument superbe de fruits noirs, de fumé, d'épices orientales, de réglisse, d'olive et d'herbes. Il s'agit d'un vin plein, concentré et riche, qui tiendra parfaitement 15 à 20 ans. L'assemblage du 1995 n'était pas encore fait lorsque j'ai visité le domaine, mais la dégustation des différentes cuvées révélait un vin très mûr, concentré et somptueusement doté. Toutes celles que j'ai goûtées ont été notées au-dessus de 90, la plupart d'entre elles l'étant entre 92 et 95. Le 1995 se présente donc comme un Châteauneuf-du-Pape épais, séveux et riche, au nez de conte de fées, avec des arômes de framboise sauvage, de cerise, de café torréfié et de réglisse. Profondément complexe, très corsé et très concentré, légèrement plus riche et plus alcoolique que son aîné d'un an, il devrait évoluer de belle manière sur **15 à 20 ans**.

Meilleur que l'excellent 1988, auquel les Perrin ont tendance à le comparer, le 1993 de Beaucastel se montre riche et épicé, avec un côté charnu, déployant au nez de merveilleuses senteurs de goudron, de tabac et de groseille, et en bouche des arômes doux et amples, riches et très corsés. Ce vin, qui se boira très bien dès sa jeunesse, se conservera facilement encore **une bonne quinzaine d'années**. Le 1992, qui m'a impressionné, est sensiblement plus riche et plus complet que le 1991, plus étriqué, herbacé et compact. Outre son nez de fumé, de terre, de poivre et de cassis, il libère en bouche des arômes riches et très corsés. D'une grande profondeur, il déploie des tannins doux dans sa finale souple et impressionnante, marquée par la mâche. Sa fermeté donne à penser qu'il ne pourra être dégusté qu'au terme d'une garde de 2 ou 3 ans, et son potentiel est d'**une vingtaine d'années**. En revanche, le 1991 ne m'a jamais marqué. Bien qu'issu d'une sélection sévère (plus de la moitié de la récolte fut vendue aux négociants), il se montre maigre et austère, et, même s'il peut tenir **une décennie ou plus**, il manque singulièrement de charme et de fruité.

Seulement 300 caisses de la cuvée prestige Hommage à Jacques Perrin ont été produites en 1994. Composé à 70 % de mourvèdre, à 15 % de grenache et pour le reste d'un mélange de counoise et de syrah, ce vin arbore une robe opaque, de couleur pourpre, qui prélude à un nez serré, mais prometteur, de framboise sauvage, de fumé, d'herbes de Provence, de cuir fin, de café et de terre. Puissant, tannique et exceptionnellement concentré, il regorge de glycérine et de richesse en extrait, se montrant fabuleusement doté, peu évolué et massif. Son potentiel est de **30 à 40 ans**, mais il requiert une garde d'au moins une décennie avant d'être prêt. La production du 1995 est légèrement plus importante. De couleur rubis-pourpre, avec un nez énorme d'herbes de Provence, d'olive fumée, de viande grillée, de cerise noire et de framboise confiturées, il est très corsé et présente une richesse en extrait et un taux de glycérine tels que ses abondants tannins en sont masqués. Ce Châteauneuf massif requiert une garde d'au moins 10 à 12 ans et devrait traverser sans peine les **50 premières années du prochain millénaire**.

C'est à Beaucastel que revient la palme de la vinification artisanale la plus sérieuse qui soit, mais les lecteurs se souviendront que ce domaine produit des Châteauneuf des plus atypiques, tellement différents des autres que cela justifierait qu'on leur accorde une appellation particulière.

DOMAINE DE BEAUMALRIC*****

Quartier Saint-Roch – BP 15 – 84190 Beaumes-de-Venise
Tél. 04 90 65 01 77 – Fax 04 90 62 97 28
Contact : Catherine Igoulen ou Daniel Begouaussel

1995 Muscat de Beaumes-de-Venise	A	90
1993 Muscat de Beaumes-de-Venise	A	90

Cette petite propriété de Daniel Begouaussel donne des Muscat de Beaumes-de-Venise classiques, entièrement issus de muscat petits grains blanc. Moyennement corsé, riche et modérément doux, ce vin au nez d'abricot et de pêche est idéal comme vin de dessert en accompagnement de fruits frais ou de tartes aux fruits.

D'une grande pureté et d'une belle maturité, avec une acidité plus élevée que la plupart des autres vins de l'appellation, le Domaine de Beaumalric 1995 devrait bien se boire dans les **3 à 5 ans** qui viennent, mais il montrera davantage de charme dans sa prime jeunesse.

Onctueux, épais et juteux, le 1993 regorge d'arômes de pêche et d'abricot, et offre un nez époustouflant qui jaillit littéralement du verre. La bouche est pure, riche et épaisse, mais également fraîche, vivace et de bon ressort. Dégustez ce vin délicieux **d'ici 2 ans**.

DOMAINE DE BEAURENARD****/*****

10, route d'Avignon – 84230 Châteauneuf-du-Pape
Tél. 04 90 83 71 79 – Fax 04 90 83 78 06
Contact : Paul ou Frédéric Coulon

1995 Châteauneuf-du-Pape	C	88-90
1994 Châteauneuf-du-Pape	C	89
1993 Châteauneuf-du-Pape	C	88
1992 Châteauneuf-du-Pape	C	86
1995 Châteauneuf-du-Pape Boisrenard	D	91-93
1994 Châteauneuf-du-Pape Boisrenard	D	90+
1993 Châteauneuf-du-Pape Boisrenard	D	93
1995 Côtes-du-Rhône	A	86
1990 Côtes-du-Rhône	A	87
1995 Côtes-du-Rhône Rasteau	A	87
1993 Côtes-du-Rhône Rasteau	A	85

La famille Coulon produit depuis longtemps au Domaine de Beaurenard des vins rien moins que délicieux. Ce sont des Châteauneuf-du-Pape tout à fait classiques, qui peuvent être dégustés jeunes, mais qui ont également la capacité de bien vieillir sur 10 à 15 ans. Avec la mise sur le marché depuis 1990 de la cuvée prestige Boisrenard, le niveau de qualité de la propriété s'est encore amélioré. Les vendanges 1994, terminées avant l'arrivée des pluies dévastatrices, ont donné des vins extrêmement réussis. Ainsi, le Châteauneuf-du-Pape 1994 se montre sensuel, doux et riche, avec des arômes de cassis marqués par des bouffées d'herbes provençales. Rond et généreux, il déploie un fruité riche et un côté charnu bien étayés par une bonne structure et une excellente précision dans le dessin. Dégustez cet excellent vin dans les **6 ou 7 ans**. Plus fruité que la plupart des autres vins de ce même millésime, le Châteauneuf-du-Pape 1995 déploie un nez fascinant de cerise noire, de réglisse, de fumé et de poivre. Plein et voluptueux, avec un fruité généreux qu'il déploie en couches successives, il est riche et classique, et pourra être soit dégusté jeune, soit conservé sur **10 ans, si ce n'est plus**. Les 1992 et 1993 offrent un contraste intéressant. Le premier illustre parfaitement les Châteauneuf d'aujourd'hui, avec un nez merveilleusement pur de poivre, de cerise noire et d'herbes, des arômes ronds, doux, amples et moyennement corsés en bouche, ainsi qu'une finale modérée. Déjà délicieux, il tiendra encore **environ 5 ans**. D'un rubis foncé plus soutenu, le 1993 libère un bouquet intense et mûr de fruits noirs et rouges confiturés, d'herbes et d'épices. Très , corsé, admirablement concentré et souple, il sera à son meilleur niveau ces **10 prochaines années**.

Pour sa première en 1990, la cuvée Boisrenard se révélait spectaculaire, et je suis heureux de constater que, pour sa deuxième diffusion en 1993, ce vin issu de vieilles vignes n'est pas filtré et succède heureusement à son remarquable aîné. De couleur pourpre tirant sur le noir, il témoigne d'une judicieuse utilisation du bois neuf qui permet à ses arômes de fruits noirs de mieux se révéler. Pur, riche et très corsé, il s'épanouit en bouche par paliers, s'y montrant magnifiquement concentré et merveilleux d'équilibre, avec une finale longue et voluptueuse marquée par la mâche. Prêt dès sa diffusion, il se conservera parfaitement sur les 15 ans qui viennent. Vieilli en fûts de chêne neuf, le Boisrenard 1994 est peut-être le vin le plus concentré qui ait été fait à la propriété. Quoique fermé et tannique, il dévoile des senteurs vanillées de cerise noire et de grillé après aération. Très corsé, austère, il est peu évolué et ample, riche et tannique, et requiert une garde de 2 ou 3 ans avant d'être prêt. Son potentiel de garde est de 15 ans environ. Bien qu'il ne soit pas aussi flatteur que certains millésimes précédents, il montre une belle extraction. Quant au 1995, extrêmement fruité et très tannique, il révèle une acidité plus élevée que le 1994. D'une merveilleuse élégance, il libère, à la fois au nez et en bouche, des arômes riches et très corsés de mûre et de cerise marqués par des notes de chêne. Ce vin, le Musigny de Châteauneuf-du-Pape, requiert une garde de 2 ou 3 ans avant que vous ne l'appréciiez sur les 15 ans suivants.

Pour réaliser une bonne affaire, mettez-vous en quête du Côtes-du-Rhône 1995. Cette merveilleuse décoction aux arômes de cerise et de framboise présente un caractère doux, rond et merveilleusement pur. Moyennement corsé, il recèle une acidité suffisante qui lui confère une bonne précision dans le dessin. A maturité : jusqu'en 2001. Quant au 1990, c'est l'exemple même du vin agréable à boire tout de suite, mais qui peut aussi tenir 4 ou 5 ans. Resplendissant d'une couleur prune foncé, avec un nez tout en fruits noirs, noix grillée et herbes aromatiques, il est ample, rond et exceptionnellement pur. Plus rustique, plus riche et de meilleure extraction que le Côtes-du-Rhône de la même année, le Rasteau 1995 impressionne par sa couleur soutenue et sa bonne corpulence, ainsi que par son caractère riche et sans détour, marqué par la mâche. Il devrait se montrer agréable sur les 3 ou 4 ans à venir. Avec son nez herbacé de cerise noire confiturée, le Rasteau 1993 est moyennement corsé et velouté, et son fruité tapisse littéralement le palais. **A boire dans les 3 ou 4 ans.**

ALBERT BELLE****

Les Marsuriaux – 26600 Larnage
Tél. 04 75 08 24 58
Contact : Albert Belle

1995 Crozes-Hermitage Cuvée Louis Belle	C	87-88
1994 Crozes-Hermitage Cuvée Louis Belle	C	88
1992 Crozes-Hermitage Cuvée Louis Belle	C	91
1995 Crozes-Hermitage Cuvée Les Pierrelles	C	87-88
1994 Crozes-Hermitage Cuvée Les Pierrelles	C	85
1992 Crozes-Hermitage Cuvée Les Pierrelles	C	89
1995 Hermitage	D	87-89
1994 Hermitage	D	88

1992 Hermitage	D	92
1992 Hermitage Blanc	D	87

Albert Belle réussit toujours aussi merveilleusement avec ses vins rouges. Le plus léger d'entre eux est toujours le Crozes-Hermitage Cuvée Les Pierrelles, mais le 1994 se montre sensuel et doux, avec des arômes de poivre vert. L'attaque en bouche est douce et ronde, très soyeuse, et l'on y perçoit de séduisants arômes de cassis qui accompagnent bien un caractère herbacé sous-jacent. La finale est assez tannique. Les amateurs de vins de syrah avec des notes végétales apprécieront ce vin davantage que moi. **A boire dans les 4 ou 5 ans.** Le Crozes-Hermitage Cuvée Louis Belle 1994 est plus doux, plus riche et plus coloré que Les Pierrelles de la même année – il est en fait, dans l'ensemble, plus complexe et plus complet. Dense et moyennement corsé, il est d'une richesse savoureuse, expansive et de bonne mâche, avec un généreux fruité de cassis aux notes d'olive, infusé de senteurs de réglisse et de grillé. Vous dégusterez ce Crozes-Hermitage délicieux et bien évolué dans les **6 ou 7 ans.** Bien qu'il ne soit pas puissant, l'Hermitage 1994, de couleur rubis foncé, se montre élégant, moyennement corsé et mûr, avec des arômes poivrés et herbacés. Racé et séduisant, il est doux en bouche, montrant une belle précision dans le dessin. **A boire dans les 10 ans.**

Moins herbacés que les 1994, les 1995 déploient un fruité plus doux et une meilleure acidité, se montrant moins évolués et plus structurés. Le plus accessible d'entre tous est le Crozes-Hermitage Les Pierrelles. Avec sa robe rubis foncé aux nuances de pourpre, il exhale de généreux arômes, mûrs, fruités et confiturés, de cassis et de cerise noire. Moyennement corsé et relative-ment tannique, il affiche une acidité de bon ressort, et sa finale est mûre. **A boire dans les 6 ou 7 ans.** Plus tannique et plus fermée, la Cuvée Louis Belle est aussi plus énorme, plus riche et plus intense. Ce vin bien doté et mûr déploie, à la fois au nez et en bouche, des arômes dominants de cassis et de minéral. La finale est épicée, moyennement corsée et tannique. Ce Crozes-Hermitage s'arrondira dans l'année à venir et devrait se conserver **pendant une décennie.** Plus discret que la Cuvée Louis Belle, l'Hermitage 1995 est moyennement corsé et bien mûr, avec une acidité de bon ressort. Merveilleuse-ment pur et équilibré, il ne brille pas par sa flamboyance, mais il est élégant et racé. **A boire dans les 10 ans.**

Quant aux 1992, ce sont probablement les meilleurs vins que je connaisse de cette petite propriété. L'Hermitage est tout simplement sensationnel, avec son nez énorme d'herbes rôties, de fruits noirs confiturés, de viande fumée et d'épices qui jaillit littéralement du verre. Richement fruité, très corsé et faible en acidité, il est moyennement tannique et peu évolué, requérant 3 ou 4 années de vieillissement avant d'être prêt. Son potentiel de garde est de **15 ans environ.** Il s'imposera probablement comme l'une des deux ou trois plus belles réussites de l'appellation. Les deux cuvées de Crozes-Hermitage sont extraordinaires et d'un excellent rapport qualité/prix. Celle des Pierrelles 1992 exhale un nez intense, herbacé et poivré, de groseille, et se montre souple, riche, très corsée et généreuse en bouche. Le fruité est exubérant, et la finale très ample. **A boire dans les 5 ou 6 ans.** La Cuvée Louis Belle 1992, partiellement vieillie en fûts neufs et non filtrée (comme tous les autres rouges d'Albert Belle), est moyennement corsée et d'une belle richesse. Sa couleur soutenue précède un bouquet intense et mûr, et sa finale est sensationnelle, longue et opulente. Un Crozes-Hermitage absolument étonnant, que vous apprécierez dans le courant des **10 prochaines années.**

Avec son bouquet d'aiguilles de pin, de fleurs et d'ananas, et son fruité corsé et très concentré, l'Hermitage Blanc 1992 est incontestablement excellent. Robuste et de bonne mâche, il déploie des arômes imposants et devrait bien évoluer sur les **10 à 12 ans** qui viennent.

GUY ET FRÉDÉRIC BERNARD***

Route Nationale 86 – 69420 Tupin-et-Semons
Tél. 04 74 59 54 04 – Fax 04 74 56 68 81
Contact : Guy ou Frédéric Bernard

1995 Côte-Rôtie	?	85-86
1994 Côte-Rôtie	?	86-88

Voici deux excellents vins d'un viticulteur dont je ne goûte que très rarement la production.

Le 1995 est trapu, monolithique et charnu, d'une bonne profondeur et d'une belle maturité. Mais, bien qu'il soit bon et bien vinifié, il ne déploie pour l'instant aucun caractère propre aux Côte-Rôtie – je souhaiterais qu'il montre davantage de typicité. Avec son nez de fumé, de sauce soja, de viande grillée, de framboise sauvage et de cassis, le 1994 est élégant, se montrant riche et bien évolué en bouche – il rappelle un peu les vins de Robert Jasmin. Ce Côte-Rôtie rond et délicieux, bien profond, moyennement corsé et incontestablement très élégant devrait bien évoluer dans les **8 à 10 années** qui viennent.

DOMAINE BOIS DE BOURSAN****

Quartier Saint-Pierre – 84230 Châteauneuf-du-Pape
Tél. 04 90 83 73 60 – Fax 04 90 34 46 61
Contact : Jean ou Jean-Paul Versino

1995 Châteauneuf-du-Pape	B	87-89
1994 Châteauneuf-du-Pape	B	82

Le 1995 est excellent, peut-être même extraordinaire, avec sa couleur rubis-pourpre très soutenu et ses arômes de cassis et de cerise doux et confiturés. Il se montre pur, bien campé et très corsé en bouche, et impressionne par sa richesse en extrait et sa longueur. Consommez ce vin sans défauts dans les **10 à 15 prochaines années.**

Bien que le 1994 semble maintenant moins concentré qu'avant la mise en bouteille (excès de collage et de filtration), il illustre encore parfaitement à la fois l'appellation et le millésime. Arborant une resplendissante couleur rubis-grenat, il libère un bouquet moyennement intense d'herbes, d'olive, de cèdre, de prune et de cerise qui introduit en bouche un vin moyennement corsé, aux arômes expansifs, épicés et doux. Consommez ce vin bien évolué et accessible dans les **6 ou 7 ans.**

DOMAINE DE BOIS DAUPHIN***

21, route d'Orange, 84230 Châteauneuf-du-Pape
Tél. 04 90 83 70 34 – Fax 04 90 83 50 83
Contact : Pierre Jacumin

1995 Châteauneuf-du-Pape	C	90-92
1994 Châteauneuf-du-Pape	C	89
1993 Châteauneuf-du-Pape	C	88
1992 Châteauneuf-du-Pape	C	84
1993 Châteauneuf-du-Pape Blanc	C	85

Pierre Jacumin est un excellent vinificateur dont les Châteauneuf, classiques et très corsés, sont destinés à une longue garde. Leur style rappellerait un mélange hypothétique du Clos des Papes de Paul Avril et du Bosquet des Papes de la famille Boiron. Bien qu'élégants et accessibles, ces vins sont tous amples, musclés et profonds – j'attends maintenant que le 1989 arrive à maturité.

L'extraordinaire 1995 arbore une robe opaque de couleur rubis-pourpre qui précède un nez doux et capiteux de cèdre, d'herbes provençales, de terre et de fruits noirs et rouges. Son fruité marqué par la mâche se développe en bouche par paliers, et il révèle une texture riche et somptueuse malgré sa structure. Ce Châteauneuf très corsé est une merveille, flatteur dès sa diffusion, mais qui vieillira aussi bien sur les **12 à 15 ans** qui viennent.

Plutôt fermé pour le millésime, le 1994 resplendit d'une couleur rubis foncé qui prélude à des arômes très réticents de cake, de cèdre, d'épices, d'olive et de cerise noire. Moyennement corsé, puissant et très riche, il laisse en bouche une impression de belle structure d'ensemble. La finale est longue et alcoolique. Ce vin peut être dégusté maintenant, mais il promet d'être encore meilleur d'ici 2 ou 3 ans et se maintiendra sur les **10 à 12 ans** suivants.

Quant au 1993, avec sa robe rubis-pourpre très soutenu, il déploie un nez énorme et épicé d'herbes et de groseille. Moyennement corsé, doux et généreux en bouche, il développe une finale moyennement tannique. Ce vin sera à pleine maturité d'ici 2 ou 3 ans et se conservera bien ensuite **10 à 12 ans.**

Moins ample, le 1992 est moyennement corsé et recèle un fruité épicé d'herbes et de cerise noire. Ses arômes sont plus compacts que ceux du 1993, et sa finale est douce et nette. Un vin d'un excellent rapport qualité/prix, à **boire immédiatement.**

Bien meilleur que la plupart de ses homologues, le Châteauneuf Blanc 1993 déploie un séduisant nez de poire mûre, ainsi qu'un fruité charnu et mielleux. Un vin corsé, d'une grande pureté et d'une belle acidité, **à boire maintenant.**

HENRI BONNEAU*****

35, rue Joseph Ducos – 84230 Châteauneuf-du-Pape

1995 Châteauneuf-du-Pape (Cuvées 1 et 2)	?	87-90
1994 Châteauneuf-du-Pape (Cuvées 1 et 2)	?	87-89
1993 Châteauneuf-du-Pape (Cuvées 1 et 2)	?	78-84
1995 Châteauneuf-du-Pape (Cuvées 3 et 4)	?	90-94
1994 Châteauneuf-du-Pape (Cuvées 3 et 4)	?	91-94
1992 Châteauneuf-du-Pape Réserve des Célestins	E	92
1991 Châteauneuf-du-Pape Réserve des Célestins	E	89
1990 Châteauneuf-du-Pape Réserve des Célestins	E	100
1990 Châteauneuf-du-Pape Cuvée Marie Beurrier	D	94
1991 Châteauneuf-du-Pape	D	89
1991 Vin de Table	B	87

Pour les rares et heureux élus qui sont admis dans les sombres labyrinthes qui lui servent de chais, une visite chez Henri Bonneau demeure l'expérience d'une vie. Cet homme, qui donne vertement son opinion sur tout – que ce soit sur les rendements trop élevés, la pêche ou la politique –, produit le meilleur vin de l'appellation. Pour ce qui est des millésimes 1994 et 1995, Henri Bonneau ne sait pas encore s'il diffusera ses cuvées spéciales, mais je pense bien qu'il produira à la fois la Cuvée Marie Beurrier et la Réserve des Célestins. Il y a quelques années de cela, il déclarait qu'il ne ferait en 1992 que la Cuvée Marie Beurrier, mais, un an plus tard, constatant l'excellente qualité de certaines pièces, il décidait de mettre en bouteille de petites quantités de Réserve des Célestins. Il n'a élaboré aucune cuvée spéciale en 1991, et vous trouverez ci-après mes notes de dégustation sur ses 1993, dont il estime qu'il s'agit de son plus mauvais millésime depuis 1977, à tel point d'ailleurs qu'il était prêt à écouler son entière production en vrac « si les vins ne s'étaient pas décidés à faire preuve de plus de caractère ».

Henri Bonneau dit très modestement de 1995 qu'elle est une « bonne » année, mais, dans son langage, ce mot serait plutôt synonyme de « grande ». Ses cuvées les plus légères sont étonnantes : douces, riches et mûres, elles sont d'une couleur sang-de-bœuf, avec des arômes d'herbes de Provence, de cerise noire et de cassis. Les plus concentrées mériteraient l'étampe Réserve des Célestins, avec leur couleur pourpre tirant sur le noir, leur caractère très corsé et extrêmement ample, ainsi que leur taux d'alcool absolument énorme et leur texture onctueuse. Ces vins devraient être au moins aussi bons que les 1988, mais Henri Bonneau estime qu'ils n'égaleront pas ses trois plus grands millésimes récents, 1978, 1979 et 1990.

Avec des tannins plus durs, les 1994 sont très corsés et présentent un fruité merveilleusement doux, riche et concentré, ainsi que la puissance et l'intensité que seules donnent les vieilles vignes. On est ici dans l'une des rares propriétés où les vins se montrent encore mieux en bouteille qu'en fût (c'est précisément l'inverse en Bourgogne), et les vins cités, déjà puissants et riches, ont le potentiel requis pour figurer au nombre des plus massifs et de plus longue garde du millésime – du moins si les meilleures pièces sont mises en bouteille séparément (comme Réserve des Célestins) et non pas assemblées avec les autres pour produire du Marie Beurrier.

Comme je l'ai déjà dit, les 1993 sont austères, maigres et durs, même si certaines cuvées, moyennement corsées, présentent du fruité et une certaine maturité. Bonneau déteste le millésime et utilise pour qualifier ses vins un vocabulaire que je ne retranscrirai pas ici.

La Réserve des Célestins 1992 a un côté très mûr et extraordinairement doux, avec des arômes de cerise noire mêlés de notes de cèdre, de fumé, de viande grillée, de barbecue et de chocolat. Riche et très corsée, avec une texture onctueuse et glycérinée, elle s'impose incontestablement comme l'un des vins les plus grandioses de l'appellation pour le millésime (le Barberac de Chapoutier est une autre très grande réussite). **A maturité : 1998-2012.**

En 1991, Bonneau n'a produit aucune cuvée spéciale, déclassant toute sa récolte en un Châteauneuf-du-Pape générique. Ce dernier vin est étonnamment bon et compte au nombre des plus puissants de l'appellation pour ce millésime épouvantable. Il libère au nez de riches arômes de terre, de cuir fin et de viande, et déploie en bouche des tannins poussiéreux, se montrant très corsé et d'une richesse en extrait incroyablement intense pour une année aussi désastreuse. Il illustre parfaitement les excellents résultats que l'on peut obtenir de vieilles vignes vendangées tardivement, même dans les mauvais millésimes. **A boire dans les 10 ans.** Il y a aussi un Vin de Table 1991. Rustique, robuste et exubérant, il exhale un nez énorme, épicé et poivré, d'herbes, de fruits et de cuir. En bouche, il est très corsé, avec des tannins doux. Ce vin délicieux se poserait en sérieux rival de nombre de Châteauneuf d'un excellent millésime. **A boire maintenant.**

Les amateurs ayant un bon réseau de relations pourraient peut-être mettre la main sur un flacon de Réserve des Célestins 1990. La mise en bouteille de ce vin a été différée en raison de sa puissance et de son intensité phénoménales, et il n'a été diffusé qu'en mai 1994. De couleur pourpre tirant sur le noir, il exhale un nez énorme de gibier fumé, d'épices exotiques, de réglisse, et déploie d'abondants arômes de fruits noirs et confiturés absolument époustouflants. L'attaque en bouche montre une richesse en extrait et une concentration ahurissantes. Ce vin gigantesque doit titrer plus de 15° d'alcool naturel (nonobstant les indications de l'étiquette), mais toute sa puissance est parfaitement étayée par un fruité très généreux et riche. Maintenant qu'il est en bouteille, il semble encore meilleur que le très impressionnant 1989. Bien que ce monument ne soit pas encore prêt (il a un potentiel de garde de **30 ans, voire plus**), je ne saurais blâmer quiconque ne pourrait y résister. Cependant, si vous ne trouvez pas de Réserve des Célestins, ne désespérez pas, la Cuvée Marie Beurrier 1990 est presque aussi profonde, même si Bonneau pense qu'elle est plus « légère » (dans son vocabulaire, ce mot signifierait plutôt « massive »). En effet, ce vin est énorme et concentré, d'un caractère similaire à celui des Célestins, mais légèrement moins tannique et moins puissant. Cependant, il révèle incontestablement une très grande ampleur et une extraordinaire richesse en extrait. **A boire dans les 20 ans, voire au-delà.**

CHRISTOPHE ET PATRICK BONNEFOND****

Le Mornas – 69420 Ampuis
Tél. 04 74 56 12 30 – Fax 04 74 56 17 93
Contact : Patrick ou Christophe Bonnefond

1995 Condrieu	C	88-90
1992 Condrieu Côte Châtillon	C	88

Ce petit domaine n'a produit en 1995 que 1 500 bouteilles d'un Condrieu issu de vieilles vignes et non filtré. Ce vin très gras et merveilleusement mûr regorge d'arômes d'abricot et se montre de bonne mâche, épais et musclé. **A boire dans les 5 ou 6 ans.**

Quant au 1992, il s'agit de l'une des plus belles réussites de l'appellation pour le millésime. Merveilleusement mûr, avec un fruité aux notes de miel, de pêche et d'abricot, il est succulent, gras et de bonne mâche en bouche, où il déploie un caractère généreusement glycériné, alcoolique et fruité dans une longue finale. **A boire cette année.**

DOMAINE LE BOSQUET DES PAPES****/*****

Route d'Orange – 84230 Châteauneuf-du-Pape
Tél. 04 90 83 72 33 – Fax 04 90 83 50 52
Contact : Maurice Boiron

1995 Châteauneuf-du-Pape	C	88-90
1994 Châteauneuf-du-Pape	C	88
1993 Châteauneuf-du-Pape	C	88
1992 Châteauneuf-du-Pape	C	86
1995 Châteauneuf-du-Pape Cuvée Chantemerle	D	90-92+
1994 Châteauneuf-du-Pape Cuvée Chantemerle	D	90
1993 Châteauneuf-du-Pape Cuvée Chantemerle	D	92
1990 Châteauneuf-du-Pape Cuvée Chantemerle	D	96

Maurice Boiron et son épouse sont à la tête de cette propriété qui produit très régulièrement, depuis la fin des années 70, un de mes Châteauneuf préférés. Ils élaborent également, depuis 1990, une cuvée spéciale de vieilles vignes appelée Cuvée Chantemerle qui peut parfaitement rivaliser avec les étoiles de l'appellation. Tous ces vins sont racés, complets et complexes, et peuvent en général être dégustés dès leur diffusion. Cependant, mon expérience me prouve qu'ils ont la capacité de vieillir avec grâce sur **10 à 15 ans.**

Le Châteauneuf-du-Pape 1995 arbore une robe aux nuances plus pourpres que le 1994. Plus mûr et plus gras que ce dernier, il est également plus structuré et plus puissant. Concentré et corsé, il devrait se révéler le meilleur générique produit au domaine depuis les 1989 et 1990. Attendez-le jusqu'à la fin du siècle, il se conservera ensuite **10 à 15 ans.** Outre son généreux fruité de cerise noire et douce, le Châteauneuf-du-Pape 1994 déploie de très reconnaissables senteurs d'herbes provençales et de garrigue. D'une excellente densité, merveilleusement gras et mûr, il présente une finale longue, très corsée et capiteuse. Ce vin riche et de bonne mâche, qui se montre meilleur en bouteille qu'il n'était en foudre, peut être dégusté **dès maintenant** et sur les **6 ou 7 années** qui viennent. Le 1993 semble très bon, avec sa couleur rubis foncé et son bouquet, doux et odorant, de fruits noirs, d'herbes et d'épices. Merveilleusement concentré et très corsé, très riche et très mûr, il déploie une finale souple. **A boire dans les 7 à 10 ans.** Le 1992 est rond et délicieux, se montrant étonnamment robuste et puissant pour un Châteauneuf de ce millésime. Moyennement corsé, avec un doux fruité confituré, il sera parfait sur les **6 ou 7 ans** à venir.

La Cuvée Chantemerle (disponible en très petites quantités – environ 400 caisses par an) est spectaculaire. J'ai récemment servi le 1990 et le 1993 lors d'un dîner, et mes hôtes en ont été littéralement époustouflés. Si le premier demeure l'illustration des sommets que peut atteindre ce cru, le second est également remarquable si l'on tient compte du millésime. Et les 1994 et 1995 pourraient même se révéler meilleurs encore.

Ainsi, le 1995 exhale ce nez très particulier et très mûr de kirsch, de cerise noire confiturée et de framboise où l'on perçoit des notes de surmaturité. L'attaque en bouche est douce, épaisse, onctueuse et très corsée, révélant une structure et des tannins considérables. Extraordinairement pur, ce vin jeune, ample et peu évolué atteindra la pointe de sa maturité vers la fin de ce siècle et se maintiendra **10 à 15 ans** encore. Le 1994 exhale un nez très intense de framboise sauvage, de viande fumée, de réglisse et de bois. Très corsé, puissant et exceptionnellement concentré, il est très alcoolique (titrant à mon avis plus de 14°) et possède une structure imposante, ainsi que des tannins abondants. Il était plutôt fermé lorsque je l'ai dégusté, si bien que je pense qu'il est de plus haute volée encore que ne le suggèrent les notes, pourtant très bonnes, que je lui ai attribuées. Ce vin requiert encore 2 ou 3 ans de garde et se conservera sur les **15 ans suivants, voire plus.** Le 1993 est quant à lui presque aussi irrésistible que le 1990, mais moins puissant et moins alcoolique. Avec sa robe pourpre foncé très soutenu, il libère des arômes très parfumés de fruits noirs confiturés et d'herbes rôties, et présente un caractère de terre et de chocolat. Extrêmement riche et très corsé, et moyennement tannique, ce vin fabuleux et de bonne mâche devrait évoluer de belle manière sur **15 à 20 ans.**

DOMAINE DES BOSQUETS**/***

84190 Gigondas
Tél. 04 90 65 86 09 – Fax 04 90 65 81 81

1995 Gigondas	?	86-89

Ce Gigondas 1995 est excellent, presque extraordinaire, et présente la légendaire robe opaque de couleur pourpre caractéristique du millésime. Le nez offre des arômes riches, doux et sans détour de framboise sauvage et de cassis, et la bouche révèle un vin profond et moyennement corsé, merveilleusement pur, d'une belle texture et étonnamment long. **A boire dans les 10 à 12 ans.**

DOMAINE DE LA BOUISSIÈRE***

Rue du Portail – 84190 Gigondas
Tél. 04 90 65 87 91

1993 Gigondas	C	86
1992 Gigondas	C	79

Le 1993, foncé, est moyennement corsé, peu évolué et épicé. Meilleur que la moyenne du millésime, il montre une belle profondeur, offrant une finale épicée et modérément longue. **A boire dans les 6 ou 7 ans.**

Exhalant un nez de prune, d'herbes et de thé marqué par des notes de framboise, le 1992 est plus atténué, avec des arômes plus compacts, et se montre court en fin de bouche. **A boire d'ici 1 ou 2 ans.**

LUCIEN ET ANDRÉ BRUNEL – LES CAILLOUX*****

6, chemin du Bois-de-la-Ville – 84230 Châteauneuf-du-Pape
Tél. 04 90 83 72 62 – Fax 04 90 83 51 07
Contact : Lucien ou André Brunel

1995 Châteauneuf-du-Pape Les Cailloux	C	90-93
1994 Châteauneuf-du-Pape Les Cailloux	C	90
1993 Châteauneuf-du-Pape Les Cailloux	C	92
1992 Châteauneuf-du-Pape Les Cailloux	C	92
1993 Châteauneuf-du-Pape Les Cailloux Blanc	C	88
1993 Domaine de la Bécassone Blanc	A	86
1992 Côtes-du-Rhône Domaine André Brunel	A	90
1991 Côtes-du-Rhône Domaine André Brunel Cuvée Sommelongue	A	86

André Brunel est l'un des producteurs les plus dynamiques, les plus compétents et les plus talentueux de Châteauneuf-du-Pape, qui se surpasse à chaque millésime. Ainsi, il a produit aux Cailloux un Châteauneuf-du-Pape 1994 qui s'impose comme le meilleur de l'appellation, tandis que le 1995 pourrait parfaitement rivaliser avec le magnifique 1990.

Plus profondément coloré que son aîné d'un an, le 1995 affiche une maturité extraordinaire, une richesse exceptionnelle, et déploie un fruité doux et de belle extraction. La finale, longue, dégage des arômes de cassis. Ce vin pur, moyennement tannique et à la structure impressionnante, explose en fin de bouche. Prêt dès sa diffusion, il n'en a pas moins un potentiel de garde de **15 ans environ.** Impressionnant par sa texture et sa concentration, le 1994, de couleur rubis-pourpre foncé, est très corsé, se situant presque au même niveau de qualité que les 1989 et 1990. Son nez déploie de merveilleux arômes de Provence, avec des notes d'algues marines et d'olive noire, ainsi que de généreuses senteurs de framboise et de cerise noire. Doux, soyeux et merveilleusement pur, il est long et harmonieux, et montre un équilibre impeccable. **A boire dans les 10 à 12 ans.** Les Châteauneuf-du-Pape 1992 et 1993 d'André

Brunel s'imposent comme les réussites de leurs millésimes respectifs. Avec sa robe soutenue de couleur rubis-pourpre foncé, le 1993 exhale un nez extraordinairement pur de framboise sauvage, de réglisse, d'herbes et d'épices, et révèle une richesse explosive et une maturité absolument superbe. Opulent, marqué par la mâche, il est long, intense et très corsé en fin de bouche, avec cet aspect merveilleusement doux et confituré qui caractérise les meilleurs Châteauneuf des grandes années. **A boire dans les 15 ans, voire au-delà.** Le 1992 est encore plus étonnant. Produit en quantités limitées (850 caisses) et issu de vignes centenaires, il est au tiers vieilli en fûts neufs et s'impose comme l'une des stars d'un millésime – qui est dans l'ensemble de qualité plutôt moyenne. Impressionnant par sa robe très soutenue de couleur rubis-pourpre, il exhale un nez profond, doux et exotique de framboise sauvage, d'épices et de vanille douce. Très corsé, dense et concentré, il est également fabuleusement gras, très richement extrait et très alcoolique. Vous boirez ce vin luxuriant dans les **10 à 12 ans.**

André Brunel a également produit en 1995 une Cuvée Centenaire (les deux derniers millésimes étaient le 1989 et le 1990) issue de vignes de 100 ans d'âge. Lors de mon passage au domaine, les fermentations malolactiques n'étaient pas terminées, si bien que je n'ai pu la déguster. Mais il s'agit incontestablement d'une bonne nouvelle pour les amateurs qui se souviennent de la qualité phénoménale du 1989 et du 1990.

Le Châteauneuf-du-Pape Les Cailloux Blanc 1993, fermenté en fût et mis en bouteille après un collage minimal, est aussi bon que peut l'être un blanc de cette appellation. Je ne suis personnellement pas très amateur de ces vins neutres et monolithiques, mais celui-ci offre un nez merveilleusement mûr de fruits tropicaux confits, de beurre et de fleurs, se montrant long et très corsé en bouche, avec une touche de mâche, de subtiles notes de boisé et une belle acidité qui lui apporte fraîcheur, ressort et précision. **A boire cette année.**

André Brunel est également propriétaire, juste en dehors de Châteauneuf-du-Pape, du Domaine de la Bécassone, où il élabore des Côtes-du-Rhône. Le 1993, en blanc, est issu de grenache, de clairette et de marsanne, et révèle un nez séduisant aux arômes de fleurs et d'agrumes. Admirablement concentré et moyennement corsé, il est merveilleusement mûr et long en bouche. Je ne suis pas très amateur des Côtes-du-Rhône blancs, mais celui-ci est plein de caractère et très agréable. **A boire maintenant.**

Composé à 80 % de grenache et à 20 % de syrah, le Côtes-du-Rhône 1992 du Domaine André Brunel est époustouflant pour un millésime aussi difficile. Il exhale un nez énorme de kirsch et de cassis, et déploie en bouche des arômes mûrs, doux et confiturés, très corsés et superbement concentrés. Expansif et de bonne mâche, il me semblait plutôt être un excellent Châteauneuf-du-Pape qu'un simple Côtes-du-Rhône. Ce vin stupéfiant est aussi une très bonne affaire sous l'angle du rapport qualité/prix. **A boire dans les 4 ou 5 ans.** La Cuvée Sommelongue 1991 du même domaine comprend 25 % de Châteauneuf Les Cailloux, ce qui explique qu'il soit plus intense et plus riche. Issu de vignes de syrah et de grenache de 25 ans d'âge, il est épicé et poivré, avec des senteurs de cerise noire. D'une belle richesse et moyennement corsé, il est modérément long en fin de bouche. **A boire dans les 2 ou 3 ans.**

DANIEL BRUSSET – LES HAUTS DE MONTMIRAIL*****

Place du Village – 84190 Gigondas
Tél. 04 90 70 91 60 ou 04 90 30 82 16 – Fax 04 90 30 73 31
Contact : Daniel Brusset

1995 Gigondas Les Hauts de Montmirail	C	89-92
1994 Gigondas Les Hauts de Montmirail	C	88+
1992 Gigondas Les Hauts de Montmirail	C	90
1991 Gigondas Les Hauts de Montmirail	C	89
1995 Côtes-du-Rhône-Villages Cairanne	A	85-87
1993 Côtes-du-Rhône-Villages Cairanne	A	87
1991 Côtes-du-Rhône-Villages Cairanne	A	87

Longtemps marginalisé à Gigondas à cause de son insistance à utiliser de petits fûts neufs à la propriété, Daniel Brusset est maintenant bien accepté par les vignerons locaux. Son père démarra Les Hauts de Montmirail en 1947, à partir des chais familiaux situés à Cairanne, et ce fut là un autre point de discorde avec les habitants du village, pour lesquels les Brusset étaient des « étrangers » (Cairanne se situe à quelques kilomètres seulement de Gigondas). La famille agrandit rapidement la propriété, qui passa ainsi de 7 ha à environ 83 ha et possède maintenant les vignobles en terrasses les plus spectaculaires de l'appellation. Nichés derrière l'extraordinaire point de vue des Dentelles, ces hautes phalanges de pierre qui pointent vers le ciel, ils donnent des vins très marqués par des touches de chêne neuf et grillé, et par de riches arômes de fruits rouges, qui possèdent incontestablement beaucoup de caractère – du fait de rendements restreints, d'une vinification et d'un élevage des plus méticuleux, ainsi que d'une mise en bouteille la moins interventionniste possible. Leur potentiel de garde est de **15 ans environ.**

Le Gigondas 1995 de Daniel Brusset me semble être un autre vin extraordinaire. Vieilli en fûts de chêne neufs de diverses provenances (Allier, Nevers, Vosges), il est composé à 40 % de grenache, à 30 % de syrah et à 30 % de mourvèdre. Il libère de généreux et séduisants arômes de fruits noirs, riches et doux (framboise, cerise et groseille), marqués par des senteurs de vanille. Peu évolué, dense et concentré, ce vin est incontestablement très tannique, mais allie merveilleusement puissance et finesse, s'imposant comme l'un des Gigondas les mieux structurés qu'il m'ait été donné de goûter. Il requiert vraiment une garde de 4 ou 5 ans avant d'être prêt et devrait atteindre la pointe de sa maturité vers la fin de ce siècle. Son potentiel de garde est de **15 ans environ.** Merveilleusement pur, avec de riches arômes vanillés de fruits noirs dans un ensemble très corsé, ce nectar n'est pas filtré, comme d'ailleurs toute la production de haut niveau de Daniel Brusset.

Élégant, intense et moyennement corsé, le Gigondas 1994 arbore une couleur rubis-pourpre foncé. Il est pour l'instant dominé par le mourvèdre, mais je pense que la syrah et le grenache se feront plus présents après un certain temps de vieillissement en bouteille. Ce vin bien bâti présente les senteurs animales et d'écorce d'arbre typiques du mourvèdre, et se montre expansif et de bonne mâche en milieu de bouche, déployant des tannins très abondants dans une finale longue et bien structurée. Bien qu'il affiche 13,5° d'alcool naturel, il est encore ferme et serré, et requiert 1 an de vieillissement avant d'être dégusté. **A boire dans les 10 à 12 ans.**

De couleur rubis foncé, avec un puissant bouquet de vanille douce, de chêne neuf et grillé, de fruits noirs, d'herbes et de noix grillée, le 1992 est mûr et très corsé, et déploie en bouche son fruité confituré par couches successives. Souple et généreusement doté, il ne présente aucunement le caractère dilué ou végétal que l'on retrouve souvent dans les autres Gigondas de ce millésime et s'impose comme une belle réussite au potentiel de garde d'**environ 10 ans.** Si l'on tient compte de la qualité déplorable des vins de la vallée du Rhône méridionale en 1992, on imaginera aisément la sélection sévère et le talent de vinificateur qui ont été nécessaires pour produire un tel nectar.

Issu de rendements limités à 18 hl/ha, le Gigondas 1991 de Daniel Brusset arbore une robe soutenue de couleur rubis tirant sur le noir et déploie un nez énorme de chocolat, de cerise noire et d'herbes qui offre également de doux arômes de fruits mûrs et non dilués. Très corsé, avec une richesse et un fruité généreux qu'il déploie par paliers, ce vin somptueusement mûr sera à son meilleur niveau dans les **6 ou 7 ans** à venir. Il s'agit d'une merveilleuse réussite pour ce millésime.

Le Côtes-du-Rhône-Villages Cairanne de Daniel Brusset est au nombre de ses secrets les mieux gardés. Issu d'un heureux mélange de 70 % de grenache, de 10 % de mourvèdre et de 20 % de syrah, le 1995 présente une robe rubis foncé et un nez doux et poivré aux arômes de fruits rouges. Moyennement corsé et tannique, il est épicé et charnu en fin de bouche. **A boire dans les 4 ou 5 ans.** Considérez-le comme le Gigondas du pauvre.

Vieilli en fûts d'un an, le 1993 arbore une robe soutenue de couleur rubis foncé et exhale un nez énorme et épicé d'herbes, de cèdre et de cerise noire. Très corsé et merveilleusement mûr, il révèle en bouche un somptueux fruité gras marqué par la mâche, qui tapisse le palais. Vous boirez ce délicieux et capiteux Côtes-du-Rhône dans les **2 ou 3 ans.**

En 1991, Daniel Brusset incluait, à hauteur de 20 %, du Gigondas vieilli en fûts dans le Cairanne. Cela donne un vin densément coloré, au nez extraordinaire, poivré et épicé, de framboise sauvage et de truffe. Profond, riche et moyennement corsé en bouche, il s'y montre généreusement fruité et déploie une finale toute soyeuse et veloutée. **A boire dans les 2 ou 3 ans.**

BERNARD BURGAUD****

Le Champin – 69420 Ampuis
Tél. 04 74 56 11 86 – Fax 04 74 56 13 03
Contact : Bernard Burgaud

1995 Côte-Rôtie	D	86-87+
1994 Côte-Rôtie	D	87-88
1993 Côte-Rôtie	D	87
1992 Côte-Rôtie	D	87

Si sa robe très sombre de couleur rubis-pourpre foncé est impressionnante, le Côte-Rôtie 1995 est dur et peu évolué, avec une acidité de bon ressort mais des tannins en excès. Il semblait avoir terminé sa fermentation malolactique juste au moment où je l'ai dégusté, et je pense qu'il méritera d'être réévalué dans un an environ, car il montre une grande pureté et une bonne maturité. Ce vin est certainement très bon, mais, pour l'heure, je réserve mon jugement.

Le 1994 n'était pas encore en bouteille lorsque je l'ai dégusté, en juin 1996. Rustique et profondément coloré, il est plutôt rugueux, avec un généreux fruité doux et riche qui étaye bien ses tannins abondants. Il demande incontestablement de la patience, et ceux qui projettent d'en acheter devront se résoudre à attendre pour le déguster, car il requiert 4 ou 5 ans de garde en cave. Ce vin peu évolué et tannique se révèle suffisamment fruité, riche et charnu pour dominer ses tannins et sa structure dans les 10 à 12 ans qui viennent.

Avec sa belle robe de couleur grenat très soutenu et légèrement teinté de pourpre, le 1992 présente un nez encore peu évolué de fruits noirs, d'herbes et de terre sèche. Merveilleusement gras et riche, il est moyennement corsé, son caractère plutôt doux et flatteur donnant à penser qu'il devrait être consommé dans les 7 ou 8 ans. Il s'agit d'une très belle réussite dans une année qui a finalement donné plus de bons vins que je ne l'aurais d'abord pensé.

L'extraordinaire 1991 arbore une robe opaque de couleur pourpre tirant sur le noir. Il dégage de puissants arômes de fruits noirs, d'herbes et de fleurs. Très corsé et très richement extrait, il se montre imposant et bien structuré en bouche, où il déploie une finale fabuleusement longue et spectaculaire. Dense et formidablement concentré, avec des tannins modérés, il peut se déguster dès maintenant et se conservera 15 ans.

CHÂTEAU CABRIÈRES***/****

Route d'Orange – 84230 Châteauneuf-du-Pape
Tél. 04 90 83 73 58 ou 04 90 83 70 26 – Fax 04 90 83 75 55
Contact : Louis Arnaud

1995 Châteauneuf-du-Pape	D	83-85
1994 Châteauneuf-du-Pape	D	86
1995 Châteauneuf-du-Pape Cuvée Prestige	D	87-89+
1992 Châteauneuf-du-Pape Cuvée Prestige	D	88
1993 Châteauneuf-du-Pape Blanc	C	76

Merveilleusement situé sur le plateau rocheux qui surplombe Châteauneuf et jouxtant le Domaine de Mont-Redon, le Château Cabrières bénéficie, comme son voisin, d'un terroir extraordinaire. Malheureusement, aucune de ces deux propriétés n'exploite à fond ce fabuleux potentiel. Cependant, le Château Cabrières a accompli d'énormes progrès depuis la dernière visite que j'y avais effectuée, il y a plus de dix ans de cela.

Cette propriété a produit en 1995 à la fois un Châteauneuf générique et une Cuvée Prestige, tous deux se révélant tanniques et peu évolués. Avec son nez épicé et poivré, le Châteauneuf-du-Pape 1995 se montre moins flatteur que son aîné d'un an, et, s'il affiche une meilleure acidité que ce dernier, il n'en possède ni la richesse ni l'intensité. Mais, grâce à une structure plus forte, il sera certainement de plus longue garde. La Cuvée Prestige 1995, issue des plus vieilles vignes du château, est plus dense, plus riche et plus corsée, avec une robe opaque et soutenue de couleur rubis-grenat. Montrant un bon niveau d'acidité, elle déploie un caractère de fumé et d'herbes rôties, ainsi que de généreux arômes de fruits noirs et rouges très doux. Ce Châteauneuf bien gras et très alcoolique révèle encore une belle précision dans le dessin, et, s'il est mis en bouteille sans intervention, je lui attribuerai peut-être une excellente note. Mais, s'il est collé et filtré comme je le redoute, il sera alors nettement moins impressionnant que ne le suggèrent la note actuelle et mes commentaires de dégustation. **A maturité : 1998-2006.**

Le Châteauneuf-du-Pape 1994 est moins impressionnant et moins riche après la mise en bouteille qu'il ne l'était en fût – je pense que ce sont le collage et la filtration qui l'ont largement dépouillé de ses arômes. Il en a cependant conservé suffisamment pour que je lui attribue une note honorable. En effet, ce vin exhale un nez séduisant et mûr de cerise douce, d'herbes provençales et de poivre. Moyennement corsé et parfaitement mûr, il présente une couleur rubis foncé et une texture douce, aérée et crémeuse. **A boire dans les 7 ou 8 ans.**

Avec ses arômes d'olive noire, de cassis et d'herbes provençales, la Cuvée Prestige 1992 est épicée et moyennement corsée en bouche, se montrant très riche et de bonne mâche. Elle est également longue et savoureuse, avec une bonne acidité et légèrement tannique. **A boire dans les 5 ou 6 ans.**

Bien que plaisant à boire et sans défaut, le Châteauneuf-du-Pape Blanc 1993 est, comme les autres vins blancs de la propriété, discret et léger. **A boire maintenant.**

DOMAINE DE CASSAN***

84190 Lafare
Tél. 04 90 65 87 65 – Fax 04 90 65 80 83

1994 Gigondas	? 86-88

Le Domaine de Cassan a produit en 1994 un Gigondas des plus intéressants. Une robe rubis-pourpre foncé prélude à un nez confituré de cerise, de réglisse et de fumé qui introduit en bouche un vin élégant mais puissant, faible en acidité, avec des notes de surmaturité. Assez tannique et d'une grande richesse, il offre une superbe attaque en bouche, mais se montre moins ample en finale. **A boire dans les 3 ou 4 ans.**

DOMAINE DE CAYRON*****

Rue de la Fontaine – 84190 Gigondas
Tél. 04 90 65 87 46 – Fax 04 90 65 88 81
Contact : Georges Faraud

1995 Gigondas	C 90-92

1994 Gigondas	C	87
1993 Gigondas	C	88
1992 Gigondas	C	?
1990 Gigondas	C	90

Le Domaine de Cayron produit l'un des Gigondas que je préfère. Le 1995, qui semblait avoir juste terminé sa fermentation malolactique lorsque je l'ai dégusté, présentait une robe opaque de couleur pourpre. Révélant une belle acidité, il se montrait encore peu évolué, très fruité et d'une très grande richesse en extrait. Bien que profond et formidablement doté, il est encore jeune et requiert une garde en cave de 3 ou 4 ans pour s'adoucir, mais il se dégustera bien sur les **10 à 15 années** qui suivront.

Avec son généreux fruité de myrtille, de réglisse et de mûre, le 1994 est bien gras pour le millésime. Moyennement corsé, il affiche une texture bien aérée et séduisante, et se montre riche, rond et bien glycériné en fin de bouche. Bien qu'il ne soit pas complexe, il est goûteux et accessible, et devrait tenir encore **6 ou 7 ans.**

Le 1993 devrait se révéler extraordinaire, même si l'on ne saurait espérer, à mon avis, qu'il égale les 1988, 1989 et 1990 de la propriété. D'une couleur rubis-pourpre très soutenu, avec un nez de truffe, de terre, d'herbes rôties et de cerise noire qui témoigne d'une belle extraction, ce vin déploie un fruité riche et concentré, et se montre merveilleusement long, mûr et bien doté en bouche. **A maturité : jusqu'en 2004.**

En revanche, le 1992 est un vrai désastre : il exhale un nez végétal, légèrement brûlé, de confit, et la bouche révèle de doux arômes troubles, ainsi qu'un manque de structure et de précision dans le dessin.

Pour ce qui est du 1990, qui vient tout juste d'apparaître sur le marché, je conseille aux amateurs qui voudraient s'en procurer de se dépêcher. **A maturité : jusqu'en 2006.**

CELLIER DES PRINCES**

Route Nationale 7 – 84350 Courthézon
Tél. 04 90 70 21 44 – Fax 04 90 70 27 56

| 1995 Châteauneuf-du-Pape | A | 85-87 |
| 1994 Châteauneuf-du-Pape | A | 86 |

La Cave coopérative de Châteauneuf a enregistré deux belles réussites en 1994 et en 1995.

Le Châteauneuf-du-Pape 1994, au généreux fruité d'herbes, de garrigue et de cerise, est puissant et mûr, déployant une finale à la fois souple, douce, puissante et rustique. Il s'agit d'un vin ample, que vous dégusterez dans les **10 ans.**

D'un style similaire, avec une robe rubis foncé, le 1995 est plus tannique et plus acide. Moyennement corsé et ample, il est épicé, rude et riche, et témoigne d'une bonne vinification. Son potentiel de garde est de **7 à 10 ans.**

DOMAINE DE CHANABAS**

84420 Piolenc
Tél. 04 90 37 63 59
Contact : Robert Champ

1994 Châteauneuf-du-Pape	?	87

Je connais mal les vins de Robert Champ, dont les chais sont situés légèrement au nord de Châteauneuf, à Piolenc, la capitale française de l'ail. Son Châteauneuf-du-Pape 1994 est un vin solide et rustique, aux arômes d'épices, d'herbes et de poivre. Richement fruité et corpulent, il présente une texture douce. **A consommer dans les 4 ou 5 ans.**

DOMAINE DE CHANTE-PERDRIX****

84230 Châteauneuf-du-Pape
Tél. 04 90 83 71 86 – Fax 04 90 83 53 14
Contact : Guy ou Frédéric Nicolet

1994 Châteauneuf-du-Pape	C	84
1993 Châteauneuf-du-Pape	C	89

Le Châteauneuf-du-Pape 1994 de ce domaine arbore une robe bien évoluée, de couleur rubis assez foncé, déjà marquée de touches de grenat. Un nez énorme, épicé et herbacé de fumé et de café torréfié introduit en bouche un vin d'une concentration modeste, plus légèrement corsé que le 1993. Je me demande si les Nicolet n'auraient pas vendangé trop tard cette année-là.

Le 1993 de Chante-Perdrix s'impose comme l'un des vins les mieux réussis de ce millésime, avec son bouquet exotique de prune très mûre, de framboise sauvage, d'olive, de cèdre, ainsi que ses notes florales. Extraordinairement concentré, il est généreux, corpulent et de bonne mâche en bouche, où il déploie une finale moyennement longue et souple. **A boire dans les 10 ans.**

CHAPOUTIER*****

18, avenue du Docteur-Paul-Durand – BP 18 – 26000 Tain-l'Hermitage
Tél. 04 75 08 28 65 – Fax 04 75 08 27 43
Contact : Michel ou Marc Chapoutier, ou Albéric Mazoyer (œnologue)

1995 Côtes-du-Rhône Belleruche Blanc	C	85
1993 Côtes-du-Rhône Belleruche Blanc	C	85
1992 Côtes-du-Rhône Belleruche Blanc	C	87
1995 Condrieu	D	89
1994 Condrieu	D	87
1993 Condrieu	D	88
1992 Condrieu	D	89
1995 Saint-Joseph Deschants Blanc	C	89
1994 Saint-Joseph Deschants Blanc	C	86-87

1993 Saint-Joseph Deschants Blanc	C	83
1992 Saint-Joseph Deschants Blanc	C	87
1995 Saint-Joseph Les Granites Blanc	D	93
1995 Hermitage Chante-Alouette Blanc	D	92-93
1994 Hermitage Chante-Alouette Blanc	D	91
1993 Hermitage Chante-Alouette Blanc	D	91
1992 Hermitage Chante-Alouette Blanc	D	94
1995 Hermitage Cuvée de l'Orée	E	97-99
1994 Hermitage Cuvée de l'Orée	E	99
1993 Hermitage Cuvée de l'Orée	E	96+
1992 Hermitage Cuvée de l'Orée	E	98
1991 Hermitage Cuvée de l'Orée	E	96
1995 Crozes-Hermitage Les Meysonniers Blanc	A	87
1995 Châteauneuf-du-Pape La Bernardine Blanc	A	87
1995 Côtes-du-Rhône Belleruche	C	84
1993 Côtes-du-Rhône Belleruche	C	86
1995 Côtes-du-Rhône Rasteau	A	85
1995 Entre Nous Vin de Pays d'Oc	A	86
1995 Châteauneuf-du-Pape La Bernardine	E	90
1994 Châteauneuf-du-Pape La Bernardine	E	89
1993 Châteauneuf-du-Pape La Bernardine	E	91
1992 Châteauneuf-du-Pape La Bernardine	E	91
1995 Châteauneuf-du-Pape Barbe Rac	E	94-95+
1994 Châteauneuf-du-Pape Barbe Rac	E	92-94
1993 Châteauneuf-du-Pape Barbe Rac	E	92
1992 Châteauneuf-du-Pape Barbe Rac	E	92
1991 Châteauneuf-du-Pape Barbe Rac	E	87
1995 Saint-Joseph Deschants	C	85
1994 Saint-Joseph Deschants	C	85-86
1993 Saint-Joseph Deschants	C	81
1992 Saint-Joseph Deschants	C	89
1995 Saint-Joseph Les Granites	E	92-94
1995 Crozes-Hermitage Les Meysonniers	C	86
1994 Crozes-Hermitage Les Meysonniers	C	87
1993 Crozes-Hermitage Les Meysonniers	C	78
1992 Crozes-Hermitage Les Meysonniers	C	85
1995 Crozes-Hermitage Les Varonniers	E	94-96
1994 Crozes-Hermitage Les Varonniers	D	93

1995	Crozes-Hermitage Petite Ruche	A	86
1994	Crozes-Hermitage Petite Ruche	A	83
1995	Cornas	C	89
1994	Cornas	C	87-89
1993	Cornas	C	74
1992	Cornas	C	89
1995	Côte-Rôtie	D	88-90
1994	Côte-Rôtie	D	85-87
1993	Côte-Rôtie	D	88
1992	Côte-Rôtie	D	90
1995	Côte-Rôtie La Mordorée	E	96-98+
1994	Côte-Rôtie La Mordorée	E	93
1993	Côte-Rôtie La Mordorée	E	90
1992	Côte-Rôtie La Mordorée	E	92
1991	Côte-Rôtie La Mordorée	E	100
1995	Hermitage La Sizeranne	D	90-92
1994	Hermitage La Sizeranne	D	90
1993	Hermitage La Sizeranne	D	90
1992	Hermitage La Sizeranne	D	92
1991	Hermitage La Sizeranne	D	94
1995	Ermitage Le Pavillon	E	98-100
1994	Ermitage Le Pavillon	E	96
1993	Ermitage Le Pavillon	E	93
1992	Ermitage Le Pavillon	E	95
1991	Ermitage Le Pavillon	E	100
1994	Hermitage Vin de Paille	E	98+[1]
1992	Hermitage Vin de Paille	E	96+[1]
1991	Hermitage Vin de Paille	E	98+[1]
1995	Muscat de Rivesaltes	A	90
1995	Viognier Les Coufis Vin de Pays de l'Ardèche	D	92[1]

Cette entreprise, brillamment gérée par Michel et Marc Chapoutier, est peut-être le sujet d'une des histoires les plus intéressantes du monde du vin en France. On sait le zèle et l'énergie extraordinaires, dignes d'un missionnaire en croisade, que Michel Chapoutier a investis dans cette affaire moribonde après le départ à la retraite de son père. Prenant conscience du fait que nombre de terroirs étaient « morts » pour cause d'utilisation intempestive de substances chimiques, il change radicalement de cap et soumet tous les vignobles Chapoutier à la culture biodynamique, très controversée. Il demande

1. Demi-bouteilles.

également à tous les producteurs qui vendent leur récolte à la maison Chapoutier de faire un usage plus raisonné des herbicides, fongicides et autres insecticides. Dans le même temps, il met tout en œuvre pour produire des vins
extraordinaires, notamment des cuvées prestige, dont un Ermitage Le Pavillon,
produit en quantités minuscules, qui incarne la perfection même et s'impose
aujourd'hui comme une nouvelle référence.

En passant, Michel Chapoutier a réussi à mettre les pieds dans le plat en
disant tout haut des choses que l'on ne disait surtout pas dans le monde
viticole, et s'est ainsi coupé de nombre de vignerons qui lui étaient favorables
du fait de son engagement pour la qualité. Néanmoins, Michel demeure l'une
des personnalités les plus fascinantes du monde viticole français, et une évidence s'impose à tous, y compris à ses détracteurs : lorsqu'il s'agit de qualité,
il n'est l'homme d'aucun compromis.

Cela est particulièrement avéré avec le millésime 1993, dont Michel Chapoutier dit lui-même que « l'on pourrait vraiment le considérer comme le pire
de ce siècle ». Je dois avouer avoir toujours considéré la culture biodynamique
comme une sorte de culture biologique poussée à l'extrême, qui s'apparenterait
à une activité de sorcellerie ou à un culte sectaire. Mais lorsque, en 1993,
le mildiou et la pourriture ont détruit plus de 80 % de la vendange en Hermitage, la maison Chapoutier n'enregistrait qu'une perte de 10 % – et ses vignes
qui avaient subi des dommages jouxtaient toutes des vignobles où l'on utilise
des substances chimiques de traitement. Michel Chapoutier espère bien que
ce millésime désastreux fera enfin prendre conscience aux sceptiques du bien-
fondé de la biodynamie. En effet, ses vins sont les *seuls* qui se distinguent
de toute la vallée du Rhône septentrionale, étant bien mieux réussis que
l'ensemble de leurs homologues. On les dirait vraiment issus d'un excellent
millésime, ce qui ne peut s'expliquer que par ces techniques viticulturales
particulières.

Toujours attaché à la qualité, Michel Chapoutier s'est empressé de reconnaître qu'il avait fait une erreur en mettant ses Hermitage 1993 en bouteille
un peu trop tard, dès le moment où il s'est aperçu que ceux-ci se montraient
mieux au fût qu'après la mise. De même, lorsque je lui ai laissé entendre
qu'il y avait des variations trop importantes entre les différents lots d'un même
vin, il s'est mis à réfléchir à la manière dont il pourrait procéder à une mise
qui garantirait l'uniformité du contenu de la bouteille. Pour couronner le tout,
il semble s'être maintenant engagé dans une voie qui va encore engendrer
des controverses : la maison Chapoutier a déjà acquis plusieurs vignobles dans
le Languedoc-Roussillon, ainsi que près de 4 ha de vignes de premier choix
à Banyuls. Les amateurs peuvent donc s'attendre à voir le nom de Chapoutier
sur un certain nombre de vins intéressants en provenance du sud de la France.

L'obsession de Michel Chapoutier pour des rendements restreints et des vins
purs et naturels qui reflètent fidèlement à la fois le terroir et le profil aromatique de chaque cépage se retrouve bien dans les vins blancs suivants.

Ainsi le Côtes-du-Rhône Belleruche Blanc 1995 est un vin sec, vif, moyennement corsé et très aromatique, au séduisant fruité de pêche. Mis en bouteille
relativement tôt, il doit être consommé ces **toutes prochaines années**. Le
Belleruche Blanc 1993, moyennement corsé, à l'acidité fraîche et de bon
ressort, exhale un merveilleux nez, frais et fruité, d'agrumes et déploie une

finale savoureuse. Plus riche et plus plein, le Belleruche Blanc 1992 est superbement frais et vibrant, avec une belle acidité, un somptueux bouquet et de généreux arômes. Tous deux doivent être bus **d'ici 1 ou 2 ans.**

La maison produit également, depuis peu, de petites quantités d'un Condrieu issu d'un vignoble de 1,5 ha jouxtant celui de Georges Vernay. Le Condrieu 1995, aux arômes exotiques et mûrs d'abricot et de minéral, révèle une acidité fraîche, caractéristique du millésime, et déploie une finale élégante, très corsée et rafraîchissante. Un tiers de ce vin est fermenté en fûts neufs et le reste en cuve, l'assemblage se faisant juste avant la mise en bouteille. Le 1994, dominé par des arômes de silex et de minéral, est savoureux et moyennement corsé. Son fruité frais, son élégance et sa pureté sont parfaitement mis en valeur, ce qui le différencie des autres vins de l'appellation, plus onctueux et plus épais. Il s'agit d'un Condrieu vif et bien vinifié, que vous dégusterez **d'ici 1 ou 2 ans.** Le Condrieu 1993 déploie d'intenses arômes de pêche, de miel et de fleurs. Il affiche, outre une excellente acidité, un style moyennement corsé et admirablement concentré dans un ensemble gracieux et élégant. **A boire dans les 2 ou 3 ans.** Plus riche que le précédent, avec un caractère floral, de miel et de minéral, le 1992 présente une belle acidité et témoigne d'une précision dans le dessin et dans les arômes absolument extraordinaire, le tout dans un ensemble riche et moyennement corsé. **A boire dans les 2 ou 3 ans.**

Les Saint-Joseph blancs de Michel Chapoutier ressemblent beaucoup à des Chablis. Le Saint-Joseph Deschants 1995, au nez fruité d'orange et de pierre à fusil, est d'une précision admirable, riche, moyennement corsé et concentré en bouche. Ce vin d'une pureté et d'une finesse exceptionnelles représente de plus une affaire extraordinaire. **A boire dans les 2 ou 3 ans.** Le 1994, d'une légère couleur jaune paille, exhale d'excellents arômes de pelure d'orange, de minéral et d'acacia. Bien concentré, il révèle un abondant fruité pur et mûr. **A boire maintenant.** Les Deschants 1992 et 1993 sont tous deux merveilleusement vinifiés et offrent, à la fois au nez et en bouche, des arômes de minéral. Moyennement corsé et parfaitement mûr, avec une acidité fraîche et de bon ressort, le 1993 présente un bouquet floral et très aromatique de pêche et d'abricot, ainsi qu'un fruité charnu, marqué par la mâche. Il laisse en bouche une impression de pureté et de naturel. Le 1992 partage les mêmes notes de fleurs et de pêche que le 1993, et déploie en bouche les mêmes arômes élégants, vifs et moyennement corsés. D'une belle précision, il est très équilibré. Ces deux vins seront à leur meilleur niveau ces **5 ou 6 prochaines années.**

A compter du millésime 1995, les amateurs se verront proposer une nouvelle cuvée prestige de Saint-Joseph, appelée Les Granites. Produit sur 2 ha de vignes de 80 ans d'âge situées sur les coteaux de Mauves, juste derrière la maison de Gérard Chave, et issu de rendements de 15 hl/ha, ce Saint-Joseph blanc 1995, extraordinairement intense, est entièrement vieilli en fût. Ses arômes fluides de minéral et d'abricot jaillissent littéralement du verre, sa belle acidité sous-jacente conférant à ce vin massif, entièrement composé de marsanne, une grande précision dans le dessin. La production est limitée à 250 caisses seulement. Il s'agit, à mes yeux, du Saint-Joseph blanc le plus grandiose qu'il m'ait été donné de goûter à ce jour. Son potentiel de garde est de **15 à 20 ans.**

La maison Chapoutier produit également des Hermitage blancs extraordinaires, entièrement issus de marsanne, élevés au cinquième en fûts neufs et pour le reste en cuves, et ensuite assemblés.

L'Hermitage Chante-Alouette 1995 exhale de caractéristiques arômes de lavande, de miel, d'ananas et de minéral. Ample et riche, mais d'une fraîcheur remarquable compte tenu de son ampleur, ce vin intense et costaud devrait tenir **une décennie encore.** Le superbe Hermitage Chante-Alouette 1994 dégage un nez riche de senteurs de cerise, d'ananas et d'abricot. Onctueux et épais, bien doté en bouche, il y montre un caractère fluide de minéral et des arômes nets, frais, très corsés et mielleux. Comme le 1995, il se conservera bien pendant **10 ans.** Ample et épais, l'Hermitage Chante-Alouette 1993 libère des arômes de fleurs, de minéral et de miel dominés par des notes de fleur d'acacia. Superbe, profond et très corsé, débordant de fruité, il demeurera agréable **10 à 20 ans.** Plus riche encore, avec un nez intense de miel, de vanille et de fleurs, le Chante-Alouette 1992 est immense et très corsé. Débordant de richesse, de fruité, de glycérine et d'alcool, il persiste en bouche pendant plus d'une minute et promet de bien se conserver **20 à 25 ans.** Ces vins, qui peuvent paraître monochromatiques ou lourds lorsqu'on les déguste tout seuls, se révèlent étonnamment vibrants et vivants en accompagnement de mets choisis.

Les amateurs qui ont la chance d'avoir accès aux 300 à 500 caisses d'Hermitage Cuvée de l'Orée produites annuellement devraient se procurer une ou deux bouteilles de n'importe quel millésime entre 1991 et 1995. Issu des plus vieilles vignes de coteaux que possède la maison Chapoutier, ce vin totalement sec, fermé, dominé par des arômes de minéral et de miel, est fabuleusement riche, d'une intensité et d'une puissance aromatique qui feraient pâlir nombre de Montrachet de Bourgogne.

L'Hermitage Cuvée de l'Orée 1995 est profond et grandiose, d'une richesse, d'une concentration et d'une texture énormes, mais il montre aussi une belle précision grâce à son acidité fraîche et de bon ressort. J'ai été fort étonné d'apprendre qu'il était entièrement élevé en fûts neufs, car on n'y décèle pas la plus petite note de grillé ou de vanille, tant il se montre riche, épais et onctueux. Quant aux arômes d'acacia, de minéral, d'orange et de miel qu'offre ce fabuleux nectar, ils semblent ne vouloir jamais s'atténuer. Ce vin sera spectaculaire dans sa jeunesse, mais il se refermera ensuite quelques années. Je ne lui rends peut-être pas l'hommage qu'il mérite en ne lui attribuant pas la note parfaite, car il est issu de rendements extrêmement bas (de l'ordre de 12 hl/ha) et s'impose comme l'un des plus grands vins blancs que je connaisse. Étonnamment bien doté et équilibré, extraordinairement complexe et semblable à un Montrachet, ce vin aux arômes fluides de minéral et de miel représente un véritable tour de force en matière de vinification. Durera-t-il 10, 20 ou 30 ans ? Je ne me prononcerai pas de façon catégorique, mais il s'agit incontestablement de l'Hermitage blanc jeune le plus somptueux que j'aie jamais dégusté. L'Hermitage Cuvée de l'Orée 1994 arbore un nez énorme, extraordinairement riche et floral – une essence de minéral et de fruit mûr. Extrêmement corsé, puissant et onctueux, cet Hermitage époustouflant et grandiose devrait se conserver **30 à 50 ans encore, si ce n'est plus.** L'Hermitage Cuvée de se conserver **30 à 50 ans encore, si ce n'est plus**. L'Hermitage Cuvée de l'Orée 1993 était fermé et réservé lorsque je l'ai dégusté au printemps 1995. Issu de rendements de moins de 15 hl/ha, il révèle, dès l'attaque en bouche, une précision et une richesse extraordinaires. La finale est terriblement longue – plus d'une minute. Ce vin blanc sec, énorme, magnifiquement riche et peu évolué devrait se conserver **20 à 30 ans**. Je tiens l'Hermitage Cuvée de l'Orée 1992 pour un vin quasiment parfait, avec son nez énorme et crémeux de miel et de letchi, aussi exotique que profond. Sa richesse, son intensité et son extraordinaire concentration reflètent magnifiquement le terroir rocheux et granitique des coteaux pentus dont il provient. Cet Hermitage très corsé, fabuleusement riche et d'une belle précision, est l'un des plus grandioses que je connaisse. **A maturité : jusqu'en 2007.** Bien que le 1991 puisse se révéler aussi irrésistible que le 1992, il n'est pas à l'heure actuelle aussi exotique. Très corsé et étonnamment riche, avec des senteurs de minéral, de fleur d'acacia, de miel et de pêcher en fleur, il se montre onctueux, épais, riche et de bonne mâche en bouche. Vif et de bon ressort grâce à sa belle acidité, il présente, comme le vin précédent, une finale longue de plus d'une minute. Son potentiel de garde est de **20 à 30 ans**. Quels monuments que ces deux vins !

Le Crozes-Hermitage Les Meysonniers Blanc 1995 exhale des arômes de pierre et de séduisantes senteurs d'oranger en fleur. D'une élégance incontestable, avec une finale fraîche et de bon ressort, il doit être consommé dans les **2 ou 3 ans**.

Le Châteauneuf-du-Pape La Bernardine Blanc 1995, entièrement composé de grenache, libère, à la fois au nez et en bouche, des parfums de mandarine, d'agrumes et de minéral. Charnu, moyennement corsé et élégant, il sera plaisant ces **2 ou 3 prochaines années**.

Parmi les vins rouges des appellations de moindre prestige, vous trouverez un Côtes-du-Rhône Belleruche 1995. Entièrement composé de grenache, il est goûteux, fruité et acidulé. **A boire dans les 2 ou 3 ans.** Le 1993, toujours entièrement issu de grenache et de rendements de 25 hl/ha, dégage un nez de fruits rouges et se montre moyennement corsé, doux, élégant et ample, avec une texture souple. Ses arômes et sa douceur rappellent ceux du pinot. **A boire dans les 4 ou 5 ans.**

Le Côtes-du-Rhône Rasteau 1995, lui aussi 100 % grenache, présente, outre une acidité fraîche et de bon ressort, un nez mûr et poivré de cerise, ainsi qu'un fruité vibrant, rafraîchissant et acidulé – il ressemble un peu, en cela, à un vin du Nouveau Monde. **A boire dans les 3 ou 4 ans.**

Nouveau dans la gamme, l'Entre Nous Vin de Pays d'Oc 1995 est élaboré en partenariat avec Paterno Imports, importateur américain de la maison Chapoutier, et proposé à prix intéressant. Il est composé d'un mélange de mourvèdre, de carignan, de grenache et de syrah. Séduisant, avec un fruité aguicheur de poivre et de cerise noire, il se montre net, frais et vivace en bouche, avec une finale souple et fruitée. Il se révélera simple, mais délicieux, ces **2 prochaines années**.

Les Châteauneuf-du-Pape de Michel Chapoutier ne reçoivent pas toute l'attention qu'ils méritent, peut-être parce qu'ils sont éclipsés par les vins extraordinaires qu'il produit en vallée du Rhône septentrionale. Il en élabore en général deux cuvées : La Bernardine et une cuvée prestige appelée Barbe Rac.

Les deux Châteauneuf-du-Pape La Bernardine 1994 et 1995 sont extraordinaires. De couleur rubis-pourpre foncé, avec un nez doux et ample de garrigue, de cèdre, de fruits noirs et rouges et de cacahuète grillée, le 1995 est très corsé, riche et structuré, et requiert une garde de 1 ou 2 ans avant d'être prêt. **A maturité : 1998-2010.** Le 1994 présente, quant à lui, un nez de réglisse, de poivre, de cerise noire et de kirsch. D'une profondeur extraordinaire, il se montre épicé, corsé, tannique et structuré en bouche, où il déploie une finale longue, alcoolique et bien glycérinée. Vous pourrez le déguster dans les **20 ans** qui suivront une garde en cave de 2 ou 3 ans. (Pour la dernière année, la mise en bouteille du 1994 s'est faite en deux fois. Il s'agit exactement du même assemblage, mais la deuxième mise n'a eu lieu que lorsque le premier lot de 8 000 caisses avait été entièrement écoulé.) En 1993 (les vendanges dans la vallée du Rhône méridionale se sont déroulées dans d'excellentes conditions – ce ne fut pas le cas pour le Nord), le Châteauneuf-du-Pape La Bernardine arbore une robe rubis-pourpre foncé et déploie un nez énorme, poivré et épicé de cassis. Riche et très corsé en bouche, d'une profondeur et d'une maturité superbes, il présente une finale longue, capiteuse, alcoolique et riche de glycérine. Il pourrait se révéler extraordinaire et devrait se conserver **15 ans.** De couleur pourpre-noir, le 1992 offre un bouquet merveilleusement aromatique aux senteurs d'épices exotiques, d'herbes, de poivre, de cuir et de fruits noirs. Issu de rendements très faibles (de l'ordre de 15 hl/ha), il est dense, magnifiquement concentré et présente une maturité fabuleuse, ainsi qu'un généreux fruité riche et marqué par la mâche. La finale est longue, capiteuse et spectaculaire. Ce vin est suffisamment doux pour être dégusté **dès maintenant,** mais il évoluera avec grâce sur les **deux prochaines décennies.**

La cuvée prestige de Châteauneuf-du-Pape Barbe Rac, produite annuellement à hauteur de 250 caisses (pour le monde entier !), provient d'une toute petite parcelle de vignes, plantée en 1901 et située près du Château de La Gardine. Issu de rendements de 10 hl/ha, le 1995 me rappelle le 1978 dans sa jeunesse. Un nez énorme de kirsch, de framboise sauvage et de minéral prélude à un vin peu évolué, dense et puissant, d'une richesse presque légendaire, d'une intensité et d'une profondeur stupéfiantes. La robe opaque est de couleur pourpre, et la bouche révèle un caractère massif et quelque peu tannique. Il s'agit d'un Châteauneuf d'autrefois, comme on n'en fait plus. Ce vin magnifique a un potentiel de **30 ans et plus** et requiert une garde de 5 ou 6 ans avant d'être prêt. Le Barbe Rac 1994 déploie un bouquet provençal classique, aux senteurs de lavande, de garrigue, d'olive noire et de cerise noire confiturée. Ses arômes puissants, débordant de richesse en extrait et de glycérine, lui confèrent de l'ampleur et de la présence en bouche, et y laissent une étonnante impression d'élégance et de finesse. Ce vin sera prêt un peu avant son cadet d'un an (d'ici 3 ou 4 ans), mais se maintiendra parfaitement **20 ans.** Les Barbe Rac 1992 et 1993 sont tous deux fabuleux. Avec sa robe opaque de couleur pourpre tirant sur le noir, le 1993 exhale un nez énorme et sensationnel de framboise sauvage douce et confiturée, d'herbes rôties et de poivre. Il me rappelle un grand Rayas, mais en plus intense. Très corsé, titrant 15° d'alcool naturel, ce monstre est une des superstars de l'appellation pour le millésime. Le 1992 pourrait éventuellement se révéler plus profond que son cadet, peut-être parce qu'il est plus faible en acidité et... plus vieux d'un an. Une robe très soutenue de couleur pourpre prélude à un nez énorme, qui déborde littéralement d'arômes d'épices, de cèdre, de réglisse, de fruits noirs et de fumé. On décèle en bouche, outre une grande richesse, une belle corpulence et une texture marquée par la mâche (phénomène dû aux petits rendements). La finale est massive et puissante. Quel vin époustouflant ! Le 1992 et le 1993 sont d'ores et déjà très bons, mais ils évolueront de belle manière sur les 30 ans à venir. Le Barbe Rac 1991 est au nombre des deux ou trois réussites de ce millésime désastreux. De couleur rubis foncé, il déploie un nez épicé et herbacé, riche de senteurs de groseille. Bien que son profil aromatique soit moins large que celui des vins précédents, il est moyennement corsé, d'une maturité et d'une concentration exceptionnelles, avec des tannins plus marquants que le 1992 ou le 1993. Il requiert une garde de 2 ou 3 ans, mais devrait bien se conserver 15 ans.

La maison Chapoutier possède également nombre de vignobles en vallée du Rhône septentrionale, et son Saint-Joseph Deschants s'impose maintenant comme une affaire des plus alléchantes, rappelant un mini-Hermitage par sa richesse et sa complexité. Le Saint-Joseph Deschants 1995, issu des sols granitiques des coteaux de Saint-Joseph, présente un fruité mûr de cassis marqué par des notes de minéral. Par sa belle acidité, son élégance et son côté acidulé, il évoque un peu les bourgognes rouges de 1993. Lorsque je me suis enquis du pH de ce vin, il m'a été répondu qu'il titrait 3,3, ce qui est très bas. A maturité : jusqu'en 2001. De couleur rubis-pourpre tirant sur le noir, le Saint-Joseph Deschants 1994 exhale un nez puissant et doux, typiquement syrah, aux arômes de cassis, de fumé et de poivre. D'une grande intensité, il est riche et souple en milieu de bouche. A boire maintenant. J'avais initialement attribué au Saint-Joseph Deschants 1993 (millésime désastreux pour le nord de la vallée du Rhône) la note de 89. Mais ce vin est maintenant bien moins impressionnant qu'il n'était, et, bien qu'il arbore encore une belle robe rubis foncé, il a développé un caractère austère, tannique et rugueux. Alors qu'il comptait au nombre des vins les mieux réussis du millésime, il a aujourd'hui perdu beaucoup de son charme et de son fruité, et est désormais dominé par sa structure et ses tannins. A boire maintenant. Le 1992, issu de rendements de moins de 20 hl/ha, dégage un fabuleux bouquet de pierre à fusil, de cassis, d'herbes et de fumé. Généreusement doté et très corsé, il affiche une richesse et une densité superbes. Dégustez ce vin délicieux et merveilleusement pur dans les 10 à 15 ans.

Avec sa robe opaque de couleur noir-pourpre et son profond bouquet d'essences de minéral et de cassis, le Saint-Joseph Les Granites 1995 se révèle fabuleusement intense, d'une longueur exceptionnelle, et se dévoile en bouche par paliers. Établir des notes de dégustation semble même ridicule à ce niveau de qualité, car les vins sont tout simplement prodigieux. Ce Saint-Joseph, prêt dès sa diffusion, pourra se conserver 20 à 30 ans.

L'excellent Crozes-Hermitage Les Meysonniers 1995 est une autre excellente affaire que propose la maison Chapoutier. Avec son doux nez de mûre, d'herbes de Provence et de cassis, ce vin moyennement corsé présente en bouche une acidité de bon ressort, des arômes doux et mûrs de petits fruits et une finale douce. A maturité : jusqu'en 2001. Le Crozes-Hermitage Les Meysonniers 1994 est corsé, mûr, avec un fruité riche. Il déploie encore des arômes de fumé, de réglisse et de cassis, ainsi qu'une finale souple, généreuse et faible en acidité. **A maturité : jusqu'en 2000.** Le 1993, auquel j'avais initialement attribué la note de 87, s'est révélé plutôt décevant lorsque je l'ai dégusté en juin 1995. Cette bouteille particulière était issue du lot n° 5854, et, si le vin qu'elle contenait était d'une excellente couleur, on notait toutefois une absence de fruité, des tannins dominants et un caractère excessivement astringent, dur et peu séduisant. Mes appréciations initiales semblent donc bien trop laudatives eu égard au comportement actuel de ce vin. Outre un merveilleux nez doux, poivré et herbacé, le Crozes-Hermitage Les Meysonniers 1992 présente des arômes amples et confiturés. A maturité parfaite et admirablement pur, il offre une mâche attrayante qu'il doit à son caractère très glycériné et aux rendements restreints. **A boire dans les 6 ou 7 ans.**

Produit à hauteur de 4 000 bouteilles seulement, le Crozes-Hermitage Les Varonniers 1994 est une nouvelle étoile de la gamme Chapoutier. Il s'agit même de l'un des meilleurs Crozes-Hermitage que je connaisse. Il est en fait aussi bon, sinon meilleur, que les Hermitage de certains producteurs. Ce vin offre un fruité extraordinaire de cassis marqué de notes de réglisse, de fumé, de fleurs et de pierre concassée. Extrêmement plein et dense, il est vraiment irrésistible. Et je suis d'autant plus époustouflé de constater que le 1995 est encore plus grandiose. Issu de rendements de 10 hl/ha, ce vin entièrement composé de syrah est monumental, très corsé et fabuleusement concentré. En dégustation à l'aveugle, on pourrait aisément le confondre avec Le Pavillon, tant il est riche, complexe et prodigieux. Bien étayé par d'excellents tannins et une acidité modérée, il est déjà prêt, mais il ne serait pas déraisonnable de lui prêter un potentiel de **20 à 30 ans.**

Toujours dans le nord de la vallée du Rhône, il y a le Crozes-Hermitage Petite Ruche 1995, avec son nez sans détour de réglisse et de cassis, son caractère moyennement corsé, ainsi que son excellente maturité et sa belle concentration qui lui permettront de bien vieillir sur les **3 ou 4 prochaines années.** Doux et mûr, le Crozes-Hermitage Petite Ruche 1994 libère en bouche des arômes herbacés et de fruits rouges. Moyennement corsé, souple et plaisant, il déploie une finale ronde. **A boire dans les 2 ou 3 ans.**

La maison élabore aussi un peu de Cornas, et le 1995, vieilli en fûts neufs pendant une année avant d'être mis en bouteille, me semble extraordinaire. En effet, ce vin exhale des arômes de conte de fées, sauvages et rustiques, de terre et de cassis – très caractéristiques de cette appellation. D'une belle profondeur, il recèle des tannins abondants qui se montreront toujours un peu rugueux. Ce Cornas est un monstre qui durera bien **15 ans ou plus.** *(Note :* ce vin est acheté à l'un des tout meilleurs producteurs de Cornas.) Les Cornas 1993 et 1994 sont exactement comme on s'y attendrait, compte tenu de la grande différence entre ces deux millésimes. Le 1994, avec sa robe opaque de couleur pourpre, exhale un nez riche et modérément intense de cassis, de truffe noire et de minéral. Très corsé, tannique et de bonne mâche, il est peu évolué et encore jeune, et se bonifiera au terme d'une garde de 3 ou 4 ans. **A maturité : jusqu'en 2005.** En revanche, le 1993 est plutôt végétal, dur et manquant de charme. **A maturité : jusqu'en 2001.** Quant au 1992, de couleur noire, il est bien réussi, avec un doux nez de noix grillée, de cerise noire et d'épices. Moyennement corsé, avec des tannins modérés, il séduit par sa souplesse. **A boire jusqu'à 10 ans d'âge.**

Pour ce qui est des Côte-Rôtie, Michel Chapoutier s'astreint à produire une cuvée générique exceptionnellement aromatique, douce et élégante, ainsi qu'une cuvée prestige, à l'élégance, au fruité exotique et aux arômes de framboise sauvage typiques de cette appellation, et d'une intensité toujours accrue – un peu comme La Mouline de Marcel Guigal.

Le Côte-Rôtie 1995, issu de rendements inférieurs de 10 % à ceux de 1994, exhale un nez épicé et poivré de framboise douce. Moyennement corsé et à maturité parfaite, il affiche une acidité de bon ressort et une élégance étonnante. **A maturité : 2000-2010.** Le 1994 (année que Michel Chapoutier qualifie seulement de « bonne » pour la Côte-Rôtie) est doux à l'attaque en bouche, mais les tannins prennent ensuite le dessus, et le vin semble structuré et ferme. Je serais intéressé de voir comment il évolue en bouteille. De couleur rubis foncé, le 1993 est légèrement corsé, tout en style et en finesse. Il déploie un bouquet modérément intense d'épices, de poivre noir et d'olive. Un joli vin, au caractère doux, que vous dégusterez dans les **6 ou 7 prochaines années.** Le 1992 partage avec son cadet ces mêmes notes de fumé et d'olive noire. Moyennement corsé, avec de merveilleux arômes de cerise noire et de framboise, il est presque bourguignon par son ampleur et sa douceur. Il sera à son meilleur niveau **jusqu'à 10 ans d'âge.**

La cuvée prestige de Côte-Rôtie, La Mordorée, est issue d'une toute petite parcelle de vignes de 75 à 80 ans d'âge qui jouxte le célèbre vignoble de La Turque, appartenant à Marcel Guigal.

La Mordorée 1995 s'imposerait comme un sérieux rival du phénoménal 1991. Il s'agit même du Côte-Rôtie le plus complexe, le plus élégant et le plus multidimensionnel que je connaisse de Chapoutier. On décèle dans une merveilleuse palette aromatique des senteurs de café, de framboise sauvage, de vanille, de chocolat, de fumée de bois de noyer, de fleurs et d'olive provençale. Ce vin extraordinairement riche, d'une précision et d'une délicatesse exceptionnelles, est moins massif que le 1991, mais il est peut-être plus irrésistible par son caractère fabuleusement délicat. Cette texture et cette complexité laissent vraiment penser que la Côte-Rôtie est le pendant en vallée du Rhône du Musigny en Bourgogne. Il est difficile d'évaluer le potentiel de ce 1995, mais je pense qu'il sera somptueux dès sa diffusion et qu'il tiendra sans aucune difficulté pendant encore **20 à 30 ans.** Le très classique 1994 est l'une des réussites du millésime. Avec un merveilleux nez de framboise sauvage, de cassis, d'olive et de violette, ce vin étonnamment complexe (comme le sont tous les Côte-Rôtie) présente dès l'attaque en bouche un généreux fruité, gras et fumé, de cassis. Moyennement corsé, il révèle des tannins doux, et sa finale est longue et riche. Bien qu'il soit déjà puissamment parfumé, les arômes qu'il déploie en bouche doivent encore s'étoffer pour égaler ceux qu'il présente au nez. Vous dégusterez ce vin dans les **10 à 15 ans** qui suivront une garde de 2 ou 3 ans. Les Côte-Rôtie La Mordorée 1991, 1992 et 1993 sont tous trois grandioses. Le 1993 est le plus léger de ce trio, avec d'intenses senteurs de cassis, d'herbes de Provence, de chêne doux et de fruits noirs. Voluptueux et doux, d'une élégance et d'une finesse absolument superbes, il est plus concentré et plus riche que tous ses jumeaux de l'appellation. Il se bonifiera au terme d'une garde de 1 ou 2 ans et se conservera ensuite 15 ans. Le 1992, d'une richesse stupéfiante, est un sérieux prétendant au titre de réussite du millésime, avec son nez fabuleux et exotique de cassis, de minéral, d'olive, de café et de chêne neuf et épicé, et son fruité voluptueux, qu'il dévoile en bouche par paliers. Ce vin somptueux est déjà complexe et délicieux, et promet de durer encore 10 à 15 ans. J'ai toujours pensé que La Mordorée 1991 était du même niveau que les crus de Marcel Guigal (La Mouline, La Landonne ou La Turque). Il est plus proche de La Mouline par ses arômes irréels et séduisants, ainsi que par ce fruité doux, expansif et velouté qu'il déploie par couches successives. Ce vin de couleur pourpre très soutenu, spectaculaire et riche, au bouquet énorme, illustre bien ce que peuvent donner des rendements restreints sur un vignoble cultivé dans le respect de la nature et suivant une philosophie de non-intervention où l'on prône l'absence de collage et de filtration. La production était de seulement 400 caisses. **A maturité : jusqu'en 2020.**

Michel Chapoutier est fier d'affirmer que, tout en étant le plus important propriétaire en Hermitage (la maison Chapoutier possède presque le quart de l'appellation), il n'arrive qu'en troisième position pour ce qui est de la production. Il élabore en général deux cuvées : un Hermitage La Sizeranne et un Ermitage Le Pavillon, cuvée prestige qui prend aujourd'hui des allures de mythe.

L'Hermitage La Sizeranne 1995 est issu de rendements extrêmement faibles (de l'ordre de ceux du Pavillon). Ce vin au nez de terre, de fumé et de cassis doux est peu évolué et tannique, avec une acidité élevée et une grande richesse, et se dévoile en bouche par paliers. Il s'agit néanmoins d'un Hermitage des plus réservés, qui évoluera lentement compte tenu de son acidité pointue. Il requiert donc une garde de 8 à 10 ans avant d'être prêt et durera **20 ans, voire davantage.** C'est incontestablement l'Hermitage La Sizeranne le plus réservé et le moins évolué qu'ait jamais produit Michel Chapoutier. Le 1994 se présente comme un vin structuré, dense, concentré et très corsé, qui requiert 3 ou 4 ans de garde en cave avant d'être prêt. Sa couleur rubis profond prélude à des arômes de fleurs et de cassis confituré. L'attaque en bouche révèle un fruité mûr et doux, suivi de tannins abondants et d'une impression de structure. Cet Hermitage impressionnant demande de la patience : n'y touchez pas avant 3 ou 4 ans, il vieillira bien sur **15 à 20 ans.** L'Hermitage La Sizeranne 1993, de couleur noire, dégage un nez imposant et dense de grillé et de fumé. Très corsé, d'une richesse et d'une maturité absolument superbes, il déploie ses arômes par couches successives. Ce vin magnifique, au potentiel de **30 ans environ,** doit être conservé encore 4 ou 5 ans avant d'être dégusté. Il est important de garder à l'esprit que 1993 est un millésime où Gérard Jaboulet a déclassé toute sa production d'Hermitage La Chapelle et où Gérard Chave n'était pas certain de commercialiser le sien sous son nom. De nombreux autres producteurs étaient encore indécis lorsque je leur ai rendu visite en juin 1995. Mais l'Hermitage de Chapoutier semble être d'un millésime comme 1990 plutôt que 1993 – et cela plaide d'après lui en faveur des principes de biodynamie énoncés par Rudolf Steiner il y a plus de soixante-dix ans de cela. L'Hermitage La Sizeranne 1992, au nez de fumé, d'herbes rôties, de goudron et de cassis, se montre riche, très corsé, d'une concentration fabuleuse en bouche, avec une finale puissante et massive. Les tannins que l'on décèle dans sa finale suggèrent qu'une garde en cave de 2 à 4 ans serait indiquée, mais ce vin se conservera aisément **20 ans**. Quant au 1991, il est spectaculaire. Une robe très soutenue et un nez merveilleusement pur de cassis, de réglisse et de grillé introduisent en bouche un vin très corsé et extrêmement concentré – aussi concentré et intense que le 1990. Son potentiel de garde est de **25 ans**, **voire davantage.**

En fort peu de temps, l'Ermitage Le Pavillon de Michel Chapoutier a pris une dimension quasi mythique (Michel a débuté en 1989). Issus de faibles rendements (de l'ordre de 15 hl/ha) et de vieilles vignes dont certaines datent du milieu du siècle dernier, ce vin s'impose comme le plus riche, le plus concentré et le plus profond de toute l'appellation. On en produit rarement plus de 500 caisses annuellement.

L'Ermitage Le Pavillon 1995 incarne la perfection même. La vendange pour cette cuvée ne s'est faite que tout début octobre, soit plusieurs semaines après l'arrêt des pluies qui ont quelque peu perturbé ce millésime. Cela a donné un vin à la robe opaque de couleur pourpre-noir qui commence tout juste à révéler son potentiel exquis. Il me semble aussi concentré que le 1989 ou le 1990, mais avec une meilleure acidité, ce qui lui confère un caractère moins évolué et davantage de précision dans le dessin. Immensément riche et extraordinairement extrait, il montre une puissance et une longueur formidables qui laissent penser qu'il requiert une garde en cave de 10 à 15 ans. Je ne serais pas autrement surpris qu'il soit brillantissime en l'an **2050**. Débordant de fruité, merveilleusement pur et profond, ce vin représente un véritable tour de force en matière de vinification. Le 1994 est un autre Ermitage massif et puissant, d'une concentration phénoménale. Le Pavillon s'impose régulièrement maintenant comme l'un des trois ou quatre vins les plus grandioses de France dans chaque millésime. Outre sa robe opaque de couleur pourpre, ce 1994 déploie un nez merveilleusement pur et doux de cassis et d'autres fruits noirs, auquel se mêlent des notes de minéral. Se révèle ensuite un vin d'une profonde richesse et d'une grande complexité, très corsé – presque une essence de mûre et de cassis. On distingue dans ce monstre des tannins énormes, mais il n'en demeure pas moins bien équilibré et élégant. Issu d'une parcelle de vignes dont certaines sont antéphylloxériques, ce nectar ne devrait être acheté que par ceux qui sont capables d'investir également dans 10 à 12 ans de patience. Il ne sera prêt qu'à la fin de la première décennie du prochain millénaire et se conservera parfaitement une trentaine d'années. **A maturité : 2010-2040.** Arborant une robe opaque de couleur noire, l'Ermitage le Pavillon 1993 dégage un nez pénétrant de minéral, d'épices, de fruits noirs et de vanille. Extrêmement concentré, dense et très corsé, il se dévoile en bouche par paliers. N'oubliez pas que ce vin proche de la perfection est issu d'un millésime des plus désastreux. Il tiendra **40 à 50 ans.** D'un style similaire, avec un nez exotique d'épices orientales, de minéral, de réglisse et d'essence de cassis et de cerise noire, Le Pavillon 1992 est étonnamment bien doté et concentré, et déploie une finale longue de plus d'une minute. Quelle réussite monumentale ! Ce vin est plus faible en acidité que le 1991 et le 1993, mais qu'il est long et intense ! **A maturité : 2000-2020.** Le Pavillon 1991 suit le tracé des 1989 et 1990 – il incarne la perfection même. Avec sa robe très soutenue de couleur pourpre tirant sur le noir, il offre un irrésistible bouquet aux senteurs d'épices, de viande rôtie et de fruits noirs et rouges. D'une concentration énorme, mais néanmoins brillantissime de précision dans les arômes et dans la découpe, ce vin extraordinaire et fabuleusement doté devrait vieillir de belle manière sur les **30 prochaines années, voire davantage.**

Les Vins de Paille que Michel Chapoutier élabore en Hermitage sont également très réussis. Le 1994, produit à hauteur de 1 000 bouteilles seulement, est entièrement vieilli en fûts neufs. Ce vin arbore une robe de couleur ambre et déploie un nez de caramel doux, de pêche, de thé et de marmelade d'orange. Sa belle structure, sa longueur et sa richesse étonnantes, avec un goût d'abricot mûr, lui permettent, selon Michel Chapoutier, de prétendre à une longévité **d'un siècle.** Et peu d'amateurs sont en position de discuter... Le 1992, au nez épais et crémeux de miel, se révèle visqueux, épais et extrêmement riche en bouche. Sa finale sirupeuse recèle une belle acidité qui lui donne le ressort voulu. Quant au 1991, au caractère plus rôti de marmelade et de miel, il est fabuleusement concentré et riche, avec une finale puissante et massive. Ces deux vins ne sont disponibles qu'en demi-bouteilles (cela est cependant suffisant pour servir au moins 15 personnes) et devraient durer **50 ans ou plus.**

La gamme Chapoutier s'est également enrichie d'un formidable Viognier Les Coufis 1995, qui offre un exemple de ce que le viognier peut produire de plus flamboyant, sensuel et riche. Malheureusement, la production est minuscule, si bien que ce vin, l'un des plus étonnants de l'Ardèche, sera difficile à trouver. **A maturité : jusqu'en 2002.**

La dernière nouveauté est un Muscat de Rivesaltes 1995 produit dans le Languedoc-Roussillon. D'une légère couleur or, avec un nez de miel, de noix de coco, d'abricot mûr et de noix, il est très corsé, dense et concentré en bouche, où il déploie une finale longue et onctueuse, à la belle acidité. A **maturité : jusqu'en 2000.**

DOMAINE DE LA CHARBONNIÈRE***

Route de Courthézon – 84230 Châteauneuf-du-Pape
Tél. 04 90 83 64 59 – Fax 04 90 83 53 46
Contact : Michel Maret

1995 Châteauneuf-du-Pape Mourre des Perdrix	C	90-91
1994 Châteauneuf-du-Pape Mourre des Perdrix	C	90
1993 Châteauneuf-du-Pape Mourre des Perdrix	C	84
1992 Châteauneuf-du-Pape Mourre des Perdrix	C	86
1995 Châteauneuf-du-Pape Vieilles Vignes	D	90-91+
1994 Châteauneuf-du-Pape Vieilles Vignes	D	91
1993 Châteauneuf-du-Pape Vieilles Vignes	D	87
1992 Châteauneuf-du-Pape Vieilles Vignes	D	88
1993 Châteauneuf-du-Pape Blanc	C	85
1995 Vacqueyras	B	87-88

Lorsque, il y a deux ans maintenant, je me suis mis en quête des vins Michel Maret pour les déguster, je les ai tellement appréciés que j'en ai même acheté pour ma cave personnelle.

Avec son fruité doux, le Châteauneuf-du-Pape Mourre des Perdrix 1995 révèle une belle onctuosité. Extraordinairement pur, avec une bonne acidité, il est très corsé, mûr et riche, et ne libère pas encore de senteurs océanes ou marines. Ce vin se conservera bien 12 à 15 ans. Les bouteilles que j'ai goûtées à nouveau l'année dernière comprenaient un extraordinaire Châteauneuf-du-Pape Mourre des Perdrix 1994, à la robe rubis foncé teinté de pourpre, qui offrait au nez toute une palette de senteurs très expressives incluant des arômes d'algues marines, de cerise noire, d'herbes rôties et d'épices. Remarquablement dense, très corsé et débordant de parfums, ce vin se montrait doux et expansif en milieu de bouche, et explosait littéralement en finale, laissant deviner que ses tannins et sa structure imposante cachaient davantage de matière que ce que l'on percevait. Ce Châteauneuf impressionnant et riche demeurera à son meilleur niveau 10 à 12 ans. Le Mourre des Perdrix 1993, plutôt léger, est séduisant et souple, tandis que le 1992, de couleur rubis moyennement soutenu, dégage un bouquet flatteur et très aromatique de fruits noirs et rouges confiturés, d'herbes et d'épices. Doux, gras, charnu et de bonne mâche, ce vin capiteux et faible en acidité est une réussite pour le millésime. **A boire dans les 5 ou 6 ans.**

La cuvée Vieilles Vignes, la plus haut de gamme que produise le domaine, est issue de vignes de plus de 60 ans d'âge. Le 1995 évoque un jeune et classique 1989 de cette appellation. Il s'agit d'un véritable vin de garde, dans la mesure où il se montre tannique, peu évolué et impressionnant, mais il ne conviendra pas à ceux qui recherchent avant tout des vins bien évolués, flatteurs et délicieux à consommer immédiatement. Il requiert 4 ou 5 ans de cave avant d'être prêt et compte certainement au nombre des rares Châteauneuf qui se bonifieront au terme d'une longue garde – celui-ci tiendra aisément encore 15 à 20 ans. Le Châteauneuf-du-Pape Vieilles Vignes 1994 se présente comme un vin de couleur rubis-pourpre, au bouquet doux et ample de viande fumée et d'herbes rôties, et au généreux fruité de cerise et de cassis. Expansif et séduisant en bouche, il est profond, corsé et puissant. Attendez ce Châteauneuf impressionnant de richesse 2 ou 3 ans, vous le dégusterez dans le courant des 10 à 15 années qui suivront. Le 1993, plus riche et plus complet que la cuvée générique du même millésime, est également plus tannique ; il devrait demeurer agréable ces 10 prochaines années. Quant au 1992, étonnamment réussi pour l'année, il est rubis foncé, avec un nez qui impressionne tant il regorge de parfums de fruits noirs et rouges, de cèdre, de cuir et d'herbes. D'excellente extraction et très corsé, il révèle une bonne acidité et déploie des tannins légers en finale. Ce vin multidimensionnel est l'un des plus concentrés qu'offre le millésime – il tiendra sans problème 10 à 12 ans, voire plus.

Le domaine a également produit en 1993 un Châteauneuf-du-Pape Blanc qui offre un séduisant bouquet, frais et pur, de senteurs de fleurs et de poire. Moyennement corsé, avec un fruité vif, il se montre admirable en milieu de bouche et plein de charme en finale. **A boire maintenant.**

Michel Maret a encore élaboré un merveilleux Vacqueyras 1995, juste au sud de Gigondas. Arborant une robe très dense de couleur pourpre foncé, ce vin exhale un nez énorme, poivré et épicé, de cerise noire confiturée. Très corsé et puissant, il se montre long, rustique et ample en finale. **Il se conservera bien 5 à 7 ans.**

DOMAINE GÉRARD CHARVIN****

Chemin de Maucoil – 84100 Orange
Tél. 04 90 34 41 10 – Fax 04 90 51 65 59
Contact : Laurent Charvin

1995 Châteauneuf-du-Pape	C	90-92
1994 Châteauneuf-du-Pape	C	91
1993 Châteauneuf-du-Pape	C	91
1992 Châteauneuf-du-Pape	C	87
1990 Châteauneuf-du-Pape	C	93
1995 Côtes-du-Rhône	B	86
1992 Côtes-du-Rhône	B	87

J'apprécie grandement les vins de Laurent Charvin car ils ressemblent beaucoup à ceux du Château Rayas de Jacques Reynaud. Ils possèdent un fruité intense, pur, très aromatique, riche et concentré, marqué par des arômes de framboise sauvage – que l'on retrouve certes dans d'autres crus, aucun n'étant toutefois aussi proche de Rayas du point de vue de l'intensité et du caractère exotique. Je suis régulièrement les vins de cette propriété depuis la fin des années 80, et, même dans des millésimes aussi difficiles que 1992 et 1993, Laurent Charvin s'est révélé excellent vinificateur.

Arborant une robe opaque de couleur rubis-pourpre, le Châteauneuf-du-Pape 1995 est très pur, avec un nez réticent de framboise sauvage et de kirsch. Corpulent, tannique et d'un assez haut niveau d'acidité, il affiche une concentration extraordinaire et se révèle très structuré, assez fermé et peu évolué. Ce vin requiert une garde en cave de plusieurs années avant d'être prêt, mais il se maintiendra ensuite **15 ans ou davantage.** Outre son nez doux et très aromatique de framboise sauvage et de kirsch – un nez de conte de fées, le Châteauneuf-du-Pape 1994 révèle un fruité doux et expansif, marqué par la mâche. D'une pureté superbe, il allie merveilleusement puissance et élégance, et déploie une finale souple, ronde et généreuse. Un Châteauneuf bien équilibré, moins corpulent, moins tannique et plus faible en acidité que son cadet, mais beaucoup plus charmeur. A boire **dès maintenant** ou dans les 15 prochaines années. Exemplaire pour le millésime, le 1993 exhale un bouquet où dominent d'intenses senteurs de framboise. Ce vin, l'essence même des vieilles vignes, déploie des arômes de framboise qui rappellent ceux du grandiose Château Lafleur de Pomerol. Une robe rubis foncé très soutenu introduit en bouche un vin doux, ample et très concentré, aux tannins moyennement fermes en finale. Même s'il est d'ores et déjà prêt, il n'atteindra la pointe de sa maturité que dans 4 ou 5 ans et durera **environ 15 ans.** Typique des vins du domaine avec son bouquet féerique aux arômes mûrs, purs et riches de framboise, le 1992 est très corsé, d'une grande profondeur, se montrant souple et expansif en bouche. Faible en acidité, avec une finale veloutée, il devra être consommé dans les **6 ou 7 ans**. En 1990, le Châteauneuf de Charvin était au nombre des réussites du millésime. Il en avait élaboré deux cuvées, dont l'une, non filtrée, était destinée aux États-Unis. Celle que l'on trouve en France est filtrée. Issu d'une parcelle de 11 ha de vignes dont l'âge moyen est de 45 ans, les plus vieilles ayant 70 ans, ce vin, composé à 85 % de grenache et pour le reste de mourvèdre et de cinsault, est tout simplement un monstre. Une robe très soutenue, très foncée, introduit au nez des senteurs très riches mais peu évoluées d'herbes rôties, de noix, de fruits noirs et d'épices orientales. Spectaculaire et généreusement doté, avec des arômes onctueux et multidimensionnels, ce vin déploie une finale robuste, marquée par la mâche. Énorme et merveilleusement équilibré, il a un potentiel de garde de **10 à 15 ans**.

Laurent Charvin produit également un Côtes-du-Rhône bien vinifié, doux et velouté, qui offre, à la fois au nez et en bouche, des arômes de framboise. Fruité et très accessible, il devra être consommé dans les **2 ou 3 ans** – en attendant que les Châteauneuf-du-Pape 1995 du domaine arrivent à maturité. Le 1992 est un autre exemple renversant, avec son bouquet, énorme et intense, de cerise noire. Moyennement corsé, souple et de bonne mâche, il est bien meilleur que nombre de Châteauneuf-du-Pape. Mis en bouteille sans filtration, il révèle totalement son caractère de terroir, ainsi que la pleine intensité de son fruité. Vous dégusterez cette merveille dans les **2 ou 3 ans**.

JEAN-LOUIS CHAVE*****

37, avenue Saint-Joseph – 07300 Mauves
Tél. 04 75 08 24 63 – Fax 04 75 07 14 21
Contact : Gérard ou Jean-Louis Chave

1995 Hermitage Blanc	D	91-94
1994 Hermitage Blanc	D	94
1993 Hermitage Blanc	D	88
1992 Hermitage Blanc	D	88
1991 Hermitage Blanc	D	90
1994 Hermitage Vieilles Vignes Cuvée Spéciale L'Hermite	E	93-96
1995 Hermitage Rouge	E	92-96
1994 Hermitage Rouge	E	93+
1993 Hermitage Rouge	E	88
1992 Hermitage Rouge	E	89
1991 Hermitage Rouge	E	89
1991 Hermitage Cuvée Cathelin Rouge	EE	96

1990 Hermitage Cuvée Cathelin Rouge	EE	99+
1995 Saint-Joseph Rouge	C	85-87

Le domaine Chave est légendaire, et à juste titre, non seulement parce que cette famille est productrice à Mauves depuis 1481, mais également parce qu'elle est aussi passionnée et aussi soucieuse de qualité qu'on peut l'être dans ce métier. Ces dernières années, Gérard Chave a initié son fils Jean-Louis, très ouvert et très talentueux, à la marche de la propriété, et, si grandioses qu'aient pu être ses vins dans le passé, il me semble qu'ils pourraient se révéler encore plus profonds, maintenant que la vinification est assurée non pas par une, mais par deux personnes de grand talent. Dégustant les vins de Chave à chaque millésime, je suis toujours surpris non seulement par leur qualité, mais également par la manière dont ils traduisent leur appellation tout en reflétant le respect inconditionnel du produit. Gérard Chave compte de nombreux amateurs – non sans raison. D'abord parce qu'il produit des vins superbes, ensuite parce que ceux-ci ont un potentiel de garde de plusieurs décennies, enfin parce que Gérard Chave lui-même, son épouse Monique et son fils Jean-Louis sont tous trois très avenants et très généreux.

Les amateurs de longue date des vins de cette propriété seront ravis de constater que les 1995 sont au nombre des plus belles réussites de la vallée du Rhône, et que les 1994, après mise en bouteille, sont encore plus puissants que je ne l'avais estimé de prime abord.

L'Hermitage Blanc 1995 est l'un des plus stupéfiants de la dernière décennie, rivalisant aisément avec les 1988, 1989 et 1990 – trois millésimes fabuleux. La dégustation des différentes cuvées dont il sera composé (Maison Blanche, L'Hermite, Roucoules, Péléat) révèle incontestablement que ce vin méritera une note se situant entre 90 et 95. Puissant et riche, exceptionnellement concentré et intense, il déploie en milieu de bouche un fruité sous-jacent, juteux et mielleux, qui vous tapisse littéralement le palais. La finale est tout simplement grandiose. Depuis que Jean-Louis Chave opère dans les chais, une proportion de la récolte est fermentée en fûts neufs pour être ensuite assemblée avec le reste, vinifié pour partie en fûts plus vieux et pour partie en cuve. Ce nouveau procédé semble avoir donné aux vins plus de richesse et plus de précision dans le dessin. L'Hermitage Blanc 1994 est l'un des plus séduisants, des plus parfumés et des plus profonds que je connaisse du domaine. Onctueux, il possède un nez absolument superbe et mielleux de fleurs blanches et de minéral qui introduit en bouche un vin d'une richesse, d'une profondeur et d'un équilibre exceptionnels. Les Hermitage 1994 et 1995 devraient tous deux être accessibles dans les 4 ou 5 prochaines années, puis se refermer complètement, pour ne se réouvrir qu'après plus d'une décennie. Leur potentiel de garde est de **20 à 30 ans, sinon plus.**

En 1994, Chave a également produit huit fûts d'une cuvée spéciale, appelée L'Hermite, issue d'un vignoble de coteaux du même nom entièrement planté en vieilles vignes. Elle est composée à 95 % de roussanne. Au moment où j'ai dégusté ce vin stupéfiant, profondément riche, il n'était pas encore mis en bouteille, et la famille Chave hésitait encore sur le point de savoir si elle allait en faire une cuvée séparée. Cependant, il est si remarquablement intense, avec un tel caractère distinctif, qu'il aurait été vraiment dommage qu'elle ne le fît pas. De plus, l'Hermitage Blanc 1994, déjà en bouteille, ne semble aucunement pâtir du fait que cette pièce n'ait pas fait partie de l'assemblage final.

L'Hermitage Blanc 1993 est merveilleusement réussi pour un millésime d'aussi piètre qualité. Plutôt léger pour un vin de cette propriété (il s'agit en effet de l'Hermitage blanc le plus léger depuis le 1984), il exhale les arômes de pêche et de fleurs typiques de l'appellation. Moyennement corsé, avec un taux d'acidité plus élevé que la normale, il est succulent et d'une grande élégance. Dégustez-le avant qu'il n'ait atteint **10 ans d'âge.** Plus puissant et plus riche, très corsé, le 1992 libère au nez des arômes de miel, de pêche et d'abricot. Admirablement concentré, avec une finale longue et opulente, il tiendra **10 à 15 ans** encore. Riche et gras, le 1991 exhale un nez énorme et juteux de fleur d'acacia et de fruits confits. Moyennement corsé, il est très parfumé, bien que ne possédant ni la richesse aromatique ni la puissance du 1989 et du 1990. Un Hermitage délicieux et bien vinifié, qui devrait tenir **10 à 15 ans.**

Une dégustation des différentes cuvées qui composeront l'Hermitage Rouge 1995 révèle un potentiel immense. Peu importe qu'il soit dominé par la délicatesse ou l'élégance des Roucoules, le caractère tannique, dense et puissant de L'Hermite, la complexité et les doux arômes de fruits des bois de Péléat, la maturité, le caractère exotique, fumé, grillé, sensuel et voluptueux du Méal, ou encore l'extraordinaire concentration, la richesse massive, les arômes de minéral et la complexité, semblable à celle d'un Richebourg, que l'on retrouve dans Les Bessards. Il s'imposera assurément comme le meilleur Hermitage du domaine depuis le fabuleux 1990, éclipsant au passage le superbe 1991. Chave pense que 1995, plus que tout autre millésime, exprime parfaitement la diversité et la complexité des terroirs de l'Hermitage, et je ne peux que me rallier à cet avis. Après avoir goûté l'exceptionnelle cuvée issue du vignoble des Bessards 1995, entièrement élevée en fûts neufs, j'étais convaincu, conforté en cela par la lueur malicieuse que j'ai perçue dans les yeux de Gérard et de Jean-Louis Chave, qu'ils produiraient une Cuvée Cathelin dans ce millésime. **A maturité : 2002-2030.**

L'Hermitage Rouge 1994 est, quant à lui, absolument superbe. Lorsque je l'ai dégusté fin 1995, il m'est apparu comme une répétition du 1985, mais en plus riche. Un an après, il dévoilait davantage encore de richesse, tout en continuant de déployer la douceur, l'élégance et le caractère précoce et séduisant du 1985. De couleur rubis-pourpre tirant sur le noir, ce vin exhale un nez intense de fumé, de cassis et de minéral. Très corsé et incroyablement dense, il se montre doux et bien structuré en bouche, avec une finale impressionnante de richesse. Puissant, épicé et tannique, il est également fruité, soyeux et gras. Que demander de plus ? Son potentiel de garde est de **25 ans au moins,** mais vous pourrez le déguster dès l'an 2000. Si le millésime 1993 est en règle générale plutôt désastreux, il réserve néanmoins quelques belles surprises ; le domaine Chave a ainsi produit un Hermitage Rouge d'excellente qualité. On perçoit, certes, une pointe d'acidité dans sa finale, mais ce vin présente de généreux et purs arômes de fruits noirs et rouges qui n'ont aucun caractère végétal ou de moisi. Moyennement corsé et d'une bonne densité, il est, avec Le Pavillon de Michel Chapoutier, l'un des deux meilleurs vins de vins de l'appellation. Sa qualité, résultat d'une sélection très sévère (plus des deux tiers de la récolte ont été déclassés), lui permettra de tenir **12 à 15 ans**. L'Hermitage Rouge 1992 devrait se révéler extraordinaire. Plus doux que d'autres millésimes, il arbore une couleur rubis foncé, et déploie un nez énorme et mûr de cassis marqué par des notes de poivre et d'olive. La bouche est moyennement corsée, riche et concentrée. Ce vin évoluera relativement rapidement, et, contrairement au 1990, par exemple, il ne requiert aucune patience. **A boire dans les 15 ans**. Merveilleusement élégant et racé, le 1991 déploie un bouquet bien ouvert de fruits noirs et rouges, d'épices, de fleurs et de fumé. Ce vin généreusement doté et moyennement corsé est profond et plein de grâce – il devrait se révéler légèrement plus riche que le 1987 et aussi somptueux que le 1982. Son potentiel de garde est de **20 à 25 ans**.

Gérard Chave a également produit, en 1991, 2 500 bouteilles d'un Hermitage Cuvée Cathelin qui se révèle nettement plus profond que la cuvée générique. Arborant une robe opaque de couleur pourpre foncé, il déploie un nez énorme de cassis, de vanille, de fumé et de fleurs. Très corsé, dense et puissant, ce vin magnifique, riche et profondément concentré se bonifiera au terme d'une garde de 2 à 4 ans et se maintiendra ensuite **25 ans, peut-être davantage**. Bien que plus marquée par le chêne que l'Hermitage générique, la Cuvée Cathelin 1990 possède la matière première requise pour que ses notes de boisé soient reléguées à l'arrière-plan. Elle se révèle en effet fabuleusement concentrée, riche et intense, se montrant longue et époustouflante en fin de bouche. Cependant, je ne saurais dire qu'elle est supérieure à la cuvée générique : je pense plutôt qu'elle répond à l'engouement actuel pour le bois neuf. Ne touchez à aucune de vos bouteilles de Cuvée Cathelin avant 10 à 15 ans – elles pourront d'ailleurs se conserver encore **30 à 50 ans**.

Gérard Chave a encore produit en 1995 un Saint-Joseph, issu d'un vignoble de coteaux, qui ne durera certes pas plus d'une décennie, mais qui se montre délicieusement mûr, pur et élégant, très fruité et plein de charme, avec des arômes de cassis et de cerise. **A boire dans les 5 à 7 ans**.

DOMAINE DU CHÊNE – MARC ET DOMINIQUE ROUVIÈRE****

Le Pêcher – 42410 Chavanay
Tél. 04 74 87 27 34 – Fax 04 74 87 02 70
Contact : Marc ou Dominique Rouvière

1995 Condrieu	D	89
1992 Condrieu	D	88
1995 Condrieu Automnal	D	87
1993 Condrieu Cuvée Julien	D	87
1994 Saint-Joseph Anaïs	C	89
1992 Saint-Joseph Anaïs	C	86
1991 Saint-Joseph Anaïs	C	87

D'une belle précision grâce à sa bonne acidité, le Condrieu 1995 du Domaine du Chêne, réussi pour le millésime, présente, à la fois au nez et en bouche, des arômes très corsés, riches et pénétrants de chèvrefeuille et d'abricot. Bien mûr, il donne une impression d'élégance. Il devrait bien se conserver **2 ou 3 ans encore, et même davantage**, compte tenu de sa fraîcheur et de son acidité de bon ressort.

Le Condrieu Automnal était mou, peu évolué et manquait de tenue lorsque je l'ai dégusté. Je pense qu'il est en fait mieux qu'il ne se montrait – mais peut-être a-t-il besoin de temps.

La cuvée Anaïs 1994, cuvée prestige de Saint-Joseph, est un vin excellent, voire extraordinaire. D'une couleur rubis foncé, avec un nez épicé de cassis et de chêne neuf et grillé, il se montre moyennement corsé, et présente une maturité et une richesse fabuleuses, ainsi qu'une finale épicée et concentrée. Dégustez cette merveille souple et bien évoluée dans les **6 ou 7 ans**.

Le Domaine du Chêne a produit en 1992 un excellent Condrieu aux merveilleux arômes, exotiques, de chèvrefeuille et de fruits tropicaux. D'une richesse admirable, il est moyennement corsé, gras et charnu, avec une finale riche. **A boire maintenant.** Plus doux, le Condrieu Cuvée Julien 1993 est élaboré dans le style d'un vin de vendanges tardives. D'une belle maturité, il donne une impression de fraîcheur, se montrant très corsé et déployant beaucoup de douceur et d'alcool capiteux dans sa finale. **A boire maintenant.**

Le Saint-Joseph Anaïs est réussi en 1992, avec ses arômes de cerise noire aux notes de vanille, d'épices et de chêne neuf. Ce vin rond, souple et moyennement corsé est faible en acidité, riche et de bonne mâche en bouche. **A boire dans les 5 ou 6 ans.** Ce même cru se révèle, en 1991, merveilleusement mûr, très fruité et fumé. Moyennement corsé et généreusement doté, il est également doux, velouté et très pur en bouche, déployant, outre de séduisantes notes vanillées et de grillé, une belle richesse crémeuse. **A boire dans les 3 ou 4 ans.**

LOUIS CHÈZE***/****

07340 Limony
Tél. 04 75 34 02 88 – Fax 04 75 34 13 25
Contact : Louis Chèze

1994 Condrieu Coteau de Brèze	D	88
1992 Condrieu	D	88
1991 Saint-Joseph Cuvée Caroline	C	88

Pur, moyennement corsé et sec, le Condrieu Coteau de Brèze 1994 libère d'excellents arômes de pêche et de chèvrefeuille. Très fin et très frais, avec une acidité de bon ressort et joliment fondue, ce vin se révèle bien vinifié, sans être massif. **A boire d'ici 1 ou 2 ans.**

Gras, mielleux et doux, le Condrieu 1992 est faible en acidité. **A boire maintenant.**

L'excellent, voire l'extraordinaire, Saint-Joseph Cuvée Caroline 1991 exhale de superbes arômes de cerise, avec des notes de chêne fumé en arrière-plan. Ce vin montre une merveilleuse richesse et une belle maturité, et se révèle étonnamment opulent, riche et long en fin de bouche. Dégustez ce merveilleux Saint-Joseph dans les **6 ou 7 ans**.

AUGUSTE CLAPE*****

07130 Cornas
Tél. 04 75 40 33 64 – Fax 04 75 81 01 98

1995 Cornas	D	91-93
1994 Cornas	D	90
1993 Cornas	D	87
1992 Cornas	D	87
1991 Cornas	C	90
1995 Côtes-du-Rhône	A	86-87
1994 Côtes-du-Rhône	A	87
Le Vin des Amis (Vin de Pays non millésimé)	A	85

Auguste Clape et son fils Pierre-Marie servent toujours de références à Cornas, et leur 1995 peut parfaitement prétendre au titre de réussite du millésime, même si la cuvée JLC de Jean-Luc Colombo, produite en quantités très restreintes, se pose en sérieux rival.

Avec sa robe opaque de couleur pourpre, le Cornas 1995 de Clape est fabuleusement mûr, exhalant un doux nez de réglisse, de prune noire et de cassis qui introduit en bouche des arômes très corsés, denses, concentrés et bien équilibrés étayant parfaitement le caractère tannique et l'acidité de ce vin, qui devrait tenir **environ 20 ans**. Les rendements furent cette année-là de l'ordre de 30 ou 32 hl/ha. Le Cornas 1994 est aussi une belle réussite, mais il est moins serré, plus opulent et plus accessible dans sa jeunesse. Une couleur rubis tirant sur le noir, presque opaque, sert de prélude à de doux arômes de truffe, de fruits noirs, de fumé et de terre. Extrêmement fruité et voluptueux en bouche, ce vin révèle une maturité admirable et une pureté absolument superbe. Un Cornas délicieux, très corsé et très concentré, à boire dans les **12 à 15 ans**. Composé de cuvées issues des différentes parcelles que possède Clape, le Cornas 1993 est de couleur rubis foncé, avec un doux bouquet de cassis et de minéral. Moyennement corsé et modérément tannique, il montre une belle richesse et une excellente profondeur. Les notes de chocolat et de réglisse que l'on retrouve dans ses arômes contribuent à en faire une superbe réussite. **A boire dans les 7 à 10 ans**. Le 1992 s'impose comme l'un des vins les mieux réussis du millésime. Profondément coloré, avec un nez de minéral, de réglisse et de cassis, il présente des touches très accentuées de mûre. Moyennement corsé en bouche, il y libère de profonds et robustes arômes de fumé, et s'y montre modérément long et tannique en finale. Un an de garde en cave lui sera bénéfique, et il se conservera **10 ans environ**. Plus élégant et moins concentré que celui de Noël Verset (son rival et néanmoins ami), le Cornas 1991 de Clape se présente comme un vin moyennement corsé et d'une belle profondeur, avec une finale épicée et modérément tannique. Bien que déjà prêt, il devrait se bonifier sur les **8 à 10 ans** qui viennent.

Auguste Clape produit également quelques vins de moindre renommée, qui sont d'un excellent rapport qualité/prix.

Les Côtes-du-Rhône 1994 et 1995 déploient tous deux des robes pourpre foncé, ainsi qu'un fruité doux, séduisant et mûr, avec des tannins abondants et une belle structure. Bien meilleurs que certains Cornas, auxquels ils ressemblent beaucoup, ces deux vins se conserveront 4 à 6 ans.

Enfin, Le Vin des Amis (Vin de Pays non millésimé, mais entièrement issu des vendanges 1995) est bien vinifié, de couleur pourpre, avec de beaux arômes de cerise noire et de cassis. Moyennement corsé et relativement tannique, il déploie une finale épicée, longue et trapue. Ce vin profond, sombre, puissant est de plus proposé à prix raisonnable. **A boire dans les 3 ou 4 ans.**

DOMAINE LES CLEFS D'OR****

Avenue Saint-Joseph – 84230 Châteauneuf-du-Pape
Tél. 04 90 83 70 35 – Fax 04 90 83 50 57
Contact : Jean Deydier

1995 Châteauneuf-du-Pape	C	87-88+ ?
1994 Châteauneuf-du-Pape	C	88
1993 Châteauneuf-du-Pape	C	86
1992 Châteauneuf-du-Pape	C	84

J'ai été plutôt surpris par le Châteauneuf-du-Pape 1995 du Domaine Les Clefs d'Or. De couleur rubis-pourpre foncé, il exhale un nez serré, mais prometteur, de fruits noirs, de fleurs et d'épices marqué par un soupçon de poivre. L'attaque en bouche révèle une bonne maturité, et, lorsque le doux fruité est passé, on remarque les tannins, l'acidité et le caractère monolithique de ce vin. Il s'agit certainement d'un très bon Châteauneuf-du-Pape, mais je doute fort qu'il puisse jamais prétendre à une note extraordinaire. **A maturité : 1998-2004.**

L'excellent 1994 resplendit d'une couleur rubis foncé et présente un nez, très réticent et peu évolué, mais prometteur, de framboise sauvage et de cerise. La bouche offre de prime abord un caractère doux, rond et moyennement corsé, et révèle ensuite un vin aux tannins modérés, bien mieux structuré que la plupart de ses jumeaux. On décèle encore dans ce Châteauneuf très bien vinifié une excellente concentration. Il devrait se conserver encore **10 à 12 ans,** mais 1 ou 2 ans de garde en cave le bonifieront.

Avec ses séduisants arômes de framboise et de cerise, le très bon Châteauneuf-du-Pape 1993 se montre moyennement corsé, mûr et d'une belle profondeur, offrant une finale douce et veloutée. **A boire dans les 5 à 7 ans.**

Discret et d'une légèreté inhabituelle pour un vin de cette propriété, le 1992 est très accessible, légèrement corsé, mais bien concentré, avec une finale lisse. **A boire dans les 2 ou 3 ans.**

CLOS DU CAILLOU****/*****

84350 Courthézon
Tél. 04 90 70 73 05 – Fax 04 90 70 76 47
Contact : Claude Pouizin

1995 Châteauneuf-du-Pape	C	87-89
1994 Châteauneuf-du-Pape	C	89
1993 Châteauneuf-du-Pape	C	91
1993 Châteauneuf-du-Pape Blanc	C	82

Claude Pouizin élabore au Clos du Caillou des vins sensuels, bien évolués, juteux, succulents et veloutés, auxquels il est difficile de ne pas succomber. Leur potentiel de garde ne dépasse pas, à mon avis, 7 ou 8 ans, sauf dans les très grandes années, mais il n'est pas courant de trouver des vins qui procurent autant de plaisir à la dégustation.

Avec son nez flamboyant de cerise noire confiturée marqué par des senteurs de noyer, de fumé et de barbecue, et par de fortes notes herbacées, le riche Châteauneuf-du-Pape 1995 est très structuré, et révèle une belle acidité et un généreux fruité doux et mûr, légèrement marqué par des touches de chêne neuf et grillé. Moyennement corsé et d'une belle profondeur, ce vin de caractère méritera sûrement une note supérieure à 90 après la mise en bouteille. Son potentiel de garde est de **10 à 12 ans.**

Fait du même métal, mais plus faible en acidité et moins structuré, le Châteauneuf-du-Pape 1994 se montre fabuleusement mûr, généreusement fruité et voluptueux. Ample et de bonne mâche en milieu de bouche, il déploie une finale capiteuse et alcoolique. **A boire dans les 4 ou 5 ans.**

On décèle une certaine surmaturité dans les arômes mielleux et confiturés, d'abricot et d'orange, du Châteauneuf-du-Pape 1993. Ce vin exotique, très corsé, riche et capiteux est merveilleusement intense et déploie une finale énorme qui déborde littéralement d'alcool, de fruité et de glycérine. Prêt dès sa diffusion, il se conservera **7 ou 8 ans.**

Le Châteauneuf-du-Pape 1992 ne m'a pas été présenté à la dégustation.

Le Châteauneuf-du-Pape Blanc 1993 est excellemment vinifié. Solide, vif et moyennement corsé, il révèle un bon fruité. **A boire maintenant.**

CLOS DU JONCUAS***

84190 Gigondas
Tél. 04 90 65 86 86 – Fax 04 90 65 83 68
Contact : Fernand Chastan

1993 Gigondas	B	86
1992 Gigondas	B	76

Profondément coloré et étonnamment tannique, le très ample Gigondas 1993 est aussi très corsé, de bonne mâche et unidimensionnel. Il devrait se conserver encore **10 à 15 ans.**

Le 1992, avec ses arômes de café, d'épices et de cake marqués par des senteurs de feuilles et de végétal, montre des tannins très durs et une finale très alcoolique aux senteurs de pruneau. Bien qu'étrange et compliqué, ce vin peut être attachant. **A boire dans les 3 ou 4 ans.**

CLOS DU MONT-OLIVET****/*****

15, avenue Saint-Joseph – 84230 Châteauneuf-du-Pape
Tél. 04 90 83 72 46 – Fax 04 90 83 51 75
Contact : Pierre, Jean-Claude ou Bernard Sabon

1995 Châteauneuf-du-Pape	C	89-90
1994 Châteauneuf-du-Pape	C	91
1993 Châteauneuf-du-Pape	C	88
1992 Châteauneuf-du-Pape	C	85
1993 Châteauneuf-du-Pape Blanc	C	86

Joseph Sabon et ses fils ont très bien réussi leurs Châteauneuf-du-Pape 1994 et 1995 au Clos du Mont-Olivet. Mais, si cette propriété est au nombre des meilleures de l'appellation, la mise en bouteille s'y fait sur une période parfois exagérément longue (jusqu'à 8 ans), si bien que le consommateur trouve sur le marché des vins dont la qualité diffère sensiblement d'une bouteille à l'autre. Je crois fermement qu'il est préférable de se porter acquéreur des pièces résultant de la première mise – le vin est en général plus frais, plus richement fruité et mieux à même de se bonifier avec le temps.

Lorsque j'ai dégusté le Châteauneuf-du-Pape 1995 en juin 1996, il m'a semblé jeune et peu évolué, comme s'il venait de compléter sa fermentation malolactique. Sa couleur rubis-pourpre foncé prélude à des arômes sans détour et mûrs de framboise, de cerise et de poivre. Avec plus d'acidité que son aîné d'un an, ce vin dense, concentré, très corsé et tannique devrait se révéler au moins excellent. Mais égalera-t-il jamais le 1994 ? En effet, il ne déploie pas le même charme que celui-ci et requiert une garde de 3 à 5 ans avant d'être prêt, la première mise devant être effectuée en 1997. **A maturité : 2001-2015.**

Le Châteauneuf 1994 s'impose quant à lui comme l'une des plus belles réussites du millésime. De couleur rubis-pourpre, avec des arômes d'olive noire, de brise marine, de garrigue, ainsi que d'abondantes senteurs de cerise noire et de prune typiques de l'appellation, ce vin extrêmement corsé et riche en extrait possède un gras admirable. Dense et souple au départ, de bonne mâche en milieu de bouche, il est concentré et impressionnant de longueur, déployant son fruité par couches successives. **A boire dans les 10 à 15 ans.**

Avec sa robe rubis foncé et son nez assez enjôleur d'olive noire, d'herbes provençales, de cerise et de poivre, le 1993 est séduisant, doux et ample en bouche. Assez peu charpenté et très légèrement tannique, il déploie un fruité juteux et succulent. **A boire dans les 6 ou 7 ans.**

Le Châteauneuf-du-Pape 1992, au nez épicé et grillé de cerise, est étonnant de tenue et de structure pour le millésime. Moyennement corsé, d'une bonne profondeur et bien mûr, il est moyennement long en finale. **A boire dans les 6 à 8 ans.**

Note : le domaine n'a pas produit de cuvée spéciale (La Cuvée du Papet – excellente en 1989 et 1990) depuis 1991.

Le Châteauneuf-du-Pape Blanc 1993 se distingue parmi ses pairs, qui sont en règle générale peu intéressants. Avec son énorme bouquet aux arômes de miel et de fleurs, il se montre moyennement corsé et riche en bouche, bien frais, avec une finale pure et nette. **A boire maintenant.**

CLOS DE LA MÛRE****

Hameau de Derboux – 84430 Mondragon
Tél. 04 90 30 12 40 – Fax 04 90 30 46 58
Contact : Éric Michel

1992 Côtes-du-Rhône	A	85
1990 Côtes-du-Rhône	A	87

Avec ses séduisants arômes d'épices et de cerise, le Côtes-du-Rhône 1992 est moyennement corsé, souple en bouche, gras et de bonne mâche en finale. Son aspect brillant et le ressort dont il fait preuve laissent penser qu'il tiendra bien sur l'année à venir. Vous noterez en passant que les vignobles du Clos de la Mûre se situent sur la commune de Mondragon, où se trouve également un de mes restaurants favoris, La Beaugravière, dirigé par le chef Guy Jullien, et qui vaut bien le détour pour les amateurs de vins de la région.

Le Côtes-du-Rhône 1990 se révèle absolument délicieux. Profondément coloré, avec un bouquet énorme de fruits rouges très mûrs, d'herbes et de cerise noire, il est très corsé, épicé et souple en bouche, déployant une finale riche et intense. Quel merveilleux exemple des vins sensationnels que peut encore offrir la vallée du Rhône méridionale ! **A boire maintenant.**

CLOS DES PAPES*****

13, avenue Pierre-de-Luxembourg – 84230 Châteauneuf-du-Pape
Tél. 04 90 83 70 13 – Fax 04 90 83 50 87
Contact : Paul Avril

1995 Châteauneuf-du-Pape	D	91-93
1994 Châteauneuf-du-Pape	D	91
1993 Châteauneuf-du-Pape	D	91
1992 Châteauneuf-du-Pape	D	89+
1993 Châteauneuf-du-Pape Blanc	C	85
Le Petit d'Avril (non millésimé)	A	86

Le Clos des Papes s'impose comme l'une des étoiles de Châteauneuf-du-Pape. Cette propriété, dirigée de main de maître par le très enthousiaste Paul Avril, produit des vins classiques et de longue garde, qui récompensent de belle manière ceux qui savent les attendre. J'ai moi-même eu souvent l'occasion de déguster de grandes et belles bouteilles de ce domaine que j'affectionne particulièrement, les 1966, 1970, 1978, 1989, et tout spécialement les 1990, me paraissant absolument formidables.

Grâce à des vinifications intelligemment menées, à des rendements très restreints et à une sélection très sévère, Paul Avril a produit, sur les quatre derniers millésimes, des Châteauneuf qui comptent parmi les plus belles réussites de l'appellation.

Issu de petits rendements de l'ordre de 25 hl/ha seulement et titrant 14° d'alcool naturel (le record, datant de 1990, est de 14,3°), le Châteauneuf-du-Pape 1995 se montre étonnamment spectaculaire et dense, d'une couleur rubis-pourpre tirant sur le noir, avec un nez absolument fabuleux d'épices orientales, de cerise noire, de framboise, de fumé et de cèdre. Très corsé, très musclé et riche, ce vin moyennement tannique requiert 4 ou 5 ans de garde en cave avant d'être dégusté et devrait se conserver **environ 20 ans**. Il s'agit vraiment de l'un des Châteauneuf du millésime les plus puissants et les plus aptes à une longue garde.

Le 1994 est aussi extrêmement bien réussi. Déployant un doux nez de kirsch, de cèdre et d'épices, il se montre très corsé et tout à fait mûr en bouche, où il déploie également des notes exotiques, épicées et de viande fumée. De bonne mâche et bien charnu, il est moyennement tannique en finale. L'assemblage final des vins de cette propriété comprend une assez forte proportion de mourvèdre (20 %), 65 % de grenache, 10 % de syrah, le reste étant un mélange de divers autres cépages tels le muscardin et la counoise. Ce Châteauneuf 1994 sera prêt d'ici 2 ou 3 ans, et vous pourrez le conserver **15 ans**.

Avec son nez doux, poivré et épicé, d'herbes et de cerise noire, le 1993 se montre très corsé et très riche en bouche, avec des arômes moyennement tanniques qui explosent littéralement sur l'arrière du palais. La finale est longue, serrée et généreuse. A l'instar de la grande majorité des vins de cette propriété, celui-ci gagnera au terme d'une garde de 2 ou 3 ans et se conservera parfaitement **15 ans**.

Quant au 1992, il s'impose comme l'un des vins les plus concentrés que je connaisse de ce millésime. Arborant une robe rubis-pourpre foncé, il exhale un nez énorme et épicé de cerise noire et de cèdre. Superbement riche, de bonne mâche et onctueux en bouche, il présente une finale modérément tannique. N'y touchez pas pendant encore 1 an, il tiendra ensuite **15 ans**. Je pense même que ce 1992 méritera d'être renoté à la hausse d'ici quelques années.

Moyennement corsé, le Châteauneuf-du-Pape Blanc 1993 exhale un nez bien évolué de poire mûre, se montre merveilleusement pur et révèle une belle acidité. **A consommer maintenant.**

Enfin, les amateurs qui seraient à la recherche d'une excellente affaire devraient se mettre en quête du Petit d'Avril non millésimé. Cette cuvée spéciale, issue d'un mélange de 1993, 1994 et 1995, et produite à hauteur de 1 200 caisses seulement, est principalement composée de mourvèdre, de syrah, de grenache et d'un peu de cabernet. Moyennement corsé, pur et mûr en bouche, avec un fruité d'épices et de cerise, ce vin présente une finale également épicée. **A boire d'ici 2 ou 3 ans.**

CLOS SAINT-MICHEL****

Route de Châteauneuf-du-Pape – 84700 Sorgues
Tél. 04 90 83 56 05 – Fax 04 90 83 56 06
Contact : Olivier Mousset

1995 Châteauneuf-du-Pape	B	86-88
1995 Châteauneuf-du-Pape Cuvée Réservée	B	87-89
1994 Châteauneuf-du-Pape Cuvée Réservée	C	89+

Les vins ci-dessus sont tous trois issus de fruits mûrs, riches et confiturés.

Outre un fruité gras et mûr, le Châteauneuf-du-Pape 1995 révèle une certaine complexité, déployant des arômes doux et amples en milieu de bouche, ainsi qu'une finale riche et capiteuse. Ce vin, agréable dès sa jeunesse, se gardera bien encore **une décennie**.

Le Châteauneuf-du-Pape Cuvée Réservée 1995 se distingue par son intensité, mais il révèle aussi un fruité mûr, une belle acidité et un excellent niveau de tannins. Dominé par un caractère de fruits noirs très mûrs, ce Châteauneuf ample et trapu est un excellent vin, au potentiel de garde de **10 à 15 ans**.

Le Châteauneuf-du-Pape Cuvée Réservée 1994 semble être de loin le plus complet des trois vins présentés, avec une palette aromatique très complexe comprenant des senteurs iodées, salées et marines aussi bien que des arômes de cerise noire confiturée, de poivre et d'herbes. De belle extraction, riche et tannique, il présente un aspect rôti extrêmement prometteur. Compte tenu de sa structure et de son caractère peu évolué, il requiert une garde supplémentaire de 2 ans et méritera probablement à ce terme une excellente note. Son potentiel est d'**une dizaine d'années**.

CLUSEL-ROCH***/*****

1, route de Lacat-Vérenay – 69420 Ampuis
Tél. 04 74 56 15 95 – Fax 04 74 56 19 74
Contact : Gilbert Clusel-Roch

1992 Côte-Rôtie	D	89
1991 Côte-Rôtie	D	88
1991 Côte-Rôtie Les Grandes Places	D	94+
1990 Côte-Rôtie Les Grandes Places	D	94

Lorsque, il y a maintenant plus de dix ans, j'ai visité le domaine Clusel-Roch qui était encore géré par le père de Gilbert Clusel-Roch, j'avoue avoir été déçu, pour dire le moins, par les standards de qualité qui y régnaient. Cependant, c'est aujourd'hui de l'histoire ancienne, puisque les derniers millésimes de la propriété témoignent bien de ce que celle-ci s'impose désormais comme l'une des étoiles montantes de l'appellation.

Il était extrêmement difficile de produire en 1992 un Côte-Rôtie aussi riche, aussi mûr et aussi complexe. Cette année-là, Gilbert Clusel-Roch inclut dans sa cuvée générique l'entière récolte de son meilleur vignoble (Les Grandes Places) et obtint ainsi un vin riche et très fruité. Vieilli en fûts de chêne neuf pour 35 % de la récolte et non filtré, celui-ci arbore une robe très soutenue de couleur rubis-pourpre et déploie un nez modérément intense de cassis, de poivre, d'herbes aromatiques et d'épices. Moyennement corsé, extraordinairement riche et mûr, et modérément tannique, il affiche encore une admirable pureté et une belle longueur en bouche. Vous pouvez déguster ce vin charnu **dès maintenant**, mais il tiendra **10 ans encore.**

De couleur rubis-pourpre foncé, le Côte-Rôtie 1991 exhale un nez énorme de violette, de framboise sauvage, ainsi que de douces senteurs de fumé. Moyennement corsé, avec une bonne acidité, il présente un fruité fastueux et opulent et une finale riche, marquée par la mâche. **A boire dans les 7 à 10 ans.**

Le Côte-Rôtie Les Grandes Places 1991 est absolument spectaculaire, avec sa robe opaque de couleur pourpre qui prélude à de généreux arômes de cassis doux et confituré, d'herbes aromatiques, d'épices orientales et de poivre noir. Extraordinairement riche, très dense et pur, ce vin très corsé déploie un équilibre et une élégance d'ensemble irrésistibles. Quant à ses tannins très abondants, ils semblent bien fondus dans une texture veloutée. Si Gilbert Clusel Roch a élaboré un des meilleurs vins de l'appellation en 1990, son 1991 me paraît tout aussi remarquable. Il atteindra son apogée d'ici 3 ou 4 ans, et son potentiel de garde est de **15 à 20 ans.**

Outre sa robe très soutenue de couleur pourpre tirant sur le noir, la prodigieuse cuvée Les Grandes Places 1990 présente de spectaculaires arômes de viande grillée, d'épices orientales, de fruits noirs et de chêne neuf. Elle révèle aussi une concentration superbe et une faible acidité. Ce vin moyennement corsé et étonnamment pur, qui déploie son fruité mûr et riche par paliers, devrait évoluer de belle manière sur les **15 prochaines années.**

JEAN-LUC COLOMBO***/*****

Au Pied de la Vigne – 07130 Cornas
Tél. 04 75 40 36 09 – Fax 04 75 40 16 49
Contact : Jean-Luc Colombo

1995 Cornas La Louvée	D	91-93
1994 Cornas La Louvée	D	91
1995 Cornas Les Ruchets	D	90-91+
1994 Cornas Les Ruchets	D	88
1993 Cornas Les Ruchets	D	88
1992 Cornas Les Ruchets	D	89
1991 Cornas Les Ruchets	D	92
1995 Cornas Terres Brûlées	C	85-86
1994 Cornas Terres Brûlées	C	84
1992 Cornas	C	86
1995 Vin de Pays Collines de Laure	A	86
1995 Côtes-du-Rhône	A	84

Jean-Luc Colombo est aujourd'hui l'un des œnologues les plus écoutés de la vallée du Rhône. Son influence, presque toujours positive, a amené nombre de vignerons à davantage se préoccuper de la qualité et de l'état sanitaire de leurs chais, à tenir des rendements plus restreints et, dans certains cas même, quand ils en avaient les moyens financiers, à faire un usage accru du chêne neuf pour l'élevage des vins rouges. Il préconise également la mise en bouteille de vins stables et sains avec un collage et/ou une filtration des plus légers. Les vins de son propre domaine de Cornas comptent régulièrement au nombre des meilleurs de l'appellation, et il s'est également lancé dans la commercialisation d'une ligne de vins de négoce, généralement de bonne qualité, sous l'étiquette Les Terroirs du Rhône. Mais je n'aborderai dans cette rubrique que les vins qu'il élabore sur sa propriété personnelle.

Les Cornas 1995 de Colombo sont plus riches et plus mûrs que leurs homologues, et ne possèdent aucunement cette acidité marquante que l'on retrouve dans nombre d'entre eux. Moyennement corsé et bien coloré, le Cornas Terres Brûlées 1995 est joliment épicé, avec des arômes de framboise sauvage. Ce vin net, vinifié dans un style plutôt « international », est celui qui recèle l'acidité la plus élevée. **A maturité : 2000-2007.** L'extraordinaire cuvée Les Ruchets 1995, collée mais non filtrée, et vieillie à 70 % en chêne neuf, complète sa fermentation malolactique en fût. Ce vin présente une couleur pourpre tirant sur le noir qui prélude à d'extraordinaires arômes de myrtille sauvage, de cassis, de terre et de vanille. Moyennement corsé, profond et riche, il est vraiment impressionnant. Il requiert une garde de 2 ou 3 ans et tiendra ensuite **15 ans.** En 1995, Jean-Luc Colombo a également produit 75 caisses de Cornas La Louvée. Ce vin issu de syrah vendangée tardivement est entièrement vieilli en chêne neuf et mis en bouteille sans collage ni filtration. Spectaculaire, débordant d'arômes de fruits noirs, il est épais et onctueux, et déploie une finale riche et douce aux tannins bien fondus. Sa bonne acidité lui confère encore une belle précision dans les arômes et dans le dessin. **A boire dans les 20 ans.**

Le Cornas Terres Brûlées 1994, acidulé mais plaisant, offre, à la fois au nez et en bouche, des arômes de groseille. **A boire ces toutes prochaines années.** Plus riche et plus sensuel que ce dernier vin, plus austère et plus maigre que son cadet d'un an, le Cornas Les Ruchets 1994 est de couleur rubis profond, très tannique, débordant d'un généreux fruité mûr. Fermé et peu évolué, il ne montre pas en milieu de bouche le même caractère doux et ample que le 1995. Quant au Cornas La Louvée, il s'impose en 1994 comme le meilleur vin élaboré par Jean-Luc Colombo. Pour son entrée dans le monde, ce vin produit en quantités infinitésimales arbore une robe rubis-pourpre très profond et déploie un nez de chocolat, de café et de cassis. Opulent, sensuel et bien évolué, il se montre doux et de bonne mâche en milieu de bouche, et présente une finale souple et ronde. Flatteur, il est plus accessible que le 1995. **A boire dans les 5 à 7 ans.**

En 1992 et 1993, deux millésimes plus légers que les précédents et compromis par les pluies, Jean-Luc Colombo a procédé à des macérations plus longues (qui ont duré presque un mois) et décidé que les fermentations malolactiques se feraient en fût. Les vins n'étant de surcroît ni collés ni filtrés, ils sont plus riches, plus complets, plus intéressants que leurs homologues et comptent parmi les meilleurs de leur appellation.

Avec son bouquet doux, mûr, rond et séduisant aux arômes de cassis et de cerise, le Cornas Les Ruchets 1993 se montre moyennement corsé et remarquablement profond, déployant d'intéressantes senteurs épicées. Étonnamment long et modérément tannique, il se bonifiera au terme d'une garde de 1 ou 2 ans. **A boire dans les 10 ans.**

Jean-Luc Colombo a produit deux cuvées de Cornas en 1992. La cuvée générique, souple et faible en acidité, exhale un bouquet bien évolué de cerise noire et de noix grillée marqué par de séduisantes notes de chêne neuf. Vous dégusterez ce vin goûteux, au caractère trapu, dans les **6 ou 7 ans.** Les Ruchets 1992 est l'un des meilleurs Cornas qu'il m'ait été donné de déguster dans ce millésime. Avec son nez plein de charme, épicé et grillé, de cassis et les arômes riches et concentrés de terre qu'il déploie en bouche, ce vin moyennement corsé et d'un bon niveau d'acidité présente une finale douce et opulente. Il s'agit incontestablement d'une réussite de tout premier ordre pour ce millésime. **A boire dans les 10 ans.**

Le Cornas Les Ruchets 1991 arbore une robe presque opaque de couleur rubis-pourpre, et déploie un nez extraordinaire de fruits noirs (framboise et prune) et d'herbes provençales marqué par de subtiles notes de chêne neuf et grillé. Riche et très corsé, faible en acidité, il déploie son généreux fruité par couches successives. Ce vin voluptueux, riche et concentré se révèle d'une finesse et d'une complexité absolument étonnantes pour l'appellation, mais n'a en aucun cas perdu de sa typicité. **A boire dans les 10 ans.**

Jean-Luc Colombo produit encore un Vin de Pays. Entièrement issue de syrah provenant de vignes situées en dehors de Cornas, la cuvée Collines de Laure 1995 est d'un caractère assez léger, avec de doux arômes de petits fruits, et se montre moyennement corsée et souple en bouche. Il faut la consommer avant qu'elle n'ait atteint **3 ou 4 ans d'âge.**

Le Côtes-du-Rhône 1995, issu de jeunes vignes de Cornas dont la production a été déclassée, exhale de séduisants arômes de goudron et de fruits rouges et mûrs. Vif et d'un bon niveau d'acidité, il déploie une finale de bon aloi. **A boire dans les 2 ou 3 ans.**

DANIEL COMBE***

Vignoble de la Jasse – 84150 Violès
Tél. 04 90 70 93 47

1990 Côtes-du-Rhône Vignoble de la Jasse   A   86

Élaboré juste au nord de Châteauneuf-du-Pape, ce vin bien doté, pur, richement fruité et souple déborde littéralement de généreux arômes de fruits noirs et rouges. Et dire qu'il se boit tellement facilement... Une excellente affaire, à consommer **d'ici 1 ou 2 ans.**

DOMAINE LAURENT COMBIER****

Clos des Grives – Route Nationale 7 – 26600 Pont-de-l'Isère
Tél. 04 75 84 61 56 – Fax 04 75 84 53 43
Contact : Maurice et Laurent Combier

1995 Crozes-Hermitage	A	88-89
1994 Crozes-Hermitage	A	87
1995 Crozes-Hermitage Clos des Grives	B	89-91
1994 Crozes-Hermitage Clos des Grives	B	88

Jeune producteur talentueux, Laurent Combier quitte la Cave coopérative de Crozes-Hermitage en 1990 pour commercialiser sa propre production. Il lui faut moins de cinq ans pour se faire un nom : il s'impose maintenant comme l'une des étoiles montantes de l'appellation. Ses méthodes de vinification sont très proches de celles de son voisin Alain Graillot, autre vinificateur de grand talent, et ses vins, très expressifs, profondément colorés et merveilleusement purs, débordent d'un fruité mûr.

Les deux cuvées de Crozes-Hermitage arborent en 1995 des robes opaques de couleur pourpre tirant sur le noir et déploient de doux arômes de cassis, de prune, de réglisse et de fumé. Elles sont encore impressionnantes en bouche, où elles révèlent à la fois un fruité doux et riche, une belle structure, et une acidité et des tannins bien fondus. Le Clos des Grives 1995 apparaît plus plein, plus long et plus richement extrait que la cuvée générique, avec un fruité plus doux et plus mûr. Ces deux vins seront agréables ces **10 prochaines années.**

Avec sa robe rubis-pourpre foncé, le Crozes-Hermitage 1994 offre un nez mûr et vanillé d'olive et de cassis. Généreux, ample et souple en bouche, il s'y montre rond, goûteux et faible en acidité. **A boire dans les 4 à 6 ans.** Fait du même métal, le Clos des Grives 1994 présente davantage de nuances de cerise noire et de fumé, et possède un fruité plus mûr et plus doux. Plus richement extrait et plus gras également, il se développe en couches successives en fin de bouche. **Son potentiel de garde est de 10 ans.** Il faudrait que les lecteurs puissent enfin se rendre compte de l'excellence de ces vins – qui sont, de surcroît, proposés à des prix très raisonnables.

COUDOULET DE BEAUCASTEL*****

Domaine de Beaucastel – 84350 Courthézon
Tél. 04 90 70 41 00 – Fax 04 90 70 41 19
Contact : Jean-Luc et François Perrin

1995 Côtes-du-Rhône Blanc	B	90
1994 Côtes-du-Rhône Blanc	B	89
1995 Côtes-du-Rhône Rouge	A	90-92
1994 Côtes-du-Rhône Rouge	A	90

Le Coudoulet de Beaucastel a toujours été au nombre des meilleurs Côtes-du-Rhône, et François et Jean-Pierre Perrin, qui gèrent ce domaine, n'ont eu de cesse d'en améliorer la qualité.

Issus d'un vignoble situé au lieudit Coudoulet, qui jouxte le Château de Beaucastel, les vins blancs témoignent des sommets que l'on peut atteindre en la matière dans la vallée du Rhône méridionale.

Composé pour 30 % chacun de viognier, de marsanne et de bourboulenc, ainsi que de 10 % de clairette, le Côtes-du-Rhône Blanc 1995 est riche et concentré, dominé par les arômes de pêche et d'abricot typiques du viognier, avec une faible acidité qui le fait paraître encore plus somptueux, plus riche et plus marqué par la mâche. **A boire d'ici 1 ou 2 ans.** Le 1994 est d'un style similaire, bien gras et mûr, opulent et onctueux en bouche. Le nez, qui s'est maintenant légèrement refermé, est moins expressif que celui du 1995, mais il se révèle très corsé, puissant et lui aussi dominé par les caractéristiques arômes du viognier. **A boire dans les 2 ou 3 ans, peut-être même au-delà.**

Mais Coudoulet demeure plus connu pour ses vins rouges, qui ressemblent fort à ceux de Beaucastel. Outre sa robe dense de couleur rubis-pourpre, le Côtes-du-Rhône 1995 déploie un nez absolument superbe d'herbes fumées et d'épices à barbecue, ainsi que de riches et doux arômes de confiture de cerise noire. Très corsé, dense et épais, ce vin extraordinairement concentré montre une belle acidité et se révèle merveilleusement pur. Il s'agit d'un Coudoulet fabuleusement riche, que vous dégusterez dans les **10 ans.** Le Côtes-du-Rhône 1994 est également extraordinaire, avec son nez doux et très parfumé de cuir fin et neuf, de cerise noire, de fumé, d'olive et d'herbes aromatiques. Riche, mûr, très corsé et formidablement concentré, ce vin velouté au fruité explosif devrait tenir **10 ans encore, voire davantage.** Ces deux 1994 sont probablement les meilleurs Coudoulet qui soient depuis les grandioses 1989 et 1985.

LAURENT ET DOMINIQUE COURBIS – DOMAINE DES ROYES****

07130 Châteaubourg
Tél. 04 75 40 32 12 – Fax 04 75 40 25 39
Contact : Laurent ou Dominique Courbis

1995 Cornas Champelrose	C	83-85
1994 Cornas Champelrose	C	87
1993 Cornas Champelrose	B	84
1992 Cornas Champelrose	B	76
1995 Cornas La Sabarotte	C	86-87
1994 Cornas La Sabarotte	C	89+
1992 Cornas La Sabarotte	C	85
1995 Saint-Joseph Blanc	A	85
1995 Saint-Joseph Les Royes	B	86
1994 Saint-Joseph Les Royes	B	87

Laurent Courbis a élaboré quelques vins intéressants, même si ses deux cuvées de Cornas 1995 se montrent légèrement acidulées, avec, je le soupçonne fort, un niveau de pH relativement bas et un taux d'acidité assez élevé. La robe rubis-pourpre foncé du Champelrose 1995 précède un nez de fruits noirs bien épicé, marqué par des notes boisées, mais qui se rétrécit en fin de bouche, se montrant compact et comprimé. **A boire dans les 10 ans, ou plus.** Le Cornas La Sabarotte 1995, moyennement corsé, arbore une robe pourpre plus intense et déploie un nez plus doux et plus fumé, dominé par des arômes de fruits noirs. L'attaque en bouche est plus douce et révèle un bon fruité, une belle structure et une acidité bien fondue. **A boire dans les 8 à 10 ans.**

Les Cornas 1994 sont meilleurs encore, plus délicieux et mieux équilibrés que leurs cadets d'un an. Plus riches, plus exotiques et plus flatteurs, ils se révèlent aussi plus agréables à la dégustation. De couleur rubis-pourpre foncé, le Champelrose 1994 exhale un nez superbe de grillé, de fumé et de cassis. Moyennement corsé et d'une belle maturité, il est dense et riche, faible en acidité et rond, avec une finale généreusement dotée. A boire **dès maintenant** ou dans les **10 à 12 ans** qui viennent. Le Cornas La Sabarotte 1994 (vieilli à 32 % en fûts de chêne neuf) exhale un nez de cerise noire, de cassis et de pain grillé semblable à celui d'un bourgogne. Ample et voluptueux en bouche, avec un fruité doux et mûr, il déploie une finale opulente. Il s'agit d'un vin délicieux et plein de charme, que vous boirez dans les **10 ans.**

Le Champelrose 1993 possède un nez séduisant et moyennement intense de framboise et de cerise. Doux et déjà bien évolué, ce Cornas légèrement corsé doit être bu dans les **2 ou 3 ans.** Plus dilué, légèrement corsé, le Champelrose 1992 dégage un nez de champignons et de terre (à cause de la pourriture ?) et déploie des tannins durs et poussiéreux en finale. Il manque de fruité et de profondeur. Le Cornas La Sabarotte 1992 est plus net, avec un caractère solide et carré. **A boire dans les 4 à 6 ans.**

Laurent Courbis a également élaboré en 1995 un Saint-Joseph Blanc, sec et moyennement corsé, aux vifs arômes de citron et autres agrumes. **A boire cette année.**

Le Saint-Joseph Les Royes 1995 est un vin bien vinifié et solide, musclé et tannique, aux arômes de fumé et de boisé. Il se bonifiera au terme d'une garde de 1 ou 2 ans et devra être consommé dans les **6 ou 7 ans** qui suivront. Le 1994 de cette même cuvée est légèrement meilleur et plus profondément coloré, avec un généreux fruité riche et doux marqué par des notes de grillé. **A boire dans les 3 ou 4 ans.**

YVES CUILLERON*****

Les Prairies – Route Nationale 86 – 42410 Chavanay
Tél. 04 74 87 02 37 – Fax 04 74 87 05 62
Contact : Yves Cuilleron

1995 Saint-Joseph Izeras Blanc	A	96
1995 Saint-Joseph Prestige Le Bois Lombard Blanc	B	89
1993 Saint-Joseph Blanc	A	89
1995 Condrieu La Côte	C	90
1993 Condrieu	C	90
1992 Condrieu	C	87
1995 Condrieu Les Chaillets Vieilles Vignes	D	96
1993 Condrieu Les Chaillets Vieilles Vignes	D	93
1995 Condrieu Les Éguets Vendanges Tardives	D	90+
1993 Condrieu Les Éguets Vendanges Tardives	D	93

1992 Condrieu Les Chaillets de l'Enfer	D	90
1995 Saint-Joseph L'Amarybelle	B	87
1994 Saint-Joseph L'Amarybelle	B	86
1992 Saint-Joseph Cuvée Prestige	C	90
1991 Saint-Joseph Cuvée Prestige	C	89
1995 Côte-Rôtie Coteau de Bassenon	C	77-79
1994 Côte-Rôtie Coteau de Bassenon	C	77

Comme je l'ai souvent dit par le passé, Yves Cuilleron est l'une des étoiles de son appellation. Il élabore régulièrement des vins superbes, et ses 1995 vous feront tomber à la renverse.

Avec son nez d'ananas et d'agrumes, le Saint-Joseph Izeras Blanc 1995 déborde littéralement de fruité. Moyennement corsé, il déploie une finale rafraîchissante à laquelle sa bonne acidité confère du ressort. **A boire maintenant.** Le Saint-Joseph Prestige Le Bois Lombard Blanc 1995 est encore meilleur. Il présente en bouche des arômes amples, très corsés et marqués par la mâche, qui témoignent de rendements restreints et d'un fruité bien mûr. Ce vin riche et juteux, entièrement issu de marsanne, est dominé, à la fois au nez et en bouche, par des notes d'ananas et de miel. Il est difficile de trouver plus merveilleux Saint-Joseph. **A boire d'ici 1 ou 2 ans.** Le Saint-Joseph Blanc 1993 est aussi très réussi. Ce vin issu d'un mélange de marsanne et de roussanne révèle un nez de miel et de cerise. D'une grande richesse et d'une belle précision dans le dessin, il est crémeux en bouche, où il déploie une finale sèche et étonnamment longue. **A boire ces toutes prochaines années.**

La notoriété d'Yves Cuilleron tient surtout à ses Condrieu, absolument sensationnels. Le très classique Condrieu La Côte 1995 présente au nez des arômes mielleux de pêche et d'abricot. Exotique, riche et faible en acidité, il se montre charnu et de bonne mâche en bouche, où il déploie par paliers une finale très longue, admirablement pure et intense. **A boire d'ici 1 an.** Le Condrieu 1993, superbe et très fruité, exhale un nez énorme et exotique de miel, et présente en bouche des arômes très corsés qui suintent de richesse et de personnalité. **A boire avant qu'il n'ait atteint 2 ans d'âge.** Le 1992, bien que mûr, goûteux et moyennement corsé, est moins exotique et moins complet que le précédent.

Le Condrieu Les Chaillets Vieilles Vignes 1995, très profond, est aussi remarquable que peut l'être un vin de cette appellation. Son nez énorme de cocktail de fruits, de senteurs printanières, de pêche, d'abricot et de minéral est à la fois ostentatoire et totalement irrésistible. Semblable à un concentré d'encens, ce vin incroyablement épais et riche possède néanmoins une structure d'une grande finesse – une réussite sensationnelle. Je suis sûr que certains initiés le déclareront apte à être conservé 5 ans ou plus, mais je conseillerai plutôt de le déguster **d'ici 1 ou 2 ans.** Le spectaculaire Condrieu Les Chaillets Vieilles Vignes 1993 est aussi concentré et intense que peut l'être un vin de viognier. Encore peu évolué (ce qui montre qu'il se portera bien dans les **2 ou 3 ans** qui viennent), il offre une attaque en bouche extrêmement puissante et révèle une fabuleuse richesse en extrait. Il est encore très gras, très alcoolique et très fruité. Ne manquez surtout pas ce vin sec, merveilleusement mûr et extraordinairement bien doté.

Le Condrieu Les Éguets Vendanges Tardives 1995 venait d'être mis en bouteille lorsque je l'ai dégusté en juin 1996, et sa personnalité n'était pas encore totalement dessinée. Il s'agit incontestablement d'une grande réussite, si l'on tient compte de sa texture onctueuse et extrêmement concentrée, et de son caractère moyennement doux. Il manque cependant de précision dans le dessin, et, bien qu'il impressionne par sa richesse et sa plénitude, il requiert un vieillissement supplémentaire de 6 mois environ pour que sa personnalité s'affirme davantage. Le 1993, immense et doux, est aussi très impressionnant. D'une richesse exceptionnelle et fabuleusement extrait, il est encore bien frais et bien équilibré, mais je ne pense pas qu'un vin aussi énorme puisse accompagner le moindre mets que ce soit. **A boire dans les 4 ou 5 ans.**

Le Condrieu Les Chaillets de l'Enfer 1992 (je n'ai pu déguster cette cuvée en 1993, 1994 ou 1995) est généreusement doté, corsé, épais et onctueux. On distingue en bouche des arômes extrêmement riches et concentrés, ainsi qu'une bonne acidité qui confère à ce vin une belle précision dans le dessin. Exactement comme Les Éguets 1995, il sera difficile à marier avec un plat, mais on ne saurait passer sur un Condrieu aussi spectaculaire, presque ostentatoire. **A boire d'ici 1 à 3 ans.**

Aussi brillant vinificateur que puisse être Yves Cuilleron lorsqu'il s'agit de vins blancs, ses vins rouges sont généralement médiocres. Le meilleur qui soit actuellement disponible à la propriété, dans les derniers millésimes, est le Saint-Joseph L'Amarybelle 1995, dont le nez doux et pur de cerise noire prélude à des arômes moyennement corsés, vifs, élégants et acidulés en bouche. Dégustez ce vin de bon ressort dans les 3 ou 4 ans. L'Amarybelle 1994 se révèle quant à lui austère, maigre et dilué.

Les deux Saint-Joseph rouges de 1992 et 1991 sont extraordinaires. La Cuvée Prestige 1992, issue des plus vieilles vignes du domaine, resplendit d'une robe rubis-pourpre foncé. Elle dégage au nez une large palette d'arômes, comprenant des senteurs de fruits noirs, d'herbes aromatiques et de vanille. Il s'agit d'un vin merveilleusement riche, ample et concentré, très corsé et velouté, qui devrait demeurer agréable dans le courant de **la prochaine décennie.** La Cuvée Prestige 1991 recèle un abondant fruité de cassis marqué par des notes épicées, poivrées et herbacées. Ce vin très harmonieux, à l'acidité sous-jacente absolument admirable, affiche une excellente concentration et déploie une finale riche, moyennement corsée, longue et modérément tannique. Il sera incontestablement aussi bon que le 1992, mais plus ferme et plus structuré. **A boire d'ici 2 ou 3 ans.**

Les Côte-Rôtie Coteau de Bassenon 1994 et 1995, tous deux dominés par des arômes de boisé, manquent de fruit et de richesse en extrait pour contrebalancer leur caractère tannique et leur structure.

CUVÉE DU VATICAN****

Route de Courthézon – 84230 Châteauneuf-du-Pape
Tél. 04 90 83 70 51 – Fax 04 90 83 50 36
Contact : Jean-Marc Diffonty

1995 Châteauneuf-du-Pape	B	87-89
1994 Châteauneuf-du-Pape	A	87

Cette propriété de bon niveau a donné en 1994 et 1995 deux vins amples, très corsés et complexes.

Vêtu de rubis-grenat moyennement foncé, le Châteauneuf du Pape 1994 exhale un nez épicé de boîte à cigares, d'herbes, de groseille et de cerise. Moyennement corsé et d'une richesse admirable, il déploie une finale plaisante, charnue et très alcoolique. **A boire dans les 5 ou 6 ans.**

Le 1995 présente un nez plus fumé d'herbes rôties et de cerise noire confiturée, et se montre plus dense et plus doux en bouche, avec une mâche plus fruitée. D'une excellente longueur, avec une finale corpulente et très alcoolique, il possède également ce caractère propre aux vins de la vallée du Rhône méridionale, aux arômes de sel, de terre, d'herbes et de garrigue. **A boire dans les 7 ou 8 ans.**

DELAS FRÈRES***/****

ZA de l'Olivet – BP 4 – 07300 Saint-Jean-de-Muzols
Tél. 04 75 08 60 30 – Fax 04 75 08 53 67
Contact : Michel Milesi ou Jean-François Gaillard

1992 Crozes-Hermitage Blanc Cuvée Marquise de la Tourette	C	86
1993 Crozes-Hermitage Blanc	A	75
1992 Crozes-Hermitage Les Launes	A	69
1990 Côte-Rôtie Les Seigneurs de Maugiron	D	86
1992 Hermitage Cuvée Marquise de la Tourette	C	88+
1991 Hermitage Les Bessards	E	92+

Les vins blancs de cette sélection sont déjà sérieusement éprouvés par le temps, et, bien que le Crozes-Hermitage Cuvée Marquise de la Tourette 1992 soit riche, mielleux et marqué par le chêne, il évolue très rapidement et **devrait être consommé.**

Parmi les vins rouges, vous trouverez entre autres un Crozes-Hermitage Les Launes 1992 extrêmement végétal. Le Côte-Rôtie Les Seigneurs de Maugiron 1990 est riche et moyennement corsé, avec des arômes d'olive, et, bien qu'il affiche une acidité très élevée, il a le potentiel pour bien évoluer sur 10 à 15 ans. Ce vin n'est pas grandiose, mais il est très bon. L'Hermitage Cuvée Marquise de la Tourette 1992, qui est en général une des toutes meilleures cuvées de la maison Delas, est riche, moyennement corsé, débordant d'un fruité marqué par le cassis, mais il manque de complexité. Vous pourrez conserver ce vin puissant et jeune 10 à 15 ans.

Pour son second millésime (1991), la cuvée prestige d'Hermitage Les Bessards s'impose comme un vin impressionnant et extraordinaire, à la robe pourpre très profond et au généreux fruité de poivre, de cassis et de minéral. Très corsé et très serré en bouche, il y montre une fabuleuse richesse en extrait et déploie une finale longue, musclée et puissante. Il requiert une garde supplémentaire de 5 ou 6 ans et devrait ensuite se conserver **20 à 30 ans**.

Il est difficile de prédire l'évolution de Delas Frères, mais il est fort possible que ce domaine améliore ses standards de qualité sous la nouvelle direction de la maison Roederer... et compte tenu de la compétition internationale.

DOMAINE DE LA DAYSSE***

84190 Gigondas
Tél. 04 90 65 85 34

1993 Gigondas	C	86
1992 Gigondas	C	82

Le Domaine de la Daysse a produit, en 1992 et en 1993, des vins souples, accessibles et ronds. Le 1993, moyennement corsé, se révèle plus profond, avec de séduisants arômes de framboise sauvage et de terre, alors que le 1992, doux et bien évolué, offre une finale de bonne tenue.

DESMEURE**/***

Quartier des Remizières – 26600 Mercurol
Tél. 04 75 07 44 28 – Fax 04 75 07 45 87
Contact : Philippe Desmeure

1995 Crozes-Hermitage Cuvée Christophe	B	87-88
1995 Hermitage Cuvée Émilie	C	91-93

Les vins ci-dessus sont probablement les plus impressionnants qu'il m'ait été donné de déguster de cette propriété.

Issu d'un mélange de raisins provenant des lieudits L'Arnage et Tain, le Crozes-Hermitage Cuvée Christophe 1995 déborde d'un fruité doux et mûr de cassis. Moyennement corsé, avec des arômes herbacés et de fumé, il est parfaitement mûr et d'une grande pureté. **A boire dans les 4 ou 5 ans.**

L'Hermitage Cuvée Émilie 1995 est un vin puissant, mais élégant, issu de vignobles de L'Hermite et des Roucoules (deux lieudits). Vieilli à 40 % en fûts neufs, il impressionne par sa robe très soutenue de couleur rubis-pourpre ; il déploie un nez de cassis, de fumé et de goudron, et sa finale est longue, douce et ample. Bien qu'il ne révèle pas encore un très haut niveau de tannins, je suis persuadé que son gras, son fruité et sa richesse en extrait dissimulent un grand potentiel. **A maturité : 2000-2015.**

RÉMY DIFFONTY****

Domaine Haut des Terres Blanches – 84230 Châteauneuf-du-Pape
Tél. 04 90 83 71 19 – Fax 04 90 83 51 26
Contact : Rémy Diffonty

1992 Châteauneuf-du-Pape	C	87

Rémy Diffonty a la réputation d'être le plus grand misanthrope de Châteauneuf. Je ne l'ai rencontré qu'une fois, et il ne m'a pas semblé particulièrement enthousiaste à l'idée de recevoir des critiques de vins ou des journalistes en quête d'informations. Cependant, j'apprécie grandement ses vins et en possède plusieurs dans ma cave personnelle. Le millésime le plus ancien est le 1970, qui commence tout juste à montrer quelques signes de déclin.

Rémy Diffonty produit en règle générale des vins très corsés, très alcooliques et très massifs. Son 1992 est extraordinairement plaisant, avec un nez renversant de café torréfié, d'herbes aromatiques et de fruits noirs et rouges. Puissant et très corsé, il possède un fruité riche marqué par la cerise noire et des senteurs herbacées, et se montre très gras et très alcoolique. Ce n'est décidément pas un vin à siroter au bord d'une piscine...

LOUIS DREVON**

La Roche – 69420 Ampuis
Tél. 04 74 56 11 38 – Fax 04 74 56 13 00
Contact : Louis Drevon

1995 Côte-Rôtie	C	84-87

Le Côte-Rôtie 1995 de Louis Drevon est probablement le meilleur vin que je connaisse de ce vigneron. Une importante partie de sa production est vendue en vrac au négoce, mais ce vin-ci est gras et mûr, moyennement corsé, avec de beaux arômes de cassis. Plein de caractère et très dense, il devrait se maintenir **6 ou 7 ans.**

PIERRE DUMAZET*****

Route Nationale 86 – 07340 Limony
Tél. 04 78 00 51 80
Contact : Pierre Dumazet

1995 Condrieu La Myriade	?	91-92
1994 Condrieu Coteau de Fournet	?	92

Je tiens le Condrieu La Myriade pour une des réussites de l'appellation en 1995. Avec ses senteurs sèches, très corsées et fabuleusement riches de confiture d'abricot et de pêche, il déploie en bouche une acidité piquante et une finale aux arômes de poire mûre. Ce Condrieu superbe, complexe et riche, devrait vieillir de belle manière sur les **3 ou 4 prochaines années.**

Le Condrieu Coteau de Fournet 1994 (je n'ai pu goûter le 1995), jeune et peu évolué, se révèle d'une richesse spectaculaire. Il présente, outre un généreux fruité aux arômes de chèvrefeuille et de mandarine, une belle acidité qui donne de la précision à son caractère opulent et riche. Il s'agit d'un vin impressionnant, que vous dégusterez dans les **2 ou 3 ans.**

CAVE DUMIEN-SERRETTE***/****

Rue du Ruisseau – 07130 Cornas
Tél. 04 75 40 41 91 – Fax 04 75 40 47 27
Contact : Gilbert Serrette

1994 Cornas	C 88
1991 Cornas	C 90

Ce tout petit producteur possède seulement 1,3 ha de vignes dont l'âge moyen est d'environ 35 ans. Ses vins sont vieillis environ douze mois en larges foudres de chêne et sont ensuite mis en bouteille sans filtration préalable.

La production du Cornas 1994 tient en un fût (25 caisses). Issu de vignes centenaires, il arbore une robe rubis-pourpre et exhale un nez très aromatique de pur cassis et de réglisse. Très corsé, concentré et riche, il est encore doux et ample, avec des tannins discrets. Bien que prêt dès maintenant, il pourra tenir encore **12 à 15 ans.**

Le Cornas 1991, le tout premier que j'aie connu de Gilbert Serrette, présente une robe très soutenue de couleur pourpre tirant sur le noir. Il exhale un nez fort riche de truffe noire et d'autres fruits noirs et rouges bien mûrs. Très corsé, d'une richesse exceptionnelle, il se développe en bouche par paliers et offre une finale longue, étonnamment souple et voluptueuse. Ce vin hautement extrait ne donne pourtant pas trace des tannins agressifs que l'on retrouve souvent dans les vins de cette appellation. **A boire dans les 10 ans.**

DOMAINE DE DURBAN*****

84190 Beaumes-de-Venise
Tél. 04 90 62 94 26 – Fax 04 90 65 01 85
Contact : Aimée Leydier

1995 Muscat de Beaumes-de-Venise	A 90
1994 Muscat de Beaumes-de-Venise	A 90

Cette propriété extraordinaire a produit, en 1994 et 1995, deux vins doux, puissants et exotiques, aux arômes de miel, d'abricot et de pêche, absolument délicieux. Le 1994 est plus puissant, plus alcoolique et plus intense, tandis que le 1995 se révèle plus précis, plus fin et plus élégant. Vous avez donc le choix entre un vin capiteux, enivrant et flatteur (le 1994) et un autre moins évolué, mais possédant davantage de précision (le 1995). Tous deux accompagneront merveilleusement des tartes aux fruits ou pourront être dégustés seuls, comme dessert. Buvez le 1994 **maintenant** ; le 1995 tiendra, quant à lui, **3 ou 4 ans** de plus.

DOMAINE DURIEU***

10, avenue Baron-Le-Roy – 84230 Châteauneuf-du-Pape
Tél. 04 90 83 70 86 ou 04 90 37 28 14 – Fax 04 90 37 76 05
Contact : Paul Durieu

1995 Châteauneuf-du-Pape	B 87-88
1994 Châteauneuf-du-Pape	B 88

Paul Durieu a déjà produit nombre de Châteauneuf-du-Pape très riches et très concentrés. J'ai acheté et bu avec plaisir de son 1983, et le 1986 demeure, aujourd'hui encore, l'un des vins les plus réussis de ce millésime moyen en vallée du Rhône méridionale.

Le Châteauneuf-du-Pape 1995, peu évolué, me paraissait avoir tout juste terminé sa fermentation malolactique lorsque je l'ai dégusté en juin 1996, et il était par conséquent très difficile à évaluer. De couleur rubis foncé, il est très tannique et possède un caractère fermé et étrange qui ne révèle aucunement la douceur et la maturité que suggèrent les arômes qu'il dégage au nez. Une chose est sûre : il requiert une garde de 4 ou 5 ans avant d'être prêt. A **maturité : 2002-2015.**

Le Châteauneuf-du-Pape 1994 me semble excellent. D'une couleur rubis-grenat tirant sur le pourpre très foncé, il déploie un nez énorme de viande fumée, d'épices orientales, de réglisse, d'herbes et de fruits noirs. Très corsé et merveilleusement concentré, il est modérément tannique et bien gras. Ce vin rustique, mais impressionnant de richesse, mérite d'être conservé 1 ou 2 ans avant d'être dégusté sur les **10 ans** qui suivront.

DOMAINE DES ESPIERS***

84190 Vacqueyras
Tél. 04 90 65 81 16
Contact : Philippe Cartoux

1995 Gigondas	A-B	87-90
1994 Gigondas	A-B	77-79

L'échantillon de Gigondas 1995 du Domaine des Espiers qui m'a été présenté était impressionnant et révélait un potentiel extraordinaire. C'est un vin de couleur pourpre tirant sur le noir, au nez fabuleusement riche de fleurs, de fruits noirs et de minéral. Incroyablement intense, épais et onctueux en bouche, il affiche une belle acidité compte tenu de sa maturité, et déploie une finale moyennement corsée et longue. Son potentiel de garde est de **10 à 15 ans.** Espérons que le vin en bouteille sera en tout point aussi sensationnel que l'échantillon que j'ai dégusté.

Quant au 1994, il s'est révélé décevant et maigre, très acide, compact et comprimé, et me conduit donc à restreindre mon enthousiasme relativement à son cadet d'un an. Cependant, 1995 est incontestablement une très grande année pour l'appellation Gigondas.

DOMAINE DE L'ESPIGOUETTE****

84150 Violès
Tél. 04 90 70 95 48 – Fax 04 90 70 96 06
Contact : Bernard Latour

1993 Côtes-du-Rhône Plan de Dieu	A	87
1991 Côtes-du-Rhône Plan de Dieu	A	86
1990 Côtes-du-Rhône Plan de Dieu	A	87
1991 Côtes-du-Rhône Syrah Vieilles Vignes	A	86
1993 Côtes-du-Rhône Vieilles Vignes	A	87+
1991 Côtes-du-Rhône Vieilles Vignes	A	85

1990 Côtes-du-Rhône-Villages	A 83
1991 Vin de Pays	A 85
1990 Vin de Pays	A 85

L'excellent domaine de Bernard Latour produit en règle générale des vins extrêmement plaisants et très corsés, qui témoignent bien des sommets de qualité que peuvent atteindre les Côtes-du-Rhône. Les deux 1993 sont probablement les meilleurs vins qui aient été produits à la propriété depuis 1990. Outre sa robe intense et soutenue de couleur rubis-pourpre foncé, le Côtes-du-Rhône Plan de Dieu 1993 présente un nez, peu évolué mais prometteur, de terre et de cerise noire. Moyennement corsé, souple et d'une belle concentration en bouche, il y déploie une finale longue et douce. **A boire dans les 4 ans.** Bien que poivré et plus concentré, le Côtes-du-Rhône Vieilles Vignes 1993 est plus tannique et moins flatteur pour le moment. Riche, musclé et profondément coloré, de belle extraction et très prometteur, il tiendra parfaitement **4 à 7 ans** encore.

Le Domaine de l'Espigouette est l'une des propriétés les plus régulières de la vallée du Rhône, et la qualité de ses 1991 (millésime très difficile pour la partie méridionale) témoigne bien du sérieux qui y règne. Ces vins sont mûrs et fruités, bien que moins concentrés que les 1989 et 1990. Ceux qui souhaiteraient découvrir le domaine devraient essayer le Vin de Pays 1991. Riche, mûr et dense, il présente, à la fois au nez et en bouche, des arômes poivrés et de cerise noire. **A boire dans les toutes prochaines années.** Comme tous les autres vins de la propriété, il se révélera très agréable. Plus rustique, énorme et épicé, le Côtes-du-Rhône Vieilles Vignes 1991 est bien vinifié. Vous l'apprécierez au meilleur de sa forme **dans l'année** qui vient. Quant à l'excellent Côtes-du-Rhône Syrah Vieilles Vignes 1991, il révèle un bouquet évocateur d'herbes fumées, de bois de noyer et de cassis. Goûteux, doux et souple, il est à maturité parfaite et déploie une finale capiteuse. **A boire d'ici 1 ou 2 ans.** Le Côtes-du-Rhône Plan de Dieu 1991 est probablement le vin le plus complet de toute la gamme, avec un bouquet plus intense que celui des autres. Moyennement corsé, il est plus plein et plus long en bouche, où il montre un caractère poivré, épicé et pur. Ce vin bien vinifié, aux généreux arômes de fruits noirs et rouges et à la finale douce, doit être consommé **dans l'année.**

Étonnamment profond, énorme et trapu, le Vin de Pays 1990 déborde d'arômes en bouche et présente au nez des senteurs chocolatées, rôties et de cerise noire. On imagine difficilement qu'il soit possible de trouver, pour moins de 30 F, un fruité aussi généreux, une texture aussi corsée, autant de caractère et de tenue. Il s'agit d'une affaire fabuleuse. **A boire dans les 2 ou 3 ans.** Je l'ai même préféré au Côtes-du-Rhône-Villages 1990, qui, bien que solide, mûr, poivré et épicé, n'en possède pas la profondeur. Quant au Côtes-du-Rhône Plan de Dieu 1990, il est énorme, charnu, chocolaté et robuste, avec des arômes de cassis rôti et de noix. Intensément concentré et de bonne mâche en bouche, il est encore long, costaud et capiteux en finale. Quelle merveille ! **A boire dans les 3 ou 4 ans.**

DOMAINE FARJON***

84290 Sainte-Cécile-les-Vignes
Tél. 04 90 30 80 47

1993 Condrieu	D	84

Le bouquet d'agrumes et de citronnier en fleur du Condrieu 1993 du Domaine Farjon laisse deviner de jeunes vignes. Moyennement corsé et parfaitement mûr, il offre une finale sèche et sans détour. **A boire maintenant.**

DOMAINE DE FENOUILLET****

84190 Beaumes-de-Venise
Tél. 04 90 62 95 61 – Fax 04 90 62 90 67

1993 Côtes-du-Rhône Beaumes-de-Venise	A	87
1991 Côtes-du-Rhône Beaumes-de-Venise	A	85
1990 Côtes-du-Rhône Beaumes-de-Venise	A	87
1992 Côtes du Ventoux	A	86
1994 Muscat de Beaumes-de-Venise	A	90
1994 Muscat Petits Grains Doré	A	88

Ce n'est que très récemment que j'ai découvert le Domaine de Fenouillet. Les lecteurs qui auront la chance d'en dénicher les vins ne pourront que s'en féliciter, compte tenu de leur très haut niveau de qualité et de leurs prix très raisonnables.

L'excellent Côtes-du-Rhône 1993, issu de Beaumes-de-Venise, présente un bouquet de fleurs et d'abricot, et se montre sec, riche et moyennement corsé en bouche, avec une finale vive et robuste. **A boire maintenant.** Le 1991, composé à 80 % de grenache, à 15 % de mourvèdre et à 10 % de cinsault, est riche, ample et velouté. C'est un vin séduisant, incontestablement réussi pour le millésime. **A boire maintenant.** Outre son nez énorme et épicé d'herbes et de cerise noire, le Côtes-du-Rhône Beaumes-de-Venise 1990 se montre moyennement corsé en bouche, d'une maturité impressionnante, avec une finale veloutée, douce et très alcoolique. **A boire d'ici 1 ou 2 ans.**

Parmi les vins rouges, vous trouverez aussi un Côtes du Ventoux 1992 délicieux et souple, aux arômes d'herbes et de fruits rouges, qui doit être consommé **d'ici 1 ou 2 ans.**

Cette propriété a également produit en 1994 deux vins merveilleux, issus de muscat – un cépage très sous-estimé. Le Muscat Petits Grains Doré, sec, moyennement corsé, exceptionnellement aromatique et pur, sera parfait à l'apéritif. Vif, exubérant et d'une fraîcheur admirable, il offre le formidable fruité typique de son cépage, aux notes de cocktail de fruits et de fleurs printanières. **A boire maintenant.** Le Muscat de Beaumes-de-Venise 1994 s'impose quant à lui comme un vin de dessert onctueux, épais et doux, qui illustre de belle manière ce dont est capable le vin liquoreux le plus sous-estimé du monde. Il libère des senteurs mielleuses d'orange et d'abricot, et se montre riche, pur, doux et épais en bouche, avec une belle acidité qui lui confère du ressort et de la précision dans le dessin. **A boire dans l'année.**

FERRATON PÈRE ET FILS****

13, rue de la Sizeranne – 26600 Tain-l'Hermitage
Tél. 04 75 08 59 51 – Fax 04 75 08 81 59
Contact : Michel Ferraton

1991 Hermitage Cuvée des Miaux	D	89+
1990 Hermitage Cuvée des Miaux	D	96

J'avais auparavant attribué la note de 90 à la Cuvée des Miaux 1990 et pensais alors qu'il s'agissait du meilleur Hermitage de ce domaine. Je l'ai regoûtée par deux fois récemment (une fois en France et l'autre aux États-Unis), et elle m'a semblé nettement meilleure que ne le suggérait ma notation initiale. De très petites quantités de ce vin sont encore disponibles sur le marché. Dans un millésime qui s'annonce comme le plus grandiose depuis 1961, la Cuvée des Miaux 1990 de Michel Ferraton arbore une robe noire et déploie un nez énorme de cassis confituré, de minéral, d'épices, de fleurs et de réglisse. Massivement doté, terriblement gras, tannique et fabuleusement extrait, cet Hermitage d'autrefois est encore extrêmement concentré, merveilleusement pur et d'une belle précision dans le dessin. **A maturité : 2005-2040.**

Si la Cuvée des Miaux 1991 n'a pas l'ampleur gargantuesque de son aînée d'un an, elle n'en demeure pas moins réussie et méritera une note extraordinaire après un vieillissement supplémentaire de 3 ou 4 ans. Une couleur dense très soutenue introduit au nez d'énormes arômes d'épices, de poivre et de cassis. La bouche est très corsée et tannique, avec une finale rugueuse. Ce vin issu d'une matière première époustouflante est encore très peu évolué : ne touchez pas à une seule de vos bouteilles avant la fin de ce siècle, elles tiendront parfaitement trois décennies supplémentaires. **A maturité : 2000-2030.**

LA FONT DU LOUP****

Route de Châteauneuf-du-Pape – 84350 Courthézon
Tél. 04 90 33 06 34 – Fax 04 90 33 05 47
Contact : Charles ou Françoise Mélia

1995 Châteauneuf-du-Pape	C	88-90
1994 Châteauneuf-du-Pape	C	88
1995 Châteauneuf-du-Pape Le Puy Rolland	C	88-91

Charles Mélia élabore toujours des Châteauneuf-du-Pape racés et bien dotés, riches, élégants et complexes. Et je ne m'explique toujours pas pourquoi ses vins ne sont pas importés aux États-Unis.

Le Châteauneuf-du-Pape 1995 libère au nez des notes de vanille et de grillé qui laisseraient supposer que les chais de La Font du Loup se seraient enrichis de quelques fûts neufs. Ce vin resplendit d'une impressionnante couleur rubis-pourpre très soutenu et déploie un nez absolument époustouflant de cerise noire et de framboise auquel se mêlent des notes de grillé apportées par le chêne neuf. Profond, riche et très corsé, il est aussi fabuleusement pur et d'une belle précision dans le dessin. Ce nectar résulte, comme dans beaucoup d'autres cas, de l'alliance d'une matière première de premier ordre et d'une vinification parfaite. Charles Mélia semble pouvoir obtenir des vins exceptionnels, aux arômes bien définis et purs, qui ne soient ni trop lourds ni trop richement extraits. **A maturité : 2002-2012.**

De couleur rubis-pourpre foncé, le Châteauneuf-du-Pape 1994 présente un nez réticent, peu évolué, mais prometteur, de fruits rouges et doux. Très corsé, de bonne tenue et bien mûr, il possède en outre ce caractère de fleurs et de cerise noire qui rappelle les bourgognes. Pur, riche et merveilleusement équilibré, il requiert une garde de 1 à 3 ans et sera parfait les **10 à 12 ans** qui suivront.

La Font du Loup produit également, d'un vignoble distinct, une cuvée Le Puy Rolland. Je n'ai pu en déguster le millésime 1994, mais le 1995 s'impose comme un Châteauneuf-du-Pape de grande garde, tannique et peu évolué. Arborant une robe impressionnante, très soutenue, de couleur rubis-pourpre foncé, ce vin très épicé se révèle très mûr, riche et de belle extraction. Il est encore d'excellente tenue et présente des tannins modérés. Oubliez vos bouteilles pendant 3 à 5 ans, pour mieux les apprécier durant les **10 années** qui suivront.

FONT DE MICHELLE****/*****

Route de Châteauneuf-du-Pape – 84370 Bédarrides
Tél. 04 90 33 00 22 – Fax 04 90 33 20 27
Contact : Michel Gonnet

1995 Châteauneuf-du-Pape	C	88-90
1994 Châteauneuf-du-Pape	C	88
1993 Châteauneuf-du-Pape	C	87
1992 Châteauneuf-du-Pape	C	87
1995 Châteauneuf-du-Pape Cuvée Étienne Gonnet	C	90-92
1994 Châteauneuf-du-Pape Cuvée Étienne Gonnet	C	91
1993 Châteauneuf-du-Pape Cuvée Étienne Gonnet	C	91
1992 Châteauneuf-du-Pape Cuvée Étienne Gonnet	C	89
1993 Châteauneuf-du-Pape Blanc	B	86

Les frères Gonnet produisent toujours, sur leurs vignobles bien situés à proximité du Domaine du Vieux Télégraphe, les vins les plus sous-estimés de Châteauneuf-du-Pape. Ils tiennent des prix raisonnables, recherchent rarement la publicité et élaborent d'année en année des vins riches et savoureux. Dans certains millésimes, ils proposent, outre leur cuvée classique, une Cuvée Étienne Gonnet issue des cuves les plus riches et/ou des plus vieilles vignes ; c'est néanmoins la première que les lecteurs trouveront le plus fréquemment sur le marché. Il est intéressant de noter que la cuvée spéciale a été produite en 1995 et 1994, mais également en 1993 et 1992, deux millésimes pourtant particulièrement difficiles.

Les Châteauneuf-du-Pape 1995 arborent tous deux une couleur pourpre très dense. La cuvée générique libère au nez de douces senteurs de framboise, de cerise noire, de réglisse et de fumé, déploie en bouche des arômes riches, poivrés et concentrés, et s'y montre ample et bien ronde. Il s'agit d'un vin extrêmement séduisant, que vous dégusterez jusqu'à 10 ans d'âge. Admirablement dotée, peu évoluée et massive, la Cuvée Étienne Gonnet 1995 donne des signes de vieillissement en fûts de chêne, mais elle est dominée par un fruité énorme, un caractère gras et hautement extrait. Ce vin très corsé, puissant et riche, qui révèle une excellente acidité et un niveau de tannins étonnant, est encore jeune et dense, et requiert une garde de 1 à 3 ans avant d'être prêt. Son potentiel de garde est d'environ 20 ans. Ces deux cuvées impressionnantes sont proposées à des prix raisonnables.

Le Châteauneuf-du-Pape 1994 confirme les notes avantageuses que je lui avais attribuées alors qu'il était encore en fût. Sa très séduisante robe rubis-pourpre foncé prélude à des arômes d'olive, d'herbes de Provence, de cerise noire et de framboise douces et confiturées. Très corsé, généreusement doté, il est riche et bien marqué par la mâche. A boire dans les 10 ans. La Cuvée Étienne Gonnet 1994 déborde littéralement de senteurs de sous-bois fumé, de garrigue, d'olive et de poivre marquées par des notes de viande rôtie. Très corsée, elle déploie en bouche, par couches successives, des arômes fruités et confiturés, et du gras, et offre une finale puissante. Un Châteauneuf riche, jeune, à la forte carrure. A maturité : 2000-2012.

Tout de rubis-pourpre vêtu, le superbe Châteauneuf-du-Pape 1993, rond et séduisant, présente un excellent bouquet d'herbes aromatiques, de fruits noirs et d'épices, et montre une belle acidité. Sa finale est corpulente, bien glycérinée et bien alcoolique. A boire d'ici 4 ou 5 ans. La Cuvée Étienne Gonnet 1993 exhale un nez intense de cerise noire marqué par des notes de vanille et de grillé vraisemblablement dues aux fûts de chêne neuf. Gras, mûr et opulent en bouche, il est bien marqué par la mâche et révèle dans sa finale riche un caractère gras, alcoolique et capiteux. Les tannins abondants sont bien masqués par un fruité très généreux. Il s'agit d'un Châteauneuf-du-Pape absolument extraordinaire. A maturité : 1998-2007.

Le bouquet merveilleusement mûr de cèdre, d'herbes aromatiques, de café et de cerise du Châteauneuf-du-Pape 1992 annonce un caractère très corsé et une texture souple. Généreusement doté et bien concentré, il est aussi charnu. A boire d'ici 5 ou 6 ans. La Cuvée Étienne Gonnet du même millésime dégage de séduisants arômes d'olive, de cerise noire et d'herbes. Très mûr et très corsé, ce vin possède des tannins doux et présente une finale capiteuse. A boire dans les 10 ans.

Le domaine s'impose également comme l'un des meilleurs producteurs de Châteauneuf-du-Pape blanc. Ainsi son 1993, très corsé, présente un nez très parfumé, floral et mielleux, ainsi qu'un délicieux fruité et une finale merveilleusement fraîche, puissante et alcoolique. A boire dans l'année.

DOMAINE DE FONT-SANE*****

Quartier Tuilières – 84190 Gigondas
Tél. 04 90 65 86 36 – Fax 04 90 65 81 71
Contact : Véronique Cunty

1995 Gigondas	C	87-88
1994 Gigondas	C	78-81

1993 Gigondas	C	88
1992 Gigondas	C	87

Le Gigondas 1995 du Domaine de Font-Sane éclipsait littéralement son aîné d'un an lors de ma dernière dégustation. De couleur rubis-pourpre foncé, avec de douces senteurs de poivre et de fruits noirs et rouges confiturés, il est moyennement corsé, sans détour, mais charnu. Bien gras et d'une bonne longueur en bouche, il y dégage de très purs arômes de fruits. **A boire jusqu'à environ 10 ans d'âge.**

Le 1994, de couleur prune foncée, est moyennement corsé et très austère, sans le gras, la maturité et le doux fruité que j'aurais souhaité y trouver.

Le Domaine de Font-Sane a en revanche très bien réussi en 1993, et il faut encore préciser, à son crédit, qu'il a donné d'excellents 1992 – un millésime généralement désastreux.

Le Gigondas 1993 arbore une robe rubis-pourpre foncé qui prélude à un excellent nez de cassis, de réglisse et de fleurs. Moyennement corsé et modérément tannique, ce vin montre également une pureté et une maturité d'excellente tenue. **A boire dans les 10 ans.**

Le 1992 est, quant à lui, étonnamment marqué par des nuances de pourpre (c'est l'un des vins les plus profondément colorés de cette année). Moyennement corsé et modérément tannique, il est d'une richesse admirable et déploie une finale opulente et de bonne mâche. Après une garde d'environ 1 an, il se conservera très bien **10 ans.** Il s'agit incontestablement d'une belle réussite pour le millésime.

CHÂTEAU FORTIA***/****

84230 Châteauneuf-du-Pape
Tél. 04 90 83 72 25 – Fax 04 90 83 51 03
Contact : Bruno Leroy

1995 Châteauneuf-du-Pape	C	90-91+
1994 Châteauneuf-du-Pape	C	90
1992 Châteauneuf-du-Pape	C	77
1993 Châteauneuf-du-Pape Blanc	C	72

Ce domaine historique, propriété du célèbre baron Leroy, a longtemps été dans le creux de la vague, mais semble aujourd'hui refaire surface : son 1995 et son 1994 s'imposent comme les vins les plus extraordinaires qu'il ait produits depuis le grandiose 1978. Les amateurs sauront gré de cette renaissance à Bruno Leroy, petit-fils du baron, et à son œnologue-conseil, Jean-Luc Colombo (de Cornas).

Plus structuré, peu évolué et plus musclé que son aîné d'un an, le Châteauneuf-du-Pape 1995 ne sera ni aussi délicieux ni aussi flatteur dans sa jeunesse, mais son potentiel de **15 à 20 ans** lui permettra de le surpasser au terme d'une garde de 4 ou 5 ans. Avec sa robe opaque de couleur pourpre foncé, ce vin exhale un nez serré, mais prometteur, de cassis doux et de myrtille. Très pur et merveilleux en bouche, il est bien structuré et de bonne tenue. Très corsé, admirablement doté et peu évolué, il révèle encore une extraordinaire richesse aromatique, et j'admire particulièrement sa belle précision dans le dessin.

L'exceptionnel Châteauneuf-du-Pape 1994 arbore quant à lui une robe rubis-pourpre foncé et déploie des arômes de cassis confituré auxquels se mêlent des notes de fumé. Riche, doux, charnu et très corsé, il déborde littéralement d'un fruité de myrtille sauvage et de cassis. Ce vin, faible en acidité, présente des tannins doux, et sa finale opulente est somptueuse. **A boire dans les 12 à 15 ans.** N'oubliez pas que c'est l'une des rares propriétés de l'appellation à utiliser une forte proportion de syrah dans son assemblage final, et que le 1994 est composé à 40 % de ce cépage, ce qui explique ses arômes de fruits rouges.

Le Châteauneuf-du-Pape 1992 déploie des arômes dilués et épicés de terre et de fruits secs, de tabac et d'herbes aromatiques. Moyennement corsé, il présente une finale simple et compacte. Quelle honte !

Quant au Châteauneuf Blanc 1993, il est à peine acceptable, avec un bouquet stérile et indéfinissable, et des arômes atténués et neutres.

DOMAINE DE LA FOURMONE – ROGER COMBE****

84190 Vacqueyras
Tél. 04 90 65 86 05
Contact : Marie-Thérèse Combe

1995 Vacqueyras Maître de Chai	B	86-87
1994 Vacqueyras Maître de Chai	B	87
1995 Vacqueyras Trésor du Poète	B	86-87
1994 Vacqueyras Trésor du Poète	B	85
1993 Gigondas	B	86
1992 Gigondas	B	74

Cette propriété bien tenue de Vacqueyras propose, à prix raisonnables, des vins délicieux à boire en général avant qu'ils n'aient atteint 5 à 7 ans d'âge. Les cuvées Maître de Chai 1994 et 1995 sont de niveaux de qualité très proches. Le 1994 est plus ample, plus doux et plus séduisant, mais tous deux sont des vins délicieux, ronds, fruités et charnus, que vous apprécierez **d'ici 3 ou 4 ans.** Le Vacqueyras Trésor du Poète 1994 se veut ambitieux. Bien structuré, il manque cependant de charme et présente une robe de couleur rubis moyen. En revanche, le 1995 est d'un rubis-pourpre plus foncé et se montre plus dense et plus riche, avec un fruité plus doux et plus mûr.

L'élégant Gigondas 1993, d'une belle corpulence et bien mûr, déploie un fruité épicé et net de fruits rouges. Vous le consommerez avant qu'il n'ait atteint **5 à 7 ans d'âge.** Avec sa couleur très légère – un rubis tirant sur le rouille –, le 1992 révèle un vague bouquet de cèdre, de fruits et de terre. Il est aqueux, doux et légèrement corsé, et témoigne bien du déluge qui a largement compromis les vendanges cette année-là.

DOMAINE LOU FRÉJAU***

Chemin de la Gironde – 84100 Orange
Tél. 04 90 34 83 00 – Fax 04 90 34 48 78
Contact : Serge Chastan

1995 Châteauneuf-du-Pape	A	85-87
1994 Châteauneuf-du-Pape	A	82
1993 Châteauneuf-du-Pape	A	87

Cette propriété produit d'excellents Châteauneuf-du-Pape, et son 1985, par exemple, se révèle toujours aussi délicieux à plus de 12 ans d'âge.

De bonne tenue et plutôt tannique, le Châteauneuf 1995 est également bien mûr et riche, avec une belle acidité. Moyennement corsé, il révèle un séduisant fruité aux notes d'herbes et de cerise, et son gras suffisant lui confère une texture intéressante. La finale est épicée. **A boire dans les 6 ou 7 ans.**

Avec son nez épicé et poivré d'olive noire, le 1994 a moins de tenue. Il est également moins tannique, moins mûr et plus faible en acidité. Ce vin moyennement corsé et concentré affiche cependant une belle pureté, et sa finale est épicée et herbacée. **A boire d'ici 3 ou 4 ans.**

Quant au 1993, il resplendit d'une belle couleur rubis profond et déploie un nez mûr d'olive et de cerise noire. Moyennement corsé et d'une maturité admirable, il est faible en acidité et moyennement tannique. Vous l'apprécierez **jusqu'à 7 ou 8 ans d'âge.**

DOMAINE DE GACHON – PASCAL PERRIER*****

Rue de l'Église – 07370 Gachon
Tél. 04 75 23 24 10
Contact : Pascal Perrier

| 1991 Saint-Joseph | C | 91 |

Les amateurs de vins de syrah issus de très vieilles vignes (40 à 60 ans d'âge) devraient essayer de mettre la main sur quelques bouteilles de ce Saint-Joseph, qui ressemble à s'y méprendre à un Hermitage. Vieilli à 20 % en fûts neufs, il est mis en bouteille sans filtration préalable pour le marché américain (mais il est filtré pour la France). Très structuré et extrêmement concentré, avec un nez absolument magnifique de cerise noire, d'herbes aromatiques, de réglisse et d'épices orientales, il s'impose comme l'un des meilleurs Saint-Joseph qu'il m'ait été donné de déguster. D'une pureté et d'une intensité aromatique absolument époustouflantes, il déploie une finale longue de plus d'une minute. Bien qu'il soit déjà prêt, il promet de tenir encore **une bonne vingtaine d'années.** En 1991, nombre d'appellations de la vallée du Rhône ont connu plus de réussite qu'en 1990 ou qu'en 1989, en particulier la Côte-Rôtie, Condrieu, Cornas, Saint-Joseph et toute la rive gauche du Rhône.

PIERRE GAILLARD***

42520 Malleval
Tél. 04 74 87 13 10 – Fax 04 74 87 17 66
Contact : Pierre Gaillard

| 1995 Côtes-du-Rhône Clos de Cuminaille Blanc | C | 87 |
| 1995 Saint-Joseph Les Pierres | B | 78-80 |

1995 Saint-Joseph Clos de Cuminaille	A	78
1995 Côte-Rôtie	C	74-76
1995 Côte-Rôtie Brune et Blonde	D	79
1993 Condrieu	D	82

Je ne peux rien dire de très positif au sujet de Pierre Gaillard, si ce n'est que son Côtes-du-Rhône Clos de Cuminaille Blanc 1995 est absolument délicieux. Il contient très certainement une forte proportion de viognier, ce qui expliquerait ses arômes d'abricot et de chèvrefeuille. Goûteux, moyennement corsé et délicieusement fruité, il déploie une finale longue, mûre et généreuse. **A boire maintenant.**

Les vins rouges de cette liste comprennent un Saint-Joseph Les Pierres 1995 trop boisé, tannique et acide, un Saint-Joseph Clos de Cuminaille acidulé, maigre, austère et excessivement tannique, et un Côte-Rôtie 1995 maigre, léger et végétal, aux arômes d'herbes et d'olive. Le Côte-Rôtie Brune et Blonde 1995 est du même métal, en plus élégant, mais toujours tannique, maigre, dur et sans charme aucun.

En revanche, le Condrieu 1993, légèrement corsé, compact et court en bouche, se révèle plaisant, discret, élégant et bien vinifié. **A consommer maintenant.**

DOMAINE DU GALET DES PAPES***/****

Route de Bédarrides – 84230 Châteauneuf-du-Pape
Tél. 04 90 83 73 67 – Fax 04 90 83 50 22
Contact : Jean-Luc Mayard

1995 Châteauneuf-du-Pape	C	88-90
1994 Châteauneuf-du-Pape	C	88
1993 Châteauneuf-du-Pape	C	80
1992 Châteauneuf-du-Pape	C	86
1995 Châteauneuf-du-Pape Vieilles Vignes	D	88-90+
1994 Châteauneuf-du-Pape Vieilles Vignes	D	89+
1993 Châteauneuf-du-Pape Vieilles Vignes	D	86
1992 Châteauneuf-du-Pape Vieilles Vignes	D	87+
1993 Châteauneuf-du-Pape Blanc	C	78

J'ai souvent remarqué que les vins de Jean-Luc Maillard se montraient sous un meilleur jour après la mise en bouteille que lorsqu'ils étaient en fût. Cependant, son Châteauneuf-du-Pape 1994 semble avoir perdu de ses qualités après la mise, alors qu'il était vraiment impressionnant avant. De couleur rubis foncé, avec un nez très expressif d'épices, de cerise, d'herbes provençales et de fumé, ce vin moyennement corsé se révèle rond, riche, doux et fruité en bouche. Très velouté, il déploie une finale nette, épicée et charnue. **A boire dans les 5 à 7 ans.** Plus profondément coloré, avec une robe rubis-pourpre, le 1995 libère au nez des arômes plus doux de cerise et se montre plus épais en bouche, où il offre davantage d'onctuosité, de gras, de corps et de richesse en extrait dans une finale longue et mûre. **A boire dans les 8 à 10 ans.** Quant au 1993, léger et dilué, mais agréable et rond, il pourrait peut-être se bonifier après un certain vieillissement en bouteille. **A maturité : jusqu'en 2000.** De meilleure qualité, le 1992 révèle un nez très doux et juteux d'herbes, de cerise noire et de terre. Moyennement corsé, ample, rond et bien gras en bouche, il présente une finale douce et agréable. **A maturité : jusqu'en 2001.**

La robe rubis-grenat foncé du Châteauneuf-du-Pape Vieilles Vignes 1994 prélude à un nez flamboyant et très aromatique d'herbes provençales, de viande fumée, de cake et de confiture de cerise. Ce vin très corsé, au fruité riche et marqué par la mâche, est doux, rond et généreusement doté. **A boire dans les 10 ans.** Le 1995, en revanche, se montre très peu évolué et refermé, comme s'il venait de terminer sa fermentation malolactique. Ce vin de couleur rubis-pourpre, très tannique, a un potentiel et une concentration extraordinaires, mais il m'a semblé fermé et peu évolué lorsque je l'ai dégusté. J'ai été très impressionné par les différentes cuvées qui m'ont paru avoir 3 ou 4 mois d'âge, plutôt que 9 mois. Ce 1995 requiert une garde en cave de 3 à 5 ans avant d'être dégusté, et il tiendra 12 à 15 ans. Bien que le Châteauneuf-du-Pape Vieilles Vignes 1993 soit assez long et corpulent en bouche, il me semble trop simple et monolithique pour une cuvée spéciale. Moyennement corsé, avec un nez poivré et herbacé de cerise, il présente des tannins légers en finale. **A boire dans les 10 ans.** La Cuvée Vieilles Vignes 1992 me paraît meilleure. Moins évoluée et plus structurée, elle arbore une robe rubis foncé merveilleusement soutenu et exhale un nez épicé, serré, mais riche. Très corsée, elle est encore moyennement tannique et d'une belle concentration en bouche. Vous la conserverez 2 ans encore et l'apprécierez sur les 10 à 15 ans qui suivront.

Quant au Châteauneuf-du-Pape Blanc 1993, il ressemble fort à nombre d'autres vins blancs de l'appellation, se montrant neutre et insipide. Moyennement corsé, très simple et inintéressant, il devrait être consommé **rapidement.** Il est vraiment étrange que cette région qui donne tant de vins rouges extraordinairement plaisants, luxuriants, voire irrésistibles, ne produise que très peu d'excellents vins blancs.

LES GALETS BLONDS****

Contact : Patrick Lesec
46, rue Saint-Placide – 75006 Paris
Tél. 01 42 84 38 20 – Fax 01 42 84 38 22

1995 Châteauneuf-du-Pape	C 90-92

Élaboré par M. Maurel, ce Châteauneuf-du-Pape 1995 est issu de vieilles vignes de grenache de 85 ans d'âge provenant de la commune de Bédarrides, non loin des vignobles du célèbre Domaine du Vieux Télégraphe. Principalement composé de grenache, avec un peu de syrah et de mourvèdre, ce vin n'est pas soutiré jusqu'à l'assemblage, qui se fait au moment de la mise en bouteille (celle-ci a lieu sans collage ni filtration). Il est proposé 500 caisses de ce Châteauneuf-du-Pape puissant et riche, qui regorge littéralement d'arômes de fruits noirs. Très doux (car très mûr, et non pour cause de sucre résiduel), il est très corsé et très concentré, et vous enivrera de son somptueux déploiement de fruité, de gras et d'alcool. Un vin énorme, riche et très accessible, que vous consommerez dans les **12 à 15 ans.**

HENRI GALLET****/*****

Boucharey – 69420 Ampuis
Tél. 04 74 56 12 22
Contact : Henri Gallet

1995 Côte-Rôtie	D	87-89
1994 Côte-Rôtie	D	87
1992 Côte-Rôtie	D	90
1991 Côte-Rôtie	D	91
1990 Côte-Rôtie	D	94

Henri Gallet possède seulement 3 ha de vignes et vinifie sa production dans ses chais, qui se situent sur le plateau à l'arrière des coteaux de Côte-Rôtie. La récolte était autrefois vendue en grande partie à Marcel Guigal, mais elle est maintenant totalement mise en bouteille à la propriété.

Le Côte-Rôtie 1995 est un vin doux, fruité, séduisant et accessible, qui ressemblerait presque à un bourgogne par ses senteurs amples et très aromatiques, et par ses arômes doux et ronds de cassis. Il ne fera pas de vieux os, mais n'en sera pas moins agréable ces **6 ou 7 prochaines années.**

Le Côte-Rôtie 1994 déploie des tannins rugueux en finale, mais il partage avec son cadet d'un an la même robe rubis moyen et un caractère mûr, rond et fruité marqué par des arômes de lard fumé et de cassis. Aucun de ces vins n'arrive cependant à la cheville des fabuleux 1990 ou 1991. **A maturité : jusqu'en 2000.**

Quant au 1992, il se montre ouvert et très aromatique, avec des senteurs de framboise sauvage, de poivre et de truffe. Ce vin ressemble plus au 1991, irrésistible et séduisant, qu'au 1990, plus massif, plus dense, plus concentré et plus musclé. Il dégage de généreuses senteurs de cerise noire et de framboise confiturées, et déploie un caractère exotique (l'assemblage final comprend 8 % de viognier). La finale est moyennement corsée et aussi douce que de la soie. **A boire dans les 6 ou 7 ans.**

Vieilli à la fois en fût (dont 30 % de chêne neuf) et en foudre, le 1991, non filtré, est l'exemple même de l'élégance – semblable à celle d'un Musigny – dont les Côte-Rôtie peuvent parfois faire preuve. Exhalant un nez intense et très aromatique de violette, de cassis, de cèdre, d'herbes et de canard fumé, ce vin se montre exceptionnellement doux et velouté en bouche, sans être toutefois aussi puissant ni aussi richement extrait que son aîné d'un an. Il compense cela par une grande finesse et un caractère très parfumé. Je ne veux nullement suggérer qu'il s'agisse d'un vin légèrement corsé qui manquerait de profondeur. Bien au contraire, il est riche, complexe et complet, et, s'il peut déjà se boire, il vieillira également avec grâce ces **10 prochaines années.** Un Côte-Rôtie des plus séduisants.

Issu exclusivement de vignes de la Côte Blonde de 40 ans d'âge, le 1990 d'Henri Gallet s'impose comme l'un des plus grandioses Côte-Rôtie du millésime. Sa couleur exceptionnellement dense prélude à un nez absolument sensationnel de fruits noirs confiturés, de fumé, de réglisse et d'herbes, et sa richesse spectaculaire, son onctuosité et sa texture à la limite de la viscosité laissent bien deviner qu'il est issu de rendements tenus et de vieilles vignes. Son fruité riche et confituré est bien étayé par des tannins modérés et par une faible acidité. Un vin époustouflant, qui sera parfait sur **la prochaine décennie, ou davantage.**

CHÂTEAU DE LA GARDINE****/*****

84230 Châteauneuf-du-Pape
Tél. 04 90 83 73 20 – Fax 04 90 83 77 24
Contact : Patrick Brunel

1995 Châteauneuf-du-Pape Cuvée Tradition	C	87-88
1994 Châteauneuf-du-Pape Cuvée Tradition	C	87
1993 Châteauneuf-du-Pape Cuvée Tradition	C	89
1992 Châteauneuf-du-Pape Cuvée Tradition	C	89+
1995 Châteauneuf-du-Pape Cuvée des Générations	E	91-93+
1994 Châteauneuf-du-Pape Cuvée des Générations	E	91

La famille Brunel élabore régulièrement, depuis la fin des années 1980, des Châteauneuf de première classe. Elle produit, dans les excellents millésimes, une Cuvée des Générations issue des plus vieilles vignes de la propriété. Il s'agit d'un vin de style « international » qui, bien que vieilli en fûts de chêne, conserve le caractère propre aux Châteauneuf-du-Pape. Ainsi, le 1990, mis sur le marché en 1993, est extraordinairement riche et profond, et présente un potentiel de garde de **20 ans.** Cette Cuvée spéciale n'a cependant pas été produite en 1992 et en 1993. L'autre cuvée, appelée Tradition, est moins boisée. Le Château de la Gardine, dont les vignes sont situées dans la partie ouest de l'appellation, à proximité du Rhône, a remarquablement réussi à la fois en 1994 et en 1995.

Le Châteauneuf-du-Pape Tradition 1995, qui n'était pas encore mis en bouteille lorsque je l'ai dégusté, est très structuré et très tannique, avec une robe rubis-pourpre et un séduisant fruité sous-jacent, mûr et doux. J'ai été surpris par la férocité de ses tannins, ainsi que par sa structure et son acidité fraîche. Il requiert une garde en cave de 4 ou 5 ans, mais se conservera ensuite parfaitement **10 à 15 ans.** Un véritable vin de garde. Impressionnant par sa robe rubis-pourpre foncé très soutenu, le Châteauneuf-du-Pape Cuvée Tradition 1994 exhale un nez élégant et épicé de melon, de cerise noire et de cassis. Moyennement corsé et modérément tannique, cet excellent vin se développe en bouche par paliers. **A maturité : 1998-2008.**

Le 1992 et le 1993 sont tous deux des vins classiques, très corsés et très riches, extraordinairement concentrés et de très belle extraction. Avec sa robe profonde et très soutenue de couleur rubis-pourpre, le 1993 déploie un nez de chêne neuf et fumé auquel se mêlent de puissants arômes de poivre et de cerise noire confiturée. Très corsé, d'une grande profondeur et modérément tannique, il se bonifiera au terme d'une garde de 2 ou 3 ans et devrait se conserver ensuite **15 ans**. Le 1992 du Château de La Gardine est un des vins les plus tanniques, les plus concentrés et les plus intenses que je connaisse de ce millésime. Si la plupart des Châteauneuf de cette année sont déjà prêts, celui de cette propriété requiert une garde supplémentaire de 2 ou 3 ans pour se bonifier, compte tenu de ses tannins extrêmement abondants. Il s'agit d'une réussite de premier ordre pour le millésime : outre sa robe très soutenue de couleur rubis-pourpre foncé et son nez très aromatique de cerise noire, d'herbes, de cuir et de grillé, ce vin très corsé révèle une excellente concentration et déploie une finale longue, épicée et fermée.

En revanche, les Châteauneuf-du-Pape blancs ne m'ont pas été présentés, peut-être parce que la famille Brunel craignait que je ne les trouve trop boisés.

Bien que peu évoluée et dense, la Cuvée des Générations 1995 arbore une robe opaque de couleur pourpre et révèle un niveau de tannins élevé, ainsi qu'une maturité, une richesse en extrait et un fruité absolument extraordinaires. Peu marqué par le chêne, il n'était pas encore mis en bouteille lorsque je l'ai dégusté, si bien qu'il dévoilera par la suite davantage d'arômes de vanille et de pain grillé. Ce vin doit être attendu encore 4 à 6 ans et devrait se conserver **20 ans, voire davantage**. La robe opaque, de couleur pourpre, du 1994 introduit un nez serré, mais naissant, de vanille douce, de chêne grillé, de cerise noire confiturée, d'herbes aromatiques et de chocolat. Riche et très corsé, avec des notes épicées et poivrées, il déploie en bouche, par paliers, des arômes riches et concentrés, ainsi qu'une finale structurée et modérément tannique. Ce vin musclé et très ample, au grand potentiel de garde, se trouvera bien de 2 ou 3 ans de cave et tiendra ensuite **15 ans, si ce n'est davantage**. Ces deux vins sont des Châteauneuf structurés, classiques, riches et superbes, que les véritables amateurs de la vallée du Rhône apprécieront particulièrement s'ils savent les attendre plusieurs années.

DOMAINE DE LA GARRIGUE****

Château Tallaud – BP 23 – 84190 Vacqueyras
Tél. 04 90 65 84 60

1990 Vacqueyras	**B**	**88**

Ce superbe Vacqueyras 1990, mis sur le marché tardivement, vous fera tomber à la renverse. M. Bernard, le propriétaire, a élaboré un vin énorme et riche, ni collé ni filtré, qui déborde littéralement de fruité et offre une finale explosive et très corsée, révélant une belle richesse en extrait et des tannins doux. Dégustez ce merveilleux Vacqueyras dans les **3 ou 4 ans**.

VINCENT GASSE****/*****

La Roche – Route Nationale 86 – 69420 Ampuis
Tél. 04 74 56 17 89
Contact : Vincent Gasse-Lafoy

1995 Côte-Rôtie Cuvée Vieilles Vignes	D	90-91
1994 Côte-Rôtie Cuvée Vieilles Vignes	D	85-87

1995 Côte-Rôtie Cuvée Classique	D	86-87 ?
1994 Côte-Rôtie Cuvée Classique	D	87-90+
1991 Côte-Rôtie Côte Brune	D	95
1990 Côte-Rôtie Côte Brune	D	89

Natif de la Loire, Vincent Gasse s'est installé à Ampuis depuis bientôt quinze ans. Ce tout petit producteur, dont les chais se situent de l'autre côté de la Route Nationale, en face de ceux de Vidal-Fleury, et dont le vignoble jouxte celui de La Landonne, est un adepte de la culture biodynamique. Il produit selon cette méthode deux cuvées entièrement issues de syrah et vieillies à 50 % au moins en fûts de chêne neuf. Ses 1995 sont tous deux vifs, acidulés, épicés et moyennement corsés, la Cuvée Vieilles Vignes déployant cependant davantage de richesse et d'intensité. A maturité : 1999-2010. La Cuvée Classique 1995 est bonne, mais n'a pas la même profondeur, la même richesse, ni des arômes de fumé et de framboise sauvage aussi intenses que la Cuvée Vieilles Vignes de cette même année. A maturité : 1998-2008.

En 1994, millésime que Vincent Gasse qualifie de « trop tannique », la Cuvée Classique se montre maigre, rugueuse et dure en bouche. Ce vin manifeste certes une assez bonne maturité, mais ses tannins sont bien trop abondants. A maturité : 1998-2006. Quant à la Cuvée Vieilles Vignes de cette même année, plus colorée, elle est aussi plus riche, plus dense et plus douce, mais, encore une fois, elle développe en finale des tannins féroces et non encore fondus. A maturité : 1999-2008.

Le Côte-Rôtie 1991 Côte Brune, de couleur pourpre tirant sur le noir, exhale un bouquet intense et prometteur de cassis confituré, d'herbes aromatiques, de lard fumé et d'épices orientales, en particulier de sauce soja. Très corsé, d'une concentration et d'une intensité exceptionnelles, il est moyennement tannique en bouche, avec une finale puissante, marquée par la mâche. Conservez-le encore 1 ou 2 ans avant de le déguster sur les 20 ans qui suivront.

Le millésime 1990 n'est pas en Côte-Rôtie aussi grandiose qu'à Saint Joseph, Crozes-Hermitage, Hermitage et Cornas. L'excellent Côte-Rôtie 1990, non filtré et vieilli à 25 % en fûts neufs, est issu pour partie de vieilles vignes de La Landonne, vignoble que Marcel Guigal et René Rostaing, voisins de Vincent Gasse, cultivent avec tant de succès. Ce vin biologique déploie un nez énorme de lard fumé, de fruits noirs grillés et d'herbes aromatiques. Épicé, riche et charnu, faible en acidité et moyennement corsé, il recèle encore un beau fruité et une maturité sous-jacente, et présente une finale douce et riche. A boire dans les 6 ou 7 ans.

JEAN-MICHEL GÉRIN***/****

19, rue de Montmain – Vérenay – 69420 Ampuis
Tél. 04 74 56 16 56 – Fax 04 74 56 11 37
Contact : Jean-Michel et Monique Gérin

1995 Côte-Rôtie Champin Le Seigneur	D	87-89+
1994 Côte-Rôtie Champin Le Seigneur	D	86

1991	Côte-Rôtie Champin Le Seigneur	D	89
1995	Côte-Rôtie Champin Junior	?	88-90
1995	Côte-Rôtie Champin Les Grandes Places	D	88-91
1994	Côte-Rôtie Champin Les Grandes Places	D	87
1991	Côte-Rôtie Champin Les Grandes Places	D	93
1993	Condrieu	D	81
1992	Condrieu	D	93

Jean-Michel Gérin s'est affirmé ces dernières années comme l'un des meilleurs producteurs de la Côte-Rôtie. Il produit en règle générale deux cuvées : une cuvée classique Champin le Seigneur et une cuvée prestige Les Grandes Places ; mais il a élaboré en 1995 une troisième cuvée, issue de très jeunes vignes, appelée Champin Junior.

Le Côte-Rôtie Champin le Seigneur 1995 se montrait moins fruité que le Champin Junior lorsque je les ai tous deux dégustés en juin 1996. Resplendissant d'une couleur rubis-pourpre très profond, le premier est bien mûr, avec des arômes de fumé, de grillé et de cassis. Également tannique et fermé, ce vin néanmoins bien doté semble posséder suffisamment de fruité, de richesse en extrait et de gras pour bien étayer sa structure. Ce ne sera certainement pas un Côte-Rôtie précoce et bien évolué à consommer dès sa diffusion ; il demandera plutôt une garde de 4 ou 5 ans avant d'être prêt et tiendra ensuite **15 ans**. De couleur pourpre foncé, le Côte-Rôtie Champin Junior est plus fruité et plus ouvert, et révèle davantage de caractère, ainsi qu'un fruité généreux, doux et succulent. Il ne sera cependant pas d'aussi longue garde et n'a pas le potentiel de complexité de la Cuvée Champin le Seigneur – il se conservera tout de même **6 à 10 ans**. Le Côte-Rôtie Les Grandes Places est toujours, de tous les crus de la propriété, le plus énorme et le plus riche, ce qui n'est pas étonnant puisqu'il est issu des meilleures parcelles ainsi que des meilleures vignes. Il s'agit d'un vin extrêmement fermé et peu évolué, d'une couleur pourpre très soutenue, moyennement corsé et aux arômes de chêne fumé, qui fait preuve d'une excellente, voire d'une exceptionnelle, concentration. Il déploie encore une pureté et une longueur admirables. Après une garde de 3 ou 4 ans, vous devriez le conserver **15 ans**.

Bien que plus souples que les 1995, les 1994 sont aussi moins bien dotés que leurs cadets, dont ils n'ont ni le fruité ni l'intensité. Outre sa robe très profondément colorée, de couleur rubis-pourpre, le Côte-Rôtie Cuvée Champin Le Seigneur 1994 exhale un nez de chêne épicé, et se montre rond et soyeux en bouche, bien mûr et richement extrait. La finale est abrupte. Ce vin ne manque pas de charme, mais j'espère qu'après un certain temps de vieillissement en bouteille il affichera plus de longueur et déploiera davantage de caractère. **A maturité : jusqu'en 2006.** Plus mûre et plus musclée, la Cuvée Les Grandes Places est aussi plus profonde en bouche que le Champin Le Seigneur. De couleur rubis-pourpre foncé, elle présente au nez des arômes d'olive noire, de cassis et de cèdre. L'attaque en bouche est douce, puissante, ferme et bien structurée, et la finale extrêmement tannique. Ce vin moyennement corsé se montrera peut-être toujours légèrement austère et musclé, mais il n'en s'agit pas moins d'une belle réussite. **A maturité : 1998-2008.**

Les Cuvées Champin Le Seigneur et Les Grandes Places 1991 sont probablement les deux Côte-Rôtie les plus impressionnants que Jean-Michel Gérin ait élaborés en presque vingt ans. Le Champin Le Seigneur arbore une robe profondément colorée et déploie de doux arômes d'herbes et de framboise. Doux, mûr et souple en bouche, il est encore faible en acidité, et présente une finale mûre et ronde. Bien qu'il ne soit pas puissant ni particulièrement concentré, il est plein de finesse, se montrant succulent et d'un caractère affable. **A boire d'ici 4 ou 5 ans.** Quant à la cuvée prestige Les Grandes Places (issue de très vieilles vignes), dont la robe opaque est de couleur rubis-pourpre, elle développe un nez absolument superbe de fruits noirs confiturés, d'épices exotiques, de fumé et de bois neuf. Riche et d'un faible niveau d'acidité, elle déploie son fruité par paliers, et présente une finale spectaculaire et longue. Il s'agit vraiment d'un Côte-Rôtie classique, voluptueux et concentré, que vous apprécierez dans les **10 à 15 ans.**

Quand on connaît l'excellence des vins de Gérin, le Condrieu 1993 surprend par son excès de bois. Sous son maquillage de chêne neuf, ce vin se montre légèrement corsé et assez mûr, mais il n'est pas intéressant. En revanche, le Condrieu 1992 est plus charnu et moins boisé, avec de généreux arômes de chèvrefeuille, de pêche et d'abricot. Moyennement corsé, très alcoolique, avec une acidité faible, il regorge d'un fruité massif et charnu, et se révèle délicieux. **A boire d'ici 1 ou 2 ans.**

DOMAINE DU GOUR DE CHAULÉ****

Quartier Sainte-Anne – 84190 Gigondas
Tél. 04 90 65 85 62 – Fax 04 90 65 82 40
Contact : Aline Bonfils

1995 Gigondas	B	87-88+
1994 Gigondas	B	85
1993 Gigondas	B	78

Cette propriété bien tenue a élaboré en 1995 un Gigondas de couleur pourpre tirant sur le noir, très jeune et moyennement corsé, avec une bonne acidité sous-jacente et un excellent potentiel. Bien que ferme et serré, il est pur et d'une belle précision dans le dessin. Serait-ce une réplique du 1978 ? **A maturité : 2000-2010.**

Quant au 1994, de couleur rubis moyennement sombre, il déploie un séduisant nez de poivre, de prune mûre et de cerise. L'attaque en bouche est excellente et montre une certaine douceur, mais ce vin moyennement corsé présente une finale extrêmement banale. **A boire dans les 3 ou 4 ans.**

Le 1993, moyennement corsé, mûr et bien vinifié, n'a cependant pas la profondeur, la puissance et l'intensité des autres vins, mieux réussis, de cette propriété. Les lecteurs devraient plutôt rechercher les excellents, voire extraordinaires, 1990 et les superbes 1989 de ce très bon producteur de Gigondas : ce sont là, en effet, des vins bien plus riches et plus complets que tout ce qui a été produit à la propriété dans les derniers millésimes.

ALAIN GRAILLOT****/*****

Domaine Les Chênes Verts – 26600 Pont-de-l'Isère
Tél. 04 75 84 67 52 – Fax 04 75 07 24 31
Contact : Alain Graillot

1995 Crozes-Hermitage Blanc	C	85
1993 Crozes-Hermitage Blanc	C	82
1992 Crozes-Hermitage Blanc	C	87
1995 Saint-Joseph	C	87-88+
1994 Saint-Joseph	C	87
1992 Saint-Joseph	C	85
1991 Saint-Joseph	C	87
1995 Crozes-Hermitage	C	88-90+
1994 Crozes-Hermitage	C	87
1992 Crozes-Hermitage	C	85
1991 Crozes-Hermitage	B	85
1995 Hermitage	D	86-87
1994 Hermitage	D	88
1992 Hermitage	D	86+
1994 Crozes-Hermitage La Guiraude	C	89
1992 Crozes-Hermitage La Guiraude	C	87
1991 Crozes-Hermitage La Guiraude	C	87

On a peine à croire qu'Alain Graillot, qui s'impose aujourd'hui comme le chef spirituel et la référence qualitative d'une nouvelle génération de viticulteurs, dont la plupart exercent dans les appellations de moindre prestige comme Saint-Joseph et Crozes-Hermitage, n'a débuté, certes brillamment, qu'en 1985. Il élabore régulièrement quelques-uns des vins les plus fins et les plus raisonnablement cotés du nord de la vallée du Rhône, et ses deux meilleurs millésimes à ce jour sont 1989 et 1990 (il a produit cette année-là des vins véritablement profonds, comme d'ailleurs d'autres vignerons d'Hermitage et de Crozes-Hermitage). Ses 1994 sont excellents, et ses 1995 semblent tout aussi prometteurs, peut-être même de qualité supérieure.

Le seul vin blanc du millésime 1995 que j'aie dégusté est le Crozes-Hermitage. Composé à 80 % de marsanne et à 20 % de roussanne, il est mûr et crémeux en bouche, unidimensionnel mais fruité, avec des arômes d'agrumes. **A boire d'ici 1 ou 2 ans.**

En 1995, les rendements furent très restreints (de 10 à 25 % inférieurs à ceux de 1994), et la récolte, extrêmement mûre, donna des vins à l'acidité étonnamment élevée. En fait, Alain Graillot m'a dit n'avoir jamais vu de raisins aussi mûrs avec une telle acidité, ce que j'ai d'ailleurs remarqué pour d'autres Côtes-du-Rhône de ce même millésime. D'un noir d'encre, le Saint-Joseph 1995 exhale un nez classique de cassis mûr, de fumé et de minéral. Frais, avec une bonne acidité, il montre encore une belle précision dans le dessin, et présente un caractère peu évolué et tannique. Il me semble assez similaire au 1988. S'il requiert plusieurs années de garde avant d'atteindre la pointe de sa maturité, il devrait bien tenir environ **une dizaine d'années**. La cuvée prestige La Guiraude 1995 n'était pas encore sélectionnée en juin 1996, lorsque j'ai dégusté au domaine, mais, dans l'ensemble, le Crozes-Hermitage me paraît superbe, avec un nez de poivre noir, d'herbes, d'olive et de cassis. Moyennement corsé et extraordinairement riche, il est extrêmement tannique, avec une acidité fraîche. Ce vin jeune et peu évolué a du ressort ; il s'arrondira d'ici 3 ou 4 ans. **A boire dans les 10 à 15 ans.** Pour une raison qui m'échappe, l'Hermitage 1995 m'a paru moins impressionnant et moins coloré que le Saint-Joseph ou le Crozes-Hermitage. Avec son nez de fumé et de lard, et ses arômes doux, mûrs et fruités en bouche, il révèle une acidité élevée qui semble exacerber sa finale tannique, rugueuse et anguleuse. Je pense qu'il est en fait bien meilleur que ne le suggèrent mes notes de dégustation, mais il était extrêmement difficile à percer et à évaluer lorsque je l'ai goûté, en juin 1996.

Souples, soyeux et doux, les 1994 sont tous impressionnants, élégants et déjà délicieux. Alain Graillot a produit dans ce millésime des vins aux parfums intenses, qui déploient tous des bouquets aux arômes de poivre, d'olive noire, de cassis et de pain grillé. Le Saint-Joseph 1994 est un parfait exemple de ce que peut donner une vinification de qualité. De couleur rubis-pourpre, débordant d'arômes de cassis, ce vin délicieux devrait être acheté en grande quantité – si d'aventure vous arrivez à en trouver. Le Crozes-Hermitage de cette même année révèle un nez charnu, et se montre doux et soyeux en bouche, où il laisse une belle impression d'élégance et de style. Il se conservera parfaitement 6 ou 7 ans... mais il est difficile de résister à son charme. Le Crozes-Hermitage La Guiraude 1995, la meilleure cuvée de Graillot, arbore une robe opaque de couleur rubis-pourpre qui introduit au nez des senteurs énormes et douces d'herbes aromatiques, de cassis, de réglisse et de fumé. Rond, riche et moyennement corsé, ce vin gras est expressif et très riche. **A boire dans les 10 ans.** L'Hermitage 1994 (entièrement issu du vignoble des Greffieux et dont il n'a été produit que 50 caisses) est rubis foncé, avec un nez très doux de fumé et de cassis. Souple, élégant et d'une grande finesse, il est mûr et joliment long en bouche. Cet Hermitage-là n'est jamais massif, comme ceux de Jaboulet (La Chapelle), de Chave ou encore de Michel Chapoutier (Le Pavillon), mais il ne faut en aucun cas le sous-estimer. Il devrait être prêt d'ici 1 ou 2 ans et se conservera **12 à 15 ans.**

Le Crozes-Hermitage Blanc 1993 est léger, plaisant et simple. Moyennement corsé, avec des arômes d'agrumes, il offre une finale vive, nette et courte. **A boire dans les 2 ou 3 ans.** En revanche, le 1992, millésime où la vendange fut rentrée avant que des pluies diluviennes ne s'abattent sur le vignoble, exhale des arômes exotiques de miel, d'abricot et de pêche. Gras, riche et onctueux en bouche, il déploie une finale puissante et corpulente, bien glycérinée et très alcoolique. Un vin énorme et dense, à boire dans les **2 ou 3 ans.**

Les vins rouges d'Alain Graillot ne sont pas en 1992 aussi profonds qu'en 1991, 1990 ou 1989. Ils n'en sont pas moins bien vinifiés, ronds et souples, et seront agréables à consommer ces prochaines années. Le Crozes-Hermitage 1992, moyennement corsé, révèle un nez épicé et mûr de cassis, et une finale modérément tannique. **A boire d'ici 4 ou 5 ans.** Quant au Crozes-Hermitage La Guiraude de la même année, davantage marqué par des notes de chêne neuf et grillé, il présente un nez de cerise noire et d'herbes. Richement fruité et doux, avec une acidité faible, il déploie une finale aux tannins légers. **A boire dans les 6 ou 7 ans.**

Légèrement corsé, élégant et racé, le Saint-Joseph 1992 demeurera plaisant ces **4 ou 5 prochaines années.**

Je n'ai jamais été un grand admirateur des Hermitage de Graillot, et, bien que son 1992, moyennement corsé, soit poivré, épicé et tannique, il ne possède pas la profondeur et l'intensité que l'on serait en droit d'attendre des meilleurs crus de cette appellation renommée. Conservez ce vin encore **2 ou 3 ans** (j'espère que son fruité ne se fanera pas) et dégustez-le dans les **5 ou 6 ans** qui suivront.

Le Crozes-Hermitage 1991, moyennement corsé, présente un nez épicé, fumé et mûr de cassis, et révèle des tannins doux, ainsi qu'une finale souple et fruitée. **A boire d'ici 3 ou 4 ans.** Quant au Crozes-Hermitage La Guiraude 1991, plus dense et plus marqué par des arômes de vanille et de grillé du fait de son vieillissement en fûts de chêne neuf, il est moyennement corsé, modérément tannique et plus concentré en bouche. Bien qu'il soit suffisamment souple pour être bu maintenant, il se conservera encore **8 à 10 ans.** Si vous recherchez une grande élégance et une texture souple et satinée, tournez-vous vers le Saint-Joseph 1991 d'Alain Graillot. Quiconque étudierait le millésime 1991 dans le nord de la vallée du Rhône se rendrait compte que les vins de la rive gauche (à l'ouest) sont de meilleur niveau que ceux de la rive droite. Il s'agit de l'une de ces anomalies que l'on ne peut détecter qu'après une dégustation exhaustive. Les Saint-Joseph 1991 sont des vins délicieux, tout comme les Côte-Rôtie et Condrieu du même millésime. Celui d'Alain Graillot en particulier, très riche et moyennement corsé, présente, outre de généreux arômes de cerise noire et de cassis, des tannins légers et une finale capiteuse, opulente et longue. **A boire d'ici 3 ou 4 ans.**

DOMAINE GRAMENON*****

26770 Montbrison
Tél. 04 75 53 57 08
Contact : Philippe ou Michèle Laurent

1995 Côtes-du-Rhône	A	87
1992 Côtes-du-Rhône	A	89
1991 Côtes-du-Rhône	A	87
1990 Côtes-du-Rhône	A	88
1995 Côtes-du-Rhône Cuvée Syrah	A	90
1991 Côtes-du-Rhône Cuvée Syrah	A	90
1995 Côtes-du-Rhône Cuvée Laurentides	A	90
1992 Côtes-du-Rhône Cuvée Laurentides	A	92
1991 Côtes-du-Rhône Cuvée Laurentides	A	89
1995 Côtes-du-Rhône Cuvée Ceps Centenaires	A	92

1990 Côtes-du-Rhône Cuvée Ceps Centenaires	A	92
1995 Côtes-du-Rhône Cuvée Sagesse	A	89
1995 Côtes-du-Rhône Cuvée Pascal	A	93
1993 Côtes-du-Rhône Viognier	B	88

Le Domaine Gramenon est l'une des toutes meilleures propriétés de la vallée du Rhône méridionale, et j'ai souvent écrit, avec affection, au sujet des vins qui y sont produits. Située dans la partie la plus septentrionale de la zone méridionale de l'appellation, non loin du village de Vinsobres, cette exploitation de 15 ha est cultivée selon des normes biologiques par Philippe Laurent et son épouse Michèle, qui ont d'ailleurs le projet d'étendre sa superficie à 25 ha. Philippe Laurent élabore des Côtes-du-Rhône qui sont au nombre des plus somptueux, des plus francs et des plus irrésistibles. Tous sont issus de vendanges très mûres et mis en bouteille manuellement, sans collage ni filtration, avec un sulfitage extrêmement léger. Ce sont les vins d'un véritable artiste. Je les ai servis à l'aveugle à des hôtes qui, avant que je ne les détrompe, pensaient tous déguster soit un excellent grand cru de Bourgogne, soit un des plus grands crus de la vallée du Rhône en valant six fois le prix. Incidemment, la pancarte rouillée que l'on peut voir près des chais Gramenon indique tout simplement « vin du raisin », une lapalissade qui reflète à maints égards la philosophie d'intervention minimaliste que l'on y pratique en matière de vinification. Une visite du vignoble démontre clairement pourquoi autant de vins merveilleux en sont issus : on y respecte des rendements faibles et l'on y trouve également des vignes incroyablement âgées, dont une parcelle de grenache de plus de 100 ans d'âge.

Les 1995 du Domaine Gramenon sont les vins les mieux réussis depuis les fabuleux 1990.

Entièrement issu de grenache, presque bourguignon avec son nez animal, de fumé et de pinot noir, le Côtes-du-Rhône 1995 déborde de senteurs de cerise noire, et se montre ample, doux et d'une admirable pureté en bouche. Rafraîchissant et délicieusement fruité, il laisse encore au palais une impression veloutée. **A boire d'ici 1 ou 2 ans.** Quant au 1992, il exhale un nez luxuriant de chocolat fondu, de cassis mûr mêlé de notes de fumé et de grillé. Ample, fabuleusement gras et de belle extraction, ce vin merveilleusement riche et extraordinairement concentré montre beaucoup d'opulence. **A boire dans les 4 ou 5 ans.** Composé à 80 % de grenache et à 10 % chacun de syrah et de mourvèdre, le Côtes-du-Rhône 1991 révèle une robe imposante et profonde de couleur rubis-pourpre et déploie un nez épicé, chocolaté et poivré. Merveilleusement riche en bouche, il y libère de profonds arômes de fruits rouges marqués par la mâche, et la finale est longue, mûre et capiteuse. **A boire dans les 2 ou 3 ans.** Le Côtes-du-Rhône 1990, issu de vignobles sous culture biologique à proximité de Valréas, est riche, avec un nez énorme de fruits noirs, d'herbes aromatiques et de fruits secs à noyau. On distingue en bouche, outre des arômes doux, amples et très corsés, une merveilleuse pureté et un bel équilibre. La finale est fabuleusement longue et capiteuse. Composé à 70 % de grenache et pour le reste d'un mélange de cinsault, de syrah et de mourvèdre, ce vin est mis en bouteille sans collage ni filtration, si bien qu'il est possible qu'un dépôt s'y forme si vous le conservez plus de **2 ans encore.**

Avec une robe rubis-pourpre plus foncée et plus opaque que celle de la cuvée générique de la même année, la Cuvée Syrah 1995 exhale de séduisants arômes de cassis marqués d'une légère touche de prune et d'une petite pointe de senteurs de Provence et de garrigue. Doux et ample, merveilleusement riche et opulent, ce vin pur et moyennement corsé se dévoile en bouche par couches successives. **A boire dans les 5 ou 6 ans.** La Cuvée Syrah 1991 pourrait, quant à elle, éclipser nombre de 1990, pourtant issus d'un très grand millésime. Obtenir une robe aussi profonde, une telle concentration d'arômes et une aussi grande complexité de la syrah dans la vallée du Rhône méridionale en 1991 n'était vraiment pas tâche aisée. Mais la robe opaque et sombre de couleur prune-pourpre de ce vin indique bien qu'il n'a subi ni collage ni filtration. Son nez énorme de fumé, de truffe noire et de cassis est absolument renversant, et j'ai trouvé encore plus irrésistible sa richesse luxuriante qui se développait en bouche par paliers. Moyennement corsé et velouté, très fruité, avec une finale explosive, il est somptueux. Déjà prêt, il devrait encore évoluer de belle manière sur les **5 ou 6 ans** qui viennent.

La Cuvée Laurentides 1995 est composée à 70 % de grenache et à 30 % de syrah. C'est un vin de couleur rubis-pourpre foncé aux doux arômes de cerise noire très mûre, d'herbes provençales, de minéral et de fleurs, qui se montre tout à la fois dense, très corsé, de bonne mâche et superbe en milieu de bouche. Riche et somptueux, il devrait se maintenir **4 ou 5 ans.** La Cuvée Laurentides 1992 (75 % de grenache et 25 % de syrah), vieillie à 50 % en fûts neufs, est spectaculaire, avec un nez merveilleux, énorme et exotique de cerise noire et de framboise sauvage marqué par des notes de café, de bois de noyer et de cèdre. D'une précision dans le dessin vraiment exceptionnelle, avec un généreux fruité qu'il déploie par couches successives, ce vin sensuel et superbement riche représente une des affaires les plus extraordinaires sur le marché actuel. **A boire dans les 6 ou 7 ans.** Composée à 90 % de grenache et pour le reste de syrah, la Cuvée Laurentides 1991 exhale un nez explosif de fruits noirs, de cèdre, d'herbes et de réglisse. Bien riche et bien mûre, très corsée, avec des tannins doux, elle présente une finale étonnamment longue. **A boire dans les 2 ou 3 ans.**

La Cuvée Ceps Centenaires 1995 est absolument prodigieuse. Issue de vignes de grenache de plus de 100 ans d'âge situées sur un plateau très élevé, elle s'impose comme un vin exotique, luxuriant et riche, qui me rappelle furieusement le Château Rayas de feu Jacques Reynaud. Un sommet d'hédonisme, de luxuriance, de maturité et de richesse. Son intensité, semblable à celle d'un kirsch, se développe en bouche par paliers et révèle un vin extrêmement pur et étonnamment mûr, incroyablement somptueux et merveilleux à la dégustation, qui devrait se maintenir **4 ou 5 ans.** La Cuvée Ceps Centenaires n'a pas été produite en 1992, le fruit de ce vignoble ayant été inclus dans la cuvée générique et dans la Cuvée Laurentides, mais le 1990, issu de vignes de grenache vieilles de 110 ans, est un vin extrêmement massif et très remarquable, que je paierais volontiers 100 F la bouteille. Avec une robe opaque et très soutenue de couleur rubis-pourpre foncé, et un nez qui jaillit littéralement du verre, offrant des arômes doux et confiturés de kirsch, de noyer, de cacahuète grillée et enrobée de chocolat, il se montre onctueux, riche et épais – et me rappelle encore les Châteauneuf spectaculaires du Château Rayas. C'est vraiment un Côtes-du-Rhône incroyable, même si l'on prend en compte les très petits rendements et l'âge des vignes. On peut supposer, sans hésiter, que, s'il avait été produit en Bourgogne ou à Bordeaux, il serait proposé à 300 ou 400 F la bouteille et que nul ne tiquerait. **A boire dans les 10 à 12 ans.**

La Cuvée Sagesse 1995, composée à 95 % de grenache et à 5 % de syrah, affiche une ampleur et une intensité aromatiques bien caractéristiques des vins du Domaine Gramenon. L'attaque en bouche révèle un fruité riche marqué par les fruits rouges. Ce vin soyeux, velouté et très corsé est également merveilleusement pur et expressif. Bien rond, délicieux et fabuleusement équilibré, il tiendra parfaitement encore **4 ou 5 ans.**

Sélectionnée en hommage à un ami très cher aujourd'hui décédé, la Cuvée Pascal est entièrement issue de grenache vendangé le 1er novembre 1995 et présente un caractère de surmaturité. Ceux qui n'ont pas l'habitude de Côtes-du-Rhône aussi riches, aussi mûrs et aussi concentrés pourraient la comparer aux Zinfandel massifs que l'on produit en Californie à partir de vendanges tardives. Bien qu'il titre 16,5° d'alcool naturel, ce vin ne brûle pas grâce à son extraordinaire richesse et à sa maturité. J'ai aussi été littéralement époustouflé par son généreux fruité de cerise noire. Étonnamment pur et soyeux, il se développe en bouche par paliers. **A maturité : jusqu'en 2007.**

Enfin, le Côtes-du-Rhône Viognier 1993 du Domaine Gramenon illustre bien les sommets que peut atteindre ce cépage dans la vallée du Rhône. Libérant un fabuleux nez de fruits tropicaux et de senteurs florales et printanières, il manifeste un caractère très corsé et très opulent. La texture est douce, et la finale capiteuse et alcoolique. **A boire cette année.**

CHÂTEAU DU GRAND PRÉBOIS****

Château de Beaucastel – Chemin de Beaucastel – 84350 Courthézon
Tél. 04 90 70 41 00 – Fax 04 90 70 41 19
Contact : Jean-Pierre et François Perrin

1995 Côtes-du-Rhône	A	87-88
1994 Côtes-du-Rhône	A	86
1993 Côtes-du-Rhône	A	86

Le Château du Grand Prébois appartient à François et Jean-Pierre Perrin, que l'on associe le plus souvent au Château de Beaucastel et à La Vieille Ferme. Il donne des Côtes-du-Rhône classiques, nets, richement fruités et moyennement corsés, qui doivent normalement être dégustés dès leur diffusion, mais qui peuvent aussi être conservés 3 ou 4 ans.

Épais et profondément coloré, le Côtes-du-Rhône 1995 est gras et souple, mûr et alcoolique, avec un fruité concentré. Ce vin merveilleusement doté devrait bien tenir **6 ou 7 ans.** Il s'agit en fait du meilleur millésime que je connaisse de cette propriété, même si le 1994 représente lui aussi une excellente affaire. En effet, ce Côtes-du-Rhône 1994, composé à 70 % de grenache et à 15 % chacun de syrah et de mourvèdre, est absolument délicieux avec son doux bouquet de fruits rouges. C'est un vin élégant, que vous apprécierez ces **2 ou 3 prochaines années.**

Arborant un resplendissant rubis-pourpre, le 1993 déploie au nez des senteurs herbacées et poivrées de fruits rouges, et présente en bouche des arômes de fraise et de framboise, ainsi que des tannins légers et poussiéreux en finale. **A boire dans les 3 à 5 ans.**

DOMAINE GRAND ROMANE***

84190 Gigondas
Tél. 04 90 65 84 08 – Fax 04 90 65 82 14
Contact : Pierre Amadieu

1995 Gigondas	A	85-86
1994 Gigondas	A	78

Ce Gigondas 1995 est l'un des moins concentrés et des moins impressionnants que je connaisse de ce millésime de bonne tenue. Bien qu'il soit correctement vinifié, avec un fruité net et moyennement corsé, il doit être bu avant d'avoir atteint **5 ou 6 ans d'âge.**

Quant au 1994, maigre et herbacé, il présente une robe trop évoluée et manque d'intensité et de gras. **A boire rapidement.**

DOMAINE DU GRAND TINEL***

BP 58 – 84230 Châteauneuf-du-Pape
Tél. 04 90 83 70 28 – Fax 04 90 83 78 07
Contact : Christiane Jeune

1995 Châteauneuf-du-Pape	C	86-87
1994 Châteauneuf-du-Pape	C	87
1993 Châteauneuf-du-Pape	C	86
1992 Châteauneuf-du-Pape	C	85

Voici une propriété qui produit, quel que soit le millésime, des Châteauneuf-du-Pape authentiques, généreux, aux arômes de poivre, de cacahuète grillée et de kirsch, et au caractère très alcoolique, mais savoureux et ample. Malheureusement, Élie Jeune a la fâcheuse habitude de procéder à leur mise en bouteille au fur et à mesure des ventes.

Le 1992, très corsé, charnu et bien doté, exhale un nez très caractéristique d'olive, d'herbes et de groseille, tout en montrant un caractère alcoolique et bien glycériné. **A boire dans les 4 ou 5 ans.**

Le 1993, très accessible, est un vin charnu, corpulent et très alcoolique qui, tout en manquant de tenue, peut se révéler intéressant. Il faut cependant le boire **d'ici 4 à 6 ans.**

Le 1994 possède les qualités traditionnelles du domaine énumérées plus haut, auxquelles s'ajoutent une texture veloutée et un caractère très alcoolique. **A boire dans les 6 ou 7 ans.** Il s'agit de plus d'un Châteauneuf idéal à consommer au restaurant.

Fait du même métal, mais plus structuré grâce à une acidité plus élevée, le Châteauneuf-du-Pape 1995 est épicé, mûr et généreusement doté. Très corsé, il est gratifiant sans être complexe. **A boire dans les 6 ou 7 ans.**

DOMAINE DU GRAND VENEUR***

Route de Châteauneuf-du-Pape – 84100 Orange
Tél. 04 90 34 68 70 – Fax 04 90 34 43 71
Contact : Alain Jaume

1995 Châteauneuf-du-Pape	B	87-88
1994 Châteauneuf-du-Pape	B	84
1995 Côtes-du-Rhône-Villages Vieilles Vignes	A	86
1994 Côtes-du-Rhône-Villages Vieilles Vignes	A	85

Alain Jaume produit au Domaine du Grand Veneur des vins toujours plus richement extraits, plus complexes et d'une qualité qui va toujours s'améliorant. Il me semble cependant que son Châteauneuf-du-Pape 1994 était légèrement plus concentré avant la mise en bouteille ; je crois que le collage et la filtration sont à blâmer, une fois encore. Moyennement corsé, avec un fruité mûr de cerise noire, il offre une attaque en bouche assez douce et se développe joliment au palais. La finale est sèche et vive, avec des tannins bien adoucis. **A maturité : jusqu'en 2000.** Plus gras, plus richement extrait et plus alcoolique, le Châteauneuf-du-Pape 1995 révèle un fruité plus doux et plus mûr, ainsi qu'un caractère glycériné plus important. Mais ce vin ne sera-t-il pas dépouillé au moment de la mise ?

Alain Jaune produit également un Côtes-du-Rhône-Villages savoureux, poivré et fruité, qu'il propose à prix très avantageux. Le 1994 et le 1995 présentent tous deux un généreux et doux fruité de cerise, le premier étant plus marqué par des notes herbacées, tandis que le second se montre légèrement plus mûr, avec une meilleure acidité d'ensemble. **A boire dans les 2 ou 3 ans.**

DOMAINE DU GRAPILLON D'OR***

Le Péage – 84190 Gigondas
Tél. 04 90 65 66 37 – Fax 04 90 65 82 99
Contact : Bernard Chauvet

1995 Gigondas	C	85-87
1994 Gigondas	C	85-86
1993 Gigondas	C	84
1992 Gigondas	C	73

Arborant une robe dense de couleur pourpre, le Gigondas 1995 libère des arômes doux et sans détour de mûre et de cerise. Moyennement corsé, il montre une grande richesse. Pur et long, il est bien marqué par la mâche et devrait s'imposer comme un excellent Gigondas au potentiel de garde de **10 ans environ.**

Plus doux, le 1994 arbore une couleur prune-grenat et déploie de douces senteurs de cerise noire. Moyennement corsé et plaisant, il est rond, sans détour, mais gratifiant. **A boire avant qu'il n'ait atteint 5 ou 6 ans d'âge.**

Le 1993, léger, plaisant, moyennement corsé et doux, doit être consommé dans les **5 ou 6 ans.**

Quant au 1992, il affiche une couleur grenat légère et poussiéreuse, caractéristique du millésime, et présente un fruité de raisin. Légèrement corsé, il déploie une finale alcoolique.

JEAN-LOUIS GRIPPAT***/****

07300 Tournon
Tél. 04 75 08 15 51 – Fax 04 75 07 00 97
Contact : Jean-Louis Grippat

1994 Hermitage Rouge	D	87
1994 Hermitage Blanc	D	89
1992 Hermitage Blanc	D	88
1994 Saint-Joseph Blanc	C	87
1992 Saint-Joseph Blanc	C	86
1994 Saint-Joseph Rouge	C	85 ?
1992 Saint-Joseph Rouge	C	73
1994 Saint-Joseph Vignes de l'Hospice Rouge	C	86

J'ai toujours été un fervent admirateur des très beaux vins blancs de Jean-Louis Grippat, ainsi que de ses vins rouges racés.

Son Saint-Joseph Blanc 1994, aux arômes de miel et d'abricot, est moyennement corsé et merveilleusement pur, avec un caractère doux et succulent qui donne à penser qu'il doit être consommé dans les **toutes prochaines années.** Plus marqué par des notes de miel et d'agrumes, l'Hermitage Blanc 1994 est extraordinairement mûr et riche, déployant son fruité onctueux par paliers. Très puissant et très intense, il est cependant faible en acidité et devra être bu **d'ici 4 ou 5 ans.**

Le Saint-Joseph Rouge 1994 aurait incontestablement mérité une meilleure note si ce n'était son nez végétal, aux notes de poivre vert, qui le fait davantage ressembler à un Chinon de la vallée de la Loire qu'à un vin de la vallée du Rhône septentrionale. Cependant, une fois passé les notes végétales, ce vin exhale un généreux fruité de cassis ; ceux d'entre vous qui apprécient les Saint-Joseph intensément herbacés goûteront ce vin plus que moi. **A maturité : jusqu'en 2001.** Le Saint-Joseph Vignes de l'Hospice Rouge 1994, issu d'un des vignobles les plus pentus et les mieux exposés de l'appellation, arbore une robe sombre de couleur rubis et déploie de séduisants arômes de cerise noire, d'herbes et de fumé. Élégant, rond et moyennement corsé, il déborde littéralement de fruité et de charme. **A boire d'ici 3 à 5 ans.** L'Hermitage Rouge 1994 de Grippat est l'un des rares vins de cette appellation qui puisse être dégusté dans sa jeunesse. D'une grande finesse, avec une acidité faible, il est souple, richement fruité (un océan de cassis), rond, généreux et flatteur.

Moyennement corsé et très concentré, il est assez tannique, mais l'impression d'ensemble est surtout celle d'un fruité doux et bien évolué. **A boire dans les 10 ans.**

Jean-Louis Grippat a également produit deux excellents vins blancs en 1992. Il a toujours fait preuve d'une grande habileté dans ses vinifications de blancs, si bien qu'il n'est pas étonnant de trouver dans son Saint-Joseph un nez de fleurs, de miel et de fruits tropicaux. En bouche, des arômes moyennement corsés et goûteux révèlent une belle profondeur, une faible acidité et une maturité admirable. **A boire dans les 2 ou 3 ans.** Avec son nez de fleurs, de miel et d'ananas, l'Hermitage Blanc 1992 est onctueux, épais et gras en bouche. Faible en acidité, il présente une excellente finale, puissante et alcoolique. Il s'agit d'un vin à la fois massif et fragile, si bien que je conseillerais vivement de le déguster dans les 2 ou 3 ans qui viennent.

En revanche, le Saint-Joseph Rouge 1992 est végétal, dilué et sans détour. Trop herbacé pour mon goût, il manque de maturité et de profondeur. **A boire d'ici 2 ou 3 ans.**

DOMAINE DE LA GUICHARDE*****

84430 Mondragon
Tél. 04 90 30 17 84 – Fax 04 90 40 05 69
Contact : Armand Guichard

1992 Côtes-du-Rhône Les Genests	A	86
1991 Côtes-du-Rhône Les Genests	A	86

Le Domaine de la Guicharde est incontestablement l'une des meilleures propriétés de la vallée du Rhône. On y a produit en 1992, millésime pour le moins difficile, une cuvée admirable.

Issue de rendements de 25 hl/ha et composée à 60 % de grenache et à 40 % de syrah, la cuvée Les Genests 1991 arbore une belle robe rubis-pourpre et déploie un excellent bouquet de framboise sauvage, de poivre et d'herbes aromatiques. Moyennement corsée, avec des tannins doux, elle est parfaitement mûre, avec un caractère riche, généreux et ample. Dégustez ce Côtes-du-Rhône goûteux **dans l'année.**

S'il n'a pas la concentration des 1989 et 1990, le Côtes-du-Rhône Les Genests 1992 présente des arômes mûrs de cerise noire. Moyennement corsé, il est souple et modérément intense en bouche. Ce vin juteux, marqué par des notes davantage fruitées qu'épicées, est composé à 70 % de grenache et à 30 % de syrah. Il a été mis en bouteille sans filtration, ce qui est usuel à la propriété. **A boire d'ici 1 ou 2 ans.**

GUIGAL*****

E. Guigal SA – Château d'Ampuis – 1, route de Taquières – 69420 Ampuis
Tél. 04 74 56 10 22 – Fax 04 74 56 18 76
Contact : Marcel, Bernadette ou Philippe Guigal

1995 Côtes-du-Rhône Blanc	A	86
1993 Côtes-du-Rhône Blanc	A	86
1992 Côtes-du-Rhône Blanc	A	85
1995 Condrieu	D	87-90
1994 Condrieu	D	88
1993 Condrieu	D	89
1992 Condrieu	D	88
1995 Condrieu La Doriane	E	92-95
1994 Condrieu La Doriane	E	94
1995 Hermitage Blanc	D	88-90
1992 Hermitage Blanc	D	85
1991 Hermitage Blanc	D	87
1990 Hermitage Blanc	D	89
1994 Côtes-du-Rhône Rouge	A	87
1993 Côtes-du-Rhône Rouge	A	83
1991 Côtes-du-Rhône Rouge	A	82
1990 Côtes-du-Rhône Rouge	A	88
1992 Gigondas	C	87
1990 Gigondas	C	87+
1994 Châteauneuf-du-Pape	C	86-87
1991 Châteauneuf-du-Pape	C	85
1990 Châteauneuf-du-Pape	C	90
1989 Châteauneuf-du-Pape	C	88
1994 Hermitage Rouge	D	90-92
1993 Hermitage Rouge	D	87-89
1992 Hermitage Rouge	D	86
1991 Hermitage Rouge	D	88
1990 Hermitage Rouge	D	94
1989 Hermitage Rouge	D	90
1994 Côte-Rôtie Brune et Blonde	D	90-91
1993 Côte-Rôtie Brune et Blonde	D	75-80
1992 Côte-Rôtie Brune et Blonde	D	87
1991 Côte-Rôtie Brune et Blonde	D	90
1990 Côte-Rôtie Brune et Blonde	D	90
1989 Côte-Rôtie Brune et Blonde	D	90
1995 Côte-Rôtie Château d'Ampuis	E	90-92
1995 Côte-Rôtie La Mouline	EE	94-96
1994 Côte-Rôtie La Mouline	EE	92-95

1993 Côte-Rôtie La Mouline	EE	89
1992 Côte-Rôtie La Mouline	EE	86
1991 Côte-Rôtie La Mouline	EE	100
1990 Côte-Rôtie La Mouline	EE	99
1995 Côte-Rôtie La Landonne	EE	94-96+
1994 Côte-Rôtie La Landonne	EE	91-93+
1993 Côte-Rôtie La Landonne	EE	87
1992 Côte-Rôtie La Landonne	EE	88
1991 Côte-Rôtie La Landonne	EE	100
1990 Côte-Rôtie La Landonne	EE	100
1995 Côte-Rôtie La Turque	EE	91-93
1994 Côte-Rôtie La Turque	EE	88-90
1993 Côte-Rôtie La Turque	EE	88
1992 Côte-Rôtie La Turque	EE	87
1991 Côte-Rôtie La Turque	EE	100
1990 Côte-Rôtie La Turque	EE	98

Mes lecteurs de longue date connaissent bien le génie de Marcel Guigal – cela fait maintenant près de vingt ans que je ne cesse de vanter les mérites de ses vins. Je trouve d'ailleurs particulièrement remarquable que cet homme, qui est aujourd'hui à la tête d'un empire (à la fois sur terre et souterrain) dans son minuscule village d'Ampuis, demeure aussi attaché à la qualité qu'il l'était en 1978, lorsque je l'ai connu. Plus il est comblé d'honneurs, plus il semble se surpasser pour prouver les sommets auxquels il peut amener les vins de la vallée du Rhône – qu'il s'agisse d'un Côtes-du-Rhône à 40 F ou d'une Mouline, d'une Landonne ou d'une Turque à 600 F.

La qualité vins blancs génériques, en particulier les Côtes-du-Rhône, va toujours s'améliorant, bien qu'il ait été plus difficile d'en produire de concentrés et mûrs en 1992 et 1993 qu'en 1990 ou en 1995. Ainsi, le Côtes-du-Rhône Blanc 1995, tirant le meilleur parti du viognier et de la roussanne, se révèle délicieux et richement fruité. Ce vin, qui est toujours composé à 20 ou 25 % de viognier, comprend encore 30 % de roussanne, une proportion de grenache blanc ainsi que d'autres cépages autorisés dans la région. Il exhale un nez de pêche et de chèvrefeuille et se montre moyennement corsé, avec un fruité généreux, une texture douce et soyeuse, ainsi qu'une remarquable fraîcheur. **A boire dans l'année.** Les 1992 et 1993 sont mûrs, avec un fruité élégant. Moyennement corsés, ils libèrent des senteurs de chèvrefeuille et se montrent de bonne mâche en bouche, grâce au viognier qu'ils contiennent (20 %). J'ai préféré le 1993, plus frais, au 1992, moyennement corsé et goûteux. **A boire maintenant.**

Les Condrieu de Guigal sont fermentés pour un tiers en fûts neufs et pour le reste en cuves, et ensuite assemblés. Le 1995, dont l'assemblage n'était pas encore fait lorsque j'ai dégusté au domaine en juin 1996, me semble excellent. Il libère des parfums enivrants de fleurs, de pêche et de miel, et se montre moyennement corsé, avec une bonne acidité et un généreux fruité frais et vibrant (certaines cuvées présentaient même des notes de pamplemousse). Léger, délicieux et assez ample, il sera très agréable dans les **3 ou 4 ans** qui viennent. Le Condrieu 1994, élégant, gras, riche et mielleux, est moyennement corsé, et présente un fruité généreux et vif d'abricot et de pêche. Bien qu'il ne possède pas l'intensité ni la longueur de La Doriane, il est excellent. **A maturité : jusqu'en 2000.** Le 1993 devrait, quant à lui, se révéler aussi bon que le 1992, sans atteindre le niveau du 1991. Il déploie un caractère gras séduisant et mielleux, se révèle moyennement corsé, de bonnes – plutôt que de grandes – longueur et profondeur. Merveilleusement frais et élégant, il doit être consommé **d'ici 1 an.** L'excellent Condrieu 1992, moyennement corsé, présente un merveilleux nez de miel et de fleurs. Parfaitement mûr, avec une bonne acidité, il est encore admirablement profond. **A boire dans l'année.**

Marcel Guigal a acquis, il y a maintenant trois ans, deux des meilleurs vignobles de Condrieu (La Côte Châtillon et La Roche Coulante Colombier). De leur union est née La Doriane, dont la production annuelle est d'environ 10 000 bouteilles. Ce cru, issu de vignes de 15 ans d'âge environ, est fermenté pour moitié dans des fûts neufs et pour l'autre en cuve, l'assemblage se faisant au moment de la mise. Le millésime de lancement fut le 1994, et, aussi délicieux que puisse paraître ce dernier vin à l'ouverture de la bouteille, il acquiert toujours, au terme d'une aération de dix à quinze minutes, une richesse, une intensité et une complexité plus étonnantes encore. Extrêmement corsé et onctueux en bouche, il déploie un nez énorme de fleurs, d'abricot confit et de pêche qui ne révèle aucun signe de fermentation en fût. Sa concentration est bien étayée par une acidité suffisante qui lui confère de la fraîcheur et une belle précision dans les arômes et le dessin. Il s'agit pour moi d'un des tout meilleurs Condrieu de ce millésime, qui peut même rivaler avec ceux, grandioses, d'Yves Cuilleron, de Georges Vernay et d'André Perret. **A boire dans les 2 ou 3 ans.** Le Condrieu La Doriane 1995 est spectaculaire, avec son nez renversant de minéral, de réglisse, de miel et de pêche mûre. Très corsé, soyeux en bouche, il y déploie son merveilleux fruité par paliers et offre une finale sèche et opulente. Absolument exquis, il s'impose comme l'un des meilleurs prétendants au titre de réussite du millésime pour l'appellation. Compte tenu de l'évolution du 1994, je pense que le potentiel de garde du 1995 devrait être plus important que je ne l'imaginais, soit de **4 à 6 ans** (cependant, je le boirai, en ce qui me concerne, avant qu'il n'ait **2 ou 3 ans d'âge**).

Il serait temps que les amateurs prennent conscience de la somptuosité d'un grand Hermitage blanc. Celui de Guigal n'égalera probablement jamais ceux de Chave ou de Chapoutier ; il s'agit néanmoins d'un excellent vin qui vieillit de belle manière. Avec son nez de fleurs printanières, de minéral et de pêche mûre, l'Hermitage Blanc 1995 révèle une acidité faible et une bonne densité. Puissant et richement extrait, il sera agréable dans les **5 ou 6 ans** à venir. Les 1991 et 1992 sont tous deux des vins moyennement corsés. Plus léger et plus évolué que d'habitude, le second a probablement pâti de la qualité générale du millésime, alors que le 1991 se révèle plus doux, plus mûr, avec un caractère précoce et flatteur. Ces deux vins seront à leur meilleur niveau avant d'avoir atteint **7 ou 8 ans d'âge**. Les amateurs devraient également se mettre en quête du 1990, qui est l'Hermitage blanc le plus riche et le plus concentré que Guigal ait produit ces dernières années.

De tous les vins rouges de la maison Guigal, les Côtes-du-Rhône représentent, de très loin, la meilleure affaire. Marcel Guigal reconnaît modestement que c'est de son père qu'il tient toute sa connaissance de la vinification des rouges – celui-ci faisait en effet preuve d'un véritable « génie » quand il s'agissait d'assemblage et de maîtrise de l'élevage en cave. Comme je l'ai déjà dit, quiconque peut produire régulièrement 75 000 caisses d'un Côtes-du-Rhône aussi délicieux que celui de Marcel Guigal mérite une attention toute particulière. Le Côtes-du-Rhône 1994, composé d'une forte proportion de syrah, est absolument savoureux, avec de généreux arômes de fruits noirs et des notes de chocolat et de garrigue. Moyennement corsé, souple, rond et généreux, il est également soyeux. Sa couleur rubis-pourpre foncé et son caractère épicé ajoutent encore au charme d'ensemble de ce vin, qui demeure l'une des meilleures affaires du marché actuel. **A maturité : jusqu'en 2001.** Bien vinifié, mais austère, maigre et légèrement moins bien doté que son cadet d'un an, le 1993 n'est pas aussi séduisant. Quant au 1991, composé d'une forte proportion de syrah destinée à le renforcer, il est ferme, austère et compact, avec une finale tannique et dure, si bien que l'on peut penser qu'il se desséchera avant de s'épanouir. Bien que solide et trapu, il n'est en aucun cas comparable au 1990. Ce dernier, composé à 25 % de syrah, à 45 % de grenache et pour le reste de mourvèdre et d'autres cépages de l'appellation, exhale un nez séduisant aux arômes de poivre, d'herbes et de fruits noirs et rouges. Doux, rond et moyennement corsé, il est ample en bouche, plein de caractère, et demeure une excellente affaire parmi les vins rouges affichant une belle intensité aromatique. **A boire dans les 2 à 4 ans.**

Marcel Guigal produit régulièrement des crus d'excellente tenue – pour dire le moins – dans la partie méridionale de la vallée du Rhône. Ainsi, son Gigondas 1992 se révèle séduisant, bien structuré et bien tannique, avec de profonds arômes de fruits rouges auxquels se mêlent des senteurs d'olive, de terre, d'herbes aromatiques et de cerise noire. Moyennement corsé, rond et épicé, ce vin rustique n'éclipsera pas le fabuleux 1990, mais il n'en s'agit pas moins d'une belle réussite pour le millésime. Composé de deux tiers de grenache et d'un tiers de mourvèdre, le Gigondas 1990 arbore une robe profonde et sombre de couleur rubis, et déploie un nez énorme et épicé de cuir et de fruits noirs. Doux, gras et très corsé en bouche, il y montre une structure ferme et des tannins modérés. La finale est d'excellent aloi. Il se trouvera bien d'une garde de 1 an, et je pourrais éventuellement le renoter à la hausse (90 ou plus) d'ici 2 ou 3 ans. Son potentiel est de **12 à 15 ans.**

Guigal a également produit deux merveilleux Châteauneuf-du-Pape en 1989 et en 1990. Le premier, qui recueillerait davantage d'attention s'il n'était suivi du fabuleux 1990, affiche une couleur rubis foncé, avec un nez énorme et poussiéreux aux senteurs de cerise noire, d'herbes et de poivre. Profond et riche, il se révèle très corsé, avec des tannins doux et une finale marquée par la mâche. **A maturité : jusqu'en 2004.** Plus complet, le 1990 est aussi plus richement fruité, plus concentré, plus puissant et plus onctueux, avec une finale massive. Exactement comme pour toutes ses autres cuvées de la vallée du Rhône méridionale, Marcel Guigal élabore ses Châteauneuf-du-Pape à partir de vendanges qu'il achète, et le 1990, qui titre 14° d'alcool naturel en présentant un caractère énorme et épicé, devrait bien se conserver **14 ou 15 ans, voire plus.** En revanche, le 1991 est plutôt simple, et aucun Châteauneuf n'a été produit en 1992 ou 1993, la vendange n'ayant pas trouvé grâce aux yeux de ce vinificateur de talent. Le 1994, moyennement corsé, doux et rond, libère des arômes de cerise noire et mûre auxquels se mêlent des senteurs de cèdre et de poivre. Bien qu'il soit évolué et charnu, ce vin ne possède pas la richesse et le caractère massif du 1990, mais il devrait se conserver encore **5 ou 6 ans.**

Le dernier meilleur Hermitage rouge de Marcel Guigal est le 1990, dont il dit qu'il s'agit de la plus belle réussite de la maison depuis le 1955. J'ai régulièrement goûté ce vin depuis le fût, et il exhale toujours un nez intense de poivre et de framboise sauvage et confiturée conjugué à des senteurs de fumé, de vanille et d'épices. Très corsé, avec un fruité très profond et très pur, il déploie une finale extrêmement tannique, mais on peut déjà le déguster grâce à son long vieillissement en foudres et en petits fûts. Ce vin riche, épais et concentré devrait tenir **20 à 25 ans.** Il est peut-être encore possible de trouver du 1989 sur le marché. Ce vin a acquis, depuis qu'il est en bouteille, une certaine fermeté, et ses tannins sont davantage perceptibles. Moins concentré que l'époustouflant 1990, il révèle un nez serré, mais prometteur, de minéral, de cassis et d'herbes rôties et se montre très corsé, riche, puissant et bien tannique. Principalement issu de deux vignobles des coteaux de l'Hermitage (Les Méals et Les Bessards), le 1991 est moyennement corsé, élégant et mûr, plus léger que les deux millésimes précédents. Il est encore riche et ample, avec une finale modérément tannique, et se conservera parfaitement **10 à 15 ans encore.** Le nez très aromatique de l'Hermitage Rouge 1992 est légèrement marqué par des notes de poivre vert qui, pour l'instant, laissent davantage s'exprimer des arômes d'épices, de terre et de fruits noirs. Le fruité est bien évolué, et les tannins commencent maintenant à percer. Bien que manquant de structure, ce vin est bien réussi. **A boire dans les 10 ans.** Quant au 1993, il s'impose comme une brillante réussite dans un millésime que l'on connaît plutôt pour ses vins creux, astringents et végétaux, en particulier dans le nord de la vallée du Rhône. De couleur rubis foncé, bien mûr, avec un nez très doux de cassis et de réglisse, cet Hermitage-là est moyennement corsé et ne révèle ni acidité mordante ni caractère creux ou férocement tannique. Stupéfiant pour le millésime ! **A maturité : jusqu'en 2004.**

Si nombre d'amateurs millionnaires font des pieds et des mains pour trouver une bouteille ou deux des crus de Guigal, le Côte-Rôtie générique est en général au nombre des belles réussites du millésime, donnant en quelque sorte le *la* du style des Côte-Rôtie pour une année donnée. Le Côte Brune et Blonde 1994 (j'en ai dégusté six cuvées différentes en juin 1996 et les ai toutes notées entre 89 et 93) promet d'être un vin doux, riche, bien évolué, aux généreux arômes de vanille, de framboise et de cassis. Merveilleux et opulent en bouche, il y présente une finale moyennement corsée, riche et séduisante. **A boire avant qu'il n'ait atteint 10 à 12 ans d'âge.** En revanche, la cuvée générique 1993 est la moins réussie de ces dix dernières années. Si d'aventure elle se révélait de qualité supérieure à la moyenne, j'en serais fort étonné, car les différentes pièces que j'ai dégustées se sont toutes montrées très tanniques, maigres et rugueuses, avec un caractère végétal. Ce vin était encore trop acide et manquait de gras, de charme et de fruité. Je suis sûr qu'il se bonifiera en bouteille, comme cela arrive souvent avec les vins de Marcel Guigal, mais, pour l'instant, il est décidément inintéressant. Bien plus savoureux que ne le laissait supposer la dégustation des différentes pièces avant assemblage, le Côte Brune et Blonde 1992 est rubis foncé et offre un nez très aromatique et ouvert de café, de fumé, de goudron, de framboise et de groseille. Souple et épicé, il est doux à l'attaque en bouche, et déploie ensuite des arômes bien ronds et moyennement corsés. **A boire d'ici 4 à 6 ans.** Le 1991 présente quant à lui le caractère souple, succulent et précoce typique de ce millésime riche et velouté. Bien évolué, débordant de doux arômes de chêne grillé mêlés de généreuses senteurs de cassis, de fumé et de poivre, il est moyennement corsé, avec une faible acidité et des tannins bien mûrs. Déjà délicieux, il tiendra encore 10 ans. Le 1990 se révèle extraordinaire, avec son nez doux et ample aux notes de lard gras, de fumé et de cassis. Riche, très corsé et opulent en bouche, il n'a pas le caractère tannique des 1988, pas plus que celui, plus flatteur et plus évolué, des 1989. **A maturité : jusqu'en 2003.** Ce dernier millésime mérite d'ailleurs l'attention des amateurs, car il s'impose comme le plus accessible, le mieux épanoui et le plus délicieux des Côte-Rôtie génériques de Marcel Guigal. **A maturité : jusqu'en 2002.**

J'ai également pu déguster le Côte-Rôtie Brune et Blonde du millésime 1995, qui me semble au moins excellent, sinon extraordinaire, mais je ne peux ici lui attribuer une note, car je n'en ai goûté que quelques pièces.

A compter de 1995, la maison Guigal ajoute une étoile à son système solaire avec un Côte-Rôtie Château d'Ampuis. En effet, Marcel Guigal a réalisé un rêve de longue date en achetant le Château d'Ampuis, superbe édifice Renaissance en bordure du Rhône ; le vin qui en portera le nom sera issu de six vignobles qui donnaient autrefois le Côte Brune et Blonde générique. Il s'agit de La Pommière, du Pavillon, de La Garde, du Clos, de La Grande Plantée et du Moulin. J'ai dégusté ces six cuvées en juin 1996 et les ai notées de 89-92 à 92-94. Une seule d'entre elles étant en dessous de 90, je subodore que ce vin, une fois assemblé, méritera une note globale de 90-92. Chacune de ces cuvées s'est montrée riche, concentrée, extraordinairement dotée et équilibrée, avec une bonne acidité sous-jacente. Celle-ci leur assurera vraisemblablement un très bon potentiel de garde, mais n'est heureusement pas d'un niveau aussi élevé que dans certains bourgognes de 1993 ou même dans nombre de vins de la vallée du Rhône septentrionale. Le Côte-Rôtie Château d'Ampuis, qui sera proposé à un prix légèrement inférieur à celui des crus, est de bien meilleur niveau que la cuvée générique de Brune et Blonde, mais il n'atteint pas l'excellence de La Mouline, de La Landonne et de La Turque. La production, limitée à 2 300 caisses, ou 28 000 bouteilles, ne sera pas disponible sur le marché avant plusieurs années, compte tenu du long vieillissement qui est prévu en fûts et en foudres de fabrication spéciale.

Dans différents numéros de mon journal *The Wine Advocate*, j'ai décrit en détail les trois crus de prestige de la maison Guigal. Ici, pour les situer brièvement, on dira simplement que, si l'assemblage de La Mouline peut varier d'un millésime à l'autre, elle contient en général entre 8 et 12 % de viognier. C'est le cru qui me semble le plus intensément parfumé, le plus souple et le plus séduisant du trio. Bien qu'il soit de moins longue garde que les deux autres, il peut être conservé une bonne vingtaine d'années, même dans des millésimes plutôt légers. Si l'on compare La Mouline à Mozart, on dira de La Landonne qu'elle est Brahms. Contrairement à la première, issue de la Côte Blonde, La Landonne provient des sols plus lourds de la Côte Brune. Entièrement composée de syrah, elle est toujours dense, puissante, extrêmement peu évoluée et de bonne mâche, ne révélant son charme et son caractère qu'au terme d'une garde de 7 à 10 ans, même dans les années moyennes. Son potentiel de garde est de 30 à 40 ans, et, des trois crus, c'est celui qui se révèle le moins séduisant dans sa jeunesse, même si l'on est plutôt enclin à l'admirer.

Dernière-née de la maison, La Turque, que l'on dit Côte Brune, est en fait à cheval sur les Côtes Brune et Blonde. Issue d'un vignoble extrêmement pentu (la pente est de 60 %), elle représente une synthèse entre La Mouline et La Landonne, et contient en général entre 5 et 7 % de viognier. Bien que ne possédant pas le caractère tannique et musclé de La Landonne, elle peut se révéler tout aussi concentrée et séduisante que La Mouline.

La production annuelle de La Turque est de 300 à 500 caisses, celle de La Landonne de 800 caisses et celle de La Mouline de 600 à 700 caisses, ce qui explique leur rareté.

Lors de mon passage chez Marcel Guigal en juin 1996, j'ai pu déguster La Mouline, La Landonne et La Turque 1995. Il me semble qu'il s'agit là de l'année la plus réussie pour ces trois crus depuis la grandiose série des 1987, 1988, 1989, 1990 et 1991. La Mouline est absolument irrésistible par l'intensité de son nez de fumé, de cassis, de chèvrefeuille et de lard gras, ainsi que par les arômes fabuleusement riches, doux et opulents qu'elle déploie en bouche. Toute cette belle structure est parfaitement étayée par une bonne acidité et les tannins du chêne neuf. Ce vin est tellement extraordinaire et procure tant de plaisir que je comprends mal qu'il n'ait pas encore été décrété contraire à l'ordre public par quelque bureaucrate rabat-joie. Comme toutes les Mouline, celle-ci sera délicieuse dès sa diffusion et se conservera **15 ans, voire davantage**. Avec sa robe opaque de couleur noire, La Landonne semblait chanter lorsque je l'ai dégustée. Plus faible en acidité que nombre de vins du nord de la vallée du Rhône, elle présente des tannins de bon niveau (sans excès) et déploie par couches successives un fabuleux fruité de fumé, de réglisse, d'épices orientales, ainsi que de viande grillée. Très corpulente, elle offre une finale massive. Ce vin requiert une garde de 3 ou 4 ans à compter de sa diffusion, mais se conservera aisément **25 ans, ou plus**. A l'heure actuelle, le plus prodigieux de ces crus enivrants est probablement La Turque, qui se révèle le plus doux, le plus dense, le plus complet et le plus exotique, éclipsant même La Mouline avec un nez des plus luxuriants, aux arômes de fumé, de cassis et de framboise confiturés. Onctueux en bouche, étonnant d'équilibre pour un vin d'une telle concentration et d'une telle ampleur, il représente un extraordinaire tour de force en matière de vinification. **A maturité : 2000-2018**. Comme c'est souvent le cas, ces trois crus demeurent une référence parmi les très grands, mais il n'y a pas de secret à cela : rendements tenus, vendanges à maturité physiologique et vinification la moins interventionniste possible sont les clés du succès.

La Mouline 1994 me rappelle le grandiose 1982. Outre un boisé et une acidité merveilleusement fondus, ce vin à la belle robe rubis-pourpre présente une texture voluptueuse, et de profonds et persistants arômes de chèvrefeuille, de cassis et de framboise confiturée. Fabuleusement riche et concentré, il est déjà soyeux et accessible, et devrait se conserver 15 ans de plus. 1994 est aussi un très grand millésime pour La Turque. Celle-ci, déjà extraordinairement sensuelle, douce et crémeuse en bouche, arbore une robe rubis-pourpre et se montre fabuleusement mûre. On distingue encore un caractère sous-jacent doux et juteux, qui regorge littéralement de richesse en extrait, de gras et d'intensité aromatique. Le potentiel de garde de ce cru est de 12 à 15 ans. La Landonne est, comme à son habitude, la moins évoluée, la plus tannique et la plus carrée des trois vedettes. De couleur noir-pourpre, elle exhale un nez serré, épicé et fumé qui ne révèle qu'à peine la richesse que l'on peut percevoir en bouche. Il s'agit d'un vin épais et fermé, mais formidablement doté, que vous apprécierez sur les 20 ans qui suivront une garde de 4 ou 5 ans.

1993 fut pour Marcel Guigal le millésime le plus difficile depuis 1984, 1977 et 1975. Cependant, les trois crus de prestige se sont révélés très bons, peut-être même excellents. D'un rubis assez soutenu, La Mouline 1993 est moyennement corsée, dominée par des notes de grillé (provenant du chêne aux senteurs de vanille). Au départ, ce vin se montre doux en bouche, d'une belle maturité, avec un doux fruité, mais, par la suite, il se révèle creux, marqué par des notes de poivre vert. Je pense qu'il faudra le boire avant qu'il n'ait 5 à 8 ans d'âge. Des trois crus, c'est la Landonne qui affiche la robe la plus sombre, mais elle est terriblement tannique, et ne possède pas le fruité gras et mûr que requiert sa structure. A maturité : jusqu'en 2004. La Turque est la mieux réussie, avec un nez doux et herbacé d'olive, d'épices exotiques et de groseille. Moyennement corsée, avec un fruité mûr et bien évolué, elle présente en finale des tannins secs et mordants. Il s'agit néanmoins d'un bon vin, bien qu'il soit un peu dur. Tout bien considéré, il s'agit quand même de trois belles réussites dans un millésime désastreux. A maturité : jusqu'en 2005.

Le trio est exceptionnel en 1992, bien meilleur encore que je ne le pensais lorsque je l'ai dégusté avant qu'il ne termine son étonnant séjour de 40 mois en fûts neufs. Mis en bouteille sans collage ni filtration, les trois crus présentent, comme le souligne Marcel Guigal, le plus bas niveau de SO^2 que l'on puisse mesurer en France, et ce afin de ne pas dénaturer les effets positifs de la vinification et de l'élevage en fûts neufs – et, plus encore, la nature même de la syrah. Comme d'habitude, La Mouline 1992 est le cru le plus évolué et le plus flamboyant. Riche, savoureux et velouté, avec un généreux fruité doux et crémeux, ce vin se révèle moyennement corsé et riche. A boire dans les 10 à 12 ans. Avec son nez très aromatique et très pénétrant, marqué par des notes de cassis, de réglisse et de pain grillé, La Turque a acquis davantage de richesse et d'ampleur au cours de son passage en fût. Elle se montre maintenant profonde, douce, riche et opulente, sans aucun caractère mordant ni végétal. Ses généreux arômes de fruits noirs et soyeux sont délicatement mêlés de senteurs de fumé et de grillé. Sa faible acidité et son côté bien évolué et sans détour laissent penser qu'elle peut être bue dès maintenant et sur les 12 à 15 ans qui viennent. Issu des coteaux pentus de la Côte

Brune, La Landonne est le plus dense, le plus sauvage et le plus animal des trois. De couleur rubis-pourpre, avec de généreuses senteurs de fruits noirs et doux auxquelles se mêlent des notes d'épices orientales, d'herbes rôties et de viande grillée, elle se montre très corsée, puissante, riche et bien tannique. Déjà accessible grâce à sa faible acidité, elle s'imposera certainement comme une autre réussite exemplaire. **A boire dans les 15 ans.**

Les amateurs devraient déjà s'être préoccupés des crus du millésime 1991. Cette année-là, la Côte-Rôtie fut l'appellation la plus favorisée de France, la vendange ayant été achevée avant l'arrivée des pluies diluviennes. La Mouline incarne, une fois encore, la perfection en matière de vinification, avec un bouquet renversant de violette, de lard gras, de cassis doux et de chêne grillé. Superbement dense, elle est encore plus riche et plus concentrée que dans sa prime jeunesse. Ce vin issu de rendements extrêmement restreints et composé à 8 % de viognier est véritablement phénoménal. Je le trouve même plus séduisant que le 1990, pourtant proche de la perfection. **A maturité : jusqu'en 2012.** La Turque apparaît quant à elle comme la réponse du Rhône au Richebourg et au Musigny de Bourgogne. Cependant, à l'exception de ceux du Domaine Leroy, il est peu probable que vous trouviez un Musigny ou un Richebourg qui possède la richesse et la complexité de ce cru extraordinaire. Une robe très soutenue de couleur pourpre foncé précède un vin qui se révèle, curieusement, plus léger en bouche que ne le laisseraient penser son exceptionnelle puissance aromatique et sa fabuleuse extraction. C'est par un véritable tour de force que Marcel Guigal a réussi, au moment des vinifications, à tasser ce fruité phénoménal, cette richesse et cette complexité hors normes dans ce vin velouté sans que celui-ci accuse la moindre lourdeur. Cette merveille est déjà délicieuse, mais elle pourra être conservée **15 ans.** Les amateurs fortunés auront plaisir à déguster La Landonne 1991 et à faire des comparaisons avec le 1990, qui incarne la perfection, afin de décider lequel des deux ils préfèrent. Ce vin libère un bouquet énorme de fumé, de cuir fin, de réglisse et d'épices exotiques, ainsi que des senteurs charnues de cassis. Presque noir de robe, il est extrêmement opulent, d'une grande richesse et d'une belle générosité, et révèle une extraction presque massive. La finale est phénoménale. Une autre légende Guigal. Le moins précoce de ces trois crus en 1991 sera La Landonne, mais il s'épanouira vers la fin de ce siècle et devrait se conserver ensuite **25 à 30 ans, si ce n'est plus.**

En 1990, La Mouline, La Landonne et La Turque de Marcel Guigal s'imposent comme les Côte-Rôtie les mieux réussis du millésime. Celui-ci ne fut pas facile pour cette appellation, sévèrement touchée par la sécheresse. En effet, comme je l'ai déjà dit, 1991 et 1989 sont de bien meilleures années pour les producteurs de Côte-Rôtie. Cependant, chez Guigal, les trois crus sont des réussites exceptionnelles. Extrêmement concentrée, La Mouline 1990 est plus proche de l'irréel 1988 que je ne l'aurais initialement pensé. Formidablement dotée, avec un nez énorme, grillé, de fleurs, de lard et de cassis, elle révèle également une belle richesse en bouche. Plutôt apprécié pour sa volupté et ses arômes phénoménaux, ce vin stupéfiant demeurera à son meilleur niveau ces **20 prochaines années.** La Turque libère d'imposants parfums de cerise noire confiturée, de cassis, de grillé et de minéral. Ce vin doux, généreux et incroyablement harmonieux, est inoubliable. Faible en acidité, avec des tannins doux, il révèle un palais parmi les plus veloutés et les plus luxuriants que je connaisse et déploie une finale longue de plus d'une minute. **A maturité : 1998-2016.** La Landonne 1990 est la perfection même. (Fort heureusement, plus de 800 caisses de ce cru ont été produites dans ce millésime.) Avec sa robe opaque de couleur noire et son nez énorme aux arômes de truffe, de réglisse, de cassis et de poivre, elle s'impose comme l'un des vins les plus concentrés qui soient. Merveilleuse d'équilibre, elle recèle une acidité sous-jacente suffisante, ainsi qu'un fruité et des tannins mûrs et richement extraits, et présente une finale longue de soixante-dix secondes, si ce n'est plus. De l'essence de syrah. Conservez ce vin 7 à 10 ans avant de le déguster, son potentiel de garde est de **40 à 45 ans, voire plus.**

DOMAINE HAUT DES TERRES BLANCHES★★★★

Les Terres Blanches – 84230 Châteauneuf-du-Pape
Tél. 04 90 83 71 19 – Fax 04 90 83 51 26
Contact : Joël Diffonty

1993 Châteauneuf-du-Pape	C	87
1992 Châteauneuf-du-Pape	C	86

Félicien Diffonty produit des Châteauneuf-du-Pape élégants, semblables à des bourgognes, au bouquet expansif de framboise, de cerise, de cèdre et d'herbes aromatiques. Moyennement corsés, ils déploient en bouche de doux arômes riches et fruités, montrent une faible acidité et des tannins légers. Déjà délicieux dans leur jeunesse, ils ont cette mystérieuse capacité à évoluer de belle manière sur 15 ans ou plus.

Le Châteauneuf-du-Pape 1993 exhale de généreux arômes de framboise et présente un caractère élégant. Moyennement corsé, il déploie une finale douce, mûre et ronde. Très proche de style, le plaisant 1992 déploie agréablement en bouche de doux arômes de framboise confiturée. **Ces deux vins tiendront encore 10 ans.**

PAUL JABOULET AÎNÉ★★★★★

Domaine de Thalabert – Les Jalets – Route Nationale 7 –
26600 La Roche-de-Glun
Tél. 04 75 84 68 93 – Fax 04 75 84 56 14
Contact : Gérard Jaboulet

1995 Crozes-Hermitage La Mule Blanche	C	87
1991 Crozes-Hermitage La Mule Blanche	B	86
1990 Crozes-Hermitage La Mule Blanche	C	87
1995 Saint-Joseph Le Grand Pompée	C	87
1990 Saint-Joseph Le Grand Pompée	C	89
1995 Hermitage Chevalier de Stérimberg	D	90+
1991 Hermitage Chevalier de Stérimberg	D	89

1990 Hermitage Chevalier de Stérimberg	D	93
1995 Châteauneuf-du-Pape Les Cèdres Blanc	B	88
1994 Châteauneuf-du-Pape Les Cèdres Blanc	B	89
1995 Crozes-Hermitage Thalabert	C	87
1994 Crozes-Hermitage Thalabert	C	85
1991 Crozes-Hermitage Thalabert	C	87
1990 Crozes-Hermitage Thalabert	C	92
1995 Cornas	C	86
1991 Cornas	C	87
1990 Cornas	C	86
1995 Cornas Domaine de Saint-Pierre	?	90+
1994 Cornas Domaine de Saint-Pierre	?	90
1995 Hermitage Pied de la Côte	D	84-86
1995 Hermitage La Chapelle	D	90-92
1994 Hermitage La Chapelle	D	88
1991 Hermitage La Chapelle	D	89
1990 Hermitage La Chapelle	D	99+
1990 Crozes-Hermitage Les Jalets	C	87
1995 Côtes-du-Rhône Parallèle 45	A	89
1990 Côtes-du-Rhône Parallèle 45	A	85
1995 Côtes-du-Rhône-Villages	A	87
1995 Gigondas Pierre Aiguille	A	86
1995 Châteauneuf-du-Pape Les Cèdres Rouge	C	86
1990 Côtes du Ventoux	A	86
1990 Vacqueyras	A	87
1995 Muscat de Beaumes-de-Venise	B	90

La maison Jaboulet a déclassé la plupart de ses cuvées prestige en 1993 et a ensuite produit des 1994 de bonne qualité, mais sans plus. En revanche, les 1995 me semblent de tout premier ordre – de bonnes nouvelles pour les amateurs !

Il serait temps que l'on s'intéresse davantage aux vins blancs de ce domaine. Pendant de nombreuses années, ceux-ci se sont révélés simplement accep- tables, mais les choses ont maintenant changé. Ainsi, les blancs de 1995, d'une excellente corpulence et bien fruités, sont merveilleusement frais et intenses.

Pour le long terme, le Crozes-Hermitage 1995 s'impose comme une très bonne affaire. Composé à parts égales de marsanne et de roussanne, ce vin frais et vif révèle au nez des senteurs de miel et d'abricot qui rappellent celles du viognier. Le Saint-Joseph Le Grand Pompée 1995, entièrement composé de marsanne, exhale un merveilleux nez de mandarine et de pamplemousse. Corpulent et riche, il libère en bouche des arômes de mandarine, d'orange et d'abricot, et déploie une finale vive et sans détour. Ces deux vins doivent être bus dans les **toutes prochaines années.**

L'Hermitage Chevalier de Stérimberg 1995 est plus énorme, plus riche et de plus longue garde que les deux vins précédents. Composé à parts égales de marsanne et de roussanne et entièrement vieilli en fûts de chêne neuf, il est puissant, épais, dense et marqué par la mâche. Attendez-vous qu'il se referme dans les toutes prochaines années pour ne se réouvrir qu'au terme d'une garde de 10 ans environ. Ces vins au potentiel énorme demeurent encore à des prix raisonnables, car peu de consommateurs ont la patience d'attendre qu'ils sortent de leur coquille. Cet Hermitage 1995 intense, aux arômes de miel, est très sec, musclé et assez massif – il s'agit de la cuvée la plus réussie depuis les vins spectaculaires produits par la maison dans les années 80 et au début des années 90.

Les Châteauneuf-du-Pape Blanc Les Cèdres 1994 et 1995, produits en quantités restreintes, sont tous deux délicieux et titrent 14° d'alcool naturel. J'ai une légère préférence pour le 1994, avec son nez sensuel, flamboyant et richement fruité de chèvrefeuille, et les arômes très corsés, mûrs, capiteux et alcooliques qu'il déploie en bouche. Un vin blanc sec et savoureux, que vous consommerez **dans l'année.** Davantage marqué par des arômes d'abricot et de pêche, le 1995 révèle un fruité mûr et se montre puissant, corpulent et très alcoolique. **A maturité : jusqu'en 1998.** La famille Jaboulet pense que c'est la faible proportion de picardin dans l'assemblage final (un des cépages autorisés les plus rares de cette partie du Rhône) qui confère au vin certaines des caractéristiques du viognier lorsqu'il est fermenté à basse température. De fait, ces deux vins donnent l'impression d'en contenir.

Composé à parts égales de marsanne et de roussanne, entièrement vinifié en cuve, le Crozes-Hermitage La Mule Blanche 1991 recèle un généreux fruité de miel et de citron. D'une grande précision dans le dessin, très bien doté et moyennement corsé, il présente une acidité de bon ressort et déploie une finale longue et riche. **A boire maintenant.** Le fait que le 1990 soit légèrement plus ample et plus mielleux que son cadet d'un an doit plus au millésime qu'à la vinification. Il offre, pour un prix modeste, une belle corpulence et une belle richesse. **A boire maintenant.**

Composé à 55 % de marsanne et à 45 % de roussanne, l'Hermitage Chevalier de Stérimberg 1991 n'a pas terminé ses fermentations malolactiques, contrairement à son aîné d'un an, mais il a passé deux mois en fûts neufs. Riche, profond et très corsé, il ne possède cependant pas la puissance ni le caractère imposant de son aîné, mais il est remarquablement doté, avec une texture et un nez mielleux, et il déploie en bouche des arômes profonds, longs et riches. Ces vins peuvent durer des décennies, si bien que je ne serais pas autrement surpris que celui-ci se maintienne **20 ans, voire davantage.** Quant au 1990, de même composition que le 1991, il a séjourné sept mois en fûts neufs et a terminé sa fermentation malolactique. Il s'agit du meilleur vin blanc sec que je connaisse de Jaboulet, et, l'ayant dégusté trois fois, je me demande encore pourquoi on ne compte pas davantage d'amateurs d'Hermitage blanc. Ces crus demanderont certes beaucoup de patience – le 1990, en particulier, devrait évoluer sans problèmes sur encore **25 à 30 ans.** Si vous êtes à la recherche d'autre chose que des vins de chardonnay, tournez-vous vers celui-ci, très corsé et merveilleusement fait.

Parmi les vins rouges du millésime 1995, le Crozes-Hermitage Thalabert est de très bonne tenue. Tout de rubis-pourpre foncé vêtu, avec un excellent nez d'épices, d'herbes, de réglisse et de cassis, il est moyennement corsé et présente, outre un très bon fruité, un caractère sans détour et bien évolué. Il recèle l'acidité suffisante pour conserver une bonne fraîcheur et une belle précision dans le dessin ces **6 ou 7 prochaines années**. Quant au 1994, bien que plus fruité, plus mûr et plus herbacé que le 1993, il se révèle inintéressant, car simple, creux et carré, manquant de charme et de richesse en extrait.

Le Crozes-Hermitage Thalabert 1991 présente au nez de doux parfums de fruits noirs épicés, et se montre rond, opulent et très corsé en bouche. Étonnant de concentration, avec une faible acidité et des tannins doux en finale, il doit être consommé avant d'avoir atteint **10 ans d'âge**, exactement comme le 1985. Quant au 1990, c'est un champion hors catégorie, et son prix raisonnable en fait une excellente affaire. Je pense même qu'il éclipsera le 1978, avec son nez énorme et rôti de syrah et sa puissance massive – qu'il tient de l'été torride et de la sécheresse qui ont marqué le millésime. Ce vin, qui a sans nul doute profité également d'une longue macération de quarante jours, exhale un nez énorme, fumé et très mûr d'herbes, de café et de cassis. Dense, imposant et riche, presque massif, il est étonnamment bien équilibré et devrait évoluer avec grâce sur les **10 à 15 prochaines années**.

Les Jaboulet produisent maintenant deux cuvées de Cornas : la cuvée générique et une autre, appelée Domaine de Saint-Pierre, issue d'une minuscule parcelle de vieilles vignes de coteaux achetée en 1993. La cuvée générique 1995 déploie de généreuses senteurs de poivre, de terre, de goudron et d'épices, ainsi que des notes de réglisse et de fruits noirs. Moyennement corsée et modérément tannique, elle doit être consommée dans les **6 ou 7 ans**. Le Domaine de Saint-Pierre de la même année, absolument superbe, arbore une robe opaque de couleur pourpre, et présente une corpulence et une richesse en extrait énormes. La finale, puissante, révèle des tannins monstrueux. C'est un vin que vous conserverez en cave pendant encore quelque temps, pour ensuite le déguster au cours des **10 à 15 premières années du prochain millénaire**. Le Domaine de Saint-Pierre 1994, également exceptionnel, est plus doux, plus flatteur et plus mûr, avec une couleur rubis-pourpre foncé et un généreux fruité de cassis. Sa finale est également plus riche et plus soyeuse que celle de son cadet. **A boire dans les 10 à 15 ans.**

Le Cornas 1991, vieilli en petits fûts (ce fut le premier millésime où l'on procéda ainsi) pour domestiquer son caractère sauvage, libère de séduisants arômes de fruits noirs et rouges, ainsi que des notes de chêne neuf et grillé. Moyennement corsé et rond, il sera à son meilleur niveau ces **6 ou 7 prochaines années**. Austère, avec un nez puissant et épicé d'herbes, de poivre et de terre, le Cornas 1990 se montre moyennement corsé et extrêmement tannique, mais remarquablement concentré. Son potentiel de garde est de **12 à 15 ans**, après une garde en cave supplémentaire de 4 ou 5 ans.

L'Hermitage Pied de la Côte est en général issu de jeunes vignes, de vendanges achetées à d'autres producteurs et de parcelles moins bien situées des coteaux de l'Hermitage. Le 1995, ouvert et charmeur, est presque bourguignon avec ses senteurs de cerise, d'herbes et de terre. Moyennement corsé, avec une acidité de bon ressort, il offre une finale épicée et fraîche. **A boire dans les 4 à 6 ans.**

L'Hermitage La Chapelle est le vin le plus grandiose de toute la gamme proposée par la maison Jaboulet, et le 1995 s'impose comme le plus réussi depuis les quatre millésimes somptueux que furent 1988, 1989, 1990 et 1991. Jacques Jaboulet estime que l'Hermitage La Chapelle 1990, que je considère personnellement comme l'un des plus extraordinaires de tous les temps, surpassera même le 1961, qui est actuellement le meilleur Hermitage de la propriété. L'Hermitage 1995, que Jacques Jaboulet rapproche des 1982 et des 1988, arbore une robe sombre de couleur rubis-pourpre et déploie une palette aromatique complexe comprenant des senteurs de cassis, de minéral, de crayon et d'épices. Très corsé et extraordinairement riche, avec une bonne acidité, il est aussi très serré et requiert 7 ou 8 ans de cave avant d'atteindre la pointe de sa maturité. Son potentiel est de **20 ans.** Ce 1995 me rappelle un peu le 1972 par sa bonne acidité, mais il ressemble également au 1988. Quant au 1994, il se montre doux, rond et bien évolué, semblable au 1995, mais en moins concentré. D'une richesse et d'une intensité très séduisantes, il présente une finale austère et tannique. **A boire dans les 10 à 15 ans.** L'Hermitage La Chapelle 1991 a été récolté terrasse par terrasse, à cause d'un temps menaçant au moment des vendanges. Des cuvaisons de quarante jours ont doté ce 1991 d'un caractère semblable à celui du 1985. Sa belle couleur rubis-pourpre annonce un vin doux et mûr, qui exhale un nez riche et intense, mais pas encore tout à fait formé. Moyennement corsé en bouche et très concentré, il révèle des tannins doux et une faible acidité. **A boire dans les 15 ans.** L'Hermitage La Chapelle 1990, absolument monumental, est quant à lui presque noir. Lorsque je l'ai dégusté pour la dernière fois avec les Jaboulet, nous avons pu le comparer aux 1989, 1988, 1983 et 1978. Il s'imposera certainement comme l'Hermitage le plus grandiose depuis le 1961 — de manière remarquable, il est encore plus riche, plus profond et plus richement extrait que le 1978, qui incarne pourtant la perfection. Le pourcentage de fûts neufs utilisés pour le vieillissement a été augmenté compte tenu de sa puissance, et les cuvaisons, étonnamment longues, ont duré quarante-quatre jours. Par ailleurs, alors que la maison Jaboulet filtrait ses vins avant la mise depuis les années 1980, ce 1990 a été mis en bouteille sans manipulation préalable. Il exhale un nez énorme, incroyablement intense, de poivre, de sous-bois et de fruits noirs. En bouche, il montre une concentration terrible, d'un équilibre et d'une puissance extraordinaires, et déploie une finale fabuleuse, énorme, longue de plus d'une minute. Les tannins sont d'un niveau très élevé, mais un abondant fruité doux et multidimensionnel fait de cet Hermitage le vin jeune le plus phénoménal qu'il m'ait été donné de déguster. **A maturité : 2005-2040 (au moins).** Une légende !

La gamme des 1990 comprend également le Crozes-Hermitage Les Jalets, qui exhale un nez énorme de fruits noirs, d'herbes, de fumé et de bois humide. Riche, dense et opulent en bouche, il y déploie, outre un généreux fruité et une très belle richesse en extrait, une finale longue et veloutée. **A boire dans les 6 ou 7 ans.**

Quant au Saint-Joseph Le Grand Pompée 1990, il est épais et riche, aussi concentré que peut l'être un vin de cette appellation. Il méritera peut-être une note extraordinaire au terme d'une garde de plusieurs années. Sa robe opaque, très soutenue, de couleur pourpre, exhale un nez énorme de cassis et de minéral. Très corsé, richement extrait, avec une bonne acidité, il révèle des tannins abondants et marquants, et sa finale est imposante et longue. Déjà prêt, il pourrait toutefois se bonifier encore d'ici 1 ou 2 ans. **A boire dans les 10 à 15 ans.**

En vallée du Rhône méridionale, la maison Jaboulet a produit nombre de 1995 particulièrement intéressants, notamment dans certaines appellations moins prestigieuses où l'on peut réaliser d'excellentes affaires.

Ainsi, le Côtes-du-Rhône Parallèle 45 s'impose en 1995 comme un vin moyennement corsé, délicieux et de bonne tenue, de couleur pourpre foncé, qui déborde d'arômes de poivre, de framboise sauvage, de cassis et de cerise. Il est étonnamment dense et velouté, et présente une finale longue et capiteuse. On notera, détail intéressant, qu'il contient une très forte proportion de syrah, cépage dont les Jaboulet estiment qu'il était fort réussi dans cette partie du Rhône en 1995. Il s'agit d'une affaire exceptionnelle, qui durera bien **10 ans encore.**

Le Côtes-du-Rhône-Villages 1995 n'est pas aussi puissant, aussi profondément coloré ni aussi riche que le vin précédent. En effet, composé à parts égales de syrah et de grenache, il comprend moins de ce premier cépage que le Parallèle 45. Soyeux et épicé, avec un admirable fruité doux, il est encore bien glycériné, frais et vif. **A boire dans les 6 ou 7 ans.**

Plus rustique, le Gigondas Pierre Aiguille 1995 libère des senteurs de terre, d'herbes de Provence et de garrigue. D'un rubis sombre, avec un caractère épicé et moyennement corsé, il est bien fruité et bien long en bouche. Lorsque je l'ai dégusté à côté du Côtes-du-Rhône-Villages et du Parallèle 45, j'ai préféré ces deux derniers vins, qui sont pourtant proposés à des prix inférieurs. **A maturité : jusqu'en 2003.**

Mes lecteurs de longue date savent combien j'avais apprécié les anciens millésimes de Châteauneuf-du-Pape Les Cèdres Rouge de Jaboulet (1967, 1966, 1961 et 1957). Le 1967, qui demeure l'un des Châteauneuf les plus grandioses que je connaisse, est en fait entièrement issu de moûts qui avaient été achetés au Château de la Nerthe, ce que je n'ai appris que très récemment par Jacques Jaboulet, qui avait conclu cet achat. En 1995, le Châteauneuf Les Cèdres se montre élégant, offrant, à la fois au nez et en bouche, des arômes de cerise noire. Moyennement corsé, avec un fruité séduisant, il s'impose comme un beau vin, mais n'est pas exceptionnel – certainement pas une répétition du 1967 ! **A maturité : jusqu'en 2007.**

Pour ce qui est de millésimes plus anciens, les lecteurs désireux de réaliser une excellente affaire devraient se mettre en quête d'une ou deux caisses de Côtes du Ventoux 1990. On a peine à croire qu'il puisse se dégager tant d'arômes et de caractère d'un vin qui vaut 30 F la bouteille. Issu d'un mélange de 65 % de grenache et de 35 % de syrah, il est profondément coloré, avec un excellent nez, énorme et confituré, et déploie en bouche des notes épicées et moyennement corsées, ainsi qu'une finale de très bonne tenue, aux tannins légers. Il pourrait encore se bonifier d'ici 1 ou 2 ans et devrait se conserver 4 ou 5 ans.

Issu d'un mélange de 55 % de grenache et de 45 % de syrah, le Côtes-du-Rhône Parallèle 45 1990 est peu évolué et devrait se montrer sous un meilleur jour d'ici 1 an. Sa robe sombre et soutenue de couleur rubis et son nez énorme et poivré de cassis rôti laissent deviner une grande richesse en extrait et une belle puissance aromatique. Ce vin massivement doté et assez corsé déploie en finale des tannins rugueux. **A boire maintenant.**

Presque entièrement issu de grenache, le Vacqueyras 1990 dégage un nez énorme et doux, très séduisant, de fruits confiturés et de fumé. Très corsé, superbement concentré, avec une faible acidité, il est aussi profond et offre en finale des tannins doux et mûrs. Déjà prêt, il devrait durer encore **10 ans environ.**

Enfin, n'oubliez pas le Muscat de Beaumes-de-Venise 1995, qui est un bel exemple classique de ce vin de dessert aux doux arômes de cake et de marmelade d'orange. D'une couleur légèrement cuivrée, il est frais et parfumé. **A boire ces toutes prochaines années.**

JEAN-PAUL ET JEAN-LUC JAMET*****

Le Vallin – 69420 Ampuis
Tél. 04 64 56 12 57
Contact : Jean-Paul ou Jean-Luc Jamet

1994 Côte-Rôtie	D	85-88
1993 Côte-Rôtie	D	72
1992 Côte-Rôtie	D	88+
1991 Côte-Rôtie	D	94

Cette propriété, l'une de mes préférées en Côte-Rôtie, a produit un 1994 doux, épicé, riche et structuré, encore fermé, mais prometteur. Profondément coloré et richement extrait, il est cependant monolithique et très réservé, et requiert probablement un certain temps de vieillissement en bouteille. **A maturité : 1998-2007.**

Le 1993, très décevant, est caractéristique du millésime. Il arbore une très belle couleur rubis-pourpre foncé, mais ne possède que peu de fruité, de charme, de gras ou de glycérine. Extrêmement dur, avec des tannins astringents, il est creux en milieu de bouche et présente une finale mordante, compacte et atténuée. Ce vin n'a vraiment aucun avenir.

Au contraire, le 1992, bien que structuré et tannique, montre une excellente concentration. Profondément coloré, très corsé et puissant, il exhale un nez intense, typiquement syrah, aux généreux arômes de réglisse, de cassis fumé et d'herbes aromatiques qui attirent indiscutablement l'attention du dégustateur. La finale est longue et tannique, mais bien étayée par un abondant fruité sous-jacent, doux, confituré et bien gras. Une révélation de ce millésime sous-estimé, que vous conserverez en cave jusqu'à la fin de ce siècle. **A maturité : 2000-2015.**

J'ai révisé mon opinion sur le Côte-Rôtie 1991 après l'avoir dégusté plusieurs fois aux États-Unis. Ce vin se montre encore plus riche et plus intense maintenant que lorsque je lui avais attribué l'excellente note de 92 dans *The Wine Advocate* de la fin 1993. Vieilli au tiers en fût, et issu pour un tiers du vignoble de La Landonne en Côte Brune, il exhale un nez énorme, intense et épicé de viande fumée, de framboise sauvage, d'herbes aromatiques et de cuir fin. Masculin, riche et de bonne mâche, très massivement extrait, il donne à l'évidence des signes de vieillissement en chêne neuf et présente une finale phénoménale. Un vin impressionnant, qui requiert une garde supplémentaire de 2 ou 3 ans et devrait ensuite se conserver parfaitement 15 à 20 ans.

DOMAINE DE LA JANASSE****

27, chemin du Moulin, 84350 Courthézon
Tél. 04 90 70 86 29 – Fax 04 90 70 75 93
Contact : Aimé ou Christophe Sabon

1995 Côtes-du-Rhône	A	85-86
1994 Côtes-du-Rhône	A	86
1995 Côtes-du-Rhône Les Garrigues	A	86-87+
1994 Côtes-du-Rhône Les Garrigues	A	88
1995 Châteauneuf-du-Pape	B	87-89
1994 Châteauneuf-du-Pape	B	89
1995 Châteauneuf-du-Pape Cuvée Chaupoins	C	90-92
1994 Châteauneuf-du-Pape Cuvée Chaupoins	C	90
1993 Châteauneuf-du-Pape Cuvée Chaupoins	C	92
1992 Châteauneuf-du-Pape Cuvée Chaupoins	C	85+
1995 Châteauneuf-du-Pape Cuvée Vieilles Vignes	C	90-91+
1994 Châteauneuf-du-Pape Cuvée Vieilles Vignes	C	92
1993 Châteauneuf-du-Pape Cuvée Vieilles Vignes	C	93
1993 Châteauneuf-du-Pape Cuvée Tradition	C	88
1993 Châteauneuf-du-Pape Cuvée 20ᵉ Anniversaire	C	92
1993 Châteauneuf-du-Pape Blanc	C	87

Aimé Sabon est l'une des étoiles montantes de la vallée du Rhône. Il produit au Domaine de la Janasse des Châteauneuf-du-Pape au fruité mûr, richement extraits et pleins de caractère. Bien équilibrés et complexes, ils possèdent toute la finesse possible pour une appellation que l'on connaît mieux pour l'exubérance et la puissance de ses vins. Aimé Sabon élabore également des Côtes-du-Rhône qui permettront aux lecteurs qui ne le connaîtraient pas de se familiariser avec ses talents de vinificateur.

Ses Côtes-du-Rhône 1994 sont délicieux. Ainsi, la cuvée générique, moyennement corsée, goûteuse et profondément colorée, offre, à la fois au nez et en bouche, des arômes doux et sans détour de cerise noire. La cuvée Les Garrigues de la même année exhale un nez très aromatique de fruits noirs confiturés, de poivre, d'herbes et d'épices. Extrêmement mûre et douce (cette douceur étant due à la richesse en extrait et à la surmaturité, et non à un éventuel taux de sucre résiduel), elle est moyennement corsée et déploie une finale soyeuse. **A boire d'ici 1 ou 2 ans.**

Les deux Côtes-du-Rhône 1995 sont de même style que leurs aînés d'un an. Moins évolués, avec des niveaux d'acidité et de tannins plus élevés, ils présentent aussi un caractère plus prononcé de fruits noirs — dû au grenache. Leur potentiel de garde est incontestablement supérieur à celui des 1994, plus évolués.

Les cuvées de Châteauneuf-du-Pape de cette propriété méritent toutes qu'on leur accorde une attention particulière. Les 1995 m'ont semblé très jeunes, avec un caractère moins prononcé d'herbes de Provence et de garrigue que leurs aînés d'un an, mais davantage marqués par des arômes de fruits noirs. Puissants et bien structurés, ils ont aussi une meilleure acidité que les 1994.

Presque aussi bon que le 1994, peut-être plus structuré et moins précoce, le Châteauneuf-du-Pape 1995 n'a pas le caractère charnu et gras de son aîné. La Cuvée Chaupoins 1995, de couleur rubis tirant sur le noir, est d'une richesse superbe et d'une puissance admirable, avec un côté mesuré, retenu et élégant. On pourrait aisément, dans une dégustation à l'aveugle, la confondre avec un grand bourgogne de la Côte de Nuits. Elle devrait évoluer de belle manière sur les **10 à 12 ans** qui viennent. La Cuvée Vieilles Vignes 1995 ressemblait à une véritable essence de confiture de framboise lorsque je l'ai dégustée. C'est même le Châteauneuf le plus fermé et le plus structuré que je connaisse du Domaine de la Janasse. Très corsé, puissant et riche, extraordinairement doté et bien relevé par une bonne acidité et des tannins de qualité, il requiert une garde de 2 ou 3 ans avant d'être prêt (ce qui est plutôt inhabituel pour ce domaine) et devrait se conserver ensuite **10 à 15 ans.**

Le Châteauneuf-du-Pape 1994 est plein de charme, ouvert et très corsé, sans aspérités. De couleur rubis sombre avec des touches de violet, il exhale de doux arômes de framboise sauvage, de cerise, de cèdre et d'épices qui jaillissent littéralement du verre. Rond, velouté et richement fruité, il est généreusement doté et soyeux. **A boire dans les 6 ou 7 ans.** Entièrement issue de grenache, la Cuvée Chaupoins 1994 révèle un nez intense et séduisant de cerise confiturée, de kirsch, de fumé, d'herbes de Provence et de garrigue. Elle est ronde, corpulente et bien glycérinée, et, en bouche, déploie son généreux fruité par couches successives. Bien qu'elle semble trop délicieuse pour durer, elle possède la structure et l'acidité suffisantes pour tenir 10 ans. Plus corsée, plus profonde et mieux étoffée, la Cuvée Vieilles Vignes 1994 présente un caractère plus gras de fumé, de kirsch et de cerise. Plus alcoolique aussi, elle s'impose comme un fabuleux Châteauneuf-du-Pape déjà bien évolué et délicieux. L'attaque en bouche révèle un fruité remarquable, suivi d'une belle impression de maturité, de richesse et de pureté. On distingue certes quelques tannins, mais il demeure au palais une impression de fruité merveilleusement mûr et riche, contenu dans un ensemble velouté et d'une merveilleuse précision dans le dessin. Ce vin se conservera parfaitement **10 à 12 ans, voire davantage.**

Les 1993 sont d'un niveau bien supérieur à la seule cuvée de 1992 que j'aie pu goûter. Le Châteauneuf-du-Pape Cuvée Chaupoins 1993, à la robe sombre très soutenue de couleur rubis-pourpre et au nez absolument formidable de cassis doux, de tabac, d'herbes et d'épices, se révèle richement extrait, très intense et très corsé, et libère en bouche des essences de cerise noire et de framboise sauvage. Long, mûr et moyennement tannique, il est fait pour durer **15 à 20 ans**, mais sera déjà prêt d'ici 1 ou 2 ans. La Cuvée 20ᵉ Anniversaire est encore plus impressionnante, avec une robe opaque de couleur pourpre très soutenu. Ce vin révèle un nez intense de cassis mêlé de senteurs de réglisse, d'herbes de Provence et de subtiles notes de chêne neuf et grillé. Riche et concentré, avec d'admirables arômes de fruits noirs, ce Châteauneuf formidable est un vin corsé et d'une grande ampleur aromatique. **A maturité : 1998-2010.** Avec un fruité riche et confituré, plus opulent et plus luxuriant que celui du vin précédent, la Cuvée Vieilles Vignes 1993 exhale un fabuleux nez d'épices orientales, de fruits noirs, de cuir et de truffe. En bouche, elle déploie son onctueux fruité par couches successives, et se montre très corsée, charnue et de bonne mâche. Elle sera à son meilleur niveau à la fin de ce siècle et tiendra une quinzaine d'années. **A maturité : 2000-2015.**

La Cuvée Tradition 1993, la plus légère de ce millésime pour le Domaine de la Janasse, est d'une couleur rubis profond et déploie un nez modérément intense de cerise noire et de terre. Moyennement corsée et souple en bouche, avec des notes de poussière, elle offre une finale douce (grâce à la maturité et non au sucre résiduel), longue, mûre et épaisse. **A boire dans les 7 à 10 ans.**

Enfin, le Domaine de la Janasse produit régulièrement depuis cinq ou six ans l'un des meilleurs Châteauneuf-du-Pape blancs qui soient. Le 1993 exhale un nez savoureux, richement fruité, aux senteurs tropicales, et présente en bouche des arômes profonds et moyennement corsés. On distingue encore, dans la finale moyennement corsée, une bonne acidité et de la fraîcheur. **A boire d'ici 2 ou 3 ans.**

MARCEL JUGE****

Place de la Salle-des-Fêtes – 07130 Cornas
Tél. 04 75 40 36 68 – Fax 04 75 40 30 05
Contact : Marcel Juge

1994 Cornas	C	86-89
1993 Cornas	C	85

Le Cornas 1994, souple et doux, au nez floral de violette, de cassis et de goudron, se montre soyeux et séduisant. Montrant une belle concentration, une faible acidité et des tannins légers, il doit être bu avant **7 ou 8 ans d'âge**. Légèrement corsé et plaisant, avec un caractère souple et net de fruits noirs, le Cornas 1993 révèle des tannins doux et une faible acidité. Une belle réussite dans un millésime difficile. Marcel Juge produit souvent une Cuvée Coteaux, qui ne m'a cependant pas été présentée dans les millésimes 1993 et 1994.

JEAN LIONNET***

Pied-La Vigne – 07130 Cornas
Tél. 04 75 40 36 01
Contact : Jean-René ou Suzanne Lionnet

1995 Cornas Rochepertuis	B-C	82-85
1994 Cornas Rochepertuis	B-C	?
1993 Cornas Rochepertuis	B-C	86
1992 Cornas Rochepertuis	B-C	?
1994 Saint-Péray Blanc	B-C	84

La cuvée prestige de Cornas de Jean Lionnet est élevée en petits fûts, pour la plupart neufs. De couleur rubis foncé, le Rochepertuis 1995 exhale un nez très boisé et présente en bouche des arômes durs, tanniques, austères et acides. Je ne crois pas que ce vin s'ouvre ou s'épanouisse un jour, mais je lui donnerai le bénéfice du doute jusqu'à la mise en bouteille. Quant au 1994, il présentait un nez de vieux papier humide et moisi qui rendait impossible toute évaluation. On pourrait imputer ce problème au bouchon, mais il ne s'agissait pas de ces odeurs de moisi caractéristiques des bouteilles bouchonnées. Étonnamment bon pour le millésime, le 1993 arbore une couleur rubis foncé qui prélude à un nez très doux de vanille et de groseille ; en bouche, les arômes sont riches, moyennement corsés et mûrs, et la finale est de bonne tenue. **A boire d'ici 5 ou 6 ans.** En revanche, le 1992, légèrement corsé, pose certains problèmes, avec son nez rance de champignon (dû à la pourriture ?) et sa finale courte et diluée. Je réserve mon appréciation jusqu'à ce que je puisse en déguster une deuxième bouteille.

Curieusement, le Saint-Péray 1994 se révèle gras, mûr et fruité, bien qu'unidimensionnel. **A boire dans l'année.**

DOMAINE DE LONGUE-TOQUE****

84190 Gigondas
Tél. 90 65 86 88
Contact : Serge Chapalain

1990 Gigondas	C	89

Serge Chapalain, comme d'autres anticonformistes de la vallée du Rhône tels Henri Bonneau et feu Jacques Reynaud, s'est enfin décidé à exporter ses Gigondas vers les États-Unis. Mes compatriotes ne pourront que s'en féliciter !

L'âge moyen de son vignoble est supérieur à 50 ans. Son Gigondas 1990, composé à 20 % de syrah, à 10 % de mourvèdre et à 70 % de grenache, déploie un séduisant et aromatique bouquet de prune, de truffe noire et d'herbes. Doux et très corsé, avec des tannins doux en finale, ce vin concentré et généreusement doté tapisse le palais de son velouté. **A boire dans les 6 ou 7 ans.**

DOMAINE DU MARCOUX*****

7, rue Alphonse-Daudet – 84230 Châteauneuf-du-Pape
Tél. 04 90 34 67 43 – Fax 04 90 51 84 53
Contact : Élie ou Philippe Armenier

1995 Châteauneuf-du-Pape	C	88-90
1994 Châteauneuf-du-Pape	C	87-89

1993 Châteauneuf-du-Pape	C	88
1992 Châteauneuf-du-Pape	C	87
1995 Châteauneuf-du-Pape Vieilles Vignes	D	92-95
1994 Châteauneuf-du-Pape Vieilles Vignes	D	91-95
1993 Châteauneuf-du-Pape Vieilles Vignes	D	90
1992 Châteauneuf-du-Pape Vieilles Vignes	D	94?

La famille Armenier applique au Domaine du Marcoux les principes de la culture biodynamique prônés par Rudolf Steiner. Elle y produit d'excellents Châteauneuf-du-Pape, dont une cuvée Vieilles Vignes qui compte au nombre des vins les plus profonds de France. Ses millésimes 1992 à 1995 sont tous réussis.

De couleur rubis-pourpre, le Châteauneuf-du-Pape 1995 déploie de doux et purs arômes de cassis, de cerise noire et de truffe. Détail intéressant, cette palette aromatique me rappelle celle du Château Fortia, qui, lui, contient un fort pourcentage de syrah, contrairement au Domaine du Marcoux. Très corsé et d'une belle précision dans le dessin, ce vin bien mûr et richement extrait présente une belle attaque en bouche et une finale nette, ronde et opulente. **A boire dans les 10 ans.**

Le Châteauneuf-du-Pape Vieilles Vignes 1995, très massif et très puissant, est une véritable essence de vieilles vignes de cette appellation. Les raisins, vendangés très mûrs, avaient une petite note de surmaturité, et ce 1995 me semble être la meilleure cuvée prestige produite au domaine depuis le monumental 1990. Avec sa robe opaque de couleur pourpre, ce vin exhale des arômes de réglisse, de cassis confituré, de sous-bois et d'épices, ainsi que des notes fugaces de fleurs blanches. Extrêmement bien doté et très corsé en bouche, il est d'une concentration fabuleuse, offrant au palais un formidable crescendo. Prodigieux d'équilibre malgré son caractère massif, il révèle une richesse presque trop imposante qui masque complètement sa structure et ses abondants tannins. **A maturité : 2002-2020.**

Le Châteauneuf-du-Pape 1994, de couleur rubis foncé, présente une robe bien évoluée, bordée de quelques touches grenat. Ses arômes d'épices mélangées, de comprimés de vitamine et de fruits noirs et rouges très mûrs ne feront certainement pas l'unanimité, même chez les inconditionnels des vins de la vallée du Rhône. Avec son fruité riche, doux et confituré, ce vin ample, charnu et typiquement Châteauneuf doit être consommé dans les **6 ou 7 ans.**

Le Châteauneuf Vieilles Vignes 1994 me semble formidable. Sa robe opaque de couleur rubis-pourpre accompagne un nez absolument sensationnel de fruits noirs écrasés, de réglisse et de truffe. Très corsé et magnifiquement extrait, il déploie en bouche sa belle viscosité par couches successives, se montrant onctueux et extrêmement concentré, avec des tannins abondants qui percent à peine derrière sa richesse presque ostentatoire. Un Châteauneuf époustouflant. **A maturité : 1998-2012.**

Vêtu de rubis foncé, le Châteauneuf-du-Pape 1993 présente un nez énorme et confituré de framboise et de cerise noire, et déploie en bouche des arômes doux et moyennement corsés. La finale est capiteuse et alcoolique. Il doit être consommé avant d'avoir atteint **6 ou 7 ans d'âge.**

Quant à la cuvée Vieilles Vignes de cette même année, elle exhale un nez exotique de gingembre, de cannelle et de cerise noire confiturée. Cet excellent vin aux arômes doux et riches laissant deviner des vendanges tardives semble être le pendant à Châteauneuf-du-Pape de Lafleur à Pomerol. S'il n'est pas aussi impressionnant que les 1989 ou 1990, il est épais et riche, mais quelque peu fragile. **A maturité : jusqu'en 2003.**

L'exubérant Châteauneuf-du-Pape 1992 est confituré et luxuriant, avec un doux nez de cèdre, d'herbes de Provence et de cerise. Riche et voluptueux en bouche, il y montre une faible acidité et un caractère très alcoolique. **A boire dans les 10 ans.** Si ce n'était pour son haut niveau d'alcool, la cuvée Vieilles Vignes pourrait une nouvelle fois être confondue avec Lafleur, grandiose Pomerol. Arborant une phénoménale couleur noir-pourpre et présentant un nez énorme de framboise sauvage confiturée, de fleurs et de minéral, ce vin extraordinairement concentré et onctueux déploie une finale étonnamment longue, tellement riche en extrait que les tannins y sont à peine perceptibles. Le seul reproche que l'on pourrait lui adresser est que certaines bouteilles libèrent des arômes de pourriture. Déjà superbe dans sa jeunesse, ce Châteauneuf sera à la pointe de sa maturité d'ici 7 ou 8 ans et se maintiendra pendant encore **deux décennies.** C'est incontestablement l'une des plus belles réussites de ce millésime, somme toute assez moyen.

DOMAINE LA MAROTTE***

Chemin de Foutrouze – Serres – 84200 Carpentras
Tél. 04 90 60 35 14

1992 Côtes du Ventoux Cuvée Tradition	A	84
1990 Côtes du Ventoux Cuvée Prestige	B	86

La Cuvée Tradition du Domaine La Marotte révèle un bouquet très prononcé d'herbes de Provence, de poivre et de fruits rouges. Légèrement corsée, souple et agréable pour la soif, elle est plus légère que la Cuvée Prestige, plus riche et plus complète. Ce vin doit être consommé très frais, **maintenant.**

Plus concentrée et plus intense, la Cuvée Prestige 1990 offre un nez poivré de cerise noire et d'herbes aromatiques. Moyennement corsée, avec un merveilleux fruité pur, elle présente une finale moyennement longue. **A boire d'ici 1 ou 2 ans.**

MAS DE BOIS LAUZUN****

Quartier de Bois Lauzun – Route D 68 – 84110 Orange
Tél. 04 90 34 46 49 – Fax 04 90 34 46 61
Contact : Monique ou Daniel Chaussy

1995 Châteauneuf-du-Pape	A	87-90
1994 Châteauneuf-du-Pape	A	87

Je n'avais auparavant jamais dégusté les vins du Mas de Bois Lauzun, élaborés par Monique et Daniel Chaussy à Orange, au nord de Châteauneuf-du-Pape. Leurs 1994 et 1995 sont tous deux impressionnants.

Resplendissant d'une belle couleur rubis-grenat foncé, le Châteauneuf-du-Pape 1994 déploie un nez riche et chocolaté de cerise et d'herbes aromatiques. Puissant et moyennement corsé en bouche, bien dense, mûr et structuré, il devrait se bonifier d'ici 1 ou 2 ans. Son potentiel de garde est de 10 à 12 ans.

Le 1995 me paraît meilleur encore, plus corpulent, avec un fruité plus doux et une finale plus longue. Sa belle robe de couleur rubis foncé est légèrement marquée de pourpre. Ce vin richement extrait, bien fruité, ample et de bonne mâche en bouche, est encore très corsé, d'une grande profondeur, avec une finale longue, riche, épicée et poivrée, au caractère très glycériné et alcoolique. Bon dès sa jeunesse, il se maintiendra 10 à 12 ans, **voire plus.**

CHÂTEAU MAUCOIL**/***

Chemin de Maucoil – BP 07 – 84230 Châteauneuf-du-Pape
Tél. 04 90 34 14 86 – Fax 04 90 34 71 88
Contact : Carole Arnaud-Maimone

1995 Châteauneuf-du-Pape Réserve Suzeraine	B	81-84
1994 Châteauneuf-du-Pape Réserve Suzeraine	B	86
1993 Châteauneuf-du-Pape Réserve Suzeraine	C	87

Doux et ample, le Châteauneuf-du-Pape Réserve Suzeraine 1995 est moins corsé et moins concentré que le 1995, mais il recèle une acidité plus élevée. Bien que plaisant, il est simple et unidimensionnel.

Le Châteauneuf-du-Pape Réserve Suzeraine 1994 s'est révélé meilleur que le 1995. En effet, il arbore une séduisante robe rubis-pourpre foncé et déploie un doux nez d'herbes aromatiques, de poivre, d'olive et de cerise noire. Moyennement corsé et bien concentré, il se montre doux et accessible en bouche, avec une finale d'une bonne longueur. **A boire d'ici 6 ou 7 ans.**

D'une bonne couleur rubis-pourpre profond, l'excellent Châteauneuf Réserve Suzeraine 1993 exhale de doux et purs arômes de cerise noire mêlés de senteurs herbacées et épicées. Moyennement corsé et d'une belle profondeur, il est doux à l'attaque en bouche, avec une finale épicée. **A boire dans les 5 ou 6 ans.**

ROBERT MICHEL***/****

Grande-Rue – 07130 Cornas
Tél. 04 75 40 38 70 – Fax 04 75 40 58 57

1995 Cornas Cuvée des Coteaux	C	76-78
1994 Cornas Cuvée des Coteaux	B-C	87
1993 Cornas Cuvée des Coteaux	B	86
1992 Cornas Cuvée des Coteaux	B	75 ?
1995 Cornas La Geynale	D	78-84 ?
1994 Cornas La Geynale	C	88+

Les deux cuvées 1995 du Cornas de Robert Michel se révèlent excessivement tanniques, très acides, maigres et impossibles à déguster. Je pense qu'elles ne possèdent pas suffisamment de gras ni de fruité pour bien étayer leur structure tannique et leur acidité. Cependant, ces vins présentent tous deux une belle couleur rubis-pourpre et des pH relativement bas. Mais leur niveau de tannins est si élevé qu'ils se montreront toujours, à mon sens, durs et austères.

Au contraire, les 1994 présentent un fruité plus doux et une couleur rubis-pourpre plus foncé, avec des arômes plus prononcés de cassis. Grâce à leur plus faible acidité, ils sont accessibles et de bonne mâche en bouche. Ainsi, la Cuvée des Coteaux 1994 est mûre, ronde, généreuse et profondément colorée, avec les arômes de cassis, de réglisse, de terre et d'épices caractéristiques des Cornas. On y distingue certes quelques tannins, mais ce vin peut être dégusté **dès maintenant** ou sur les **10 ans** à venir. Plus rustique et moyennement corsée, la cuvée La Geynale 1994 révèle un fruité plus doux, une meilleure maturité, ainsi qu'un niveau de tannins plus élevé que le cru précédent. Avec sa robe opaque de couleur rubis-pourpre, elle montre une maturité extraordinaire qui laisse deviner qu'elle se bonifiera sur les 10 ans qui viennent et méritera alors une note plus élevée. Son potentiel de garde est de **15 ans environ**.

En 1992 et 1993, la Cuvée prestige La Geynale ne m'a pas été présentée. Le Cornas Cuvée des Coteaux 1993 est doux, moyennement coloré, avec une faible acidité ; il manque de tannins et de tenue, mais se révèle bien mûr et modérément alcoolique. **A boire dans les 5 ou 6 ans.**

Maigre et compact, le 1992 présente un nez bizarre, trop herbacé, de terre et manque de maturité. Après un moment d'aération, il dégage de plus des notes de champignon et de pourri.

DOMAINE DE LA MILLIÈRE***

Quartier Cabrières – 84100 Orange
Tél. 04 90 34 53 06 – Fax 04 90 51 14 60

1995 Châteauneuf-du-Pape	B	82-84
1994 Châteauneuf-du-Pape	B	76
1992 Côtes-du-Rhône	A	85

Cette propriété, gérée par Aimé et Michel Arnaud, a produit en 1995 un Châteauneuf-du-Pape rubis foncé, plutôt doux, au fruité assez mûr. Moyennement corsé, avec un caractère modérément concentré et réservé, il doit être consommé dans les **3 ou 4 ans**.

Le Châteauneuf-du-Pape 1994 est épicé et herbacé, mais maigre et légèrement corsé. Correct, mais inintéressant, il sera bon à boire dans les **2 à 4 ans**.

Le Côtes-du-Rhône 1992, moyennement corsé, mûr et confituré, est ample, gras et bien alcoolique, avec un fruité abondant. **A boire d'ici 1 ou 2 ans.**

DOMAINE MIREILLE ET VINCENT***

Route de Taulignan – 84600 Valréas
Tél. 04 90 35 00 77 – Fax 04 90 35 60 06

1990 Côtes-du-Rhône — A 85

Ce 1990, doux comme de la soie et délicieux, déploie, à la fois au nez et en bouche, de généreux arômes de poivre et de framboise. Son fruité riche et sans détour, son velouté et sa finale capiteuse résument bien ce que devraient être les Côtes-du-Rhône.

CHÂTEAU MONGIN***

Lycée viticole d'Orange – 2260 Route du Grès – 84100 Orange
Tél. 04 90 51 48 00 – Fax 04 90 51 48 20

1994 Châteauneuf-du-Pape — A 87

Ce Châteauneuf-du-Pape 1994, issu d'un vignoble géré par le Lycée viticole d'Orange (qui forme viticulteurs et œnologues), se révèle absolument excellent. Moyennement corsé, avec de doux arômes de cerise noire, il est doux et velouté en bouche, où il déploie une finale longue et riche. Il peut éventuellement paraître trop ouvert et trop voyant, mais il est quand même délicieux. **A boire dans les 4 ou 5 ans.**

Le Châteauneuf-du-Pape 1995 ne m'a pas été présenté à la dégustation.

DOMAINE DE MONTEILLET****/*****

42410 Chavanay
Tél. 04 74 87 24 57 – Fax 04 74 87 06 89
Contact : Antoine et Monique Montez

1995 Condrieu	D	88
1992 Condrieu	D	94
1994 Saint-Joseph Cuvée du Papy	C	87+
1994 Saint-Joseph	C	86
1992 Saint-Joseph	C	90
1991 Saint-Joseph	C	90

J'ai été impressionné par les vins de cette propriété. Les notes ci-dessus, relatives aux vins rouges, se rapportent aux cuvées spéciales non filtrées que le domaine produit spécialement à destination des États-Unis. Celles que l'on trouve ailleurs, notamment en Europe, ne sont pas les mêmes, car elles sont filtrées avant la mise en bouteille.

Comme je l'ai déjà indiqué, le millésime 1995 ne fut pas en Condrieu aussi magique que certains l'ont suggéré. On y trouve certes une poignée de vins grandioses et quelques autres excellents, mais la plupart ne possèdent ni l'intensité voulue ni la maturité physiologique nécessaire. Cependant, le Condrieu de Monteillet est l'un des plus réussis du millésime, avec un nez très mûr de pamplemousse et de poire, et des arômes moyennement corsés et d'une bonne profondeur. Il recèle encore cette acidité de conte de fées propre à certains vins de l'appellation, et il est plus charnu et plus mûr que la moyenne. Il devrait se conserver encore **1 ou 2 ans** et pourrait s'adoucir en bouteille.

Les cuvées de Saint-Joseph sont toutes deux pleines de charme. J'ai dégusté côte à côte les Saint-Joseph 1994 filtré et non filtré, ce dernier étant réservé au marché américain. La différence de notation était de l'ordre de 10 points, la cuvée filtrée se révélant acidulée, maigre et dépouillée en bouteille, manquant totalement de texture, avec des arômes ternes, alors que l'autre, moyennement corsée et d'un rubis-pourpre plus foncé, déployait un fruité doux, plus ample, de cerise noire, avec une bonne acidité sous-jacente. La finale était élégante, longue et épicée. Je regrette vraiment, alors que depuis près de vingt ans je dénonce les méfaits du collage et de la filtration, de demeurer, à de très rares exceptions près, une voix dans le désert, chantant juste, peut-être, mais pas avec les loups. Ne serait-il pas temps que les soi-disant experts qui demeurent étrangement muets sur ce sujet soient enfin déclarés responsables ?

La troisième cuvée du Domaine de Monteillet que j'ai dégustée est la cuvée prestige de Saint-Joseph appelée Cuvée du Papy, en hommage au grand-père. Avec sa robe sombre de couleur rubis-pourpre foncé, ce 1994 offre un généreux fruité de cerise noire et mûre. Moyennement corsé, bien tannique, avec une bonne acidité, il présente un caractère relativement fermé et dense, et bénéficiera d'une garde de 1 ou 2 ans. Son potentiel est de **10 à 12 ans**.

Ayant dégusté presque tous les Condrieu 1992 de la majorité des négociants et des producteurs, je puis affirmer qu'il n'en existe pas de meilleur que celui d'Antoine Montez. La moitié de sa toute petite récolte fut fermentée en fût et l'autre en cuve inox, et cela a donné un Condrieu renversant et parfaitement représentatif du viognier issu des coteaux bien ensoleillés de cette minuscule appellation. Ce vin déploie un nez extraordinaire de pêche confite, d'abricot et de fleurs printanières. Extrêmement concentré, onctueux, épais et riche en bouche, il est encore très corsé et spectaculaire, et sa belle acidité nécessaire lui confère une fraîcheur adéquate. Comme le savent mes lecteurs, je suis partisan de déguster ces vins avant qu'ils n'atteignent **1 ou 2 ans d'âge**, car ils conservent alors toute la pureté et l'intensité de leurs arômes.

Le Saint-Joseph 1991 du Domaine de Gachon et le Saint-Joseph 1992 d'Antoine Montez sont les plus riches et les plus irrésistibles que je connaisse de cette appellation. Le dernier, issu de rendements de 35 hl/ha, arbore une robe dense, très soutenue, de couleur noir- pourpre et déploie un nez énorme de cerise noire, d'herbes et de sous-bois. D'une concentration fabuleuse, étonnamment riche et mûr, il est aussi long et très corsé, et constitue de surcroît une excellente affaire. Son potentiel de garde est de **15 ans, voire plus**. Le 1991 pourrait prétendre au titre du meilleur Saint-Joseph du millésime. Ce vin n'a jamais connu le chêne neuf, si bien que vous pouvez imaginer la richesse de son fruité de syrah, aux arômes de cassis et de poivre. Profond, visqueux, doux et de bonne mâche en bouche, il libère en finale un abondant fruité. Bien qu'il puisse tenir encore une bonne dizaine d'années, je suis d'avis que vous profitiez de cette merveille **d'ici 6 ou 7 ans**.

DOMAINE DE MONTPERTUIS****

7, avenue Saint-Joseph et 14, chemin des Garrigues –
84230 Châteauneuf-du-Pape

Tél. 04 90 83 73 87 ou 04 90 83 75 99 – Fax 04 90 83 51 13
Contact : Paul Jeune

1995 Châteauneuf-du-Pape Cuvée Classique	C	87-89
1994 Châteauneuf-du-Pape Cuvée Classique	C	87
1993 Châteauneuf-du-Pape Cuvée Classique	C	87
1992 Châteauneuf-du-Pape Cuvée Classique	C	87
1990 Châteauneuf-du-Pape Cuvée Tradition	D	92

Dans les très bonnes années, Paul Jeune, propriétaire du Domaine de Mont-pertuis, produit, outre sa cuvée générique, une Cuvée Tradition, issue de vignes de faibles rendements et de 60 à 110 ans d'âge. Le potentiel de ce dernier vin est en général de 10 à 20 ans. Je n'ai pas dégusté cette cuvée spéciale en 1994 ni en 1995, et je ne suis pas sûr qu'elle ait été produite.

L'excellent Châteauneuf-du-Pape 1995 est de couleur rubis-pourpre foncé, avec un nez séduisant, pur et vibrant de cerise rouge marqué des bouffées de senteurs d'herbes et de terre. Impressionnant de profondeur, de maturité et de richesse en extrait, il est jeune et bien équilibré. Il sera certainement moins flatteur dans sa jeunesse que le 1994, mais son potentiel de garde est de 10 à 12 ans, voire plus.

Quant au Châteauneuf-du-Pape 1994, il offre de généreux arômes, doux et mûrs, de fruits rouges auxquels se mêlent d'agréables senteurs de poivre et d'herbes. Rond, doux et pur, il est bien plus précoce que ne le sont d'habitude les vins de cette propriété, et se montre moyennement corsé, avec un excellent fruité et une finale séduisante, épicée et très corsée. A boire dans les 10 ans.

De couleur rubis moyennement foncé, le Châteauneuf 1993 présente un fruité doux et épicé de cerise noire. Moyennement corsé, avec un caractère net, bien structuré et modérément tannique, il montre une belle longueur en fin de bouche. Déjà prêt, il tiendra parfaitement 10 à 12 ans, voire davantage.

La Cuvée Classique 1992 (exactement comme en 1993, la cuvée prestige n'a pas été produite) comprend le fruit des vieilles vignes de la propriété. Avec sa robe rubis profond et ses merveilleux arômes, mûrs, doux et gras, d'herbes et de cerise noire marqués par la mâche, elle déploie une finale modérément longue, épicée et capiteuse. Mise en bouteille sans filtration préalable, elle devrait tenir 5 ou 6 ans encore...

Il est peut-être encore possible de trouver quelques bouteilles de la Cuvée Tradition 1990, absolument spectaculaire, qui atteste maintenant davantage de caractère qu'au moment de sa mise en bouteille. Sa robe rubis-pourpre foncé introduit un nez énorme, épicé et poivré, d'herbes, de cerise noire et de framboise sauvage. Suit un vin très corsé, bien riche et bien glycériné, à la finale modérément tannique. Déjà prêt, il devrait continuer de bien évoluer sur les 15 prochaines années.

DOMAINE DE MONT-REDON***

84230 Châteauneuf-du-Pape
Tél. 04 90 83 72 75 – Fax 04 90 83 77 20
Contact : Jean et François Abeille ou Didier Fabre

1993 Châteauneuf-du-Pape Blanc	C	86
1993 Châteauneuf-du-Pape	C	86
1992 Châteauneuf-du-Pape	C	86
1992 Côtes-du-Rhône	A	85

Le Domaine de Mont-Redon, qui possède le vignoble le plus extraordinaire de Châteauneuf-du-Pape, se contente de faire de bons ou de très bons vins, plutôt que d'en faire de profonds. Son Châteauneuf-du-Pape Blanc 1993 révèle de délicieux arômes de miel et de salade de fruits frais. Moyennement corsé, il montre une bonne acidité et déploie une finale pure et vive. **A boire maintenant.**

Les deux Châteauneuf rouges sont moyennement corsés, nets et de style commercial, bien dans la ligne de ce qui se fait généralement dans l'appellation. Le 1993 exhale des arômes séduisants, moyennement intenses et mûrs de fruits noirs, accompagnés de notes herbacées et poivrées. Un vin d'une bonne profondeur, avec une finale souple et sans détour. **A boire dans les 10 à 12 ans.** Bien que plus développé, le 1992 montre la même ampleur, avec le même nez de cerise noire, d'herbes et de cèdre, et présente en bouche des arômes poivrés, mûrs et moyennement corsés. La texture est souple, et la finale juteuse. **A maturité : jusqu'en 2001.**

Le fait que le Côtes-du-Rhône du Domaine de Mont-Redon, moyennement corsé, goûteux, fruité et épicé, soit presque aussi bon que le Châteauneuf est un bon point pour le premier, mais il devrait inciter les amateurs à rechercher davantage de richesse dans le second. Ce Côtes-du-Rhône 1992, qui est une excellente affaire, sera parfait dans les 2 ou 3 ans. J'espère vraiment que le Domaine de Mont-Redon reviendra aux Châteauneuf massifs et puissants, extrêmement concentrés et non filtrés qui ont fait de cette propriété historique une des références de l'appellation. En effet, depuis le grandiose 1961, elle n'a produit aucun vin qui soit véritablement profond.

DOMAINE DE LA MORDORÉE****/*****

30126 Tavel
Tél. 04 66 50 00 75 – Fax 04 66 50 47 39

1994 Châteauneuf-du-Pape	C	90
1993 Châteauneuf-du-Pape	C	88
1992 Châteauneuf-du-Pape	C	88
1994 Châteauneuf-du-Pape Cuvée La Reine des Bois	C	93
1995 Côtes-du-Rhône Rosé	A	87
1995 Côtes-du-Rhône Rouge	B	87
1992 Côtes-du-Rhône Rouge	B	84
1994 Lirac	B	90
1992 Lirac	B	88

La famille Delorme, que l'on connaît surtout pour ses rosés – qui ont fait la réputation du village de Tavel –, a grandement amélioré la qualité de ses vins rouges. Sa production dans les années 1990 est très réussie, même dans un millésime aussi difficile que 1992. Ses Châteauneuf-du-Pape, vinifiés dans un style moderne, débordent littéralement de riches arômes de fruits noirs, et se révèlent merveilleusement purs et bien dotés. D'aucuns en déduiraient qu'il s'agit là de vins « trop commerciaux », compte tenu de leur netteté et de leur fruité riche ; j'ai pour ma part été profondément séduit par les 1994, 1993 et 1992.

Ainsi, le Châteauneuf-du-Pape 1994, sorti premier au Festival de Saint-Marc (une manifestation au cours de laquelle tous les producteurs de l'appellation présentent leurs derniers vins, les meilleurs étant primés suite à une dégustation à l'aveugle), se montre impressionnant et délicieusement riche, exhalant des senteurs de framboise sauvage et de cerise mêlées de notes poivrées. Comme tant d'autres crus de cette propriété, il se distingue par sa pureté, son équilibre extraordinaire et son fruité mûr et luxuriant. Vous apprécierez ce vin soyeux dans les **8 à 10 ans** qui viennent. La cuvée prestige appelée La Reine des Bois se révèle, cette même année, encore plus remarquable. Vraisemblablement issue des plus vieilles vignes et des fruits les plus mûrs, elle présente un léger caractère de surmaturité. Il s'agit d'un vin extrêmement corpulent et richement extrait, au nez doux et flamboyant de confiture de cerise noire, de cake et de fumé. Onctueux, épais et très corsé, avec quelques tannins qui percent en arrière-plan, il est ample, mais accessible, et devrait tenir **10 à 15 ans, voire plus.** Les amateurs apprécieront particulièrement sa robe rubis-pourpre foncé.

Profondément colorés et très corsés, le 1992 et le 1993 sont incontestablement bien vinifiés, dans le respect du caractère de leur terroir. Accessibles, souples et riches, ils plairont tant aux néophytes qu'aux connaisseurs. **A boire dans les 6 ou 7 ans.** Exactement comme le 1994, le 1992 a été primé au Festival de Saint-Marc.

Très corsé, sec et étonnamment aromatique (avec de copieux arômes de fraise et de cerise), le Côtes-du-Rhône Rosé 1995 du domaine est un noble cousin des Tavel rosés plus renommés que l'on produit à un jet de pierre de là. Montrant une belle richesse, exhalant un nez puissant et fruité, il est corpulent, avec une finale sèche, austère et fraîche, mais assez impressionnante. Vous dégusterez ce rosé avec des plats provençaux savoureux **dans l'année.**

Principalement composé de grenache et de 30 % de syrah, le Côtes-du-Rhône Rouge 1995 se révèle extrêmement mûr, riche et poivré, avec des arômes de framboise sauvage et de cerise. Sans détour, charnu et moyennement corsé, ce vin ample et goûteux devra être bu dans les **2 ou 3 ans.** Légèrement corsé, séduisant et fruité, le Côtes-du-Rhône Rouge 1992 est bien vinifié, vif, acidulé et exubérant. **A boire d'ici 2 ou 3 ans.**

Le Lirac 1994 constitue une excellente affaire, surtout si l'on tient compte de son intensité et de sa richesse. Composé à 42 % de syrah, à 30 % de mourvèdre et à 28 % de grenache, ce vin rubis-pourpre foncé exhale un nez très aromatique de poivre, de fruits noirs, de garrigue, d'herbes et d'épices. Très corsé, avec un aspect sang-de-bœuf, il révèle en bouche un fruité souple, marqué par la mâche, qui dévale littéralement le palais en cascade. Son acidité et sa structure suffisantes lui confèrent de l'équilibre. Dégustez ce vin (le meilleur Lirac que je connaisse) dans les **3 ou 4 ans**, mais je ne serais pas autrement étonné qu'il tienne plus longtemps.

Composé à parts égales de mourvèdre, de syrah et de grenache, le Lirac 1992 du Domaine de la Mordorée est presque aussi bon que le Châteauneuf-du-Pape de la propriété. Avec sa robe très soutenue de couleur rubis-pourpre, il déploie un nez énorme et puissant de cerise noire, de poivre et d'épices. Moyennement corsé et souple en bouche, avec une finale longue et marquée par la mâche, il est ample et merveilleusement pur. A boire dans les **3 ou 4 ans.**

MOULIN DE LA GARDETTE****

84190 Gigondas
Tél. 04 90 65 81 51 – Fax 04 90 65 85 92
Contact : Jean-Baptiste Meunier

1995 Gigondas Cuvée Classique	C	90-92
1994 Gigondas Cuvée Classique	C	85
1993 Gigondas Cuvée Classique	C	86
1992 Gigondas Cuvée Classique	C	72
1994 Gigondas Cuvée Spéciale	C	87+

Arborant une resplendissante robe opaque de couleur pourpre, le Gigondas 1995 est vif, avec une belle acidité, et il étonne par son fruité mûr et sa concentration (compte tenu, surtout, de sa haute acidité). L'attaque en bouche est douce, riche et puissante, et la finale offre des arômes longs, corsés et musclés, qui débordent de jeunesse. Ce vin ample et expressif commence tout juste à se développer et tiendra bien **10 à 15 ans** encore.

Deux cuvées ont été élaborées en 1994. La Cuvée Classique, moyennement corsée, exhale un nez séduisant, épicé et poivré, de minéral et de terre, et déploie en bouche des arômes mûrs et une finale plaisante. **A boire d'ici 6 ou 7 ans.** La Cuvée Spéciale, de couleur rubis profond, présente quant à elle un nez exotique de terre, d'épices orientales et de cerise noire et douce, avec en arrière-plan des senteurs de truffe et de réglisse. Dense, tannique et structurée, d'une excellente concentration, elle pourrait se révéler de meilleur niveau que ne le suggère la note que je lui ai pour l'heure attribuée. **A maturité : 1999-2008.**

Le Gigondas 1993 exhale un nez de fleurs, de terre, de réglisse et de cerise. Moyennement corsé et épicé en bouche, il est aussi bien concentré et gras, avec des tannins modérés. **A boire dans les 10 ans.**

Le très décevant Gigondas 1992 déploie un nez de légumes rances, de rose fanée et de café brûlé. Il est maigre et terriblement tannique en bouche.

MOULIN-TACUSSEL****

10, avenue des Bosquets – 84230 Châteauneuf-du-Pape
Tél. 04 90 83 70 09 – Fax 04 90 83 50 92
Contact : Robert et Alberte Moulin

1995 Châteauneuf-du-Pape	C	76-79
1994 Châteauneuf-du-Pape	C	74
1993 Châteauneuf-du-Pape	C	86
1992 Châteauneuf-du-Pape	C	85

Le Châteauneuf-du-Pape 1995, de couleur rubis foncé, se révèle poudreux, avec des tannins durs et un caractère métallique qui gâchent l'impression d'ensemble. La finale, courte et dure, manque de maturité et de fruit.

Le Châteauneuf-du-Pape 1994 était nettement meilleur avant la mise que lorsque je l'ai dégusté en bouteille, en juin 1996. Il semble maintenant dépouillé de ses arômes par une filtration et un collage trop zélés. Privé de caractère, il est acide, herbacé, étripé. Une autre victoire pour les fabricants de filtres. Quelle honte ! Cette propriété, qui a pourtant produit quelques excellents vins, n'a vraiment pas réussi dans ces deux millésimes.

J'ai, en revanche, été fasciné, notamment en 1992 et en 1993, par le côté mentholé de certains vins de Moulin-Tacussel. Le Châteauneuf 1993, de couleur rubis foncé, exhale un nez intense de menthe auquel se mêlent de délicieuses notes d'épices et de cerise noire. C'est un vin moyennement corsé, bien rond et bien profond, solide, séduisant et bien doté, que vous apprécierez dans les 4 ou 5 ans qui viennent.

Dans le 1992, la note mentholée s'accompagne d'arômes de cerise noire et mûre conjugués à des senteurs de goudron. Ce Châteauneuf moyennement corsé et fruité, très gras et très alcoolique demeure doux et accessible, bien qu'assez massif. A boire dans les 3 ou 4 ans.

DOMAINE DE NALYS****

Route de Courthézon – 84230 Châteauneuf-du-Pape
Tél. 04 90 83 72 52 – Fax 04 90 83 51 15

1994 Châteauneuf-du-Pape	C	87-88
1993 Châteauneuf-du-Pape	C	85
1992 Châteauneuf-du-Pape	C	87
1993 Châteauneuf-du-Pape Blanc	C	87

Cette propriété pratique, pour la vinification de ses rouges, la méthode de la macération carbonique. Elle produit en conséquence des vins doux et fruités, agréables dans leur jeunesse, mais qui ne peuvent se garder et se bonifier sur une dizaine d'années que dans les meilleurs millésimes.

De couleur rubis moyen (les vins du Domaine de Nalys n'arborent jamais une robe très soutenue), le soyeux Châteauneuf-du-Pape Rouge 1994 séduit par son fruité riche et mûr. Même s'il est plus étoffé, plus alcoolique et plus long en bouche que son aîné d'un an, tous deux sont faits du même métal, malgré les différences de style entre les millésimes. Vous dégusterez le premier dans les 5 à 7 ans qui viennent. Bien que très léger, le 1993 est plaisant et séduisant, avec son somptueux et doux fruité de cerise et de framboise marqué par la mâche. D'un faible niveau d'acidité, avec des tannins légers et une finale alcoolique, il doit être consommé dans les 4 ou 5 ans. Le 1992 se révèle plus intéressant, avec une robe rubis profond et un excellent nez de tabac, de cèdre, de prune et de cerise noire confiturée. Gras et de bonne mâche, il déploie une finale très alcoolique. **A boire dans les 4 ou 5 ans.**

Le Domaine de Nalys produit, en règle générale, les meilleurs Châteauneuf-du-Pape blancs. Le 1993 se distingue particulièrement par ses arômes riches de fruits tropicaux et de miel, ainsi que par le caractère concentré et moyennement corsé qu'il révèle en bouche. Délicieux, plein de personnalité, il devrait durer encore 1 an.

CHÂTEAU DE LA NERTHE****/*****

84230 Châteauneuf-du-Pape
Tél. 04 90 83 70 11 – Fax 04 90 83 79 69
Contact : Alain Dugas

1993 Châteauneuf-du-Pape Blanc	C	87
1992 Châteauneuf-du-Pape Blanc	C	86
1991 Châteauneuf-du-Pape Blanc	C	79
1993 Châteauneuf-du-Pape Clos de Beauvenir	D	88
1992 Châteauneuf-du-Pape Clos de Beauvenir	D	86
1994 Châteauneuf-du-Pape	C	89
1993 Châteauneuf-du-Pape	C	88
1992 Châteauneuf-du-Pape	C	87
1991 Châteauneuf-du-Pape	C	78
1994 Châteauneuf-du-Pape Cuvée des Cadettes	D	92
1993 Châteauneuf-du-Pape Cuvée des Cadettes	D	92
1992 Châteauneuf-du-Pape Cuvée des Cadettes	D	88+

Dans les excellents millésimes, le Château de la Nerthe produit quatre cuvées de Châteauneuf-du-Pape – deux de rouges et deux de blancs. La Cuvée des Cadettes et le Clos de Beauvenir sont les noms des cuvées prestige, respectivement pour les vins rouges et les vins blancs.

La cuvée générique de Châteauneuf-du-Pape Blanc est composée à parts égales de grenache, de clairette, de bourboulenc et de roussanne. Bien vinifié, le 1993 exhale un curieux bouquet de fleurs, de poire et d'épices. Riche et très corsé, séduisant, souple et charnu en bouche, il devra être consommé **dans l'année.** Plus doux et moyennement corsé, le 1992 offre au nez des arômes épicés et de minéral. **A boire maintenant.** Quant au 1991, aux arômes de boisé bien perceptibles, il commence à se dessécher, et son fruité me semble douteux.

Le Clos de Beauvenir, cuvée prestige de blanc, est en général composé à 60 % de roussanne et à 40 % de clairette. Fermenté en fût, il est mis en bouteille fermentation malolactique non faite. Le 1993 révèle un nez intense et complexe de pétale de rose, de miel et de cerise. Profond, riche et très corsé, il déploie une délicieuse touche de chêne neuf et grillé. **A boire d'ici 1 an.** Le 1992, épicé, révèle un boisé bien fondu, exhale au nez un excellent bouquet et présente en bouche des arômes mûrs et moyennement corsés qui, tout en n'étant pas complexes, sont fruités et agréables. **A boire d'ici 2 ans.**

Pour ce qui est des vins rouges, le Château de la Nerthe pratique maintenant des vinifications les moins interventionnistes possible, et la Cuvée des Cadettes est mise en bouteille sans filtration préalable.

Composée à 37 % de grenache, à 34 % de mourvèdre et à 29 % de syrah, la Cuvée des Cadettes 1994 arbore une robe opaque de couleur rubis-pourpre foncé. Merveilleusement mûre, elle déploie en bouche, par couches successives, une opulence et une richesse bien supérieures à celle de la cuvée classique. Puissante et dense, avec une acidité et des tannins modérés bien fondus, elle pourrait se révéler la meilleure cuvée prestige produite au domaine sous la houlette d'Alain Dugas. **A maturité : 1999-2012.** De couleur rubis-pourpre, avec un nez de fumé, de vanille, de cerise noire et de framboise douce, le Châteauneuf-du-Pape générique 1994 est moyennement corsé et extraordinairement pur, se montrant doux et ample en milieu de bouche. La finale, longue, mûre et structurée, est moyennement tannique. Ce vin, agréable dès sa jeunesse, n'atteindra la pointe de sa maturité que d'ici 4 ou 5 ans et se maintiendra ensuite **12 à 15 ans.**

Composée à 55 % de grenache, à 15 % de syrah, à 15 % de mourvèdre, à 5 % de cinsault et pour le reste d'autres cépages de l'appellation, la cuvée générique 1993 exhale un nez merveilleusement doux de cassis et présente en bouche des arômes nets, mûrs et moyennement corsés. La finale est longue, riche, racée et bien équilibrée. **A boire dans les 10 ans.** Avec 60 % de mourvèdre et 40 % de grenache, la Cuvée des Cadettes de la même année est plus richement extraite et mieux structurée, déployant davantage de boisé. Sa robe opaque de couleur pourpre introduit au nez de riches arômes de cassis confituré conjugués à des notes de chêne neuf et grillé. Ce vin riche, corsé et dense présente un potentiel de garde phénoménal de **15 à 20 ans.**

Élégant et moyennement corsé, avec des tannins modérés, le Châteauneuf-du-Pape 1992 révèle une bonne profondeur et se montre épicé, avec un fruité de cerise noire et de framboise. Savoureux et racé, il sera plaisant encore **6 ou 7 ans.** La Cuvée des Cadettes 1992 regorge de senteurs de chêne neuf grillé et doux. Vinifiée dans un style « international », avec davantage de caractère que son homologue de 1993, elle est profonde, riche et moyennement corsée. Il s'agit, dans l'ensemble, d'un excellent vin, qui devrait bien évoluer sur les **10 à 15 prochaines années.**

Le Châteauneuf-du-Pape 1991 (la cuvée prestige ne fut pas produite dans ce millésime) est un vin réussi dans une année particulièrement difficile. Plus herbacé et plus compact que d'habitude, il révèle néanmoins une bonne maturité, sans détour, avec un fruité moyennement corsé de cerise noire et une finale épicée. **A boire d'ici 4 à 5 ans.**

ROBERT NIERO**

20, rue Cuvillère – 69420 Condrieu
Tél. 04 74 59 84 38 – Fax 04 74 56 62 70

1992 Condrieu Coteaux du Chéry   D   91

Bien que vieilli en fûts neufs, ce vin est d'une concentration et d'une intensité telles qu'il est impossible d'y déceler le moindre boisé, au nez ou en bouche. Il exhale un nez énorme et exotique d'abricot et de miel, et se montre très corsé et onctueux en bouche. **A boire maintenant.**

MICHEL OGIER****

Chemin du Bac – 69420 Ampuis
Tél. 04 74 56 10 75

1991 La Rosine Syrah Vin de Pays	C	89
1995 Côte-Rôtie	D	88-90
1994 Côte-Rôtie	D	89
1993 Côte-Rôtie	D	74
1992 Côte-Rôtie	C	87
1991 Côte-Rôtie	C	89

Si vous êtes à la recherche d'un vin semblable à un Côte-Rôtie, à la fois au nez et en bouche, mais deux fois moins cher, tournez-vous vers La Rosine 1991 de Michel Ogier. Ce vin entièrement issu de syrah révèle un nez énorme de lard, de cassis et de vanille, et se montre doux, souple et de bonne mâche en bouche, avec une belle finale, gracieuse et séduisante. **A boire d'ici 3 ou 4 ans.**

Profondément coloré et de structure très classique, le Côte-Rôtie 1995 montre des niveaux d'acidité et de tannins plus élevés que le 1994, tout en étant moins alcoolique. Il n'a pas encore développé les légendaires arômes de fumé et de lard caractéristiques de l'appellation, mais il regorge d'un fruité de cassis. D'une belle couleur soutenue, il est encore fermé, structuré et moins flatteur que son aîné d'un an. Je le répète, il s'agit d'un excellent Côte-Rôtie, moyennement corsé et racé, très serré, mais prometteur.

Le Côte-Rôtie 1994 est un vin élégant et tout en finesse, aux arômes intenses, séduisants et sensuels de fumé, de lard et de cassis. L'attaque en bouche révèle une maturité délicate et douce, ainsi qu'une fraîcheur et une acidité suffisantes qui donnent à l'ensemble une belle précision dans le dessin. Ce vin moyennement corsé, au caractère bien serré, présente néanmoins une finale un peu courte, ce qui m'empêche de lui attribuer une note plus élevée. Cependant, il n'y aurait rien de surprenant à ce qu'il s'étoffe avec le temps et à ce que je révise en conséquence sa notation à la hausse. Déjà agréable, il se maintiendra **10 ans** encore.

Le 1993 figure malheureusement au nombre des déceptions, avec un caractère dur, poudreux et astringent qui le rend plutôt pénible à déguster. Maigre et creux, il manque de fruité, mais offre des arômes à la fois plaisants et décevants de syrah mûre. Une fois ces agréables senteurs passées, il ne subsiste plus grand-chose d'agréable. Ce vin se desséchera au fur et à mesure de son évolution.

Plus léger que le 1991, avec des arômes de fumé et de cassis davantage marqués par des notes herbacées, le Côte-Rôtie 1992 est doux, mûr et moyennement corsé, mais il ne possède pas la concentration qu'affiche généralement ce cru dans les grands millésimes. **A boire d'ici 4 à 6 ans.**

J'ai beaucoup vanté les mérites du 1991 lorsqu'il était encore en fût, et, maintenant qu'il est en bouteille, ce vin se révèle de fait sensationnel. Michel Ogier élabore en règle générale des Côte-Rôtie d'une élégance exceptionnelle, souples et veloutés, au fruité riche. Ils ne sont pas aussi virils ni aussi robustes que ceux d'autres producteurs, mais s'expriment davantage en complexité et en finesse. Le 1991 déploie un bouquet irréel de cassis mûr, de lard, de vanille et de violette. Profond, moyennement corsé et extraordinairement fin, il est encore très aromatique, et sa belle longueur en bouche ferait rougir nombre de Musigny de Bourgogne. **A maturité : jusqu'en 2001.**

DOMAINE DE L'ORATOIRE SAINT-MARTIN*****

Route de Saint-Romain – 84290 Cairanne
Tél. 04 90 30 82 07 – Fax 04 90 30 74 27
Contact : Frédéric Alary

1993 Côtes-du-Rhône Cairanne	A	87
1993 Côtes-du-Rhône Cairanne Prestige	B	89

Ce domaine, géré par l'Alary Wine Company, a été une véritable découverte. Les vins que l'on y produit, mis en bouteille sans filtration préalable, sont merveilleusement purs, concentrés et richement fruités, et se dégustent à leur meilleur niveau jusqu'à 5 ou 6 ans d'âge.

Avec sa robe soutenue de couleur rubis-pourpre foncé et son bouquet énorme et juteux de cerise noire, d'herbes et de poivre, le Côtes-du-Rhône Cairanne 1993 se révèle souple et moyennement corsé en bouche, où il déploie une finale longue et capiteuse. Son caractère direct et charmeur est absolument remarquable. **A maturité : jusqu'en 2001.**

Issue de vignes de 100 ans d'âge et composée à 60 % de mourvèdre, la cuvée Cairanne Prestige 1993 est un véritable sosie d'un grand Châteauneuf-du-Pape, avec son bouquet pénétrant de cuir fin, de fruits noirs, de poivre, d'herbes et de truffe. Profonde, très corsée et souple, elle déploie son généreux fruité par couches successives. **A boire dans les 6 ou 7 ans. Impressionnant !**

DOMAINE PAPE GRÉGOIRE***

1993 Châteauneuf-du-Pape	C	89 ?
1992 Châteauneuf-du-Pape	C	?
1993 Châteauneuf-du-Pape Blanc	C	70

Le Châteauneuf-du-Pape Blanc 1993 de Pierre Guiraud est un vin simple, aqueux, manquant de fruité. Quant aux cuvées de rouge, elles présentaient toutes deux des signes d'oxydation, si bien que je réserve mon appréciation jusqu'à ce que je puisse les regoûter. Le Châteauneuf-du-Pape 1993 m'a semblé très richement extrait, énorme, épais et très corsé, mais son nez de réduit et/ou oxydé me pose un problème. Le 1992 était encore plus oxydé, et, même en faisant abstraction de ce fait, il est apparu plus léger et bien moins concentré que son cadet d'un an.

DOMAINE DU PÉGAU*****

Avenue Impériale – 84230 Châteauneuf-du-Pape
Tél. 04 90 83 72 70 – Fax 04 90 83 53 02
Contact : Paul ou Laurence Féraud

1995 Châteauneuf-du-Pape	C	92-95
1994 Châteauneuf-du-Pape	C	92
1993 Châteauneuf-du-Pape	C	90
1992 Châteauneuf-du-Pape	C	90
1991 Châteauneuf-du-Pape	C	77
1990 Châteauneuf-du-Pape Cuvée Laurence	C	94-96
1989 Châteauneuf-du-Pape Cuvée Laurence	C	94-96
1993 Châteauneuf-du-Pape Blanc	C	?

Cette superbe propriété de 17 ha vendait, jusqu'en 1987, l'essentiel de sa production au négoce. Depuis cette dernière année, la mise en bouteille s'est graduellement faite au domaine, et, aujourd'hui, tout le vin qui en est issu en porte l'étiquette. Paul Féraud et sa fille Laurence y font un Châteauneuf très proche de celui du grand Henri Bonneau, qui était d'ailleurs un ami d'enfance de Féraud.

Comme on pouvait s'y attendre, les vins sont ici élaborés à partir de raisins très mûrs, de rendements très réduits, et sont mis en bouteille sans filtration ni collage. Leur immense concentration et leur potentiel de garde rappellent ceux de l'extraordinaire Réserve des Célestins de Bonneau. Composés à 80 % de grenache, à 17 % de syrah et pour le reste de mourvèdre et de counoise, les Châteauneuf du Domaine du Pégau sont issus de multiples parcelles, dont l'extraordinaire terroir de La Crau, très prisé, et d'autres qui sont à proximité des vignobles du Château de la Nerthe et du Domaine du Vieux Télégraphe. En règle générale, trois cuvées sont produites : un vin de table issu de la production déclassée et du fruit d'un vignoble situé en dehors de l'appellation, une Cuvée Réservée et, dans certains millésimes, une Cuvée Laurence, ce dernier cru étant identique à la Cuvée Réservée, si ce n'est qu'il est vieilli en fût pendant deux ou trois ans de plus. Ainsi, le 1989 et le 1990 sont encore dans le chêne, et seule une petite quantité de ces vins a été mise en bouteille pour être diffusée incessamment.

Pour ce qui est des nouveaux millésimes, le Domaine du Pégau a mis dans le mille à la fois avec les 1994 et les 1995. Le Châteauneuf-du-Pape 1995 arbore une robe opaque de couleur noir-pourpre, et déploie un nez fabuleusement riche et intense de fumé, de framboise sauvage, de kirsch et d'épices. Extraordinairement corsé et onctueux, il est épais, généreusement doté et ample en milieu de bouche, s'imposant comme un sérieux rival des 1989 et 1990, qui étaient d'une dimension phénoménale. Il est intéressant de noter que ce

1995 du Domaine du Pégau titrait 14,5-15° d'alcool naturel. Massif et puissant, il requiert une garde de 2 à 4 ans et devrait bien tenir sur les **20 ans** suivants.

Aussi superbe que son cadet d'un an, le Châteauneuf-du-Pape 1994 est l'une des réussites du millésime. Sa couleur rubis-pourpre profond prélude à un nez très expressif de cerise noire, de viande fumée, d'olive noire et d'herbes de Provence. Épais, riche et très corsé, il est également plus doux et plus structuré que le 1995, mais il est d'une dimension énorme pour le millésime. Déjà prêt, il devrait bien évoluer sur les **15 à 20 prochaines années.**

Les 1993 et 1992, bien que n'étant pas aussi extraordinaires que les vins produits à la propriété en 1990, 1989, 1985 et 1981, comptent au nombre des réussites de leurs millésimes respectifs. Avec sa robe soutenue de couleur rubis-pourpre foncé, le 1993 exhale des arômes épicés et poivrés de fruits noirs confiturés, de terre mouillée et d'herbes. Riche et très corsé, d'une excellente, sinon d'une extraordinaire, concentration, ce vin a un potentiel de garde de **15 ans, ou plus.** Outre sa couleur très soutenue (il s'agit de l'un des vins les plus colorés du millésime) et son nez énorme, exotique, herbacé et chocolaté, de terre et de cerise noire, le 1992 présente en bouche des arômes extrêmement riches, très corsés, avec une faible acidité. La finale est charnue, alcoolique et intense. Ce vin, déjà délicieux, évoluera avec grâce sur les **14 ou 15 prochaines années.**

Quant au 1991, il se révèle bien fait et correct dans un millésime épouvantable. Épicé et herbacé, avec un fruité de cerise noire, il est moyennement corsé, et déploie une finale compacte et étroite.

J'ai pu déguster les millésimes 1989 et 1990 de la Cuvée Laurence (mis en bouteille à la fantaisie de Paul Féraud ?) aux côtés de la Cuvée Réservée des mêmes années. Quoique n'étant pas meilleures que ces dernières, les premières me semblent plus évoluées et plus complexes, grâce à leur plus long séjour dans le bois. Je pense cependant que, avec le temps, la Cuvée Réservée se révèlera supérieure, car ce vin se développera en bouteille et non dans le fût. Il reste que, à l'heure actuelle, il est plus fermé et moins évolué. La Cuvée Laurence 1989 est légèrement plus douce, plus riche et plus opulente que sa cadette, mais les deux vins sont de belle constitution, épais, riches et classiques – des Châteauneuf-du-Pape comme on les faisait auparavant. Titrant plus de 15° d'alcool naturel, ils méritent d'être recherchés et achetés. **A maturité : jusqu'en 2018.**

En revanche, les vins blancs du Domaine du Pégau sont plus discutables, et certainement pas à mon goût. Le 1993 arbore une couleur évoluée, presque oxydée, et déploie un bouquet étrange qui me fait penser à de la poire qui aurait macéré dans du cognac. Lourd et fatigant, ce Châteauneuf Blanc manque de fraîcheur et se montre bizarre.

DOMAINE DU PÈRE CABOCHE***/****

Route de Courthézon – 84230 Châteauneuf-du-Pape
Tél. 04 90 83 71 44 – Fax 04 90 83 50 46
Contact : Jean-Pierre Boisson

1995 Châteauneuf-du-Pape	C	85-87
1994 Châteauneuf-du-Pape	C	87
1993 Châteauneuf-du-Pape	C	85
1992 Châteauneuf-du-Pape	C	75
1995 Châteauneuf-du-Pape Cuvée Élisabeth Chambellan	C	87-89+
1994 Châteauneuf-du-Pape Cuvée Élisabeth Chambellan	C	89
1993 Châteauneuf-du-Pape Blanc	C	72

Jean-Pierre Boisson, maire de Châteauneuf-du-Pape, produit au Domaine du Père Caboche des vins qui sont plaisants dès leur diffusion et qui doivent normalement être consommés relativement rapidement.

Le Châteauneuf-du-Pape 1995 est mûr et gras, bien structuré grâce à une très bonne acidité. Bien riche et ouvert, il recèle un fruité suffisamment concentré qui lui permettra de tenir encore 4 **ou 5 ans**. La Cuvée Élisabeth Chambellan de la même année arbore la robe rubis-pourpre la plus foncée des 1994 et 1995 du domaine. Plus tannique, avec une acidité plus élevée, elle présente un fruité mûr sous-jacent ainsi qu'une finale également assez tannique. Vous pourrez, dès sa diffusion, déguster ce Châteauneuf-du-Pape très costaud.

Les deux cuvées de 1994 sont des vins séduisants, délicieux, voluptueux, que vous consommerez dans les **5 ou 6 ans**. Détail intéressant, j'ai trouvé qu'elles présentaient davantage de différences avant la mise en bouteille que lors de la dégustation de juin 1996. De couleur grenat moyen, le Châteauneuf-du-Pape 1994 est modérément corsé, avec une faible acidité et un caractère sensuel et riche. Très alcoolique, il déploie en finale un fruité généreux, riche et juteux. On dirait un sucre d'orge de Châteauneuf-du-Pape. Plus mûre et plus expressive, la Cuvée Élisabeth Chambellan 1994 est plus glycérinée et plus corpulente. Ronde et ample, elle est encore soyeuse et accessible, débordant d'abondants arômes de doux fruits rouges, d'herbes, de poivre et d'épices. Il s'agit d'un vin alcoolique et ouvert, qui plaira au plus grand nombre.

Les Châteauneuf-du-Pape 1992 et 1993 sont doux et fruités. Plus profond, le 1993 présente aussi davantage d'arômes de fruits rouges que le 1992, plus maigre, avec une acidité plus élevée.

Quant au Châteauneuf-du-Pape Blanc 1993, il est, comme nombre d'autres vins blancs de ce millésime, plutôt court en arômes, léger, creux et neutre.

DOMAINE DE PÉRILLIÈRE***

Contact : Patrick Lesec
46, rue Saint-Placide – 75006 Paris
Tél. 01 42 84 38 20 – Fax 01 42 84 38 22

1995 Côtes-du-Rhône-Villages	?	89-90

Ce Côtes-du-Rhône-Villages extraordinairement doté est sélectionné et assemblé à la Cave des vignerons d'Estézargues par Patrick Lesec et mis en bouteille sans collage ni filtration. Sa robe opaque de couleur pourpre prélude à des arômes doux et amples de cerise noire très mûre, d'herbes et d'épices.

Onctueux, épais et riche, admirablement fruité et très corsé, il est savoureux et plein de caractère. **A boire dans les 4 ou 5 ans.**

ANDRÉ PERRET*****

Route Nationale 86 – Verlieu – 42410 Chavanay
Tél. 04 74 87 24 74 – Fax 04 74 87 05 26
Contact : André Perret

1995 Condrieu Coteau du Chéry	D	92+
1994 Condrieu Coteau du Chéry	D	92
1992 Condrieu Coteau du Chéry	D	90
1995 Saint-Joseph Les Grisières	C	87
1994 Saint-Joseph Les Grisières	C	85
1993 Saint-Joseph Les Grisières	C	70 ?
1992 Saint-Joseph Les Grisières	C	87
1994 Saint-Joseph	C	84
1993 Saint-Joseph	C	65
1992 Saint-Joseph	C	86

André Perret est l'un des producteurs les plus talentueux de Condrieu, et ses vins sont au nombre des plus complexes et des plus riches de l'appellation. Figurant parmi les grandes réussites de ce millésime difficile, le Condrieu Coteau du Chéry 1995 est frais, avec une bonne acidité, complexe, crémeux et mûr. Moyennement corsé et extrêmement élégant, il montre une belle texture en bouche, où il déploie un délicieux et généreux fruité de pêche et d'abricot. C'est de son acidité optimale que ce vin puissant et intense tient sa belle précision dans le dessin. **A maturité : jusqu'en 2001.** Le Coteau du Chéry 1994 est un autre Condrieu luxuriant, riche et opulent. Conservé sur lies pendant un an avant d'être mis en bouteille, il est très corsé et révèle un abondant fruité, mielleux et riche, onctueux et épais, aux arômes de pêche et d'abricot. Merveilleusement aromatique et d'une extraordinaire précision dans le dessin, il ne se montre aucunement alcoolique ou lourd. Quel tour de force ! **A maturité : jusqu'en 2000.** Le très aromatique 1992 regorge d'arômes de fleurs printanières et de pêcher en fleur. Il présente en bouche une texture mielleuse, très corsée et onctueuse, bien étayée par une bonne acidité, et se montre costaud. Ce riche Condrieu doit être dégusté **maintenant.**

Sensuel et séduisant, le Saint-Joseph Les Grisières 1995 arbore une robe de couleur rubis foncé, montre une excellente maturité et une belle précision. L'attaque en bouche est douce, et la finale classique et pure, marquée par des arômes de cerise et de vanille. Le potentiel de garde de ce vin est de **6 ou 7 ans** encore.

Le Saint-Joseph générique 1994, mûr et fruité, libère, à la fois au nez et en bouche, de délicieux arômes de cerise et de framboise. Son profil aromatique et l'attaque en bouche sont superbes, mais la finale, dure, maigre et compacte, ne me permet pas de lui attribuer une meilleure note. **A maturité : jusqu'en 2000.** La cuvée Les Grisières de la même année déploie un élégant et doux fruité de cerise noire. Moyennement corsée et d'une excellente profondeur, elle présente une finale mûre et longue, très fruitée et bien corpulente. A **maturité : jusqu'en 2000.**

Le talent d'André Perret n'a malheureusement pu triompher des difficultés du millésime 1993. La cuvée générique de cette année est un vin dur et tannique, manquant de fruité, tandis que la cuvée Les Grisières est tout en acidité, tannins et fruité végétal, avec quelques arômes de chêne neuf et grillé.

En revanche, les 1992 sont tous deux bien vinifiés, souples et accessibles, et devront être dégustés **d'ici 4 ou 5 ans.** Avec ses doux arômes de framboise, la cuvée générique se montre moyennement corsée et veloutée, déployant une finale fruitée et mûre. Quant à la cuvée Les Grisières, son nez de vanille, de framboise et de cerise noire est marqué par des senteurs de chêne neuf et grillé. Elle se révèle moyennement corsée et douce, avec un fruité mûr et une belle élégance d'ensemble conjuguée à une merveilleuse maturité. On pourrait aisément la confondre avec un grand cru de Bourgogne. **A boire dans les 6 ou 7 ans.**

DOMAINE ROGER PERRIN***/****

La Berthaude – Route de Châteauneuf-du-Pape – 84100 Orange
Tél. 04 90 34 25 64 – Fax 04 90 34 88 37
Contact : Luc Perrin

1995 Châteauneuf-du-Pape	C	85-87
1994 Châteauneuf-du-Pape	C	85
1993 Châteauneuf-du-Pape	C	88
1992 Châteauneuf-du-Pape	C	87
1995 Châteauneuf-du-Pape Réserve Vieilles Vignes	B	87-89
1995 Côtes-du-Rhône Cuvée Prestige Vieilles Vignes	A	85-87
1995 Côtes-du-Rhône Réserve de Vieilles Vignes	A	86-88

Avec un fruité doux et un caractère élégant et réservé, plutôt de style « international », le Châteauneuf-du-Pape 1995, moyennement corsé, est net et bien vinifié. Bien qu'il ne soit pas aussi expressif qu'on aurait pu le souhaiter, il s'agit d'un bon vin, qui devrait s'étoffer avec le temps. **A maturité : 1998-2006.** Cette même année, une Réserve Vieilles Vignes, issue à 80 % de grenache et à 20 % de syrah, fut également produite au domaine. Vieillie en petits fûts, dont un tiers étaient neufs, elle me rappelle la cuvée prestige du Château de La Gardine – la Cuvée des Générations. Ce vin affiche le potentiel suffisant pour que je lui décerne une note extraordinaire, mais il ne faudrait pas qu'il soit trop collé ni filtré au moment de la mise... ce qui n'est pas impossible à la propriété. En tout cas, il impressionne pour l'instant par sa robe rubis-pourpre foncé et par ses séduisants arômes de vanille et de pain grillé qui accompagnent un fruité riche et mûr de cerise noire et de groseille. Ce Châteauneuf très corsé et racé, aux arômes de boisé, présente encore un caractère minéral sous-jacent. **A maturité : 1999-2007.**

Roger Perrin a élaboré en 1994 un Châteauneuf-du-Pape de couleur rubis moyen qui présente, à la fois au nez et en bouche, des arômes d'épices, de confit et de cerise. On y décèle une structure ferme et sous-jacente, mais l'impression d'ensemble est celle d'un vin doux, assez corsé, mûr et herbacé, qu'il faut consommer dans les 2 ou 3 ans.

Roger Perrin a également bien réussi à la fois en 1993 et en 1992. Le Châteauneuf-du-Pape 1993 présente des signes de vieillissement en fûts de chêne neuf, avec son nez de cerise mûre marqué par des arômes de vanille. Merveilleusement évolué et moyennement corsé, il est encore admirablement fruité et profond, avec une finale douce et riche. Il devra être consommé avant d'avoir atteint 4 ou 5 ans d'âge. Avec son nez de cerise noire, de poivre et d'herbes, ainsi que les arômes moyennement corsés, riches et succulents qu'il déploie en bouche, le 1992 montre une extraction et une maturité de meilleur niveau que son cadet d'un an. Bien évolué et délicieux, il sera à son meilleur niveau ces 5 ou 6 prochaines années.

Les deux cuvées de Côtes-du-Rhône 1995 sont également de très bon niveau. La Cuvée Prestige Vieilles Vignes 1995, de couleur grenat, est savoureuse, mûre, poivrée et épicée, et déploie, à la fois au nez et en bouche, des arômes d'herbes, d'olive et de cerise. **A boire d'ici 1 ou 2 ans.** Plus concentrée et plus épaisse en bouche, avec un fruité plus doux, la Réserve de Vieilles Vignes est également mieux colorée et plus longue en finale. **A boire maintenant.** Il s'agit de deux excellentes affaires.

CHÂTEAU PESQUIE***

Route Flassan – 84570 Mormoiron
Tél. 04 90 61 94 08 – Fax 04 90 61 94 13

1992 Côtes du Ventoux Cuvée des Terrasses	A	86
1990 Côtes du Ventoux Quintessence	A	88

Voici deux remarquables Côtes du Ventoux. La Cuvée des Terrasses 1992 est un vin extrêmement charmeur, rond et délicieusement fruité, qui désarme littéralement le dégustateur avec une explosion de cerise, une texture souple, un caractère glycériné marqué par la mâche, ainsi qu'une finale moyennement corsée et veloutée. Il est très accessible et tout en harmonie. **A boire dans l'année.**

Moins charmeur, mais plus massif, plus corsé et plus charnu, le Quintessence 1990 s'impose comme un vin plus concentré et plus ambitieux. Impressionnant, très corsé et richement extrait, il révèle un fruité merveilleusement juteux de poivre, de cassis et de cerise noire ainsi qu'une finale longue, riche et capiteuse. C'est l'un des Côtes du Ventoux les plus concentrés qu'il m'ait été donné de déguster – son potentiel de garde est de 6 ou 7 ans.

DOMAINE DU PESQUIER****

84190 Gigondas
Tél. 04 90 65 86 16 – Fax 04 90 65 88 48
Contact : Raymond Boutière

1995 Gigondas	A	87-89
1994 Gigondas	A	84
1993 Gigondas	A	85

D'une couleur rubis-pourpre très peu évoluée, le Gigondas 1995 est très tannique et richement extrait, avec un fruité doux et mûr. Bien qu'il se montre rustique et grossier à présent, il présente une matière première de qualité et s'apprivoisera pour se développer en un excellent vin. **A maturité : 2000-2009.**

De couleur rubis moyen, le 1994 exhale des arômes d'olive, de garrigue et de légères senteurs de cerise. Bien fruité, il présente un caractère doux et diffus. **A boire d'ici 3 ou 4 ans.**

Assez massif, modérément tannique et bon, le Gigondas 1993 est plus léger que je ne le pensais, mais il exhale des arômes poivrés de fruits noirs et déploie une finale épicée. **A maturité : jusqu'en 2000.**

DOMAINE DE PIAUGIER****

La Daysse des Dulcy – 84110 Sablet
Tél. 04 90 46 90 54 – Fax 04 90 46 99 48
Contact : Jean-Marc Autran

1995 Gigondas	A	87-89
1994 Gigondas	A	81
1990 Côtes-du-Rhône Sablet Les Briguières	A	86
1990 Côtes-du-Rhône Sablet Montmartel	A	86

Le Gigondas 1995 arbore la robe rubis-pourpre foncé caractéristique des vins les mieux réussis du millésime. Très fruité, puissant et massif en bouche, il est richement extrait, d'une grande pureté et extrêmement long. Le potentiel de garde de ce vin impressionnant est de **10 à 15 ans.** Le 1994 est d'une pointure inférieure. Plus maigre, de couleur prune tirant sur le grenat, il présente un séduisant fruité de cerise et se montre étroit en bouche. Ce vin compact et comprimé doit être consommé **d'ici 2 ou 3 ans.**

Les deux cuvées de Côtes-du-Rhône 1990 arborent des robes d'un rubis-pourpre profond. Déployant au nez des arômes poivrés, épicés et richement fruités, ces vins se révèlent moyennement corsés en bouche, avec des tannins doux et une texture voluptueuse et charnue marquée par la mâche. **A boire d'ici 1 ou 2 ans.**

CHRISTOPHE PICHON****

Le Grand Val – Verlieu – 42410 Chavanay
Tél. 04 74 87 23 61 – Fax 04 74 87 07 27

1993 Condrieu	D	89

Cet excellent Condrieu, très corsé, dégage les arômes enivrants du viognier. Montrant une très grande richesse et une bonne acidité, il déploie une finale charnue et capiteuse. **A boire cette année.**

PHILIPPE PICHON*****

Le Grand Val – Verlieu – 42410 Chavanay
Tél. 04 74 87 23 61 – Fax 04 74 87 07 27

1993 Condrieu	D	83

Ce vin légèrement corsé, aux arômes de fleurs et de fruits tropicaux, offre une bonne attaque en bouche, mais la finale manque de profondeur et de caractère. **A boire maintenant.**

DOMAINE PIERREDON***

Contact : Patrick Lesec
46, rue Saint-Placide – 75006 Paris
Tél. 01 42 84 38 20 – Fax 01 42 84 38 22

1995 Côtes-du-Rhône	?	88-89

Sélectionné par Patrick Lesec à la coopérative du village d'Estézargues, ce Côtes-du-Rhône 1995 est impressionnant. Composé à parts égales de grenache, de syrah et de mourvèdre, il est profond, riche et très corsé, et déborde d'un fruité de terre et de cerise noire. Bien vinifié, long et concentré en bouche, il révèle une belle structure qui lui confère de la précision dans le dessin. **A boire d'ici 3 ou 4 ans.**

DOMAINE DE LA PINÈDE***

Route de Sorgues – 84230 Châteauneuf-du-Pape
Tél. 04 90 83 71 50 – Fax 04 90 83 52 20
Contact : Georges Coulon

1994 Châteauneuf-du-Pape	C	78-80
1992 Châteauneuf-du-Pape	C	88
1993 Châteauneuf-du-Pape Blanc	C	85

Le Domaine de la Pinède est une propriété fiable – et sous-estimée – de Châteauneuf-du-Pape.

Pourtant, le Châteauneuf-du-Pape 1994, au nez délavé d'herbes et d'épices, manque de fruité et se montre maigre, acidulé et rugueux. Il ne possède pas le caractère charnu suffisant pour enrober sa structure anguleuse.

Je n'ai pas dégusté de Châteauneuf rouge en 1993, mais le 1992 me semble être l'un des meilleurs vins du millésime. Un nez de fumé, de cèdre, d'aiguille de pin, d'herbes et de cerise noire introduit en bouche un vin délicieux, gras, riche et très corsé, faible en acidité et aux tannins doux. **A boire dans les 5 à 7 ans.**

Le Châteauneuf-du-Pape Blanc 1993, au nez très caractéristique d'ananas mûr, se montre moyennement corsé en bouche, avec une finale fraîche et vive. **A boire maintenant.**

DOMAINE LE POINTU**

1994 Châteauneuf-du-Pape (vieilli en fûts de chêne)	?	87

Maurice Cost a produit au Domaine Le Pointu un Châteauneuf-du-Pape piquant, aux arômes d'effluves de mer, d'herbes, de poivre et de cerise mûre. Une robe de couleur grenat moyen introduit en bouche un vin rond, concentré, avec une faible acidité, qui déploie une finale épicée et alcoolique. **A boire dans les 2 ou 3 ans.**

DOMAINE PONTIFICAL – FRANÇOIS LAGET****

19, avenue Saint-Joseph – 84230 Châteauneuf-du-Pape
Tél. 04 90 83 70 91 – Fax 04 90 83 52 97
Contact : François Laget

1995 Châteauneuf-du-Pape	B	78-82
1994 Châteauneuf-du-Pape	B	87
1992 Châteauneuf-du-Pape	B	85

D'après les dégustations que j'ai faites, il semblerait que François Laget ait mieux réussi en 1994 qu'en 1995.

Pour des raisons que j'ignore, en effet, le Châteauneuf-du-Pape 1995 se montre court et comprimé, et ne possède aucunement l'intensité et l'ampleur de son aîné d'un an. Peut-être était-il alors à une période ingrate de son évolution, mais il s'est montré unidimensionnel et simple lorsque je l'ai goûté en juin 1996.

En revanche, le nez du 1994, ouvert, chocolaté, herbacé et fumé, aux arômes de confiture de cerise, laisse deviner une vendange très mûre. Cette impression se confirme en bouche, avec des notes douces, généreuses, séduisantes et d'une belle acidité. Il s'agit d'un Châteauneuf bien évolué, complexe et savoureux, que vous dégusterez dans les 4 ou 5 ans.

Quant au Châteauneuf 1992, il exhale un nez épicé et poivré de prune, et déploie en bouche des arômes confiturés et très mûrs, ainsi qu'une finale aux tannins très durs. Tout cela manque d'harmonie, l'avenir de ce vin me semblant de toute façon compromis par ses tannins agressifs.

DOMAINE DE LA PRÉSIDENTE – MAX AUBERT

84290 Sainte-Cécile-les-Vignes
Tél. 04 90 30 80 34 – Fax 04 90 30 83 41
Contact : Max Aubert

1995 Châteauneuf-du-Pape La Nonciature Réserve	C	88-90
1990 Châteauneuf-du-Pape La Nonciature Réserve	D	92
1989 Châteauneuf-du-Pape La Nonciature Réserve	D	91
1994 Cairanne Domaine de la Présidente	A	86
1994 Cairanne Goutillonnage	A	88

La Nonciature Réserve est la cuvée prestige que Max Aubert, négociant très connu, élabore à Châteauneuf-du-Pape. Puissant, tannique et bien structuré, le 1995 déborde d'un fruité très dense de cerise et d'arômes de terre, de poivre et de poussière. Les tannins et l'acidité sont d'un bon niveau, et la finale est épicée et bien structurée. Ce vin n'étant en général diffusé que plusieurs années après le millésime, ne vous attendez pas à en trouver de sitôt sur le marché. Il requiert une garde de 3 ou 4 ans, mais se conservera ensuite **10 à 15 ans**.

En revanche, les 1989 et 1990, absolument somptueux, sont actuellement disponibles. D'une couleur pourpre très dense, ils exhalent des senteurs de Provence, avec des arômes de fumé, d'herbes, de chocolat, de garrigue et de cerise noire et mûre. Amples et très corsés, ils se révèlent extraordinairement complexes et intenses. **A boire dans les 7 à 10 ans.** Le 1990 est peut-être plus riche et plus alcoolique, mais tous deux s'imposent comme des Châteauneuf costauds et amples.

Max Aubert a également élaboré deux Côtes-du-Rhône classiques en 1994. Le Cairanne Domaine de la Présidente est un vin rond, doux, généreusement doté et bien fruité, aux jolis arômes de poivre, d'épices, de fumé et de cerise noire. **A boire d'ici 1 ou 2 ans.** Plus fruité, très corsé et d'une richesse absolument superbe, le Cairanne Goutillonnage 1994 est mûr et concentré, et déborde littéralement d'arômes de poivre, d'épices et de fruits noirs et rouges très mûrs. Son potentiel est de **3 ou 4 ans encore.**

CHÂTEAU RASPAIL***

84190 Gigondas
Tél. 04 90 65 88 93

1995 Gigondas	A	87-90
1994 Gigondas	A	85

Le Gigondas 1995 du Château Raspail pourrait se révéler extraordinaire. Concentré, puissant et jeune, il resplendit d'une couleur pourpre et présente, outre une acidité fraîche, des tannins modérés. Débordant de fruité et d'une belle richesse en extrait, il est encore fermé, pas tout à fait fini, mais devrait bien évoluer sur les **10 à 15 prochaines années** – s'il est mis en bouteille avec la délicatesse voulue, sans être collé ni filtré outre mesure.

Le 1994, moyennement corsé, présente un nez léger de garrigue, de terre et de cerise mûre. Montrant une belle pureté et une bonne acidité, il révèle dans sa finale modérément longue des tannins fermes. **A boire dans les toutes prochaines années.**

DOMAINE RASPAIL-AY****

84190 Gigondas
Tél. 04 90 65 83 01 – Fax 04 90 65 89 55
Contact : Christine et Dominique Ay

1995 Gigondas	A	90-92
1994 Gigondas	A	85

1993 Gigondas	A	82
1992 Gigondas	A	73

Ayant eu le privilège de déguster de vieux millésimes de ce domaine, je garde de merveilleux souvenirs des 1966, 1967, 1970, 1971 et 1978. Quelques bouteilles de cette dernière année sont d'ailleurs confortablement installées dans ma cave et y sont toujours en superbe forme.

Après une période troublée vers la fin des années 80 et au début des années 90, le Domaine Raspail-Ay revient en force avec un 1995 qui rappelle ses années de gloire. Une superbe robe opaque de couleur pourpre tirant sur le noir prélude à un nez puissant, débordant de senteurs de fruits noirs très mûrs, qui annonce un vin très corsé, riche et intense, présentant en bouche, outre des arômes richement extraits, une acidité admirable, un niveau modéré de tannins, ainsi qu'une finale massive et imposante. Ce Gigondas 1995 est un véritable vin de garde, que vous devrez attendre encore 2 ou 3 ans avant de l'apprécier dans les 15 ans qui suivront. Je me réjouis de voir cette propriété, l'une de mes préférées, revenir à un tel niveau de qualité.

En revanche, l'élégant Gigondas 1994 est plus réservé et assez massif, avec de séduisants arômes de poivre et de cerise, mais il manque de concentration et d'intensité. **A boire dans les 2 ou 3 ans.**

Le 1993, moyennement corsé, doux et fruité en bouche, est marqué par un caractère de poivre et de fruits rouges. Il est extrêmement léger pour un vin de cette propriété, et manque à la fois de profondeur, de précision et de richesse. **A boire d'ici 4 ou 5 ans.**

Quant au 1992, il est décevant et court, léger et aqueux et doit être consommé.

CHÂTEAU RAYAS*****

84230 Châteauneuf-du-Pape
Tél. 04 90 83 73 09 – Fax 04 90 83 51 17

1995 Châteauneuf-du-Pape	D	95-98
1994 Châteauneuf-du-Pape	D	92+
1993 Châteauneuf-du-Pape	D	85
1992 Châteauneuf-du-Pape	D	88
1995 Côtes-du-Rhône Fonsalette	D	89-91
1994 Côtes-du-Rhône Fonsalette	D	90
1993 Côtes-du-Rhône Fonsalette	D	87
1991 Côtes-du-Rhône Fonsalette	D	83
1995 Côtes-du-Rhône Fonsalette Cuvée Syrah	D	93-95
1994 Côtes-du-Rhône Fonsalette Cuvée Syrah	D	94
1993 Côtes-du-Rhône Fonsalette Cuvée Syrah	D	88+
1991 Côtes-du-Rhône Fonsalette Cuvée Syrah	D	92+
1991 Châteauneuf-du-Pape Pignan	D	89

1990 Châteauneuf-du-Pape Pignan	D	95
1992 Côtes-du-Rhône Fonsalette Blanc	C	75
1992 Rayas Blanc	D	78

Feu Jacques Reynaud a inspiré et motivé toute une nouvelle génération de viticulteurs en France. C'est lui qui a amené nombre d'entre eux à reprendre certaines méthodes culturales traditionnelles ; c'est encore grâce à lui que le grenache a retrouvé ses lettres de noblesse. Cet homme à la fois ermite, philosophe, gourmet, excellent vinificateur, mythe et légende, m'a laissé une impression indélébile, comme, je le suppose, à tous ceux qu'il a touchés personnellement ou au travers de ses vins. Au mois de janvier 1997, alors qu'il s'adonnait à l'une de ses seules distractions matérialistes (il s'achetait des chaussures...), Jacques Raynaud s'est effondré sur un trottoir d'Avignon et nous a quittés.

Il avait merveilleusement réussi ses 1995, et ses 1994, qui sont maintenant en bouteille, me semblent bien plus riches et plus complets que lorsque je les avais dégustés avant assemblage. Son succès en 1995 s'explique assez facilement : il était en général le vendangeur le plus tardif de toute l'appellation, et ce millésime en particulier a favorisé ceux qui ont su attendre que passent les pluies de la mi-septembre, profitant ainsi des quatre ou cinq semaines d'été indien qui les ont suivies. Tous les 1995 que j'ai pu déguster dans les caves de Rayas étaient tout simplement spectaculaires.

Ainsi, le Châteauneuf-du-Pape 1995, fabuleusement profond, illustre bien les sommets de perfection que peut atteindre le grenache. Issu de rendements de 12 à 15 hl/ha, il n'a été produit qu'en très petites quantités et sera donc encore plus rare que d'habitude. Ce vin n'affiche pas la surmaturité ni l'opulence très ouverte du 1990, mais il me semble plutôt être un hypothétique mélange de ce dernier vin, du 1978 et du 1989. Avec sa robe dense et riche de couleur pourpre, il offre au nez de très caractéristiques senteurs de kirsch, de cassis et de cacahuète grillée. Très corsé, magnifiquement concentré, mais étonnamment précis, il présente toute la puissance et la richesse dont on sait cette propriété capable dans les grandes années, mais cette richesse est bien enrobée dans une élégance et une précision d'ensemble. Je ne sais à quoi ressemblait le Rayas 1978 à 9 mois d'âge, mais la structure, la puissance sous-jacente et l'intensité du 1995 pourraient fort bien égaler celles de ce millésime légendaire. Il s'agit d'un vin extrêmement concentré, fabuleusement vinifié et sans aspérités, qui transportera littéralement les amateurs de Rayas. Il requiert une garde de 5 ou 6 ans après sa diffusion (son niveau d'acidité est très élevé pour sa très grande richesse en extrait), mais il évoluera bien sur **au moins deux décennies**. Le Châteauneuf 1994 est un classique du genre. Proche du 1988, mais plus évolué et plus doux, il arbore une robe rubis-pourpre et présente un nez extraordinairement aromatique de kirsch et de framboise sauvage. Dense et très corsé, doux en milieu de bouche, ce Rayas bien équilibré, racé et néanmoins imposant, riche et puissant, me semble une réussite remarquable. **A maturité : jusqu'en 2005.** L'austère Châteauneuf-du-Pape 1993, de couleur rubis moyen, est le vin le plus léger qui ait été fait à la propriété depuis le 1986. Moyennement corsé, avec des arômes épicés de fruits rouges et mûrs, il présente une finale nette, fraîche et sans détour.

A boire dans les 4 ou 5 ans. Bien que Jacques Reynaud n'ait été que fort peu inspiré par le Châteauneuf-du-Pape 1992, celui-ci se révèle excellent. De couleur rubis moyen, avec un nez énorme, poivré et herbacé, de framboise et de cerise confiturées, il se montre moyennement corsé en bouche, très alcoolique, avec des notes de poussière et une finale exubérante, rustique et capiteuse. Léger, mais typique et très aromatique, ce Rayas peut tenir encore **10 ans.**

Issu de rendements de moins de 30 hl/ha, le Côtes-du-Rhône Fonsalette 1995 présente un caractère doux et ample, et déborde de fruité. D'une acidité étonnamment fraîche pour la grande maturité et l'intensité qu'il affiche, il est encore très corsé, d'une concentration et d'une pureté absolument spectaculaires. Les cuvées de grenache et de cinsault regorgeaient littéralement de maturité et de cette richesse séduisante, exotique et luxuriante qui caractérise le domaine dans les grandes années. Le 1994 s'impose comme un vin d'une richesse somptueuse. Avec sa robe d'un rubis-pourpre profond, ce vin aux arômes épicés, poivrés et herbacés de cerise noire confiturée se révèle très corsé, modérément tannique, extrêmement intense et long en bouche. Un extraordinaire Côtes-du-Rhône, à déguster dans les **15 ans, voire au-delà.** Le Fonsalette 1993, solide et bien vinifié, resplendit d'une couleur rubis sombre. Bien riche et bien mûr, il déploie un nez robuste d'herbes rôties, de cerise noire et de poivre. **A boire dans les 10 ans.** Quant au 1991, que je trouve assez relâché, il se révèle goûteux, avec un caractère monolithique. Il est également doux, moyennement corsé et plaisant. **A boire dans les 8 à 10 ans.**

Le Côtes-du-Rhône Fonsalette Cuvée Syrah 1995 rivalisera sans peine avec d'autres grands millésimes de ce cru, tels les 1978, 1979, 1983, 1985, 1988, 1989, 1990 et 1994. Issu d'une parcelle de vignes de syrah vieilles de 30 ans (ces pieds sont des clones qui proviennent d'un coteau de l'Hermitage appartenant à Gérard Chave), il se présente avec une robe opaque presque noire et déploie de paradisiaques arômes de cassis et de fumé. Très corsé et merveilleusement pur, il est fabuleusement riche et long en bouche, où il déploie sa viscosité par couches successives. Ce monstre de syrah mettra au moins une bonne dizaine d'années pour s'apprivoiser, mais son potentiel de garde est de **30 à 40 ans.** Cela peut vous sembler extrêmement long, mais souvenez-vous que les 1978 de ce cru (que j'ai encore dans ma cave) ne sont pas encore prêts à être dégustés. La Cuvée Syrah 1994, produite à 4 000 bouteilles seulement, titre 14,5° d'alcool naturel. Ce vin noir, renversant et riche, n'est pas loin derrière l'irréel 1995. L'attaque en bouche libère crescendo de généreux arômes de cassis, de fumé, de terre et d'épices orientales. C'est un vin extrêmement épais, onctueux et modérément tannique, fabuleusement doté – gargantuesque –, qui requiert une garde de 7 à 10 ans et se conservera bien sur les **30 ans suivants.** Le Fonsalette Cuvée Syrah 1993 est encore fermé, mais il méritera peut-être une note extraordinaire au terme d'une garde de 4 ou 5 ans. Arborant une robe opaque de couleur pourpre tirant sur le noir, il présente un niveau de tannins élevé et montre une belle intensité. Il s'agit d'un vin très massif et très puissant en bouche, riche, bien doté et très structuré, légèrement austère. Son potentiel de garde est de **15 à 20 ans, voire plus.** L'étonnante robe opaque de couleur pourpre-noir du Fonsalette Cuvée Syrah 1991 prélude à un nez énorme d'herbes rôties et de cassis qui jaillit littéralement du verre. Issu de rendements de 20 à 25 hl/ha et titrant 14° d'alcool naturel, il se montre massif, gigantesque, d'une richesse en extrait absolument phénoménale, et requiert une garde d'au moins 10 ans. **Il tiendra ensuite une bonne trentaine d'années.** Ce fabuleux 1991 semble être d'un très grand millésime.

En 1991, le Château Rayas déclassa toute sa production de Rayas en Pignan de cette même année (Pignan est en principe une propriété distincte, mais il s'agit en fait du second vin de Rayas). Ce Pignan 1991, extrêmement tannique (ce qui est inhabituel pour un vin de Jacques Reynaud), impressionne par sa robe opaque de couleur rubis-pourpre et son nez énorme et doux de cuir, de réglisse et de fruits noirs. Extraordinairement fruité et richement extrait, il est stupéfiant, bien structuré et ample, avec des tannins féroces. Il méritera une meilleure note si ses tannins se fondent avant que son fruité ne se fane. A **boire jusqu'en 2010.** Le 1990 de Pignan est tout simplement fabuleux (celui de Rayas, monumental, est actuellement introuvable et inabordable). De couleur noir-pourpre, avec un nez fabuleux et doux de poivre, de cassis et de réglisse, il se montre extrêmement concentré, long et ample en bouche. Formidablement doté et plein de caractère, il est déjà accessible, mais devrait bien évoluer sur **15 à 20 ans** encore. Ce vin est tellement riche qu'il pourrait même surpasser Rayas dans certains millésimes – un Châteauneuf-du-Pape immense. Impressionnant !

En revanche, les deux cuvées de blanc de 1992 sont médiocres. Montrant une couleur très évoluée, le Fonsalette Blanc, légèrement oxydé, est aqueux, simple et carré. Avec une meilleure acidité, le Rayas Blanc est moyennement corsé, mais peu profond, et il manque de caractère.

CHÂTEAU REDOITIER****/*****

84190 Suzette
Tél. 04 90 62 96 43 – Fax 04 90 65 03 38
Contact : Étienne de Menthon

1994 Gigondas	B	87
1993 Gigondas	B	87
1992 Gigondas	C	89

Le Château Redoitier s'impose comme l'une des étoiles montantes de Gigondas. Son 1994, rubis-grenat foncé, exhale un doux nez d'herbes rôties, de mûre et de cerise, et déploie en bouche des arômes doux, ronds et alcooliques, d'une bonne intensité et moyennement corsés. Un vin délicieux et flatteur, qui tapisse le palais. **A boire dans les 6 ou 7 ans.**

Outre sa robe très soutenue et son nez énorme, trapu et charnu de poivre et de cerise noire marqué par des notes d'herbes de Provence, le 1993 présente en bouche des arômes goûteux, corsés et concentrés. **A boire dans les 10 ans.**

Le Gigondas 1992, pur et net, aux arômes intenses de vieilles vignes et de fruits noirs très mûrs, ne déploie aucunement les senteurs végétales, de prune et de champignon qui affectent tant d'autres vins de ce millésime. Profondément coloré, puissant, d'une belle densité, avec une faible acidité, il semble néanmoins fragile, si bien qu'il vaudra mieux le boire tôt que tard.

DOMAINE DES RELAGNES – CUVÉE VIGNERONNE***

Route de Bédarrides – BP 44 – 84230 Châteauneuf-du-Pape
Tél. 04 90 83 73 37 – Fax 04 90 83 52 16
Contact : Henri Boiron

1995 Châteauneuf-du-Pape	C	87-89
1994 Châteauneuf-du-Pape	C	86
1993 Châteauneuf-du-Pape	C	87
1992 Châteauneuf-du-Pape	C	87

J'étais assez partagé au sujet de la qualité des vins du Domaine des Relagnes au cours de ces quinze dernières années. Dans certains millésimes, ils se révèlent immensément séduisants, riches et complexes, alors que, dans d'autres, ils semblent outrageusement filtrés et collés, ne tenant plus les promesses de concentration et d'intensité qu'ils affichaient avant la mise en bouteille.

Intense, d'une couleur rubis sombre, le Châteauneuf-du-Pape 1995 est bien gras en milieu de bouche, avec de doux arômes de cerise noire qui dominent au nez et au palais. Plus précis et plus charnu que le 1994, il est accessible, mûr, et offre une finale superbe. Il se conservera **une décennie, ou même davantage**.

Henri Boiron a réussi en 1994 un Châteauneuf-du-Pape séduisant, d'un grenat moyennement sombre, au nez épicé de cerise et d'herbes. Doux, rond et moyennement corsé en bouche, il y déploie de curieuses notes de cannelle, une belle maturité, un caractère charnu et bien alcoolique. La finale, épicée, tapisse le palais. **A boire dans les 3 ou 4 ans.**

D'une admirable couleur rubis foncé, avec un nez énorme de pruneau, de prune, de cerise noire et mûre, d'herbes et d'épices, le Châteauneuf-du-Pape 1993 est très corsé, et déborde de glycérine et de gras. Ce vin riche et alcoolique, marqué par la mâche, se révélera très agréable dans les **6 ou 7 prochaines années**, s'il n'a pas été dépouillé au moment de la mise.

Le 1992, d'un rubis assez soutenu, présente un nez expansif, doux et confituré et libère en bouche des arômes amples et de bonne mâche. **A boire d'ici 6 ou 7 ans.**

DOMAINE DE LA REMÉJEANNE****

Cadignac – 30200 Sabran
Tél. 04 66 89 44 51 – Fax 04 66 89 64 22
Contact : Rémy Klein

1995 Côtes-du-Rhône Les Arbousiers Blanc	A	85
1995 Côtes-du-Rhône Les Genévrières Vin de Pays du Gard Blanc	A	88
1995 Côtes-du-Rhône Les Genévrières	A	86-88
1994 Côtes-du-Rhône Les Genévrières	A	86
1995 Côtes-du-Rhône Les Chèvrefeuilles	A	86
1995 Côtes-du-Rhône Les Arbousiers	A	86

Rémy Klein et son épouse Ouahi ont repris les rênes de la propriété familiale depuis 1988, et c'est à eux que revient le mérite de l'avoir hissée au rang des exploitations les plus performantes et les plus fiables de la vallée du Rhône. Leurs vins rouges sont délicieux, leurs vins blancs également, alors que la région n'est pas particulièrement réputée pour ses blancs de haut niveau.

Ainsi, le Côtes-du-Rhône Les Arbousiers Blanc 1995 est un vin bien fait, délicieux, goûteux et frais, aux arômes d'agrumes. Pur et sec, il sera agréable à déguster **dans l'année**. La Cuvée des Genévrières de la même année est plus intéressante encore. Je n'en connais pas la composition, mais il me semble qu'elle contient une forte proportion de viognier, à cause des riches arômes de miel, d'abricot et de pêche qu'elle déploie au nez et en bouche. Outre sa richesse, son caractère gras et sa faible acidité, ce vin donne une impression d'ensemble d'élégance et de fraîcheur. **A boire ces toutes prochaines années.**

Les vins rouges sont toujours réussis et méritent bien que vous les recherchiez. La seule cuvée de 1994 que j'aie goûtée est celle des Genévrières. De couleur pourpre foncé, avec un nez riche de fumé et d'herbes de Provence, elle déploie en bouche un fruité doux et mûr, ainsi qu'une finale ronde et séduisante. **A boire d'ici 2 ou 3 ans.**

Les trois cuvées de rouges en 1995 présentent un caractère bourguignon, en particulier le Côtes-du-Rhône Les Chèvrefeuilles. Des trois vins, il est le plus légèrement coloré, avec une robe d'un rubis moyen, et il déploie, à la fois au nez et en bouche, des arômes de cerise. Doux et soyeux, il pourrait aisément, dans une dégustation à l'aveugle, être confondu avec un premier cru de la Côte de Beaune. Vous dégusterez ce vin doux et délicieux **ces toutes prochaines années.** D'un rubis plus profond, la cuvée Les Arbousiers 1995 déploie davantage d'arômes de groseille. Bien épicée et moyennement corsée en bouche, elle y montre une attrayante douceur aux notes de poivre et y déploie une finale fruitée et riche. **A boire dans les 3 ou 4 ans.** La cuvée Les Genévrières est la plus concentrée et la plus profondément colorée des trois. Elle exhale de généreux arômes de framboise et de cerise douce et présente en bouche, outre une petite touche de cassis et une merveilleuse pureté, un abondant fruité riche et mûr, ainsi qu'une finale moyennement corsée, longue, précise et soyeuse. **A boire d'ici 4 ou 5 ans.**

DOMAINE DE LA RENJARDE***

84230 Châteauneuf-du-Pape
Tél. 04 90 83 70 11 – Fax 04 90 83 79 69
Contact : Alain Dugas au Château de la Nerthe

1995 Côtes-du-Rhône-Villages	A	85-87
1994 Côtes-du-Rhône-Villages	A	86

Alain Dugas, qui gère maintenant le Château de la Nerthe à Châteauneuf-du-Pape, produit au Domaine de la Renjarde des Côtes-du-Rhône qui constituent d'excellentes affaires. Issus à 60 % de grenache, à 20 % de syrah, à 10 % de cinsault et à 5 % chacun de mourvèdre et de carignan, ces vins sont élégants, richement fruités, amples et sans détour, et vous aurez plaisir à les boire avant qu'ils n'aient 3 ou 4 ans d'âge.

Le Côtes-du-Rhône-Villages 1994 est très marqué par des notes de garrigue et de poivre vert, tandis que le 1995 présente davantage d'arômes de fruits noirs et rouges, avec des senteurs d'herbes de Provence moins prononcées. Tous deux devraient tenir encore **3 ou 4 ans.**

HERVÉ RICHARD****

Verlieu – 42410 Chavanay
Tél. 04 74 87 07 75

1991 Condrieu	D	94

Hervé Richard est un producteur que je n'ai découvert que très récemment. De ses 5 ha, il a produit en 1991 l'un des Condrieu les plus concentrés que je connaisse, issu de rendements de 25 hl/ha et titrant 14° d'alcool naturel. Ce vin non filtré exhale un nez sensationnel d'abricot, de miel et de fleurs printanières. Extraordinairement riche, mais totalement sec, il est massif, mais d'une grande précision. Un Condrieu spectaculaire, que vous dégusterez en accompagnement d'un riche plat de poisson ou de veau à la crème. Je suis partisan de boire ce type de vin jeune, si bien que je vous conseillerai de le consommer **dès maintenant.**

DOMAINE RICHÉ***

27, avenue du Général-de-Gaulle – BP 57 – 84230 Châteauneuf-du-Pape
Tél. 04 90 83 71 72 – Fax 04 90 83 50 51
Contact : Jean et Claude Riché

1995 Châteauneuf-du-Pape	C	87-88
1994 Châteauneuf-du-Pape	C	86+
1993 Châteauneuf-du-Pape	C	86
1992 Châteauneuf-du-Pape	C	77

Les 1994 et 1995 du Domaine Riché, tous deux réussis, sont sans détour et charnus, d'un style quelque peu commercial. Le Châteauneuf-du-Pape 1995 arbore une robe rubis plus foncé. Structuré, avec une bonne acidité, il révèle une belle richesse et une grande précision dans le dessin, et présente, à la fois au nez et en bouche, de doux et plaisants arômes de cerise noire et d'herbes de Provence. Son potentiel de garde est de **10 ans environ.** Le 1994, d'un rubis-grenat moyennement soutenu, exhale un nez doux et épicé de cerise, de terre, de cuir et d'olive. Riche, modérément corsé et velouté en bouche, il est bien alcoolique et bien gras, avec une finale faible en acidité et capiteuse. **A boire dans les 6 ou 7 ans.**

Entre le 1993 et le 1992, il n'y a pas photo. Mûr, bien vinifié et d'un style commercial, le premier est merveilleusement chaud et généreux, avec des arômes gras, herbacés et poivrés et de cerise. Ce vin riche et bien glycériné doit être dégusté dans les **4 ou 5 ans.** En revanche, le 1992, léger et creux, est moyennement corsé et présente un assez bon fruité, mais sa finale est compacte et ordinaire. **A boire d'ici 1 ou 2 ans.**

ROMANE-MACHOTTE***

84190 Gigondas
Tél. 04 90 65 84 08 – Fax 04 90 65 82 14
Contact : Pierre Amadieu (qui possède également le Domaine Grand Romane)

1995 Gigondas	A	87-90

De couleur rubis-pourpre tirant sur le noir, ce Gigondas 1995 est impressionnant, doux et séduisant, avec ses arômes de myrtille et de kirsch marqués par des notes de réglisse et de poivre. Il s'agit d'un vin très corsé, bien évolué et voluptueux, qui sera prêt dès sa diffusion et dont le potentiel de garde est de 10 ans environ.

DOMAINE DE LA ROQUETTE****

2, avenue Louis-Pasteur – 84230 Châteauneuf-du-Pape
Tél. 04 90 33 00 31 ou 04 90 83 71 25 – Fax 04 90 33 18 47
Contact : MM. Brunier

1995 Châteauneuf-du-Pape	C	89-91
1994 Châteauneuf-du-Pape	C	89
1993 Châteauneuf-du-Pape	C	88
1992 Châteauneuf-du-Pape	C	86
1993 Châteauneuf-du-Pape Blanc	C	75

La famille Brunier, que l'on associe le plus souvent au Domaine du Vieux Télégraphe, possède également le Domaine de la Roquette, où elle a récemment produit d'excellents vins. Je ne suis cependant pas amateur de son Châteauneuf-du-Pape Blanc 1993 que je trouve monochromatique, vaguement fruité et moyennement corsé. **A boire maintenant.**

Le Châteauneuf-du-Pape 1995, profondément coloré et bien structuré, révèle également un bon niveau de tannins et une acidité assez élevée. Extraordinairement riche et mûr, il se révèle ample, gras et épais en bouche. De plus longue garde que son aîné d'un an, il sera cependant moins flatteur dans sa prime jeunesse.

Mis en bouteille sans filtration préalable, le Châteauneuf-du-Pape 1994 (70 % grenache, 15 % syrah et 15 % mourvèdre) arbore une robe rubis-pourpre foncé et exhale de généreux arômes de fruits noirs. Doux en milieu de bouche, il est encore très corsé, avec un caractère souple, rond et généreusement doté. Un Châteauneuf-du-Pape délicieux et bien évolué, à la finale longue, épicée et poivrée. **A boire dans les 6 ou 7 ans.**

Le Châteauneuf-du-Pape 1993, très aromatique, exhale des senteurs confiturées de cassis, de poivre et d'herbes. Moyennement corsé, il est merveilleusement concentré et rond en bouche, où il déploie une finale douce et riche. **A boire dans les 4 ou 5 ans.**

Le Châteauneuf-du-Pape 1992, moyennement corsé, déploie un bouquet de prune et de cerise noire très mûre, ainsi que des senteurs herbacées et poivrées. On décèle en bouche des arômes de goudron et une faible acidité, et la finale est capiteuse et très alcoolique. Ce vin solide et de bonne mâche est cependant légèrement marqué par un caractère de surmaturité.

Les amateurs chanceux pourront peut-être encore mettre la main sur quelques bouteilles du Châteauneuf-du-Pape 1990 du Domaine de la Roquette, auquel j'ai attribué la note de 90. Ce vin puissant et riche est le meilleur qui ait été élaboré à la propriété sous la houlette de la famille Brunier.

RENÉ ROSTAING*****

Le Port – 69420 Ampuis
Tél. 04 74 56 12 00 ou 04 74 59 80 03 – Fax 04 74 56 62 56

1995 Côte-Rôtie Cuvée Classique	D	88-89
1994 Côte-Rôtie Cuvée Classique	D	87
1993 Côte-Rôtie Cuvée Classique	D	86
1992 Côte-Rôtie Cuvée Classique	D	86
1995 Côte-Rôtie La Viaillère	D	90-91+
1994 Côte-Rôtie La Viaillère	D	89
1993 Côte-Rôtie La Viaillère	D	87
1991 Côte-Rôtie La Viaillère	D	92
1995 Côte-Rôtie La Landonne	D-E	91-93+
1994 Côte-Rôtie La Landonne	D-E	90
1993 Côte-Rôtie La Landonne	D-E	90
1991 Côte-Rôtie La Landonne	D-E	94
1995 Côte-Rôtie Côte Blonde	D	94-96
1994 Côte-Rôtie Côte Blonde	D	94
1993 Côte-Rôtie Côte Blonde	D	89
1992 Côte-Rôtie Côte Blonde	D	87
1991 Côte-Rôtie Côte Blonde	D	92
1994 Condrieu	D	93

Jeune homme d'affaires, René Rostaing a pu, par alliance et bonne fortune, réunir les propriétés qui appartenaient autrefois à son beau-père, Albert Dervieux, et à Marius Gentaz, beau-frère de celui-ci. Il est maintenant l'un des plus gros producteurs de Côte-Rôtie issus de vieilles vignes en terrasses.

Vinificateur à la main sûre et étonnamment flexible, il a bien réussi en 1994 et en 1995, après un millésime 1993 qui, tout bien considéré, était de bon niveau. Dans les grandes années, il produit quatre cuvées : une Cuvée Classique, deux crus de Côte Brune, La Landonne et La Viaillère, ainsi qu'une Côte Blonde, issue de deux parcelles de vignes de 35 et 80 ans d'âge. Les vins sont élevés au tiers en bois neuf, mais René Rostaing préfère les demi-muids, plus larges, aux fûts que l'on trouve en Bourgogne ou dans le Bordelais.

Les rendements furent en 1995 bien inférieurs à ceux de 1994, allant de 18 hl/ha pour la Côte Blonde à 25 hl/ha pour la Cuvée Classique. René Rostaing m'a confié n'avoir jamais vu une vendange à maturité physiologique aussi exceptionnelle avec une acidité aussi élevée.

La robe fabuleuse, très soutenue, de couleur rubis-pourpre, de la Cuvée Classique 1995 introduit un nez de framboise sauvage et de violette. Ce vin parfaitement mûr a de la densité, et sa finale est longue, moyennement corsée et vive. Sa bonne acidité lui confère d'ailleurs du ressort et une belle précision dans le dessin, et lui permettra de se maintenir pendant **au moins une décennie**. Le Côte-Rôtie La Viaillère 1995, d'une acidité étonnamment élevée, exhale un nez frais et pur de mûre, de myrtille et de groseille. Profondément coloré, mûr, dense et moyennement corsé, il est encore tannique, avec un caractère peu évolué, acidulé et vif. Il tiendra encore **15 à 20 ans**. La Landonne 1995 est un autre vin peu évolué et vif, à la robe opaque de couleur pourpre, qui commence tout juste à se révéler. Tannique et riche, avec un nez chocolaté et fumé de cassis et de mûre, il est puissant et impénétrable, et demande à être attendu jusqu'à la fin de ce siècle. **A maturité : 2000-2010**. La robe dense, de couleur pourpre, de la Côte Blonde 1995 prélude à un nez renversant et époustouflant de violette, de cassis, de myrtille et de vanille. Somptueux et riche en bouche, malgré son intensité et sa vigueur exceptionnelles, ce vin se dévoile par couches successives, montrant une persistance et une précision absolument fabuleuses. Quel tour de force ! Malheureusement, les disponibilités sont extrêmement limitées, car les rendements, de l'ordre de 18 hl/ha, étaient bien inférieurs à la moyenne.

Les 1994, très opulents et très puissants, avec un fruité doux, sont excellents ou extraordinaires. La Cuvée Classique 1994, de couleur rubis foncé, se révèle tout en finesse et en élégance dans un bouquet de fruits noirs, de fleurs et de minéral semblable à celui d'un Musigny. Ce vin doux, rond et délicieux sera parfait ces **5 ou 6 prochaines années**. La Viaillère 1994, très opulente et très riche, arbore une robe rubis-pourpre plus dense, et ne possède heureusement pas le caractère rustique et animal qu'on lui connaissait lorsqu'elle était vinifiée par Albert Dervieux. Elle est d'une souplesse et d'une pureté admirables, mais Rostaing estime qu'il s'agit du vin le plus rustique de toute sa gamme. Déjà délicieux, il devrait bien vieillir sur les **10 à 12 prochaines années**. Issue de vignes d'une moyenne d'âge de 35 ans, l'impressionnante cuvée La Landonne 1994 allie puissance et élégance. Profondément colorée, tannique et moyennement corsée, elle libère, à la fois au nez et en bouche, des arômes de cassis, de poivre et de viande grillée. Gardez-la 2 ou 3 ans encore, elle se conservera parfaitement **15 ans de plus, voire davantage**. La Côte Blonde est le vin le plus sensuel et le plus voluptueux de toute la gamme des 1994, avec son nez absolument renversant, doux, ample et intensément aromatique de fleurs, de cassis riche et mûr, de cèdre et de framboise sauvage. Opulente, merveilleusement onctueuse et épaisse en bouche, elle déploie une finale fabuleuse. Ce Côte-Rôtie séduisant comprend du viognier à hauteur de 5 %. **A boire dans les 10 ou 12 ans**.

René Rostaing est au nombre des producteurs qui ont le mieux réussi en 1993, avec des vins d'une bonne concentration, doux, séduisants et complexes. Il a, cette année-là, éliminé près de la moitié de sa récolte en août, et le tri, au moment des vendanges, a été très sévère. La Cuvée Classique 1993, de couleur rubis moyen, présente un bouquet de fumé ; elle est élégante, bien concentrée et épicée en bouche, où elle révèle des tannins très doux. C'est un vin qu'il faudra consommer avant qu'il n'atteigne 5 à 7 ans d'âge. La Côte Brune La Viaillère 1993, toujours diffusée sous le nom d'Albert Dervieux bien que vinifiée par René Rostaing, affiche une très belle couleur et se montre musclée, tannique et rustique, mais il se pourrait que, par la suite, elle s'alourdisse, du fait de sa forte acidité et de son niveau de tannins élevé. La Viaillère, qui peut se révéler grandiose, atteint généralement des sommets dans des années d'ensoleillement, de chaleur et de maturité extraordinaires. La partie de ce vignoble qui appartient à Rostaing comprend des vignes de 80 ans d'âge moyen. **A maturité : 1999- 2010.** La Landonne 1993 semble fabuleuse. Issue de vignes âgées de 25 à 80 ans, elle est presque noire, avec un nez de réglisse, d'épices orientales, de fumé et de cassis. Riche, très corsée et concentrée en bouche, elle recèle une bonne acidité et déploie des tannins modérés en finale. Ce vin extraordinaire paraît encore plus admirable quand on sait les conditions difficiles dans lesquelles se sont déroulées les vendanges. Son potentiel de garde est de **10 à 15 ans.** La plus douce et la plus séduisante de toutes, la Cuvée Côte Blonde, exhale un nez parfumé et floral de cerise noire et de cassis. Elle présente en bouche des arômes crémeux et mûrs de fumé, ainsi que des tannins doux. Vous la dégusterez avant qu'elle n'ait atteint **10 ans d'âge.**

Rostaing n'a produit que deux cuvées en 1992, millésime dont il dit qu'il est le plus dur et le plus difficile qu'il ait connu. La Cuvée Classique 1992 (qui contient la production déclassée de La Landonne) est d'une couleur rubis moyen, avec un nez doux de cerise et de terre. Merveilleuse en bouche, elle s'y montre légèrement corsée et faible en acidité, et déploie une finale séduisante. Aussi léger, parfumé et riche qu'un bourgogne, ce vin doit être consommé **d'ici 4 à 6 ans.** Avec son nez herbacé et poivré de framboise sauvage, la Côte Blonde 1992 révèle en bouche, outre des arômes moyennement corsés et de fumé, des notes vanillées qu'elle doit à son vieillissement en fûts de chêne. La finale est courte, mais agréablement fruitée. **A boire d'ici 6 ou 7 ans.**

Quant aux 1991, ils illustrent merveilleusement la grandeur de ce millésime en Côte-Rôtie. La Viaillère, issue de vignes de 80 ans d'âge et vieillie en bois neuf (en demi-muids, et non en fûts de 225 litres), est fabuleuse, avec ce caractère animal, charnu et de terre propre aux vins de l'appellation. Sa robe presque noire prélude à un nez énorme aux arômes de sauce soja, de gibier fumé et de framboise sauvage, mêlés à des senteurs de chêne neuf et grillé. Très corsé, tannique et richement extrait, ce voluptueux Côte-Rôtie est vraiment exquis. Il se maintiendra **15 ans, voire davantage.** Plus douce, avec un caractère plus gras et plus voluptueux, la Côte Blonde 1991 présente des tannins doux, mais pas la rusticité ni les notes animales que l'on retrouve dans La Viaillère. Douce et ample en bouche, elle est séduisante et généreuse, et devrait tenir encore **8 à 10 ans.** La meilleure cuvée de 1991 est probablement La Landonne. Comme vous l'avez peut-être deviné, il existe une grande rivalité entre René Rostaing et son voisin Marcel Guigal, le premier affirmant que ses vignes de Landonne sont considérablement plus vieilles que celles du second. La Landonne 1991 de Rostaing est de couleur noire. Elle offre un parfum exquis de réglisse, de violette, de mûre et de grillé. D'une concentration époustouflante, avec une faible acidité et des tannins souples, elle s'impose comme un vin fabuleux, extraordinairement opulent et multidimensionnel, qui se dévoile en bouche par paliers. Son potentiel de garde est de **10 à 15 ans.**

René Rostaing a également produit en 1994 environ 2 000 caisses d'un Condrieu, issu des coteaux situés à proximité du Château du Rozay. Ce vin d'une richesse exceptionnelle présente un caractère de minéral et de granite – qu'il doit au terroir. Dense et de bonne mâche, d'un équilibre étonnant, il se révèle sec et mielleux. **A boire dans les 2 ou 3 ans.**

DOMAINE ROGER SABON****/*****

Avenue Impériale – BP 57 – 84230 Châteauneuf-du-Pape
Tél. 04 90 83 71 72 – Fax 04 90 83 50 51
Contact : Roger Sabon

1995 Lirac	A	86-87
1993 Châteauneuf-du-Pape Blanc	C	77
1995 Châteauneuf-du-Pape Les Olivets	D	86-89
1993 Châteauneuf-du-Pape Les Olivets	D	88
1995 Châteauneuf-du-Pape Cuvée Réservée	D	88-89+
1994 Châteauneuf-du-Pape Cuvée Réservée	D	88
1993 Châteauneuf-du-Pape Cuvée Réservée	D	88
1992 Châteauneuf-du-Pape Cuvée Réservée	D	86
1995 Châteauneuf-du-Pape Cuvée Prestige	D	89-92
1994 Châteauneuf-du-Pape Cuvée Prestige	D	90
1993 Châteauneuf-du-Pape Cuvée Prestige	D	89+
1992 Châteauneuf-du-Pape Cuvée Prestige	D	90

Roger Sabon, ancien maire de Châteauneuf-du-Pape, produit sur cette propriété toute une gamme d'excellents vins. En ordre croissant de richesse, il y a, en Châteauneuf-du-Pape, Les Olivets (cuvée générique), la Cuvée Réservée (un vin plus riche et plus mûr) et la Cuvée Prestige (un vin intense et non filtré, le meilleur du domaine, avec le potentiel de garde le plus élevé). Il y a également un Châteauneuf-du-Pape Blanc, terne et sans détour, qui manque de caractère et d'intensité. En revanche, le Lirac est l'une des révélations de la gamme ci-dessus.

Ainsi, le Lirac 1995, doux et bien coloré, avec un fruité mûr, montre une excellente profondeur, avec un caractère épicé, poivré et ample. Il sera délicieux sur les **3 ou 4 ans qui viennent.**

Cela fait plusieurs années maintenant (en fait, depuis 1992) que Roger Sabon ne filtre plus ses vins. Aujourd'hui, il se déclare emballé par le fait que ceux-ci présentent davantage de complexité et de caractère que lorsqu'ils l'étaient. Lorsqu'on sait que la majorité des viticulteurs français subissent un véritable lavage de cerveau de la part des importateurs étrangers, des sommeliers européens et de quelques consommateurs sans cervelle qui ne veulent pas admettre que le dépôt est un signe de bonne santé du vin, on ne peut qu'apprécier le fait que certains vignerons, faisant preuve d'intelligence, refusent de dépouiller leur production par des procédés tels que le collage et la filtration.

Le caractère savoureux du Châteauneuf-du-Pape Les Olivets 1993 illustre bien la réussite du domaine dans ce millésime particulier. Outre sa robe sombre de couleur rubis très soutenu, il présente un nez doux et confituré de cerise noire, d'herbes et de poivre, et se montre voluptueux, riche et de bonne mâche en bouche. Remarquablement long et profond, il se gardera bien encore **6 ou 7 ans**. Le Châteauneuf-du-Pape Les Olivets 1995 est moyennement corsé, et offre un nez épicé et poivré de cerise noire confiturée. Doux, rond et généreusement doté, il déploie une finale riche et faible en acidité. **A boire dans les 5 ou 6 ans.**

La Cuvée Réservée 1992 exhale un nez très fruité, aux généreux arômes de noix grillée et d'herbes. Très massive, très riche et très alcoolique, avec un caractère ample et séduisant, elle doit être consommée **d'ici 3 ou 4 ans.** D'une resplendissante couleur rubis-pourpre foncé, la Cuvée Réservée 1993 présente un nez énorme et doux de cerise noire, de cèdre, d'herbes et d'épices. Il s'agit d'un vin très corsé, riche et crémeux, généreusement doté, soyeux et souple, que vous dégusterez **dès maintenant** ou dans les **6 ou 7 ans** qui viennent. Avec sa robe sombre de couleur rubis-pourpre et son nez très prononcé d'olive noire, de cèdre, de cuir fin, de cerise et de groseille confiturées, la Cuvée Réservée 1994 est très corsée et présente en arrière-plan des tannins très fermes. Ce Châteauneuf-du-Pape charnu, généreux et classique a un potentiel de garde de **10 ans environ.** Moins marquée par des arômes d'olive ou de cuir, la Cuvée Réservée 1995 déploie un généreux fruité et affiche un caractère plus prononcé de fruits noirs, ainsi qu'une personnalité plus dense que son aînée d'un an. Bien corsée, elle offre une finale structurée, précise, épicée et tannique. Encore peu évoluée, elle sera presque à maturité au terme d'une garde de 2 ou 3 ans et devrait se conserver ensuite **10 à 15 ans.**

Le Châteauneuf-du-Pape Cuvée Prestige 1992, extraordinaire et luxuriant, libère au nez de généreux arômes de fruits noirs et rouges confiturés, d'herbes rôties, de noix fumée et de poivre. Très corsé, gras et onctueux en bouche, il s'impose comme un vin sensuel, que vous apprécierez dans les **6 ou 7 ans** qui viennent. Plus tannique et plus concentrée que la Cuvée Réservée de la même année, la Cuvée Prestige 1993 est également d'un rubis-pourpre plus soutenu, avec de généreux arômes richement fruités. Très corsée, expansive et opulente, elle est encore ample et concentrée en bouche, où elle déploie un fruité intense, marqué par la mâche, qui dissimule des tannins modérés. **A boire dans les 12 ans, ou plus.** La Cuvée Prestige 1994, d'un grenat soutenu, exhale de puissantes senteurs d'olive, de cèdre, de fruits noirs et rouges, d'épices et de poivre, et présente en bouche, par paliers, un caractère capiteux, épais et très corsé. Vous pourrez déguster ce Châteauneuf merveilleusement bien vinifié, riche et complexe **dès maintenant,** mais il tiendra encore **12 à 15 ans.** Plus doux, avec un caractère plus marqué de fruits noirs, le 1995 est aussi plus mûr, plus alcoolique et plus glycériné que son aîné d'un an. Il est dense, prometteur et extraordinairement doté, et se conservera bien **15 ans.**

DOMAINE SAINT-BENOÎT****

Quartier Saint-Pierre – 84230 Châteauneuf-du-Pape
Tél. 04 90 83 51 36 – Fax 04 90 83 51 37
Contact : Paule Jacumin ou Annie Cellier

1995 Châteauneuf-du-Pape Cuvée Élise	C	85-87
1994 Châteauneuf-du-Pape Cuvée Élise	C	86
1993 Châteauneuf-du-Pape Cuvée Élise	C	87
1992 Châteauneuf-du-Pape Cuvée Élise	C	92
1995 Châteauneuf-du-Pape Cuvée Soleil et Festins	B	86-88
1994 Châteauneuf-du-Pape Cuvée Soleil et Festins	B	87
1993 Châteauneuf-du-Pape Cuvée Soleil et Festins	B	84 ?
1992 Châteauneuf-du-Pape Cuvée Soleil et Festins	B	75-85
1995 Châteauneuf-du-Pape La Truffière	C	92
1995 Châteauneuf-du-Pape Cuvée de Grande Garde	C	88-91
1994 Châteauneuf-du-Pape Cuvée de Grande Garde	C	90
1993 Châteauneuf-du-Pape Cuvée de Grande Garde	C	88
1992 Châteauneuf-du-Pape Cuvée de Grande Garde	C	86+

Lorsque je compare mes notes de dégustation sur les 1994 de cette propriété avant la mise et maintenant qu'ils sont en bouteille, je remarque que les secondes sont moins bonnes. Je serais curieux de savoir si un collage ou une filtration trop sévères les ont dépouillés de leur potentiel. Ces vins demeurent cependant au moins bons ou excellents, et la Cuvée de Grande Garde (la cuvée prestige du domaine) s'impose quand même comme un Châteauneuf extraordinaire.

Outre sa robe de couleur grenat moyen, la Cuvée Élise 1994 présente un nez séduisant et modérément intense de cerise et d'épices. Bien équilibrée et richement extraite, elle semble plus évoluée et moins concentrée que lorsqu'elle était en fût. Vous apprécierez ce beau Châteauneuf-du-Pape dans les **4 ou 5 ans.** D'un style ouvert et fruité, débordant de généreux arômes de cerise noire et de mûre, le 1995 est accessible, rond, généreux et assez relâché en bouche, avec une faible acidité, et sa finale est épicée et mûre. Il se maintiendra **4 à 6 ans.**

Le Châteauneuf-du-Pape Soleil et Festins 1994 offre un nez aromatique, poivré et épicé, de terre, de réglisse et de cerise rouge. Moyennement corsé et assez tannique, il est généreusement doté et dominé par des notes d'épices et de garrigue. **A boire dans les 5 à 7 ans.** Le 1995, moyennement corsé et d'une belle pureté, déploie un fruité plus doux et plus mûr, et découvre des tannins légers dans une finale structurée. Il sera à son meilleur niveau **jusqu'à 6 à 8 ans d'âge.**

Très alcoolique, avec une acidité faible, le Châteauneuf-du-Pape La Truffière 1995, à la robe opaque de couleur pourpre, se montre onctueux, crémeux et très corsé. Déployant au nez de généreuses senteurs de cerise noire et de cassis, il est épais, juteux et presque doux en bouche (cela est dû à sa grande maturité, et non à du sucre résiduel), avec une finale charnue et voluptueuse. **A boire d'ici 6 ou 7 ans.**

Issues des vignes les plus anciennes du domaine, les Cuvées de Grande Garde 1994 et 1995 se présentent toutes deux comme des vins classiques et très corsés, et se dévoilent en bouche par couches successives, révélant leur excellente structure et leur caractère épicé. De couleur rubis foncé avec des nuances de pourpre, le 1994 exhale un nez jeune, exubérant et pur, vibrant d'arômes de cerise noire, de framboise, de poivre et d'épices. Très corsé et riche, de bonne tenue et bien tannique, c'est un Châteauneuf-du-Pape classique, qui sera à son meilleur niveau d'ici 1 ou 2 ans et se maintiendra ensuite 15 ans. Le 1995 présente, outre une robe de couleur rubis-pourpre plus soutenu, un nez doux, très aromatique et séduisant, davantage marqué par les fruits rouges que le vin précédent. Corpulent, d'une densité qui pourrait se révéler exceptionnelle, il se dévoile en bouche par couches successives, se montrant riche et bien structuré. Un vin puissant, carré et musclé, qui requiert une garde de 2 ou 3 ans avant d'être dégusté – son potentiel est de **15 ans environ.**

Les 1993 du Domaine Saint-Benoît me semblent de bien meilleur niveau que les 1992. Ainsi, le Châteauneuf-du-Pape Cuvée Soleil et Festins 1993, moyennement corsé, au nez extrêmement parfumé et poivré, se montre doux en bouche, avec une finale herbacée et alcoolique. Je pense qu'il ne fera pas l'unanimité à cause de ses arômes exagérément poivrés. **A maturité : 1998-2007.** D'une couleur sombre très soutenue et richement extraite, la Cuvée Élise de la même année se révèle moyennement corsée et monochromatique, déployant une finale compacte et légèrement tannique.

Le nez de la Cuvée de Grande Garde 1993, aux senteurs de vanille et de grillé bien étayées par un impressionnant fruité de cerise noire, témoigne de son passage en fûts de chêne. Ce vin moyennement corsé, rond et merveilleusement mûr présente une finale épicée et modérément tannique. **A boire dans les 6 ou 7 ans.**

En 1992, la Cuvée Soleil et Festins est sujette à des variations en bouteille. Lorsque je l'ai dégustée en France, elle m'a semblé profonde, riche, douce et sans détour, d'un caractère charnu, d'un style peut-être un peu commercial, mais accessible et plaisant. En revanche, plusieurs dégustations outre-Atlantique ont révélé un vin moins concentré et anguleux. Avec son fruité sans détour aux arômes de pruneau mêlés de senteurs de cuir, de poivre et d'herbes, la Cuvée Élise 1992 se montre ronde et moyennement corsée, mûre et modérément tannique. Il s'agit d'un Châteauneuf-du-Pape bien évolué et assez massif. Quant à la Cuvée de Grande Garde de cette même année, elle semble mieux dotée en tout point, déployant au nez d'intéressantes senteurs épicées et poivrées de cerise noire, et révélant en bouche des arômes bien concentrés et modérément tanniques, avec une acidité moyenne. Son potentiel de garde est de **6 à 8 ans.**

CHÂTEAU DE SAINT-COSME****/*****

84190 Gigondas
Tél. 04 90 65 86 97 – Fax 04 90 65 81 05
Contact : Louis Barruol

1995 Gigondas	A	88-90
1995 Gigondas Cuvée Valbelle Fût de Chêne	B	90-93

Le Gigondas 1995 de Louis Barruol libère de séduisants arômes mûrs de cerise noire. Bien gras et d'une belle profondeur, il déploie par paliers une finale épicée et pure. Ce vin riche requiert une garde de 2 ou 3 ans et devrait tenir encore **10 à 15 ans.** Issu de vignes de 60 à 80 ans d'âge et vieilli à 40 % en fûts neufs, le Gigondas Cuvée Valbelle 1995 est spectaculaire. Une robe opaque de couleur pourpre introduit au nez de doux arômes de fruits noirs, de fleurs blanches, de poivre et de grillé. Suit un vin somptueux et étonnamment puissant, riche et très corsé, qui présente une belle acidité et des tannins bien fondus. Il se conservera parfaitement encore **10 à 12 ans.** Impressionnant !

SAINT-DÉSIRAT – CAVE COOPÉRATIVE***

07340 Saint-Désirat
Tél. 04 75 34 22 05 – Fax 04 75 34 30 10
Contact : M. Challéat

1992 Syrah Vin de Pays	A	86
1990 Saint-Joseph Cuvée Côte Diane	B	87

Je ne déguste que très rarement les produits de la Cave coopérative de Saint-Désirat, mais, à en juger par les deux exemples ci-dessus, il semblerait qu'il en sorte des vins rouges goûteux et pleins de charme. Le Syrah VDP 1992, de couleur pourpre, exhale un nez énorme, épicé et poivré, de framboise sauvage. Il exprime bien les caractéristiques de ce cépage, se montrant mûr, savoureux, doux et moyennement corsé en bouche, où il déploie une finale étonnamment longue. **A boire dans les 2 ans.**

Vieilli en petits fûts de chêne, le Saint-Joseph Côte Diane 1990 est un spécimen impressionnant de cette appellation sous-estimée de la rive gauche du Rhône. Arborant une belle robe opaque, très profonde, de couleur rubis-pourpre, ce vin présente un bouquet modérément intense de chêne neuf et grillé et de cassis. Moyennement corsé et riche, avec un fruité doux, il révèle des tannins souples, et sa finale est longue et concentrée. Bien qu'il soit déjà prêt, il évoluera avec grâce sur les **8 à 10 prochaines années.**

DOMAINE SAINT-GAYAN****

Le Trignon – 84190 Vacqueyras
Tél. 04 90 65 90 33 – Fax 04 90 65 85 10
Contact : Jean-Pierre Meffre

1994 Côtes-du-Rhône	A	82
1993 Côtes-du-Rhône	A	86
1992 Côtes-du-Rhône	A	85
1995 Côtes-du-Rhône-Villages Rasteau	B	85-86
1993 Côtes-du-Rhône-Villages Rasteau	B	76
1989 Côtes-du-Rhône-Villages Rasteau	B	87
1995 Gigondas	C	88+
1994 Gigondas	C	82-84
1993 Gigondas	C	86
1992 Gigondas	C	76
1991 Gigondas	C	84
1990 Gigondas	C	90

Le Domaine Saint-Gayan est une exploitation viticole gérée de manière traditionnelle – on y met les vins en bouteille entre trois et cinq ans après le millésime. Elle appartient aujourd'hui à Roger Meffre, dont la famille y est installée depuis le XIIIe siècle (une implantation plus ancienne encore que celle des Chave à Mauves), et pourrait donner les vins les plus riches et les plus représentatifs de l'appellation Gigondas. Lorsque j'ai découvert la vallée du Rhône il y a près de vingt ans, les Gigondas de Meffre étaient incontestablement parmi les meilleurs. Mais, depuis, bien d'autres producteurs ont fait des efforts, dont les vins sont aujourd'hui non seulement à égalité avec ceux du Domaine de Saint-Gayan, mais souvent supérieurs.

Dans des millésimes aussi difficiles que 1991 et 1992, le Domaine Saint-Gayan a élaboré des vins accessibles, ronds, moyennement mûrs et doux, à consommer d'ici 3 ou 4 ans. D'une bonne profondeur pour le millésime, le Côtes-du-Rhône 1992 est souple, presque aussi bon que le Gigondas 1991. Le 1993 est également réussi pour le millésime, avec ses arômes poivrés de cerise et de prune mûre qui introduisent en bouche un vin riche et rond, épicé et d'une belle précision. Un Côtes-du-Rhône solide et ample, que vous apprécierez dans les 2 ou 3 ans. Le 1994 n'est pas aussi concentré que son aîné d'un an. Plus tannique et plus austère, il n'en possède ni la maturité ni le fruité riche.

Roger Meffre produit également de petites quantités de Côtes-du-Rhône-Villages Rasteau. Le 1989 (millésime superbe) est riche, concentré et puissant, avec une robe très soutenue de couleur pourpre et un nez énorme et poivré de cerise noire, de cuir et d'épices. L'attaque en bouche est remarquable et révèle un vin très corsé, profond et extrêmement concentré. Ample et velouté, il sera à son meilleur niveau ces 4 à 6 prochaines années. Le 1993 est maigre, dur et léger, mais le 1995 se montre plus mûr, plus riche et plus gratifiant. De couleur pourpre foncé, il séduit par son nez plein d'attrait, riche et poivré, de cerise, ainsi que par les arômes puissants, intenses et concentrés qu'il déploie en bouche, dévoilant un doux fruité et ne montrant aucune aspérité. A boire dans les 4 ou 5 ans.

Le Gigondas 1995 était encore en fût lorsque je l'ai dégusté en juin 1996. Affichant une belle acidité et une bonne densité, il offre de copieux arômes de fruits rouges et une montagne de tannins rustiques. Bien doté et concentré, ce véritable vin de garde devrait bien évoluer sur les 10 à 15 **prochaines années**. Quant au 1994, s'il a une belle couleur, il est rugueux, dur et trop tannique, et je ne sais s'il possède le fruité suffisant pour contrebalancer sa structure et ses tannins. **A maturité : jusqu'en 2002.** J'ai en revanche été agréablement surpris par la qualité du Gigondas 1993. En effet, ce millésime assez moyen compte nombre de déceptions, mais le vin de Roger Meffre est grenat foncé, avec un nez de viande, de fumé et de prune très mûre aux notes de poivre et d'herbes de Provence. Dense et mûr, avec un caractère trapu, il sera parfait dans les **4 ou 5 ans** qui viennent. Sans charme aucun, maigre, tannique et rustique, le Gigondas 1992 n'arrive pas à la cheville de son cadet d'un an. Le Gigondas 1991 est au contraire étonnamment bien réussi, rond et fruité. **A boire maintenant.** Mais, si vous êtes à la recherche de la star, tournez-vous vers le Gigondas 1990 (à condition que vous puissiez encore en trouver). Avec sa robe opaque de couleur grenat-pourpre et son bouquet énorme d'olive fumée, d'herbes, de fruits noirs et de gibier, il se révèle onctueux, épais, riche et très corsé en bouche. Ce vin formidable et fabuleusement concentré sera merveilleux dans les **10 à 15 ans** qui viennent.

DOMAINE SAINT-LAURENT****

1375, chemin de Saint-Laurent – 84350 Courthézon
Tél. 04 90 70 87 92 – Fax 04 90 70 78 49
Contact : Robert-Henri Sinard

1990 Châteauneuf-du-Pape	C	89

Robert Sinard possède une minuscule parcelle de vignes de 40 ans d'âge, située sur le plateau derrière le village de Châteauneuf-du-Pape, juste entre Beaucastel et Rayas. Son Châteauneuf-du-Pape 1990, dont je me réjouis qu'il ait été mis en bouteille sans filtration préalable, présente un caractère proche de celui du Clos du Caillou de Claude Pouizin (dont j'ai vanté les mérites depuis le millésime 1988). Riche, charnu, bien évolué et voyant, il exhale un nez énorme et fruité de poivre, de cerise noire et de cèdre qui introduit en bouche un vin opulent, charnu, riche et gras, débordant littéralement de fruité, de glycérine et d'alcool. Révélant une faible acidité et un torrent de fruité qui masque totalement ses tannins, ce Châteauneuf-du-Pape généreux et de bonne mâche tiendra bien encore **3 ou 4 ans**.

CHÂTEAU SAINT-MAURICE****

30290 L'Ardoise
Tél. 04 66 50 29 31 – Fax 04 66 50 40 91

1993 Côtes-du-Rhône-villages Laudun Cuvée Vicomte	A	87
1990 Côtes-du-Rhône-Villages	A	87

Le Côtes-du-Rhône-Villages Laudun 1993 est absolument renversant. Exubérant et goûteux, avec des arômes de cerise noire, il est moyennement corsé et déploie, outre un fruité généreux, une texture souple et une finale riche et capiteuse. **A boire dans les 3 ou 4 ans.**

Le Côtes-du-Rhône-Villages 1990, profondément coloré, exhale un nez énorme de terre, de poivre et de cassis. Long et mûr en bouche, il y libère des arômes riches et moyennement corsés, imbibés de glycérine. D'une texture douce, avec une finale épicée, capiteuse et alcoolique, il demeurera agréable **1 ou 2 ans** encore.

CHÂTEAU SAINT-ROCH – CHÂTEAU CHANTEGRIL****

30150 Roquemaure
Tél. 04 66 82 82 59 – Fax 04 66 82 83 00
Contact : Jean-Jacques Verda

1995 Lirac Saint-Roch	A	85
1994 Lirac Saint-Roch	A	85
1993 Lirac Saint-Roch	A	86
1995 Lirac Chantegril	A	87
1994 Lirac Chantegril	A	86

Situé à quelques kilomètres à l'ouest de Châteauneuf-du-Pape, rive gauche du Rhône, le village de Lirac a donné son nom à une appellation dont on ne parle pas souvent. Et, s'il est vrai que les Lirac médiocres sont légion, ceux du Domaine Saint-Roch et du Domaine de la Mordorée méritent davantage d'attention.

Les vins du Domaine Saint-Roch en particulier se sont bien améliorés depuis que j'ai visité la propriété pour la première fois, il y a maintenant plus de dix ans. Les Lirac 1994 et 1995 sont tous deux de couleur rubis profond, mais la robe du 1995 est plus sombre et plus soutenue. Avec de doux arômes de cerise et de framboise, ces deux vins sont bien gras et bien mûrs, et se distinguent par leur caractère doux et accessible. Le Lirac 1993 est, quant à lui, particulièrement étonnant. Moyennement corsé, il est également puissant, dense, concentré et juteux, déployant de généreux arômes de poivre et d'herbes de Provence, ainsi qu'un fruité doux et savoureux aux notes de cerise noire. Les 1994 et 1995 se dégusteront à leur meilleur niveau dans les **2 ou 3 ans,** mais le 1993 tiendra bien **3 ans de plus.**

Les Lirac 1994 et 1995 proposés sous l'étiquette Cantegril présentent tous deux une complexité semblable à celle d'un Volnay. Avec de doux arômes de cerise noire et de framboise, ils se révèlent savoureux, élégants, merveilleux d'équilibre et bien proportionnés. Leur potentiel de garde est de **3 ou 4 ans.**

DOMAINE LE SANG DES CAILLOUX****

Route de Vacqueyras – 84110 Sarrians
Tél. 04 90 65 88 64 – Fax 04 90 65 88 75
Contact : Serge Férigoule

1990 Vacqueyras	B	87

Lorsque vous admirerez ce vin à la robe profondément colorée, pensez au nom du domaine dont il est issu – Le Sang des Cailloux. Ce Vacqueyras riche et très corsé, aux arômes amples, est un vin énorme et profond, qui déborde littéralement de fruité, de glycérine, d'alcool et de caractère. **A boire d'ici 2 ou 3 ans.**

DOMAINE DE SAINT-SIFFREIN****

Route de Châteauneuf-du-Pape – 84100 Orange
Tél. 04 90 34 49 85 – Fax 04 90 51 05 20
Contact : Claude Chastan

1995 Châteauneuf-du-Pape	A-B	88-90
1994 Châteauneuf-du-Pape	A-B	88+
1993 Châteauneuf-du-Pape	A-B	87+

Voici trois réussites remarquables de Claude Chastan.

Impressionnant de richesse en extrait, de puissance et de densité, le Châteauneuf-du-Pape 1995 déborde de fruité, et présente une acidité et des tannins remarquables. Ce vin énorme, profond, peu évolué et rustique demande impérativement à être attendu 4 ou 5 ans, mais son potentiel de garde est de **12 à 15 ans, voire plus.** Si ses tannins et son acidité se fondent davantage, il méritera une meilleure note.

Le Châteauneuf-du-Pape 1994, maintenant en bouteille, se révèle aussi prometteur qu'avant la mise. Une robe sombre et profonde de couleur rubis-grenat accompagne un nez exotique et très aromatique d'alizé, d'herbes, d'olive, de garrigue et de cerise noire confiturée. Suit un vin moyennement corsé et très riche, musclé, rustique et puissant. Il s'agit d'un Châteauneuf-du-Pape trapu et de forte carrure, qui requiert une garde de 1 ou 2 ans avant d'être dégusté, mais qui se maintiendra **10 ans, voire davantage.**

Le 1993, à la robe sombre et très soutenue de couleur rubis-pourpre, me semble un peu tannique, mais il offre de riches arômes de cerise noire, de chocolat et d'herbes. Très corsé et très concentré, il est extrêmement bien structuré, serré et intense. Laissez-lui 5 ou 6 ans, il se conservera ensuite **15 ans, ou davantage.**

DOMAINE SANTA DUC*****

Quartier des Hautes-Garrigues – 84190 Gigondas
Tél. 04 90 65 84 49
Contact : Yves Gras

1995 Gigondas Cuvée des Hautes Garrigues	C	90-92
1993 Gigondas Cuvée des Hautes Garrigues	C	92
1995 Côtes-du-Rhône	A	87-88
1994 Côtes-du-Rhône	A	86
1991 Côtes-du-Rhône	A	84
1995 Gigondas Cuvée Classique	C	88-89

1994 Gigondas Cuvée Classique	C	89
1992 Gigondas Cuvée Classique	C	88
1991 Gigondas Cuvée Classique	C	88

Yves Gras s'impose maintenant comme l'une des étoiles montantes de la vallée du Rhône méridionale, où on le reconnaît d'ailleurs comme l'un des deux ou trois meilleurs producteurs de Gigondas. Il élabore en principe trois vins : un Côtes-du-Rhône, un Gigondas et, dans des millésimes exceptionnels, un Gigondas Cuvée des Hautes Garrigues, issu de vieilles vignes et de rendements inférieurs à 30 hl/ha. Propriétaire de 10 ha bien situés à Gigondas et d'un peu plus de 8 ha en Côtes-du-Rhône et en Vacqueyras, il a vraiment débuté en 1985, son entière production étant auparavant vendue au négoce. Ses vins sont en général très aromatiques et bien vinifiés, et présentent, dans les bonnes années, un potentiel de garde très intéressant.

Composé à 70 % de grenache et à 30 % de mourvèdre, vieilli à 40 % en fûts neufs, le Gigondas Cuvée Les Hautes Garrigues 1995 titre 16° d'alcool naturel. Cette cuvée spéciale n'a été produite qu'en 1989, 1990, 1993 et 1995. Avec sa robe opaque de couleur pourpre et son nez peu évolué, mais prometteur, aux senteurs florales et aux arômes très purs de framboise sauvage, ce 1995 se montre puissant et très corsé, extrêmement tannique, mais formidablement doté. Attendez 2 ou 3 ans que ses tannins se fondent et laissent s'exprimer son fruité doux et riche. **A maturité : 2000-2010.** La Cuvée des Hautes Garrigues 1993 est le meilleur Gigondas que je connaisse de ce millésime. De couleur noire, avec un nez extrêmement riche de framboise, de cerise confiturée et d'épices, il est très corsé et merveilleusement concentré, déployant en bouche des tannins modérés et des tonnes de glycérine. Ample et impressionnant de concentration, il doit être dégusté avant d'avoir atteint **15 ans d'âge.** Les lecteurs se souviendront aussi que j'avais attribué des notes extraordinaires au 1989 et au 1990 de cette cuvée prestige.

Composé à 60 % de grenache et à parts égales de syrah et de mourvèdre, le Côtes-du-Rhône 1995, d'un rubis-pourpre profond, se montre mûr, moyennement corsé et de bonne mâche en bouche, déployant des arômes de cerise noire, d'herbes, de minéral et de terre. Une belle structure (due au mourvèdre) et un palais savoureux et charnu contribuent encore à son caractère d'ensemble. **A boire dans les 2 ou 3 ans.** Composé à 75 % de grenache, à 15 % de syrah et à 10 % de mourvèdre, le Gigondas Cuvée Classique 1995 arbore une robe opaque de couleur pourpre. Bien structuré et moyennement corsé, il recèle, outre une bonne acidité voulue qui lui confère une belle précision dans le dessin, une concentration extrême, et déploie une finale douce, riche et longue. Encore jeune et pas tout à fait fini, il offre un potentiel extraordinaire. A consommer avant qu'il n'ait atteint **10 à 12 ans d'âge.**

Les 1994 sont plus doux et plus flatteurs que leurs cadets d'un an. Ainsi, le Côtes-du-Rhône 1994, de couleur rubis foncé, offre un nez poivré et épicé de cerise noire. Moyennement corsé, il présente un caractère rond, doux et plaisant. **A boire dans les 5 ou 6 ans.** D'un style similaire, mais plus puissant et plus robuste, le Gigondas Cuvée Classique 1994 est pur, ample et d'une excellente profondeur. Encore jeune et exubérant, il allie merveilleusement finesse et puissance. **A boire dans les 6 ou 7 ans.**

Le millésime 1992, plus difficile en Gigondas qu'à Châteauneuf-du-Pape, présente nombre de vins inintéressants, ainsi que j'ai pu m'en rendre compte. Cependant, le Gigondas Cuvée Classique 1992 du Domaine Santa Duc exhale un nez doux et confituré de noix grillée, d'herbes de Provence et de cerise noire. Moyennement corsé, avec un fruité doux et ample, et des tannins modérés, ce vin sérieux, d'une structure admirable et merveilleusement doté, demeurera à son meilleur niveau pendant **10 ans**.

Le génie d'Yves Gras est encore plus évident dans un millésime aussi épouvantable que le 1991. Seul un tiers de sa production a été mise en bouteille cette année-là. Rubis foncé, le Gigondas 1991 présente un nez séduisant de chocolat, de cèdre et d'herbes de Provence, et déploie en bouche, outre des arômes de cake et de cerise noire douce et confiturée, une finale épicée, moyennement corsée et douce. Il s'agit d'une réussite remarquable dans un millésime de niveau plus que moyen. **A boire d'ici 4 ou 5 ans.** Quant au Côtes-du-Rhône 1991, plus léger que d'habitude, il exhale des senteurs poivrées et épicées de fruits rouges. Souple en bouche, admirablement fruité et mûr, il présente un caractère très marqué aux notes de poivre. A boire dans les **6 mois**.

LYLIANE SAUGÈRE★★★★

Caves Cottevergne – Quartier Le Bret – 07130 Saint-Péray

1991 Côte-Rôtie	D	87
1990 Hermitage	D	90

Le Côte-Rôtie 1991 du domaine est un vin doux, charnu et bien évolué (même pour ce millésime), qui dégage de séduisantes senteurs poivrées et herbacées de lard, et présente en bouche des arômes doux et moyennement corsés, somptueusement mûrs. La finale est tout en glycérine et en alcool. **A boire dans les 4 ou 5 ans.**

L'Hermitage 1990 est quant à lui tout simplement époustouflant. Comme le savent les amoureux de la vallée du Rhône, 1990 est pour cette appellation le millésime le plus extraordinaire depuis le fabuleux 1961. Massif, avec une robe opaque de couleur rubis-pourpre foncé et un nez énorme de fumé, de poivre, de framboise sauvage et de minéral, ce vin très corsé et extrêmement concentré présente d'énormes réserves de fruité et de glycérine, ainsi que des tannins doux. Ample et expansif en bouche, il devrait se maintenir **15 à 20 ans**. Impressionnant ! Les amateurs apprendront avec intérêt que ce vin est élaboré sous les auspices de Michel Chapoutier.

DOMAINE DES SÉNÉCHAUX★★★★

3, rue de la Nouvelle-Poste – 84230 Châteauneuf-du-Pape
Tél. 04 90 83 73 52 – Fax 04 90 83 52 88
Contact : Pascal Roux

1995 Châteauneuf-du-Pape	C	86-88
1994 Châteauneuf-du-Pape	C	87

| 1993 Châteauneuf-du-Pape | C | 86 |
| 1993 Châteauneuf-du-Pape Blanc | C | 75 |

La qualité des vins du Domaine des Sénéchaux ne cesse de s'améliorer depuis qu'il est tenu par la famille Roux (que l'on associe plus souvent avec les vins goûteux du Château du Trignon). D'une resplendissante couleur rubis, avec un nez de cerise noire douce et mûre et d'herbes fumées, le Châteauneuf-du-Pape 1995 se montre doux, rond et séduisant en bouche. Voluptueux, avec une faible acidité, il présente une finale riche, aux notes herbacées et de cerise noire, bien glycérinée, bien alcoolique et d'une belle richesse en extrait. **A boire dans les 4 à 6 ans.**

Fait dans le même style plaisant, sans détour et fruité, avec les mêmes arômes poivrés, fumés et herbacés de cerise, le 1994 est rond, très doux et moyennement corsé. **A boire dans les 4 à 6 ans.**

Le 1993, également très doux, déploie en bouche de séduisants arômes, ronds et souples, d'herbes de Provence et de cerise douce. Moyennement corsé et légèrement tannique, il affiche une belle richesse. **A boire dans les 4 ou 5 ans.**

Quant au Châteauneuf-du-Pape Blanc 1993, il s'agit d'un vin sans détour, simple, très corsé mais monolithique.

CHÂTEAU SIMIAN****

84420 Piolenc
Tél. 04 90 29 50 67 – Fax 04 90 29 62 33
Contact : Yves Serguier

| 1994 Châteauneuf-du-Pape | B | 86 |
| 1993 Châteauneuf-du-Pape | B | 88 |

Je n'ai pas dégusté le Châteauneuf-du-Pape 1995 du Château Simian, mais le 1994 est séduisant, doux et bien doté, libérant de copieux arômes de garrigue, d'herbes de Provence et de cerise noire. Rond et savoureux en bouche, avec une faible acidité, il montre encore une belle pureté et une belle maturité, avec une finale poivrée et alcoolique. Je ne pense pas qu'il fasse de vieux os, mais vous aurez plaisir à le boire **d'ici 5 ou 6 ans.**

Le 1993 est impressionnant. Arborant une resplendissante couleur rubis-pourpre, avec des arômes de prune et de cerise très mûres mêlés de senteurs d'herbes de Provence rôties, de chocolat et d'épices, il se montre jeune, très corsé et d'une excellente concentration. Savoureux, doux et de bonne mâche à l'attaque en bouche et en finale, ce vin devra être consommé dans les **10 ans.**

DOMAINE DE LA SOLITUDE****

Route de Bédarrides – 84230 Châteauneuf-du-Pape
Tél. 04 90 83 71 45 – Fax 04 90 83 51 34
Contact : Pierre Lançon

1995 Châteauneuf-du-Pape	B	86-88+
1992 Côtes-du-Rhône	A	85
1992 Côtes-du-Rhône Blanc	A	85

Pierre Lançon a élaboré un Châteauneuf-du-Pape 1995 fruité, riche, épicé et concentré, mais élégant, semblable à un bourgogne par ses arômes crémeux de cerise légèrement marqués en bouche par des touches vanillées et épicées. Riche et bien équilibré, avec une bonne acidité, il doit être bu **d'ici 6 ou 7 ans.**

Le Côtes-du-Rhône 1992 libère au nez des senteurs amples et poivrées de prune et de cerise noire, et tapisse le palais de ses beaux arômes moyennement corsés, herbacés et doux. Admirablement puissant et mûr, il affiche une souplesse qui laisse penser qu'il doit être consommé **d'ici 1 ou 2 ans.**

Quant au Côtes-du-Rhône Blanc 1992, il est étonnamment aromatique pour un vin de la vallée du Rhône méridionale. Avec un excellent fruité crémeux d'ananas, il est charnu et d'un faible niveau d'acidité. **A boire maintenant.**

HENRI SORREL****/*****

128 bis, avenue Jean-Jaurès – BP 69 – 26600 Tain-l'Hermitage
Tél. 04 75 07 10 07 – Fax 04 75 08 75 88

1995 Crozes-Hermitage Blanc	C	84
1994 Crozes-Hermitage Blanc	C	85
1993 Crozes-Hermitage Blanc	C	83
1992 Crozes-Hermitage Blanc	C	84
1991 Crozes-Hermitage Blanc	C	85
1995 Crozes-Hermitage Rouge	C	78
1994 Crozes-Hermitage Rouge	C	80
1995 Hermitage Cuvée Classique Blanc	C	86
1994 Hermitage Cuvée Classique Blanc	C	87
1995 Hermitage Les Roucoules Blanc	D	88
1994 Hermitage Les Roucoules Blanc	D	90+
1993 Hermitage Les Roucoules Blanc	D	87
1992 Hermitage Les Roucoules Blanc	D	88
1991 Hermitage Les Roucoules Blanc	D	89+
1995 Hermitage Cuvée Classique	C	85-87
1994 Hermitage Cuvée Classique	C	87
1993 Hermitage Cuvée Classique	C	87
1992 Hermitage Cuvée Classique	C	87
1991 Hermitage Cuvée Classique	C	88
1995 Hermitage Le Gréal	D	90-93
1994 Hermitage Le Gréal	D	90

1992 Hermitage Le Gréal	D	90
1991 Hermitage Le Gréal	D	93+

Marc Sorrel produit sur ses petites propriétés d'Hermitage et de Crozes-Hermitage des vins blancs et rouges classiques et traditionnels. Tous, y compris les blancs, sont mis en bouteille sans filtration préalable.

La production du Crozes-Hermitage Blanc, issu à 90 % de marsanne et à 10 % de roussanne, varie entre 75 et 100 caisses annuellement. Les millésimes 1994 et 1995 présentent tous deux un fruité solide d'ananas et de pierre. Bien vinifiés, nets et moyennement corsés, ils montrent une faible, mais bonne, acidité et doivent être dégustés dans les 3 ou 4 ans qui suivent le millésime. Moyennement corsé, avec une bonne acidité, le 1993 offre un fruité léger et élégant aux notes d'agrumes et de terre, ainsi qu'une finale douce. Il doit, lui aussi, être dégusté avant 3 ou 4 ans d'âge. Plus gras et d'une texture plus huileuse, le 1992 atteste également une bonne maturité et une faible acidité, avec un bouquet de fleurs et de miel. A boire dans les 4 ou 5 ans. Mais le meilleur de tous est quand même le 1991. Plus profond et plus précis tant dans les arômes que dans le dessin, il est moyennement corsé, trapu et monolithique en bouche. A boire maintenant.

Les Crozes-Hermitage rouges 1994 et 1995 sont issus de vignes de syrah de 5 ou 6 ans d'âge et de rendements modestes – de l'ordre de 40 hl/ha. Arborant une couleur rubis léger, ils sont moyennement corsés et doivent être dégustés d'ici 3 ou 4 ans. Le 1994 est plus doux, plus fruité et moins marqué par des notes végétales, tandis que le 1995 se montre plus acide, plus maigre et plus compact en bouche.

Les Hermitage blancs de Sorrel, issus de vignes de coteaux, sont plus sérieux et plus riches que ses Crozes-Hermitage. Ainsi, la Cuvée Classique 1995 (provenant du vignoble des Greffieux) est ouverte, fruitée et moyennement corsée, avec un copieux fruité d'ananas et de curieux arômes de minéral. Ce vin se portera bien ces 5 ou 6 prochaines années. Issue de vignes de 45 ans d'âge et de rendements de 28 hl/ha, la cuvée prestige Les Roucoules 1995 exhale un nez coulant de minéral et d'ardoise, et déploie en bouche des arômes mielleux de cerise et d'ananas. D'une belle précision dans les arômes, il montre encore de la puissance. Sa bonne acidité lui confère par ailleurs du ressort et une excellente découpe. A maturité : jusqu'en 2008.

L'Hermitage Cuvée Classique Blanc 1994 est plus crémeux, plus ouvert et plus riche que son aîné d'un an. Il est riche, rond et généreusement doté. L'extraordinaire Hermitage Les Roucoules 1994 titre quant à lui 14° d'alcool naturel (ce qui est élevé) et exhale un nez coulant de minéral, d'épices, de pêche et d'ananas confits. Très corsé, expansif, séduisant et mûr en bouche, il s'y montre ouvert, d'une puissance admirable et bien gras en finale. Ces vins sont en général très agréables 1 ou 2 ans après leur mise en bouteille, mais ils se referment ensuite et ne s'épanouissent à nouveau qu'au terme d'une garde de 10 ans environ. Ainsi, Les Roucoules 1989 et 1990 se présentent maintenant comme des vins assez fermés, alors que le 1988 commence tout juste à sortir de sa coquille.

Les Hermitage Les Roucoules 1991, 1992 et 1993 titrent tous trois 13° d'alcool naturel. Le 1993, d'un millésime dont Sorrel dit qu'il est le pire qu'il connaisse, est réussi, alors qu'il a été vendangé dans des conditions déplorables. Charnu, avec un caractère de terre et de minéral, il présente un potentiel de garde de 5 à 10 ans. Plus gras et plus riche, le 1992 déploie au nez des notes de miel, d'abricot et de pêche. D'une épaisseur aguicheuse, avec un caractère trapu de terre et de minéral, il déploie une finale longue, épicée et capiteuse. Corpulent mais charmeur, ce vin sera très agréable **avant 10 ans d'âge**. Comme on pouvait s'y attendre, c'est l'Hermitage Les Roucoules 1991 qui remporte la palme, avec son nez de pomme confite, d'agrumes et de minéral. Riche et très corsé en bouche, il y montre une belle concentration, et sa finale est épicée, de bonne mâche, bien glycérinée, très alcoolique et fruitée. **A boire dans les 10 à 20 ans.**

Les Hermitage rouges de Sorrel sont très appréciés des consommateurs. Dans les très bons millésimes, deux cuvées sont produites : une cuvée classique et une cuvée prestige appelée Le Gréal.

En 1995, Marc Sorrel n'a commencé à vendanger ses vignes de syrah qu'à partir du 26 septembre, soit une bonne semaine après l'arrêt des pluies. L'Hermitage Cuvée Classique (issu pour un tiers du vignoble des Greffieux et pour le reste de celui du Méal) est vif, moyennement corsé et de bon ressort, avec une acidité plus élevée que de coutume. De couleur rubis-pourpre, il est encore jeune et vibrant, et pourra tenir **10 à 12 ans**. Il n'a toutefois pas la belle profondeur de millésimes aussi fabuleux que 1988, 1989, 1990 et 1991. Une robe dense de couleur pourpre suivie d'un nez puissant et doux de cassis, de fumé et de minéral caractérise Le Gréal 1995. Bien concentré et doux à l'attaque en bouche, ce vin présente une finale tannique et acidulée qui reflète bien les pH relativement bas caractérisant ce millésime. Sa richesse et son intensité optimales laissent cependant deviner qu'il sera de longue garde. Il est intéressant de savoir qu'une petite proportion de marsanne (7-8 %) est incluse dans l'assemblage du Gréal 1995. Ce vin requiert une garde de 4 ou 5 ans et se maintiendra ensuite **20 ans**.

Les deux Hermitage 1994 sont plus séduisants, plus flatteurs et plus développés que leurs cadets d'un an. Plus légère que je ne l'aurais pensé, la Cuvée Classique 1994 arbore une robe assez évoluée d'un rubis-grenat moyen, et exhale un nez doux, souple, sensuel et mûr de cassis mêlé de notes herbacées et poivrées, de minéral et d'épices. C'est un vin rond et complexe, d'une puissance aromatique exceptionnelle (ressemblant en cela à un bourgogne) et faible en acidité, avec une finale ronde et généreuse. Déjà délicieux, il devrait se montrer sous un bon jour pendant encore **une dizaine d'années**. L'extraordinaire Hermitage Le Gréal 1994, plus évolué que d'habitude, est voluptueux en bouche et déploie de généreux arômes de cassis mûr mêlés de senteurs de terre, de truffe et de minéral. Ce vin riche et très corsé me rappelle le 1979 dans sa prime jeunesse. Vous pouvez déjà l'apprécier, grâce à ses tannins et à son acidité bien fondus, mais il est encore dans sa petite enfance en termes d'évolution. Son potentiel de garde est de **10 à 15 ans**. D'après Marc Sorrel, les prochains millésimes du Gréal ne comprendront plus le vin du vignoble des Greffieux.

L'Hermitage 1993 est d'un assez bon niveau dans un millésime aussi médiocre, surtout pour un vin de la vallée du Rhône septentrionale (la cuvée Le Gréal n'a pas été produite cette année-là, toute la production de ce vignoble étant incluse dans la Cuvée Classique). De couleur rubis moyen, il possède la douceur et le caractère ouvert des bourgognes, ainsi qu'un aspect épicé, poivré et herbacé. Bien qu'il ne soit pas concentré, il est bien vinifié et se montre rond et faible en acidité. **A boire dans les 5 ans.**

En 1992, Marc Sorrel a élaboré les deux Cuvées d'Hermitage. L'Hermitage Cuvée Classique, de couleur rubis foncé, révèle un nez de poivre, d'herbes, de cassis doux et de goudron. Doux et voluptueux en bouche, il y déploie une grande richesse, ainsi qu'une finale mûre, moyennement corsée et souple. Bien qu'il soit déjà prêt, vous pourrez le conserver encore **une dizaine d'années.** La cuvée Le Gréal, issue de vignes plantées en 1928, arbore une robe opaque de couleur pourpre tirant sur le noir, et déploie un nez doux et exotique de réglisse, de cuir, de viande et de cassis. Très corsée, dense et concentrée en bouche, elle est faible en acidité, avec des tannins modérés et une finale intense. C'est une réussite extraordinaire pour ce millésime – ce vin s'impose même comme l'un des meilleurs 1992 du nord de la vallée du Rhône.

L'excellent Hermitage 1991, avec sa robe sombre de couleur rubis-pourpre et son nez épicé, herbacé et poivré de cuir, se révèle d'une grande profondeur en bouche, où il déploie des arômes et une texture tanniques et de bonne mâche. La finale épicée est dure, mais longue. L'Hermitage Le Gréal 1991, spectaculaire et de couleur noire, est issu de rendements inférieurs à 20 hl/ha (moins qu'en 1990) et présente un nez énorme aux arômes d'épices orientales, de réglisse, de fruits noirs, de terre et de vanille. Merveilleusement concentré et très corsé, avec des tannins modérés et un fruité épais et juteux de syrah qu'il dévoile par paliers, c'est un vin formidable. **A maturité : 2000-2020.**

TARDIEU-LAURENT****

Chemin de la Marquette – 84360 Lauris
Tél. 04 90 08 32 07 – Fax 04 90 08 26 37

1995 Côtes-du-Rhône Cuvée Guy Louis	A-B	88-90
1994 Côtes-du-Rhône Cuvée Guy Louis	A	88
1995 Côtes-du-Rhône	A	85-87
1995 Vacqueyras	B	87-89
1994 Vacqueyras	A	87
1995 Gigondas	C	88-90
1994 Gigondas	C	88
1995 Gigondas Vieilles Vignes	C-D	90-92
1995 Châteauneuf-du-Pape	C-D	88-91
1994 Châteauneuf-du-Pape	C	90
1995 Côte-Rôtie	D	87-89
1994 Côte-Rôtie	D	83
1995 Cornas	C	88-90
1994 Cornas	D	84

1995 Cornas Cuvée Vieilles Vignes	D	92-94
1994 Hermitage	D	92
1995 Hermitage Cuvée Classique	D-E	89-91
1995 Hermitage Cuvée Erêmites	D	91-92+
1995 Gigondas Vieilles Vignes	C-D	90-92
1995 Crozes-Hermitage	B-C	88-90

Voici une nouvelle affaire de négoce, mise sur pied par Michel Tardieu de la vallée du Rhône et Dominique Laurent de la Bourgogne, vouée à la production de vins concentrés, mis en bouteille sans collage ni filtration, avec un sulfitage extrêmement limité.

Les amateurs connaissent sans doute le nom de Dominique Laurent, qui a suscité de nombreuses controverses avec son affaire de négoce de Nuits-Saint-Georges. Il y recueille cependant les louanges tant des critiques que des consommateurs pour ses vins concentrés et d'un style très naturel. Il investit maintenant dans la vallée du Rhône, en partenariat avec Michel Tardieu, qui a pour tâche de rechercher les cuvées de vieilles vignes dans les différentes appellations. Leurs caves sont dans l'enceinte du Château Loumarin – ce sont d'ailleurs les caves souterraines les plus fraîches de toute la région, et les vins y sont élevés en fûts de chêne.

Dominique Laurent est un adepte du long vieillissement en fûts de chêne, de l'élevage sur lies et du sulfitage minimal au moment de la mise en bouteille. Il ne pratique pas non plus le collage ni la filtration, si bien que ses vins sont en général très expressifs.

La plupart des vins énumérés ci-dessus n'étaient pas encore en bouteille au moment où je les ai dégustés. La mise se faisant fût par fût, sans collage ni filtration, les descriptions que j'en fais devraient être le reflet des différents niveaux de qualité.

Le millésime de lancement, 1994, augure assez bien du succès que connaîtra vraisemblablement le tandem Tardieu-Laurent.

Avec sa robe dense de couleur rubis-pourpre, le Côtes-du-Rhône Cuvée Guy Louis 1994 (composé en majorité de grenache et à 10 % de syrah) libère de savoureuses senteurs épicées et poivrées, et de riches arômes de fruits noirs. Moyennement corsé et souple en bouche, il est encore délicieux et ample. **A boire dans les 4 ou 5 ans.**

Plus épicé, avec de vagues senteurs de garrigue, le Vacqueyras 1994 révèle des notes de chêne grillé, ainsi qu'un généreux fruité aux arômes poivrés. Moyennement corsé, d'une belle densité et séduisant (la griffe des vins élevés sur lies, avec collage minimal), il devrait bien évoluer sur les **4 ou 5 ans** qui viennent.

Moyennement corsé et de style traditionnel, le Gigondas 1995 est rugueux, dense, tannique et épicé. Arborant une impressionnante robe rubis-pourpre, ce vin peu évolué libère des arômes d'écorce et d'épices. Il doit son caractère peu évolué et sa structure formidable aux 15 % de mourvèdre de son assemblage. S'il s'épanouit, il méritera une note encore plus élevée, mais il se montre pour l'instant austère, bien que généreusement doté. Dégustez-le dans les **10 ans** qui suivront une garde en cave de 2 à 4 ans.

L'impressionnant Châteauneuf-du-Pape 1994, vieilli à 50 % en fûts de chêne neuf, est très corsé et structuré, riche et concentré, et offre au nez de généreux arômes de cassis. Puissant et de bonne mâche en bouche, avec une finale légèrement tannique, il requiert une garde d'un an environ et devrait bien évoluer sur les 10 à 15 ans qui suivront.

Malgré ses arômes floraux de framboise sauvage, le Côte-Rôtie 1994 se présente comme un vin fermé, tannique, austère et anguleux. Il est, de tous les 1994, le moins impressionnant.

Vieilli à 50 % en chêne neuf, le Cornas 1994 présente la robe pourpre-noir caractéristique de cette appellation, et déploie au nez des senteurs de cassis et de terre. Formidablement fruité et pur, avec une belle structure, il est moyennement corsé et épicé, encore jeune et exubérant. Son potentiel de garde est de 10 à 15 ans.

L'Hermitage 1994 est grandiose, mais il n'a malheureusement été produit qu'à hauteur de 25 caisses. Acheté à un producteur qui possède des vignes aux Beaumes et aux Diognières, il a une couleur dense, avec un nez doux et expansif de cassis confituré, de minéral et de réglisse. Très corsé, d'une richesse et d'un fruité époustouflants, il est bien glycériné, séduisant et de bonne mâche en bouche. Cet Hermitage bien vinifié, tannique et très accessible sera à la pointe de sa maturité dans 4 ou 5 ans et se conservera parfaitement sur 20 ans de plus.

En 1995, une plus forte proportion de chaque cru était vieillie en fûts neufs (allant de 5-10 % à presque 50 %), et tous les vins cités ci-dessus révèlent le fruité mûr et doux inhérent à ce millésime.

Le Côtes-du-Rhône 1995, bien vinifié, doit sa structure et une certaine fermeté à la proportion de mourvèdre incluse dans son assemblage final. De couleur rubis foncé, joliment épicé, il déploie une excellente finale et me semble bien plus structuré que le 1994, plus charnu. Vieillie à 50 % en fûts neufs, la Cuvée Guy Louis 1995 est composée à 40 % de syrah, avec de fortes proportions de mourvèdre et de grenache. Avec sa robe opaque de couleur pourpre, ce Côtes-du-Rhône incroyablement riche et très corsé, marqué par la mâche, se dévoile en bouche par couches successives et se conservera encore 5 à 7 ans. Une superbe affaire.

Le Vacqueyras 1995, vieilli à 50 % en fûts neufs, m'a également impressionné. Issu de vignes de grenache de 70 ans d'âge, il regorge d'un fruité mûr et doux, poivré et herbacé, de cerise noire. Très corsé et charnu, avec une maturité et une souplesse sous-jacentes, il est ample en bouche. A boire dans les 4 ou 5 ans.

Il y a en 1995 deux cuvées de Gigondas. La cuvée générique, de couleur rubis-pourpre, exhale un nez de kirsch et de fruits noirs, et se montre moyennement corsée, d'une belle densité et bien concentrée. A maturité : jusqu'en 2004. Composée à 70 % de grenache et à 30 % de mourvèdre, la cuvée Vieilles Vignes titre 14,7° d'alcool naturel. Il s'agit d'un vin spectaculaire, fabuleusement mûr et bien structuré, qui déploie en bouche, par paliers, un généreux fruité doux et confituré, ainsi qu'une finale assez tannique. Énorme, juteux, ample et pur, il restera à son meilleur niveau ces 10 à 15 prochaines années.

Le Châteauneuf-du-Pape 1995 est absolument superbe, avec ses abondants arômes de framboise sauvage, de cerise noire et d'herbes. Gras et bien glycériné, très alcoolique, il déploie une finale mûre, structurée et de bonne mâche. Ce vin concentré et intense est vraisemblablement issu de vieilles vignes à faibles rendements. Prêt dès sa jeunesse, il se conservera bien **10 à 15 ans, voire plus.**

Les crus de la vallée du Rhône septentrionale sont également réussis. Le Crozes-Hermitage 1995, rubis foncé, libère un séduisant nez d'olive noire, d'herbes et d'épices, ainsi qu'un fruité doux. Moyennement corsé et d'une bonne profondeur, il présente une texture douce, son acidité adéquate lui conférant un bon équilibre. **A maturité : jusqu'en 2004.**

A en juger par sa puissance, le Cornas 1995 est entièrement vieilli en fûts neufs. Issu en totalité de vignes de coteaux de 80 ans d'âge, il arbore une robe opaque presque noire et se montre très massif en bouche, avec une finale longue, charnue et concentrée qui regorge littéralement de fruité. Ce vin est véritablement prodigieux dans un millésime où d'autres appellations ont été mieux favorisées que celle de Cornas. **A maturité : 2000-2008.** La Cuvée Vieilles Vignes est l'un des meilleurs Cornas qu'il m'ait été donné de déguster (et, croyez-moi, j'en ai goûté de très bons). Issu de vignes de coteaux de 100 ans d'âge et de rendements très tenus – de l'ordre de 18 hl/ha –, ce vin ressemble davantage à un grand Hermitage qu'aux vins assez rustiques de Cornas. De couleur noire et étonnamment riche, il présente en bouche une texture séduisante qu'il dévoile par couches successives. Il est également d'une richesse et d'une maturité fabuleuses, avec une finale longue et épicée. Comme cela arrive souvent avec des vins d'une telle profondeur, il n'a été produit qu'en quantités restreintes (50 caisses). **A maturité : 2000-2012.**

Plus dense, plus mûr et plus aromatique que le 1994, maigre et anguleux, le Côte-Rôtie 1995 est excellent, moyennement corsé et racé, avec ces généreux arômes de fumé, de poivre et de framboise sauvage si caractéristiques de l'appellation. Vous pourrez le déguster dans sa jeunesse ou dans les **10 prochaines années.**

Enfin, il y a également deux cuvées d'Hermitage rouge 1995. La Cuvée Erêmites, produite en très petites quantités, est un vin massif et bien doté, d'une superbe couleur pourpre-noir très dense, avec un nez pur et mûr de framboise sauvage, de minéral, d'épices et de fumé. Très corsé, dense, avec une bonne acidité, il est peu évolué, mais extrêmement prometteur. **A maturité : 2000-2020.** Également extraordinaire, la Cuvée Classique est moins concentrée et plus fermée que L'Hermite. Elle est néanmoins très puissante et très riche, extraordinairement concentrée et pure, avec une finale longue, mûre et douce, très tannique et bien glycérinée. Ce vin requiert une garde de 4 ou 5 ans et devrait ensuite se conserver **15 à 20 ans.**

DOMAINE DU TERME**

84190 Gigondas
Tél. 04 90 65 86 75 – Fax 04 90 65 80 29
Contact : Anne-Marie Gaudin

1993 Gigondas	C	87 ?
1992 Gigondas	C	85

Le Gigondas 1993 du Domaine du Terme est réussi, mais il n'avait pas totalement achevé sa fermentation malolactique lorsque je l'ai dégusté en mars 1994, si bien qu'il me fut difficile de l'évaluer à sa juste valeur. Une robe opaque et soutenue de couleur pourpre introduit un nez dense de cerise noire. Ce vin, l'un des plus concentrés du millésime, se montre long, riche et moyennement corsé en bouche, avec des tannins modérés. **A maturité : jusqu'en 2002.**

Le Domaine du Terme a également produit un Gigondas 1992 doux et souple, aux senteurs de cake et de raisin. Très alcoolique, il n'a heureusement pas le côté végétal ni les arômes de prune et de bois moisi que l'on retrouve dans nombre de vins de ce millésime compromis par les pluies. Il s'agit d'une belle réussite, que vous consommerez dans les **2 ou 3 ans** qui viennent.

DOMAINE LES TEYSSONNIÈRES***

84190 Gigondas
Tél. 04 90 65 86 39
Contact : Alexandre Frank

1995 Gigondas	A	86-89
1994 Gigondas	A	86

Voilà deux belles réussites du Domaine Les Teyssonnières. Le Gigondas 1995 révèle, outre la caractéristique couleur rubis tirant sur le noir que présentent généralement les vins jeunes de Cornas, un nez de cerise, de framboise, de fleurs et d'épices. Moyennement corsé, élégant, pur et racé, ce vin recèle une acidité suffisante qui lui confère de la précision dans le dessin. Intense, très aromatique, mais tout en finesse, il tiendra bien encore **6 ou 7 ans.**

De couleur rubis et moyennement corsé, le Gigondas 1994 révèle un fruité séduisant et une finale courte. Vous remarquerez également des senteurs de chêne neuf dans ses arômes de fumé et de pain grillé. **A maturité : jusqu'en 2001.**

JEAN-LOUIS THIERS***

Quartier Biguet – 07130 Cornas
Tél. 04 75 40 49 44 — Fax 04 75 40 33 03

1993 Cornas	C	85

Jean-Louis Thiers a conquis le respect de la plupart des viticulteurs de Cornas. Son 1993 (qui n'est vraiment pas d'un millésime exemplaire) est étonnamment réussi. Avec un parfum léger, mais séduisant, de cassis mûr, de réglisse et d'herbes, il se montre doux et pur en bouche, moyennement corsé et d'une belle profondeur, plus fruité que nombre d'autres vins de cette appellation. **A boire dans les 4 ou 5 ans.**

DOMAINE DE LA TOURADE***

EARL André Richard – Hameau Beaumette – 84190 Gigondas
Tél. 04 90 70 91 09

| 1995 Gigondas | B | 86-88 |
| 1994 Gigondas | B | 85 |

Le Gigondas 1995 du Domaine de la Tourade présente un fruité extrêmement mûr, tout comme, d'ailleurs, nombre de vins de cette appellation. De couleur rubis-pourpre, il est sans détour, mais mûr, avec de doux arômes confiturés de kirsch, de cerise et d'herbes rôties. Gras et riche, mais pas totalement évolué, cet excellent Gigondas se conservera **6 ou 7 ans.**

Avec une robe plus avancée de couleur prune-grenat, le 1994 se montre moyennement corsé, doux et mûr, avec des notes poivrées et épicées. Doux à l'attaque en bouche, il doit être consommé **d'ici 3 ou 4 ans.**

DOMAINE DES TOURELLES***/****

Le Village – 84190 Gigondas
Tél. 04 90 65 86 98 – Fax 04 90 65 89 47
Contact : André Cuillerat

1995 Gigondas	C	88-90
1994 Gigondas	C	85
1993 Gigondas	C	85
1992 Gigondas	C	73

Avec sa robe opaque et sombre de couleur rubis-pourpre, l'impressionnant Gigondas 1995 du Domaine des Tourelles est richement extrait et très puissant, avec une bonne acidité sous-jacente. Ses tannins abondants et son acidité élevée sont bien étayés par un excellent fruité doux, et il devrait évoluer lentement. Ce vin requiert une garde de plusieurs années avant d'être prêt et sera parfait les **10 à 12 ans** qui suivront.

Le 1994 se présente comme un vin bien doté, de couleur rubis foncé, au doux fruité de prune et de cerise. Moyennement corsé et assez rond, il offre une très bonne attaque en bouche et déploie une finale un peu compacte qui m'empêche de lui décerner une meilleure note. **A boire dans les 3 ou 4 ans.**

Fruité et moyennement corsé, le Gigondas 1993 est d'une intensité modérée, avec de séduisants arômes de cerise noire, d'olive et de poussière. La finale est épicée, douce et moyennement corsée. **A boire dans les 3 ou 4 ans.**

Le Gigondas 1992, légèrement corsé, manque de concentration, et pâtit d'une finale maigre et excessivement tannique.

CHÂTEAU DES TOURS*****

Quartier des Sablons – 84260 Sarrians
Tél. 04 90 65 41 75 – Fax 04 90 65 38 46
Contact : Emmanuel Reynaud

| 1992 Côtes-du-Rhône | B | 85 |
| 1992 Vacqueyras | C | 86 |

| 1992 Côtes-du-Rhône Blanc | B | 79 |
| 1990 Vin de Pays du Vaucluse | A | 85 |

Emmanuel Reynaud, neveu de feu Jacques Reynaud du Château Rayas, produit des vins absolument fabuleux sur cette propriété de la vallée du Rhône méridionale. Quelques bouchons défectueux ont malheureusement quelque peu perturbé la commercialisation de certains de ses 1990, ce qui est vraiment dommage eu égard à leur grande qualité. Mais ces problèmes semblent résolus à l'heure actuelle.

Les 1992 du Domaine sont très réussis, bien qu'issus d'une matière première de moindre qualité que les 1990. Le Côtes-du-Rhône 1992 exhale un nez de fumé, d'herbes rôties et de cerise noire. Moyennement corsé et concentré en bouche, il y présente des tannins poussiéreux, ainsi qu'une finale épicée et modérément longue. **A boire dans les 3 ou 4 ans.**

Le Vacqueyras 1992 est le vin le plus riche, le plus puissant et le plus alcoolique des quatre. Il arbore une robe soutenue de couleur rubis foncé et déploie un élégant bouquet aux arômes de terre, d'herbes et de cerise noire. Moyennement corsé, souple et merveilleux en bouche, il y présente une finale capiteuse et riche. **A boire dans les 4 ou 5 ans.**

Le Côtes-du-Rhône Blanc 1992 est gras et presque huileux, avec un caractère monolithique, mais extrêmement fruité. Caractéristique des vins de l'appellation, il est énorme et de bonne mâche, mais manque de charme et de finesse.

D'une excellente couleur rubis foncé, le Vin de Pays 1990 exhale un nez épicé de goudron et de fruits rouges. Doux, moyennement corsé et plaisant en bouche, il doit être consommé **d'ici 1 ou 2 ans.**

CHÂTEAU DU TRIGNON***

84190 Gigondas
Tél. 04 90 46 90 27 – Fax 04 90 46 98 63
Contact : Pascal Roux

1995 Gigondas	B	88-91
1994 Gigondas	B	85
1993 Gigondas	B	83
1992 Gigondas	B	81
1993 Sablet	A	85
1992 Côtes-du-Rhône	A	85

Massif, avec une robe opaque de couleur noir-pourpre, ce Gigondas 1995 est le vin le plus concentré et le plus riche que je connaisse du Château du Trignon. Cette propriété produit en général des vins fruités, délicieux dans leur jeunesse, mais qui ne possèdent pas l'étoffe nécessaire pour vieillir sur plus de 5 à 7 ans. Le 1995 recèle une belle acidité sous-jacente, un fruité massif et généreux, et libère des arômes presque trop mûrs de framboise sauvage et de kirsch conjugués à des senteurs de terre et de réglisse. J'espère que ce vin puissant sera mis en bouteille avec le minimum de manipulations, car il me semble prodigieux. **A maturité : jusqu'en 2006.**

Le Gigondas 1994, de couleur rubis-prune, déploie d'élégantes senteurs de cerise et de poivre. Moyennement massif, séduisant, doux et d'un style commercial, il est accessible et goûteux. **A boire dans les 2 ou 3 ans.** Le 1994 me semble mieux refléter le style de la propriété que le 1995.

Le 1993 est légèrement corsé, fruité et sans détour. Quant au 1992, il s'agit de l'un des meilleurs Gigondas du millésime. Doux, fruité et alcoolique, il ne présente pas de caractère végétal ou de prune trop mûre. Ces deux vins devraient se maintenir encore **4 ou 5 ans.**

Le domaine a également produit un Sablet 1993 très vif, parfumé, moyennement corsé et fruité, qui doit être consommé **cette année.**

Vous trouverez enfin disponible un Côtes-du-Rhône 1992 moyennement corsé et souple, bien concentré, avec des senteurs d'olive et de cerise. Ce vin fruité et frais déploie une finale soyeuse. **A boire dans l'année.**

PIERRE USSEGLIO***

Route d'Orange – 84230 Châteauneuf-du-Pape
Tél. 04 90 83 72 98

1995 Châteauneuf-du-Pape	A-B	88-90
1994 Châteauneuf-du-Pape	A-B	90

J'ai rarement l'occasion de déguster les vins de Pierre Usseglio, mais j'admire ce viticulteur qui vend la presque totalité de sa production à une clientèle particulière ou à des détaillants européens.

Son Châteauneuf-du-Pape 1994, l'une des réussites du millésime, reflète bien la vinification traditionnelle pratiquée ici. Ce vin puissamment extrait, musclé et très corsé, rappelle vaguement ceux d'Henri Bonneau ou du Domaine du Pégau, avec son nez, iodé et poivré, d'algues marines, d'épices, de cèdre, les arômes riches et très corsés, et le fruité épais et onctueux qu'il déploie en bouche. On distingue également dans cet ensemble rustique des senteurs de sous-bois, d'herbes de Provence et de garrigue. Ce vin se bonifiera au terme d'une garde de plusieurs années et se conservera bien **12 à 15 ans.**

Le Châteauneuf-du-Pape 1995, avec sa robe dense de couleur rubis-pourpre, me semble plus accessible. Il déploie de spectaculaires arômes de cerise noire et d'épices, se montre très corsé, très riche et très intense, avec une acidité fraîche et un niveau de tannins modéré. Cependant, il ne présente pas encore la richesse aromatique du 1994, et, bien qu'il affiche un potentiel de garde de **10 à 15 ans,** il m'est difficile de prédire s'il se révélera aussi bon que son aîné d'un an.

GEORGES VERNAY****/*****

1, Route Nationale 86, 69420 Condrieu
Tél. 04 74 59 52 22 – Fax 04 74 56 60 98
Contact : Georges Vernay

1995 Condrieu	C	86
1993 Condrieu	C	87

1994 Condrieu Les Chaillées de l'Enfer	D	90+
1995 Condrieu Coteaux du Vernon	D	88
1993 Condrieu Coteaux du Vernon	D	90
1992 Condrieu Coteaux du Vernon	D	88
1993 Viognier	C	75

Georges Vernay est depuis longtemps considéré comme une référence en Condrieu, en grande partie parce qu'il en est – de loin – le producteur le plus important.

J'ai dégusté les deux cuvées de Condrieu 1995. Le Condrieu générique, moyennement corsé, avec une acidité fraîche, présente un fruité mûr de chèvre-feuille et d'abricot dans un ensemble assez réservé. Il conservera sa fraîcheur et sa vivacité grâce à son acidité, mais il n'est pas aussi profond que je l'aurais souhaité. **A boire dans les 2 ou 3 ans.** Le Condrieu Coteaux du Vernon (issu de coteaux pentus situés en face du célèbre hôtel-restaurant Le Beaurivage de Condrieu) avait tout juste terminé sa fermentation malolactique lorsque je l'ai dégusté. Moyennement corsé, d'une richesse prometteuse, il exhale un nez de miel, de cire et de marmelade, révèle une grande pureté et présente, outre une acidité fraîche, une finale compacte. **A maturité : jusqu'en 2003.**

Depuis 1994, Georges Vernay élabore, outre sa cuvée générique et sa cuvée Coteaux du Vernon, une cuvée prestige appelée Les Chaillées de l'Enfer, pro-duite en quantités encore plus limitées (seulement 1 500 bouteilles de 1994 sont disponibles). Il s'agit d'un Condrieu étonnamment riche, très corsé et très opulent, qui révèle un fruité sous-jacent de pêche et d'abricot bien étayé, à la fois au nez et en bouche, par des arômes métalliques et de minéral. Issu d'un vignoble planté en 1957 et proposé en bouteilles spéciales, ce vin élégant est tout simplement provocant par son ampleur aromatique. Il fera certainement un tabac auprès des amateurs. **A maturité : jusqu'en 2003.**

Le Viognier issu de jeunes vignes ne m'a jamais impressionné. Légèrement corsé et sans détour, le 1993 se présente comme un vin simple, sans distinction particulière. Cependant, le Condrieu de la même année se montre moyennement corsé et goûteux, déployant, à la fois au nez et en bouche, des arômes d'abricot mûr. Il s'agit d'un vin de très grande qualité, au fruité très abondant. **A boire dans l'année.** La Cuvée Coteaux du Vernon 1993, très corsée, déborde littéra-lement d'une multitude d'arômes, entre autres de pêcher en fleur, d'abricot, de miel et de cerise. Remarquablement profond et riche, il affiche un équilibre extraordinaire et présente une finale longue, riche et pas encore bien évoluée. **A boire dans l'année.**

L'excellent Condrieu Coteaux du Vernon 1992 est moins concentré et pré-sente moins de ces arômes de miel que le 1993, mais il est énorme, dense et de bonne mâche, très corsé et mûr, avec toutes les caractéristiques du viognier. **A boire dans l'année.**

NOËL VERSET***

Impasse de la Couleyre – 07130 Cornas
Tél. 04 75 40 36 66

1995 Cornas	C	86-88
1994 Cornas	C	85
1993 Cornas	C	82
1992 Cornas	C	84
1991 Cornas	C	92

Noël Verset a toujours été, avec Auguste Clape, l'un de mes producteurs préférés de Cornas, si bien que j'ai été quelque peu surpris que ses 1994 et 1995 ne présentent pas davantage d'intensité et de caractère. Je sais, par ailleurs, que Noël Verset vend ses meilleures pièces au négoce, ce qui explique certainement la moindre qualité de ces deux vins.

De couleur rubis-pourpre foncé, le Cornas 1995 dégage un excellent nez de fruits noirs, montre une belle profondeur et une belle maturité, et une acidité assez élevée. La finale, longiligne, est épicée. Je le trouve très bon. **A maturité : 1999-2011.**

Le 1994, moyennement corsé et de belle extraction, présente, à la fois au nez et en bouche, des arômes doux et épicés de cassis, mais sa finale courte et son sérieux manque de profondeur m'étonnent. Il devrait néanmoins se révéler agréable ces **4 ou 5 prochaines années.**

Les Cornas 1993 et 1992 sont les vins les plus légers et les plus ordinaires que je connaisse de Noël Verset depuis que je lui rends régulièrement visite, soit depuis 1980. Ils sont issus de vignes figurant au nombre des plus vieilles et des mieux placées de Cornas, et le fait qu'ils soient plus légers et moins concentrés que d'habitude témoigne bien des conditions déplorables auxquelles les producteurs ont dû faire face dans ces deux millésimes. Le 1993, d'un rubis moyen, exhale un parfum fugace de fruits noirs, de minéral et d'herbes. L'attaque en bouche est bonne, mais le vin se montre ensuite creux et légèrement corsé, avec une finale épicée et dure. Peut-être s'étoffera-t-il au terme d'un plus long vieillissement en foudre, mais n'y comptez pas trop. **A maturité : jusqu'en 2001.** Le 1992 dégage un nez très prononcé de végétal et de cassis mûr, et présente en finale des tannins durs et rugueux. Il me semble plus concentré et plus complet que le 1993, mais il est excessivement tannique eu égard à son modeste potentiel aromatique. **A maturité : jusqu'en 2000.**

En 1991 (un millésime sous-estimé pour les appellations de la vallée du Rhône méridionale telles que la Côte-Rôtie, Condrieu et Cornas), le vin de Noël Verset arbore une robe dense et opaque de couleur pourpre-noir, et déploie un nez énorme et doux, très aromatique, aux senteurs de cassis, de truffe et de réglisse. D'une opulence exceptionnelle et extrêmement concentré, il est aussi très corsé et faible en acidité. **A boire dans les 10 à 12 ans.**

VIDAL-FLEURY**

Route Nationale 89 – 69420 Ampuis
Tél. 04 74 56 10 18 – Fax 04 74 56 19 19
Contact : Jean-Pierre Rochias

1995 Côtes-du-Rhône Blanc		A	86
1988 Hermitage Blanc		D	82
1992 Châteauneuf-du-Pape Blanc		C	85
1994 Condrieu		C-D	90
1994 Côtes du Ventoux		A	87
1991 Côtes du Ventoux		A	77
1990 Côtes du Ventoux		A	86
1994 Côtes-du-Rhône		A	87
1991 Côtes-du-Rhône		A	84
1990 Côtes-du-Rhône		A	86
1991 Côtes-du-Rhône-Villages		A	87
1992 Vacqueyras		A	86
1991 Vacqueyras		A	84
1990 Vacqueyras		A	87
1992 Châteauneuf-du-Pape		C	74
1990 Châteauneuf-du-Pape		C	89
1989 Châteauneuf-du-Pape		C	87
1990 Gigondas		B	87
1989 Gigondas		B	85
1991 Saint-Joseph		C	91
1990 Saint-Joseph		C	89
1990 Cornas		C	85
1994 Crozes-Hermitage		A	87-89
1989 Hermitage		C-D	88
1994 Côte-Rôtie Brune et Blonde		D	88-89
1991 Côte-Rôtie Brune et Blonde		D	89
1990 Côte-Rôtie Brune et Blonde		D	88
1994 Côte-Rôtie La Châtillonne		D	90-93
1993 Côte-Rôtie La Châtillonne		D	79
1991 Côte-Rôtie La Châtillonne		D	92
1990 Côte-Rôtie La Châtillonne		D	90
1992 Muscat de Beaumes-de-Venise		B-C	90

On a peine à croire que cela fait plus de dix ans maintenant que Marcel Guigal est devenu propriétaire de Vidal-Fleury, négoce fondé en 1781. Les chais ont été entièrement rénovés, et la maison est gérée de manière efficace par Jean-Pierre Rochias, si bien que l'avenir semble bien assuré. Cet établissement produit régulièrement nombre d'excellents vins, souvent sous-estimés et de très bon rapport qualité/prix, qu'il ne faut surtout pas considérer comme les seconds vins de la maison Guigal. Les deux affaires sont en effet totalement indépendantes, chacune cultivant son propre style. La qualité des vins de Vidal-Fleury s'est considérablement améliorée ces dernières années, même si les millésimes récents sont, de manière générale, moins intéressants que ceux de la fin des années 1980. Cela est particulièrement vrai pour ce qui est des vins blancs, qui avaient autrefois tendance à être assez neutres et peu expressifs. Les amateurs qui sont à la recherche de bonnes affaires devraient se mettre en quête des Côtes du Ventoux et des Côtes-du-Rhône de Vidal-Fleury.

Le très bon Côtes-du-Rhône Blanc 1995 (qui comprend du viognier à hauteur de 30 %) est goûteux, mûr et moyennement corsé. C'est un vin blanc sec et délicieusement fruité, que vous dégusterez **cette année.**

L'Hermitage Blanc 1988, austère et peu évolué, manque de profondeur et de plénitude. Son potentiel de garde est de **10 à 15 ans,** mais je ne pense pas qu'il développe jamais beaucoup de distinction.

Le Châteauneuf-du-Pape Blanc 1992 déploie quant à lui un nez sans détour, fruité et fleuri, et se montre solide et moyennement corsé en bouche, avec une finale vive. **A boire maintenant.**

L'extraordinaire Condrieu 1994, au nez d'abricot, est moyennement corsé, élégant et racé, avec des arômes imposants. Ce vin ne fera pas de vieux os, si bien qu'il faudrait que vous en achetiez juste ce qu'il faut pour le boire **cette année.**

Parmi les vins rouges, les Côtes-du-Rhône et les Côtes du Ventoux de Vidal-Fleury représentent en général d'excellentes affaires, de même que les formidables Vacqueyras et les excellents Gigondas.

Composé de grenache et de syrah, le Côtes du Ventoux 1994 révèle, à la fois au nez et en bouche, de généreux arômes de fumé et de cassis. Il est moyennement corsé, soyeux et d'une grande pureté. D'un style similaire, le Côtes-du-Rhône 1994 possède un caractère davantage marqué par des notes d'épices, de poivre et de terre. Moyennement corsé, ample et assez engageant, il est bien étoffé et bien glycériné. Tous deux devraient demeurer agréables **2 ou 3 ans** encore.

Si les vins de la partie méridionale de la vallée du Rhône ne sont pas en général de très bon niveau en 1991 et en 1992, ceux de Vidal-Fleury sont réussis et pleins de charme. Ainsi, le Côtes-du-Rhône-Villages 1991 (entièrement issu de Cairanne) est très corsé et très profond, avec des arômes chocolatés et fumés. Il est tellement gras et visqueux qu'il faut le boire pour y croire. Contrairement à la plupart des 1991 à caractère aqueux et végétal, celui-ci devrait être parfait dans les **4 ou 5 ans** qui viennent, montrant bien qu'il ne faut pas tenir compte aveuglément des appréciations globales sur un millésime donné. Le Vacqueyras 1992, autre vin réussi, présente un nez d'herbes rôties, de cassis et de terre, et se montre riche, moyennement corsé, tannique et puissant en bouche. Il s'agit d'un vin classique et sans détour, typique des produits de la vallée du Rhône méridionale. Le Gigondas 1992 est supérieur à plus de 90 % des vins de l'appellation qui sont mis en bouteille à la propriété. Il présente un nez de chocolat, de fumé et de cerise noire, et se montre mûr, rond et moyennement corsé en bouche. Il ne possède heureusement aucun caractère végétal et déploie une finale au fruité doux et riche. **A boire dans les 3 ou 4 ans.** La seule déception que je relève est le Châteauneuf-du-Pape 1992, qui se montre végétal, maigre et creux.

Les 1990, que vous pouvez fort heureusement trouver encore chez certains détaillants, sont moins herbacés, moins compacts, moins légers et plus puissants que les 1991. Ainsi, le Côtes du Ventoux 1990, merveilleusement riche, déploie, outre de généreux arômes de fruits rouges et d'épices, une finale charnue, longue et alcoolique. Ce vin ample et plein de caractère est une excellente affaire. Achetez-en en quantités suffisantes pour les 2 ou 3 ans à venir. Le Côtes-du-Rhône 1990, très alcoolique, exhale un nez énorme et doux de poivre, d'herbes et de cerise noire. Il libère en bouche des arômes richement corsés, poussiéreux et terreux, et montre un caractère plein et généreux. Son potentiel de garde est de 2 ou 3 ans encore. Le Vacqueyras 1990 est l'un de mes favoris. Intense, épicé et poivré, avec des arômes d'herbes, de cerise et de framboise, il est encore profond, riche et souple en bouche, où il se révèle généreusement gras, très glycériné et très alcoolique, avec une finale riche. Dégustez ce Vacqueyras savoureux dans les 4 ou 5 ans.

Moyennement corsé et d'une grande intensité, le Gigondas 1989 offre un abondant fruité de cassis et des tannins poussiéreux. A maturité : jusqu'en 2001. Le 1990 est encore meilleur. De couleur rubis-pourpre foncé, il exhale de riches arômes de réglisse, de cassis, d'herbes et de poivre. Long, voluptueux et profond, il s'impose comme un vin de premier ordre. A boire dans les 10 ans.

Pour ce qui est des Châteauneuf-du-Pape, le 1989 se montre dur, tannique, mais fermement structuré et de bonne, voire d'excellente, tenue, avec un potentiel de 10 ans au moins, tandis que le 1990 est légèrement plus étoffé, plus opulent et plus puissant, et devrait se conserver encore 10 à 12 ans.

Quant aux vins rouges de la partie septentrionale, les Crozes-Hermitage se révèlent en général de bon niveau, mais le Saint-Joseph 1990 s'est nettement distingué lors des récentes dégustations. Un nez énorme de lard et de cassis introduit en bouche un vin d'une intensité superbe et d'une merveilleuse pureté, au fruité bien vif et de bon ressort. Moyennement corsé, il allie fort bien élégance et puissance. A boire dans les 5 ou 6 ans. Sachez de plus que vous pouvez vous procurer ce vin époustouflant pour un prix dérisoire. Le 1991 est également intéressant sous l'angle du rapport qualité/prix. Moyennement corsé, il déploie un doux fruité de cassis, une texture soyeuse et une finale bien consistante. A boire dans les 3 ou 4 ans.

Le Cornas 1990 déploie le caractère rugueux, rustique et terreux de la vallée du Rhône septentrionale, mais il présente également un très beau fruité de cassis, d'abondants tannins poussiéreux, et sa finale est épicée et moyennement corsée.

Le reste de l'Hermitage 1989 a enfin été mis en bouteille après sept ans de vieillissement en foudre. Cela donne un vin doux et rond, généreusement doté, qui libère, à la fois au nez et en bouche, des arômes de cassis et de fumé. Parfaitement mûr, il tiendra encore 5 à 7 ans. Le Crozes-Hermitage 1994 est également doux et rond, avec l'acidité et les tannins qu'il faut pour une excellente précision dans le dessin et dans les arômes. Il est bon, mais moins complexe et moins concentré que le 1989. A maturité : jusqu'en 2004.

Les meilleurs vins de Vidal-Fleury – les plus chers également – sont les Côte-Rôtie, dont il est produit deux cuvées : une cuvée générique et un cru appelé La Châtillonne. Ce dernier, issu de la Côte Blonde, n'est produit qu'à hauteur de 500 ou 600 caisses. Le Côte-Rôtie Brune et Blonde 1994 est excellent, presque extraordinaire, avec ses senteurs de fumé, de framboise sauvage et de lard, et les arômes moyennement corsés, concentrés et soyeux qu'il révèle au palais. Un vin sans détour, à consommer dans les **6 ou 7 ans.** L'extraordinaire Côte-Rôtie La Châtillonne 1994 offre de superbes arômes de framboise sauvage douce et confiturée, d'herbes rôties et de fumé. Crémeux et d'une concentration exceptionnelle en bouche, il est incontestablement très opulent. Dégustez ce vin fabuleux et séduisant dans les **10 à 12 ans.** En revanche, le Côte-Rôtie La Châtillonne 1993 se montre creux, tannique, dur et rugueux en bouche... et reflète bien ce millésime qui manque totalement de charme.

Le Côte-Rôtie Côte Brune et Blonde 1990 exhale de subtils arômes de lard, de noix grillée et de framboise sauvage. Profondément coloré et parfaitement mûr, il est souple et doux en fin de bouche. **A boire d'ici 10 à 12 ans.** Le 1991 est l'une des plus belles réussites de ces dernières années. Plus profondément coloré que son aîné d'un an, il est encore plus parfumé (avec des arômes de lard, de fumé et de framboise sauvage). Crémeux et soyeux en bouche, c'est le symbole même d'un Côte-Rôtie à son niveau le plus séduisant. **A boire dans les 10 ans.**

Le Côte-Rôtie La Châtillonne peut se révéler superbe. Ainsi s'impose le 1990, avec ses arômes enivrants de girofle, de poivre, d'épices et de fruits noirs. Riche et moyennement corsé, avec une finale plus courte que ne le laisseraient penser l'attaque en bouche et le bouquet, il est complexe et multidimensionnel. **A boire dans les 10 ans.** L'extraordinaire 1991 présente un caractère très aromatique, déployant, outre des senteurs énormes et mûres de fruits noirs et rouges confiturés, de chêne grillé, d'herbes et de poivre, les fameuses notes de lard gras si caractéristiques de cette appellation. Ce vin onctueux et riche, voluptueux et faible en acidité, présente des tannins doux. **A boire dans les 10 à 15 ans.**

Enfin, n'oubliez pas le Beaumes-de-Venise 1992, qui s'impose comme un Muscat de premier ordre. Ce vin de dessert sous-estimé et sous-coté exhale un nez d'abricot et de miel. Riche et intense en bouche, il révèle un généreux fruité bien extrait et se montre modérément doux, avec une belle acidité sousjacente. **A boire d'ici 1 ou 2 ans.**

LA VIEILLE FERME****

Château de Beaucastel – Chemin de Beaucastel – 84350 Courthézon
Tél. 04 90 70 41 00 – Fax 04 90 70 41 19
Contact : Jean-Pierre Perrin

1995 Côtes du Luberon Le Mont Blanc	A	85
1995 Côtes-du-Rhône Perrin Réserve Blanc	A	86
1993 Côtes du Luberon Blanc	A	85
1993 Côtes-du-Rhône Blanc Étiquette Or Réserve	A	85
1995 Côtes du Ventoux Le Mont	A	85-86
1994 Côtes du Ventoux Le Mont	A	87

1992 Côtes du Ventoux Le Mont	A	87
1995 Côtes-du-Rhône Perrin Réserve	A	87-88
1994 Côtes-du-Rhône Perrin Réserve	A	88
1992 Côtes-du-Rhône Réserve	A	87
1990 Côtes-du-Rhône Étiquette Or	A	86
1990 Côtes du Ventoux	A	86

La Vieille Ferme est une affaire de négoce dont les vins sont élaborés par Jean-Pierre Perrin, copropriétaire du célèbre Château de Beaucastel. Ces dernières années, les millésimes les mieux réussis semblent être les 1989 et les 1990, mais les 1991, très décevants, ont été suivis d'excellents 1992 rouges, de très bons blancs 1993, et de 1994 et de 1995 de très haut niveau. Les amateurs prendront note de ce que la cuvée prestige Réserve portera dorénavant le nom de Perrin Réserve et non plus celui de La Vieille Ferme.

Composé de bourboulenc, de roussanne, de grenache et de marsanne, le Côtes du Luberon Le Mont Blanc 1995 est moyennement corsé, élégant, goûteux et rafraîchissant, légèrement marqué par des senteurs de banane et de fleurs. Vous dégusterez ce vin vif et sec **dans l'année**. Plus riche, plus long et plus fruité dans un ensemble plus corsé, le Côtes-du-Rhône Perrin Réserve Blanc 1995 est également plus puissant que le précédent. Vieilli à un tiers en fûts neufs, il s'impose comme un excellent vin blanc sec de la vallée du Rhône septentrionale et est disponible en grandes quantités. **A boire cette année.**

Plaisant, mûr, doux et fruité, le Côtes du Luberon 1993 est faible en acidité, avec un fruité charnu, savoureux et de bonne mâche. **A boire cette année.** Composé à 80 % de bourboulenc et à 20 % de grenache, le Côtes-du-Rhône Blanc Étiquette Or Réserve 1993 est plus riche, plus corsé et plus lourd que le vin précédent, mais il s'agit simplement d'une question de goût : à vous de voir si vous le préférerez, avec son style plus charnu et plus enrobé, et ses notes de terre, au Côtes du Luberon qui, lui, affiche un côté léger et floral, et des arômes frais d'agrumes. **A boire dans l'année.**

Les vins rouges de La Vieille Ferme représentent des affaires fantastiques. Les 1995 étaient tout juste assemblés, mais non encore mis en bouteille, lorsque je les ai dégustés en juin 1996. Outre ses arômes doux et mûrs de fruits rouges, le Côtes du Ventoux Le Mont affiche un style élégant, moins concentré et moins musclé peut-être que le 1994, mais il est bien épicé, avec une finale nette, fraîche, acidulée et de bon ressort. **A boire dans les 2 ou 3 ans.** La robe du Côtes-du-Rhône Perrin Réserve 1995, d'un rubis profond, prélude à un nez épicé de cerise et présente en arrière-plan des senteurs d'herbes de Provence. Suit un vin corpulent et long, qui, tout en étant moins doux et moins glycériné que son aîné d'un an, s'impose comme un excellent Côtes-du-Rhône, riche et de bonne mâche. **A boire dans les 3 ou 4 ans.**

Le Côtes du Ventoux Le Mont 1994 est une excellente affaire. Composé à 60 % de grenache, à 10 % de syrah, à 10 % de mourvèdre et à 20 % de cinsault, il est d'un rubis sombre, et dégage un nez mûr et poivré de cerise noire. Moyennement corsé, soyeux et riche en bouche, étonnamment profond pour un vin de ce prix, il est souple en finale. **A maturité : jusqu'en 2001.** Avec ses arômes poivrés de fruits noirs et doux, le Côtes-du-Rhône Perrin

Réserve 1994 se montre moyennement corsé, doux, rond, généreux et bien structuré (grâce à son léger pourcentage de mourvèdre), avec une longue finale. Dégustez ce Côtes-du-Rhône riche et ample dans les **3 ou 4 ans**.

Le Côtes du Ventoux Le Mont 1992 arbore une robe rubis sombre et très soutenue, qui introduit un nez énorme et doux de cassis confituré et d'épices – on décèle en arrière-plan des notes de poivre et d'herbes. Moyennement corsé, riche et juteux, avec une excellente finale, ce vin ample, généreux et doux comme de la soie sera parfait ces **2 ou 3 prochaines années**. Le Côtes-du-Rhône Réserve 1992, plus vigoureux, déploie davantage de senteurs de poivre et de cerise noire. Issu d'un curieux mélange de 45 % de grenache, de 10 % de mourvèdre, de 15 % de syrah et pour le reste de counoise, de cinsault et de carignan, ce vin se montre dense et de bonne mâche en bouche, déployant une finale assez tannique. Son potentiel est de **3 à 5 ans**.

Le Côtes du Ventoux 1990 est composé à 60 % de grenache, à 20 % de syrah, à 15 % de mourvèdre et à 5 % de cinsault. Profondément coloré, richement fruité et souple, il déploie un excellent bouquet de cassis et d'herbes, ainsi qu'une finale longue, goûteuse et bien arrondie. Ce vin, agréable à siroter, sera idéal en restauration, compte tenu de son style charmeur et commercial. **A boire dans les 2 ou 3 ans**. Le Côtes-du-Rhône Étiquette Or 1990 est composé d'un sérieux mélange de 40 % de grenache, de 20 % de mourvèdre, de 10 % de syrah, de 10 % de cinsault et pour le reste d'autres cépages autorisés. Son caractère énorme et vigoureux étonne, ainsi que ses arômes spectaculaires d'épices et de fruits rouges. Ce vin d'une intensité admirable et aux tannins doux se montre encore capiteux, alcoolique et très glycériné, avec une finale robuste et épicée. Je ne serais pas autrement surpris qu'il acquière davantage de complexité dans les **3 ou 4 ans** qui viennent.

S'il vous arrive de trouver des 1989 de La Vieille Ferme, n'oubliez pas qu'ils sont actuellement en bonne forme et qu'ils méritent votre attention. En revanche, aucun des 1991 n'est digne de considération.

DOMAINE DE LA VIEILLE JULIENNE****

Le Grès – 84100 Orange
Tél. 04 90 34 20 10 – Fax 04 90 34 72 92
Contact : M. Daumen

1995 Châteauneuf-du-Pape	C	85-87
1994 Châteauneuf-du-Pape	C	86
1993 Châteauneuf-du-Pape	C	86
1992 Châteauneuf-du-Pape	C	85
1994 Châteauneuf-du-Pape Réserve	C	89
1993 Châteauneuf-du-Pape Blanc	C	65

Cette propriété, que l'on connaissait pour ses vins rouges rustiques, a adopté depuis quelques années un style plus léger et produit maintenant des Châteauneuf plus accessibles et plus « civilisés ». Je ne goûte pas souvent les vins blancs de ce domaine, mais le Châteauneuf-du-Pape Blanc 1993 est lourd, terne, mou et oxydé. Je l'ai trouvé d'une qualité inférieure à la moyenne.

Bien tannique, très fruité et très coloré, le Châteauneuf-du-Pape 1995 révèle une acidité assez élevée. Vous dégusterez ce vin monolithique et carré avant qu'il n'ait atteint **7 ou 8 ans d'âge.**

Le Châteauneuf-du-Pape 1994 révèle un nez exotique, herbacé, chocolaté et épicé, et présente en bouche un fruité rond, doux et séduisant de cerise. D'un faible niveau d'acidité, il est doux et plaisant en bouche, où il déploie une finale charnue et bien étoffée. **A boire dans les 4 ou 5 ans.** Le Châteauneuf-du-Pape Réserve de la même année (il s'agit, à ma connaissance, de la première cuvée du domaine issue de vieilles vignes) présente des notes de vanille et de grillé qu'il tient des fûts neufs, ainsi que de généreuses et douces senteurs de chocolat, de cerise, d'herbes, d'olive et de café. Les arômes de bois de noyer et de cerise noire confiturée que l'on décèle en bouche sont puissants et bien glycérinés, témoignant d'une belle richesse en extrait. Il s'agit d'un vin vigoureux, riche et légèrement rustique, bien marqué par la mâche, mais qui est également doté de manière impressionnante. S'il acquiert davantage de finesse au cours de son évolution, je lui attribuerai aisément une note extraordinaire. **A boire dans les 10 ans.**

Les Châteauneuf-du-Pape 1992 et 1993 sont tous deux d'un rubis moyen, avec d'élégants arômes poivrés et herbacés de fruits rouges. Ronds et moyennement corsés en bouche, ils révèlent une faible acidité et se montrent légèrement tanniques. Tous deux devront être consommés **d'ici 4 à 6 ans.** Ces deux vins se situent cependant loin derrière ceux, vigoureux, denses, énormes et parfois sauvages, que la propriété a donnés ces dernières années.

LE VIEUX DONJON*****

9, avenue Saint-Joseph – 84230 Châteauneuf-du-Pape
Tél. 04 90 83 70 03 – Fax 04 90 83 78 48
Contact : Lucien Michel

1995 Châteauneuf-du-Pape	C	85-87
1994 Châteauneuf-du-Pape	C	86
1993 Châteauneuf-du-Pape	C	90
1992 Châteauneuf-du-Pape	C	88
1993 Châteauneuf-du-Pape Blanc	C	82

Cela fait plus de dix ans maintenant que je suis amateur des vins du Vieux Donjon, mais je suis toujours aussi surpris par leur classicisme. Je signalerai aux lecteurs qui partagent ma passion pour les vins de cette propriété que, si le 1989 ne s'est toujours pas ouvert, le 1990 se montre encore dans toute sa somptuosité et ne s'est aucunement refermé. Les 1994 et 1995, au fruité plus mûr que les 1992 et les 1993, témoignent d'une vinification sans faille et du talent de la famille Michel.

Le Châteauneuf-du-Pape 1995 arbore une robe opaque de couleur pourpre qui prélude à un nez très aromatique et très relevé de cerise noire très mûre, de fumée de barbecue, de viande et d'herbes rôties, marqué par des notes enivrantes de chocolat et de cerise. Ce vin épais, onctueux et puissant est incontestablement issu d'une vendange extrêmement mûre et de très petits rendements. La mise en bouteille se fait sans filtration préalable. **A maturité : 2000-2015.**

Avec sa robe opaque de couleur pourpre, le Châteauneuf-du-Pape 1994 exhale un nez fabuleux de framboise et de cerise noire douces et confiturées, de fumé, ainsi que de vagues notes de réglisse et d'herbes de Provence. Très corsé et d'une belle concentration, ce vin puissant se montre doux, expansif et de bonne mâche en bouche. Un Châteauneuf-du-Pape extraordinaire, d'un domaine qui est peut-être le plus sous-estimé de toute l'appellation. **A maturité : jusqu'en 2010.**

Le Châteauneuf-du-Pape 1993 du Vieux Donjon est l'un des vins les mieux réussis du millésime. Impressionnant par sa belle robe opaque de couleur pourpre, il libère, à la fois au nez et en bouche, des arômes riches, concentrés et extrêmement mûrs de cassis, de cerise, de réglisse, d'herbes aromatiques, de chocolat et de café. L'ensemble est très corsé, souple et merveilleusement équilibré, et témoigne d'une vinification impeccable. Déjà prêt, il tiendra bien **12 à 15 ans** encore.

D'un excellent niveau pour le millésime, le 1992 est l'un des vins les plus profondément colorés de cette année. Sa robe extrêmement soutenue est pour le moins étonnante, et il offre au nez d'attrayants arômes mûrs de cassis, d'herbes de Provence et de cèdre. Doux, ample et séduisant en bouche, il est encore très corsé, faible en acidité et légèrement tannique. **A boire dans les 10 ans.**

Le Vieux Donjon a également produit de petites quantités d'un Châteauneuf-du-Pape Blanc en 1993. Ce vin est unidimensionnel, compact, sans détour et bien vinifié. **A boire dans l'année.**

DOMAINE DU VIEUX TÉLÉGRAPHE*****

3, route de Châteauneuf-du-Pape – 84370 Bédarrides
Tél. 04 90 33 00 31 – Fax 04 90 33 18 47
Contact : Henri Brunier

1995 Vieux Mas des Papes	B	87-88
1995 Châteauneuf-du-Pape	C	91-94
1994 Châteauneuf-du-Pape	C	92
1993 Châteauneuf-du-Pape	C	90
1992 Châteauneuf-du-Pape	C	87
1995 Vin de Pays Le Pigeoulet Vaucluse	A	85
1994 Vin de Pays Le Pigeoulet Vaucluse	A	85
1992 Vin de Pays Le Pigeoulet Vaucluse	A	85

Le Domaine du Vieux Télégraphe fut parmi les premiers à vendanger en 1994 ; il a donc produit l'un des meilleurs Châteauneuf-du-Pape du millésime.

La vendange fut plus tardive en 1995, mais la réussite fut également au rendez-vous cette année-là.

Le Domaine du Vieux Télégraphe produit, à compter du millésime 1995, un second vin sous l'étiquette Vieux Mas des Papes, réservant le produit de ses vieilles vignes pour sa cuvée prestige. L'excellent Vieux Mas des Papes 1995 est un vin souple et riche, qui déploie de généreux arômes de réglisse douce, d'herbes de Provence et de cerise noire confiturée. Mûr, charnu et faible en acidité, il se révèle velouté en bouche, avec une finale alcoolique. Bien qu'il ne soit pas complexe, il s'impose comme un vin délicieux, au fruité pur et confituré. **A boire dans les 6 ou 7 ans.**

Le Châteauneuf-du-Pape 1995 témoigne bien du renouveau de qualité des vins du Domaine du Vieux Télégraphe. Arborant une très belle robe pourpre, profonde, ce vin révèle une onctuosité, une souplesse et une douceur magnifiques. Le nez est absolument fabuleux, avec des notes de viande grillée, de réglisse et d'herbes de Provence, et déborde littéralement d'un fruité mûr aux arômes de fruits noirs confiturés (cerise et prune). Épais et plein en bouche, très glycériné, avec une bonne acidité, ce Châteauneuf déploie une finale modérément tannique. Grandiose ! **A maturité : jusqu'en 2009.**

Comme je l'ai dit l'année dernière dans mon journal *The Wine Advocate*, le Châteauneuf-du-Pape 1994 est aussi une réussite extraordinaire. Resplendissant d'une couleur pourpre foncé, moins profonde toutefois que celle de son cadet d'un an, il offre au nez de copieux arômes de cerise noire douce et confiturée, de réglisse, de fumé, de poivre et d'herbes. Très corsé, d'une pureté superbe, il se montre concentré en bouche, où il se dévoile par paliers, et présente une finale opulente, épaisse et riche. Malgré son ampleur, ce vin ne témoigne d'aucun caractère lourd ou par trop alcoolique. Au contraire, il se révèle épais, juteux, savoureux, tout en étant bien structuré, et s'impose comme l'un des deux meilleurs vins qui aient été faits à la propriété depuis l'irréel 1978. **A maturité : jusqu'en 2009.**

Le Châteauneuf-du-Pape 1993, au nez énorme de poivre, d'herbes, de réglisse et de mûre, se montre gras, intense, opulent et très corsé en bouche. Il est onctueux et faible en acidité, avec une finale aussi douce que la soie. Il évoque un hypothétique mélange du 1985 et du 1989. **A boire dans les 10 à 12 ans.**

Le Châteauneuf-du-Pape 1992, pourtant issu d'un millésime moyen, est excellent. D'une couleur rubis moyen, avec un nez d'épices, d'herbes et de cerise noire, il se montre moyennement corsé et ample en bouche, déployant une douceur et une richesse séduisantes, ainsi qu'une faible acidité et une finale mûre, corpulente et capiteuse. **A boire dans les 7 ou 8 ans.**

Les amateurs en quête de bonnes affaires devraient partir à la recherche du Vin de Pays Le Pigeoulet 1995, élaboré juste en dehors de l'appellation Châteauneuf-du-Pape, dans les environs d'Orange. Composé de grenache et de cinsault, il exhale de généreux arômes de fruits rouges mûrs et savoureux marqués de bouffées de senteurs poivrées. Ce vin bien fait, doux et rond, est très bon en finale. **A boire dans l'année.** D'un style similaire, doux, rond, fruité et mûr, le Vin de Pays Le Pigeoulet 1994 est plus élégant et plus fin que son cadet d'un an, mais sans la même corpulence ni la même teneur en alcool. **A boire maintenant.** Quant au 1992, rond, plaisant et accessible, il sera agréable **d'ici 1 ou 2 ans.**

FRANÇOIS VILLARD****/*****

42410 Chavanay
Tél. 04 74 53 11 25 – Fax 04 74 53 38 20

1995 Condrieu Coteaux de Poncins	D	90+
1994 Condrieu Coteaux de Poncins	D	88+
1993 Condrieu Coteaux de Poncins	D	90
1992 Condrieu Coteaux de Poncins	D	88
1994 Condrieu Quintessence	E	94
1995 Condrieu Les Terrasses du Palat	D	?
1994 Condrieu Les Terrasses du Palat	D	87+?
1995 Côte-Rôtie	D	86-88
1995 Saint-Joseph Côtes de Mairland	D	86-87

François Villard est un jeune producteur sérieux, qui a une approche à la fois intellectuelle et artistique de la vinification des Condrieu. Ses vins sont élevés sur lies pendant longtemps, certaines cuvées étant même entièrement vieillies en fûts neufs. Tous sont mis en bouteille sans filtration préalable et s'imposent comme des Condrieu expressifs, à la structure ferme, qui se distinguent nettement lors de dégustations par leur puissance et leur concentration.

Le superbe Condrieu Coteaux de Poncins 1995 est très corsé et très concentré, avec un nez de miel et de lies aux notes de boisé, et un caractère d'abricot et de pêche. On a d'abord l'impression qu'il est ramassé, mais il s'épanouit dans le verre, dévoilant par paliers une foultitude de nuances et d'arômes. Compte tenu de son acidité fraîche et de bon ressort, et de son extraordinaire richesse en extrait, il pourrait bien durer **plus d'une décennie.** Peu évolué, astringent et tannique, le Condrieu Les Terrasses du Palat 1995 était impossible à évaluer. Il m'a paru avoir tout juste terminé sa fermentation malolactique, se montrant sec et riche, mais peu évolué et impénétrable. **A maturité : jusqu'en 2004.**

En revanche, ce cru se révèle délicieux en 1994. Mûr et bien fruité, il révèle une acidité fraîche, ainsi qu'un caractère sec et austère et une finale élégante, complexe et dominée par des arômes de minéral. Réservé et mesuré, il manque peut-être des caractéristiques plus voyantes qu'affichent nombre d'autres Condrieu, mais il est tout de même très bon. **A maturité : jusqu'en 2004.** Le Condrieu Coteaux de Poncins de la même année ressemble à un Chablis, avec un caractère de minéral, une légère astringence et un boisé généreux (ce vin est entièrement élevé en fûts neufs). **A maturité : jusqu'en 2001.** Mais la véritable star du millésime est le Condrieu Quintessence 1994. Aussi fabuleusement riche qu'un Beerenauslese, il est doux et onctueux, fabuleusement équilibré, avec une acidité extrêmement élevée et un caractère minéral sous-jacent. Son potentiel de garde est de **10 ans, ou plus.**

Le Condrieu Coteaux de Poncins 1993, vendangé avant les pluies, exhale un nez énorme de fumé, de cerise, d'abricot et de pêche. Dense, concentré et onctueux, il présente une finale capiteuse et mûre. Dégustez ce vin luxuriant **dans l'année.** Moins opulent, le 1992 est néanmoins mûr, moyennement corsé et savoureux, déployant le fruité intense et les parfums si caractéristiques du viognier. **A boire maintenant.**

La robe de couleur rubis-pourpre du Saint-Joseph Côtes de Mairland 1995 prélude à un nez racé de grillé et de cerise noire et douce. Ce vin peu évolué, tannique et moyennement corsé, montre néanmoins une belle profondeur et une bonne maturité. Il se bonifiera après 2 ou 3 ans en bouteille. **A maturité :** **1999-2005.** Pour un début, le Côte-Rôtie 1995 se présente comme un vin assez massif, épicé, mûr et étonnamment tannique, au caractère dense, puissant, riche et concentré. Sa texture très serrée le rend apte à la garde, mais, comme nombre d'autres 1995, il est encore peu évolué (les fermentations malolactiques furent plutôt lentes), et mon évaluation doit être considérée comme provisoire. Ce vin est cependant au moins très bon, peut-être même excellent. **A maturité : 2000-2007.**

ALAIN VOGE★★★★/★★★★★

Rue de l'Équerre – 07130 Cornas
Tél. 04 75 40 32 04

1995 Cornas Vieilles Vignes	C	87-88
1994 Cornas Vieilles Vignes	C	90
1993 Cornas Vieilles Vignes	C	87
1992 Cornas Vieilles Vignes	C	86
1991 Cornas	C	90

Alain Voge produit, année après année, les meilleurs vins de Cornas, issus de vieilles vignes de coteaux.

Débordant d'un fruité de cassis et de fumé, le Cornas Vieilles Vignes 1995 est bien dense et mûr, moyennement corsé, avec une bonne acidité, et sa finale est nette et acidulée. Il devrait durer **12 à 15 ans** grâce à son acidité, mais il ne s'impose pas comme l'un des vins les plus concentrés qui soient de ce producteur.

De couleur rubis-pourpre foncé, le 1994 est bien plus séduisant et plus flatteur au nez que son cadet d'un an, avec ses senteurs de fumé, de noix grillée et de cassis. Moyennement corsé, rond et généreux en bouche, il y déploie une belle finale. C'est l'un des meilleurs Cornas du millésime, au potentiel de garde de **10 ans environ.**

Le Cornas Vieilles Vignes 1993, profondément coloré, arbore une des robes les plus sombres de cette appellation. Outre un nez épicé, mûr et poivré de fruits noirs, il libère en bouche des arômes ronds, mûrs, doux et moyennement corsés. Admirablement concentré, il est encore assez gras et assez charnu, et doux en finale. **A boire dans les 6 ou 7 ans.** Le Cornas Vieilles Vignes 1992, au nez herbacé de cerise noire, est moyennement corsé, avec un fruité mûr et une finale longue et souple. **A boire dans les 4 ou 5 ans.** Ces deux vins sont des réussites dans leurs millésimes respectifs.

La Cuvée générique se révèle en 1991 très corsée, d'une profondeur et d'une maturité admirables, libère en bouche de riches senteurs de terre et de framboise sauvage, et déploie une finale longue et épicée. Ce vin rustique, débordant de caractère, révèle un fruité mûr et une belle richesse, et présente des tannins modérés. **A boire dans les 6 ou 7 ans.**

Avis aux amateurs : Alain Voge commence à commercialiser de très petites quantités d'une cuvée spéciale de 1991, appelée Cuvée Vieilles Fontaines. Vieillie pendant trois ans en fûts neufs, elle n'est élaborée que dans certains millésimes choisis, tels 1990 et 1991.

ANNEXES

Guide des millésimes de 1970 à 1996 (établi le 30 juin 1997)

	RÉGIONS	1996	1995	1994	1993	1992	1991	1990	1989	1988	1987	1986	1985	1983	1982	1981	1980	1979	1978	1976	1975	1971	1970
Bordeaux	Saint-Julien/Pauillac Saint-Estèphe	92T	93P	89P	86T	79P	75B	**98B**	90P	87T	82B	94T	92B	86B	**98B**	85B	78B	85B	87B	84B	89T	82B	87B
Bordeaux	Margaux	89T	88P	86T	85T	75P	74B	90P	86P	85P	76B	90T	86B	**95B**	86B	82B	79A	87B	87B	77B	78P	83B	85B
Bordeaux	Graves	87T	89P	89P	87T	75P	74B	90B	89P	89P	84B	89P	90B	89B	**88B**	84B	78A	**88B**	**88B**	71A	89T	86B	87B
Bordeaux	Pomerol	86T	94P	92T	88T	82B	58A	95P	92P	89T	85A	87T	88B	90B	**96B**	86B	79A	86B	84B	82B	**94B**	87B	**90B**
Bordeaux	Saint-Émilion	86T	88P	86T	84A	75B	59A	98T	88P	88P	74A	88P	87B	89B	**94B**	82B	72B	84B	84B	82B	85B	83B	85B
Bordeaux	Barsac/Sauternes	87P	85P	78P	70A	70A	70A	96T	90P	**98T**	70B	94T	85B	88T	75B	85B	85B	75B	75B	87B	90T	86B	84B
Bourgogne	Côte de Nuits (rouge)	90P	91T	84P	87T	78B	86T	92B	87B	86P	85B	74A	87B	85A	82A	72A	84A	77A	**88A**	86A	50A	**88A**	82A
Bourgogne	Côte de Beaune (rouge)	90P	90B	84P	87T	82B	72P	90B	88B	86B	79A	72A	87B	78A	80A	74A	78A	77A	86B	86A	50A	87A	82A
Bourgogne	Blanc	92P	90P	87B	72A	**92B**	70A	87B	**92B**	82B	79B	90B	89B	85A	88A	86A	75A	83A	88A	86A	65A	88A	83A
Rhône	Nord - Côte-Rôtie, Hermitage	87T	90T	88P	58A	78P	**92P**	92T	**96P**	92P	86P	84T	90B	89T	85B	75A	83B	87B	**98P**	82B	73A	84B	**90B**
Rhône	Sud - Châteauneuf-du-Pape	84R	92P	86T	85T	78B	70A	95P	**96T**	**88B**	60A	78A	88B	87B	70A	88B	77A	88B	**97B**	75A	60A	82A	88B
	Beaujolais (crus)	88B	89B	87B	86B	77A	**90B**	86A	92A	86A	85A	84A	87A	86A	75A	83A	60A	80A	84A	86A	-	-	-
	Alsace	84B	89B	87B	86B	85P	75P	**93B**	**93B**	86B	83B	82B	88B	**93B**	82A	83A	60A	80A	80A	**90B**	82A	90A	80A
	Vallée de la Loire	**94P**	88B	87B	86B	80B	75B	90B	92B	88B	82B	87B	88B	84A	84A	82A	72A	83A	85A	86A	-	-	-
	Champagne (millésimé)	93P	87P	NM	88P	NM	NM	**96P**	90B	88P	NM	89B	**95B**	84B	90B	84B	NM	88B	NM	**90A**	**90B**	**90A**	85A

(Ce tableau des millésimes doit être considéré comme une généralisation au niveau des régions viticoles. Mais le monde du vin est plein d'exceptions, avec des vins superbes chez les bons producteurs dans les petites années, et des vins médiocres chez les moins bons dans les grandes.)

90 à 100 : excellent. 80 à 89 : très bon. 70 à 79 : moyen. 60 à 69 : au-dessous de la moyenne. Moins de 60 : médiocre.

A = attention ; vin pouvant être trop vieux ou irrégulier. P = à maturité précoce. T = vin tannique. B = vin prêt à boire. NM = non millésimé. En gras : meilleurs millésimes.

COTATION DES VINS DE LÉGENDE DU BORDELAIS

Rien n'est plus délicat, à l'heure actuelle, que de procéder à une estimation de la cote des plus grands vins du Bordelais, tant il est vrai que l'envol de la demande engendre parfois celui des prix. Toutefois, grâce à la collaboration du Bureau Tastet-Lawton, courtiers en vins à Bordeaux, on pourra s'appuyer sur les chiffres qui suivent, sachant toutefois qu'ils se rapportent aux cours de l'été 1997, qu'il s'agit du prix de place à Bordeaux pour les millésimes récents et pour les vins plus vieux d'une estimation de transaction éventuelle sur une bouteille en bon état (niveau, étiquette, habillage, etc.), le tout étant soumis à des fluctuations journalières, parfois importantes.

L'amateur doit également garder à l'esprit que de telles bouteilles sont rares, pour ne pas dire très rares, et que les transactions les concernant le sont en conséquence. Les prix mentionnés ici ne le sont qu'à titre indicatif, n'engageant ni l'auteur du présent ouvrage, ni les courtiers, ni l'éditeur.

Tous ces prix s'entendent en francs, pour une bouteille de 75 cl, hors taxes.

Pour les millésimes anciens, ne sont pris en considération que les vins mis en bouteille au château.

ANGÉLUS	1990	950
AUSONE	1990	1 800
	1983	850
	1982	1 700
	1976	750
	1929	3 500
	1900	6 000
BRAUSÉJOUR-DUFFAU	1990	2 000
BON PASTEUR	1982	600
CALON-SÉGUR	1982	500
	1953	650
	1949	1 500
	1947	1 500
	1926	1 200
CANON	1982	800
	1959	800
CERTAN DE MAY	1982	1 000
	1945	2 000
CHEVAL BLANC	1990	2 500
	1983	1 300
	1982	3 500
	1964	2 500
	1949	8 000
	1948	3 000
	1947	25 000
CLINET	1989	1 800
CLOS RENÉ	1947	1 500

LES VINS DE FRANCE

LA CONSEILLANTE	1990	1 200
	1989	1 100
	1959	1 200
	1949	2 000
COS D'ESTOURNEL	1986	650
	1985	650
	1982	1 350
	1953	1 000
DUCRU-BEAUCAILLOU	1982	1 000
	1961	2 000
L'ÉVANGILE	1990	1 500
	1985	1 000
	1982	1 500
	1975	1 600
	1961	2 000
	1947	5 000
FIGEAC	1990	800
	1982	850
	1964	1 000
	1955	1 100
	1953	900
LA FLEUR DE GAY	1989	1 200
GRAND-PUY-LACOSTE	1982	600
	1949	1 500
GRUAUD-LAROSE	1982	900
	1961	1 700
	1945	2 000
	1928	2 400
HAUT-BRION	1989	3 000
	1961	5 000
	1959	4 500
	1955	2 200
	1953	2 400
	1949	3 000
	1945	7 000
	1928	4 000
	1926	3 500
LAFITE-ROTHSCHILD	1990	1 800
	1988	1 300
	1986	2 000
	1982	2 800
	1959	4 000
	1953	4 000
LAFLEUR	1990	3 500
	1989	2 300
	1982	4 000
	1979	1 500
	1975	4 000
	1966	3 000
	1961	10 000
	1950	12 000
	1949	6 000
	1947	18 000
	1945	10 000

LATOUR	1990	2 600
	1982	3 000
	1970	2 500
	1966	2 200
	1961	6 000
	1949	5 000
	1948	2 500
	1945	10 000
	1928	7 500
	1926	3 500
	1924	3 200
LATOUR A POMEROL	1961	15 000
	1959	5 000
	1950	3 500
	1948	7 500
	1947	10 000
LÉOVILLE-BARTON	1990	500
	1982	700
	1959	1 200
	1953	1 400
	1949	2 000
	1948	2 000
	1945	2 500
LÉOVILLE-LAS CASES	1986	1 000
	1982	1 550
LYNCH-BAGES	1989	620
	1970	1 000
CHÂTEAU MARGAUX	1990	2 800
	1986	1 800
	1985	1 600
	1983	1 700
	1982	3 200
	1953	4 000
	1928	6 000
	1900	25 000
LA MISSION-HAUT-BRION	1989	2 500
	1982	2 000
	1975	4 000
	1961	4 500
	1959	4 500
	1955	4 500
	1953	2 500
	1950	1 500
	1949	3 000
	1948	1 800
	1947	3 000
	1945	5 000
	1929	5 000
MONTROSE	1990	1 500
	1989	500
	1961	1 500
	1959	1 500
MOUTON-ROTHSCHILD	1986	2 600
	1982	3 600
	1961	6 000
	1959	6 000

	1955	4 000
	1953	4 500
	1949	6 500
	1947	12 000
	1945	25 000
PALMER	1989	750
	1983	1 000
	1966	2 100
	1961	4 000
	1945	4 500
	1928	5 000
PETRUS	1990	6 800
	1989	6 500
	1982	8 000
	1975	5 000
	1970	5 000
	1964	6 000
	1961	18 000
	1950	15 000
	1949	10 000
	1948	8 000
	1947	25 000
	1945	25 000
PICHON-LONGUEVILLE COMTESSE DE LALANDE	1986	750
	1982	1 550
LE PIN	1990	7 000
	1983	5 000
	1982	12 000
TROPLONG-MONDOT	1990	900
TROTANOY	1982	1 800
	1975	1 200
	1970	1 500
	1961	6 000
	1945	5 000
VIEUX CHÂTEAU CERTAN	1990	500
	1952	1 200
	1950	2 500
	1948	3 000
	1947	3 500
	1945	4 000
	1928	3 000

INDEX

(Les chiffres en gras renvoient aux « fiches » ou aux développements principaux concernant les producteurs, domaines ou châteaux.)

Quels que soient le soin et l'attention portés à un ouvrage de cette importance, des erreurs ou des imprécisions peuvent à tout moment s'y glisser. Par ailleurs, des domaines peuvent changer de propriétaire, leur coordonnées, leur superficie, leur mode d'exploitation s'en trouver modifiés, etc.

L'auteur et l'éditeur sauraient gré à tout lecteur en mesure de leur signaler ce genre d'information de le faire, par fax, au numéro suivant : 01 44 16 05 19 (référence *Parker*). Merci d'avance.

— • —

Les informations données dans cet ouvrage sont pour une large part le fruit du travail accompli pour la publication de la revue bimestrielle *The Wine Advocate*, dirigée et rédigée par Robert Parker, et qui se veut un authentique guide d'achat des meilleurs vins du monde – et donc un précieux outil de défense du consommateur en la matière.

Tarifs d'abonnement au *Wine Advocate* pour la France et le reste de l'Europe : 85 dollars US pour 1 an ; 155 pour 2 ans ; 225 pour 3 ans.

Toute demande d'abonnement doit être adressée à :
The Wine Advocate, P.O. Box 311, Monkton, MD 21111.
Fax : 00 1 410 357 4504.

Il existe également un site Internet :
http ://www.wine-advocate.com
(serveur géré par la société Ludexpress, Bordeaux.
Tél. : 05 56 00 72 99)

Imprimé en France par Pollina, 85400 Luçon - n° 73198